ISBN 978-1-332-63184-1
PIBN 10325751

1 MONTH OF
FREE
READING

at

www.ForgottenBooks.com

By purchasing this book you are eligible for one month membership to ForgottenBooks.com, giving you unlimited access to our entire collection of over 700,000 titles via our web site and mobile apps.

To claim your free month visit:
www.forgottenbooks.com/free325751

Neue

JAHRBÜCHER

für

Philologie und Paedagogik.

Zweite Abtheilung.

Herausgegeben

von

Rudolph Dietsch.

ERSTER JAHRGANG 1855

oder

der Jahnschen Jahrbücher für Philologie und Paedagogik
zweiundsiebenzigster Band.

Leipzig

Druck und Verlag von B. G. Teubner.

Zweite Abtheilung

herausgegeben von Rudolph Dietsch.

I.

Die Grundlagen der Gymnasialbildung. Rede am Geburtstage des Königs, 12. Decbr. 1854, in der Landesschule zu Grimma gehalten von Rudolph Dietsch *).

— Soll der heutige Tag dazu dienen, dasz wir uns durch Rückblicke in die Vergangenheit der Segnungen, welche uns Gott durch unseren hohen Herscherstamm erwiesen, und der für uns daraus hervorgehenden Pflichten lebendiger bewust werden, welches Verdienst unserer Fürsten liegt da wohl unserer Betrachtung näher, als dasjenige, welches sie sich durch Errichtung, Erhaltung und Ausbildung der Gelehrtenschulen erworben haben? Wir stehen ja hier in einer der Anstalten, deren Gründung in den Annalen der Geschichte als Epoche machend verzeichnet steht, weil durch sie nicht allein Sachsen zu einer Höhe und Tüchtigkeit geistiger Bildung, wie kein anderes Land, emporstieg, sondern weil sie auch das Muster waren, nach dem sich gestaltend, alle evangelische Schulen einen noch immer bestehenden und von ihnen selbst anerkannten Vorzug vor denen anderer Confessionen erlangten. Da auch ihr Wesen umzugestalten der Geist der Zeit mit gewaltigem Andrang versucht hat und auch ferner nicht abstehen wird an ihm zu rütteln, so gilt es vor allem, über das, was sie nach dem Willen der Stifter sein sollten, ein klares Bewustsein zu gewinnen. Je tiefer und inniger wir von der Wahrheit der jene leitenden Gedanken überzeugt werden, um so freudiger wird unsere Wirksamkeit sein und um so vollständiger werden wir die Pflichten erfüllen, welche wir an unserer Stelle dem Könige und dem Vaterlande zu leisten haben. Schenken Sie deshalb, hochgeehrteste Anwesende, mir Ihre gütige Aufmerksamkeit, wenn ich zu zeigen versuche, dasz die Grundlagen, auf welche der grosze Kurfürst Moriz die Gym-

---

*) Der Vf. lässt diese Rede hier nur deshalb abdrucken, weil sie das von ihm in der Gymnasialpaedagogik zu vertretende Princip enthält und demnach gewissermaszen das Programm seiner Wirksamkeit bildet.

nasialbildung gebaut wissen wollte, mit Recht bis auf den heutigen Tag festgehalten worden sind und dasz sie auch ferner bleiben müssen, soll nicht dem Lande ein groszer Segen entzogen werden.

Ist es für jedes Wirken der gröszte Gewinn, wenn ihm ein einiges, klar und fest bestimmtes Ziel gegeben ist, so erkennen wir zuerst die Weisheit des erhabenen Stifters unserer Schule und aller, welche seinem Vorgange folgten, darin, dasz sie den Anstalten nur den Zweck vorschrieben, für die Universität vorzubereiten: den Jüngling zu einer solchen Kraft des Geistes und zu einer solchen Festigkeit des Herzens zu entwickeln, dasz er im Stande sei mit eigener Hand die goldenen Früchte vom Baume der Wissenschaft zu pflücken. In der That nur eine Zeit, welche das Gefühl für die Herlichkeit des Dienens aus freier Liebe verloren hat, konnte Stimmen laut werden lassen, welche die Gymnasien als durch eine solche Zweckbestimmung zu Mägden einer andern Anstalt herabgewürdigt höhnten. Denn kann es wohl ein würdigeres Ziel geben als die Entwicklung des gesammten Menschen für die edelste geistige Thätigkeit? Und ist die Lösung dieser Aufgabe auch nicht, wie das Facit eines Rechenexempels, zu formulieren, so ist doch gewis nicht unklar, was sie fordert und was sie ausschlieszt. Indem sie von einer höhern Anstalt fest abgrenzt und ein von ihnen allein vollständig zu erreichendes Ziel aufstellt, gewährt sie den Gymnasien die gröszte innere Selbständigkeit und Freiheit der Bewegung und Gestaltung. Zwar ist es den Gründern unserer evangelischen Gymnasien gewis nicht in den Sinn gekommen, alle, welche nicht ausschlieszlich den Wissenschaften sich widmen wollten, von denselben auszuschlieszen, aber von allen, welche in sie einträten, forderten sie dasselbe und boten allen dasselbe. Freilich war damals noch nicht eine so grosze Zerspaltung im Leben vorhanden als jetzt. Man kannte keine andere Bildung, keine andere Zurüstung des Geistes für die höheren Kreise des Lebens, als die, welche in den Gehrtenschulen gegeben wurde. Jetzt sind eine Menge neuer Bildungselemente erschlossen worden, jetzt fordert man eine höhere Bildung von Ständen, von denen man sie damals nicht verlangte, jetzt ist für die meisten Berufsarten des gewöhnlichen Lebens eine weit ausgedehntere und tiefere Vorbereitung nothwendig, als früher. Haben denn nun aber deshalb die Stimmen Recht, welche entweder eine Erweiterung des Zweckes der Gelehrtenschulen fordern, damit sie auch solchen, welche nicht studieren wollen, Bildungsstätten werden können, oder zwar die Zwecke getrennt wissen, aber dennoch zwei Anstalten vereinigt auf gleichem Grunde ruhend und erst dann je länger, je weiter auseinander gehend wollen? Mag man dies thun, wo es die Nothwendigkeit erfordert, aber will man die Forderung zu einer allgemeinen machen, so verberge man sich nicht die dabei zu fürchtenden Gefahren. Wer vielen dienen will, dient ja leicht keinem recht und ist es einerseits offenbar, dasz je früher eine Richtung eingeschlagen und je bestimmter und fester sie verfolgt wird, man desto leichter und sicherer zum Ziele kommt, so wird anderseits durch die Erfahrung der grose Schaden bestätigt, welcher daraus erwächst, wenn man die Jugend zeitig in Schwanken oder doch in Reflexion über ihren Bildungsweg versetzt. Kann aber dieses ganz verhütet werden, wenn man verschiedene Zwecke Verfolgende als gleich neben einander stellt? Wäre jedoch auch dies nicht, verringert man nicht mindestens den Segen, der aus dem Bewustsein éines Ziels und éines Strebens für Lehrer und Schüler hervorgeht? Ist nach der Beschaffenheit der menschlichen Natur Zwiespalt kaum zu vermeiden, wenn Leute verschiedenen Berufes in éinem Raume sich vereinigt sehen, musz man nicht, wenn auch vielleicht nicht Zwietracht, so doch Unbehagen fürchten, wenn verschiedenes Erstrebende als Glieder einer und derselben Anstalt dastehen sollen? Wir empfinden es demnach mit lebhafter Dankbarkeit, dasz durch die Weisheit unserer Fürsten und ihrer erleuchteten Rathgeber in Sachsen noch Gymnasien bestehen, welche dem Zwecke, zu dem sie gegründet wurden, nicht nur nicht entzogen sind, sondern éin Ziel mit allen Kräften in einträchtigstem Streben verfolgen können, nicht mehreren getheilt und unbefriedigt nachzujagen sich gezwungen sehen. Und erkennen wir dies an, wie sollten wir nicht an die Erreichung jenes freudig alles setzen, wie sollten wir nicht zu jener Bescheidenheit und Begeisterung verschmelzenden Seelenstimmung gelangen, dasz wir nicht mehr, aber auch nicht weniger wollen?

Noch weit heller leuchtend tritt uns die Weisheit der erhabenen Stifter unserer Gelehrtenschulen entgegen, wenn wir den Weg betrachten, den sie denselben zur Erreichung ihres Zweckes vorzeichneten. Wer die Stiftungsurkunden aufmerksam durchgelesen hat, wird damit übereinstimmen, dasz man ihre Grundgedanken nicht kürzer und treffender zusammenfassen kann, als in den Worten, welche der ehrwürdige Meister Sturm vor länger als 300 Jahren über die Eingangspforte seiner Schule schrieb: 'Sapiens atque eloquens pietas.' Pietas ist das Hauptwort. Die Frömmigkeit sollte das erste und letzte, sollte der Grundzug der Bildung sein, welche der Jüngling aus diesen Anstalten mitnähme, sollte sein ganzes Fühlen, Denken und Thun durchdringen. Frömmigkeit aber war jenen Vätern der Reformation nicht ein dunkles religiöses Gefühl, ein bloszes Sichhingezogen empfinden zum Göttlieben oder eine gewisse Scheu vor Unrechtthun und gutmüthige Nächstenliebe, sondern das feste und lebendige Stehen in Gottes Wort. Sie kannten keine Tugend auszer die um Gottes willen geübt würde, keine Liebe, die nicht aus dem Glauben stammte, keine Hoffnung, auszer die sich auf Gottes Gnade verliesze. Nach ihrem Willen sollte daher die Jugend•in Gottes Wort fleiszig gelehrt und unterwiesen, zum Gebete um den heiligen Geist angehalten, in christlicher Zucht geübt werden. Wer da meinen sollte, dasz eine wahre höhere Bildung des Geistes ohne Christenthum möglich sei, den dürfen wir, wenn ihn des alten Griechenlands und Roms Untergang nicht überzeugen sollte, nur auf die englischen Schulen in Ostindien verweisen, in welchen die Hindujugend alles, nur nicht

den Christenglauben lernt. Die in ihnen gebildeten Jünglinge sind
lügnerischer, ausschweifender, boshafter, als alle ihre Brüder und
haben nur mehr Mittel zur Befriedigung und Beschönigung ihrer Tücke
gewonnen. Gott sei herzlichst gedankt, dasz die Ueberzeugung, wie
der Mensch ohne Glauben, und hätte er die höchsten Stufen menschlichen Könnens und menschlichen Wissens erklimmt, für sich selbst
der elendigste sei und für die Mit- und Nachwelt niemals ein Segen
werden könne, in unseren Tagen sich wieder allgemeiner, lauter und
entschiedener ausspricht! Gott sei herzlichst gedankt, dasz die Erkenntnis, wie man der Jugend durch nichts anderes die Kraft zur
Ueberwindung der Welt und zum treuen Dienste am Nächsten geben
könne, als indem man sie zu Christi Kreuze hinführt, wieder mächti-
gern Einflusz gewonnen hat! Wir brauchen nicht diejenigen anzuführen, welche Vernichtung des Christenthums und zwar zunächst in
den Schulen offen als ihren Zweck aussprachen. Sie haben am wenigsten, auszer sich selbst geschadet. Aber bezeuget nicht eben jenes
lautere Dringen auf die Christlichkeit der Schulen, bezeugt nicht der
Umstand, dasz man besondere christliche Gymnasien errichten zu
müssen geglaubt hat, bezeugen nicht die an den Zöglingen wahrge-
nommenen Früchte, dasz es geheimere Feinde gibt, denen es gelungen, das, was die Stifter unserer Schulen als das erste und wichtigste
betrachteten, unmerklicher zu verkürzen und zu verdrängen? Wie
sollten wir also nicht die überschwengliche Gnade Gottes preisen, dasz
unsere Fürsten unseren Schulen, obgleich auch in sie der Geist des
Widerparts unter verschiedenen Gestalten sich einzudrängen versuchte,
den christlichen Charakter nicht rauhen lieszen? Und wer da weisz,
was es heiszt in der Gemeinschaft einer Kirche stehen, wer des Vorzugs, welche unsere Kirche durch die Reinheit der Lehre und des
Sacraments besitzt, sich recht bewust ist, und wahrnimmt, welche
tiefe Wunden in manchen Ländern die Zerreiszung des kirchlichen
Bandes geschlagen hat, der musz in dankbarster Freude seine Kniee
beugen, dasz unsere Schulen nicht blos christlich, sondern evange-
lisch-lutherisch sind. Als solche hat Kurfürst Moriz die Landesschu-
len und unter seinem Schutz, Rath und Beistand die Väter ihre Stadtschulen gegründet, solche sind sie unter der Obhut unserer erhabenen
Regenten geblieben, ja evangelisch-lutherische sollen sie mit Gottes
Hilfe bleiben. Dasz dies also werde, dazu ist wol das wichtigste ein
kirchlicher, das Wort Gottes rein und lauter verkündender und in
die Herzen hinein predigender Religionsunterricht, das tägliche Gebet
und das Führen der Jugend ins Gotteshaus und zu dem Tische des
Herrn, aber wird dies allein ausreichen, wenn nicht derselbe Geist
das Ganze durchdringt? Man sagt freilich, es gibt keine christliche
Mathematik, keine christliche Grammatik usw., und man musz uner-
kennen, dasz gewisse Wissenschaften nicht in unmittelbarer Beziehung zum Christenthum stehen. Aber der Herr selbst sagt: wer nicht
mit sammelt, der zerstreut, und es gibt, es gibt eine unchristliche
Art jede Wissenschaft zu lehren und zu treiben. Wo das Herz mit

der stolzen Befriedigung durch Erkenntnis irdischer Wahrheit erfüllt und durch Vielwissen gebläht, wo der Geist an oberflächliches Auffassen, an willkürliches Zurechtlegen, Deuten und Zusammenreimen, an vorschnelles und leichtsinniges Urtheilen, an Zerstreuung und Flatterhaftigkeit gewöhnt wird, da geschieht dem Evangelium Abbruch. Denn dieses fordert demüthige Aufgabe der eignen Weisheit, williges und ernstes Vertiefen, völlige Aneignung ohne eigne Zuthat, ohne Weglassung und eigne Begründung, auszer auf dem Grunde, der in ihm selbst gelegt ist. Es könnte nur schaden, wollte man überall das Wort Gottes mit Gewalt herbeiziehn, durch Vergleichung mit allem seine Erhabenheit beweisen, alles auf dasselbe zurückführen und an demselben messen. Ein solches Stürmen und Drängen würde ebenso sehr für das Christenthum die Gemüther abstumpfen, wie die Lust und Kraft zu allem anderen nützlichen schwächen, ebenso der Würde des Evangeliums Eintrag thun, wie zu lieblosem Urtheilen über alles irdische und weltliche führen. Je objectiver und concreter jede Wahrheit dem Schüler entgegentritt, je fester er zu der völligen Aneignung derselben geleitet, in je gründlicherem, ernsterem Denken er geübt wird, um so mehr wird dem Glauben gedient, der einmal im Herzen lebendig, alles mit seinem Lichte durchdringt. Und wie denn überall das Beispiel am wirksamsten ist, welches Fach auch der Lehrer vertrete, so musz er seinen Schülern gegenüberstehen, dasz sie ihn sich ohne festen Bibelglauben, anders als sein Reden, Denken und Thun aus dieser Quelle schöpfend gar nicht denken können. Kann es etwas herlicheres und erhabeneres geben, als eine Lehrergemeinschaft, die einig ist durch das Band der Liebe zu Christo alles zu Gottes Ehre zu thun und von ihm allen Segen zu erwarten, die sich in inniger Verbindung weisz mit dem groszen Ganzen der Kirche und wie sie dieser eifrig dient, so von ihr Licht, Kraft, Trost und Erquickung empfängt? Welche Kraft wird der Unterricht einer solchen auf die ihr anvertraute Jugend üben, und wie wird in ihrer Zucht sich der Ernst des Gesetzes mit der geduldigen, sanftmüthigen Liebe zu einem Ganzen verbinden? Eine solche Lehrergemeinschaft sollen wir sein. Dies wollte Kurfürst Moriz, dies will auch sein erhabener Nachkomme, unser jetziger König. Denn er weisz ja, dasz wer seiner Kirche untreu wird, auch zum Verrathe an der weltlichen Ohrigkeit fähig ist und dasz ihm am besten geholfen ist mit Dienern, die fest im Glauben, unbewegt von jedem Winde der Meinung, um Gottes willen unterthan sind. Dazu aber kann uns die Kraft nicht aus uns, nicht von Menschen kommen, sondern von dem heiligen Geiste Gottes allein und das herzliche Seufzen und Ringen um sein Kommen ist deshalb die erste Bedingung einer gesegneten Wirksamkeit.

Das, was böswillige von den Schulen, die sich christliche nennen, denken und reden, es werde in ihnen nur gepredigt und gebetet, aber nicht gearbeitet, es werde die Jugend für den Himmel erzogen, aber ungeschickt für die Welt gelassen, es walte in ihnen ein trüber freudeloser, nicht ein lebensfrischer fröhlicher Geist, das lag wenig-

stens von der Absicht der Stifter unserer Schulen ganz fern. Der
Grundsatz Melanchthons: 'in der Welt, nicht von der Welt' erfüllte
ihr ganzes Thun. Dasz sie stets zum Himmel schauten, schwächte ihren
Blick nicht für die Erde und stets an Gott denkend, versäumten sie
wissentlich keine irdische Pflicht und verschmähten keine irdische
Freude, die sie mit gutem Gewissen und Danksagung genieszen konnten. Und so wollten sie denn auch, dasz die Jugend der Schulen
nicht allein in Gottes Wort fest, sondern auch zu nützlichen weltlichen Wissenschaften geschickt gemacht würden; sie setzten zum
ora das labora, und gesellten der pietas die sapientia und die eloquentia bei. Es versteht sich von selbst, dasz damit nicht jene vollkommene Weisheit gemeint sei, welche nur die Frucht der umfas-
sendsten Forschung, des längsten tiefsten Denkens und der vielseitigsten Erfahrung sein kann; ebenso, dasz die von ihnen im Sinne
gehabte Beredtsamkeit nicht jene vollkommene Meisterschaft über das
Wort sein kann, welche die gröszte Fülle und Tiefe der Gedanken
und Anschauungen voraussetzt, noch weniger jene Dreistigkeit, welche ohne Zögern über alles einen Wortschwall auszugieszen versteht;
es ist darunter nur die zum völligen Eigenthume gewordene richtige
Methode klaren Denkens und die Befähigung dem erfassten und gedachten angemessenen Ausdruck zu verleihen verstanden. Sehen wir
nun auf die Lehrpläne jener Zeit, so finden wir in denselben auszer
und neben der Religion fast nur solches, was Fertigkeit verleiht, dem
Wissen ist nur ein sehr beschränkter Baum angewiesen; wir sehen
die ganze Kraft des Schülers fast nur von einem einzigen Gegenstande
hingenommen; von der Vielheit und Buntheit der Lehrfächer, wie sie
jetzt in so vielen Schulen zur Schau getragen wird, zeigt sich keine
Spur. Wir können dabei zwar keineswegs in Abrede stellen, dasz
seit der Reformation die Wissenschaft und der Verkehr viele Gebiete
erschlossen und erobert haben, in denen gänzlich unbekannt zu sein
dem gebildeten Jüngling zum Nachtheile und zur Schande gereichen
würde, ebenso, dasz jeder einzelne wissenschaftliche Beruf jetzt
Kenntnisse verlangt, von denen die damalige Zeit keine Ahnung hatte,
aber da Jahrhunderte lang die sächsischen Gelehrtenschulen allgemein
als diejenigen erkannt worden sind, welche die tüchtigste Jugendbildung verliehen, da derjenige sich offenbar versündigt, welcher das,
was die Väter für das heilsamste erkannt, leichtsinnig wegwirft,
wenn es nicht durch offene und deutliche Gründe als falsch erwiesen
oder durch besseres ersetzt ist, so haben wir die Verpflichtung, darnach zu fragen, ob denn unsere Vorfahren Recht gehabt, wenn sie auf
das Wissen einen geringern Werth gelegt, als auf das Können, wenn
sie einer einseitigen Beschränkung vor einer weiten Vielseitigkeit
den Vorzug gaben. Es ist ein höchst schädlicher, aber leider weit
verbreiteter Wahn, dasz die Jugend vieles leicht und spielend erlerne,
erklärlich daraus, dasz man die Anstrengung nach der Zeit, welche
zu ihrer Vollbringung gehört, und nach den sichtlich wahrnehmbaren
Spuren derselben miszt. Man betrachtet in Folge davon wol die Seele

wie ein dehnbares Gefäfz, in welches man beliebig hineinfüllen könne, das wenn es noch so viel fasse, nicht an Haltbarkeit verliere. Man kann und musz der Jugend etwas zumuthen, es ist thörichte Affenliebe, wenn man von jedem Lernen, was sie nicht spielend vollbringt, eine Gefahr fürchtet. Aber man darf nicht vergessen, dasz die Seele nichts ohne Anstrengung in sich aufnimmt und festhält, und dasz gerade je mehr man sie dazu zwingt, je mehr man namentlich n i c h t oder nicht vollständig verstandenes und begriffenes, oder nicht durch fortwährende Verwendung befestigtes ihr aufbürdet, man um so mehr ihre Kraft für ihren edelsten Beruf, das Denken, mindert, und die Erfahrung kann jeden überzeugen, dasz die Gewöhnung an ein Vielerlei und raschen Wechsel der Beschäftigung ihr leicht die Möglichkeit raubt, bei irgend etwas mit ausdauernder Anstrengung zu verweilen. Jenem Wahne aber scheinen diejenigen verfallen, welche begehren, dasz die Jugend möglichst bald und möglichst viel wisse. Nicht theilten ihn die ehrwürdigen Stifter unserer Schulen, welche wollten, dasz erst die Seelen gekräftigt würden, ehe man ihnen die Auffassung der groszen Menge wissenswerther Gegenstände zumuthe. Man verläszt sich freilich wol auf 'gute Unterrichtsmethode' und in der That zauberhaft kann deren Wirkung sein, aber hinter dem glänzeuden Schein verbirgt sich oft der Wurm des Todes und die Natur der Seele vermag kein Mensch zu ändern. Ein unbestreitbar richtiger Satz ist ferner, dasz die Jugend lernen müsse, was sie dereinst im Leben brauche, aber man gibt ihm die verkehrteste Anwendung, wenn man aus ihm die Folgerung ableitet, dasz jedes, was in einem praktischen Berufe zu wissen einmal wünschenswerth erscheinen könne, in der Schule zu berücksichtigen sei. Man würde dabei endlich dahin kommen, dasz die Jugend a l l e s lernen müsse, eine Aufgabe, die zu lösen menschlicher Kraft unmöglich ist. Will man die Forderung auch auf gewisse Berufsarten und auf ihre häufiger vorkommenden oder allgemeinen praktischen Bedürfnisse beschränken, so wird man immer entweder alle zu lernen zwingen, was nur einigen dient, oder die Anstalten in viele Fachschulen zerfällen müssen. Unseren Voreltern war es gewis nicht verborgen, dasz die akademische Laufbahn nicht unwesentlich erleichtert werde, wenn der Studierende gewisse specielle Vorkenntnisse für seinen Beruf mitbringe, aber sie erkannten aufs deutlichste, dasz eine Schule nur das lehren könne und dürfe, was allen gleicherweise dienlich sei, und dasz es eine gemeinsame Grundlage gebe, die keinem fehlen dürfe, welcher dereinst im Reiche des Geistes durch irgend eine Wissenschaft zu wirken berufen sei, dasz je fester und sicherer diese sei, um so gewisser die besten und schönsten Früchte zur Reife kommen werden. Wol umfasst diese Grundlage auch gewisse allgemeine Kenntnisse, aber das Wissen ist todt, wenn nicht die rechte Verwendung hinzutritt. Keine Wissenschaft, welchen Namen sie auch führt, wenn sie nur den der Wissenschaft mit Recht trägt, kann verstanden werden, ohne die Fähigkeit jedes geistige ganz und voll aufzufassen, die Begriffe scharf zu son-

dern, das gleichartige zu verbinden, aus dem besondern das allgemeine zu erkennen, die Gründe sich deutlich zu machen und an das
gegebene selbständig denkend anzuknüpfen. Und wer hätte nicht im
Leben die Beobachtung gemacht, dasz ein Mann von dem ausgebreitetsten und vielseitigsten Wissen dennoch an keiner Stelle brauchbar
sein kann, während der, welcher scharf zu denken geübt ist, auch
bei geringeren Kenntnissen sich viel nützlicher, als jener erweist,
dasz also der rechte Praktiker nicht der ist, welcher viel weisz, sondern welcher viel kann. Ohne jene Fähigkeit ist also das Wissen ein
werthloser Besitz, mit dieser aber wird sich jeder ebenso leicht das
fehlende aneignen, wie das brauchbare und nothwendige von dem
unwichtigeren und nutzlosen scheiden. Hatten also die Stifter unserer
Schulen Recht, wenn sie die sapientia und ihre Folge und Bewährung,
die eloquentia, als das wichtigste in der Vorbildung derer, die im
Reiche des Geistes zu wirken berufen seien, ansahen und dagegen das
Wissen als das später leichter und sicherer zu gewinnende zurück-
stellten? Betrachten wir nun die Mittel, wodurch jene Güter erworben werden sollten. Des Geistes Verkörperung ist die Sprache. Wie
es unmöglich ist ohne das Verständnis dieser seiner Erscheinungsform
und von deren Gesetzen etwas von ihm zu begreifen, so ist wiederum
nur das eine wirkliche vollkommene Schöpfung von ihm, was in dem
Inhalte entsprechender sprachlicher Form ausgeprägt ist. Es ist eine
wunderbare geheimnisvolle Verbindung zwischen Sprache und Geist,
wie zwischen Seele und Körper, aber eben deshalb auch über allem
Zweifel erhaben, dasz nichts so sehr das Wesen und Wirken des
Geistes erschlieszt und nichts so sehr wiederum seine Thätigkeit
weckt, übt und regelt, als das Studium einer Sprache, nicht der
Muttersprache, weil in ihr der Mensch das richtige zu finden und zu
thun gewohnt ist und deshalb von einer zergliedernden Reflexion Störung der geistigen Unmittelbarkeit die Folge sein musz, sondern einer
fremden, weil hier eine Schöpfung des Geistes zu ihrer Aneignung
bis in die ersten Anfänge zurück und in regelrechtestem stufenmäszi-
gem Fortschreiten verfolgt werden musz. Seine edelsten und besten
Schütze legt ferner der Geist nieder in den Litteraturen der Völker.
Sie sind nicht die Werke einzelner, sondern in ihnen sind die Blüten
der Bildung ganzer Stämme, die Errungenschaften ganzer Zeitalter
niedergelegt. Alle erhabenen und groszen Ideen, alle Anschauungen
und Empfindungen, alles Glauben, Lieben und Hoffen, kurz das ganze
geistige Leben und Wesen spiegelt sich in dem wieder, was wir Litteratur nennen. Was vermag nun wohl besser den Sinn des Jünglings auf das ewig wahre, schöne und gute zu richten, was mehr sein
Herz zu veredeln, kurz was mehr ihn über das Alltagsleben zu den
höchsten Stufen der Menschheit emporzuziehen, als die Beschäftigung
mit dem erhabensten und besten, was der menschliche Geist hervorgebracht? So finden wir denn Grund genug die Weisheit unserer
Väter zu bewundern, dasz sie das Studium der Sprachen und der
Litteraturen als die beste Vorbildung dessen ansahen, der einst ein

Führer und Leiter anderer im Reiche des Geistes sein sollte. Sie
wählten dazu die alten Sprachen und vorzugsweise die lateinische.
Vielleicht nur weil damals die neueren Sprachen noch roh und ungeschickt und in ihnen keine classischen Litteraturwerke vorhanden
waren? Wir können darauf nicht mit einem einfachen Nein antworten, weil das Vorhandensein jener Thatsache sich nicht ableugnen
läszt. Wir müssen auch anerkennen, dasz jetzt nicht mehr, wie
damals alle Wissenschaften aus den Alten als ihrer unmittelbaren
Quelle schöpfen und dasz die lateinische Sprache damals eine Bedeutung für das Leben hatte, welche ihr jetzt nicht mehr beizulegen ist,
dasz sie das einzige Verkehrsmittel zwischen den Völkern verschiedener Zunge, ja die alleinige Sprache der Wissenschaft war. Aber
fragen wir nun, warum denn, auch nachdem sich längst die Sprachen
der neueren Völker zur Schönheit und Angemessenheit der Form für
alles geistige ausgebildet, nachdem in ihnen längst Litteraturen geschaffen, die sich den alten als ebenbürtig zur Seite stellen, doch
immer das Studium der Alten seinen Platz in der Jugendbildung behauptet hat, so können wir den Grund nicht in einem gedankenlosen
Hangen an dem hergebrachten und gewohnten, sondern in dem uner-
setzbaren Nutzen derselben vermuthen. Und in der That der Jüngling wird hier zuerst in eine Litteratur eingeführt, in welcher alles
das enthalten ist, was die Menschheit sich zuerst schaffen und aneignen muste, um überhaupt zu einer höheren menschlichen Bildung und
Gesittung zu gelangen. Durch ihr Studium werden die Grundlagen gewonnen, auf welchen unsere heutige Bildung wesentlich mit aufgebaut
ist, die jeder besitzen musz, welcher diese sich aneignen, ja sich
auf die Höhe derselben emporschwingen will. Zweitens sind die Sprachen der Alten zu einer so festen und klaren, aber die freie Bewegung des Geistes nicht hemmenden Gesetzmäszigkeit ausgebildet, wie
keine andere sich rühmen kann und es haben die Alten ihren Schöpfungen eine so vollkommen dem Inhalte entsprechende, Kraft und
Würde mit Anmuth und Lieblichkeit, Lebendigkeit und Beweglichkeit
mit Ruhe und Ernst vereinende, in allem so streng und doch so natürlich das rechte Masz haltende Form aufgeprägt, dasz sie für alle Zeiten als unübertreffbare Muster dastehen. Und endlich drittens steht ihre
Bildung unserer Zeit so fern und ist von der unsrigen so wesentlich
verschieden, dasz die Beschäftigung mit ihnen die trefflichste und
allseitigste Uebung des Geistes bildet. Um dies zu beweisen, dürfen
wir zuerst nur hinweisen auf den ungeheuern umgestaltenden Einflusz,
den seit der Mitte des 14. Jahrhunderts das sogenannte Wiederaufleben der Wissenschaften, d. h. die Wiederzurückführung der alten
Litteraturen ausgeübt hat. Wer einmal erkannt hat, wie diese Erscheinung nach dem Zerfallen der in sich herlichen und glanzvollen
Cultur des Mittelalters der in allen Gebieten des Lebens eingetretenen
Erschlaffung, Zerrissenheit, materiellen Selbstsucht und Maszlosigkeit entgegentrat und einen neuen frischen Hauch geistigen Lebens
verbreitete, und wie die antike Bildung einer der Factoren wurde,

durch welche das Product einer neuen sich bildete, der kann nicht in
Zweifel darüber sein, dasz sie noch jetzt bildende Elemente in Fülle
bietet. Wer da fürchtet, dasz durch die alten Schriftsteller die Jugend vom Christenthume abgezogen werde, der kann im Ernste nur
die Ueberschätzung, nur die heidnische vom christlichen Geiste nicht
durchdrungene Beschäftigung mit denselben als gefährlich betrachten.
Denn um darauf das geringere Gewicht zu legen, dasz wir im Alterthume Zügen einer so innigen Sehnsucht nach Gott, einer so tiefen
Ehrfurcht vor dem heiligen, einer so freudigen Selbstentäuszerung und
Selbstüberwindung, ja einer so vorgeschrittenen Erkenntnis finden,
dasz ein Christ wol durch sie beschämt und erweckt werden kann,
wie denn Augustinus bekennt, dasz das Lesen einer heidnischen Schrift
das erste Mittel zu seiner Bekehrung gewesen sei, — um darauf also
das geringere Gewicht zu legen, musz nicht gerade das unbefriedigte
Ringen und Suchen, das Verlassensein, das trostlose Versinken in
den Verfall trotz der edelsten Bemühungen und Schöpfungen das
Evangelium durch den Gegensatz um so herlicher erscheinen lassen und
dem Herzen um so theurer machen? Dasz die Alten durch einzelne
Stellen einen entsittlichenden Einflusz ausüben müsten, kann nur der
behaupten, welcher meint alles verführende von der Jugend fern halten zu können und nicht erwägt, dasz die Alten derselben ganz anders gegenüberstehen, als die modernen Giftverbreiter und Lasterver-
mehrer. Glaubt man in den Alten Anschauungen zu vermissen, welche
der Jugend zeitig vorgehalten werden müsten, so vergiszt man einerseits, dasz dieselben ja von anderer Seite her an jene herantreten,
andererseits, dasz für jene nichts mehr heilsam ist als das Zurückzie-
hen in einen enger beschränkten, aber mit aller Energie bearbeiteten
Schauplatz geistigen Wirkens. Wenn endlich jemand die Ansicht
hegen sollte, dasz aus den Alten genug in die neuen Litteraturen
übergegangen sei, dasz man sich aus Uebersetzungen ihres Inhaltes
in genügender Weise bemächtigen könne, so übersieht er, dasz der
Geist eben nur in der Form, in welcher er sich selbst offenbart hat,
vollständig verstanden und begriffen werden kann. Wer dann zweitens nicht aus eigner Anschauung die Mustergiltigkeit der alten Schriftsteller kennt, dem werden, wenn er überhaupt zu einem Urtheile
fähig ist, die Aeuszerungen dankbarer Ehrfurcht, welche die Meister
unserer deutschen Litteratur: ein Klopstock, Lessing, Goethe, Schiller, anderer nicht zu gedenken, gethan haben, gewis als eine Bürgschaft für dieselbe gelten. Aber wollen wir den Gewinn, welchen
der Inhalt und die Schönheit der alten Litteratur bieten, fallen lassen,
die Zucht des Geistes, welche die Beschäftigung mit ihr gewährt,
wird sie allein in der Jugendbildung als wichtiges Mittel halten. Einer
unserer tiefsten Denker, dem man wahrlich nicht Einseitigkeit und
Unbekanntschaft mit den weiten Reichen des Wissens zum Vorwurfe
machen wird, Schelling sagt: 'In der That nichts, selbst nicht
der Unterricht in den mathematischen Wissenschaften, der zwar an
ein nothwendiges stufenweises Fortschreiten, aber nicht ebenso zu-

gleich an freie Bewegung gewöhnt, kann jene strenge, Dünkel und
falsche Einbildung frühzeitig niederhaltende Zucht des Geistes, jene
Gewöhnung an Stetigkeit und gleichmäsziges Fortschreiten ersetzen,
welche ein gründlicher Unterricht in den alten Sprachen gewährt.'
Es lieszen sich Stimmen von Männern, welche als die ausgezeichnetsten Förderer der realen Wissenschaften allgemein anerkannt sind,
in Menge anführen, welche alle den reichen den klassischen Studien
verdankten Gewinn auf das freudigste rühmen, und wenn hier und
da mancher, der selbst durch diese Schule hindurch gegangen, den
Werth der genossenen Vorbereitung für seinen Beruf verkennt, so
kann man darin nur den Mangel des Bewustseins über den eigenen
Bildungsgang finden. Dasz endlich diese Zurüstung des Geistes jedem
praktischen Interesse dient, könnten wir durch Hinweisungen auf
die ausgezeichneten Staats- und Geschäftsmänner des englischen Volkes darthun, aber wir haben einen für uns viel bedeutsameren Zeugen, Sr. Majestät unsern König. Wer hätte nicht in ihm· längst
vor seiner Thronbesteigung den Fürsten im Reiche des Geistes, den
tiefsten Kenner des Rechts und der Geschichte, den einsichtsvoll-
sten Staatsmann, den gründlichsten Beurtheiler der Kunst, den glück-
liebsten Nachbildner des tiefsinnigsten Gedichtes geehrt? Und mit
welchem Fleisze hat er, der für den Thron geborene, das Studium der Alten getrieben und wie kehrte er nicht mitten unter den
wichtigsten und bedeutungsvollsten Arbeiten zu seiner Erquickung
und Kräftigung zu demselben zurück! Freilich kann es uns nicht
wunder nehmen, wenn unsere dem Genusse nachjagende, nur das unmittelbar zu verwendende oder besser in Geld umzusetzende achtende,
dem materiellen Streben verfallene Zeit einen Weg nicht begreifen
kann, der langjährige Mühe mit einem längstvergangenen Zeitalter
fordert. Noch mehr. Der hohlen Oberflächlichkeit, der vermessenen
Selbstüberschätzung, der leichtsinnigen Zerstörungs- und Zertrüm-
merungssucht musz eine Erziehung zuwider sein, die den Geist
demüthigt, ihn an gründliches Auffassen und Forschen gewöhnt, ihn
mit Ehrfurcht vor den Weisen der Vorzeit, mit Begeisterung für das
ewig wahre und schöne, mit Aufopferungsfähigkeit für die ideellen
Interessen erfüllt. Was vor dem Kirchentage in Elberfeld ein gewis
vorurtheilsloser Redner aussprach: 'Welchen ärgern Feind hat die
christliche Bildung, als die ausschlieszliche Richtung der Geister auf
das handgreifliche, auf den Bedarf des sinnlichen Lebens, als den
Utilitarismus, der vom Materialismus ausgeht und im Materialismus
endet? Und was kann dieser Richtung stärker vor und neben dem
Evangelium entgegenwirken als eine zu liebender Vertrautheit sich
erhebende Beschäftigung der Jugend mit dem Unterrichtsgegenstande,
der weiter als alle andern abliegt von der Möglichkeit im Alltags-
dienst des Lebens verbraucht zu werden, mit den Alten? Das christliche Volk sollte den Dienst nie vergessen, den ihm und seinen Heilig-
thümern gegen das Versinken in jene Richtung und in die daran
hangende chinesische Erstarrung noch vor zwei Menschenaltern die

Classiker, der Humanismus geleistet haben und fort und fort leisten'
musz dies nicht als für alle höheren Interessen der Menschheit geltend
anerkannt werden? Ja glänzend strahlt uns die Weisheit des Kurfürsten Moriz und seines Zeitalters entgegen daraus, dasz sie das
Können über das Wissen stellten, dasz sie für jenes das geeignetste
Mittel wählten und dafür treulich sorgten, dasz aus ihm durch stetige
unablässige Beschäftigung die rechte, volle, reife Frucht hervorgehen
könne. Wol haben unsere Schulen vieles neue in sich aufnehmen
müssen, wol ist dadurch die Concentration erschwert worden, aber
wir wissen zu unsrer Freude, wie auch unsre gegenwärtige Regierung
darauf den gröszten Werth und Nachdruck legt, dasz die Jugend durch
uns zu jener sapientia und eloquentia gebildet werde, welche die Vorfahren als die herlichste Frucht der weltlichen Erziehung ansahen.
Viel, ja das meiste liegt in unsrer Hand. An uns wird es liegen, ob
aus dem Studium des Alterthums und aller übrigen Unterrichtsfächer
kräftiges Denken und Können oder todtes Wissen hervorgeht, ob die
Jugend gewöhnt wird, jede Viertelstunde von etwas anderem zu na-
sehen oder anhaltend und gründlich mit éinem sich zu bemühen, ob
sie in éiner Sache eine relative Meisterschaft und das aus ihr hervorgehende Bewustsein empfängt oder zum Pfuschen in vielem geleitet
wird. Wie können wir die Ehrfurcht und Liebe zu unserem erhabenen
Könige besser beweisen, als wenn wir die Jünglinge, die seine Sorge
unserer Hand anvertraut, nach dem Vorbilde zu erziehen eifrig trachten, das er selbst gegeben hat und gibt? Auch für Euch, geliebte
Schüler, hat es grosze Bedeutung, dasz auf dem Throne ein Herscher
sitzt, der die Bildung, welche Ihr Euch erwerben wollt und sollt, sich
in reichstem Masze selbst angeeignet hat und welcher einst an unserem Jubelfeste durch Wort und That bewies, welch ein Herz er
habe für die Jugend des Vaterlands und wie hoch er die Erziehung
zur Frömmigkeit, Weisheit und Kunstfertigkeit schätze. Möge Euch
dies eine Stütze sein gegen die manigfaltige, sich der gleisnerischsten
Vorwände bedienende Verlockung von innen und auszen, welche Euch
den Weg, auf dem Ihr allein zu den edelsten Geistesschätzen gelangen
könnt, verleiden will. Je fester und entschlossener Ihr diesen Pfad
wandelt, mit je lebendigerer Liebe und Begeisterung Ihr gegen die
Euch aufstoszenden Hindernisse ankämpft, je frömmer und fleiziger Ihr
seit, je gewissenhafter Ihr Euch im Gehorsam übt, desto besser wer-
det Ihr an Eurer Stelle bezeugen, dasz Liebe und Ehrfurcht zu unserem erhabenen Monarchen Eure Brust beseelt. Und diese Liebe und
Ehrfurcht wird Euch auch zu einem anderen antreiben. In den ersten
Zeiten der Schule unterschrieb jeder Alumnus bei seinem Eintritt folgendes Angelöbnis: 'Ich bekenne mit dieser meiner Handschrift,
nachdem der durchlauchtigste hochgeborne Churfürst und Herr, mein
gnädiger Herr, mich aus Gnaden in die Schule zu Grimma hat nehmen
lassen, dasz ich seiner Gnade zugesagt habe, zusage und verspreche,
dasz ich diese Zeit über, weil ich in der Schule bin, Gott fleiszig
bitten will um der ganzen Christenheit und seiner churfürstlichen

Gnaden Wohlfahrt.' Ist Euer Verhältnis zu dem Landesfürsten ein anderes geworden? Verdankt Ihr dem Könige und seinem Hause weniger das unzählige gute, was Ihr hier geniezst, ist des Königs Heil weniger Euer und Eures ganzen Volkes Heil? Unterschreibt denn dies Angelöbnis in Euren Herzen und stimmt auch heute mit herzlicher Andacht in das Gebet, das wir jetzt darbringen. —

2.

Englische Litteratur.

Sammlung englischer Schriftsteller mit deutschen Anmerkungen. Herausgegeben von Ludwig Herrig. Berlin. Verlag von Th. Chr. Fr. Enslin. 1853.

Vorliegende von dem rühmlichst bekannten Herausgeber des Archivs für neuere Sprachen veranstaltete Sammlung ist gewis von jedem Freunde englischer Litteratur mit Freuden begrüszt worden. Angeregt, wie es scheint, durch den Vorgang der Sammlung griechischer und römischer Klassiker von Haupt und Sauppe und nach demselben Principe angelegt, entspricht sie nach Zweck und Plan vollkommen dem Bedürfnis der Zeit. Dieser ist, wie sich Herrig in der Vorrede darüber ausspricht, einen guten Text der Meisterwerke englischer Litteratur zu geben, dazu kurze, übersichtliche und nur die Sache ins Auge fassende Einleitungen und fortlaufende deutsche Anmerkungen, welche den Ballast der Trivialgrammatik und spinöser Kritik in gleicher Weise verschmähend, die nöthigen sachlichen Erleuterungen enthalten, Licht über den Gedankenzusammenhang verbreiten und Schwierigkeiten der Diction aufhellen sollen. Wie weit dieser Zweck von den verschiedenen Erklärern bei den einzelnen Ausgaben erreicht ist, wird sich aus einer nähern Besprechung ergeben. Die Auswahl der aufgenommenen Werke kann man übrigens nur eine höchst glückliche nennen. Gehen wir sie jetzt der Reihe nach durch, wobei wir, um zusammengehöriges nicht zu trennen, die Shakspeareschen Stücke unmittelbar auf einander folgen lassen. Es sind dies Macbeth, erklärt von Herrig, Romeo and Juliet von Heussi, Othello von Sievers. Das 4te, The Marchant of Venice von Herrig, war Recensenten beim Schreiben dieser Zeilen nicht zur Hand.

Macbeth, erklärt von Herrig.

Die Reihe wird mit Recht mit Shakspeare eröffnet; mit gleichem Recht sollen uns zuerst diejenigen seiner Kunstwerke geboten werden, welche auf der Höhe seiner tragischen Kunst stehen und an die wir unwillkürlich zuerst denken, sobald der Name des groszen Britten

genannt wird. Von diesen bietet Macbeth trotz seiner hochpoetischen
und zuweilen gesuchten und künstlichen Diction verhältnismäszig die
wenigsten Schwierigkeiten, weil in ihm, die unbedeutende Rede des
Pförtners und das noch unbedeutendere Geschwätz des kleinen Macduff abgerechnet, die Prosa niederer wie feinerer Komik und damit
die das Verständnis oft so erschwerenden Witz- und Wortspiele gänzlich fehlen. Vorliegendes Bändchen nun enthält das Vorwort des
Vf., darauf die Einleitung. Diese gibt die historische Grundlage der
Tragoedie nach der Chronik von Holinshed, entwickelt den Grundgedanken des Stückes nebst kurzer Charakteristik der Hauptpersonen,
ohne hier etwas neues zu bieten (was bei der in der ganzen Anlage
so klaren und durchsichtigen und von den namhaftesten Kritikern der
neueren Zeit so allseitig behandelten Tragoedie auch kaum möglich
sein möchte), und schliesz mit einer Angabe über die wahrscheinliche
Abfassungszeit. Dann folgt der Text mit den Anmerkungen. Der Text
ist im allgemeinen gut und correct; Druckfehler sind uns nicht vorgekommen: nur in der Interpunction ist S. 34 das Kolon hinter dead
mit dem Komma hinter know't zu vertauschen; und S. 16 die Anfüh-
rungszeichen hinter hove it statt hinter and one zu stellen. Letzteres
Versehen ist sinnentstellend; die schwierige Stelle (statt it sollte man
me erwarten) scheint übrigens nothwendigerweise die, so viel uns
bekannt, noch von keinem Kritiker geforderte Einschiebung eines 'lt
vor harl zu verlangen. Die Verbesserungen des Collierschen Correctors sind meistentheils, doch nicht immer mit Recht, stillschweigend aufgenommen. — Die Anmerkungen selbst sind etwas knapp gehalten, fast zu knapp. Hauptsächlich vermissen wir Parallelen aus
Shakespeare selbst; nur an zwei Stellen, S. 70 Anm. 19, und S. 83
Anm. 3, findet sich eine solche. Wie nahe lag aber z. B. zu grapple S. 42
an Hamlet Act I Sc. 3, the friend thon hast ... grapple him to thy soul,
S. 79 when all that is within him does condemn itself for being there
an die berühmte Stelle in Richard III, Act V Se. 3 zu erinnern.
Gern hätten wir auch hie und da eine Hinweisung gesehn, wie Motive aus Sh. von neueren Dichtern benutzt und dann weiter ausgeführt
sind. So wäre bei dem Hexenfluche S. 8 eine Hinweisung auf die
Nachahmung in Byrons Manfred Act I Sc. 1, S. 41 eine Erinnerung, wie
Schiller im Wallenstein dasselbe Motiv benutzt, um Butler's Abfall
und Verrath zu erklären, und S. 44 eine Vergleichung der Schillerschen Reflexionen in der Elegie auf den Tod eines Jünglings mit denen Macbeths, aus denen sie fast Wort für Wort entlehnt sind, sehr
am Orte gewesen. Endlich ist ein Punkt, der unserer Ansicht nach
ganz besonderer Beachtung verdient, in den Anmerkungen fast ganz
übergangen; wir meinen die Nachweisung der Incongruenzen und
Widersprüche, deren sich Shakspeare in seinen Dramen schuldig
macht. Durch offene Aufdeckung derselben wird wahrlich sein poe-
tisches Verdienst nicht um ein Haar breit geschmälert, wol aber gewinnt man durch eine Zusammenstellung alles hieher gehörigen eine
überraschende Einsicht in die Art und Weise seines dichterischen

Schaffens. Act I Sc. 3 (S. 11) erklärt sich Angus als unwissend, welcher Art das Verbrechen des thane of Cauwdor gewesen sei, da doch Sc. 2 (S. 6) Rosse in Gemeinschaft mit ihm die Nachricht von der bestimmten Schuld des Thanes brachte. Act II Sc. 1 (S. 25) spricht Banquo: I dreamt last night of the three weird sisters, da doch auf die Begegnung mit den letzteren überhaupt erst eine Nacht gefolgt ist, nemlich die, in welcher sich die handelnden Personen den 2ten Act hindurch befinden. Act III Sc. 6 (S. 56) fragt Lenox nach dem, was er selbst wenige Zeilen vorher erzählt hatte, vgl. Sent he to Macduff? nebst dem folgenden mit: 'cause he fail'd his presence . . . .; — wenn hier nicht die Kritik einen Machtspruch zu thun hat; — denn diese ganze Scene steht endlich im entschiedensten Widerspruch mit Act IV Sc. 2 (S. 63), ein Widerspruch, den Herrig umsonst zu lösen sucht. So ist auch Act V Sc. 1 (Anm. 1) durchaus als Flüchtigkeitsfehler anzuerkennen, und hätte von Herrig nicht vertheidigt werden sollen. — Dies wäre das, was wir an vorliegender Ausgabe vermissen und worauf wir in Zukunft die Aufmerksamkeit der Herausgeber gerichtet wünschen. Was aber gegeben ist, ist gut; liesze sieh auch hie und da über einzelnes streiten, so sind doch im allgemeinen die Schwierigkeiten der Diction, der kühnen Bilder und Metaphern, des Gedankenzusammenhanges gut und richtig erleutert. Besonders heben wir die sachlichen Anmerkungen über historische und geographische Thatsachen hervor, die Nachweisungen über den Volksglauben, welcher der Darstellung der Hexen zum Grunde liegt, wie die gelegentlich verstreuten feinen und interessanten etymologischen Bemerkungen. Als alles zum Verstädnis wesentliche in kurzer und angemessenster Form in sich begreifend, eignet sich daher das Buch ganz vorzüglich zum Schulgebrauch und ist allen denen, welche mit dem groszen Dichter bekannt und vertraut werden wollen, ohne Zeit und Lust zu haben, sich durch die breiten und weitschweifigen Commentare englischer Erklärer durchzuarbeiten, dringend anzuempfehlen.

Romeo and Juliet, erklärt von Heussi.

Die Einleitung gibt zunächst einen kurzen Ueberblick über die Quellen der Shakspearekritik. Colliers Fund wird namhaft gemacht und nach Gebühr geschätzt. Zu überschätzen aber scheint H. die 2te Quarto, wenn er die Aenderungen derselben für authentische Verbesserungen von Shakspeares eigener Hand hält; auch gegen seine Berechnung der Zeit der ersten Aufführung unseres Stückes möchte sieh manches Bedenken geltend machen. ∉ Demnächst werden die verschiedenen Bearbeitungen desselben Themas von früheren der Reihe nach aufgeführt, einiges über die Zeit der Begebenheit gesagt, und endlich eine Entwicklung des Dramas wie eine Charakteristik der Hauptpersonen gegeben. H. folgt in der ganzen Auffassung Gervinns; nur macht sich eine gewisse Nüchternheit und Trockenheit in unangenehmer Weise bemerkbar. Urtheile wie das über Mercutio 'sein geschwätziges und gemüthloses Wesen stoszen ab' möchten wol wenige

unterschreiben und sollten billigerweise nicht mehr vorkommen; die
Polemik gegen die Sittenrichter war überflüssig. Was den im ganzen
guten und correcten Text anbelangt, so verführt H. hinsichtlich der
Collierschen Verbesserungen höchst ungleichmäszig. Die meisten sind
aufgenommen und zugleich die Gründe dafür angeführt; doch findet
man sowol einige aufgenommen ohne Angabe der Quelle, als auch
andere, und zwar sehr gute, völlig unberücksichtigt. — An den Anmerkungen vermissen wir dasselbe, wie beim Herrigschen Macbeth. Act
V Sc. 3 S. 124 hebt H. A. 37 selbst die Inconcinnität in der Bestimmung des Alters der lady Capulet hervor; warum nicht auch die, dasz
·es nach Act IV Se. 5 S. 104 Nachtzeit ist ('tis now near night),
während Julie so eben von der Frühmesse gekommen ist? Sie hat
sich doch nicht etwa den ganzen Tag auf der Strasze herumgetrie-
ben? S. 40 A. 60 weist der Erklärer auf die häufigen Scherze und
Wortspiele der unglücklichen bei Sh. hin. Dazu gehörte nothwendig
die Citation der classischen Stelle in Richard II, Se. 1 (vgl. besonders:
wisely maker sport to moek itself) wie auch Romeo selbst Act III,
Sc. 3 S. 85 zur Erleuterung dienen könnte. Man kann nie genug darin
thun, einen Schriftsteller durch sich selbst zu erklären. — Sehen
wir nun auf das positive, was die Anmerkungen bieten, so ist des
Lobes viel zu sagen. Sehr viel ist geschehen für die Auslegung der
schwierigeren Partien, in denen ein Witzwort wie ein Fuszball hin
und her geschleudert wird. Wir machen besonders aufmerksam
auf die schöne Erklärung S. 22 A. 4. S. 24 A. 9. S. 41 A. 69. S. 60
A. 32. S. 76 A. 26. Auch etymologische Anmerkungen finden sich in
Menge, wie sie als angenehme Zugabe zumal den in die Geheimnisse
der Sprachvergleichung weniger eingeweihten sehr willkommen sein
müssen. — An manchen Stellen können wir dem Herausgeber in der
Erklärung nicht beipflichten. Act V Se. 1 A. 2 ist my bosom's lord
sicher nicht 'Amor', sondern der Geist, das Herz, die Seele, A. 3
love itself possessed nicht: 'Liebe, die im Besitze ihres Gegenstandes
ist', sondern 'der Vollgenusz der Liebe' im Gegensatz zu dem we-
senlosen Schattenbild der Träumereien des liebenden. Act II S. 52
wird but thou love falsch erklärt: 'so du mich nun liebst', da doch
der ganze Zusammenhang lehrt, dasz es, grammatisch richtig, heiszen
musz: 'so du mich nicht liebst'. Mehr derlei anzuführen, erlaubt
der Raum nicht. — Hie und da sind Schwierigkeiten übergangen oder
nicht genug hervorgehoben. So war z. B. zu der mit Recht aufgenommenen Verbesserung des Collierschen Emendators in Act II Sc.
2, S. 50 white und *green* eine sachliche Anmerkung durchaus nothwendig. — Schlieszlich können wir es nicht unterlassen, einige
leichte uns nöthig scheinende Aenderungen des Textes anzuführen.
Act I Se. 2, S. 35 ist wol statt: 'lady's love', lady love zu lesen, Act III
Se. 5, S. 93 oben vor feeling ein but einzuschalten, Act III Sc. 5, S.
98 oben statt *you* no me of him, yours no..., und Act V Sc. 3, S. 120
statt dea*th*, lie thou there; by a dead man interred, dea*d* lie ... zu
lesen.

Othello, erklärt von Sievers.

Dies Bändchen befriedigt weniger. Schon die Einleitung, welche ohne sich über die Quellen des Stückes oder die im Texte befolgten kritischen Grundsätze und Grundlagen auszulassen, nur die Idee des Dramas entwickelt, macht keinen günstigen Eindruck. Als Grundgedanke wird der Sieg der Natur d. h. der natürlichen Seite im Menschen über den Geist angegeben und nun gezeigt, wie sich dieser in Charakter- und Schicksal der drei Hauptpersonen manifestiere. Ist nun hierin allerdings etwas wahres, so kann doch eine solche leere Abstraction bei einem Shakspeareschen Drama nie genügen, und am wenigstens, wo zur Vergleichung eine so klare, lebensfrische Darstellung und Entwicklung wie die von Gervinns vorliegt, dessen vortreffliche Winke (vgl. besonders Theil III, S. 227) übrigens den Anlasz zur Sieverschen Auffassung gegeben zu haben scheinen. Im Texte sind meistens die gangbaren Lesarten beibehalten, gegen den Collierschen Corrector wird fast immer, zum Theil mit Recht, polemisiert. In den Anmerkungen geht das Hauptaugenmerk des Herausgebers, und das ist nur zu loben, dahin, die feineren Beziehungen der Shakspeareschen Diction zu erläutern, und besonders ungewöhnlichere und seltsame Ausdrücke aus dem Charakter und der Situation der jedesmal redenden Person herzuleiten. So viel hübsches sich nun auch dabei im einzelnen findet, und so richtig gewis das zu Grunde liegende Princip ist, so ist doch die Erklärung nur zu oft allzugesucht, ja zum Theil völlig verfehlt und verkehrt. So hat Hr. S. eine wahre Sucht gehabt, in den Reden Jago's, hier und da auch in denen Othello's und Cassio's Komik zu finden, und das an Stellen, wo Shakspeare sicher an nichts weniger als an komischen Effect gedacht hat, so dasz schlieszlich das komische nur in den Anmerkungen des Erklärers zu finden ist. Statt vieler Belege nur einen. In der grausigen Stelle Act III Se. 3, S. 92, wo Othello Rache schnaubt, und Jago in furchtbarer Mischung von Heuchelei und Wahrheit ein gleiches Gelübde thut, sich mit Hand, Herz und Verstand nur dem Dienste dieser Rache zu widmen, sieht S. auf Jago's Seite Komik!! dies eine genüge! — Sehr gut ist die Bemerkung Act III Se. 3, S. 85, wie der Dichter unbemerkt die Zeit der Handlung ausdehne. Es hätten nur noch mehr sämmtliche, hier einschlagende Stellen zusammengefaszt werden sollen, aus denen sich ergibt, dasz die Handlung, alle Angaben genau berechnet, auf Cypern summa summarum nur 1½ Tage dauert, während sie doch andrerseits als sich über einen ungleich längeren Zeitraum von mindestens mehreren Wochen erstreckend gedacht werden soll. Ist es nun schon ganz richtig, 'dasz die innere, ideale Wahrheit in der Leidenschaft Othello's, die an sich an keine Zeit gebunden ist, uns über diesen Widerspruch heraushebt', so haben wir doch hierin, wie schon bei Gelegenheit bemerkt, einen Schlüssel zu der Art und Weise von Shakspeare's dichterischer Thätigkeit. Er hat allerdings, und dies bedarf keines Wortes weiter, seine meisterhaften Schöpfungen im groszen

nnd ganzen scharf und tief durchdacht, die einzelnen Scenen aber
hat er stückweise gearbeitet, ja hingeworfen, wie ihn grade sein
Genius trieb, ohne dasz er daran gedacht dieselben, sei es während
der Arbeit, sei es nach derselben, auch nur im geringsten zu revi-
dieren. Der Strom der Handlung erfaszt ihn selbst mächtig, und
bestrebt der Zeit nach weit getrennte Begebenheiten innerlich zu
verbinden und ihren Zusammenhang zu motivieren, sucht er sie auch
auszerlich zu verknüpfen, ohne zu beachten, in welche Widersprüche er sich dadurch verwickelt, und wie die zeitliche Perspective-
eine ganz falsche wird. Belege hierfür wird jeder aufmerksame Leser
fast in jedem Stücke Shakspeare's finden. Wir erinnern nur an Romeo
und Julie, wo von fast allen Aesthetikern in der ungemein schnellen
Aufeinanderfolge der Begebenheiten eine besondere Absichtlichkeit
und Schönheit gefunden ist, während der wahre Grund in dem so eben
entwickelten liegt, wie dies auf das bündigste der Umstand beweist,
dasz wir in anderen Dramen, wie in unserem Othello, dieselbe Erscheinung finden. Haben die englischen Commentatoren, zumal in der
früheren Zeit, auf solche einmal nicht fortzuleugnenden und fortzuer-
klärenden Incongruenzen und Widersprüche ein zu groszes Gewicht
zum Nachtheil des Dichters gelegt, so scheint man sie dagegen jetzt
zu sehr zu übersehen und gering anzuschlagen. Durch eine klare
Einsicht aber in diese Mängel der äuszern Oekonomie und ihre Entstehung wird wahrlich der Bewunderung, die wir dem erhabenen und
reichen Genius des gröszten dramatischen Dichters aller Zeiten zollen, nicht der mindeste Eintrag gethan. — Eine dankenswerthe Zugabe zu vorliegendem Bändchen ist der Anhang, bestehend aus einem
der Percyschen Sammlung entlehnten Liede, von dem Jago eine Strophe
singt (dem Vorbilde zu unseres Voss: 'Und zieh den alten Flausrock
an') und einer kurzen Zusammenstellung der wesentlichsten und gewöhnlichsten Eigenthümlichkeiten der Shakspeareschen Sprache in
Formlehre und Syntax.

Ehe wir zur Besprechung der anderen Bändchen dieser Sammlung übergehn, nehmen wir Gelegenheit, auf ein dem Publicum, wie
es scheint, nicht nach Verdienst bekanntes, im Jahre 1851 über
Shakspeare erschienenes Buch aufmerksam zu machen. Es ist dies:

Shakspeare's Sommernachtstraum erläutert von Dr. Conrad
Hense. Halle. Verlag der Waisenhausbuchhandlung 1851.

In diesem Buche hat der als gründlicher und feiner Kenner Shakspeare's bekannte Verfasser (wir verweisen nur auf seinen Artikel
über die Shakspeare-Litteratur in den Blättern für litterarische Unterhaltung und seine Geschichte des Sommernachtstraumes in Herrig's
Archiv) eine wahre Musterstudie geliefert. Die reizende Schöpfung
des Dichters wird ausführlich nach allen Seiten in Rücksicht auf Plan,
Composition und Charaktere erläutert und beleuchtet, wie es bis
dahin noch von keinem anderen Kritiker geschehn, und wir in ein

durchdringendes Verständnis derselben eingeführt, ohne dasz von dem zarten Schmelz, der über der lieblichen Dichtung ruht, auch nur das geringste verwischt wird. In der Einleitung wird die Idee des Stückes in der Kürze angegeben, und sodann entwickelt, wie sich diese in den verschiedenen Charakteren und ihren Schicksalen verkörpert. Demgemäsz werden die Elfen, die Gruppe der Liebenden, die der Handwerker und die des Theseus und der Hippolyta der Reihe nach behandelt; und ihr Verhältnis zur Idee und zu einander klar und treffend entwickelt. Es folgt der 6e Abschnitt 'der Traum' überschrieben, den wir für die schönste Partie des ganzen halten. An den Hauptsatz 'der Dichter vergleicht die Verirrungen der Einbildungskraft und Leidenschaft mit den Vorstellungen eines Traumes' reihen sich die sinnigsten Betrachtungen über das Wesen des Traumes, wie über Behandlung und Anwendung des Traumes bei Shakspeare. Es folgt die 'Composition' und nächstdem 'das Verhältnis des Sommernachtstraumes zu den übrigen Komoedien und Schauspielen', in welchem Abschnitt der Verfasser, wie es scheint, in stillschweigendem Gegensatz gegen Gervinus hie und da ans nüchterne streifende Darstellung besonders den Reichthum der Phantasie hervorhebt, der sich in diesen Stücken findet. Es folgt ein mit philologischer Akribie geschriebener Abschnitt über das Drama von Pyramus und Thisbe, sodann eine gleich gründliche Abhandlung über die Elfenmythologie. Den Schlusz macht ein 11r Abschnitt: 'Historische Beziehungen.' Schon aus diesem kurzen Abrisz geht hervor, wie gründlich und allseitig der Verfasser seinen Stoff behandelt. Einen Hauptvorzug seiner Arbeit haben wir aber noch nicht erwähnt. Es sind dies die überall verstreuten, umfangreichen philologischen Anmerkungen, welche überall von den gründlichsten Studien zeugen und für den Sprachgebrauch Shakspeare's, der durch reiche und sorgfältige Parallelen oder Vergleichung mit Zeitgenossen des Dichters erleutert wird, eine wahre Fundgrube bilden. So wird in verschiedenen Anmerkungen von der Bedeutung der Worte knave, shrewd, humour, pageant argument gehandelt, in einer anderen der Gebrauch, welchen der Dichter von der personificierten Zeit macht, erläutert, in andern bestimmte Anspielungen auf Gebräuche und Sitten erklärt. Erklärungen einzelner Stellen fiuden sich gleichfalls nicht selten. Es ist in diesen Anmerkungen, und darum heben wir sie ganz besonders hervor, der oben von uns ausgesprochene Grundsatz, den Dichter aus sich selbst zu erleutern, mit ebenso groszer Consequenz wie gutem Erfolg zur Geltung gebracht. Schlieszlich bemerken wir, dasz das ganze in schöner, geschmackvoller, zuweilen ans poetische streifender, aber nie das Masz überschreitender Sprache geschrieben ist, die sich dem zu behandelnden Stoffe aufs innigste anschlieszt, ja anschmiegt. Wir halten es für unsere Pflicht, dieses nicht umfang-, wol aber inhaltsreiche Buch allen denen, welchen es nicht um oberflächliche Lectüre des Shakspeare und vagen aesthetischen Dilettantismus, sondern um ein ernstes, eingehendes und gründliches Verständnis

seiner Werke zu thun ist, noch einmal auf das nachdrücklichste anzuempfehlen.

Byron's Marino Faliero erklärt von Brockerhoff.

An Shakspeare schliest sich in der Herrigschen Sammlung würdig Byron an, dessen Meisterwerke wir um so lieber in derselben
erläutert zu sehen wünschen, als dadurch hoffentlich diesem poetischen Genie, dem gröszten, welches die Welt auszer Milton, Schiller
und Goethe seit Shakspeare gesehen, ein gröszerer Leserkreis erwächst und viele vertrauter mit ihm werden, die, durch die Mangelhaftigkeit der elenden deutschen Uebersetzungen abgestoszen, sich
an die Schwierigkeit des Originals nicht getrauten. Begonnen ist
auffallender Weise mit Marino Faliero, einem Drama, das keineswegs
zu den hervorragendsten Werken des Dichters gerechnet wird, und
das mit Recht. Zwar der Charakter des Dogen ist vortrefflich gezeichnet und sein Schicksal echt tragisch. Er geht zu Grunde, weil
er nur aus persönlicher Gereiztheit und nach eigner Kränkung in den
Kampf für die Freiheit des Volkes geht, und für den Fall des Sieges
ein Blutbad mit schonungsloser Grausamkeit beabsichtigt. Die Züge
des Alten, die Mischung von wahrem und falschem Stolz, seine edlen
Tugenden, die seinen Fehlern mehr als das Gleichgewicht halten, sind
auf das vortrefflichste geschildert. Sein Verhältnis aber zur Angiolina
schwebt völlig in der Luft, und ist ohne innere Wahrheit; die Scenen,
welche zur Exposition dieses Verhältnisses dienen, sind trotz einzelner
Schönheiten, die man freilich bei Byron immer finden wird, schleppend, leblos, verfehlt; die Rede Angiolina's endlich kurz vor dem
Tode des Marino enthält, wie dies die englischen Kritiker mit Recht
tadelnd hervorheben, für eine Frau in dieser Situation viel zu viel
Geschichte und Moral. — Immerhin aber eignet sich für Schulzwecke
kaum ein anderes Werk Byrons so wie dieses. — Die Einleitung
enthält eine Darstellung der äuszern Lage Venedigs um die Zeit der
Handlung des Stücks, so wie der historischen Antecedentien Marinos,
grösztentheils nach Michel Saunto und Byron selbst; ihr entspricht
ein Anhang, der sich in kurzer Uebersicht über die Verfassung und
Behörden Venedigs ausläszt, und besonders zeigt, wie sich allmälig
das Uebergewicht der Patricier über die Plebejer, endlich über den
Dogen, entwickelte. Der Text bietet verhältnismäszig wenig Schwierigkeiten. Die Anmerkungen beschäftigen sich hauptsächlich damit,
auf Feinheiten in der Sprache hinzuweisen und versteckte Beziehungen ans Licht zu stellen. In dieser Hinsicht ist sehr viel hübsches
in dem Büchlein zu finden, nur, meinen wir, zuweilen etwas zuviel
am unrechten Orte. Namentlich hat der Herausgeber die an sich richtige Wahrnehmung, wie die Diction Byrons oft so eingerichtet ist,
dasz dieselben Worte, anders gefaszt oder anders construirt, einen
ganz verschiedenen und doch gleich passenden Sinn geben, sehr oft
verleitet, auch da einen Doppelsinn anzunehmen, wo er nicht nur
nicht am Platze und vom Dichter sicher nicht beabsichtigt, sondern

sogar rein unmöglich ist. Statt aller nur éin Beispiel. Act V Se.
1, S. 147 sagt Calendaro: 'What! must we not even say farewell to
some fond friend?' Dazu bemerkt Br. 'dürfen wir nicht', aber
auch: 'müssen wir nicht?' (ist es unter diesen Umständen nicht nöthig, eine uns obliegende Pflicht?)', da doch letztere Erklärung durch
das even völlig unmöglich gemacht wird. Denn was wäre das für
ein Gedanke: 'ist es nicht unsere Pflicht, sogar einem Freunde Lebe-
wol zu sagen?'!!! Druckfehler finden sich einige wenige ganz unerhebliche.

Byron's Childe Harold. I. und II. Gesang. Erklärt von Bro-ckerhoff.

Die mit Schwung und Liebe geschriebene Einleitung gibt eine
wol gelungene Charakteristik der Byronschen Poesie überhaupt, wie
insbesondere des berühmten Gedichtes, dessen erste Gesänge erklärt
sind, und der in diesem niedergelegten Weltanschauung. Nur hätten
wir etwas weniger Rhetorik gewünscht, wie auch die Farben etwas
zu düster aufgetragen und die Lichtseiten im Childe Harold, namentlich die meisterhafte Naturschilderung, zu wenig hervorgehoben sind.
Auf den Zusammenhang endlich, in welchem das Gedicht mit dem
Leben des Dichters steht, ist nirgends hingewiesen. Vielleicht beabsichtigte der Herausgeber, dies in der Einleitung zum folgenden
Bündchen nachzuholen. — An den in allem sachlichen trefflichen
Anmerkungen ist leider nur noch in weit höherem Grade das auszusetzen, was wir schon bei Marino Faliero tadelnd erwähnten. Der
Erklärer bietet ein Uebermasz von Scharfsinn auf, um an allen möglichen Stellen einen doppelten Sinn herauszufinden; darin sieht er
eine besondere Feinheit und Kunst des Dichters. Nun ergibt sich aber
bei näherer Prüfung, dasz ein solcher im Childe Harold mit Ausnahme
einiger ganz vereinzelten Stellen ganz unmöglich ist, wenn man dem
Dichter nicht Abgeschmacktheiten, ja haaren Unsinn in den Mund legen
oder der Sprache unerhörte Gewalt anthun will. Es wäre leicht, dies
in jedem einzelnen Falle zu beweisen, wir begnügen uns mit einigen
schlagenden Belegen. In der ersten Strophe der Widmung lautet der
4e Vers 'Forms which it sighs but to have only dream'd.' Dazu lautet die Anm. 'which .... im doppelten Sinne von: 'dasz ...', und
'wenn' oder 'wiewol es sie nur geträumt hat', bei welcher letzteren sprachlich unmöglichen Erklärung alle Construction aufhört.
Canto I str. 5, in welchem der Dichter in schmerzlicher Bitterkeit die
Geliebte des Childe glücklich preist, den Umarmungen eines Wüst-
lings und Verschwenders entronnen zu sein, wird durch 'die feine
Ironie', und 'den Doppelsinn der einzelnen Wörter', welchen Br.
glücklich wieder herausfindet, abscheulich entstellt und verdreht. Die
Anführung und Widerlegung der ganzen Anmerkung würde zu weit
führen. Str. 41 heiszt es: 'three hosts combine to offer sacrifice';
dazu die Anmerkung: host im doppelten Sinne von 'Herr' und 'Opfer',
wo denn für den 2n Fall der schöne Sinn herauskömmt: 'Opfer be-

reiten sieh Opfer zu bringen.' Str. 42 soll in dem 5n Vers: 'Can
despots compass aught that hails their sway', that sowol Subject als
Object und hails auszer seiner an dieser Stelle einzig richtigen und
natürlichen Bedeutung auch noch 'niederhageln' heiszen können!! —
Canto II str. 2 vers 1 wird unter den 'son of the morning', was dem
ganzen Zusammenhang nach nichts weiter sein kann und ist, als ein poetischer Ausdruck für 'Bewohner des Morgenlandes', von Br. die Sonne
verstanden, aber auch der Mensch, das vergängliche Kind des Tages.
'Son erinnert an das lautlich verwandte Sol und morning an das par-
ticipiale Substantiv mourning.'!! Diese Proben, denen wir unzählige
gleiche hinzufügen könnten, wenn es Raum und Zweck dieser Zeilen
erlaubten, mögen genügen. Will der Herausgeber seine übrigen Bändchen, auf die wir uns übrigens aufrichtig freun, brauchbarer machen,
so kann er sich vor solch unnützer Verschwendung seines Scharfsinns
nicht genug hüten.

Tennyson's ausgewählte Gedichte. Erklärt von Heinrich Fischer.

Der liebenswürdige Dichter, dessen ausgewählte Gedichte in
vorliegendem Bändchen erklärt werden sollen, war Referenten bis
dahin nur durch einige Lieder in der Herrigschen und anderen Chrestomathieen bekannt. Um so willkommener war uns diese Sammlung.
Vorzüglich schön sind die Lieder, in welchen der elegische Ton vor-
herseht, so Oriana, Lockley-Hall, May-Queen, wie auch die Schilderungen und Gesänge der Meermädchen, Sirenen, Lotophagen, in denen
schon die unendliche Weiche und Anmuth der Sprache und der me-
lodische Flusz des Verses entzückt, in ihrer Art unübertrefflich sind.
Nicht ganz so wollten uns die vom Herausgeber am höchsten gestellten Idyllen gefallen, am wenigsten die allegorischen Gedichte, in
denen neben manchen einzelnen wahrhaft poetischen Zügen und Bildern
das bombastische und wüst phantastische zu sehr dominiert, als dasz
ein geläuterter Geschmack daran Gefallen fiuden könnte. — Das Verdienst des Erklärers nun besteht auszer der geschmackvollen Auswahl der Stücke nur in der Einleitung. Sie enthält eine kurze biographische Skizze über Tennyson, an die sieh eine Charakteristik und
Würdigung seiner dichterischen Wirksamkeit anschliesst. Warme
Liebe zu dem Dichter vereint sich in ihr mit besonnenem und unbe-
stochenem Urtheil. — Um so weniger befriedigen die Anmerkungen,
die unglaublich dürftig sind. Auszer einzelnen der gewöhnlichen
Grammatik entlehnten Bemerkungen (wie z. B. mehrmals die Auslassung des Relativs ausdrücklich erwähnt ist!) und hier und da aestho-
tischen Raisonnements ist zur Erklärung des Dichters fast gar nichts
gethan, über alle schwierigen und dunkeln Stellen, die sieh bei Tennyson in groszer Menge finden, wird stillschweigend hinweggegangen,
und man darf sicher sein, dasz man gerade da, wo einem eine gründlichere Erläuterung am liebsten wäre, beim Erklärer nichts findet.
Nicht den Anmerkungen also hat es Fischer zu verdanken, wenn es
ihm schon durch die blosze Veranstaltung dieser einem gröszeren

Leserkreise zugänglichen Auswahl gelungen ist, seinen Hauptzweck
zu erreichen, d. h. 'Liebe zu erwecken für den Dichter Alfred Tennyson.'

*Schulgrammatik der englischen Sprache für alle Stufen des Un-
terrichts berechnet. Von Hermann Behn-Eschenburg,
Professor an der Universität und Kantonsschule zu Zürich.*
Zürich, Druck und Verlag von Fr. Schulthess. 1854.

Bei der Masse von seichten Machwerken, welche sich in neuester
Zeit ohne eine Spur von Selbständigkeit, nur für das oberflächlichste
Bedürfnis berechnet, mit den Ansprüchen einer englischen Grammatik
auf den litterarischen Markt drängen, ist es doppelt erquicklich auf
ein wirklich gediegenes, auf eignen Studien gegründetes, echt wissenschaftliches und doch zugleich so praktisches Buch wie vorliegendes zu stoszen, und es anzuzeigen für den Recensenten nur eine
angenehme Pflicht. Das Buch zerfällt, dem auf dem Titel angegebenen
Zweck gemäsz, in 4 Abschnitte. Der erste, Einführung in die Sprache, gibt in der ersten Abtheilung das nöthigste aus der Formenlehre, über die Aussprache nur die allgemeinsten Regeln, vom starken oder unregelmäszigen Verbum nur die gangbarsten Wörter, in
der zweiten, Sprachübung, Lesestücke und Uebungen zum Uebersetzen aus dem Deutschen ins Englische nebst den dazu nöthigen
Vocabeln. Dabei wird einerseits beständig auf die Paragraphen der
ersten Abtheilung zurückgewiesen, andrerseits laufen diese selbst
fort, anknüpfend an die in den Uebungen vorkommenden Ausdrücke
und Formen. Immer sind hier und da Rückblicke auf das bis dahin
gelernte verstreut, wie z. B. eine Uebersicht über die vorgekommenen englischen Laute, starken Verba, Ausdrücke für 'Herr', das
Gerundium, Stellung des Adverbs. Ein Ueberblick über sämmtliche englische Laute erfolgt §. 175, wo deren 48 sammt ihren Schriftzeichen aufgestellt werden, auf die sich der Verfasser denn auch späterhin zurückbezieht. Endlich sind vorzüglich praktisch die hier und
da zusammengestellten Fragen, die der Schüler aus den vorangegangenen Pensen deutsch und englisch zu beantworten hat. Der 2e
Abschnitt, 'erweiterte Formenlehre', vervollständigt in der ersten
Abtheilung 'weitere Biegungsformen englischer Wörter', den etymologischen Theil des 1n Abschnittes; die zweite enthält wieder ganz
in derselben Weise wie im 1n Abschnitt Lesestücke und Uebungen,
wobei in den Anmerkungen überall die feinsten sprachlichen Bemerkungen verstreut sind. Die Auswahl der poetischen wie prosaischen
Lesestücke ist wahrhaft vorzüglich, und die Uebungsstücke in jeder
Weise geeignet, das Gedächtnis des Schülers mit den nöthigen Vocabeln zu bereichern und ihn allmälig und unmerklich in den Geist der
englischen Sprache einzuführen. Der 3e Abschnitt, Syntax, in welchem die Lesestücke wegfallen, bietet manch eigenthümliches. Nach
einer eignen Eintheilung der Redetheile wird gleich mit dem Verbum

begonnen, und erst nach diesem Substantiv und Adjectiv behandelt. Hauptsächlich in diesem Abschnitt zeigt sieh ein Hauptvorzug des Buches in glänzendstem Lichte, Klarheit, Faszlichkeit und Bestimmtheit des Ausdrucks, welche uns zuweilen an Wilhelm Krüger mahnte. Ein anderer ist die beständige Hinzuziehung des Deutschen zur Vergleichung, welche ebenso sehr zum tieferen Verständnis des Geistes der englischen Sprache wie zum richtigen Gebrauch derselben in der Praxis zweckdienlich ist. So enthält es eine Masse Regeln für englische Stilistik. Wir verweisen besonders auf die vorzüglich gearbeiteten Abschnitte über die Hilfszeitwörter, Praepositionen und Conjunctionen. — Nimmt man hierzu noch, dasz überall, wo es nöthig oder thunlich ist, zur Erläuterung englischer Formen oder Fügungen auf das Angelsächsische zurückgegangen wird, so haben wir die drei Punkte, durch welche sich diese Grammatik zu ihrem Vortheil von der allein in Betracht kommenden Wagnerschen unterscheidet, die ihrerseits als ein sämmtliche, auch die entlegenen uud abnormen Erscheinungen der englischen Sprache umfassendes Lehrgebäude durch systematische Vollständigkeit wie durch die Fülle ihrer trefflich gewählten Beispiele die unsrige übertrifft, und somit durch sie noch keineswegs entbehrlich gemacht wird. — Ganz vorzüglich ist endlich der 4e Abschnitt, der über Wortbildung, Accent, Schrift und Aussprache handelt. Die Wortbildung zerfällt in die 'Bildung englischer Wörter aus deutschen und französischen', und in 'Wortbildung innerhalb des Englischen'. Namentlich aufmerksam zu machen ist auf die 'Vergleichung englischer und deutscher Worte nach Vocalen, Halbvocalen und Consonanten'; die für das Verhältnis des Neuhochdeutschen zum Englischen entwickelten Gesetze sind für den Laien klar und faszlich und die Beispiele höchst instructiv. Für den Accent ist ein neues Gesetz aufgestellt, welches den lernenden gleichwol über die Schwierigkeiten dieses Punktes nicht hinweghelfen wird. Hier kann nur die Uebung helfen. Ganz am Schlusz wird in mehreren Capiteln von der Aussprache und Schrift gehandelt, mit Recht, da die Erfahrung lehrt, dasz alles andere eher und leichter erlernt wird, als richtige Aussprache des Englischen. — Einzelnheiten, die wir hie und da anders wünschten, tadelnd hervorzuheben haben wir uns bei der ungewöhnlichen Güte des ganzen gern enthalten und wollen somit zum Schlusz so dem Lehrer wie dem Schüler, insgesammt allen denen, welche es mit der Erlernung der englischen Sprache ernstlich meinen, das Buch auf das dringendste empfohlen haben.

Die englischen Praepositionen. Ein theoretisches und praktisches Hilfsmittel für öffentliche Schulen und zum Privatgebrauch geeignet, von Dr. M. Weishaupt, Prof. der griechischen und Lehrer der englischen Sprache an der höhern Lehranstalt in Solothurn. Bern 1853. Verlag von Jent und Reinert.

Eine fleiszige und dankenswerthe Monographie, welche die

englischen Praepositionen nach Ursprung, Gebrauch, Construction, Bedeutung allseitig behandelt. Vorangeht nach einigen allgemeinen Bemerkungen, Eintheilung der Praepositionen in eigentliche und un- eigentliche, und Aufführung einiger angelsächsischer, in §. 4 eine 'Erleuterung der Praepositionen', in welcher ihr Ursprung aus dem Romanischen und Angelsächsischen mit Hinzuziehung der verwandten Sprachen erörtert, ihre verschiedenen Bedeutungen, ihr Gegensatz und ihre Synonyma angegeben werden. Es folgen in einem beson- deren Abschnitte Beispiele für alle Praepositionen in ihren verschie- denen Bedeutungen. Ein eigner Paragraph handelt von den Synonymen, wobei natürlich viel auf §. 4 recurriert wird, und endlich erfolgt das Verzeichnis der Praepositionen, die von Substantiven, Adjectiven und Verben regiert werden, wozu noch als Anhang ein alphabetisches Verzeichnis dieser Wörter kommt, nachdem vorher noch in einem besondern Abschnitt gelehrt worden ist, wie die deutschen Praeposi- tionen durch englische widerzugeben sind. Schon aus diesem Ver- zeichnis erhellt, wie reichhaltig und in jeder Hinsicht brauchbar das Büchlein ist. Besonders gut ist der etymologische Theil, wenn er auch zum gröszten Theil nur eine Zusammenstellung des in gröszeren sprachvergleichenden Werken anderweitig verstreuten ist. Der Un- terschied der Synonyma ist oft nicht scharf genug gefaszt, wie bei der Aufzählung der verschiedenen Bedeutungen Klarheit und Bestimmt- heit vermiszt wird. Mit dem musterhaften Abschnitt in Behn-Eschen- burgs Grammatik kann sich das Buch in dieser Hinsicht nicht ver- gleichen.

Englische Chrestomathie. In sechs Büchern. Episch, lyrisch, dramatisch, historisch, rhetorisch, didaktisch. Von Her- mann Schüfe. Erster Band. Erste Abtheilung. (Episch). Siegen 1851.

Mit englischen Chrestomathieen wie Grammatiken sind wir jetzt etwas zu reichlich gesegnet. Das Bedürfnis dazu ist seit Herrig's Mustersammlung nicht mehr vorhanden; es gibt jetzt zu interpretieren und die classischen Autoren Englands unserem deutschen Publicum durch tüchtige erklärende Ausgaben näher zu bringen. Davon abge- sehen ist vorliegende, in groszartigem Maszstabe angelegte Sammu- lung, wenigstens die erste Abtheilung derselben nicht übel. Sehr glücklich ist die Auswahl der prosaischen Stücke, in welcher beson- ders Charles Lamb und Dickens vertreten sind, wie die der alten und neuen Balladen, die den zweiten Theil der Rubrik: 'poetische Erzäh- lungen', bilden; dagegen vermiszten wir in dem ersten Theil dersel- ben den Namen Byrons, von dessen Gedichten im ganzen Bande nur ein kleines Bruchstück aus dem Childe Harold, das Stiergefecht in Spanien, aufgenommen ist; und doch war gerade hier der Ort für eine gröszere Probe von der Poesie dieses Meisters in poetischer Er- zählung!

Study and Recreation. Englische Chrestomathie bearbeitet von Ludwig Gantter. Erster Cursus. Stuttgart 1852.

Eine, wie schon der Titel sagt, mit der gutgemeinten, aber verkehrten Absicht veranstaltete Sammlung, der Jugend bei ihrer englischen Lectüre nicht blosz angenehme Unterhaltung zu bieten, sondern auch allerlei gemeinnützige Kenntnisse beizubringen. Das Buch handelt demgemäsz zunächst von allem möglichen, Pflanzen, Thieren, Steinen, Städten, Handel usw.; es folgen für kindliche Herzen geschriebene dramatische Scenen, Erzählungen, Bilder aus der Natur, Geschichte. So ist das ganze ein englischer Kinderfreund für Kinder von 10—14 Jahren. — Einen Anhang bildet 1) ein höchst läppisches allegorisches Schauspiel in 6 Acten, das die Schicksale zweier von zwei Genien beschützten Schulkameraden, eines höchst gescheuten, aber übermüthigen, und eines mäszig begabten, aber bescheidenen behandelt, und 2) eine kleine Auswahl der bekanntesten lyrischen Gedichte. — Den Schlusz macht ein kleines Wörterverzeichnis.

Halle.   *W. Wolterstorff.*

3.
Schulprogramme mathematischen Inhalts.

1. *Progr. des herzogl. nassauischen Paedagogiums zu Dillenburg. Theorie der Meridianbestimmung von R. Ilgen Conrector.* 1854.

In der Einleitung bespricht der Vf. zunächst die Wichtigkeit der Meridianbestimmung als Grundlage für die Ort- und Zeitbestimmung, und knüpft daran einige für die Erweiterung des Gesichtskreises junger Leute recht zweckmäszige Bemerkungen über die culturgeschichtliche Bedeutung jenes Problems. Mit kurzen Worten werden dann die Hauptformeln aus der Lehre von den ebenen und räumlichen Polarcoordinaten erörtert und daran die wichtigsten Methoden der Meridianbestimmung geknüpft, nemlich a) die Methode der correspondierenden Höhen, b) die Beobachtung grösster Digression, c) die Beobachtung einzelner Höhen, d) die Beobachtung der Azimutaldifferenz eines Sternes und eines terrestrischen Objects, e) die Beobachtung der Passagen eines Circumpolarsterns durch dieselbe Verticalebene. Den Einfluss der Aberration und Nutation hat der Vf. nur historisch erwähnt, nicht aber näher begründet, was sich durch die Natur der Schrift vollkommen rechtfertigt. — Im Ganzen scheint uns Wahl und Ausführung des Gegenstandes sehr zweckmäszig zu sein.

2. *Progr. des herzogl. nassauischen Realgymnasiums zu Wies-*
baden. Bestimmung der Richtung, in welcher sich ein Punkt
der Erdoberfläche in einem gegebenen Zeitmomente durch
den Raum bewegt, von Prof. Ebenau. 1854.

Der Vf. gibt zunächst ohne Formeln eine sehr ausführliche und
klare Darstellung der drei verschiedenen Bewegungen der Erde und
deren Einflüsse auf Beleuchtung, Klima usw. Dann folgt die mathematische Behandlung der Frage, welche sich auf das Problem reduciert: denjenigen Punkt der Erdbahn, der von dem augenblicklichen
Stande der Sonne um $90°$ westlich absteht, durch Azimut und Höhe
zu bestimmen. Die Lösung dieser Aufgabe bietet ein gutes Beispiel
für den unmittelbaren Gebrauch der Neperschen Analogieen *). —
Je schwerer es gewöhnlich für den Schüler ist jene drei Bewegungen
der Erde vor der geistigen Anschauung festzuhalten, um so passender erscheint die Wahl des Themas, dem hier eine sorgfältige Ausführung zu Theil geworden ist.

3. *Progr des k. k. Gymnasiums in Meran. Goniometrie vom*
Classenlehrer Magnus Tschenett. 1854.

Eine überaus gewöhnliche Ableitung der hauptsächlichsten goniometrischen Formeln, wie man sie aus älteren Büchern hinlänglich
kennt. Nur in éinem Punkte weicht der Vf. von seinen Vorgängern
ab; nachdem er nemlich die Formeln für $\sin (a \pm b)$ und $\cos (a \pm b)$
unter den Voraussetzungen $b < a < 90°$ und $a + b < 90°$ auf die
althergebrachte Weise abgeleitet hat, erklärt er, zum B e w e i s ihrer
Allgemeingiltigkeit für beliebige a und b reiche die Bemerkung hin,
dass nach jenen Formeln

$$\text{und} \quad \begin{aligned} [\sin (a + b)]^2 + [\cos (a + b)]^2 = 1 \\ [\sin (a - b)]^2 + [\cos (a - b)]^2 = 1 \end{aligned}$$

werde, wie es sein müsse. Diese seltsame Rechnungsprobe ist zugleich eine Probe von dem wissenschaftlichen Standpunkte des Verfassers. Die interessanten Deductionen mancher goniometrischen Formeln, welche man nach des Vf. Bemerkung 'nicht vermissen wird',
hat Ref. nicht zu entdecken vermocht.

4. *Progr. des Gymnasium Fridericianum in Schwerin. Beiträge*
zur Elementarmathematik vom Oberlehrer Dr. Dippe.

Der ziemlich reiche Inhalt ist nach des Vf. eigner Angabe we-

---

*) Warum der Vf. fs statt sin schreibt, begreift sich nicht recht;
entweder benutze man consequent zwei Buchstaben und bezeichne die
trigonometrischen Functionen mit sn, cs, tg, ct usw., oder man nehme
wie gewöhnlich drei Buchstaben. Auf jeden Fall ist es aber ein paedagogischer Misgriff, die Schüler an Bezeichnungen zu gewöhnen, die
sonst Niemand anwendet; man erschwert ihnen damit unnöthigerweise
das Eindringen in die Litteratur. Ebendeswegen zieht auch Ref. die
herkömmliche Bezeichnung vor, obschon sie die längere ist.

der hinsichtlich der Gegenstände noch bezüglich der Darstellungsform
neu, er soll bloss zeigen wie sich die abgehandelten Lehren nach
des Vf. Erfahrungen am besten darstellen lassen, und ausserdem
ein Supplement zu dem eingeführten Lehrbuche (von R. Weber) bilden. Was nun den ersten Abschnitt 'die Binomialreihe' anlangt,
so kann ihn Ref. nicht für gelungen halten, in so fern nemlich der
Vf. ohne alle und jede Begründung voraussetzt, dass $(1 + x)^\mu$ nicht
nur bei ganzen positiven, sondern auch bei beliebigen anderen μ in
eine Potenzenreihe verwandelt werden könne (Methode der unbestimmten Coefficienten); die Vorfrage nach der Möglichkeit der
Reihe ist aber gerade die wichtigere und nach ihrer Erledigung würde
man in der Wahl der Mittel zur Coefficientenbestimmung nicht mehr
ängstlich zu sein brauchen, wie sich namentlich in schwereren Fällen (s. z. B. Moigno calcul différentiel p. 170 nr. 90) unwiderleglich
zeigt. Es hat freilich für den Schulmann einen eignen Reiz den Schülern die allgemeine Binomialreihe und einige ähnliche Entwicklungen
mitzutheilen, aber 'es scheint nicht gerathen dies auf Kosten der
Strenge zu thun. Ref. würde in diesem Falle entweder die Allgemeingiltigkeit des binomischen Satzes nur historisch anführen und durch
Divisionen wie $\dfrac{1}{1+x}$, $\dfrac{1}{(1+x)^2}$ und Wurzelausziehungen auf gewöhnlichem Wege Proben dazu geben, oder, wenn es der Standpunkt der
Schüler erlaubt, einen strengen Beweis führen, sei es nach Cauchy
durch Summierung der Reihe oder nach Crelle durch identische Transformation und Restbetrachtung. Dieselben Bemerkungen treffen auch
den zweiten Abschnitt 'die Logarithmen', wo die Methode der unbestimmten Coefficienten in gleich unmotivierter Weise angewendet
worden ist. Besser hat sich Ref. mit den übrigen Abschnitten (Gleichungen des 3n und 4n Grades, Combinationslehre und Grundbegriffe
der Wahrscheinlichkeitsrechnung) befreunden können; sie gehen ein
gutes Zeugnis von der klaren Darstellung, welche dem Vf. zu Gebote
steht.

5. *Progr. des hamburgischen Johanneums. Ueber die räumliche
Darstellung der imaginären Grössen von Prof. Bubendey.*
1854.

Die geometrische Bedeutung der imaginären und allgemeiner
der complexen Zahlen hat man bis jetzt auf zwei verschiedene Arten
nachzuweisen gesucht. Man geht entweder mit Gauss von den Begriffen des Gegensatzes und der Ablenkung aus und gelangt durch
mehr oder minder befriedigende Raisonnements zu dem Schlusse, dass,
wenn $+ 1 = (— 1)^0$ die ursprüngliche Lage einer geraden $= 1$,
und $— 1 = (— 1)^1$ die entgegengesetzte Lage derselben bedeutet,
jede Zwischenlage durch $(— 1)^{\frac{n}{m}}$ ausgedrückt werden kann, wobei
sich die Zahlen n und m verhalten wie $180°$ zu dem in Graden ausgedrückten Winkel, den die Zwischenlage der geraden mit der Anfangslage

einschliesst. Dieser in mancher Beziehung nicht rein mathematischen Deduction hat D r o b i s e h *) eine analytische Ableitung entgegengestellt, welche im wesentlichen auf Folgendes hinauskommt. Bezeichnet man mit y_u eine Gerade von der Länge y, welche mit ihrer Anfangslage den Winkel u bildet, so ist $y_0 = y = y(+1)$, ferner $y\pi = -y = y(-1)$; hierdurch wird man zu der Analogie veranlaszt, $y_u = y\,f(u)$ zu setzen, wo $f(u)$ von dem Winkel u allein abhängt. Bei zwei aufeinander folgenden Drehungen um die Winkel u und v ist einerseits $y_{u+v} = y_u\,f(v) = y\,f(u)\,f(v)$, andrerseits unmittelbar $y_{u+v} = y\,f(u+v)$, mithin $f(u)\,f(v) = f(u+v)$; hieraus folgt $f(u) = a^u$ und hier bestimmt sich a durch die Bemerkung, dass für $u = \pi$ die Gleichung $f(\pi) = -1$ zum Vorschein kommen muss. Ueber diese Ableitung bemerkt der Vf. richtig, dass jene Analogie, $y_u = y\,f(u)$ zu setzen, einer näheren Begründung bedürfe, dass namentlich der Begriff der Multiplication erst tiefer untersucht werden müsse. Dem entsprechend werden im Folgenden die geometrischen Bedeutungen der arithmetischen Grundoperationen für complexe Zahlen festgestellt, wobei der Vf. den schon von M ö b i u s eingeführten Begriff der geometrischen Addition zum Ausgangspunkte nimmt. Ref. hält diese Erörterung für eine sehr gelungene, kann aber nicht umhin zu bemerken, dass die Darstellung an Klarheit wesentlich gewonnen haben dürfte, wenn der Vf. sich weniger im Baue grosser und künstlicher Perioden gefallen hätte.

6. *Progr. des Gymnasiums zu Sorau. Ueber die elementar-geometrische Behandlung der Kegelschnitte vom Oberlehrer Scoppewer.* 1854.

Der Vf. spricht in der Einleitung die Ansicht aus, dass bei richtiger Zeiteintheilung und hinreichendem Fleisse der Schüler immer noch etwas von der Zeit übrig bleibe, welche auf dem Gymnasium zur Absolvierung des reglementmässigen mathematischen Pensums gelassen ist; er taxiert jenen in Prima resultierenden Ueberschuss auf 2—3 Monate bei wöchentlich 4 Stunden. Diese Zeit könne man mit irgend einem Theile der P l a n i m e t r i e, entweder mit einem Stück neuerer Geometrie oder mit der Lehre von den Kegelschnitten auskaufen und der Vf. entscheidet sich für das letztere wegen der physicalischen Wichtigkeit derselben. Wenn Rf. auch diese Entscheidung vollkommen billigt, so kann er andrerseits doch seine Verwunderung darüber nicht verhehlen, dasz der Vf. nicht an die so nahe liegende Stereometrie gedacht hat, die Schüler werden ohnehin mit planimetrischen Details genug überschüttet. Eine solche stereometritrische Zugabe wäre die d e s c r i p t i v e G e o m e t r i e, das vortrefflliebste Mittel zur Uebung der figürlichen Anschauung. Jene vom Vf.

---

*) Der Vf. citiert die 2e Aufl. von des Ref. Handbuch der algebraischen Analysis, die eigentliche Quelle ist aber: Berichte über die Verhandlungen der K. S. Gesellschaft der Wissensch. zu Leipzig 2r Band S. 171 (Sitzung vom 5n Sept. 1848).

angegebene Zeit reicht vollständig aus um die Grundzüge der descriptiven Geometrie (Darstellung von Grundriss und Aufriss beliebiger
Körper in beliebigen Lagen, Durchschnitte der Ebenen mit Kugel,
Cylinder und Kegel, perspectivische Darstellung der vorigen Gebilde)
theoretisch zu begründen und durch wirkliche Ausführung der Zeichnung (in den Lehrstunden) einzuüben. Der Gewinn hierbei besteht in
der Fertigkeit räumliche Gebilde (auch selbst aus freier Hand) annähernd richtig darzustellen und umgekehrt aus einer Zeichnung das
entsprechende Phantasiebild abzuleiten oder, wie man zu sagen pflegt,
sich in eine Zeichnung hineinzufinden. Rf. hat dieses Experiment in
einem bekannten, hauptsächlich von hochgeborenen und sehr bla-
sierten Schülern besuchten Gymnasialerziehungshause gemacht, als
er, um eine Lücke auszufüllen, während eines Semesters daselbst
einige Stunden ertheilte, und kann versichern, dass die Schüler nach
Kurzem viel Geschmack am Zeichnen fanden und mit einer an jenem
Orte nicht sehr gewöhnlichen Vorliebe dem Unterrichte folgten. Besonders überraschte es sie, dass die nach den Methoden der descriptiven
Geometrie ausgeführte Zeichnung nicht selten (namentlich bei Durch-
schnitten zweier Flächen) ein anderes Bild lieferte als sie sich gedacht hatten, bei näherem Nachdenken überzeugten sie sich von der
Richtigkeit des Ergebnisses und corrigierten auf diese Weise die An-
ticipationen ihrer stereometrischen Phantasie; darin liegt aber gerade
das Bildende. Auch die auf Brennpunkte und Tangenten Bezüglichen
Eigenschaften der Kegelschnitte finden hierbei gelegentlich ihre Erledigung und zwar bedarf es hierzu keiner künstlichen Proportionen,
sondern nur ein paar congruenter Dreiecke, wie Rf. in 2u Bande
seiner 'Grundzüge der Geometrie' gezeigt hat. Der Vf. definiert die
Kegelschnitte als den geometrischen Ort eines Punktes, dessen Entfernungen von einem festen Punkte und von einer festen Geraden in
constantem Verhältnisse zu einander stehen; daraus werden die auf
Achsen und Brennpunkte bezüglichen Eigenschaften der Kegelschnitte
durch Anwendung von Proportionen, pythagoreischen Satz und dergleichen abgeleitet. Die Tangenten sind nicht betrachtet, obgleich
die Sache keine Mühe macht. Besondere Eigenthümlichkeiten sind
dem Rf. nicht aufgestoszen.

7. *Progr. des cölnischen Realgymnasiums in Berlin. I. Con-*
struction der regelmässigen Körper nach einer für alle über-
einstimmenden Methode vom Director August; II. Ueber
das Pascalsche Sechseck von Dr. Hermes. 1854.

Die Construction der regulären Körper wird in den Lehrbüchern
der Stereometrie meistens so behandelt, dass für jeden derselben ein
besonderes aus seinen Eigenschaften hergeleitetes Verfahren zur Anwendung kommt. Der Vf. dagegen betrachtet die fragliche Construction als Seitenstück der planimetrischen Aufgabe 'in einen gegebenen
Kreis ein reguläres Polygon zu beschreiben' und stellt daher das

Problem ʿin eine gegebene Kugel einen regulären Körper zu construieren.ʾ Es handelt sich daher nicht, wie man aus dem Titel schliessen könnte, um eine neue Construction ab ovo, vielmehr muss die Existenz und Entstehung der regulären Körper vorher gezeigt und bewiesen sein, dass um jeden derselben eine Kugelfläche beschrieben werden kann. Die Augustsche Construction wird daher in der Sphaerik ihren Platz finden und durch Einfachheit und Eleganz zu behaupten wissen. Von Interesse ist noch ein neuer in einer Anmerkung mitgetheilten Beweis für den Eulerschen Satz von den Polyedern *).

Die zweite Abhandlung betrifft das Pascalsche Sechseck in seiner ganzen Vollständigkeit, wobei jede der möglichen 60 Verbindungen von 6 Punkten eines Kegelschnitts als eingeschriebenes Sechseck betrachtet wird **). Mit sehr geringen Hilfsmitteln (hauptsächlich mittelst des Carnotschen Satzes, ein von einem Kegelschnitt durchschnittenes Dreieck betreffend) beweist der Vf. den Pascalschen Satz sammt den von neueren Geometern hinzugefügten Ergänzungen. Letztere sind 1) die 60 Pascalschen Geraden (g) schneiden sich einerseits zu je 4 in 45 Punkten ausserdem, zu je 3 in 20 (den sog. Stei-

---

*) Für das Vierflach (dreiseitige Pyramide) ist $e = 4$, $f = 4$, $k = 6$, mithin $e + f = k + 2$. Legt man an eine Fläche dieses Körpers ein zweites Vierflach, so kommen eine Ecke, zwei Flächen und drei Kanten hinzu und es ist für den neuen Körper (trianguläres Sechsflach) wiederum $e + f = k + 2$; der nochmalige Zusatz eines Vierflachs vermehrt wiederum die Ecken um eine, die Flächen um zwei, die Kanten um drei usw. Der Satz bleibt demnach immer richtig, wenn man Vierflache in beliebiger Zahl zusetzt, er gilt also für jeden von Dreiecken eingeschlossenen Körper. Da bei dieser Zählung auf die Neigungswinkel nichts ankommt, so können einzelne derselben ohne Störung des Satzes in gestreckte Winkel übergehen, so dass zwei oder mehrere Dreiecke zusammen (in Form eines Vielecks) als eine Seitenfläche gelten. Die Eckenzahl bleibt dabei ungeändert, aber die Diagonalen jener Vielecke hören auf Kanten zu sein; so viele von den früheren Seitenflächen wegfallen, so viele Kanten werden zu Diagonalen, es vermindern sich also f und k um gleichviel, was auf das Bestehen der Gleichung keinen Einfluss hat.

*) Vielleicht ist hier der Ort, um ein in dieser Lehre entstandenes Misverständnis aufzuklären. In dem Lehrbuch der Geometrie von Prof. Kunze wird nemlich Steiner getadelt, weil er übersehen habe, dass jene 60 Sechsecke nicht ebensoviele Arten von Sechsecken bilden; die einfache Antwort hierauf ist, dass es der Steinersche Satz nicht mit den verschiedenen Arten, sondern mit den verschiedenen Individuen zu thun hat und daher jene Unterscheidung gar nicht beachten darf. Dies übersieht sich noch einfacher beim Viereck; die Punkte A, B, C, D bestimmen die drei Vierecke ABCD, ABDCA und ACBDA als wirklich verschiedene Individuen; diese ordnen sich dann wieder in zwei Arten, in sofern unter ihnen ein gewöhnliches Viereck und zwei überschlagene Vierecke vorkommen. So wie es hier zwei Arten mit zusammen drei Individuen gibt, so sind beim Sechseck 12 Arten mit 60 Individuen vorhanden. Für eine Formenlehre würde diese Unterscheidung in Arten oder Classen einigen Werth besitzen, für den Steinerschen Satz aber hat sie durchaus keine Bedeutung.

n e r schen) Punkten (P): 2) die letzteren vertheilen sich zu je 4 auf 15 (die sog. Plückerschen) Geraden (G), von denen je 3 durch einen Steinerschen Punkt geben; 3) die 60 Pascalschen Geraden schneiden sich ausser in den Steinerschen noch in 60 anderen (den Kirkmann- schen) Punkten (p), welche sich zu drei auf jene 50 Geraden ver- theilen; 4) die 60 Kirkmannschen Punkte (p) liegen zu drei, ausser auf den 60 Pascalschen, noch auf 20 neuen (den Cayleyschen) Gera- den (G); 5) die 20 Cayleyschen Geraden gehen zu vier durch 15 neue (die Salmonschen) Punkte (P), von denen je drei auf einer Geraden G liegen. Rf. kann diese tüchtige Arbeit Allen empfehlen die sich für weitere Ausbildung der neueren Geometrie interessieren. *.

Dresden. . *Schlömilch.*

4.

Tabelle zur sächsischen Geschichte von D. Arnold Schae- fer, Professor an der königl. sächsischen Landesschule zu Grimma. Leipzig. Arnoldsche Buchhandlung 1855. 8. (16 S. 8. u. ein Blatt in 4).

Die vorliegende Tabelle ist dazu bestimmt eine Ergänzung zu meinen 'Geschichtstabellen zum Auswendiglernen' zu bilden, die eben jetzt von neuem durchgesehn und verbessert in 5r Auflage er- schienen sind [vgl. die Anzeigen der früheren Auflagen NJhrb. Bd. LXIII, S. 86 ff. Bd. LXVIII S. 198]. Denn wenn auch bei diesen die bedeutendsten Momente unserer Landesgeschichte gehörigen Ortes zu berücksichtigen waren, so fehlte doch eine übersichtliche Zusammen- fassung, und an vielen Stellen blieb ein näheres Eingehen wünschens- werth. Aus diesen Gründen habe ich schon vor mehr als sechs Jah- ren zunächst zu eignem Gebrauche die Tabelle entworfen und nach wiederholter Prüfung und Sichtung des Materials, mit sorgfältiger Benutzung der neuerdings gebotenen Hilfsmittel sie gegenwärtig in Druck gegeben. Mein Hauptstreben war darauf gerichtet eine klare Uebersicht zu geben und die Hauptmomente hervorzuheben: darum war in der Auswahl des Stoffes die Beschränkung auf das wesent- lichste geboten. Uebrigens will ich nicht einem besonderen Lehrcur- sus der vaterländischen Geschichte an unseren Gymnasien das Wort reden, sondern halte mit voller Ueberzeugung an dem fest, was durch die Verordnung des h. Ministeriums über den Lehrgang des Geschichtsunterrichts auf gelehrten Schulen (§. 7) vorgeschrieben ist, dasz die sächsische Geschichte in Verbindung mit dem Cursus der allgemeinen Geschichte zu lehren sei. Der Jugend musz ein klares Bild in festen Zügen vorgeführt werden: ihr Blick haftet nur auf Perso- nen, die eine bestimmte Gestalt gewinnen, deren Thaten ihren Antheil erregen. Nichts ermüdet sie mehr und spannt ihre Theilnahme ab als wenn sie von vornherein dureh Genealogien und schwankende unbefestigte Verhältnisse geführt wird. Das aber läszt sieh nur vermeiden, wenn der Unterricht in der deutschen Geschichte den leidenden Faden bildet und die engen Beziehungen der Mark Meissen mit dem Thüringerlande festgehalten werden. Dann sind die östlichen Marken der Schauplatz Jahrhunderte während der Kämpfe, in welchen unsere gröszten Kaiser und kühnsten Helden das Schwert führen und Stätten christlich-deutscher Cultur gründen. Da tritt aus dem Gewirre wüster Fehden endlich in Meissen das wettinische, in Thüringen das ludowingische Haus hervor und begründen eine festere Ordnung; und aus den Stiftungen, die sie neu ins Leben rufen und mit Liebe pflegen, erwächst eine böhere Gesittung, in ihrem Gefolge Wohlstand und Reichthum. Das aber kann nur dem anschaulich werden, der dem Zustande Deutschlands unter Heinrich IV. und Heinrich V. kennen gelernt hat. Und weiterhin in der Epoche der Hohenstaufen spricht es lebhaft zum jugendlichen Herzen, wenn in der Zeit des Thronstreites und der Parteiungen Markgraf Dietrich geschildert wird, 'der stolze Meiszner' treu und beständig, wie Walther von der Vogelweide ihn preist, oder wenn dasselbe Lob später seinem Sohne Heinrich dem erlauchten in den Zeiten des Abfalls von Kaiser Friedrich II. gebührendermaszen gespendet wird; vor allem aber, wenn an dem Untergange der Hohenstaufen auch eine Ahnmutter unseres Fürstenhauses mitzuleiden hat und ihre Söhne, die Erben des Ruhmes der Hohenstaufen und des Fluches, den über sie die feindselige Hierarchie verhängt hatte, den langen, schweren Kampf durchzufechten haben. Alles das kann nur von dem verstanden und gewürdigt werden, der in der deutschen Geschichte gehörig zu Hause ist und jene Begebenheiten in ihrem Zusammenhang kennen lernt. Nicht anders ist es mit der Geschichte der Reformation oder der späteren Zeiten: ich will hier an die Türkenschlacht vor Wien und die ferneren Türkenkriege erinnern. Aber es bietet nicht blosz die allgemeine Geschichte fortwährend Gelegenheit, was dem Schüler aus der Landesgeschichte wissenswerth ist, zu lehren, sondern auch die deutsche Litteraturgeschichte: hat doch unser Fürstenhaus stets, im Mittelalter wie in der neueren Zeit, der Wissenschaft und Kunst Huld und Pflege angedeihen lassen und die ernestinische Linie trotz der Zersplitterung ihres Erbes eben auf diesem Felde unvergänglichen Ruhm erworben. Das also ist die Aufgabe eines treuen und verständigen Lehrers stets darauf Bedacht zu nehmen, dasz der Schüler am rechten Orte und in dem gehörigen Zusammenhange von dem Wesen und den Thaten der Vorfahren und ihrer Fürsten höre und lerne, und zwar. von guten und schlimmen Zeiten mit gleicher Offenheit und Wahrheit: denn das allein bringt Segen.

Es hat also die hohe Behörde aus den triftigsten Gründen von einem besonderen Lehrcursus der vaterländischen Geschichte an den Gymnasien abgesehen und diesen der Universität vorbehalten. Denn bei der studierenden Jugend darf eine hinlängliche Bekanntschaft mit

der allgemeinen Geschichte vorausgesetzt werden, dasz besondere
Vorträge über die Landesgeschichte mit Erfolg gehört werden können: und auf dieser Stufe der Ausbildung ist es für jeden, der künftig
dem Vaterlande dienen soll, nothwendig sieh mit dem ganzen Gange
seiner Entwicklung vertraut zu machen.

Nach dem, was ich im allgemeinen über den Unterricht in der
sächsischen Geschichte bemerkt habe, brauche ich über die Anlage
der Tabelle nur wenig hinzuzufügen. In kurzen Umrissen umfaszt sie
wie in der älteren Zeit Thüringen und Meiszen so auch später das Ge-
sammthaus Sachsen und die ihm untergebenen Landschaften. Zu leichterer Orientierung sind die Regierungen der deutschen Kaiser, die
wichtigsten Veränderungen in den Nachbarländern und die Begebenheiten, welche in ihrer allgemeinen Bedeutung auch auf Sachsen einwirkten, in Cursivschrift beigefügt. Die Geschlechtstafel geht von
Friedrich dem streitbaren aus und führt von diesem ersten Kurfürsten
den erlauchten Wettinerstamm nach seinen Hauptverzweigungen auf die
jetzt blühenden Regentenhäuser herab. Bald erloschene Nebenlinien,
wie Sachsen-Weiszenfels, Merseburg, Zeitz, sind nur in ihren Stiftern
verzeichnet, unter Beifügung der Zeit ihres Erlöschens oder, wenn
sie schon mit der ersten Generation absterben (wie die Söhne Ernsts
des frommen zu Coburg, Römhild, Eisenberg), unerwähnt gelassen;
überhaupt sind bei den Verzweigungen des jüngeren gothaischen Hauses nur die Stammhalter aufgeführt. Denn es kam mir darauf an theils
die Haupttheilungen, welche von längerem Bestande gewesen sind, zu
verdeutlichen, theils die Abkunft der jetzt regierenden Fürstenhäuser
von dem gemeinsamen Stammvater überblicken zu lassen. Mögen denn
diese Blätter sieh als ein brauchbarer Leitfaden bei dem Unterrichte
und der Wiederholung bewähren.

Grimma.   *Arnold Schaefer.*

Auszüge aus Zeitschriften.

Zeitschrift für das Gymnasialwesen, hrsg. v. Mützell. **VIII. Jahrg.**
1854 (S. Bd. LXIX. S. 443—450).

Märzheft. Müllenhoff: die deutsche Philologie, die Schule
und die classische Philologie (S. 177—199: theilweise veränderter und
umgearbeiteter Aufsatz aus der deutschen Vierteljahrschrift 1851 Octoberheft. Nachdem die Aufgabe des deutschen Unterrichts dahin bestimmt ist, dasz er den Schüler zu einem richtigen und würdigen Gebrauche der Muttersprache anleite und seinen Sinn, so wie seine Fähigkeit dafür in einem seiner übrigen Ausbildung entsprechenden Verhältnis naturgemäsz entwickle, wird gezeigt, wie grammatischer Unterricht in den unteren Classen nichts gutes wirken könne, sondern an
der Lectüre eines guten Lesebuchs durch mündliche und schriftliche
Uebungen die Festigkeit im richtigen Gebrauche der Sprache erreicht

werden müsse. Sodann wird die Bedeutung des mittelhochdeutschen für die Erkenntnis des neuhochdeutschen gezeigt und Lectüre der echten Lieder des Nibelungenliedes, hierauf aber erst die Betrachtung neuhochdeutscher Poësie und Prosa zur Erkenntnis der Kunstformen vorgeschlagen. Eingehend erörtert der Vf. die Forderungen, welche an den Lehrer des Deutschen zu stellen seien, sowie die Mittel zu deren Erfüllung, und weist schlieszlich darauf hin, wie die classische Philologie unendlich viel gewinnen werde, wenn sie bei der deutschen in die Schule gehe). — Litterarische Berichte. Thüringische Programme v. 1853. Von Hártmann (S. 200—207: Inhaltsangaben und kurze Beurtheilungen von Rittweger: die philosophische Propaedeutik und der deutsche Unterricht in den obern Classen. Märcker: Auflösung der diophantischen Gleichung zweiten Grades mit zwei unbenannten. Oswald: über einige Hemmungen der Wissenschaft. Fischer: über das Uebersetzen in die Muttersprache. Richter: Gaea von Saalfeld. Mayer: Euripides, Racine und Goethe. 3e Abtheilung. Herzog: Wanderungen durch das Gebiet der Schule. Apel: Disp. de iis, quae C. Miltitius cum Luthero egerit, p. II. Forberg: zur Erklärung des Thukydides. Juch: über die deutschen Bildungssilben). — Schwarz: Versuch einer Philosophie der Mathematik, verbunden mit einer Kritik der Aufstellung Hegels über den Zweck und die Natur der höhern Analysis. Von Winkler in Stettin (S. 207—217: sehr anerkennende und empfehlende, den Inhalt vollständig darlegende Recension). — Kützing, die Elemente der Geographie. 2. Aufl. Von Campe (S. 217 ff.: einiges tadelnde, aber im ganzen lobende Beurtheilung). — Beck: Leitfaden beim ersten Unterrichte in der Geschichte. 7e Aufl. Von dems. (S. 218—220: anerkennende Beurtheilung. Getadelt wird der universal-historische Charakter, die Fortführung bis auf die neueste Zeit und die dem Schüler zu keinem Urtheil verhelfende Behandlung mancher besser ganz zu übergehender Personen und Thatsachen). — Klopp: deutsche Geschichtsbibliothek. 1s Heft. Von dems. (S. 220 f.: es sei nicht einzusehen, wie das Unternehmen den Gymnasialschülern nützlich werden könne. — Sophokles. Erklärt von Schneidewin. 1s Bdchn. Aias. Philoktetes. 2e Aufl. Von Gust. Wolff (S. 221—225: Unter vollster Anerkennung des in der neuen Auflage geleisteten spricht der Rec. abweichende Ansichten über das zweite Epeisodion des Ai., die Zeit der Handlung, die Lesarten 802, 1296, die Vertheilung der Verse 866 ff. unter die Choreuten, die 1190 aufgenommene Conjectur von Ahrens abweichende Ansichten aus). — Isler: Eclogae Ovidianae. Von Kindscher (S. 225—234: sehr tadelnde und namentlich die Anmerkungen durchaus als unzweckmäszig verwerfende Beurtheilung). — v. Jan: Entgegnung (S. 234 f.: die von Rührmund im Juli-Augustheft des vorigen Jahrgangs über Bibaculus vorgetragene Ansicht wird bekämpft und gegen einige Bemerkungen desselben protestiert, worauf Hr. Rührmund S. 236 erwiedert). — Miscellen. Hudemann: über häusliche Zucht. Sendschreiben an Hrn. Prof. G. Thaulow in Kiel (S. 237—247: in Bezug auf eine Stelle in Thaulow's Schrift: wie man in Frankreich mit der deutschen Philosophie umgeht. Kiel 1852 S. 40 f., in welcher der Grund, dasz uns eine Nationalerziehung gänzlich mangelt, in der Viellernerei und der auf den Schulen gewährten, den Charakter nicht durch Gehorsam bildenden Freiheit gefunden wird, sucht Hr. H. nachzuweisen, dasz die häusliche Erziehung vielmehr Schuld trage und von dieser aus allein eine Besserung kommen könne). — Lehmann: religiöse Bildung und Religionsunterricht auf den Gymnasien (S. 247—253: nach einer eingehenden Erörterung wird die Verordnung vom 10. Aug. 1853 mit Freuden begrüszt; weil aber gegen deren Erfolg noch Bedenken vorliegen, um einstweilen

3*

in den Lehrercollegien zur Ertheilung des Religionsunterrichts befä-
bigte Mitglieder zu erhalten, die Wirksamkeit der paedagogischen Seminarien, die strenge Anwendung des §. 21 für die Prüfung pro facul-
tate docendi und die Thätigkeit der Directoren in Anspruch genommen). — Häckermann: zu Vergilius (S. 253—263: Aen. II, 145 wird
vor *ultro* zu interpungieren und dies Wort zu dem folgenden zu ziehen
vorgeschlagen, I, 741 die Lesart der Handschriften *quem* und *Hic canit*
vertheidigt, II, 54—55 erklärt: *si fata deum non fuissent, si mens
laeva non fuisset*, II, 97—99, gedeutet *conscius* = scius; dissimula-
vit scientiam suam in quaerendo Ulisses vel potius simulavit inscien-
tiam). — Hölscher: Bemerkung zum Supplementband 1853 S. 205
(S. 263: es wird das Verfahren geschildert, wodurch in Herford die
gerügten Unterschleife bei der schriftlichen Maturitätsprüfung verbin-
dert werden, und bemerkt, dasz die Kosten der Directoren-Conferen-
zen aus einem besonderen Fonds bestritten werden, in den von den
Maturitätsprüfungsgebühren je 1 Thlr. flieszt). — Vermischte Nachrichten. Volckmar: Aus Hannover (S. 264—272: Auszug aus der
dem Oberschulrath Kohlrausch zugeschriebenen Schrift: musz die
jetzige Unterrichtsordnung der gelehrten Schulen geändert und müssen die Maturitätsprüfungen abgeschafft werden? Hannover 1853, womit ein Aufsatz von Wiese: ein Blick in das Schulleben der Gegenwart, in den Protestantischen Monatsblättern 1853 Novbr. S. 291 ff.
zusammengestellt wird. Der Rf. eifert besonders gegen die Corps auf
der Landesuniversität Göttingen).

Aprilheft. Abhandlungen. Heiland: die Lectüre und das
Privatstudium (S. 273—286: zwar zunächst gegen einige Aeuszerungen
des Rf. über die Programme der evangel. Gymnasien in Schlesien im
Januarheft gerichtet, aber zugleich eine ausführliche und eingehende,
auf die Anordnungen der höchsten Behörde überall Rücksicht nehmende
Auseinandersetzung über die Möglichkeit des Privatstudiums und des-
sen zweckmäszige Einrichtung). — Litterarische Berichte. Rheinische
Programme vom Jahre 1853 und Nachtrag zu den westphälischen Programmen von 1852. Von Hölscher (S. 287—291: auszer Schulnachrichten kurze Inhaltsangaben von folgenden Abhandlungen: Menge:
Erinnerung an Friedr. Leopolds Grafen zu Stolberg Jugendjahre. 2e
Abthlg. und Hilgers: sind nicht in Shakspeare noch manche Verse
wieder herzustellen, welche alle Ausgaben als Prosa haben? Aachen.
Becker: de Aetoliae finibus ac regionibus P. II. Bedburg. Scho-
pen: über die Pariser Handschriften des Eugraphius, und Ritschl:
de titulo Aletrinatium. Bonn. Schwalb: de hymnis Graecorum.
Cleve. Niemeyer: Niclasens von Weyl XI Translation: Process des
Hieronymus auf dem Concil zu Costnitz. Crefeld. Köttgen: die geometrischen Oerter der ausgezeichneten Puncte des Ellipsen- und Hy-
perbel-Dreiecks. Duisburg. Langendorff: die Religionen des Heidenthums in ihrer Entwicklung. Düsseldorf. Bouterweck: Leben
und Wirken Rudolfs von Rodt, Missionars in Indien, und Wackernagel: Fortsetzung d. Abh. über die Zerlegung des Icosaëders in fünf
Tetraëder. Elberfeld. Litzinger: die Verfassung des Hochstifts Essen nach dem Vergleich von 1794. Essen. Knebel: aus Rudolfs von
Ems Wilhelm von Orlens und Garthe: Prüfung der Leistungsfähigkeit eines Dampfschiffes. Köln. Grabow: Lösung zweier Dreiecks-
aufgaben. Kreuznach. Katzfey: Mittheilung der Disposition einer
Geschichte von Münstereifel. Münstereifel. Wassmuth: de aliquot locis, qui ad Aristotelis de tragoediae vi ac natura doctrinam
pertinent. Saarbrücken. Schmidt: über die Ebene. Trier. Fiedler: de Homero multiscio atque naturae conscio. Wesel. Elsermann:
über die fortschreitende Verallgemeinerung der arithmetischen Opera-

tionsbegriffe. Wetzlar). — Dittes: das menschliche Bewusztsein. Von
Wagner in Anclam (S. 292—297: sehr anerkennende Beurtheilung;
nur die im Buche geübte Polemik wird bekämpft). — Das Evangelium
der Natur. Von Fresenius in Eisenach (S. 297—300: als durchaus
Widerwillen erregend und die Auszeichnung eines Verbots, wie es in
einigen Ländern erfolgt, nicht verdienend geschildert). — Saal-
schütz: Form und Geist der biblisch-hebraeischen Poësie. Von W.
H. in B. (S. 301—303: der Beweis, dasz es bei den Hebraeern wirklich
Metra gegeben habe, wird zwar für nicht genügend erklärt, aber das
Buch doch sehr gelobt und empfohlen). — Süpfle: Aufgaben zu la-
teinischen Stilübungen. 2r Thl. 6e Aufl. Von Wagner in Anclam
(S. 303 f.: es wird besonders die auf die Verbesserung gewendete
Sorgfalt gerühmt). — Seyffert: Uebungsbuch zum Uebersetzen aus
dem Deutschen ins Lateinische für Secunda. 3e Auflage. Von dems.
(S. 305 f.: anerkennende Beurtheilung; namentlich wird der Anhang
mit den Firnhaber'schen Materialien verglichen und ihm einiger Vorzug eingeräumt). — Ausgewählte Fabeln des Phaedrus. Erklärt von
Raschig. Von Hartmann in Sondershausen (S. 307—309: bei allem
Lobe wird doch die Behandlung als für die Schüler, mit welchen gewöhnlich Phaedrus gelesen werde, zu hoch bezeichnet. Gegen einige
Textveränderungen erhebt der Rec. Widerspruch). — Caesaris commentarii de bello Gallico, erklärt von Kraner. Von dems. (S. 309
—313: unter einzelnen Bemerkungen lobende Anzeige; namentlich wird
die Handhabung der Kritik gerühmt). — Scholz: Gegenbemerkungen
zur Recension seiner Schrift: exempla sermonis Latini etc. Juli—Augustheft 1853 und Antwort von Schütz darauf (S. 313—318). — Télfy:
Studien über die Alt- und Neugriechen und über die Lautgeschichte der
griechischen Buchstaben. Von Mullach (S. 318—320: trotz mancher
Ausstellungen im einzelnen, doch im allgemeinen als gewis manches gute
stiftend empfohlen). — Gies: Leitfaden für einen gründlichen Unterricht im Rechnen. Von Arndt (S. 320—324: es werden wieder nicht
unerhebliche Ausstellungen gemacht). — Goethe's und Schiller's Balladen und Romanzen, erläutert von Sanpe. Von Noiré (S. 324—329
sehr anerkennende, zu einzelnen Gedichten und Stellen manche Bemerkungen bietende Beurtheilung). — Krause: Uebungsbuch zum Uebersetzen aus dem Deutschen ins Lateinische. Von Planer (S. 330 f.:
das Buch enthalte zwar viel nützliches und brauchbares, sei indes in
seiner jetzigen Gestalt erst am Ende des Cursus zur Repetition des
ganzen zu brauchen; in der Auswahl der angegebenen Vocabeln sei
kein richtiges Princip befolgt). — Bemerkung des Ref. über die Programme der evang. Gymn. Schlesiens (S. 332 f.: gegen Heilands Meinung einer persönlichen Gereiztheit wird protestiert und das Misverständnis (s. oben) bedauert). — M. Schmidt in Oels: Varia (S. 334
—337: coniiciert wird Aesch. Choeph. 56: μένει χρονίζοντα λάχη, 67:
φόνον καθαιματοῦντα, λοῦσις ἐς μάτην, 118: πατρῴων δειμάτων ἐπι-
σκόπους, 244: ἴνιν, 410—412: ὅταν δ᾽ αὐτ᾽ ἐπαλκὲς θροῆται ἄρρεν,
ἀπέστασεν ἄχος φῶς τό μοι φανὲν καλῶς, 476: φυσᾶν μέγα προσθεῖσαν
Αἴγισθον λέχει, 650: ταγοῦχος, 657: δικαίων δωμάτων παρουσία, 685:
ἢν παροῦσ᾽ ἀνεσκάφη oder ἢν πάρος. συνεσκάφη, 1037: λεὼς ἐκμαρτυροῖ
oder mit Umstellung: καὶ μαρτυροῖ μοι πᾶς ἂν Ἀργεῖος λεὼς τάδ᾽ ἐν
χρόνῳ μὲν οἷς ἐπορσύνθη κακά, 340: φιάλαν νεοκρᾶτα κομίζοι; sodann
Soph. fr. 183 Wagn.: γυναῖκα δ᾽ ἐξελόντες, ἣν θράσσει γέννυν (γενῦν)
ἔρως ἔωλος γραδίοις ἐνημένος. Bekk. Anecd. I, 344, 6 soll bei Xen.
Cyrop. II, 2, 26 vorgefunden haben ἀδίκους ἵππους, ἀδικομάχους aber
         νωμάλ
dem Glossem ἀδίκους entstanden sein). — Funkhänel: zu Demosthenes (S. 338—340: Erläuterungen der Stellen Philipp. I §. 38, 42 u. 48).

— **Vermischte Nachrichten**. Aus Westfalen (S. 341 f.: Mittheilung der
für die Directoren-Conferenz vorliegenden Berathungsgegenstände und
Frequenz der Anstalten). — Die Schulanstalten zu Oberschützen in
Ungarn. Von Th. B. (S. 342—351: ausführliche historische und paedagogische Darstellung).
Maiheft. Abhandlungen. Campe: Andeutungen aus der Sphaere
des geschichtlichen Unterrichts' (S. 353—374: nachdem das Anschwel-
len der Litteratur für den geschichtlichen Unterricht als den Verlust
der Objectivität in demselben gefährlich bedrohend bezeichnet ist, wird
in eingehender Erörterung unter Berücksichtigung von **Assmann**:
Handbuch der allgemeinen Geschichte, **Chr. Hoffmann**: Grundriss
der Weltgeschichte und **Schwartz**: Handbuch für den biographischen
Geschichtsunterricht gezeigt, nach welchen Grundsätzen die Auswahl
für die einzelnen Stufen des Unterrichts vorgenommen werden, sodann dasz man, um den geschichtlichen Unterricht mit Erfolg zu betreiben, der Weltgeschichte entsagen müsse. Am Schlusze werden der
historische Schulatlas von R. **Gross** und die dazu gehörige Schrift
von **Schiller** als für den Schulgebrauch zweckmäszig empfohlen). —
Litterarische Berichte. Programme der Provinz Brandenburg. Ostern
1853. Von **Planer** (S. 375—378: auszer den Schulnachrichten Inhaltsangaben über folgende Abhandlungen: **Dub**: die Gesetze des Elektro-
magnetismus, **Runge**: Pascals zwei Abhandlungen von der Cykloide,
Kersten: quo iure Kantius Aristotelis categorias reiecerit, **Kalisch**:
über die Versetzung der Schüler, ob jährlich oder halbjährlich?, **Köhler**: der Onofrit, **Klautsch**: über Herodorus von Heraclea. 1e Abth.). —
Programme der Gymnasien Hannovers. Ostern 1853. Von **Schmidt**
in Göttingen (S. 379—380: der Inhalt wird kurz mitgetheilt von
Langenreuter: num orationes Thucydidiae revera habitae sint, an
ex ipsa scriptoris mente manaverint, **Rempen**: die Sagenkönige von
Sikyon, **Schlüter**: Rückblicke auf die französiche Gesetzgebung über
den höheren Unterricht, **Schöning**: über die olynthischen Reden des
Demosthenes, **Ahrens**: Simonidis lamentatio Danaae emendata, **Callin**: die Landenge von Suez in handelspolitischen Rücksicht, **Jathe**:
zur Chronologie der ältesten Geschichte der Menschheit, **Volger**: der
30jähr. Krieg im Fürstenthum Lüneburg. 2e Abth., **Meyer**: calenda-
rium et necrologium ecclesiae cathedralis Osnabrugensis, **Schädel**:
epistola de Sophoclis Oedipi in Colono locis nonnullis ad Schneidewi-
num). — Mnemosyne. Tijdschrift voor classieke Litteratuer. Ley-
den. 1r u. 2r Deel, von **Mullach** (S. 381—401: ausführliche Angabe
des Inhalts dieser Zeitschrift. In der kretischen Inschrift Z. 98 con-
iiciert der Rf. $\pi'\varepsilon\tau\varrho\alpha\ \lambda\alpha\varrho\varkappa\iota\alpha = \dot{\alpha}\varrho\varkappa\iota\alpha$, wie $\lambda\varepsilon\iota\beta\omega$ neben $\varepsilon\iota'\beta\omega$, vertheidigt *si
quando umquam* bei Livius, $\chi\acute{\omega}\varrho\alpha$ bei Xen. Anab. V, 7, 28 und den
Inf. aor. II 3, 20 u. VI 4, 17, $\tau\grave{o}\nu\ \lambda\acute{\varepsilon}o\nu\tau\alpha$ bei Lucian quom. hist.
conscr. 10, billigt die Ableitung des Namens Fabius von faba). — Aus-
gewählte Komoedien des Aristophanes. Erklärt von **Theod. Kock**.
2s Bändchen: Die Ritter. Von R. **Enger** (S. 401—409: Rec. bemerkt, dasz der Standpunkt von dem Herausgeber nicht zweckmäszig
genommen sei, da Aristophanes zur Schullectüre nicht passe. Sonst
wird die Ausgabe gelobt, aber in der Kritik Willkürlichkeit gerügt
und das Verfahren ausführlich an V. 918 erleutert. Dasz der Vf. sich
den Vorwurf, er habe fremdes für eignes benützt, nicht ganz mit Unrecht zugezogen, gibt der Rec. zu und bestreitet die Ansichten über
die Choregie und den Antheil des Eupolis am Stücke). — **Capell-
mann**: griechisches Elementarbuch. Von **Hartmann** in Sondershausen (S. 409—417: das Buch wird Elementarlehrern, wenn auch nicht
zur Einführung in die Classe empfohlen; auszerdem finden sich eine
Menge Bemerkungen zur Vervollständigung und Verbesserung bei einer

2n Auflage). — Deutsche Art und Kunst in Gedichten für die reifere Jugend christlicher Schulen. Gütersloh 1853. Von Hölscher (S. 417—419: unter einigen Gegenbemerkungen in Bezug auf Orthographie und einzelne aufgenommene Gedichte lobende und empfehlende Beurtheilung). — Revidierte Ordnung der lateinischen Schulen und der Gymnasien im Königreiche Bayern v. 24. Febr. 1854 (S. 420—440). — Miscellen. Häckermann: zu Vergilius (S. 441—446. Aen. I 544, 545 u. 547 bestreitet der Vf. die vom unterzeichneten in diesen NJahrb. Bd. LXVIII Hft. 4 aufgestellten Ansichten. Ref. hatte die Anzeige auf Hrn. Häckermanns Wunsch, der dabei nur Gerechtigkeit wünschte, unternommen. Iudicent alii!). — Uebersicht über die im J. 1853 im Lehrerpersonale im Königr. Hannover vorgekommenen Veränderungen (S. 446 f.).

Juniheft. Abhandlungen. Schmidt in Stettin: alte Grammatik und neue Syntax (S. 449—474: durch Erörterung der Lehre von den Modis der Tempora und des Begriffs αυϑυπότακτον, so wie an einigen anderen Beispielen wird zu zeigen gesucht, die Wissenschaft werde einen groszen Gewinn machen, wenn man sich entschlieszen könnte zu den alten Grammatikern zurückzukehren). — Litterarische Berichte. Programme der pommerschen Gymnasien vom Jahre 1853. Von Lehmann (S. 475—487: auszer Auszügen aus den Schulnachrichten ausführliche Inhaltsangaben folgender Abhandlungen: Peter: das Verhältnis des Livius und Dionysius von Halikarnass zu einander und zu den älteren Annalisten; Grieben: die Entbehrlichkeit der philosophischen Propaedeutik als einer besondern Lection in den Gymnasien; Campe: Andeutungen zur Geschichte des ersten messenischen Kriegs; Häckermann: Explicationum Vergilianarum specimen; Beyer: Probeabschnitte eines neuen Lehrbuchs der Arithmetik; Bournot: Platonica Aristotelis opuscula; Engel: Xenophons politische Stellung und Wirksamkeit; Balsam: die Construction der Kegelschnitte aus gegebenen Bestimmungsstücken nach Newton; Cramer: dissertationis de Graecis medii aevi studii p. II). — Programme der katholischen Gymnasien der Provinz Schlesien. Von Hoffmann (S. 488—493: Inhaltsangabe über folgende Abhandlungen. Wissowa: Beiträge zur innern Geschichte des zweiten nachchristlichen Jahrhunderts aus den Schriften Lucians. 2e Abth.; Heinisch: adnotationes ad locos quosdam Taciti difficiliores; Kabath: Schulreden; Knötel: der opisch-latinische Volksstamm, seine Einwanderung und Verbreitung in Italien; Otto: über Schillers Don Carlos, wobei Rec. gegen die Sittlichkeit und Zuverlässigkeit Llorentes Einspruch thut; Ochmann: wie soll man die Schüler vor den gewöhnlichen Verstöszen gegen die Quantität im Lateinischen verwahren?, welche Abhandlung der Rec. zwar dankbar annimmt, aber die Methode für zu umständlich erklärt; Flögel: Beiträge zur Geschichte des Saganer Gymnasiums). — Friederichs: chorus Euripideus comparatus cum Sophocleo. Von L. Schiller (S. 493 f.: sowohl einzelne Behauptungen, als das Resultat werden bestritten). — Hauschild: Elementarbuch der deutschen Sprache nach der calculierenden Methode und Walther von Aquitanien, übers. und erläutert von San-Marte. Von Kehrein (S. 495—498: über Nr. 1 wird referiert und kein eigentliches Urtheil ausgesprochen, Nr. 2 aber der gereifteren deutschen Jugend in der Uebersetzung empfohlen). — Starke: Erzählungen aus der Geschichte des Mittelalters in biographischer Form. Von Hölscher (S. 498 f.: sehr günstig beurtheilt). — Römer: Mineralogie und Geognosie. 3r Thl. von Leunis; Synopsis der drei Naturreiche. Von Wunschmann (S. 499—501: wegen der wissenschaftlichen Gründlichkeit empfohlen). — Koppe: Leitfaden für den Unterricht in der Naturgeschichte. Von dems. (S. 501: kurzes Re-

ferat). — L ü b e n: Leitfaden zu einem methodischen Unterricht in der
Naturgeschichte. 2r u. 3r Cursus. Von dems. (S. 502: Angabe der Systeme, wornach gearbeitet ist). — B a u m a n n: Naturgeschichte für
Volksschulen, durchgesehen von C u r t m a n n. Von dems. (S. 502: empfohlen). — L e n n i s: Schulnaturgeschichte. 3r Thl. Von dems. (S. 503:
empfohlen). — Astronomie für Alle. Von dems. (S. 503: leicht verständlich für jedermann). — G i e b e l und H e i n t z, Zeitschrift für die
gesammten Naturwissenschaften. Von dems. (S. 504: das Unternehmen wird dankbar anerkannt). — L i n d e m a n n: Entgegnung auf den
Bericht über die Ausgabe der Metamorphosen Ovids, und K i n d s c h e r:
Antwort darauf (S. 505—510). — R u d o l f v. R a u m e r: Erklärung
(S. 510 f.: Rechtfertigung gegen Aeuszerungen, welche Hr. Müllenhoff
in dem Aufsatze des Märzheftes gethan).
    J u l i h e f t.   Abhandlungen.   H o l z a p f e l in Magdeburg: über den
Gleichklang bei Homer (S. 513—537: wie in zwei früheren Aufsätzen
aus der Odyssee, werden hier aus der Ilias und den Hymnen die Stellen nach Kategorien geordnet zusammengestellt, um zu beweisen, dasz
die Erscheinungen nicht blosze Zufälligkeiten sein können). — Litterarische Berichte.   E t i e n n e: Versuch eines Cursus der Mathematik
für höhere Lehranstalten. Von R ü h l e (S. 538—543: das Buch wird
für Gewerbschulen brauchbar, für gelehrte unbrauchbar befunden). —
B e e z: Elemente der niederen Analysis. Von dems. (S. 543 f.: den Lehrern an Gymnasien empfohlen, so fern ihnen der Gegenstand für die
gelehrten Schulen zu gehören scheine, was der Rec. nicht geradezu
verneint). — Platons sämmtliche Werke. Uebersetzt von H i e r. M ü l-
l e r, mit Einleitungen von K. S t e i n h a r t. 2r Bd. Von V a r g e s
(S. 544—551: über den Inhalt der Einleitungen wird ausführlich referiert, an der Uebersetzung aber unter Anführung von Stellen aus
dem Kratylos ein gröszerer Mangel an Sorgfalt als in dem In Bande
gerügt). — R ö p e: Schillers Götter Griechenlands, ein Zeugnis für
die gute Sache des Christenthums. Von P a b s t in Arnstadt (S. 552—
559: die Auffassung des Vf. wird als richtig bezeichnet und für dieselbe manches bestätigende beigebracht). — I s l e r: ein Wort über die
Recension der Eclogae Ovidianae, und K i n d s c h e r: Antwort darauf
(S. 559—562). — Miscellen.   H u d e m a n n: die Vereinfachung des Unterrichts auf Gymnasien. 2s Sendschreiben an Prof. Thaulow in Kiel
(S. 563—580: nach ausführlicher Darstellung des Schadens, welchen
die Ueberladung der Schulen mit Lehrgegenständen stifte, werden zur
leichten Vereinfachung Vorschläge gethan, welche der unteren Stufe
den realen, der oberen den sprachlichen Unterricht zuweisen und für
jene besonders die Einheit des Lehrers betonen. In der Vorschule (8—
10 J.) werden angesetzt: Religion 6 St., Deutsch 6—8 St., Rechnen
4—6 St., Schreiben 6 Stunden. In VI (Curs. 1jähr.): Religion 6,
Rechnen und Schreiben je 4—6 St., Deutsch 10 St. (weil dieser Unterricht Geschichte, Geographie und Naturgeschichte in sich aufnehmen soll); V (1jähr. Curs.): Religion 6 St., Deutsch 8 St., Schreiben
4, Rechnen 4, Naturgeschichte 4, Geographie 2; IV (1jähr. Curs.) Religion 4, Schreiben 2, Rechnen 4, Deutsch 6, Naturgeschichte 2, Geographie 4, vaterländische Geschichte 2, Französisch 4—6; III (2jähr.
Curs.) Religion 2, Latein 10—12 (aber in 2 Coetus), Geographie 2, Mathematik 5, allgemeine Geschichte 5, Französisch 6—4 St.; II (Curs.
2jähr. und auch mit 2 Coetus) Religion 2, Latein 9, Griechisch 8,
Deutsch 2, Französisch 2, Geographie 2, Geschichte 3, Mathematik
4 St.; endlich I (2jähr., bisweilen auch 3jähr. Curs.) Religion 2, Latein 9, Griechisch 8, zu den übrigen Lehrfächern Physik, Hebraeisch
auszerhalb des gewöhnlichen Cursus. Ueber die Methode werden viele
Andeutungen gegeben, am Schlusze die Ausdehnung der Geschichte ge-

rechtfertigt und über den Religionsunterricht gesprochen, dabei die Befürchtung ausgesprochen, dasz es bei den christlichen Gymnasien nicht auf Erziehung, sondern auf das Wissen abgesehen sein möge). — Obbarius: Bemerkung zu Horat. Ep. I 1, 8 u. 9 (S. 580—582: *ilia ducat* wird wiederholt gegen den Uebersetzer Neumann und gegen Döderlein durch Keuchen erklärt. Sodann wird des letzteren Ansicht über Ep. II 2, 134 bekämpft). — Vermischte Nachrichten. Auszüge aus den Protocollen des Gymnasiallehrervereins, mitgeth. von Schirrmacher (S. 583—586. Zumpt: über die Statthalter der römischen Provinz Syrien zur Zeit der Geburt Christi, mit specieller Beziehung auf Ev. Luc. c. 2; Bonnell: über die schriftlichen Lebensläufe der Abiturienten; Böhm: über Döderleins Vocabularium für den lateinischen Elementarunterricht). — Anzahl der Prüfungen bei den wissenschaftlichen Prüfungscommissionen im J. 1853. — *Practica est multiplex* (S. 587—591: der Umstand, dasz man auf manchen Schulen beim Extemporale das deutsch-lateinische Lexikon gestattet, an andern nicht, wird als ein Uebelstand gerügt. Zwei darauf bezügliche Verordnungen vom J. 1835 u. 1838 werden mitgetheilt).

August-September heft. Abhandlungen. Schmidt in Schweidnitz: über die Verbindung des geschichtlichen Elements mit der Erdkunde beim Gymnasialunterricht (S. 593—604: der Vf. stellt folgenden Lehrplan auf, dasz in Sexta und Quinta bei drei wöchentlichen Stunden in dem In Halbjahr der Geographie 2, der Geschichte 1, im 2n im umgekehrten Verhältnisse zugewiesen und in VI allgemeine Erdkunde mit vorzugsweiser Berücksichtigung des topischen und physischen Elements, und Biographien aus der alten Geschichte, in V allgemeine Erdkunde mit vorzugsweiser Berücksichtigung des politischen Elements und Biographien aus der mittlern und neueren Zeit, vorzugsweise der christlich-germanischen Welt, gelehrt werden sollen. In IV sind 2 Stunden der Geschichte der alten Welt im Zusammenhange, der Geographie nur Wiederholungen zugetheilt. In III werden die 3 St. auf die Geographie und Geschichte Deutschlands mit Episoden aus der allgemeinen Geschichte verwendet, in II im ersten Jahre ein vollständiger Cursus der Geographie mit Einwebung des geschichtlichen Elements, im 2n preuszische Geschichte in Verbindung mit allgemeiner Geschichte, in I endlich alte Geschichte und alte Geographie nebst Wiederholungen aus dem Gesammtgebiete der Geschichte und Geographie vorgeschlagen. Wie sich der Vf. die Verbindung denke, wird theils durch Bemerkungen, theils durch ein Beispiel an Ungarn und Siebenbürgen klar gemacht). — Litterarische Berichte. Döderlein: Homerisches Glossarium. Von Ameis (S. 603—663: ganz vollständig das Buch durchgehende, dasselbe zwar als Epoche machend anerkennende, aber gegen sehr vieles vom Standpunkte des Homer aus Bedenken erhebende Beurtheilung). — C. Iulii *Caesaris* commentarii de bello civili. Für Schüler herausgeg. von A. Doberenz. Von Hartmann in Sondershausen (S. 664 f.: die grosze Brauchbarkeit des Buches wird unter einzelnen Bemerkungen hervorgehoben). — T. *Livii* historiar. libri I—IV. Mit Anmerkungen von Crusius. 2e umgearbeitete Ausgabe von G. Mühlmann. Von Klix (S. 666—677: eingehende Beurtheilung, welche indes Planlosigkeit der Anlage und zu wenig scharfe Erfassung der Aufgabe und auch sonst manche Unrichtigkeit zum Vorwurfe macht). — M. Tullii *Ciceronis* de legibus libri tres. Ed. Feldhügel. Von Obbarius (S. 678 f.: im ganzen lobende Beurtheilung). — Seyffert: Lesestücke aus griechischen und lateinischen Schriftstellern. Von Sauppe in Liegnitz (S. 679—682: das Buch wird durchaus als eine dankenswerthe Gabe bezeichnet). — *Miscellen.* J. Schmidt in Schweidnitz: über den Unterricht in der preuszischen

Geschichte auf Gymnasien und J. F. Schmidts Geschichte der Entwicklung des preuszischen Staats (S. 683—689: so lange nicht ein Lehrbuch der mittleren und neueren Geschichte, in vaterländischem Geiste verfaszt und rein zum Zwecke für die preuszischen Gymnasien geschrieben, vorhanden sei, müsse nothwendig ein besonderer Cursus in der preuszischen Geschichte statt finden; sodann werden die bei der Abfassung des oben genannten Lehrbuchs leitenden Grundsätze dargelegt und gerechtfertigt). — Kawerau: Mittheilungen, das Turnen betreffend (S. 690—695: Bericht über die Leistungen der Central - Turnanstalt in Berlin, durch welchen nachgewiesen wird, dasz mit ihrer Errichtung eine neue Aera für das Turnen begonnen habe, weil man die Sache richtig angegriffen). — Gotthold: über den Schluszcreticus des iambischen Trimeters der Griechen und Römer (S. 695—700: nachdem die von Porson ad Eur. Hec. 343 u. Hermann El. d. m. p. 115 ff. gegebene Regel dahin erweitert ist, dasz auch der Apostroph zur Milderung des Creticus beitrage, zeigt der Vf. durch Beispiele, wie die groszen Dramatiker diesen Ausgang sorgfältig gemieden oder doch den Misklang beseitigt haben, geht dann die von den lateinischen Dichtern beobachteten Gesetze durch und tadelt zuletzt das Streben der Deutschen, auch hierin die Alten nachzuahmen, weil es zu anderen störenderen Inconvenienzen führe). — Hoffmann in Neisze: Emendationen (S. 700 f. Tac. Ann. XIV 7: *exporgerent* für expergens; XIV 16: *aetas ornati* f. aetatis nati. XV 74: *quorum damno ad omen ac votum sui exitus verteretur.* XVI 9: *perimere* f. permittere. Agric. 30: *recessus ipse capacissimus famae.* Cic. d. N. D. II 37, 95: *siderumque* f. eorumque. Plin. H. N. XVIII 80: *autumnum serenum ac tersum*). — Funkhänel: zu Demosthenes' Aristocratea §. 138 (S. 701 f.: πόλιν οἰκεῖν an d. angef. Stelle wird durch: in einem geordneten Staate wohnen erklärt, unter Zuziehung von Phil. III, 32). — Schmidt in Oels: zu Aeschylus (S. 702—11: Agam. 1558—1568 Herm. schreibt der Vf. unter Umsetzung von Vs. 1562 u. 1563: παρέσχε δαῖτα, παιδείων κρεῶν μάσημ'. ὃ δ' αὐτῶν αὐτίκ' ἀγνοίᾳ λαβών, dann οὐ καταίσιον τὰ μὲν ποδήρη — κτένας κορυφάς τ' ἄνωθεν ἀνδριὰς (od. ἀνδροβρῶς) καθήμενος ᾤμωξεν. Eum. 49—52 H.: εἴδον πετηδὸν Φινέως. 475 unter Verwerfung einer Lücke und Umstellung von dem in einigen Handschriften fehlenden Verse 482: φόνων δικαστὰς ὁρκίων, αἰδουμένους ὅρκον, περῶντας μηδὲν ἐκδίκοις φρεσίν, θήσω τὸν εἰς ἅπαντ' ἐγὼ θεσμὸν χρόνον, dann wird aber nach ἥξω Vs. 481 eine Lücke angenommen. 556 für die Lücke ἠπύτης. 510: ἔσθ' ὅπου τὸ δεινὸν ἐντὸς φρενῶν ἐπίσκοπον δεῖ μένειν καθήμενον. 252 soll in der Urhandschrift zwischen προυσελᾷ und προσγελᾷ die Lesart geschwankt haben. 171 wird vermutet ἔχραν', ἅτ' αὐτόσσυτος. 421: ἀλλ' ὅρκον οὐ δέξαι' ἂν, ὃν δοῦναι θέλω; 194: Πλειστίοισι statt Wieselers κλεισίοισι, wogegen Agam. 784 dessen Coniectur jetzt gebilligt wird. Agam. 557: ἀρητὸν γάνος, und vorher τόδ' εἰκὸς ἡλίου 'ν φάει. 815: τηξίθυμον. 789: ἐπείπερ παστάδας γαμοκλόπους ἐπραξάμεσθα. 690: ἡ πολύθρηνον, αἰζηῶν ἀμφὶ γυναικὶ μέλεον αἷμ' ἀνατλᾶσα. 16: ἧμαι f. ξμήν. 78: Ἄρης οὐκ ἔνι χλωρᾷ. Eum. 291: τίθησιν ὄροφον εἰς κατηρεφῆ πόδα. Ueber ders. Tragoedie Vs. 352—355 werden mehrere Vermutungen vorgetragen. Suppl. 809: ὁμόδημον ἐπ' ἄμαλα, zugleich mit einer neuen Anordnung des Chorgesangs. Noch wird der Chorgesang 794 f. behandelt). — Pabst: Miscellen (S. 712—714: eine Reihe Stellen von Horaz wird mit solchen aus Dichtern anderer Völker verglichen und durch ähnliche Parallelen Tac. Ann. V 33; I 55, 61; II 6 u. 69 erleutert). — Vermischte Nachrichten. Lehmann: zur Kenntnis des Erziehungs- und Unterrichtswesens auf den pommerschen Gymnasien. 3r Artikel (S. 715—726: besprochen wird 1) dasz Knaben vor vollendetem 10n

Jahre und ohne den Besitz der vorgeschriebenen Kenntnisse in die Sexta aufgenommen werden; 2) dasz die Versetzungen in Folge davon in den unteren Classen nicht nur alljährlich vorgenommen werden; 3) dasz in den Gymnasien noch nicht überall die für die alten Sprachen gesetzlich bestimmte Stundenzahl gewonnen, 4) auch die eben so von der Behörde empfohlene Concentration in der Hand eines Lehrers nicht durchgeführt sei). — Hense: die am 28. Mai 1854 gehaltene Lehrerversammlung in Oschersleben (S. 727—732: ausführlicher Bericht über die Debatte, deren Gegenstand war: 'deutsche Themata, wie sie auf Gymnasien aufgegeben werden oder aufgegeben werden sollten'). — S.: die Gelehrtenschulen Holsteins und Lauenburgs. Ostern 1854 (S. 732—734: Uebersicht über die in den Lehrerpersonalen vorgekommenen Veränderungen und Angaben über die Programmabhandlungen).

Octoberheft. Abhandlungen. A. Göbel in Trier: über den innigen Zusammenhang des 1n nnd 2n Buches der Iliade, so wie über die Bedeutung der Thersites-Scene (S. 737—769: I. Versuch nachzuweisen, dasz alles, was im Anfange des zweiten Buches erzählt ist, nothwendig sei, damit Agamemnon, der durch des Achilles Kränkung in eine schiefe Stellung zum Heere gekommen, wieder das demselben werde, was er ihm vorher gewesen, und dasz Thersites als Abbild der im Heere herschenden hässlichen Stimmung zu deren Beschwichtigung als abschreckendes verhasstes Gegenbild diene. Unter II wird der Versuch gemacht, Lachmanns Gründe zur Auflösung des 2n Buchs und unter III Grotes Ansicht von der Ilias zu widerlegen und zu entkräften. IV zählt dann die Ansichten der Gelehrten über die Thersites-Scene beurtheilend auf und begründet die eigene weiter). — Litterarische Berichte. Des Horatius Oden und Epoden, erklärt von C. W. Nauck. Von Trompheller (S. 770—781: es wird anerkannt, dasz der Herausg. die Aufgabe ganz richtig bezeichnet, auch im einzelnen manches gute geleistet habe, aber wie an anderen Beispielen, so insbesondere an einer eingehenden Zergliederung von Od. I 1 nachgewiesen, dasz die Aufgabe nicht befriedigend gelöst sei). — Titi *Livi* ab urbe condita libri. Erklärt von W. Weiszenborn. 1r u. 2r Bd. Von Löwe in Züllichau (S. 782—793: unter vollster Anerkennung der Trefflichkeit wird doch bemerkt, dasz die Ausgabe keine Schulausgabe in vollem Sinne des Wortes sei. Zuerst werden die neuen Leistungen für die Textkritik angeführt, dann die Einleitung, zuletzt die erklärenden Anmerkungen besprochen. Abweichende Ansichten werden über I 33, 6. 43, 1. 45, 2. V 46, 11 u. 39, 4 vorgetragen). — Cornelii *Nepotis* vitae excellentium imperatorum. Mit Wörterbuch von Horstig. Von Täuber (S. 793—795: das Wörterbuch hat nach des Rec. Urtheil vor dem von Eichert noch vieles voraus). — Eichendorff: zur Geschichte des Dramas. Von Kehrein (S. 796 f.: kurze Skizze des Inhalts unter Anerkennung der Vortrefflichkeit). — Gruner, Eisenmann und Wildermuth: deutsche Musterstücke. Von Philipp (S. 797—799: als sehr nutzbar empfohlen). — Herrig: Aufgaben zum Uebersetzen aus dem Deutschen ins Englische. 3e Aufl. Von dems. (S. 799: belobt). — Verordnungen. Erlasz des Königl. Schul-Collegium der Provinz Brandenburg vom 1. Juli 1854, wodurch der Erlasz vom 24. Oct. 1837 in Betreff der häuslichen Arbeiten der Schüler in Erinnerung gebracht wird (S. 800 f.) — Vermischte Nachrichten. Steudener: das 300jähr. Jubelfest der Klosterschule Rosleben (S. 802 —809). — —n: Grofzherzogthum Hessen (S. 808—812: Bericht über die Verhältnisse der Gymnasien und die erschienenen Programmabhandlungen). — Müllenhoff: Erwiederung an Herrn R. von Raumer (S. 813—815: gegen die im Juniheft enthaltene Entgegnung gerichtet).

Novemberheft. Abhandlungen. Schirrmacher: über Bent-

leys Predigten gegen den Atheismus (S. 817—847: Schilderung der Verhältnisse, unter welchen die Predigten gehalten wurden, und dann
ausführliche Darlegung ihres Inhaltes und Ganges). — Litterarische
Berichte. Schmidt in Göttingen: Programme der gelehrten Schulen
des Königreichs Hannover (S. 348—355: auszer der Mittheilung von
Schulnachrichten Inhaltsangaben von folgenden Abhandlungen: Nöl-
deke: quaestionum philologicarum spicileg. I. Lingen. Buchholz:
de personarum descriptione in Iphigenia Aulidensi Euripidis exhi-
bita. Clausthal. Tepe: die praktischen Ideen. Nach Herbart. Emden. Geffers: de deo ex machina in Philocteta Sophoclis interve-
niente. Göttingen. Ahrens: Bionis Smyrnaei epitaphius Adonidis
und Bärens: der zweite Theil und insbesondere die Schluszscene der
Goetheschen Fausttragoedie. Göttingen. Fischer: über den Unterricht in der Mineralogie auf Gymnasien. Hildesheim. Volckmar:
Laurentius Rhodomanns Lobgedicht auf Ilfeld. Ilfeld. Volger: der
30jähr. Krieg im Fürstenthume Lüneburg. Lüneburg. Ringelmann:
über den Unterricht in der Geometrie in den mittleren Gymnasialclas-
sen. Osnabrück. Kiene: der deutsche Unterricht auf Gymnasien.
Stade). — Hölscher: Bericht über das Gymnasium zu Detmold und
Clemen: Ossian und seine Werke (S. 855 f.). — Hartmann in Sondershausen: thüringische Programme vom J. 1854 (S. 856—863: Schulnachrichten und bald mehr, bald weniger ausführliche Inhaltsangaben
von folgenden Abhandlungen: Hoschke: die elementaren Reihen. Arnstadt. Eberhard: Hugo Riemann. Schlegel: chemische Verwandtschaft der Grundstoffe. Forberg: zur Erklärung des Thukydides.
2s Heft. Coburg. Funkhänel: de comparationis forma quadam ab
Horatio usurpata. Eisenach. Mayer: Euripides, Racine und Goethe.
4r Beitrag, und Herzog: commentariorum particula XXIV, qua brevis continetur disputatio de grata quadam et commendabili studiorum
variatione. Gera. Giese: de Christianae doctrinae praeceptis, quae
quidem ab ipso Jesu Christo eiusque apostolis tradita sunt, ad artem
revocandis. Gotha. Schneider: Andeutungen über einige Haupt-
mängel der Erziehung in Schule und Familie, und Stürenburg: einige Materialien zu einem Lexicon Ciceronianum aus dem Buchstaben
A. Hildburghausen. Knochenhauer: Versuche über den Strom der
Nebenbatterie, und Passow: Lucian und die Geschichte. Meiningen.
Müller: commentarii Iunilii Flagrii, T. Galli et Gaudentii in Virgilii
Georgicorum libros. Partic. IV. Rudolstadt. Reimann: über die
physische Beschaffenheit der Sonne. Saalfeld. Göbel: Grundlage
zur Kenntnis der um Sondershausen vorkommenden Käfer. Sondershausen). — Ruprecht: die deutsche Rechtschreibung vom Standpunkte
der historischen Grammatik. Von Stier in Wittenberg (S. 864—871:
eingehende und viele selbständige Bemerkungen enthaltende Beurtheilung. Namentlich wird der Gebrauch der groszen Anfangsbuchstaben
bekämpft, und am Schlusze wird der Vorschlag gemacht, dasz nach
Vollendung des Grimmschen Wörterbuchs die Schulbehörden die darin
eingeführte Schreibweise nicht anbefehlen, aber erlauben möchten). —
B. Witzschel: die Physik faszlich dargestellt. Von Fresenius
(S. 871—874: zum Selbststudium und zur Vorbereitung der in die wissenschaftliche Behandlung eintretenden empfohlen). — Hildebrand:
lateinische Chrestomathie für Realgymnasien. Von Hartmann in Sondershausen (S. 875—877: unter dem Wunsche, dasz dem ersten Theile
ein Wörterbuch, dem überhaupt zu hoch gehaltenen zweiten Theile
auch poëtische Stücke beigegeben werden möchten, empfohlen). —
Miscellen. Hölscher: Schillers Götter Griechenlands (S. 878: zu dem
im Juliheft enthaltenen Aufsatz von Pabst wird eine damit überein-
mende Aeuszerung aus Perthes' Briefen mitgetheilt). — . . . . . .t in

Berlin: die Mathematik auf den Gymnasien (S. 979—883: nachdem der Mathematik als nothwendigem Bildungsmittel neben den alten Sprachen ihr Platz vindiciert ist, wird die Geometrie vor der Arithmetik hervorgehoben und ein Cursus vorgeschlagen, der in Quinta mit dem Anschauungsunterricht beginnt, dann bis zum 2n Halbjahr von Tertia den ersten Theil der Planimetrie absolviert und hierauf wechselnd Arithmetik und Geometrie folgen läszt. In Prima werden eine Repetition der Planimetrie und die Elemente der Kegelschnitte gefordert, aber sphaerische Trigonometrie und die Gleichungen 3n Grades ausgeschlossen. Am Schlusze bemerkt der Vf., dafz nicht die Mathematik die Einheit im Gymnasium beeinträchtige, sondern vielmehr die übrigen Realien). — Funkhänel: zu Demosthenes (S. 884—886: besprochen werden de pace §. 11. Phil- II 13, Ol. I 9. Phil. I 36. III 21 u. 59). — Vermischte Nachrichten. Albani: Tabelle über die Verhältnisse der badenschen Gymnasien (S. 887—889). — Schirrmacher: Auszüge aus den Protocollen des Gymnasiallehrer-Vereins (S. 890—894: der Inhalt wird von folgenden Vorträgen gegeben: G. Wolff: über die Reaction des Heidenthums gegen das Christenthum und Porphyrius' Schrift περὶ τῆς ἐκ λογίων φιλοσοφίας. Strack: über die französischen Lyceen und deren Unterrichtsplan. George: über den Unterschied der alten und neuern Sprachen als Bildungsmittel). — Mützell: die 14e Philologen-Versammlung in Altenburg (S. 894 f.).   *D.*

Berichte über gelehrte Anstalten.

Die Gelehrtenschulen des Grossherzogthums Baden im Schuljahre 1853—1854.

Am Lyceum zu Carlsruhe trat während des bezeichneten Schuljährs im Lehrercollegium nur die Veränderung ein, dasz der provisorische Lehrer der 2n Classe der Vorschule Schneider wegen Unwohlseins abgieng und Jul. Zeuner prov. an seine Stelle trat. Dasselbe bestand aus dem Director Geh. Hofr. Dr. E. Kärcher, den ordentlichen Lehrern Hofräthen K. Frdr. Vierordt, Chr. Frdr. Gockel, W. Eisenlohr, K. Frdr. Süpfle, den Proff. A. Gerstner, L. Böckh, E. Zandt, K. Bissinger, O. Eisenlohr, den Lyceumslehrern A. Schmidt, kathol. Religionslehrer Prof. K. Kirn, Dr. Ad. Hauser, W. Hofmann (Mathem. provis.), Jo. Fossler, Gli. Zeuner, Lud. Beck (prov.) und Jul. Zeuner (prov.), dem Turnlehrer Williard, Zeichenlehrer Steinbach, dem Gesanglehrer Organist Gaa. Später wurde der Lehrer Schmidt versetzt (s. Mannheim) und der Hofrath Platz vom Generallandesarchiv an das Lyceum berufen (Bd. LXX S. 567). Die Klage wegen der zahlreichen Gesuche um Dispensation vom Griechischen wird in den Schulnachrichten erneuert. Für die Vorschule (Alter 6—10 Jahre) ist Turnunterrricht eingerichtet worden, an welchem die Theilnahme, obgleich freiwillig, sehr zahlreich war. Ueber die Abiturienten v. J. 1853 s. Bd. LXIX S. 458. Die Frequenz betrug 664 (VIª: 20, VIᵇ: 26 und 3 Gäste, Vª: 22, Vᵇ: 23, IVª: 47, IVᵇ: 64, IIIA: 55, B: 35 (Parallelabtheilungen), II: 86, I: 80, Vorschule III: 72, II: 57, I in 3 Abtheilungen: 92). Den Schulnachrichten beigegeben ist die Abhandlung vom Director Dr. E. Kärcher: *Beiträge zur lat. Etymologie und Lexikographie.* Vierte Lieferung. Mit einem grammatischen Excurse (59 S. 8). Inhalt: Rechtfertigung der Schreibart *artus* und *conditio*,

dagegen *dicio*, Ergänzungen und Berichtigungen zu Forcellini (dabei
eine kritische Bemerkung über Plant. Stich. I 3, 103 und Ammian.
29, 1). Anhang über die Bedeutung und Bildung der Adjective, welche sich auf *-bilis* und *-bundus* endigen. — Von dem Lyceum zu Constanz wurde die seit Novbr. 1834 mit ihm vereinigt gewesene höhere
Bürgerschule mit Beginn des Sommersemesters 1854 wieder getrennt.
Die Anstalt erhielt eine höchst werthvolle Naturalien-, namentlich Mi-
neralien- und Petrefactensammlung von dem Geh. Hofrath von Sey-
fried zum Geschenk. Es unterrichteten an ihr der Director geistl.
Rath Schmeiszer, die Proff. Fr. Al. Hoffmann, Frdr. Reesz,
Fr. Ant. Kreuz, J. E. Wörl, geistl. Lehrer R. Hummelsheim,
die Lehramtspraktikanten Const. Kern, Fr. X. Frühe, H. Seld-
ner, der Reallehrer Lehmann, Musik- und Zeichenlehrer Schmal-
holz, Lehrer der Physik Prof. Seiz, evangel. Religionslehrer Stadtpfarrer Partenheimer. Die Schülerzahl betrug 223 (I: 23, II: 23,
III: 31, IV^b: 30, IV^a: 19, V^b: 20, V^a: 23, VI^b: 25, VI^a: 29. S. auch
die oben angef. Stelle). Die wissenschaftliche Beilage enthält eine
Abhandlung vom Dir. J. N. Schmeiszer: *über den Ursprung des
deutschen Schauspiels* (66 S. 8), hauptsächlich aus Mones altdeut-
schen Schauspielen und Schauspielen des Mittelalters geschöpfte lebendige und allseitige Darstellung des Gegenstandes, bei der indes
mehrere neu herausgegebene Schauspiele benutzt werden konnten. —
Vom Lyceum zu Freiburg im Breisgau gieng Lyceallehrer Schmidt
an das Lyceum zu Heidelberg, während der geistliche Lehrer Bischoff von dem Lyceum zu Wertheim, wohin er zur Besorgung des
Religionsunterrichts berufen worden war, zurückkehrte. Der Lyceallehrer Wörter sah sich durch seine Beschäftigung an der Universität
zur Aufgabe seines Unterrichts genöthigt. Der Volontär Lehramtspraktikant Walz ward an die höhere Bürgerschule in Buchen berufen.
Das Lehrercollegium bestand aus dem Director Hofrath Nokk, den
Proff. Weiszgerber, Furtwängler, Intlekofer, den Lehrern
Eble, Kappes und Zipp, den Lehramtspraktikanten Rheinauer
und Ammann, den geistl. Lehrern Bischoff und provisorisch Hau-
ser, dem Reallehrer Keller, auszer denen noch Unterricht ertheilten
Dir. Prof. Dr. Frick, evang. Stadtpfarrer Helbing, Vicar Bähr,
Lehramtspraktikant Trunk und Zeichnungslehrer Geszler. Die
Schülerzahl betrug 329 (I: 34, II: 31, III: 40, IV^b: 38, IV^a: 39, V^b:
38, V^a: 23, VI^b: 45, VI^a: 41). Die wissenschaftliche Beilage zu dem
Programm ist: *Aristarchos über die Gröszen und Entfernungen der
Sonne und des Mondes. Uebersetzt und erläutert* von A. Nokk (42
S. 8 und 1 Taf.). — Von den an dem Lyceum zu Heidelberg vorge-
kommenen Veränderungen ist die eine schon unter Freiburg, die andere
Bd. LXIX S. 577 berichtet. Die Lehramtspraktikanten Frz. Kremp
und Rud. Kuhn wurden nach Offenburg und Tauberbischoffsheim berufen, nur kurze Zeit waren die Lehramtspraktikanten Leop. Dam-
mert und Dr. Winnefeld thätig. Das Lehrerpersonal bestand aus
den beiden alternierenden Directoren Prof. Cadenbach und Geh. Hofr.
Hautz, den Proff. Behaghel, Helferich, Dr. Arneth, den Lyceumslehrern Dr. Habermehl, Dr. Schmitt, geistl. Lehrer Kös-
sing, Dr. Süpfle, Reallehrer Riegel, evang. Stadtpfarrer Holtzmann, Turnlehrer Waszmannsdorff, Zeichenlehrer Volck und
dem neu angestellten Gesanglehrer akad. Musikdirector Schletterer.
Den israelitischen Religionsunterricht ertheilten der Bezirksrabbiner
Fürst und Hauptlehrer Bessels. Die wissenschaftliche Beigabe zum
Programm enthält vom Prof. G. Helferich: *Miscellen* (23 S. 8). Der
Hr. Vf. sucht darin zuerst die Stelle Plat. Menex. p. 242 B gegen die
Verdächtigungen zu rechtfertigen, indem er aus Diodorus Siculus eine

zweite, von Thukydides nicht erwähnte, am 59n Tage nach der ersten stattgefundene Schlacht bei Tanagra nachweist, wobei er sich in einem Anhange gegen Ed. Zellers Ansicht entschieden erklärt. Im 2n Abschnitt wird Plat. Menex. p. 240 B τοιῷδε τρόπῳ mit einigen Handschriften aufgenommen, im 3n endlich Iulian. Opp. p. 453 f. Sylb. interpungiert und gelesen: Ἀλλ᾽ οὗτοι μὲν ἐν μέρει θεοσεβεῖς ὄντες, ἐπείπερ, ὃν τιμῶσιν [ἕνα λέγουσιν (θεὸν)], ἀλλ᾽ ἀληθῶς ὄντα δυνατώτατον καὶ ἀγαθώτατον, ὃς ἐπιτροπεύει τὸν αἰσθητὸν κόσμον· ὅνπερ εὖ οἶδ᾽ ὅτι καὶ ἡμεῖς ἄλλοις θεραπεύομεν ὀνόμασιν· εἰκότα μοι δοκοῦσι ποιεῖν, τοὺς νόμους μὴ παραβαίνοντες, ἐκεῖνο μόνον ἁμαρτάνειν, ὅτι μὴ καὶ τοὺς ἄλλους θεοὺς ἀρέσκοντες αὐτῷ μάλιστα τῷ θεῷ θεραπεύουσιν κτέ. — Das Lehrercollegium des Lyceums zu MANNHEIM, in dem keine Veränderung eingetreten war, bestand aus dem Director Prof. Behaghel, dem alternierenden Director Hofrath Gräff, dem Hofrath Scharpf, geistl. Rath Rappenegger, Hofr. Kilian, den Proff. Dr. Fickler, Baumann, Ebner, Dr. Lamey, den Lyceumslehrern Deimling und Rapp (s. Bd. LXIX S. 703), dem katbol. Religionslehrer Spitalpfarrer Schmitt, dem Lehramtspraktikanten Bauer, Reallehrer Heckmann, Zeichenlehrer Hausser und Gesanglehrer Wiczek. Ueber die später eingetretenen Veränderungen s. Bd. LXX S. 567 u. S. 569 PFORZHEIM. Die Schülerzahl betrug am Schlusz des Schuljahrs 231 (I: 26, II: 47, III: 2, 2IVᵇ: 25, IVᵃ: 22. Vᵇ: 27. Vᵃ: 23, VIᵇ: 22, VIᵃ: 17). Die wissenschaftliche Beilage enthält vom Prof. K. Baumann: *Erklärung einiger Stellen in dem Agricola des Tacitus, zugleich als Beitrag zur Methodik der Interpretation* (26 S. 8). Nachdem in der Einleitung die Forderung aufgestellt ist, dasz der Schüler denkend lesen lerne und demnach schon bei der Praeparation auf das Verständnis des Zusammenhangs und Gedankenganges zu sehen angehalten werde, geht der Hr. Vf. als Beispiele einige Stellen der genannten Schrift theils erleuternd, theils durch Fragen Andeutungen gebend durch. Beiläufig sei erwähnt, dasz die Satiren und Episteln des Horaz von Krüger nicht zur Weidmannschen Sammlung gehören. — Am Lyceum zu RASTATT unterrichteten der Director J. Schraut, die Proff. geistl. Rath Grieshaber (während seiner Landtagsthätigkeit durch Lehramtspraktikanten Seidenadel vertreten), Nicolai, Dr. Holzherr, Donsbach, Scheyder (nach Ostern wegen Krankheit beurlaubt), Eisinger, Dr. Rauch (s. Bd. LXIX S. 580), die Lehramtspraktikanten Forster, Stephan und Mayer, der Reallehrer Santo, der Lehrer Merz, die evang. Religionslehrer Stadtpfarrer Lindemeyer und Vicarius Schmitthenner, der Zeichenlehrer Kaufmann und der Musiklehrer Bender. Die Schülerzahl betrug am Schlusz des Schuljahrs 153 (I: 26, II: 29, III: 33, IVᵇ: 22, IVᵃ: 6, Vᵇ: 6, Vᵃ: 5, VIᵇ: 14, VIᵃ: 10). Die wissenschaftliche Beilage schrieb Prof. L. Eisinger: *Beiträge zur Topographie und Geschichte der Stadt Rastatt* (64 S. 8). Die Topographie nimmt auf alles Rücksicht, was zu einem anschaulichen Bilde der Naturumgebung gehört; die geschichtliche Darstellung, welche bis zur Erhebung zur Residenz 1689 fortgeführt wird, eröffnet unter Mittheilung vieles urkundlichen einen interessanten Blick in das Gemeindeleben. Eine sauber gestochene Karte gibt ein Bild der Stadt und Gemarkung im J. 1790. — Das Lehrerpersonal des Lyceums zu WERTHEIM bestand aus dem Geh. Rath Dr. Föhlisch (der nach seiner Bd. LXX S. 231 gemeldeten Pensionierung noch zwei Stunden in VIᵇ ertheilte), dem mit der Direction beauftragten Prof. Hertlein, den Proff. Dr. Neuber und Föhlisch, den Lyceumslehrern Caspari und Müller (s. diese NJahrb. a. a. O.), dem Reallehrer Ströber, dem Lehramtspraktikanten von Langsdorff (vorher am Benderschen Institut in Weinheim,

nach dem Abgang des Lehramtspraktikanten Salzer Ostern 1854 dem
Lyceum überwiesen (s. Bd. LXX S. 570), dem protest. Religionslehrer
Pfarrer Maurer, dem katbol. Pfarrverweser Gerber (nach Bischoffs
Rückgang nach Freiburg, s. o., vom Gymnasium zu Tauberbischofs-
heim hierher versetzt), dem israelitischen Lehrer Faller, dem Zei-
chenlehrer Fries und dem Gesanglehrer Feigenbutz. Die Schüler-
lerzahl war am Schlusz des Schuljahres 121 (I: 31, II: 22, III: 17,
IV^b: 15, IV^a: 7, V^b: 4, V^a: 3, VI^b: 9, VI^a: 13). Die wissenschaftliche
Beilage lieferte der Director Prof. K. Fr. Hertlein: *Beiträge zur
Kritik des Polyaenus* (23 S. 8). Nachdem in der Einleitung drei
Stellen bezeichnet sind, in denen evidente Conjecturen noch nicht Aufnahme gefunden, emendiert der Hr. Vf. I, 2 δόξαν für ἦχον, I, 3, 4
mit Casaubonus ἤδη δόντας, dann ἀποφέρειν und für das handschriftliche κατανοοῦσα καταπτοοῦσα, I, 9 τοῦ δοκεῖν, I, 10 ᾐρέϑησαν für
das handschriftliche ᾔρισαν oder ᾐρέϑισαν, I, 17 ἐπί τινας σκυταλίδας,
I, 18 τιμὰς ἀνέδησαν (oder ἀνῆψαν) τὰς τῶν ἡρώων, vertheidigt I, 21,
1 die Lesart gegen Wyttenbach, emendiert I, 29, 1 mit Valck. καὶ τι-
μήσας προεδρίᾳ, streicht I, 30, 4 mit zwei Hss. οὗτος, ändert I, 37
ἐξαιρῶν, I, 38, 4: ἐπιφανείῃ, wie V, 13, 1 εἰ μὲν προσάγοι, I, 40, 4
αὐτὸν τῶν oder nur αὐτόν, I, 40, 6 αὐτοῖς in Ἀϑηναίοις, I, 41, 2 οἱ
εἰσαῦϑις in σφίσιν αὐτοῖς, wie auch IV, 3, 7 für φασὶν αὐτοῖς vorgeschlagen wird. I, 43, 1 wird δούλων vor ἐπαναστάντων ausgefallen
angenommen und weiter ἤδη χρὴ ἥκειν verbessert, I, 45, 4 πόλει nach
ἐν Ἡρακλέους gestrichen, II, 1, 22 verbessert πλὴν ὀλίγου τοῦ, δι'
οὗ στόμα, dann der Artikel vor καιρὸς gestrichen und κατ' ὀλίγους
für οὐκ ὀλίγους geschrieben, dagegen I, 38, 1 παρήγγειλε τὸν καιρὸν
vertheidigt. Fernere Vermutungen sind II, 1, 26 ὡς παρὰ Λαμψακη-
νοῖς πάντες, II, 3, 1 εἰσελϑόντες, II, 3, 3 ἐμβαλόντος für ἐμβαλόντες,
II, 3, 7 διαμαχοῖτο, II, 3, 9 παριέναι und mit cod. Flor. ὡς μέλλων,
II, 3, 11 τῆς δὲ μάχης κρατερᾶς γενομένης, πολλῶν ἀμφοτέρωϑεν πε-
σόντων, νυκτὸς γενομένης, ἢ τὸ τέλος τῆς νίκης ἀφείλετο, ἀνεχώρησαν,
II, 9 ἔπεισεν für ἐποίησεν und dann καὶ ὡς γυμνούς, II, 10, 2 Tilgung von ἐν vor τῇ στενότητι. II, 31, 3 wird παρακειμένῳ jetzt vertheidigt, III, 9, 2 nach λαϑόντες der Ausfall von ἑαυτοὺς vermutet, III,
9, 7 τοῖς πολεμίοις in τοῖς πολλοῖς geändert, 9, 23 λόγον διέδωκεν, 9, 43 τῇ
δυνάμει συμβαλών und ὅσα ἔστι, 9, 59 μηνυσάντων, 62 ἑκάστῳ, 63 ὁπλι-
σαμένους emendiert. An die Conjectur III, 10, 4 τὸ ϑεῖον schlieszt
der Hr. Vf. bei Hyperid. pr. Euxenippo p. 7, 3 Schneidew. den Vorschlag: ἀλλὰ μὰ Δία αὐτός τοι οὕτω τῷ πράγματι οὐ κέχρησαι, Polyaen. V, 1, 3 κατὰ τὰς συνϑήκας, Themist. or. IV p. 69, 24 Dind.
ὅσον ἐν αὐτῷ. Sodann folgende Emendationen bei Polyaen. III, 11, 3
Χαβρίας ναῦς Λακωνικὰς κατασκόπους δώδεκα ἐφορμούσας, οὐ μὴν
ἐπαναχϑῆναι ϑαρρούσας ἐξεκαλέσατο οὕτως πῶς· αὐτὸς ἀνήχϑη ναυσὶ
δεκαδύο, κατὰ δύο ζεύξας καὶ τὰ ἱστία τῶν δυοῖν ἐπὶ μιᾶς ἀράμενος,
III, 11, 5: ὅσα ἔδωκαν, 8 καὶ ἀρρωστίαν, 10 ἀνεβίβασατο, 15 κατα-
δραμών für καταλαβών, IV, 2, 3 ἀλλὰ καταμαϑών, 3, 3 τὸ χῶμα für
τὰ χωρία, 9 διαβῆναι, IV, 4 αὖϑις προσῆλϑον (beiläufig bei Hyperid.
pr. Euxenippo p. 3, 13 ἀλλ' αὐτίκ' ᾤχοντο), 6, 21 προεδιδάσκετο, 19
ἐσϑραμεῖν, 9, 2 ὡς ἀντιπαρεσκευασμένη οὐκ ἐϑάρρησεν ἐπιϑέσϑαι, II,
4 καταφανεῖς οὔσας für καταφρονήσασαν, V, 1, 1 καὶ ἄλλως ὁσίως ἂν
ἔχον und τὸν κηρύξοντα für τὸν μηνύσοντα, 2, 6 ὑπὸ τῇ περιεχούσῃ
ἄκρᾳ, 2, 11 ἀναγορεύει und im folg. ποῖ μέλλει πλεῖν, V, 9 συνῆψαν
für συνῆγον, 13, 1 ἵνα εἰ μὲν ἡ πολεμία τριήρης προσάγοι τῇ νηΐ, ὑπὸ
τῶν ἐν ταῖς σιτηγοῖς προσβάλλοιτο, V, 23 σκάφας τρεῖς (γ') μονοξύ-
λους, 32, 1 ἀναγκαζομένοις — ποιεῖσϑαι für ἀνακομιζομένοις, 33, 3
αὐτοὺς ἥκοντας oder τοὺς ἥκοντας, ὄντας πολλούς, 44, 3 μετὰ πάσης
τῆς δυνάμεως, V, 47 πρῶτον μὲν und τοῖς εὐπόροις, VI, 1, 3 εὐωχίαν

für εὐχήν, VI, 10 τὰ χωρία Θίβρωνι παραδούς, 16, 3 προϊδόντες, 5 καὶ πιστὰ δόντες, VI, 17 εἰς τὸν διατεταμένον αὐλίσκον φυσῶντες (beiläufig bei Hero de rep. obs. p. 324 διώσαντας für πλειώσαντας und aus dem Codex auf dem Berge Athos noch mehrere Emendationen bestätigt), VI, 24 ἡνίκ᾿ ἂν ὄρνιθες, VII, 11, 6 τῶν δὲ Σακκῶν ζώντων ἀλόντων, 14, 2 μυρίους ἱππέας ἔχοντι, 16, 1 βουλεύσασθαι δέον, VII, 48 wird nach Plut. Mor. p. 248 f. τοῖς ἄνδρασι τὰ ξίφη παρέδωκαν und τοὺς μὲν κατέβαλον τοὺς δὲ ἐτρέψαντο gebessert (umgekehrt VIII, 57 καταλαβόντων καὶ τὰς πύλας). Ἐν ἱματίῳ gibt zu einer sprachlichen Bemerkung über die Weglassung des Zahlwortes Veranlassung. Wie VII, 49 das Futur διασωσόμεναι verworfen wird, so wird dagegen VIII, 31 λουσόμενοι, Xen. vectig. 2, 6 οἰκοδομησομένους, Plat. Phaed. p. 107 d διαδικασομένους geschrieben. VIII, 14, 1 werden die Worte τοῦτο δ᾿ ἂν εἴη Μέγιστος für eine Interpolation erklärt; ferner emendiert 23, 3 οὐκ ἀπὸ πολλοῦ, 36 ἀνεῖντο μέθῃ, 39 βιάσεσθαι, 40 ἐπεκύλισεν, 41 σύνοδος für σύλλογος, 42 ὅμοιον ἐδωδίμῳ, 45 ἦν οὖν Ἀριστογείτονι, 46 τοῦτο μήνιμα und vorher ἐπετέλει τὸν γάμον, 55 ἐγήματο Ἑκαταίῳ, 46 αἱ δὲ γυναῖκες πᾶσαι ξίφος ἐν τῷ κόλπῳ κομίζουσαι — ἄνδρα ἑκάστη καθιζάνουσιν, endlich VIII, 30 ἐξήτουν für ἐξήτουν. — Das Gymnasium zu BRUCHSAL hatte als Lehrer den Director Prof. Scherm, Prof. Dr. Hirt (seitdem pensioniert. S. Bd. LXX S. 560), den Gymnasiallehrer Rivola, die Lehramtspraktikanten Seidenadel (an Büchlers Stelle berufen, s. oben Rastatt), Wolf und Hermann (nachdem Müller nach Tauberbischoffsheim versetzt war, von dorther berufen), die Reallehrer Dr. Schlechter und Schleyer (beide definitiv angestellt, ersterer, nachdem seine Berufung nach Ettlingen zurückgenommen war), die Religionslehrer Hofpfarrer Küstner (kath.), Hofdiaconus Wölfel (evang.), Bezirksrabbiner Präger. Die Schülerzal betrug 204 (I: 45, II: 50, III: 39, IVᵃ: 40, IVᵇ: 10, Vᵃ: 18, Vᵇ: 12). Zu der Untersexta eines Lyceums waren 14 entlassen worden. Die wissenschaftliche Beigabe schrieb Dr. Schlechter: *das körperliche Dreieck* (30 S. u. 6 Figurentafeln). — Ueber das Gymnasium zu DONAUESCHINGEN ist bereits Bd. LXX S. 346 berichtet. — Von dem Gymnasium zu LAHR erwähnen wir auszer den schon Bd. LXIX S. 702 und Bd. LXX S. 228 berichteten Veränderungen, den Abgang des Reallehrers Selz und die Anstellung des Reallehrers Hillert (vorher Vorstand der aufgelösten höhern Bürgerschule in Schwetzingen), so wie der Lehramtspraktikanten Roth und Deimling. In den Schulnachrichten S. 9—16 hat der Director Gebhard eine Statistik der Anstalten, welche 1804 mit einem Paedagogium gegründet wurden, mitgetheilt. Die Schülerzahl betrug im Gymnasium 122, in der höhern Bürgerschule 17. — Von dem Gymnasium zu OFFENBURG war der Reallehrer Brunner an die höhere Bürgerschule in Baden versetzt worden. Das Lehrerpersonal bestand aus dem Director Prof. Trotter, aus den Proff. Prediger Stumpf und Schwab, dem geistlichen Lehrer X. Eckert, den Gymnasiumslehrern Blatz und Schlegel, dem Lehramtspraktikunten Kremp (s. oben Heidelberg), dem Schreib- und Zeichenlehrer Geiges, dem Gesanglehrer Möszner, Musiklehrer Kohler und dem Volontär Lehramtspraktikanten Rothermel; den evang. Religionsunterricht ertheilte der Pfarrer Fr. Müller. Die Schülerzahl betrug 164 (I: 39, II: 33, III: 35, IVᵃ: 19, IVᵇ: 22, Vᵃ: 9, Vᵇ: 7.) Sämmtliche Oberquintaner, 9 an Zahl, waren für die Untersexta eines Lyceums promoviert worden. Die wissenschaftliche Beilage zum Programm lieferte J. H. Schlegel unter dem Titel: *Platonis dialogum, qui 'Phaedrus' inscribitur, exposuit atque explanavit* (50 S. 8), eine ausführliche Entwicklung des Gedankengangs mit einigen auf Vergleichungen und Erklärung sich beziehenden

Anmerkungen. — Von dem Gymnasium zu TAUBERBISCHOFFSHEIM sind zwei Versetzungen oben bei Wertheim und Bruchsal erwähnt worden. Das Lehrerpersonal bestand aus dem Director Prof. Reinhard, dem Prof. Weber, den Lehramtspraktikanten Müller (s. Bruchsal), Kuhn (s. Heidelberg) und Gnirs, dem Reallehrer Schüssler und dem Caplan Benz (nach Gerbers Abgang). Die Schülerzahl betrug 136 (I: 32, II: 10, III: 22, IV^a: 22, IV^b: 16, V^a: 21, V^b: 13). Dem Programm ist eine wissenschaftliche Beilage nicht beigegeben. — Von den mit höheren Bürgerschulen verbundenen Paedagogien zählte am Schlusz des Schuljahres das zu DURLACH 74 Schüler (I: 21, II: 16, III P: 14, B: 2, IV P: 8, B: 3, V P: 6, B: 2), das zu LÖRRACH 87 (I: 50, II: 17, III B: 3, P: 6, IV^b B: 2, P: 6, IV^a P: 3), das zu PFORZHEIM 121 (I P: 14, B: 30, II P: 10, B: 26, III P: 9, B: 19, IV^b P: 6, B: 13, IV^a P: 2, B: 1). — Die Schülerzahl der höhern Bürgerschulen betrug BADEN: 94, CONSTANZ: 134, EMMENDINGEN: 68, EPPINGEN: 29, ETTENHEIM: 169, ETTLINGEN: 31, FREIBURG im Breisgau: 108, MANNHEIM: 250, MOSBACH: 81, MÜLLHEIM: 77, SCHOPFHEIM: 35, SINSHEIM: 96, UEBERLINGEN: 41, WALDSHUT: 33. In den Schulnachrichten von Ettenheim befindet sich ein Vortrag des Vorstandes Gruber (11 S. 8), welcher sich über das Wesen der Bildung und namentlich der Berufsbildung verbreitet. Dem Jahresbericht von Schopfheim ist beigegeben die Abhandlung vom Vorstande Lic. J. D. Seisen: *einleitende Bemerkungen zu J. P. Hebels alemannischen Dichtungen* (S. 17—38), welche, an Vilmars und Barthels Urtheile anknüpfend und sich über die Sprache, die Composition, den religiös sittlichen und poëtischen Sinn des Dichters verbreitend, uns für eine richtigere Würdigung des Dichters, für den eine warme Vorliebe vorhanden ist, recht werthvoll erscheint, zumal da sie aus genauer Bekanntschaft mit dem Volkstheile, dem Hebel seine Sprache und die Einkleidung entnahm, hervorgegangen ist.

DANZIG. Nach dem Ostern 1854 ausgegebenen Programme des dasigen städtischen Gymnasiums war im Lehrercollegium (s. Bd. LXVII S. 723) nur die Veränderung vorgekommen, dasz der Schulamtscandidat Förstemann Mich. 1853 nach Salzwedel berufen wurde und an seine Stelle der das Probejahr abhaltende Schulamtscandidat Heinrichs die volle Stundenzahl eines ordentlichen Lehrers übernahm, auszerdem wegen der Erkrankung des Schulamtscandidaten Stein der Candidat Hoffmann wieder in einige Stunden eintrat. Die Schülerzahl betrug ohne die Elementarclasse 471 (I: 40, IIa: 38, IIb: 45, IIIa: 58, IIIb: 49, IVa: 38, IVb: 76, V: 59, VI: 68). Abiturienten 15. Den Schulnachrichten voraus geht eine Abhandlung des Prof. Dr. J. Marquardt: *zur Statistik der römischen Provinzen, ein Nachtrag zu Becker-Marquardt Handbuch der römischen Alterthümer III, 1* (26 S. 4), welche auch im Buchhandel erschienen ist.

ERLANGEN. Zum Prorectoratswechsel ward von der Universität das Programm ausgegeben von dem Studienrector Prof. Dr. L. Döderlein: *Interpretatio orationis Periclcae extremae ex Thucydide,* II, 60 sqq. (13 S. 4), in welchem, nachdem in einer Einleitung die Vorwürfe des Dionysius Halicarnassensis gegen die Rede zurückgewiesen sind, der griechische Text mit einigen untergesetzten kritischen Bemerkungen der deutschen Uebersetzung gegenübergestellt ist (vgl. Bd. LXIX S. 119).

GOTHA. Das Ostern 1854 ausgegebene Programm des dasigen herzoglichen Realgymnasiums enthält eine Abhandlung vom Lehrer Cott: *deutsche und französische Sprichwörter vergleichend zusammengestellt* (14 S. 4). Es werden hier unter 380 Nummern Sprichwörter der beiden Sprachen gegenübergestellt. Eine Fortsetzung wird versprochen und können wir dieselbe nur für sehr wünschenswerth erklären.

Es tritt schon hier deutlich zu Tage, wie das deutsche Sprichwort mehr Geradheit, Derbheit und Gemüthlichkeit, das französische mehr Gewandtheit, Witz und praktischen Sinn beweist, wie dieses zwar auch religiösen und sittlichen Ernst streng hinstellt, aber doch auch zuweilen Fehler zu beschönigen sucht, welche grosze Uebereinstimmung, selbst in den halbwahren und geradezu falschen Sätzen zwischen den beiden Völkern herseht. Die éine Behauptung, dasz das französische Sprichwort mehr nach Kürze strebe, möchten wir wenigstens nach den bis jetzt gegebenen Vergleichungen nicht so unbedingt zugeben. Theilweise ist die gröszere Kürze bei den Franzosen eine Folge der ganzen Beschaffenheit der Sprache, theilweise scheint sie uns auf dem Mangel gröszerer Innigkeit zu beruhen, so z. B. wenn de*t* Deutsche sagt: Tröste Gott den Kranken, der den Arzt zum Erben einsetzt, der Franzose: c'est folie de faire de son médecin son héritier. Wenn die französischen Sprichwörter theilweise kühne, der Schriftsprache fremde Constructionen aufweisen, so dürfte darin ein Beweis zu finden sein, wie sehr sich diese vom Volke zurückgedrängt hat. Interessant wird es auch sein zu erfahren, für welche Gegenstände die éine Sprache mehr Sprichwörter hat als die andere. Die Arbeit des Hrn. Vf. ist jedenfalls ein schätzbarer Beitrag zur näheren Kenntnis der Sprichwörter, zu welcher freilich noch die Untersuchung über das Alter und die Ursprungsgegenden gehören wird.

Grimma. Das Lehrercollegium der königlichen Landesschule hatte im Schuljahre Mich. 1853—54 keine Veränderung erfahren. Es besteht aus dem Rector Prof. Dr. Ed. Wunder, den Proff. M. Lorenz, Fleischer, Dr. Petersen, Dr. Dietsch, Licent. theol. Dr. Müller, Oberlehrer Löwe, Prof. Dr. Schaefer und Oberlehrer Pöthko, auszerdem unterrichten der Turnlehrer Haugwitz, Zeichenlehrer Luther und Schreiblehrer Arlandt. Die Schülerzahl betrug im Winterhalbjahre 136, im Sommer 140 (I: 27, II: 36, III: 38, IVa: 22, IVb: 17). Abiturienten waren Mich. 1853 4, Ostern 1854 7. Den Schulnachrichten vorausgeschickt ist *Lorenzii series ministrorum ecclesiae evangelico-lutheranae Grimensis* (36 S. 4). Diese mit ungemeinem Fleisse geschriebene, auf die speciellsten Verhältnisse in genauster Weise eingehende Schrift bietet, abgesehn von dem localen Interesse, manche Aufschlüsse und Beiträge zur sächsischen Kirchengeschichte, namentlich rücksichtlich der Einführung der Reformation.

Krakau. Das der Redaction erst vor kurzem zugekommene Programm des k. k. vollständigen Gymnasiums für das Schuljahr 1853 enthält zuerst S. 3—19 eine Chronik der im J. 1586 gegründeten Anstalt, eine deutsche Bearbeitung des im Programm von 1849 in polnischer Sprache abgedruckten Aufsatzes des Universitätsprof. Dr. Muezkowski. Dieselbe gibt ein interessantes Bild von einer lange blühenden und durch hochherzige Opfer geförderten, dann aber durch den Wechsel der politischen Schicksale heruntergekommenen Anstalt und ist für die Culturgeschichte Polens ein wichtiger Beitrag. Auf sie folgen S. 20—26 die von dem Schulrathe Dr. Czerkawski und dem Landespraesidenten Grafen von Mercandin bei der Aufstellung des Bildes des Kaisers am 24. Juni 1853 gehaltenen Reden. An sie schlieszt sich S. 27—37 ein in polnischer Sprache verfaszter wissenschafslicher Aufsatz, vermuthlich, da kein Verf. genannt ist, vom Director. Den zuletzt angefügten Schulnachrichten zufolge bestand der Lehrkörper aus dem provis. Director Ludw. Klemensiewicz, den wirklichen Lehrern Dr. theol. S. Piątkowski, J. Gralewski (s. Bd. LXVIII · S. 565), A. Oskard, J. Sarnecki, E. Ianota, den Supplenten Jo. Staroniewicz, S. Sawczyński, L. Zawadziński, V. Jablonski, Jo. Skorut, Fr. Fuk und K. Brzeziński (vom Gymna-

sium zu Przemysl hierher versetzt), zu denen noch die Lehrer für die
nicht obligaten Fächer hinzutreten. Die Schülerzahl betrug am Schlusz
des Schuljahres 352 (I: 67, II: 47, III: 53, IV: 34, V: 50, VI: 37,
VII: 39, VIII: 34). Bei den Maturitätsprüfungen wurden 20 für reif
erklärt, 10, darunter 3 für immer, zurückgewiesen.

PRAG. Bei dem k. k. Gymnasium auf der Kleinseite wurde
im Anfang des Schuljahres 1853—54 der vorherige Prof. am altstädter
Gymnasium Joh. Ott angestellt. Die Proff. Schlenkrich und Ullrich wurden definitiv bestätigt, desgleichen später der Director (s.
Bd. LXX S. 350). An der Stelle des Schulamtscandidaten Netuka
wurden zwei Frz. Herzik und Ant. Zeithammer dem Gymnasium
überwiesen. Unter den auszerordentlichen Lehrern finden wir als Religionslehrer für die evangelischen Schüler W. Martius, für die israelitischen Dr. Is. Lowositz aufgeführt. Die Schülerzahl betrug
am Schlusz des Schuljahres 481 (I: 65, II: 80, III: 71, IV: 58, V: 50,
VI: 53, VII: 53, VIII: 51). Zu den Maturitätsprüfungen meldeten
sich 53 öff. Sch. 9 Privat. 26 Externen. Bei der Prüfung erschienen
nicht 20, während derselben traten 4 zurück, 38 wurden für reif erklärt, 24 für eine Zeit, 2 für immer zurückgewiesen. Die wissenschaftliche Beilage schrieb der Prof. Ant. Schlenkrich: *über die
Wichtigkeit des Studiums der ältern deutschen Sprache und Litteratur* (20 S. 4). Der Hr. Vf. bespricht, welche hohe Bedeutung das genannte Studium für die Wissenschaft und zwar nicht blosz für die
Wissenschaft der deutschen Sprache und Litteratur an sich, sondern
auch für die Geschichte, Theologie und Jurisprudenz, denen es als
Hilfs- und Ergänzungswissenschaft interessantes zu bieten vermöge,
habe, und wie es ein bildendes Element besitze, indem es die Ver-
standeskräfte bilde und vervollkommne, das Gefühl für das schöne
verfeinere, den Willen auf das gute und höhere hinlenke und endlich
dazu diene die Freude an dem herlichen Vaterlande Osterreich zu er-
höhen. Wir erkennen gern die umfängliche und gründliche Sachkenntnis sowie die warme Begeisterung des Hrn. Vf. an und halten die
Schrift für ganz geeignet, den Sinn der Jugend auf jenes so hoch-
wichtige Studium zu lenken und für dasselbe zu beleben. Theilen
wir nun auch seine Ansichten in manchen Punkten, so vermissen wir
doch die Bestimmung des Zieles, welches im Gymnasium erreicht werden musz und kann. Der Hr. Vf. erkennt selbst, dasz man nach seinen Auseinandersetzungen einen gröszern Umfang des Studiums in den
Gymnasien fordern könne, und baut dem am Schlusze vor, aber den
Beweis, dasz in dem Masze und auf die Weise, welche der Organisationsentwurf bestimmt, dasjenige erreicht werde, was zur höhern allgemeinen Kenntnis nothwendig ist, wie namentlich so viel erreicht werde,
dasz die später in specielle Berufsarten übergegangenen sich selbständig
auf dem Gebiete orientieren können, zu führen hat er unterlassen, was
um so mehr nothwendig war, als ja das Lesen von Schriftdenkmälern
keinenfalls einen bedeutenden Umfang haben kann, damit aber von
der bildenden Kraft auch weniger zum Vorschein kommen musz.

SPEYER. Am 14. Decbr. 1854 wurde das 50jährige Dienstjubilaeum
des k. Hofraths und Rectors des Lyceums und Gymnasiums Dr. Georg
von Jäger solenn gefeiert. Derselbe war früher Rector des Gymnasiums zu Kempten und bekleidet seit 1817 sein jetziges Amt.

WESEL. Vom dasigou Gymnasium (s. Bd. LXVIII S. 574) schied
der Gymnasiallehrer Dr. Liesegang, einem Rufe an das Gymnasium
in Bielefeld folgend. In seine Stelle (die 8e) trat Dr. Pröller, vorher Hilfslehrer am Friedrich-Wilhelms Gymnasium in Köln. Vorher
schon war eine neu errichtete Hilfslehrerstelle dem Cand. Dr. Al.
Richter übertragen worden. Cand. Buchmann wurde noch weiter

am Gymnasium beschäftigt. Das Probejahr trat der Cand. Kork an.
Das Lehrercollegium bestand demnach aus dem Director Domherr Dr.
Blume, dem Frof. Dr. Fiedler, den Oberlehrern Dr. Wisseler
und Dr. Heidemann, den Gymnasiallehrern Müller (theilweise
durch den Rector Fischer vertreten), Ehrlich, Tetsch, Dr.
Pröller und dem wissensch. Hilfslehrer Dr. Richter. Als auszerordentliche Lehrer fungierten der evang. Pfarrer Dr. Lohmann, Caplan Schürmann, Gesanglehrer Lange, Zeichenlehrer Düms, ausserdem die Candidaten Buchmann und Kork. Die Schülerzahl betrug 192 (I: 16, II: 23, III: 45, IV: 26, V: 41, VI: 41). Zu Ostern
1854 wurde ein Abiturient entlassen. Die wissenschaftliche Abhandlung lieferte Gymnasiallehrer Ehrlich: *de continua linguarum, quae
in scholis doceri solent, comparatione cum utilissima tum nostris temporibus vel maxime necessaria* (15 S. 4). Der Hr. Vf. beklagt den
Verfall der classischen Studien und namentlich des Lateinschreibens,
und sucht, da er weder denen, welche die Zahl der Unterrichtsfächer,
namentlich die neuern Sprachen beschränkt wissen wollen, noch denen,
welche auf den Gebrauch der lateinischen Sprache als Umgangssprache
dringen, beistimmen kann, eine Hilfe in der vergleichenden Behandlung der Sprachen, welche er nach drei Stufen, der ersten, in welcher die Wörter, der zweiten, auf welcher die grammatischen Regeln,
der dritten, wo die Schriftsteller verglichen werden, darlegt. Es
läszt sich nicht verkennen, dasz in den Vorschlägen viel gutes und
richtiges enthalten ist, und jeder einsichtsvolle Lehrer wird wohl schon
von manchem Gebrauch gemacht haben. Liegt doch bekanntlich bereits der Versuch der Parallelgrammatik für das Lateinische und Griechische von Rost und Kritz vor. Allein Ref. kann das Bedenken nicht
zurückhalten, dasz der Hr. Vf. die Verwandtschaft und das Ueber-
gehen der Worte aus einer Sprache in die andere als einen so leicht
faszlichen Vorgang ansieht. Ist es doch eine Warnung, welche die
Heroen der sprachvergleichenden Wissenschaft oft genug predigen,
durch den Gleichklang sich nicht über die Verwandtschaft der Worte
täuschen zu lassen. Wir fürchten, die Schüler werden bei dem, was
der Hr. Vf. vorschlägt, vieles lernen, was vor der Wissenschaft nicht
bestehen kann, wie denn schon die Ableitung des Lateinischen aus
dem aeolischen Dialekt schwerlich so, wie der Vf. gethan, hingestellt
werden darf. Und abgesehen davon, welche Mittelglieder sind doch
nothwendig, um die Verwandtschaft zu beweisen und begreiflich zu machen! Diese können doch bei dem Unterrichte nicht gegeben werden
und was hat ohne ihre Kenntnis in vielen Fällen der Schüler? Wir
besorgen, es wird dadurch nicht viel für das gründliche Verständnis
der einzelnen Sprache gewonnen. Der ganze Vorschlag scheint uns
an die Methode sich anzulehnen, welche für das Sprechen der neuern
Sprachen angewendet wird, wie denn der Hr. Vf. die schriftlichen
Uebungen zu Gunsten der mündlichen beschränkt sehen will, eine solche Methode will uns aber der Vertiefung, welche der Unterricht in
den alten Sprachen fordert, nicht entsprechend scheinen, so sehr wir
auch die gänzliche Zurückdrängung der mündlichen Uebungen, wo sie
vorkommt, beklagen. Doch wir empfehlen die gut geschriebene Abhandlung, da sie jedenfalls beachtenswerthes bietet.

Personalnachrichten.

Versetzt wurden:

Buerbaum, Oberlehrer am Gymnasium zu Paderborn als erster
ordentlicher Lehrer an das Gymnasium zu Cösfeld.

Decker, Supplent am k. k. Gymnas. zu **Brünn**, als wirklicher Lehrer an das Gymn. zu **Sambor**.

Dr. Döllen, Lehrer an den Realclassen des Gymn. zu **Torgau**, als 5r Oberlehrer an die königstädtische Realschule in **Berlin**.

Fischer, Supplent am Gymnas. zu **Klattau**, als wirklicher Lehrer an das Gymn. zu **Przemysl**.

Guttmann, Prorector am Gymn. zu **Ratibor**, in gleicher Eigenschaft an das Gymn. zu **Schweidnitz**.

Dr. W. Hupfeld, Gymnasiallehrer zu **Marburg** in Kurhessen, als Pfarrer nach **Friedewald** in der Classe Rotenburg.

Rehberg, Schreib- nnd Zeichenlehrer am Gymn. zu **Marienwerder**, in gleicher Eigenschaft an das Gymn. zu **Tilsit**.

Rohdewald, Lehrer am fürstl. Lippischen Gymn. in **Detmold**, als 2r Oberlehrer an das Gymn. in **Burgsteinfurt**.

Steudel, Vorsteher eines Privatinstituts in **Heilbronn**, als 2r Diaconus und Lehrer am Lyceum nach **Ravensburg**.

Lic. Uhlhorn, Privatdocent an der Universität **Göttingen**, als Hof- und Schloszprediger nach **Hannover**.

Ernannt wurden:

Bader, Hilfslehrer, zum 5n ordentlichen Lehrer für die mittleren Classen an der königstädtischen Realschule in Berlin.

Beer, Andr., Piaristenordenspriester, zum provisorischen Director des Untergymnasiums in Horn.

Bernhardy, Dr. G., Frof. zu Halle, zum Correspondenten der historisch-philologischen Classe der k. Gesellschaft der Wissenschaften in Göttingen.

Bopp, Dr. Frz., Frof. zu Berlin, zum auswärtigen Mitgliede derselben.

Canal, P., Weltpriester, Frof. am Gymn. Sta Catterina, zum wirkl. unbesoldeten Mitgliede des Instituts der Wissenschaften zu Venedig.

Cavedoni, Don Celestino, Vorsteher der herzoglichen Sammlungen zu Modena, zum auswärtigen Mitglied der bist. philol. Classe der k. Gesellschaft der Wissenschaften zu Göttingen.

Codazza, Dr. Giov., Prof. zu Pavia, zum wirklichen unbesoldeten Mitgliede des Istituto delle scienze zu Mailand.

Danel, Frz., Weltpriester, Supplent, zum wirklichen Lehrer am kathol. Gymnasium zu Teschen.

Dieckhoff, Lic. A. W., Privatdocent, zum ao. Prof. in der theolog. Facultät an der Universität Göttingen.

Döderlein, Dr. L. Prof. in Erlangen, zum ausw. Mitgl. der bist. philol. Classe der k. Gesellschaft d. W. in Göttingen.

Duncker, Dr. L., ao. Prof., zum ordentl. Prof. an der Universität zu Göttingen.

Förster, K. W. J., Schulamtscand., zum Adjuncten am Gymnasium zu Wittenberg.

Frisiani, Nob. Paol., Prof. der Astronomie zu Mailand, zum besoldeten Mitgl. des Istituto delle scienze daselbst.

Hammerling, Rupr., Supplent am Gratzer Gymnasium, zum wirkl. Lehrer für das Gymn. zu Cilli, mit einstweiliger Verwendung am Gratzer Gymn.

Kinzel, M. C. J., Schulamtscand., zum 7n ordentl. Lehrer am Gymn. zu Ratibor.

Klemensiewicz, Dr. L., provis. Director, zum wirkl. Director des Gymn. zu Krakau.

Kovacs, Marc., Praemonstr., zum provis. Director des kath. Gymn. zu Rosenau.

Limpricht, Dr. H., Privatdoc., zum ao. Frof. in der philos. Facultät an der Universität Göttingen.

Lobpreis, Jo., zum Directionsadjuncten an der k. k. theresianischen Akademie zu Wien.

Mainardi, Dr. G., Prof. der Math. an der Univ. Pavia, zum wirklichen unbes. Mitgl. des Istituto delle scienze zu Mailand.

Meier, Dr. Ed., Prof. zu Halle, zum Correspond. der hist. phil. Cl. der k. Gesellsch. der W. zu Göttingen.

Menin, Abb. Dr. L., Bibliothekar zu Padua, zum besoldeten Mitgl. und Vicepraes. des Instituts der W. zu Venedig.

Mommsen, Dr. F., Privatdoc., zum ao. Prof. in der jur. Facultät der Universität Göttingen.

Offenberg, Dr., Hilfslehrer, zum ordentl. Lehrer am kathol. Gymn. zu Münster.

Poli, Dr. B., provis. Generalgymnasialdirector der venet. Provinzen, zumbesold. Mitgl. und Praes. des Instituts der W. zu Venedig.

Ritschl, Dr. Fr., Prof. zu Bonn, zum Correspondenten der histor.-philol. Cl. der k. Gesellsch. der W. zu Göttingen.

Rossi, Dr. Franc., Vorstand der Bibliothek Brera, zum besoldeten Mitgl. und Vicepraesidenten des Istituto d. sc. zu Mailand.

Saltzmann, Dr., Schulamtscand., zum ordentl. Lehrer beim kath. Gymn. zu Münster.

Schnaidt, Lehramtscand., zeither. Verweser, zum Praeceptor in Bietigheim.

Schroll, B., Benedict., Suppl., zum wirklichen Lehrer am Gymn. zu St. Paul.

Schultze, Dr. Rud., Schulamtscand., zum 12n ord. Lehrer an der k. Realschule in Berlin.

Schulze, Dr. F. W. L., Schulamtscand., zum ordentl. Lehrer an den Realclassen des Gymn. zu Torgau.

Schunck, Dr., Schulamtscand., zum ordentl. Lehrer am Gymn. zu Hedingen.

Siegl, Ed., zum wirklichen Lehrer am kath. Gymn. zu Teschen.

Turazzi, Dr. Dom., Prof. an der Universität zu Padua, zum besold. Mitglied des Instit. der W. zu Venedig.

Wahlenberg, Dr., Schulamtscand., zum ordentl. Lehrer am Gymn. zu Hedingen.

Wernecke, Dr., Schulamtscand., zum 5n ordentl. Lehrer am Gymn. zu Cösfeld.

Wilms, Dr. M., Schulamtscand., zum ordentl. Lehrer am Gymn. in Burgsteinfurt.

Zambelli, Dr. V. B., Prof. an der Univers. zu Padua.) zu unbes. Mitglied. des
Zambra, B., Prof. am Gymn. Sta Catterina) Instituts der Wissenschaften zu Venedig. zu Venedig.

Praediciert wurden:

Oberlehrer. Dr. Dewischeit am Gymn. zu Gumbinnen als Professor.
Prof. jur. Dr. C. Sell an der Universität zu Bonn als Geh. Justizrath.

In Ruhestand versetzt oder ihrer Functionen enthoben:

Farinati, B., Lehrer am Gymnas. zu Trient.
Dr. Fröhlich, ord. Prof. in der philos. Facultät zu Würzburg, unter Anerkennung seiner geleisteten Dienste.
Globočnik, J., Katechet am Gymn. zu Laibach.
Orsi, P., Director des Gymn. zu Roveredo.

Dr. O. v. Redwitz, Prof. der allgem. Litteraturgeschichte und Aesthetik an der Univ. zu Wien, auf sein Nachsuchen.

Verstorben sind:

am 2. Oct. 1854 **Alex. Kaltenbrunner,** Benedict., Director des
Gymnas. zu Gratz.

am 27. Oct. zu Wien der fürstbisch. Rath, **J. S. Ebersberg,** geb.
1799, fruchtbarer Jugendschriftsteller und Begründer des zuerst
paedagog., dann politischen Blattes 'Feierstunden.'

am 29. Nov. zu Athen Prof. **J. Benthylos** und kurz vorher der
Gymnasiarch **G. Gennadios.**

am 4. Dec. zu Weimar Hofrath Dr. **Eckermann,** Verf. der 'Gespräche mit Goethe', geb. 1792.

am 6. Dec. zu Stuttgart der emerit. Rector des dasigen Gymnasiums
von Uebelen, 73 J. alt.

am 13. Dec. zu München der geistl. Rath und Universitätsprof. Dr.
Buchner, bekannt als vaterländischer Geschichtschreiber.

Zweite Abtheilung

herausgegeben von Rudolph Dietsch.

5.

Shakspere's Werke. Herausgegeben und erklärt von Dr. Nicolaus Delius. Erster Band. Erstes Stück: Hamlet, Prince of Denmark. Elberfeld, K. L. Friedrichs. 1854. X u. 166 S. Lex.-8.

Erster Artikel.

Wenn die deutsche Philologie leistete was die englische seit anderthalb Jahrhunderten mit groszer Anstrengung erstrebt und doch nicht vollkommen erreicht hat, wenn sie eine den wissenschaftlichen Forderungen genügende kritische Ausgabe Shakespeares *) lieferte, welch eine Freude, welch eine Ehre würde das für uns Deutsche sein. Die vorliegende Ausgabe verfolgt dies Ziel, ein Bestreben, das an sich alle Anerkennung verdient, aber um so mehr auffordert zuzusehen, in wie weit das Ziel erreicht ist.

Die erste Forderung an kritische Bemerkungen ist Richtigkeit, Genauigkeit und im wesentlichen Vollständigkeit der Variantenangabe.

Diese ist aber bei Hrn. D. nicht selten ganz falsch, oft ungenau, immer aber so lückenhaft dasz dabei oft das in kritischer Beziehung wichtigste übersprungen, unwesentliches beredet ist.

I. Falsche Angaben sind, nach meinen Hilfsmitteln zu schlieszen **), folgende:

1) S. 19 die Bühnenanweisung *the Cocke crowes* (so qu. 5) steht nicht in qu. 1:

---

*) Ich schreibe den Namen mit e; zufällig blieb in dem P. Sh. Shakspeare (ohne e) auf dem ersten Bogen stehen, daher liesz ich es, da es keine Sache von Bedeutung ist, durch das ganze Buch stehen.

**) Ich verstehe unter qu. 1 den Reprint der Skizze von 1603 (Q. A. bei Delius); unter qu. 2 ff. die qu. von 1604 ff. (nach den Angaben von Steevens, Malone und Collier); unter qu. 5 die Originalqu. von 1611; unter qu. 6 die von 1637 (nach den Angaben anderer); unter Ff. die Uebereinstimmung des Reprints der Fol. 1 mit der Fol. 4, wobei ich voraussetze, dasz dann es wirklich so in allen vier Folioausgaben steht. Mit al. qu. meine ich die von Steevens (1766) zum Abdruck der qu. 5 gegebenen Varianten aus qu. 3. 4 und 6.

2) S. 23 fiudet sich zu folgenden Worten des Polonius:

Pol. He hath, my lord, wrung from me my slow leave;
By laboursome petition; and, at last,
Upon his will I seal'd my hard cousent:
I do beseech you, give him leave to go.

mit einer Hinweisung vor *wrung* folgende Note: 'die folgenden Worte des Polonius fehlen in den Qs.' Diese Worte fehlen aber in der alleinseligmachenden Fol. 1 und allen ihren Wiederholungen, und zwar auch nicht einmal ganz, sondern nur bis *consent;* die letzte Zeile steht in allen alten Ausgaben. Auch die Lesart von qu. 1, die doch hier gerade von besonderem kritischem Interesse war:

Cor. He hath, my lord, wrung from me a forced graun
And I beseech you grant your Highnesse leaue.

bleibt unerwähnt. Hätte Hr. D. doch Colliers Note nur richtig übersetzt! Collier ist hier wie fast überall durchaus richtig, genau und zuverlässig.

3) Auf derselben Seite steht die fast wörtlich aus dem Sh. Lex. p. 179 wiederholte Bemerkung: 'so (nemlich *lives*) Fol. u. Qs., von den Herausgebern willkürlich und stillschweigend in *live* umgeändert.' Dies ist falsch, da schon F. 4 (vermutlich auch F. 2. 3) *live* haben. Auch ungenau ist diese Stelle behandelt, da die Weglassung des Zeichens nach *common* in qu. (5) und die Setzung eines bloszen Komma in Ff. Steevens Meinung dasz das Semikolon falsch sei, sehr unterstützt.

4) S. 35: 'viele Herausgeber lesen *moment's leisure* ohne Autorität.' Qu. 5 hat aber (Blatt D Vorderseite, Zeile 1) grosz und breit *moments leasure*, wahrscheinlich hat dies sogar, wenn Steevens nicht es übersah, qu. 3. 4, vielleicht auch qu. 2; dann lesen die Hgg. also dies nach der besten Autorität. — Auch Colliers Angabe ist ebenso falsch (denn auch die besten können einmal irren), aber brauchte Hr. D. diesen Irthum zu wiederholen? Ich selbst habe, Colliers Angabe für richtig haltend, im Perkins-Shaksp. es so angegeben; ich hatte damals weder die *Twenty Plays* von Steevens noch die Originalqu. 5, aber ich würde mir auch nicht angemaszt haben, eine neue Sh.-Recension nach so ungenügenden Hilfsmitteln machen zu wollen. Warum sah Hr. D. nicht bei Steevens nach?

5) S. 44 zu *whirling* im Text die Note: 'So Q. A. und Qs., von *to whirl* etc.' Aber qu. 1 hat *wherling*, qu. (5) *whurling*, woraus sich der Druckfehler (mehr ist es nicht) der Ff. *hurling* leichter erklärt.

6) S. 59 zu *except my life, except my life, except my life*. Die Note: 'die Qs haben nur *except my life, my life*.' Die Folios, sollte es heiszen. Diese falsche Angabe ist um so übler, als sie den Leser zu dem Irthum verleitet, dasz hier nur die Ff. eine ihrer vielen erbärmlichen Wiederholungen haben, während, gerade umgekehrt, diese bedeutsame und schwermutsvolle Wiederholung (Coleridge nannte sie

'wundervoll') sich nur in den echten Qs befindet, in den Ff. aber ruiniert ist.

7) *Why any thing. But to the purpose. You etc.* 'So die Fol., deren Interpunction Hamlets Worten eine beiszende Ironie verleiht. Die Qs. interpungieren *Why any thing, but to the purpose*, d. h. antwortet irgend etwas, wenn es nur zur Sache gehört.' Qu. 5 (vermutlich auch qu. 2 ff.) hat aber:

> Ham. Any thing but to'th purpose; you were sent
> for, and etc.

also weder *Why* noch ein Komma. Dasz auch die gegebene Erklärung dem Sprachgebrauch zuwiderläuft, wird jeder einräumen, der weisz dasz *any thing but that* 'alles, nur das nicht' heiszt. Wie viel besser Franke. Dasz es nur eine der unzähligen falschen Interpunctionstrennungen in der Fol. 1 ist, entgieng dem etwas blöden Auge des Hg.

8) S. 65 zu *pious chanson* die Note: 'Einige Qs. und die Fol. haben *Pons chanson*, Q. A. verständlicher *godly ballad*.' Qu. 5 (vermutlich auch qu. 2 ff.) hat pious chanson, natürlich nicht cursiv; F. 1 *Pons chanson* cursiv; F. 4 (vermutlich auch F. 2. 3) *Pans chanson*, auch cursiv. Steevens gab 1766 zu *pious* die Variante *pans* an; diese könnte in qu. 6 von 1637 stehen, welche nach einer ältern mit einigen aus F. 2 (1632) stammenden Correcturen versehenen Quarto abgedruckt wurde. Johnson sagte: 'It is *pons chansons* (wenn dies kein Druckfehler ist) in the quarto (in welcher?) too.' Woher nun aber auch der 'Pansgesang' stammen mag, Hr. D. verwirft durch seine Angabe nur die Sache, während er die Unklarheit hätte beseitigen sollen. Oder warum unterdrückte er nicht lieber diese Angabe, wie er über viele Druckfehler der F. 1 (auch über die die er in den Text aufnahm) schwieg? Warum wählte er nicht lieber die Angabe der nicht uninteressanten Variante *friendly* (qu. 2 ff.) für *French* (qu. 1 und Ff.) an derselben Stelle?

9) S. 68. *On Mars his armour,*[138] *forg'd for proof eterne,* '138) So die Fol.' (was Qs. haben wird nicht gesagt). Aber die Fol. 1 (Reprint) und F. 4 (vermutlich also alle) haben *On Mars his Armours:* qu. 5 hat *Marses Armor:* qu. 1 fehlt hier.

10) S. 71 eine falsche Darstellung des kritischen Sachverhalts: s. später.

11) S. 73 '*about the court* ist ungefähr Ortsbestimmung: irgendwo am Hofe. Die Qs. haben dafür: *they are here*.' Collier Vol. VII p. 259: — they are about the court;] So the folio: the quartos read merely(?) 'they are here' etc. Hr. D. übersah in Colliers Note das etc., sah nicht im Reprint von St. nach und gab daher falsch an; qu. 5 hat *they are heere about the Court.*

12) S. 77 zu *Kneels* die Note: 'In den Qs., die allein eine Bühnenanweisung haben, steht nur: *he kneels*.' Vermutlich eine Confusion. Qs. haben gar keine B. A., d. h. weder qu. 5, noch finde ich eine Variantenangabe bei Steevens u. a. Aber qu. 1 hat *hee kneeles*.

13) S. 101 zu *on this brow* die Note: 'So die Qs. Die Fol. hat *his brow.*' Aber auch qu. 5 hat *on his browe*, also ein gemeinsamer Fehler der spätern Qs. und der Ff., der, da er an sich sehr natürlich ist, auch zweimal (ohne Zusammenhang) begangen werden konnte. Steevens gibt. als Variante (1766) this an, vermutlich aus qu. 3. Hr. D. brauchte nur bei Steevens nachzusehen.

14) S. 90. 'Die Lesart der Qs. und der Fol. *So you mistake your husbands.*' Dies ist falsch, nur die Qs. haben *your*, welches in den Ff. fehlt.

15) Auf derselben Seile: 'die H e r a u s g e b e r verbinden den Satz mit dem folgenden, als ob *to scan* = deuten, stehen könnte.' Das thun aber die H e r a u s g e b e r nicht, sondern sie folgen nur den a l t e n Q u e l l e n, die so verbinden:

    qu. 5. And so am I reuendge, that would be scand
         A villaine etc.

    Fol. 1. And so am I reueng'd: that would be scann'd,
         A Villaine etc.

16) S. 109. 'Die Worte *so haply slander*; ohne welche die folgenden Verse unverständlich bleiben, sind eine sinnreiche Ergänzung von T h e o b a l d.' Hr. D. hatte abermals das Malheur sich ohne weiter nachzusehen nach Colliers etwas unbestimmterem Ausdrucke zu richten: 'These words are of Theobald's introducing.' — Theob. schlug nemlich *For haply slander* vor, woraus Malone und Mason gleichzeitig *So, haply, slander* machten. Soll man denn nicht auch in kleineren Dingen zuverlässig sein?

17) S. 116 zu *Enter Queen and Horatio.* die Note: 'So die Fol. Nach den Qs. tritt auszer den beiden noch ein *Gentleman* als Berichterstatter über Ophelias Befinden auf. Dieser spricht die beiden ersten, dem Horatio in der Fol. zuertheilten Reden, und die Rede des Horatio (in den Qs.): *'Twere good* bis *ill-breeding minds*, theilt die Fol. der Königin zu.' Diese Angabe ist werthlos, da sie in einem wesentlichen Punkt den Sachverhalt falsch darstellt. Die Rede des Horatio geht in den Qs. nicht von *Twere good* bis *ill-breeding mindes*, sondern von *Twere good* bis *Let her come in.* (incl.), umfaszt also noch diese letzten Worte, die vermutlich der Königin gehören. Nur dadurch erhellt, dasz die Rollenvertheilung in F. 1, wodurch der 'Gentleman' gespart wird, mit einer durch ein Versehen des Setzens entstandenen falschen Abtheilung in den echten Qs. zusammentrifft, so dasz wir vielleicht in den Ff. eine auf den Text der Qs. gestützte beschränktere Rollenvertheilung oder einen falschen Besserungsversuch haben, und Blackstone, Malone und Collier erst richtig besserten, indem sie den Qs. folgten mit der Ausnahme dasz sie die Worte *Let her come in* zu der Rede der Königin zogen.

Hr. D. scheint, ohne im Reprint von St. nachgesehen zu haben, nur die e r s t e Note Colliers Vol. VII p. 303, die etwas unbestimmt gehalten ist, benutzt zu haben, während er doch aus der d r i t t e n Note auf derselben Seite, also sehr mühelos, das richtige lernen konnte.

Sie lautet wörtlich: Hor. 'Twere good, she were spoken with.] This advice seems to come properly from Horatio, as it is given in the quartos, and the Queen's reply ought to commence at the order, 'Let her come in.' In the quartos these latter words are, however, erroneously made the end of what Horatio says. The desire to employ few actors, in all probability, led to this confusion of the dialogue.' Die zurechtmachende Editorenhand in F. 1 zeigt sich auch noch darin, dasz die einfache Bühnenanweisung *Enter Ophelia* in den qu. wie meistens in den alten Ausgaben etwas zu früh (nemlich wo der Schauspieler angesagt wurde) steht (nach *Let her come in.*); während in Ff. nach *to be spilt* folgt *Enter Ophelia distracted.*

18) S. 122. 'So (*sensible*) die Fol. . . . . Die Herausgeber lesen meistens mit den Qs. *sensibly.*' Falsch, denn *sencible* (so qu. 5) ist erst ein Fehler der s päteren Qs., wahrscheinlich der Smethwickeschen. Hr. D. hätte dies aus Malones Note und aus dem Steevenschen Reprint lernen können. Der Leser wird also hier wieder getäuscht, da, wenn *sensible* recht wäre, dies nicht erst der Fol. 1, sondern auch schon den spätern Qs. zu verdanken wäre. Sollte man es glauben dasz Hr. D. auf derselben Seite die praeclara lectio jenes infallibeln Codex *like the kinde Life-rend'ring Politician* statt *like the kind life-rendering Pelican*, obgleich sie ein klares Beispiel der Verunstaltung durch Setzerdummheit (wie *Paconcies* p. 128 für *Pancies*) oder durch die Recitation eines unwissenden Schauspielers (Laertes' Rolle) ist, verschweigt, und zwar nachdem 10 Jahre vorher Collier zu dieser Stelle bemerkte: 'life-rendering *pelican*,] This is the reading of every quarto (qu. 1 fehlt hier): the folio absurdly misprints it *politician*, and modern editors silently adopt the word in the earlier impressions, as in many other instances, l e a v i n g p e o p l e t o i m a g i n e that the folio, 1623, is much more accurately printed than it is in reality.' Gerade ebenso verschweigt Hr. D. S. 141 eine der abgeschmacktesten Speciallesarten der Fol. 1 im ganzen Hamlet: *O terrible woer* (*wooer* F. 4) für *O trebble woe* (Laertes' Worte), trotz der Warnung Colliers p. 330: 'The folio introduces a strange corruption here, of which some modern editors have taken no notice, but have quietly adopted the reading of the quartos.' Warum bediente sich Hr. D. in solchen Fällen der Collierschen Noten nicht, die er sonst selbst mit Einschlusz der in ihnen enthaltenen Irthümer ausschrieb?

19) S. 128. Zu 'As *checking* at [17] his *voyage*', die Note: '17) so die Fol. . . . Die Qs. haben dafür gröstentheils den offenbaren Druckfehler: *As the king his voyage*, was eine spätere unedirte Q. auf blosze Vermutung in *As liking not his voyage* umändert.' Diese Angabe ist ungenau und (vermutlich nur durch einen Druckfehler der Deliusschen Ausgabe) falsch. Qu. 2 und 3 haben *as the king at his voyage*; Qu. 4. 5. 6 *As liking not his voyage* (in qu. 5 ist zwischen *no* und *t* eine Lücke, so: *no t*). Qu. 1 fehlt hier.

20) S. 142 zu *wiseness* die Angabe: 'So die Fol.; die Qs. *wisdoms.*' Keine Qu. hat *wisdoms*, sondern alle (auch qu. 1) *wisedome.*

Es ist wohl nur einer der vielen von Hrn. D. übersehenen Druckfehler. Trotz der Uebereinstimmung von qu. 2 ff. und qu. 1 schreibt Hr. D. also mit Ff. *wisenesse*, und in einer und derselben Zeile gegen Ff. (die *Away thy hand* haben) und in Uebereinstimmung mit qu. 1 und qu. 2 ff. *Hold off thy hand*. Welche Kritik!

21) S. 148 zu *in good faith.* [42] *Sir, here is* etc. die Note: '42) In der Folio fährt Osrick hier fort: *You are not ignorant of what excellence Laertes is at his weapon:* worauf Hamlet fragt: *What's his weapon?* Alles dazwischenliegende haben nur die Qs.' Diese Angabe ist um ein kleines, aber ist doch falsch. Denn F. 1 hat *Sir, you are not* etc. Unglücklicherweise übersetzte Hr. D. nur Coll. Note, die auch in dieser Kleinigkeit fehlt. Auch ist, wenigstens nach qu. 5 zu schlieszen, der Druckfehler der Qs. *or* für *for* auf derselben Seite um so ersichtlicher, wenn qu. 2. ff. auch (wie qu. 5) nach *complexion* einen Punkt haben. Dann hätten qu. 2 ff. keine andere Lesart, sondern klärlich einen Druckfehler. — Umgekehrt ist auf der folgenden Seite durch Nichtbeachtung der Orthographie der Qs. *impaund* (so qu. 5. Coll. gab *impauned* als Lesart der 'quartos' an) die Möglichkeit, dasz das *impon'd* der Ff. nur eine falsche Auslegung der Rollenabschreiber, · Schauspieler oder Setzer für diese Ausgabe sei, in Schatten gestellt *). Doch man hätte viel zu thun, wenn man alle Unaufmerksamkeiten des Hrn. Hg. nachweisen wollte.

22) S. 151. Zu *the readiness is all. Since no man has aught of what he leaves, has,* [72] *what is't to leaue betimes? Let be.* die Note: '72) So die Fol. mit einfach klarem Sinn: da niemand etwas besitzt von dem, was er hinterläszt; was liegt also daran, früh zu scheiden? Die Herausgeber lesen meistens mit den Qs. *Since no man, of aught, he leaves, knows, what is't to leave betimes?* Das folgende *let be*, das keineswegs zu dem vorhergehenden Satze gehört, fehlt in der Fol. ohne Schaden.' Die Fol. 1 aber hat: . . .; *the readinesse is all, since no man ha's ought of what he leaues. What is't to leaue betimes?* also weder das obige zweite unsinnige *has* (vermutlich nur ein Druckfehler der Deliusschen Ausgabe), noch die obige Interpunction (wieder schrieb Hr. D. ohne nachzusehen hier die ungenaue Angabe C.s ab), sondern eine ganz andere, gewis, wie so oft, eine sorgfältige aber ganz falsche. — Die qu. 5 hat so: . . ., *the readines is all, since no man of ought hee leaues, knowes what ist to leaue betimes, let bee.* also freilich eine nachlässige und unvollständige, aber keine direct falsche Interpunction. So, wie qu. 5 die Stelle gibt, kann sie in der Originalhandschrift gestanden haben; so, wie F. 1 sie gibt, un-

_____

*) Auf derselben Seite kommt das Wort *impon'd* (so Ff.) noch einmal vor. Hr. D. schweigt darüber. Es fehlt, wie Coll. angibt, in den 'quartos'. Qu. 5 hat *why is this all you call it.* — Wenn qu. 2 *us* hat statt *all*, so ist es nur Druckfehler der qu. 2 (die das Wort überschlug) und Besserung auf eigne Hand in qu. 5; sonst aber sind es zwei verschiedene Lesarten.

möglich, es musz wenigstens einige falsche Zuthat daran sein. Ein Fingerzeig für den Kritiker dasz die Fol. 1 Zurechtmachung des echten Textes ist, und dasz es nicht unmöglich ist dasz mehr als die falsche Interpunction aus verändernder Schauspielerkritik stamme. Die Weglassung des nach unserer Ansicht (doch wir markten nicht gern mit solchen subjectiven Gründen, sie sind wie Wachs und lassen sich so und anders gestalten) recht charakteristischen *let be* hängt also vielleicht mit jenem unglücklichen Besserungsversuch zusammen. Den Sinn ' da niemand (nach dem Tode noch) weisz was er verläszt: was hat es auf sich, es früh zu verlassen? Lasz doch gut sein' halten wir für sehr schön.

23) Auf derselben Seite (151) zu *Enter King, Queen, Laertes, Lords, Osrick, and Attendants with Foils* etc. [73]) die Note: ' 73) die Bühnenanweisung ist modern. In den Qs. steht dafür: *A table prepared, trumpets, drums and officers with cushions, King, Queen, and all the state* (d. h. der Hofstaat), *foils, daggers and Laertes.* In der Fol. werden zu *table* auch noch *flagons of wine on it* erwähnt.' Welch eine Verwirrung! Die obige Bühnenanweisung ist nicht modern, sondern die der Fol. 1, nur etwas verkürzt und dadurch vermehrt, dasz Osrick auch genannt wird, dessen keine der alten Bühnenanweisungen erwähnt. — Die folgende Bühnenanweisung *The King puts the hand of Laertes into that of Hamlet* ist allerdings modern; aber dafür haben doch Qs. nicht *A table prepared* etc.? Es ist also nicht einmal durch einen der vielen üblen Druckfehler bei Hrn. D. zu entschuldigen, sondern ist seine eigene Confusion.

Selbst Steevens, Malone (z. B. zu S. 136 über *spendthrifts sigh*, welches nur qu. 4. 5 bieten, s. Collier) und Collier versahen sich bisweilen und machten irrige Variantenangaben. Wir müssen solche Fehler bei diesen Männern mit Nachsicht beurtheilen, eingedenk der unsäglichen Mühe, die sie sich mit Vergleichung der Originalausgaben machten, und in Verhältnis zu dem groszen dadurch erworbenen Verdienst. Bedauernswerth aber ist es, dasz der erste deutsche Philolog, welcher mit dem Anspruch auftritt eine neue Recension Shakespeares zu liefern, statt die früheren Collationen zu vervollständigen und zu berichtigen (wodurch er sich ein kleines aber sicheres Verdienst hätte erwerben können), diese nur benutzt und zwar so schlecht benutzt, dasz er nicht nur die Irthümer seiner Vorgänger wiederholt, sondern auch noch eine Menge neuer hinzufügt.

II. Viel mehr Angaben sind ungenau. Wir gehen von vorn die kritischen Anmerkungen durch, obgleich zu Anfang noch etwas mehr Sorgfalt herscht.

S. 13. Beide kritische Anmerkungen richtig.

S. 14. Eine, aber ungenau. Es fehlt dasz qu. 2 ff. den Vers dem Horatio zutheilen.

S. 15. Von drei Angaben eine ungenau. Qu. 2 ff. (wenigstens qu. 5) hat *horrowes*.

S. 16. Von drei Angaben zwei (die beiden wichtigen, die drille ist ohne Interesse) ungenau. Denn die alten Ausgaben drucken alle pollax (qu. 1, qu. 5, vermutlich auch qu. 2 ff.), Pollax (F. 1) oder Poleaxe (F. 4, vermutlich auch F. 2. 3) nicht cursiv, während z. B. qu. 5 IV, 4 *Pollacke* und V, 2 *Pollock* so, d. h. cursiv, druckt *). — Dasz auch qu. 1 *iump*, nicht *iust* hat, welches sehr für die Echtheit der Quartolesart spricht, vergiszt Hr. D. anzugeben.

S. 17 sind zwei Angaben richtig, eine ungenau, da auch qu. 1 *lawlesse* bietet, was angeführt werden muste, da es wieder gegen die Wahl von *Landlesse* (F. 1) spricht.

S. 18. Zwei Angaben, eine ungenau: ' die Schreibart *romage*.' Ff. *Romage*. qu. 5 *romeage*. Wollte Hr. D. einmal von solchen Minutien sprechen, so muste er genau sein.

S. 19. Drei Angaben, eine zum Theil falsch, s. oben.

S. 20. Von 5 Angaben mindestens (denn auch die BA. der qu. (5) hat ein *Florish* mehr und die Angabe, wo in der F. 1 die Gesandten eintreten, fehlt) zwei nur halbrichtig: die Lesart der qu. 1 wird genau *(dare walke)* angegeben, die der qu. 2 ff. ungenau durch *dare stir*, da qu. 2—6 theils *spirit dares (sturre)*, theils (qu. 5) *spirit dare sturre*, theils (qu. 6) *spirits dare (sturre?)* haben. — Bei der Angabe ' die Qs. *that time*' ist versäumt zu erwähnen, dasz qu. 1 auch *that time* bietet, was abermals gegen die vom Hg. getroffene Wahl stimmt.

S. 21. Eine richtige Angabe.

S. 22. Beide Angaben ungenau. Hr. D. durfte nicht unerwähnt lassen dasz auch qu. 1 *For bearers* hat, da es wieder gegen ihn spricht, auch die Lesart einiger qu. (al. qu. bei Steevens), welche nicht unpoëtisch ist *(Our bearers)*, fehlt. — Die unerwähnt gelassene Lesart der qu. 1 *My gratious Lord* spricht wieder ein wenig gegen des Hg. Wahl.

S. 23. Unter 6 Anm. sind 2 zugleich falsch und ungenau (s. oben), eine nicht praecis, da bei der Erwähnung der Quartolesart *(in the)* sonne, die der Foliolesart *i'th' sun* mit dem Beifügen hätte gegenübergestellt werden müssen, dasz die übliche Schreibart für *sun* damals *sunne* gewesen sei. Das Beispiel für die Orthographie *sonne = sun* brauchte nicht so weit hergeholt zu werden: cf. Perk. Shakesp. p. 217.

S. 24. Die eine Anm. ist ziemlich ungenau, da qu. (5) *moodes*, Ff. *Moods* lesen; dasz mit jener Orthographie *moods* gemeint sei, ist

---

*) Der Cursivdruck (den Steevens Reprint vernachlässigt) ist nicht immer gleichgiltig (P. Sh. p. XI). So hätte Hr. D. S. 23 Note 24 seine Meinung, dasz unter Denmarke der König, nicht das Land gemeint sei, durch den gerade an dieser Stelle in qu. 5 (und F. 4) befindlichen Cursivdruck stützen können. Sonst hat qu. 5 überall Denmarke, auch wo es sichtlich die Person bedeutet, nicht cursiv, während andere Ländernamen wie Norway, Normandy etc. gewöhnlich cursiv sind. Vermutlich sollte ein solcher Unterschied des Landes und der Person durch den Druck gemacht worden, wovon aber in qu. 5 nur noch geringe Spuren im Anfang des Stückes übrig sing. Ist qu. 2 genauer? Vermutlich.

möglich (cf. IV, 5 *Her moode will needes be pittied*), aber nicht gewis: 2 H. IV, 4, 4 qu. *and now my death | Changes the mood;* F. 1 *And now my death | Changes the Moode;* erst F. 4 bietet *Mode* (vielleicht schon F. 2. 3).

S. 25. Eine Angabe, die der Orthographie *cannon* für *canon*. Es entgieng dem Hg. dasz die qu. (5) dies Wort von *The great Cannon* (ebenso S. 149 qu. (5) *carry a Cannon*) durch nichtgroszschreiben unterschied. Die Ff. in ihrer gezierten Weise schreiben beide Wörter grosz.

S. 26. 27 keine Angaben.

S. 28. Vier Angaben, alle mehr oder weniger incorrect. 1) Qs. und Fol. lesen **nicht** 'eigentlich *wast*', denn al. qu. bei Steevens bietet (wie qu. 1) *vast* und F. 4 (vielleicht auch schon F. 2. 3) *waste*, also nur ein Theil der qu. und F. 1 *wast*. Auch ist es eine falsche Darstellung der Sache, wenn Hr. D. hinzufügt, dasz die meisten Hg. daraus *waist* emendieren, da Malone die Orthographie *wast* für *waist* aus einer Reihe von Beispielen und aus Minsheu nachwies. Baret (dessen Lex. Rec. nachgeschlagen hat) schreibt *waist*. — 2) Der Hg. vergasz wieder anzugeben, dasz qu. 1 *Armed to poynt* für die Quartolesart *Armed at poynt* und gegen ihn und die Foliolesart *Arm'd at all points* (vielleicht nur aus modernisierterer Messung von *Arm'd* entsprungen) spricht. — 3) F. 4 hat *be still'd*, F. 1 *bestil'd*, qu. *destil'd*. Dasz auch qu. 1 *distilled* hat, fehlt ganz. — 4) Die alten Ausgaben lassen nicht blosz das Komma vor *both* weg, sondern auch vor *as* (ja meistens verbinden sie sogar *Whereas*), thun aber (abgesehn von dieser falschen Verbindung) darin ganz ihrer Praxis gemäsz, dasz sie oft kleine Einschiebsel (Vocative, Zwischensätze, Betheurungen u. dgl.) gar nicht abtrennen, es folgt also aus dem nichtstehen des Kommas nichts. So ist nicht nur die Angabe des Hrn. D. ungenau, sondern auch das daraus gefolgerte Urtheil falsch.

S. 29. Eine Angabe von derselben Art. Denn nicht blosz haben die Qs. kein *you*, sondern sie lesen auch metrisch genau *warn't* für *warrant*, welches keine andere qu. als qu. 1 hat, die jedoch in der Weglassung des *you* mit qu. 5 (2 ff.) übereinstimmt. Beides weggelassene spricht gegen Hrn. D.

S. 30. Drei Angaben, ziemlich unvollständig. Auch qu. 1 hat *tenible* (so); auch F. 4 (F. 2?) *Forward;* bei der Angabe, dasz *perfume and* 'zufällig' in der Fol. 1 ausgefallen sei, vergiszt Hr. D. zu sagen, dasz sie erst (nicht qu. 5) die Worte *No more* zu diesem Verse zieht, woraus ein Zweifler an der Authenticität dieser Ausgabe den Schlusz ziehen könnte, dasz einer metrisch modernisierenden Hand das Substantiv *pérfume* als Paroxytonon (Sh. Sonnet 104. 130. W. T. 4, 3. K. J. 4, 2. A. Cl. 2, 3. Ha. 3, 1) anstöszig gewesen sein könnte, wie es denn schon bei Milton dem neueren Gebrauch gemäsz Oxytonon ist: P. L. 4, 148.

Native perfúmes, and whisper whence they stole

während das Verb bei Sh. immer Oxytonon ist:

1) As the perfúmed tincture of the roses Sonnet 54.
2) With whose sweet smell the Ayre shall be perfúm'd 2 H. VI, 1, 1.
3) And with her breath she did perfúme the ayre, T. S. 1, 1.
4) He was perfúmed like a Milliner 1 H. IV. 1, 3.
5) Perfúmes the Chamber thus: the Flame o'th' Taper Cymb. 2, 2.
6) (qu.) Whose smoke like incense doth perfúme the skie T. A. 1, 2
da 2 H. IV. 3, 1. Fol. 1 (qu. fehlt hier),
> Then in the perfum'd Chambers of the Great?

vermutlich *i'th' perfúmed* zu lesen ist. (Gegen Nares, Elem. of Orth.
p. 354 f.). Freilich finden sich auch drei Stellen
> For she is sweeter then perfúme it selfe T. S. 1, 2.
> Hugge their diseas'd Perfúmes, and haue forgot Tim. 4, 3.
> To make Perfúmes? Distill? Preserue? Yea so, Cymb. 1, 6

wo das Substantiv schon bei Sh. Oxytonon ist, obgleich eine jener
Paroxytonierungen des Substantivs:
> A strange inuisible pérfume hits the sense

(A. Cl. 2, 3) dicht neben
> Purple the Sailes: and so perfúmed that

deutlich beweist, dasz Sh. noch in seiner letzten Zeit diesen Unterschied festhielt, so dasz in jenen drei Stellen das Wort vielleicht (die
aus T. S. darf überhaupt nicht mitzählen) trochaeisch zu' fassen, oder
der Vers corrupt ist. Doch ich vergesse dasz ich recensieren will.

S. 31. Von den 4 Angaben sind 2 sonderbar flüchtig. Denn in
derselben Zeile, wo die Variante *safety* angegeben wird, sind noch
zwei Varianten mehr, die doch dazu dienen auch die Lesart *sanctity*
als Druckfehler wahrscheinlich zu machen, und welche unerwähnt
bleiben; qu. 5 hat *this whole*, F. 1 *the weole*, letzteres Wort ist ein
Druckfehler, ersteres (*the*) auch eher aus *this* verderbt, als umgekehrt *this* aus *the*. — Für die gewählte Foliolesart *sect and force*
(Collier: *Sect and force* may be strained into a meaning, Hr. D. erklärt es nicht) wird die Variante der Qs. *act and place* angegeben
Verschwiegen wird, dasz die ganze Foliolesart *peculiar Sect and force*,
die ganze Quartolesart *particuler act and place* ist, verdeckt dadurch
das conciliatorische Verfahren des Hg., der das Adjectiv aus der einen
und die Substantive aus der andern Quelle schöpfte.

S. 32. Von 3 Angaben 2 ungenau; Qs. interpungieren *for*, *there
my*, und ebenso qu. 1. — Popes (nicht Malones) Conjectur *hooks*
wird auch durch qu. 1 *a hoope of steele* widerlegt.

S. 33. Eine Angabe, sehr incorrect. Nach Hrn. D. haben die alten
Ausgaben:
> Are of a most select and generous chief in that.

Hier kam es, zumal da sich Hr. D. gezwungen sah eine Conjectur in
den Text zu nehmen, vor allem auf Genauigkeit, besonders auf die
hier wichtige Interpunction an, qu. 1 hat: *Are of a most select and
generall chiefe in that:* qu. 2 ff. *) *Are of a most select and gene-*

---

*) Nach Malone, mit modernisierter Orthographie.

rous chief, in that.　　qu. 5 *Ar of a most select and generous, cheefe in that:* wo Steevens im Reprint zu *Ar* die ˌVariante (al. qu.) *Or* angab. Ff. haben:

Are of a most select and generous cheff in that.

Denn wenn Malones Angabe der Interpunction richtig ist, stimmt die älteste echte Ueberlieferung sehr für das *choice* des Correctors, welches wenn es in dem OriginalMs. etwas undeutlich *choife* geschrieben war, bei der Aehnlichkeit des o und e, des ſ und f, leicht zu dem gleichen verlesen des ersten Setzers und Rollenabschreibers führen konnte, so dasz dies auch von Anfang an eine Bühnenverderbnis blieb, während den von allen alten Ausgaben überlieferten Alexandriner durch ausstreichen des *of a* zu tilgen ein weit gewagteres Mittel ist.

　　S. 34. Beide Angaben ungenau. Bei der ersten fehlt nicht nur die Angabe, dasz qu. 5 die Worte *not* bis *phrase*, qu. 2 ff. (nach Malone und Steevens) die Worte *not* bis *thus* eingeklammert haben, und erst die Ff. keine Klammern haben, sondern auch dasz qu. 1 *Or tendring thus* (mit Verdrehung und Versetzung des Verses, aber offenbarer Erinnerung an denselben) liest. — Um die Verderbnis in Fol. 1 anschaulich zu machen, genügte nicht zu sagen, dasz sie *almost* und *holy* auslasse, sondern es muste hinzugefügt werden, dasz sie *My Lord* zu demselben Verse zog; ein Wink, wie jene Auslassung entstand.

　　Es wird uns jeder zugeben, dasz wenn auf den ersten 12 Seiten einer neuen kritischen Ausgabe unter ungefähr 50 Variantenangaben bedeutend über die Hälfte theils falsch theils ungenau und unvollständig ist, ein Mistrauen gegen die übrigen 130 Seiten gerechtfertigt ist, wie wir denn leicht, wenn wir blosz die schlagendsten Beispiele, nach der beliebten Recensentenmanier, heraussuchen wollten, dieses Mistrauen verstärken könnten. Ein Dutzend jener Angaben sind in der Art unvollständig, dasz sie das gegen des Hg. Wahl sprechende verschweigen. Wir sind weit entfernt Hrn. D. eine bewuste Absicht zuzuschreiben, aber wol dürfen wir sagen, dasz er ein wenig parteiisch ist, und dasz ihm die für einen Philologen nöthige Schärfe des Auges abgeht, welche unbeirrt von vorgefaszten Meinungen genau und allseitig erwägt.

　　Man könnte einwenden Hr. D. habe ja nicht so umständlich und genau sein wollen. Er soll es aber wollen, antworte ich. Denn die meisten jener Varianten sind nur in kritischer Hinsicht wichtig, sonst aber für den nur das Stück verstehen wollenden Leser ein unnützer Bettel. Was kann es z. B. diesem verschlagen zu erfahren, dasz Francisco in der einen Ausgabe *Stand, ho! Who is there?* und in der andern *Stand! Who's there?* sagt, (obgleich dies als ein Beispiel der Verunstaltungen des Metrums in F. 1 nicht gleichgiltig ist), oder dasz die qu. 1 *emulous* für *emulate* liest, welches dem die kritische Frage prüfenden allerdings interessant ist, da es einer der vielen trivialeren Ausdrücke ist, die jene zusammengepfuschte Ausgabe darbietet. Wollte der Vf. sich aber den Dank und das Vertrauen philologischer Leser erwerben, so war Gewissenhaftigkeit und Vollständigkeit der

Angaben mindestens bei den ausgewählten Stellen unumgänglich nothwendig, ja selbst ohne grosze Umständlichkeit erreichbar, wie Hr. D. an den musterhaft praecisen Noten Colliers hätte lernen können. Mangel an Hilfsmitteln entschuldigt ihn gar nicht, da eine sorgfältige Benutzung selbst nur des Reprints und Colliers ihn vor den meisten Nachlässigkeiten hätte schützen können. Aber freilich, nachdem so mühsame, aber doch nicht vollständige Arbeiten, wie die Colliers vorlagen, hätte ein deutscher Philolog, wenn er nicht unendlich weit unter dem schon geleisteten bleiben wollte, auch die Originalausgaben, so weit es möglich ist, collationieren müssen.

III. Natürlich ist dieselbe flüchtige und die wahre Lage der Kritik verhüllende Willkür in noch höherem Masze darin sichtbar, dasz wichtige kritische Fälle übersprungen, verhältnismäszig geringfügiges besprochen ist.

So ist es S. 17 in kritischer Hinsicht wichtiger, dasz die Lesart der jüngern Folios *Article design'd* in den Text genommen wird, als ob *landless* oder *lawless* richtiger ist; ebenso p. 20 nicht einzusehn, warum die Verwerfung zweier Foliolesarten (*sayes* und *talkes* für *say* und *takes*) stillschweigend geschieht, die Verwerfung von vier Quartolesarten dagegen, selbst von den für den Zusammenhang durchaus gleichgiltigen wie *this bird* und *that time*, angegeben wird; S. 27 nicht, warum die Wahl der Foliolesart *Ere I* angegeben, die der Foliolesart *to drinke deepe* (für das alterthümlichere *for to drinke* von qu. 2 ff.) und der Quartolesart *heare* (für das trivialere *haue* der Ff.) verschwiegen wird, noch warum bei Anm. 60 nicht angegeben wird, dasz zuerst die Ff. die falsche Interpunction haben, wie S. 28 qu. richtig *stately by them; thrice*, während Ff. falsch *stately: By them thrice* und in hundert und aberhundert andern Fällen; S. 29 nicht einzusehen warum nur flüchtig erwähnt wird, dasz die Qs. *you* haben, um den in Fol. 1 befindlichen Alexandriner zu stützen, während verschwiegen wird dasz dieselbe Ausgabe auch den vorhergehenden Blankvers durch *Ile* für *I will* verdirbt und noch an derselben Stelle manches andere dumme Zeug hat; S. 31 fünf schlechte Foliolesarten (*his, feare, the, weole, peculiar* — von denen Hr. D. sogar eine wählt) unerwähnt bleiben, auch die Varianten *Craue* und *Carue*, während wir doch auf der vorigen Seite einer solchen Minutie wie des Druckfehlers *Froward* für *Forward* Erwähnung gethan finden. Die Nichterwähnung so mancher nur in Ff. befindlicher matten Synonyma, wie S. 32 *See* für *Looke*, S. 34 *Giues* für *Lends*, 45 *i' th' ground* für *it'h earth*, und andrer ganz schlechter Lesarten derselben Quelle, z. B. S. 34 *For this time, Daughter;* S. 35 *is it very cold?;* S. 37 *euents* für *intents;* cheud. *thee; reaches;* S. 38 *assumes;* cheud. *hand;* S. 39 *Knotty;* S. 40 *wits hath;* S. 44 *Come one you;* S. 45 *for* für *our;* cheud. *or thus, head shake;* —; S. 46 *maruels wisely;* S. 47 *And thus;* S. 48 *scene.* In *the;* S. 50 Zeile 5 die Auslassung von *Come*, welches der Hr. Hg. aufnimmt, während er zu Z. 25 die Auslassung des *Come*, die er gutheiszt, angibt; ebend. *wi h better speed;* ebend. *feare* für *fear'd* usw.

usw.; unzähliger Varianten, die aus ungenauer Recitation entsprungen zu sein scheinen, wie S. 32 *the* für *their* und *The* für *Those;* S. 34 *his* für *these;* S. 46 *his* für *this;* cheud. *you* für *to* (jenes ist eine saloppere Construction); S. 52 *the* für *these;* S. 53 *his* für *this;* ferner das stillschweigende übergehen vieler bedeutsamer Speciallesarten der Quartos, z. B. S. 33 *inuests* für *inuites;* S. 33 *couráge* für *Comráde;* S. 39 *fearefull* für *fretfull;* S. 42 *swiftly* für *stiffely;* S. 45 *they* für *there;* S. 46 *these two notes* für *these notes;* S. 47 *with working* (= usu) für *i'th' working;* S. 51 *And sith* für *And since,* während dieselbe Variante Zeile 3 erwähnt wird (es fiel dem Hg. nicht ein, dasz Sh. den K ö n i g diese alterthümlich-steife Form des Wortes in seiner feierlichen Rede habe brauchen lassen wollen (wie S. 126 der K ö n i g wieder *Sith* sagt, da in Uebereinstimmung mit allen alten Ausgaben), während die Bühnenrecitation diese Feinheit stellenweise verwischte), ja bisweilen sogar das verschweigen der Aufnahme von Lesarten aus der schlechtesten Quelle, z. B. S. 25 des *Oh fie* (so F. 4); S. 37 des *Revisit'st* (so F. 4. Wie interessant die ältere Ueberlieferung *Reuisits* in grammatischer Hinsicht, übereinstimmend mit so vielen andern Formen derselben Art) — alles dies kann dem Leser, der sich von dem Werthe der alten Ausgaben unterrichten will, nur ein ganz falsches Bild davon geben. Nur S. 40 und 43 begegnen wir einer Anmerkung, die uns eine der Eigenthümlichkeiten der F. 1 mit einiger Treue angibt, nemlich die Wiederholung der Exclamationen *Oh, Oh,* — *Oh fie, fie* — *Haste, haste* — *she, euen she* etc., obgleich man sich von der groszen Ausdehnung dieser declamatorischen Verderbnis nach den wenigen Stellen, in denen sie von Hrn. D. angegeben ist, keinen Begriff machen kann. Aber Hr. D. selbst sieht (S. 40) ein, dasz dies wiederholen 'wenn auch vielleicht nicht nach dem ursprünglichen Texte Sh.'s, doch nach der gewöhnlichen Darstellung zu Sh.'s Zeit' geschehe. Und doch bemüht er sich an jeder Stelle, wo er sich einfallen läszt einer solchen Wiederholung Erwähnung zu thun (z. B. S. 57), in einem und demselben Athem uns die feinsten psychologischen Motive, wie 'Ungeduld', 'wirre Hast', 'angenommener Wahnsinn' für diese 'echt dramatische' Wiederholung nachzuweisen. Ist das angenommener Wahnsinn oder anzunehmen Wahnsinn?

Wie parteiisch der Hr. Hg. die Wahl seiner Angaben getroffen, geht noch schlagender hervor, wenn man einige Einzelheiten beleuchtet. S. 39 wird der arme Geist (wie wir durch Hrn. D.s Shakespearekritik) verdammt nicht nur im Feuer zu brennen, sondern in F e u e r n z u f a s t e n (*to fast in fires*). S. 162 wird des Correctors Lesart und Heaths Conjectur *lasting* mit einigen unbedeutenden Worten abgefertigt. Aber es fällt Hrn. D. nicht ein zu erwähnen dasz qu. 1 *Confinde in flaming fire* eine indirecte Bestätigung derselben ist, da sie hier wie in hundert andern Fällen ein synonymes Epitheton für das echte hat, die Verderbnis *fast in* vermutlich also nicht einmal bei den ersten Aufführungen des Hamlet auf der Bühne existiert hat.

S. 53 wird die Verderbung des Verses durch den Zusatz von

score in den Qs. (n i c h t in qu. 1, dies fehlt) angegeben, aber verschwiegen dasz die Ff. sowohl wie qu. 1 kurz darauf einen andern Vers durch Einflickung des matten *very* vor *well* verderben. S. 58. Es werden einige Lesarten der Qs. erwähnt, die Hr. D. glaubt verwerfen zu müssen. Dasz er mit der Lesart *Between whom?* den jüngern Folioausgaben (F. 4 z. B.) folgt, während alle alten Ausgaben *who* haben (was er an einer andern Stelle, wo die Rede edler, wenn nicht poëtisch ist (S. 27), gut heiszt, hier aber also mitten in der Prosa verwirft); dasz er mit der Aufnahme der Foliolesart *should be old* die indirekte Uebereinstimmung von qu. 2 ff. (*shall grow old*) mit qu. 1 (*shalbe olde*) verwirft, bleibt verschwiegen.

S. 66. Es wird die Quartolesart *affection* angeführt, auch dasz die Worte *as wholesome* bis *fine* in der Fol. fehlen. Dasz gegen die Autorität der alten Ausgaben *indict* für *indite*, *caviare* für *cauiary*, *the Hyrcanian* für *th' Hyrcanian;* gegen die der Fol. *were* für *was* (das doch auch qu. 1 hat), *judgments* für *judgment*, *total gules* für das unsinnige *to take geulles* (so Ff.) geschrieben, und vor *speech* gegen dieselbe Autorität *cheefe* ausgelassen wird; dasz gegen die gewählte Lesart der Fol. 1 und qu. 1 *tale* die qu. 2 ff. das recht wol haltbare *talke* bieten, alle diese Kleinigkeiten bleiben unerwähnt. Aber einem aufmerksamen Kritiker wäre es nicht entgangen, dasz jene in der Fol. 1 ausgelassenen Worte (von denen qu. 1 eine Spur bietet) in qu. (5) gerade eine Zeile ausmachen, welche beim abschreiben leicht überschlagen werden konnte, vielleicht eines jener Indicien, d a s z d e r in F o l i o 1 e n t h a l t e n e H a m l e t t e x t w e n i g s t e n s z u m T h e i l v o n d e n e c h t e n Q u a r t o s *) a b h ä n g t, u n d z i e m - l i c h w e r t h l o s i s t. Gesetzt etwa, die Abschrift, nach der der Hamlet in Fol. 1 gedruckt wurde, sei aus den Rollen des Globustheaters zusammengewoben (dann vermutlich noch von Schauspielerhand durchcorrigiert), so konnten diese Rollen verschiedener Art sein, und es wäre sehr natürlich, wenn ein Theil derselben aus den bereits seit ungefähr 20 Jahren gedruckten Texten ausgeschrieben oder, wenn die geschriebenen Rollen Lücken hatten (z. B. durch ein fehlendes Blatt), aus denselben ergänzt worden wäre. Denn allerdings ist es unmöglich, dasz d i e g a n z e Hamletrolle in F. 1 aus einer qu. stamme. — Hierdurch würde sich die oft seltsame Uebereinstimmung der Fol. 1 mit Eigenthümlichkeiten des Druckes der echten Quartos erklären, anderntheils die unsägliche Masse der in Fol. 1 enthaltenen Bühnenverderbnis und die theilweise, aber sicher in ihr enthaltenen Modernisierungen, auf die der besonnene Malone schon aufmerksam machte.

*) Nicht etwa nur von qu. 5. Denn da die echten Quartos (mindestens qu. 2. 3. 4. 5) alle gleichviel Blätter (51) haben, werden sie sich auch Zeile um Zeile in dem Prosadruck entsprechen. So wissen wir aus der Angabe von Steevens (1766) dasz in qu. 3 das 51e Blatt mit demselben Verse (You from the *Pollack* warres, and you from England) anfängt, wie das 51e Blatt in qu. 5. — Die meisten Spuren führen auch auf eine Nicht-Smethwickesche Quarto.

Wie sich diese Ansicht mit echten Zusätzen in Fol. 1 und den nicht
seltenen Uebereinstimmungen von Speciallesarten der F. 1 mit denen
von qu. 1 vertrage, musz eine gründlichere Untersuchung lehren als
Hr. D. sie bisher angestellt zu haben scheint. Freilich konnte er jenen
wichtigen Umstand nicht dem Steevenschen Reprint entnehmen. Aber
wer hiesz ihn sich einer kritischen Ausgabe unterfangen ohne Einsicht in die Originalausgaben?

S. 69. Hr. D. gibt uns die an sich durchaus unerheblichen Varianten in der Stellung von *abstract* oder *abstracts* an und einige (ungenaue) Notizen über *God's bodikin* (F. 1 *Gods bodykins*. F. 4 *Gods
bodikins;* qu. 5 (2 ff.) *Gods bodkin*); dazwischen erwähnt er nicht,
dasz er gegen die Uebereinstimmung von qu. 1 mit qu. 2 ff. *lived* für
live mit den Ff. liest. *Whether* für *where* (so Ff. qu.) zu schreiben ist
ohne Autorität; Polonius braucht die saloppere Form; ebenso unten
in Hamlets Rede ist die conversationelle Zusammenziehung *hau't* (qu.
5) oder *ha't* (Ff.) (einige Qs. machten daraus *hate*) überliefert, nicht
aber *have it*, wie Hr. D. schreibt. Doch wollte man alle solche Flüch-
tigkeiten aufrechnen, so hätte man viel zu thun.

S. 71. Der albern-pathetische Ausruf *O vengeance! Who?* und
das eingeflickte nichtssagende *Ay sure* werden vertheidigt (Hr. D.
hätte hier bedenken sollen was er S. 40 bedachte); in der zweiten
richtigeren kritischen Anm. vergiszt Hr. D. zu erwähnen, dasz ja die
ältern Quartos nicht *of the dear murdered* (wie er es darstellt), sondern *of a deere murthered* haben (er konnte dies schon aus sorgfältiger
Benutzung von Collier und Steevens lernen), woraus die Fol. 1 *of the
Deere murthered* machte, vermutlich *deer* als Substantiv fassend (eine
unglückliche Reminiscenz), so dasz seine Wahl erst mit den spätern
Folioausgaben (F. 4 *of the dear murthered*) übereinstimmt, und dasz
qu. 1 *of my deare father* gegen ihn spricht. Wie konnte Hr. D. den
so viel schönern und poëtischeren unbestimmten Artikel nicht vorziehen! Will man sich von dem Verhältnis der D.schen Kritik zu der
Collierschen einen Begriff machen, so vergleiche man die falsche und
ungenaue Angabe, die verkehrte und doch zuversichtliche Wahl des
ersteren mit den sorgfältigen, lehrreichen Angaben und der bescheidenen und besonnenen Wahl des letzteren. Dasz auch er den Uebergang von *a deere* zu *the Deere* übersah, ist wahr, wer aber auf den
Schultern eines andern steht, kann wohl benutzen und ergänzen,
sollte aber nicht so dankenswerthe Mittheilungen verwirren und
verpfuschen.

S. 73. Wir finden hier nur eine einen sehr unbedeutenden Punkt
betreffende (noch dazu total falsche s. oben) Angabe, während recht
interessante Fälle wie dasz die das Metrum ruinierenden und sehr
müszigen Worte *lawful espials* nur in den Ff. stehen, dasz Qs. *Wee'le*
(= *We'll*) für *Will* lesen u. a. m. (z. B. die nicht uninteressante Lesart der Smethwickeschen Quartos (wenigstens von qu. 5) *for my
part*) übergangen sind.

S. 76. Hr. D. verunstaltet zwar eingestandenermaszen den Text durch Aufnahme der falschen Foliolesarten *away* und *I know* für *awry* und *you know*, gibt aber von dem Verse, den die Qs. so haben:

As made these things more rich: their perfume lost,
durch Nichtangabe der in Ff. veränderten Interpunction und dasz sie *the* für *these* haben, eine falsche Vorstellung. Denn F. 1 liest:

As made the things more rich, then perfume left:
und zeigt dadurch, dasz ihre Hg. durch z u r e c h t m a c h e n der in ihrem MS. vorgefundenen Fehler aus diesem Verse einen sehr albernen Sinn herauszwickten: 'und machten mehr die Sachen reich, als dasz sie Duft hinterlieszen.' So passierte dem Hrn. D. das Unglück eine Speciallesart seiner geliebten F. 1 nicht zu verstehen, oder das Glück, denn ich fürchte, er hätte sie uns sonst gar in den Text gesetzt, begleitet von einer scharfsinnigen Vertheidigung. Vermutlich ist nicht das erste *these* der qu., sondern das zweite eine Dittotypie, und für dasselbe *them* zu lesen, vorausgesetzt dasz nicht nur qu. 5, sondern auch qu. 2 ff. beidemal *these* haben.

S. 77. 78. Wir begegnen hier der Erwähnung einer der zahlreichen unbedeutenden Auslassungen (dasz *go* in den Qs. fehlt) und einer ziemlich unerheblichen Variante (*time* und *tune*), während das in diplomatischer Hinsicht so interessante Beispiel eines progressiven Druckfehlers (qu. 2. (3)) *euocutat*, qu. 5 (4?) *euacuat*, qu. 6 *evacuate* aus dem ersten Verlesen des Setzers der qu. 2, der vermutlich *enoculat*, ein ihm unbekanntes Wort, vorfand; F. 1 (corrigierend mit Sachkunde) *innocculate*, F. 4 (2. 3?) *inocualte* (abermals in dem gelehrten Worte fehlend)), die Verderbnis ins Trivialere in F. 1 *no way* für *no where*, und das so interessante Beispiel der progressiven Modernisierung in den Folioausgaben (nemlich dasz F. 1 statt *for to preuent*, wie Qs. haben und wie es nothwendig, des Metrums wegen, heiszen musz (auch Hr. D. so) nur *to preuent* und F. 4 (vermutlich F. 2. 3) *how to preuent* schreibt: S. 78 Z. 4 v. u.) mit Stillschweigen übergangen werden. Dagegen hält sich Hr. D. mit der unnützen Arbeit auf, ein paar handgreifliche Verunstaltungen des Textes in Fol. 1, die er doch selbst durch Nichtaufnahme in den Text als solche anerkennt, in den Anmerkungen zu vertheidigen. Derselben unnützen Mühe begegnen wir S. 80, ohne dasz erwähnt wird dasz die Ff. in dieser und der folgenden Rede Hamlets noch 6 offenbare Fehler (*much your* ohne *with*, *t h e w h i r l w i n d*, *could*, *ore-stop*, *or Norman* (auch diesen seltsamsten aller Fehler der F. 1 (für *nor | man* der Qs.) übergeht Hr. D. mit Stillschweigen), *Iouerney-men*) haben, von denen einer (*could* für *would*) von derselben Art ist, wie *see* für *hear* zu schreiben, wodurch auch der leiseste Zweifel an der Unrichtigkeit des trivialeren *see* gehoben, und auch die Wahl von *your* für *our* (S. 79), wie *of the which* für *of which* (S. 81) sehr bedenklich wird.

S. 82. In dieser Rede Hamlets werden 5 vermeintliche schlechte Lesarten der Quartos (zum Theil in flüchtigster Weise angegeben) besprochen, dagegen fünf offenbar schlechte Lesarten der Folios verschwiegen. Nemlich *tongue, like* für *tongue lick*; *faining?* (F. 4 *feig-*

ning?) für *fauning; Hath 'tane* für *Hast tane; slythe* (F. 4 *styth*) für *stithy; needfull* für *heedfull.*

S. 94 werden zwei vermeintlich schlechte Varianten der Qs. angegeben, und bei einer dritten Stelle wird ein Versuch gemacht eine offenbare Dittotypie in F. 1, trotz der Nichtaufnahme in den Text, zu vertheidigen:

'That spirit, upon whose weal⁹ depend and rest *)

3) So die Qs. Für *weal* liest die Fol. zum zweitenmal *spirit, das dann hier* == Hauch oder Lebensmut stünde.' Aber verschwiegen bleibt auf derselben Seite eine der erheblichsten Varianten der Qs. im ganzen Hamlet, die einen sehr guten Sinn gibt, dasz nemlich Hamlet, ohne von Polonius unterbrochen zu werden, sagt:

Ham. Then I will come to my mother by and by,
    They foole me to the top of my bent, I will come by and by,
    Leaue me friends.
    I will, say so. By and by is easily said,
    Tis now the very witching time of night, etc.

woraus die Fol. 1 macht:

Ham. Then will I come to my Mother, by and by:
    They foole me to the top of my bent.
    I will come by and by.
Polon. I will say so.   *Exit.*
Ham. By and by, is easily said. Leaue me Friends:
    'Tis now the verie witching time of night etc.

Die Qs. also lassen Hamlet bald zu Polonius, bald zu Rosenkranz und Güldenstern, bald zu sich selbst gewandt, sprechen: Dann will ich zu meiner Mutter kommen, gleich. — Sie närren mich, dasz mir die Geduld beinah reiszt. — Ich will gleich kommen. — Verlaszt mich, Freunde. — Ich wills, sagt ihr das. — Gleich ist leicht gesagt — (aber schwer gethan, der ewig-zaudernde Hamlet, dem auch dieser Schritt schwer wird.) — Qu. 1 könnte diese Fassung unterstützen, da sie Corambis nach den Worten *Very like a whale* (sie meinte wol nach Hamlets *By and by*) abgeben läszt. Bei Angabe der Variante 'die Qs. haben weniger gut (warum?) *Hazard so near us*' wird verschwiegen, dasz dieselben echten Qs. in der folgenden Zeile *browes* statt *lunacies* haben, ohne welche Angabe die Natur dieser Varianten verschleiert wird, da nun beide Quartolesarten metrisch richtig, beide Foliolesarten metrisch weniger correct sind. Uebrigens hat qu. 5 die Verse so

    Hazerd so neer's as doth hourely grow,
    Out of his browes

so dasz bei etwa von einem Kritiker bei Sh. gutgeheiszener zweisilbiger Messung von *hower* man sogar in der Foliolesart eine Modernisierung erkennen könnte.

---

*) Die qu. 5 und Ff. haben (alle?) depends and rests; Hr. D. gibt dies nicht an.

S. 97. Hr. D. gibt zwar durch Anführung der trivialen Folio-variante *fresh* für das hochpoëtische *flush* einmal ein richtiges Beispiel und dann in Bezug auf eine Bühnenanweisung eine (falsche, s. oben) Angabe: wie konnte er aber daneben die nach des Rec. Meinung un-fehlbar richtigen, wenigstens viel bedeutsameren Quartovarianten *but* für *pal, base and silly - - - - - - - - not reuendge* *) für *hyre and Sal-lery, not Reuenge*, mit Stillschweigen übergehn?

S. 100. 101. Wir begegnen hier einer unbedeutenden (*sets* für *makes*) und einer zugleich unbedeutenden und falschen Angabe (*his* für *this* als Speciallesart der Ff. s. oben): aber die sehr erheblichen Varianten *heated* für *tristfull*, die, so viel ich sehe in allen alten Aus-gaben (qu. 1 fehlt hier) vorhandene Lesart *Ay(e) me* für *Ah me*, die sehr bedeutsame Zuertheilung des Verses *That roars so loud* etc. an Hamlet in den Q~s~., die interessante Verderbnis der Ff. *breath.* für *bro-ther:* werden mit Stillschweigen übergangen. Dies würde im letzten Falle um so parteiischer sein, wenn wir aus der Andeutung Colliers in den N. et Em. p. 427 (=441) schliesen durften, dasz der Corrector diesen sehr üblen Fehler der Ff., übereinstimmend mit den Q~s~., zu bessern verstand.

Ich glaube es wird nicht nöthig sein die noch übrigen Beispiele dieser Unvollständigkeit aufzuführen, sondern es wird genugsam er-hellen, dasz sie nicht von der Art ist um dem Leser ein anderes als verwirrtes und falsches Bild von dem Werthe der Quellen und dem Stande der ganzen Shakespearekritik zu geben. Für wen schrieb der Hr. Vf. eigentlich seine kritischen Bemerkungen? für den Forscher? Dann war es nicht recht ihm die Mühe zu machen, durch Vergleichung mit Collier u. a. die Körnchen wahres und selbständiges unter einem Haufen von Nachlässigkeiten, Verdrehungen und Wiederholungen her-auszupicken. Für den Freund und Bewunderer des Dichters? Dann hätte er sie sich, da dieser nur verstehen und durch verstehen genie-szen will, ganz sparen können. Für den gewöhnlichen Sprachmei-ster? Dann hätte er sie in der Weise beschränken müssen, dasz das sprachlich wichtige in den Vordergrund (etwa die Modernisierung der Sprache in den spätern Ausgaben) getreten wäre, denn was ver-steht ein solcher von Kritik? Für das gebildete Publicum? Das soll aber entweder gar nichts von dergleichen Dingen wissen, oder ordent-lich belehrt werden, nicht aber durch Halbheiten zu gleichen Halb-heiten veranlaszt werden. Es bleibt nichts übrig, als dasz der Vf. für S c h ü l e r hat schreiben wollen, denen es am Ende gleichgiltig sein kann, ob eine Variante hier oder dort steht, die nicht so weit kom-men können, in der Sh.kritik au fait zu sein, und denen ein geschick-ter Lehrer jede Variante (selbst eine falsche und willkürlich ausge-wählte) für die Entwicklung ihres Urtheils fruchtbar machen kann. Für solche freilich ist weder der Preis des Buches noch der anmaszende, prahlerische Zuschnitt der 'neuen Recension' berechnet, und der An-

---

*) So, mit 8 kleinen Strichen nach silly, die qu. 5.

kündigung des Verlegers zufolge, dasz 'das wesentlichste in einem
für das tiefere Studium des Dichters ausreichenden Masze' gegeben
sei, wird ein höheres Ziel erstrebt. Von diesem aber wird, fürchte
ich, der Leser durch die kritischen Anmerkungen des Vf.
nur weiter
und weiter abkommen, wenn er nicht schon vorher durch die notae
variorum und Collier, Knight usw. sehen und urtheilen gelernt hat.
(Fortsetzung folgt im nächsten Heft.)

Eisenach.   *Tycho Mommsen.*

6.

*The Poetry of Germany. Consisting of Selections from upwards
of seventy of the most celebrated Poets translated into Eng-
lish Verse, with the original text on the opposite page, by
Alfred Baskerville.* Leipzig, published by G: Mayer. XXIV
u. 663 S. 8.

Erst gegen das Ende des vorigen Jahrhunderts fieng man in England ernstlich an, auf das vorhandensein einer Litteratur seine Aufmerksamkeit zu wenden, welche, obgleich sie aus einer dem Englischen nahe verwandten Sprache hervorgegangen war und nach Abwerfung des lästigen Zwanges französischer Fesseln eine auszerordentliche schöpferische Kraft und Fülle nach allen Seiten hin entwickelt hatte, doch nur einzelne Strahlen ihres Glanzes nach der
benachbarten Insel warf. — Walter Scott gibt in einer anziehenden
Abhandlung 'über die Nachahmungen der alten Ballade' als genauen
Anfang des bekanntwerdens deutscher Litteratur in England den
21. April 1788 an, an welchem Tage der bekannte Henry Mackenzie
in der Royal Society zu Edinburg eine Vorlesung über die Bedeutsamkeit der deutschen dramatischen Dichtkunst, sowie der deutschen
Litteratur im allgemeinen hielt, welche allgemeines Aufsehen erregte
und wesentlich dazu beitrug, die deutsche Litteratur in England heimisch zu machen. Zwar war Mackenzie, wie W. Scott selbst sagt,
nicht der erste in England, welcher von deutscher Litteratur angezogen wurde, wie manigfache Uebersetzungen einzelner Werke deutscher Classiker (Proben aus Kleist [1755], Klopstock [1765], Lessing
[1780], Gellert [1776], Geszner [1762], Goethe [1779], Wieland [1773],
Zimmermann [1771] u. a.) beweisen, welche schon seit der Mitte vorigen Jahrhunderts erschienen waren, freilich oft genug schlechte und
anonyme Erzeugnisse oder Uebersetzungen aus zweiter Hand, denen
französische Uebersetzungen zu Grunde lagen, wie denn Mackenzie
damals wenigstens aus halbgetrübter französischer Quelle schöpfte.
— Aber abgesehn von diesen Uebersetzungen machte sich deutsche
Litteratur, anfangs mehr in Privatkreisen geschätzt, allmählich den er-

sten Geistern der Zeit immer nothwendiger und unentbehrlicher: dies
zeigt schon die grosze Zahl und der Name der Uebersetzer, welche
damals, wie W. Scott dies eindringlich schildert, noch — seltsam
genug — mit der äuszerlichen Schwierigkeit zu kämpfen hatten, sich
deutsche Bücher überhaupt zu verschaffen! So kam es z. B. dasz
Bürgers Leonore, welche im Jahre 1775 geschrieben wurde, doch erst
nach mehr als 20 Jahren in England bekannt wurde, obwohl sie sogleich nach ihrem bekanntwerden den gröszten Reiz auf alle englischen Leser ausübte, von denen fast niemand, wie sich W. Scott ausdrückt, die Augen auf diese Ballade warf ohne den Wunsch zu empfinden, sie durch Uebersetzung seinen Landsleuten bekannt zu machen.
So kam es dasz sechs oder sieben Uebersetzungen fast gleichzeitig
erschienen, unter ihnen die gelungensten von William Taylor aus
Norwich, sowie eine von W. Scott selbst, der sie jedoch ganz offen
als Jugendarbeit anerkennt. Beide sind aber nicht Uebersetzungen im
eigentlichen Sinne des Worts, sondern ziemlich freie Uebertragungen
des Hauptinhaltes. Neuere Uebersetzer wie Miss Julia·M. Cameron
und der Verfasser der vorliegenden Anthologie haben treuere und
folglich gelungnere Uebersetzungen geliefert.

Ob nun gleich die Verehrer deutscher Litteratur in England fast
täglich an Zahl bedeutend zunehmen, und Uebersetzungen so zahlreich
werden, dasz z. B. Goethes Faust in mehr als dreiszig englischen Uebersetzungen existiert — und unter diesen Uebersetzern finden sich
Namen wie Shelley, Gower, Anstey, Hayward, Blackie, Syme, Birch,
Capt. Knox u. a. — so ist es doch begreiflich, dasz eine grosze Anzahl allgemeiner Leser weder Zeit noch Mittel hat, eine Bibliothek
der hier einschlagenden Litteratur zu verarbeiten und sich begnügen
musz, der in Blumenlesen gegebenen Proben sich zu erfreuen, vielleicht auch von diesem oder jenem Schriftsteller angezogen, seine
Werke als besonderes Studium zu erwählen. Es sind daher auch in
neuerer Zeit zahlreiche Schriften dieser Art erschienen; so gehören
zu den bessern die von Joseph Gostick, J. C. Morgan, ·beide 1845 erschienen, die des Amerikaners Hedge usw.

Auch Deutschland hat eine Anzahl dieser Blumenlesen hervorgebracht, von denen eine der hervorragenderen Dr. J. G. Flügels Flow-
ers of German Poetry ist (Leipzig 1835· J. Klinkhardt. IV u. 315 S.
8). Sie gibt eine Auswahl von Uebersetzungen verschiedener englischer Verfasser aus etwa 26 deutschen Dichtern (von Klopstock bis
auf Uhland) und nimmt besonders auch auf die weniger oft übersetzten Dichter und Musterstücke deutscher Dichter Rücksicht, wie
schon einige bei Baskerville nicht vertretene Namen (Burmann, de la
Motte-Fouqué, Gotter, Kotzebue, Müchler, Overbeck, Schikaneder)
darthun. Zur Vergleichung ist der deutsche Text auf der gegenüber-
stehenden Seite beigefügt.

Noch umfangreicher und bis auf die Dichter der neusten Zeit
herabgehend ist das Werk von Alfred Baskerville, zu dessen kurzer Beurtheilung wir uns nun wenden. Was zuvörderst die Auswahl

betrifft, so schlieszt sie sich mit Recht dem Geschmack deutscher Mu-
stersammlungen an und gibt uns viele Perlen aus den Erzeugnissen
von 73 Dichtern, von Hagedorn an bis auf Redwitzs Amaranth. Im
ganzen lassen sich die Uebersetzungen, welche das Versmasz der Originale soviel als möglich beibehalten, höchst gelungen nennen; einzelne Gedichte sind sogar mit meisterhafter Beibehaltung des ursprünglichen Gehaltes und Tones übersetzt, so z. B. das scherzhafte Gedicht-
chen ʻ Thier und Menschen schliefen festeʼ von Lichtwer, aber auch
in bedeutenderen Sachen, wie Bürgers Leonore, Schillers Glocke
usw. schliesz sich die Uebersetzung den frühern würdig an und übertrifft sie in einzelnen Punkten, weil Hr. Baskerville tiefer in die Feinheiten der deutschen Sprache eingedrungen ist, als z. B. selbst Bulwer. Wenn wir daher in aller Kürze einiges hervorheben, was uns
in der Form oder im Gedanken verfehlt oder weggelassen zu sein
scheint, so ist dies eben durch die meistentheils an den Tag gelegte
gründliche Kenntnis des Hrn. Uebersetzers veranlaszt. Um mit wenigen Worten das minder wesentliche, die Form, abzuthun, so hat Hr.
B. mit Recht sich möglichst genau an das Original angeschlossen, indem er den Bulwerschen Irthum vermied, wo die Form schwierig war,
das Versmasz und mit ihm einen guten Theil des ursprünglichen Geistes des Originals aufzugeben. Nur in einzelnen Gedichten finden wir
Abweichungen, so hat Hr. Dr. Hildebrand in einer Beurtheilung des
Baskervilleschen Werkes (Centralblatt 1854 Nr. 17) bereits darauf hingewiesen, dasz durch allzuhäufige Anwendung des Anapaestes, der doch
mehr balladenartig, als lyrisch klingt, z. B. die Heineschen Lieder
wahre Einbusze erlitten haben. — Es ist, um ein anderes Beispiel
zu geben, gerade eine Schönheit in Uhlands ʻdes Sängers Fluchʼ
dasz die nachschlagende Silbe nach dem dritten Iambus in der Mitte
des Verses die unausstehliche Einförmigkeit der hackenden Alexandriner vermeidet; die Schwierigkeit im flexionsarmen Englisch andere
als einsilbige Wörter zu finden, hat Hrn. B. veranlaszt, die Senkung
aufzugeben und so haben wir die ganze Eintönigkeit des in der Mitte
wie zerhackten Verses: hierbei ist öfters die Caesur nicht eingehalten,
was einen sehr übeln Eindruck macht; so gut folgender Vers sein
würde: For what he broods is terror, and rage his eyeball lights, so
hinkend ist seine jetzige Form: For what he broods is ter | ror, rage
his eyeball lights; ähnliche Misstände finden sich in: Of freedom, and
of hon | our, faith, and holiness, ferner: The queen dissolved in rap|
tures, and in sadness sweet, und so noch an zwei Stellen desselben Gedichts. —. Besonders häufig sind überhaupt männliche statt der weiblichen Reime, was in manchen Gedichten, deren Schönheit durch
prächtige klingende Reime sehr erhöht wird, wie z. B. Freiligraths
ʻLöwenrittʼ, besonders störend ist. Freilich ist die Armut des englischen an weiblichen Reimen Ursache dieses Uebelstandes; denn selbst
wo Hr. B., wie in der gelungenen Uebersetzung von Pfizers Dolce
far niente, die Form des Originals streng beibehält, finden wir, dasz
von 24 weiblichen Reimpaaren nicht weniger als 11 auf die Partici-

pialform in -*ing* ausgehen! — Noch erhöbt wurden diese Schwierigkeiten in den Uebersetzungen der antiken Metra der Klopstockschen
Oden und der Hexameter, von denen viele den Accent und die Caesu-
ren so wenig innehalten, dasz bei dem Mangel dieser einzigen Ersatz-
mittel der Quantität der alten das Metrum für den unkundigen ganz
verloren geht, was sich freilich häufig genug bei den deutschen Originalen selbst findet. Die allgemeine Einführung der alkaeischen, sap-
phischen und anderer ähnlicher Versmasze wird sicher weder bei uns
noch in England je gelingen. Dagegen beweisen manche lobenswerthe
Versuche englischer Dichter, z. B. die herlichen Uebersetzungen Shad-
wells aus der Odyssee und Ilias und andere Versuche, dasz schöne
englische Hexameter ebenso möglich sind, als gute deutsche, eine
Meinung, die auch Hr. B. in der Vorrede mit Recht gegen Bulwer
verficbt.

Was nun die Art und Weise anlangt, in welcher der Wortgehalt
wiedergegeben ist, so ist sie, wie schon oben gesagt, meist getreu
und in gewandtem englisch. Einzelnes verfehlte wollen wir jedoch
bemerken, was der Hr. Uebersetzer, dem wir recht viele neue Auflagen wünschen und voraussagen können, als Zeichen ansehen möge,
dasz es uns um gründliche Kenntnis des schönen Buches zu thun war.
Die Grundsätze, welche Hr. B. in der Vorrede seines Buchs als masz-
gehend für Uebersetzungen vorausschickt, zeigen ein klares Bewustsein seiner Aufgabe; doch scheint er, wenn auch weit entfernt von
bulwerschen Freiheiten, doch zuweilen mehr besorgt gewesen zu sein,
etwas dem Engländer verständliches und bekanntes, als das Original
zu geben. Der deutsche und j e d e r andere Leser m u s z zuerst eine
so weit es der Geist des englischen zulässt, g e t r e u e Uebertragung
verlangen, denn nur so k a n n der Geist des Originals bewahrt werden; auch verträgt sich Wörtlichkeit der Uebertragung und gutes
englisch vollkommen wol, wie Hr. B. selbst uns reichlich beweist.
Der Geist eines Schiller, eines Goethe gehört der Menschheit an: es
wäre also eine Willkürlichkeit, die durch nichts sich entschuldigen
liesze, wenn der Uebersetzer, wie z. B. Coleridge in seiner im allgemeinen trefflichen Bearbeitung des Wallenstein, sich oft nicht begnügt, sein Vorbild getreu wiederzugeben, sondern selbstschaffend
oft gerade feine Züge verwischt, von mancher durchaus misverstandenen
Stelle ganz zu schweigen. Daher kommt es, dasz trotz mancher kleiner Härten J. H. Merivales Uebersetzung schillerscher Gedichte oft
die bulwersche übertrifft; in der letztern linden wir zu viel Bulwer
und zu wenig Schiller. Auch bei Hrn. B. linden wir hier und da Misverständnisse und wenn ihm auch solche Uebersetzungssünden wie sie
früher allzuhäufig waren und sich noch bei englischen Uebersetzern
linden *), nicht begegnen, so linden wir doch zuweilen einzelne Schwierigkeiten des Originals umgangen. Wir können Hrn. B. nicht ge-

---

*) In einer von den unzähligen Uebersetzungen von der Glocke
(Specimens from Schiller and Uhland. By G. C. Swayne, M. A. Ox-

statten, in einem so durch und durch deutschen Liede wie Arndts
'Was ist des deutschen Vaterland?' die Zeile 'wo Eide schwört der
Druck der Hand' so zu übersetzen: where oaths are sworn but by the
band, die fast unfehlbar eine falsche Auffassung des Originals veranlassen müssen; es klingt diese Uebertragung wie eine trockne Angabe
der Thatsache, dasz man in Deutschland nicht wie in England beim
schwören die Bibel küszt, sondern 'nur' mit der Hand schwört, während doch Arndt sagen will, dasz der blosze Druck der Hand, also
eine scheinbar geringe Bürgschaft, einem Eide gleich kommt; in Bentleys Miscellany, Juni 1848, war diese Stelle richtiger, wörtlicher und
schöner so gegeben: Where oaths are sworn by clasped hand. —
Schwieriger ist freilich die Uebertragung in solchen Fällen, wo die
wörtliche Uebersetzung ein dem Geschmack der Nation widerstreben-
des Bild oder Wort verlangt. Wie oft geht es uns so, wenn wir solche Ausdrücke wie to fidget, bustle und hundert andere höchst be-
zeichnende Worte, deren entsprechende deutsche Aequivalente nicht
wie im englischen in gutem Gebrauch sind, unübersetzt lassen oder
durch matte Umschreibungen ersetzen müssen. Es ist z. B. sehr richtig, dasz eine wörtliche Uebersetzung der Zeile 'Nun klappern die
reisenden Störche' in Hagedorns Mailiede nicht nur unpoëtisch, sondern lächerlich sein würde: Now clapper (chatter, rattle, clatter etc.)
the travelling storks läszt sich einmal nicht sagen. Ob aber nicht dennoch der Ton wenigstens annähernd hätte beschrieben werden sollen,
zumal da auch die Eigenthümlichkeit des Storchs als Zugvogel in der
Zeile The stork comes flapping its wings kaum angedeutet ist, ist
eine andere Frage; Thomson beschreibt den noch viel auffallenderen
Ton der Rohrdommel, welche im englischen neben höchst undichterischen Namen wie butter-bump, mire-drum etc. noch einen andern,
bittern, führt, auf folgende zierliche Weise: scarce the bittern knows
his time with bill ingulf'd To shake the sounding marsh. Auszerordentlich mühselig ist es freilich, einen ähnlichen Inhalt in 7 Silben
zusammenpressen zu sollen; Hr. B. hat aber selbst erheblichere
Schwierigkeiten mit Glück überwunden, warum nicht auch diese?
Auch in der nächtlichen Heerschau von Zedlitz ist es Schade, dasz
die genaue Zeichnung von Napoleons äuszerm, das 'kleine Hütchen'
des Originals, welches uns sogleich die Persönlichkeit vergegenwär-
tigt, als undichterisch aufgegeben werden muste (ist es in der That
unumgänglich?); wie verschieden ist hier der Eindruck: 'Er trägt ein
kleines Hütchen, Er trägt ein einfach Kleid, Und einen kleinen Degen trägt er an seiner Seit', und der ungenauen Uebersetzung: No
plume his helm (!) adorneth, His garb no regal pride, And small is
the polished sabre That's girded to his side.
 Auf solche Weise ist mancher schöne Zug äuszeren Gründen zum

---

ford) finden wir u. a. die 'zähe Glockenspeise' mit clammy bell-con-
fection übertragen; bekannt ist die lächerliche Uebersetzung von Her-
weghs 'Ihr Dichter laszt das Verseschweiszen', 'ye poets cease to
sweat at verses!'

Opfer gefallen, zuweilen ohne Noth; z. B. ist das Bild des Mondes in
der 'Reue' von Platen besonders schön (der Mond in beruhigter
Pracht), weil er die Ruhe, die grosze feierliche Ruhe der Natur den
tobenden Schmerzen der Reue gegenüberstellt; daher die schöne Wiederholung des 'sacht' in jedem der vier Verse, welche dreimal in
der Uebersetzung ganz unberücksichtigt gelassen ist, einmal nur halb
angedeutet; statt des Mondes in beruhigter Pracht haben wir the moon
in her *silvery* light, ein etwas abgebrauchtes, wenigstens hier das
Original durchaus nicht deckendes Bild. Auch die letzten Zeilen, in
welchen sich der Dichter mit schmerzlichem Vorwurfe anredet: 'Nun
stille du sacht In der Nacht, in der Nacht Im pochenden Herzen die
Reue!' — In dieser Aufforderung liegt zugleich die Vergeblichkeit
aller Versuche die Reue zu beschwichtigen, und dieser schöne Schlusz
ist in der Uebersetzung als verfehlt zu bezeichnen: 'Still, still! though
contrite, In the night, in the night, In my bosom repentance doth glow!'
    Am Schlusze des Gedichts macht sich eine falsche Auffassung
wie diese besonders störend, da gleichsam die letzte Abrundung fehlt
und im vorliegenden Falle sogar ein Hauptgedanke nicht ausgedrückt
ist. Aehnlich fiuden wir den Schlusz des Löwenrittes von Freiligrath
verfehlt; Hr. B. hat den Ton übersehn, welcher auf dem So liegt in
'So (auf die erzählte Weise) durchsprengt der Thiere König nächt-
lich seines Reiches Grenzen', was er übersetzt mit O'er the frontiers
of his realms the king of beasts *pursues* his way.
    Es ist Schade, dasz uns der Raum nicht gestattet, diesen Aus-
stellungen auch eine Auswahl trefflich gelungener Stellen folgen zu
lassen, wozu die Vergleichung zahlreicher Erzeugnisse anderer Uebersetzer gar oft einladet. Genug, dasz wir mit vollem Rechte
diese gutgewählte und von dichterischem Geiste durchwehte Sammlung dem deutschen wie dem englischen Publicum empfehlen können.
Die äuszere Ausstattung ist des Inhaltes würdig.
    Leipzig.   Dr. *Felix Flügel*.

7.
Hilfsbücher für den lateinischen Unterricht.

Elementa Latinitatis von Dr. Adolf Hauser. Karlsruhe 1854.
    VII u. 71 S. 8.
Sammlung lateinischer Wörter von Dr. M. Meiring. 2e Aufl.
    Bonn 1855. XIII u. 113 S. 8.
Vocabula linguae latinae primitiva von Friedrich Wiggert.
    10e Aufl. Magdeburg 1854. XVI u. 165 S. 8.
Vocabularium für den lateinischen Elementarunterricht von Dr.
    Ludwig Döderlein. 3e Aufl. Erlangen 1854. 102 S. 8.

Diese Bücher darf man als erfreuliche Zeichen der Umkehr von unfruchtbaren Theorien zu einer soliden Praxis begrüszen. Alle vier gehen von der Ueberzeugung aus, dasz der lateinische Unterricht mit geordneten Gedächtnisübungen beginnen musz: und sicher musz auch hier dem kennen ein können vorangehn, und vor allen Dingen zum bauen das Material, nicht etwa das Material im Baue geboten werden.

Gerade dies ist es, was ich vor einigen Jahren gegen die genetische Grammatik von Graser hervorhob, und auch darin pflichte ich den Vff. der genannten Vocabularien ganz unbedenklich bei, dasz das vocabellernen von Haus aus mit aller Entschiedenheit betrieben werden musz. Nur ob es als eine besondere Uebung selbständig zu betreiben sei, das ist die Frage. Noch habe ich nicht das Bedürfnis einer solchen Uebung empfunden, und ich wüste kaum wo und wann sie vorgenommen werden sollte, dasz nicht planmäszigeres und ersprieszlicheres zu thun wäre.

So lange der Schüler noch nicht die ganzen Paradigmen gelernt hat, so lange möchte ich ihm nicht statt der Grammatik oder neben der Grammatik das Vocabelbuch in die Hand geben; denn is ea id, sum es est, malo mavis mavult gehört enger zusammen und wird leichter gelernt und hilft weiter, als aër ager ala bei Wiggert, als abies absurdus accipiter bei Meiring und Döderlein, als acuo ago ango bei Hauser. — 'Eine geordnetere Weckung und Stärkung der Gedächtniskraft am Objecte der classischen Sprachen' als durch die Erlernung der Paradigmen gibt es nicht, und ist dieser nach allen Erfahrungen für die Kräfte des Anfängers nicht zu geringe Gedächtnisstoff glücklich bewältigt, dann — auch nicht viel früher — wird es an der Zeit sein denselben durch das übersetzen zunächst aus dem lateinischen in das deutsche allmählich lebendig und flüszig zu machen. Jetzt werden die für die jedesmalige Uebersetzung erforderlichen Vocabeln gelernt; und wie durch das Interesse welches durch die augenblickliche Anwendung hervorgerufen wird, so namentlich auch durch das auswendiglernen eines guten Theiles des übersetzten Pensums, welches man wohlthun wird abwechselnd lateinisch und deutsch aufsagen zu lassen, dem Gedächtnisse um so unvergeszlicher eingeprägt. Es scheint aber, um auch hier ein praktisches Beispiel anzuführen, zweckmäsziger, und in mehr als einer Beziehung, in Verbindung mit dem Satze Verae amicitiae sempiternae sunt die Vocabeln verus -a -um, amicitia -ae, sempiternus -a -um, als mit Hauser cado cadaver casus, mit Döderlein caballus calo cachinnus, mit Meiring balbus balbutio balneum, oder gar mit Wiggert Wörter wie aluta brassica cantherius und noch ganz andere lernen zu lassen.

Ohne nun mit der Bestimmung eines Buches einverstanden zu sein, kann man doch der Art und Weise, wie es für seine Bestimmung verfaszt ist, seinen ganzen Beifall zollen. In diesem Falle habe ich mich aber zunächst bei den Elementen des Hrn. Hauser durchaus nicht befunden.

Schon der Ausspruch p. IV machte mich bedenklich: 'wenn der

Schüler einer Gelehrtenschule mit dem Beginn der Cicero- und Livius-
lectüre nicht schon die ganze Fein des Praeparierens — des gehäsig-
sten onus für das zur Phantasie und Idealität sich entwickelnde Jüng-
lingsalter — hinter sich hat, so ist es freilich kein Wunder, dasz er
in den obern Classen dann nur mit Mühe über den Buchstabenquark
hinaus in den Geist der Autoren eindringt.' Von der Arbeit der Vorbereitung, das allerdings auch unbequeme nachschlagen des Lexikons
mit einbegriffen, entbinde ich meine Schüler so wenig als mich selbst,
und noch nie habe ich mich unterfangen auch nur ein Capitel des Corn.
Nepos oder eine Fabel des Phaedrus erklären zu wollen, ohne mich
auch der ganzen Arbeit der allersorgfältigsten Vorbereitung recht
gern zu unterziehn. Und den Buchstabenquark? — Es ist mir nicht
recht klar, ob der Hr. Dr. H. den Buchstabenquark im Sinne seiner
Schüler setzt oder in seinem eignen Sinne; aber bei Cicero und Livius fiude ich überhaupt keinen Quark. Vielmehr bin ich von der Ueberzeugung durchdrungen — und diese Ueberzeugung musz auch der
Schüler gewinnen, und sie wird ihm dienlicher sein als hundert Vocabeln, zumal wenn er diese für Quark hält — dasz bei den classischen Autoren schöne und edle Gedanken den entsprechenden Ausdruck
gefunden haben, und dasz es kaum etwas verkehrteres, kaum auch
etwas verderblicheres gibt als Geist und Schrift, die Seele des Gedankens und den Körper des Wortes von einander trennen zu wollen.
Wo möglich noch bedenklicher scheint mir S. VI die Erklärung
oder das Eingeständnis: 'hinsichtlich der Phraseologie möchte ich
keinen Lehrer gebunden wissen, der vielmehr den darin gebotenen
Lehrstoff um- und zubildend cum grano salis benützen oder gänzlich
ignorieren mag.' Als ob die Phraseologie — wenn mit dieser etwas
unbestimmten Bezeichnung der deutsche Ausdruck, und nicht vielmehr
die lateinischen Beispiele gemeint sind — etwas zufälliges und willkürliches wäre, was je nach belieben gemacht, geändert und gewech-
selt werden könnte; als ob nicht die deutsche Bedeutung in dem lateinischen Worte enthalten, und durch das lateinische mit einer gewissen Nothwendigkeit geboten wäre. Hinsichtlich der Phraseologie in
diesem Sinne — obwohl sie auch in dem andern nichts weniger als
gleichgiltig wäre — möchte ich jeden Lehrer, möchte ich namentlich
den Verfasser eines Vocabulariums ganz auszerordentlich gebunden
wissen. Jedes lateinische Wort, meine ich, hat sein entsprechendstes
deutsches, und je entsprechender die Angabe, um so anwendbarer und
um so behaltbarer. Darum wird besser lehren und erfolgreicher wer
für cernere s c h e i d e n, für certus und certe e n t s c h i e d e n, für decernere e n t s c h e i d e n gibt, als wer für cernere '1) absondern, 2) sehen (deutlich wahrnehmen)', für certus 'gewis, zuverlässig' und für
certo 'sicherlich, gewis', für decernere '1) beschlieszen, 2) streiten'
bringt; a u s s p a n n e n oder a n s p a n n e n für tendere ist nicht besser als
*at*tendere s p a n n e n, und urere v e r b r e n n e n wenigstens nicht viel
besser als *com*burere b r e n n e n sein würde; ähnlicher Art ist exigere
'1) heraustreiben, 2) f o r d e r n' (pecunias) für 2) b e i t r e i b e n, de-

sinere und desistere **aufhören** für **ablassen** und **abstehn**, oriri '1) geboren werden, 2) entstehn' (von einem Sturme) für oriri **sich erheben**, struere **bauen** für **schichten** (strues Schicht, exstruere emporschichten). Ein denkender Lehrer wird für caput lieber **Haupt** als **Kopf** geben, für carcer lieber **Kerker** als **Gefängnis**, für scamnum lieber **Schämel** als **Bank**, für scrinium **Schrein** als **Schrank**; für eximius wird er lieber **ausnehmend** als **ausgezeichnet schön**, für praedator lieber **Freibeuter** als **Räuber**, für sagittarius lieber **Pfeil**schütze als **Bogen**schütze, für valde lieber **stark** als **sehr** (valdius stärker), für vicissim lieber **wechselseitig** als **gegenseitig**, für viritim lieber **männiglich** als **Mann für Mann**, für volumen lieber **Bücherrolle** als **Buch** sagen, und wie für vesci **sich nähren**, so auch für uti gern das mediale **sich bedienen** verwenden; für trux wird er **trutzig** vor **graus** oder **grimmig**, für spuere **spucken** vor **speien** vorziehn, wäre es auch nur aus mnemonischen Rücksichten. Er wird nichts unbeachtet lassen, was dazu dienen kann den Schüler der Originalanschauung der alten näher zu bringen, und sich freuen wenn derselbe in eques den Roszgänger, in limes den Quergänger, in trames den Hinübergänger, in semita die Sondergängerin erkennt; desgleichen in erudire das entrohen, in exsequiae das hinausfolgen, in lingua die Ieckende, in serpens die schleichende, in mensa die abgemessene Tafel, in τράπεζα die vierfüszige Vorrichtung, in paeninsula die Fastinsel (presqu-île), in χερσόνησος die Festlandsinsel, in sciurus den Schattenschweif (σκίουρος), in ἡμίονος den Halbesel. Ueberall wird er verwandtes, analoges und irgendwie zusammengehöriges in eine zweckmäszige Verbindung zu setzen wissen, und nicht nur dem Schüler sondern auch der Sprache einen Dienst erweisen, wenn er z. B. legare durch fugere — fugare als Caussativum zu legere (viam, einen Weg zurücklegen), wenn er parēre = in lucem edere durch alēre — alēre (ungebr.), candēre (ungebr.) — candēre, iacēre — iacēre, pendēre — pendēre als Caussativum zu parēre = erscheinen, und parare durch albare—albere, placare—placere, sedare—sedere als Caussativum zu demselben Verbo, oder wenn er pala als **breite Fläche**, von einem Siegelringe die **Platte**, von pandere durch mala von mandere, scalae von scandere nachweist. (So wahrscheinlich auch tela Aufzug und telum Geschosz von tendere). Bei arena—arere wird er an habena — habere, bei educere und educare an dicere und dicare, bei cadere und caedere an das glciche Verhältnis zwischen **fallen** und **fällen** erinnern, und auf solche Weise den Unterricht im gleichen Masze bildend, anregend und unvergeszlich machen.

Ein Vocabularium, welches nach den hier angedeuteten Rücksichten mit Sorgfalt und Sachkenntnis ausgearbeitet wäre, könnte Lehreru und lernenden erhebliche Dienste leisten, ohne dasz es gerade zum memorieren als einer selbständig betriebenen Uebung benutzt würde. Aber von allen diesen Rücksichten hat Hr. H. keine genommen. Vielmehr hat seine Geringschätzung der Phraseologie, möglicherweise auch die Alsquarkbehandlung des Wortes überhaupt, eine solche Sorglosigkeit der Behandlung seines Gegenstandes zur Folge gehabt, dasz das Buch, wenn es wirklich benutzt werden sollte, auf jeder Seite Berichtigungen, Erläuterungen und Zusätze nothwendig machen würde. Da lesen wir, ganz abgesehn davon dasz eine Anzahl der oben angeführten Beispiele wie man nicht lehren soll allein aus seinem Buche entlehnt sind: cogere 1) zusammentreiben, vis ventorum in portum navim coëgit; da soll esca, die Speise sofern sie zur Befriedigung der Eszlust dient, dah. die Lockspeise, ein 'künstliches Gericht' bedeuten; da wird interpungiert vides, illum multa, perlicere, nos conari, oder proprium humani ingenii est, odisse, quem laeseris; da wird perfïdus ohne weiteres mit fïdus und infïdus zusammengestellt, während es offenbar zu fides gehört und von fïdus nur 'perfïdus sehr treu' heiszen könnte; da soll mores oratoris effingit oratio, gibt ein ausgeprägtes Bild == depingit sein, gibt eine genaue Schilderung; da wird mit keinem Worte gesagt, oh fundere in der Verbindung mit fugare den Feind werfen oder ob es die Feinde zerstreuen bedeutet; da wird debere == dehabere durch 'etwas von einem haben' erklärt, und medicina in alicui medicinam facere für 'Arznei' (Phaedr. I 8 9 periculosam fecit medicinam lupo: 'machte die gefährliche Arznei'? —); da soll potare zechen, 'eig. saufen, dah. trinken' und das Frequentativum zu bibere sein (wenn noch zu trinken!); pudor soll in est tibi pudori die 'Schande' heiszen; neben saltus wird ganz unvermittelt der 'Sprung, der Bergwald' gestellt, statt '2) ein hervorspringender Ort, ϑρωσμὸς πεδίοιο, nam. ein Waldgebirg'; unter sedere und sidere wird insidēre und possidēre, nicht aber insidĕre und possidĕre angegeben; in a te id quod suesti peto wird suesti zu sueo statt zu suesco genommen; zu tento war nöthiger zu bemerken dasz es Frequentativum zu teneo (Forcellini: diu et multum tenere ac tractare, ut solent quippiam exploraturi!), als zu tracto dasz es Frequentativum zu traho ist, und verso zu verto fehlt, wie vieles andere der Art, ganz und gar. Selbst odisse 'hassen', petere 'bitten', vadere 'gehen', corrigere 'gerade richten' ist für *Elementa Latinitatis* ungenau: odisse heiszt so gut einen Widerwillen gefaszt haben, wie novi ich habe kennen gelernt; geradezu für bitten steht petere nirgends, auch nicht in Fällen wie Nep. Them. IX 4 tuam petens amicitiam ('und werbe um deine Freundschaft'!); was vadere bedeutet wird am besten aus evadere entrinnen erkannt, und gerade richten heiszt *corrigere* so wenig als *componere* gerade legen (auf entsprechende Weise, zurecht!).

    Druck- und andere Fehler sind restim für restim, timëo für timēo, rëgula (nach rēgo!) für rēgula, tōga für tŏga, mocs-titia für moestitia, desgleichen līgnum für līgnum; denn hier ist das i, wie die Vergleichung von fïgillum lehrt, blosz durch die Position gehoben, nicht wie in dignus (aus δεικνύς == monstrabilis, insigniendus) von Natur lang.—

    Einen ganz andern Eindruck als die Elemente des Hrn. Dr. Hauser macht die Wörtersammlung von Meiring. Die Wahl der Wörter zeugt von wirklicher Einsicht in das Bedürfnis der Schüler, die Phraseologie ist in den meisten Fällen entsprechend. Sollte das vocabellernen einmal in der von den Verfassern beabsichtigten Weise betrieben werden, so würde ich von den vorhandenen Sammlungen am liebsten die von Meiring benutzen; aber den Anhang seltnerer und dichterischer Wörter, unter denen auch ānus, moechus, nothus mit aufgeführt sind, würde ich doch nicht lernen lassen. Entschieden falsch ist — unter manchem andern — praestare v o r stehen für v o r- a n stehen, fucus Hummel für Drohne, torrens ein a u s t r o c k n e n d e r Strom für ein r e i s z e n d e r oder ein S t u r z bach. Druckfehler sind īgitur für ĭgitur, mērus für mĕrus, rĕgula (nach rĕgio!) für rēgula, tinnĭtus für tinnītus, wol auch rudere gaben für yaben.

Das Primitivenbuch von W i g g e r t zeugt von gründlichen Studien und hat den meisten Anspruch auf wissenschaftliche Geltung, dürfte aber vorzugsweise mehr zum nachschlagen als zum auswendiglernen, und mehr dem Lehrer zu empfehlen sein als dem Schüler. Gar viele der hier aufgeführten Wörter, unter denen sich auch scortum mit der stärksten deutschen Bezeichnung fiudet, würden selbst einem gebornen Lateiner so fremd vorgekommen sein, wie uns in Heyses Handwörterbuche ä b i c h t e n, a b k i m m e n, a b l a s c h e n, b a i l- b r e c h e n, B a k e, B a l c h e, D ö b e l, D o g g e r, D ö g l i n g. Wäre es nicht schrecklich, wenn deutschlernende Auslandskinder dergleichen Wörter, deren es mehr gibt als man meinen sollte, auswendig lernen müsten?

Es kann nicht fehlen dasz ein Buch, welches so viel selbständiges und neues enthält, auch manches unrichtige und manches befremdliche bietet. Was ānus, wenn es denn doch gelehrt werden soll, 'eigentl.' bedeutet, ist in dem Handwörterbuche von Georges zu lesen; über quŏque auch, was sonderbarerweise 'eigentl. quō-que wohin auch' sein soll, steht das richtige in Reisigs Vorles. §. 246. Percunctari ist wol nicht von contus abzuleiten (percontari), sondern ganz analog dem griechischen μεταλλάω aus μετ' άλλα, aus per cuncta (ire) gebildet: vgl. Verg. Aen. II 570. Fere und ferme möchte ich weder für gleichbedeutend halten noch mit firme zusammenstellen; fere scheint wie forte zu ferre zu gehören, 'wie es eben kommt'; ferme aber zieht den Kreis, welchen fere um den Punkt einer Vorstellung frei läszt, enger, und scheint von jenem ein Superlativ zu sein (aus ferime); wenigstens entspricht es bei Zahlangaben genau dem griech. μάλιστα (centesimo ferme anno, έτει έκατοστῷ μάλιστα!). Wenn fulvus 'l ö w e n farbig' bedeutet, wie soll man dann übersetzen fulvum leonem? Das vielversuchte pessum 'zu Grunde', was hier zu peius gezogen wird, dürfte sich am einfachsten aus dem griech. πέ- δονδε erklären lassen. Nach 'rudere brüllen (besond. vom Esel)' gäbe es brüllende Esel. In absens und praesens ist das erste s radical (für ab-esens, prae-esens); daher war nicht absens und praesens, sondern absens und praesens zu schreiben.

Solcher Ausstellungen und Bedenken gäbe es wohl noch mehr; dessen ungeachtet ist das Buch beachtenswerth und bedeutend, und demselben immer weitere Vervollkommnung und Verbreitung zu wünschen. Plus habet operis quam ostentationis.

Prosodische und zum Theil offenbare Druckfehler sind perĕgrinus für perēgrinus (ăger), ăpricus für ăpricus, bōlus für bŏlus (βόλος), cĕdrus für cĕdrus (κέδρος), dўnastes für dŷnastes, ĕlementum für ĕlementum, fānum für fănum, fēbris für fĕbris, flāgro und flāgrum für flăgro und flagrum (flagellum), idēa für idéa (ἰδέα), lūcrum für lŭcrum, mens mēntis für mĕntis, pharĕtra für pharĕtra (φαρέτρα), pōples für pŏples, rētro für rĕtro, salĕbra für salĕbra u. a. Die Position kann zwar die metrische Geltung der Silbe, aber nie — die starke so wenig als die schwache — die natürliche Quantität des Vocals verändern.

Das Vocabularium von Döderlein hat eine wissenschaftliche Bedeutung und praktischen Werth für den Lehrer, indem es durch Unterordnung und Zusammenstellung den innern Zusammenhang von Wörtern wie iungere — iugum — iugulum — iugulare, wie urere — urgere — ursus, bald erkennen bald ahnen läszt. Aber zum auswendiglernen für den Anfänger wäre es schon darum nicht brauchbar, weil die Angabe der Bedeutung oft ganz fehlt, in andern Fällen ungenau und wenig zum behalten gemacht ist. Dahin gehört aestimare taxieren, existimare meinen, für aestimare achten (wofür), existimare erachten; fulgur das Wetterleuchten, fulmen der Blitzstrahl, für fulmen der Wetterstrahl. Putare beschneiden und putare meinen halte ich für éin Wort: putzen, ins reine bringen. E regione heiszt nicht parallel, sondern gegenüber: eig. der Richtung entsprechend. Trivium ist nicht der Kreuzweg, sondern der Dreiweg; der Kreuzweg ist quadrivium, und compitum sowol Dreiweg als Kreuzweg. Anderes ist im vorhergehenden beiläufig mit zur Sprache gekommen.

Königsberg in d. N.

Karl Nauck.

8.

Jahrbuch für deutsche Litteraturgeschichte. Herausgegeben von August Henneberger. Erster Jahrgang. Meiningen, Verlag der herzogl. Hofbuchhandlung von Brückner u. Renner. 1855. VIII u. 196 S.

Die deutsche Litteraturgeschichte wird jetzt rüstig angebaut; die wissenschaftliche Förderung derselben im ganzen und einzelnen wird lebendig betrieben und zugleich dem Bedürfnis nach populärerer Darstellung, wie recht und billig, Genüge geleistet. In neuster Zeit haben sich denn auch mehrere Zeitschriften begründet, um den auf vaterländische Sprache und Litteratur gerichteten Bestrebungen zum Mittelpunkte zu dienen, um welchen sich dieselben sammeln und zu einer energischeren Wirkung verbinden können. Ein solches neues Unternehmen begrüszen wir in dem oben genannten Werke: es wird allen Freunden deutscher Litteratur, dem Lehrer wie dem nicht blosz nach oberflächlichem Genusz strebenden gebildeten Leser willkommen sein.

Bei dem auftreten einer neuen Zeitschrift fragen wir billigerweise nach dem Ziele das sie verfolgt und wenden uns deshalb im vorliegenden Falle zunächst zu dem kurzen einleitenden Vorworte des Herausgebers. Dasselbe beginnt damit dasz der Vf. meint, die wissenschaftlichen Resultate, welche die Forschung auf dem Gebiete der deutschen Litteraturgeschichte bis heute zu Tage gefördert, seien in den groszen Arbeiten von Gervinus, Koberstein, Wackernagel vollständig und umfassend dargelegt, weshalb eine neue Bearbeitung des gesamten Materials gegenwärtig kaum ein Bedürfnis sein dürfe. Dieser Meinung treten wir vollkommen bei: die Leistungen der genannten ausgezeichneten Männer sind so bedeutend, dasz, was immerhin noch in der einen oder andern Beziehung zu wünschen übrig bleibt, eine neue wissenschaftliche Behandlung des Gesamtgebietes zunächst sich wesentlich auf sie stützen müste und schwerlich über dieselben weit hinausgehen würde. Anders würde schon die Antwort lauten, wenn es sich um das durchführen eines besondern Gesichtspunktes handelte, wie dies noch kürzlich von Cholevius in Bezug auf die antiken Elemente der deutschen Poesie versucht worden ist. Auch ist nur für die wissenschaftliche Behandlung die Frage nach dem Bedürfnis einer neuen Gesamtdarstellung zu verneinen: eine allgemeiner zugängliche, anregend geschriebene, die wichtigsten Gesichtspunkte zusammenfassende deutsche Litteraturgeschichte wäre trotz der Anzahl von diesen Titel führenden Büchern und trotz der verdienstlichsten Bemühungen einzelner noch immer nichts weniger als überflüssig.

Stimmen wir aber dem Herausgeber des Jahrbuchs hinsichtlich jener Ansicht bei, so ist dies nicht minder der Fall, wenn er als den zunächst einzuschlagenden Weg für die wissenschaftliche Behandlung der Litteraturgeschichte die Vertiefung in das einzelne bezeichnet, wenn er sagt, dasz litteraturgeschichtliche Monographien jetzt am dringendsten erfordert werden. Das ist gewis hier wie auf manchem andern Gebiete der Fall, dasz es der Thätigkeit des einzelnen im einzelnen bedarf, dasz das ganze einstweilen ruhen und nur mittelbar durch die Einzelforschung wachsen musz, bis dann einmal das von vielen nach allen Seiten hin und in allen seinen Theilen durchgeschüttelte, gesichtete ganze durch die Hand des Genius eine neue Gestaltung findet. Denn in der gesammten historischen Wissenschaft möchte jetzt zweierlei gelten: einmal ist die Wissenschaft zu einem solchen Umfang angewachsen, dasz von einem umfassen derselben nicht mehr die Rede sein kann, sondern das streben des einzelnen sich auf das einzelne zu energischer Förderung werfen musz, und dann fehlt es unserer Zeit weniger an Gelehrsamkeit als an Productionskraft; vielleicht hängt das eine mit dem andern zusammen.

Bietet sich nun das Hennebergersche Jahrbuch als ein Stapelplatz für Abhandlungen über einzelne Schriftsteller, Schriften, Gruppen der deutschen Litteratur dar, indem es sowol der historischen wie der aesthetischen Betrachtungsweise Raum geben zu wollen verspricht, so mag es als ein glückliches, förderliches Unternehmen begrüszt werden, welches der Theilnahme gelehrter und gebildeter Kreise, hier insbesondere den mit deutscher Sprache und Litteratur verkehrenden Schulmännern warm empfohlen werden kann. Wenn dagegen angekündigt wird, es solle jährlich einmal in einem Bande von der Stärke des vorliegenden (196 S.) erscheinen, so möchten wir damit nicht einverstanden sein. Dies erscheint uns als eine das gedeihen der Unternehmung wie des vorgesteckten Zieles hindernde Beschränkung; auf diese Weise werden von vornherein Grenzen gezogen, welche unserer Erwartung die Spitze abbrechen. Halbes Leben ist kein Leben: ein Organ für die Förderung der deutschen Litteraturgeschichte durch Einzelforschung musz ganzes Leben in sich haben, welches einen zwölfmonatlichen Schlummer nicht verträgt. In dieser Art des erscheinens möchte ein Jahresbericht über das innerhalb des Jahres geleistete, ein Repertorium verbunden mit gründlicher Kritik gedacht werden, nicht ein Unternehmen, welches sich thätig in die Mitte der Sache hineinstellen will. Wir würden hier einer Vierteljahrschrift unbedenklich den Vorzug geben und bedauern, dasz der Herausgeber ein öfteres erscheinen nicht einmal in Aussicht gestellt hat. Der Wunsch und das bedauern ist um so natürlicher, als auf dem Titel uns in den Namen der Mitarbeiter (deren Zahl wol nicht als eine geschlossene zu betrachten ist) Männer entgegentreten, von deren Betheiligung das beste und gediegenste zu erwarten steht. Es sind genannt: Carrière, Dünzer, Gervinus, J. Grimm, Helbig, Hettner, Holland, Kahlert, Keller, Klopp, Koberstein, Marggraff, Müller, Passow, v. Plönnies, Prutz, R. v. Raumer, Rieger, Schäfer, J. Schmidt, K. Schmitt, Schöll, Ad. Stahr.

Der vorliegende erste Jahrgang nun bringt zuerst eine Abhandlung zur Litteratur des Volksdramas von W. v. Plönnies. Dieser hat durch den Professor Zamminer in Gieszen die Abschrift eines Schauspiels erhalten, das noch heute im Vispthale öfters zur Aufführung kommt. Zwar wird als Verfasser des Stücks Herr Lukas de Schallen genannt, aber es gehört in den Kreis der Volkslitteratur, wie Pl. meint, theils weil es in jenem Thale neben entschieden echten Volksschauspielen noch immer dargestellt wird, theils weil zwei unserer schönsten und ältesten, auch in Wallis localisierten Sagen seinen Inhalt bilden, endlich weil es als die Umarbeitung eines alten Volksschauspiels erscheint. Die Kraft des ersten Grundes ist nicht hoch anzuschlagen und die letzte Vermutung ist durch Beweise zu stützen. Das Stück selbst führt den Titel: 'Die Grafen Philibert und Rodolph von Paqueville, oder Bruderliebe und Ehetreue.' Die Geschichte

Philiberts und seiner Gemahlin Mechtilde ist identisch mit der Heinrichs des Löwen, Gerhards von Holenbach und des Möringers: nach
langer Abwesenheit kehren sie durch übermenschliche Hilfe gerade an
dem Tage nach Hause zurück, da die verlassene Gattin sich aufs neue
vermählen will: dagegen enthält die Geschichte des in der Türkei gefangenen, durch seine Gattin geretteten Bruders getreu den Inhalt der
Sagen von Alexander von Metz und von dem Grafen von Rom. Das
Drama hat Prolog und Epilog und zerfällt in fünf Handlungen, deren
jede von einer 'Vorbedeutung' eingeleitet wird; diese Vorbedeutun-
gen sind aus dem Sagenkreise des Ulysses und der Penelope entnommen. Der Aufsatz theilt sehr interessante Bruchstücke mit; überraschend wirkt im zweiten Acte das auftreten Christi, Mahomets und der
katholischen Kirche, welche letztere mit der Maria identificiert scheint.
Vielleicht erfolgt an einer andern Stelle die Mittheilung des ganzen,
wobei dann eine Berücksichtigung des scenischen erwünscht sein wird.
Stimmen wir nun auch mit dem Vf. in das Lob des mitgetheilten, als
eines neuen erquicklichen Zeugnisses der Geistesfrische, der Sittlichkeit und der dichterischen Kraft unserer südlichen Stammesgenossen,
gern ein, so bedauern wir doch dasz er auf eine Untersuchung des
Verhältnisses der vorliegenden Dichtung zu einer etwa schon vorhandenen ältern nicht weiter eingegangen ist: es möchte dies aber zur
litterarhistorischen Würdigung des Schauspiels unerläszlich sein. —
Als zweiter Beitrag begegnet uns eine Mittheilung von K. G. Helbig
in Dresden zur Biographie und Charakteristik Jacob Ayrers. Der Vf.
war durch ein im J. 1846 in Dresden aufgefundenes Manuscript, 22 dramatische Erzeugnisse Ayrers enthaltend, in den Stand gesetzt worden,
die Zeit der Abfassung der Dramen gegen Tieck (deutsches Theater
XVII sq.) dahin festzustellen, dasz viele Stücke schon in den letzten
Jahren des 16n Jh. geschrieben, die englischen Komoedianten daher
schon vor 1600 in Deutschland herumgezogen seien. Während diese
schätzenswerthe Berichtigung allgemein anerkannt worden ist, hat
man eine andere Notiz des Vf., Ayrers Todesjahr betreffend, übersehn, als welches sich das J. 1605 durch eine Nachricht des Nürn-
berger Archivs bezeichnet. Den Hauptgegenstand der vorliegenden
mit Geschmack geschriebenen Abhandlung bildet die Vergleichung
einer ungedruckten Komoedie Ayrers vom verlornen Sohne (aus dem
dresdner Manuscript) mit dem gleichnamigen Stücke des Hans Sachs.
Der Inhalt des Stücks des Vorgängers ist erweitert, aber das aus-
spinnen der Handlung ermangelt der Kunst der Composition, dagegen
zeigt sich ein nicht erfolgloses streben nach Charakterisierung, und
der Ausdruck ist hie und da auf glückliche Weise gebessert. — Demnächst stoszen wir auf Mittheilungen über Simon Dach, nach Handschriften der Rhedigerschen Bibliothek in Breslau von Dr. August
Kahlert, der jüngst eine treffliche Monographie über Angelus Silesius
veröffentlicht hat, ein Beitrag eben so anziehend durch die biographischen Notizen wie durch die zehn beigegebenen, bisher, soweit
uns bekannt, nicht veröffentlichten Gedichte Simon Dachs. Dieser ge-

hört zu den auch in weiteren Kreisen bekannteren Dichtern des 17n Jh.,
allerdings mehr durch sein 'Aennchen von Tharau', als durch seine
werthvollen religiösen Lieder. In Bezug auf jenes vielgesungene Lied
sei bemerkt, dasz es keineswegs aus einer tiefern Neigung Dachs zur
Pfarrerstochter von Tharau entsprungen, sondern zu ihrem Hochzeits-
tage, als sie einen andern heiratete, 'zur Kurzweil' gedichtet ist. Simon Dach selbst geb. am 29. Juli 1605, erst Collaborator an der Domschule, dann Professor der Dichtkunst an der Universität zu Königsberg, gestorben daselbst 1659 den 15. April, verheiratete sich 1641
mit Regina Pohle, welche ihm 8 Kinder gebar. Der Vf. gibt einige
Notizen in Bezug auf die anfänglich sehr dürftigen Verhältnisse des
Dichters. Ein Dankgedicht desselben an einen helfenden Freund gibt
zu einer interessanten Vergleichung mit einer Stelle des Faust Anlasz.
Dach sagt: so viel Tropfen Blut es hegt (jener Freund hatte dem armen Dichter einen Ochsen geschenkt), so viel sei dir zugelegt hier
an guten Stunden; bei Goethe im Faust heiszt es (Goethes Werke,
Ausg. v. 1851 Bd. 10 S. 39): die Zahl der Tropfen die er hegt, sei
euern Jahren zugelegt. Die beigefügten 10 Gedichte Dachs werden·
den Lesern höchst willkommen sein. — Der vierte Beitrag handelt von
Friedrich von Hagedorn, dessen poetische und litterargeschichtliche
Bedeutung Dr. Karl Schmitt in Marburg einer sorgfältigen Betrachtung unterwirft. Auf einige einleitende Bemerkungen folgt ein kurzer
Umrisz von Hagedorns Leben (geb. 23. April 1708, gest. 28. Oct. 1754),
hierauf die Angabe seiner Schriften und eine eingehende Musterung
derselben. Es ist dies eine sehr verdienstliche Bemühung und ein
Gewinn für unsere Litteraturgeschichte, durchaus diesen oben ausgesprochenen Ansichten entsprechend: möchten in ähnlicher Weise meh-
sere einzelne Dichter oder Dichtergruppen behandelt werden! — Hierauf folgt eine Abhandlung des Herausgebers: Joh. Ant. Leisewitz'
Julius von Tarent, ein Breitrag zur Geschichte und Kritik des deutschen Dramas. Unter den einzelnen Gebieten der poetischen Litteratur
dürfte das Drama dasjenige sein, welches dem Litterarhistoriker noch den
gröszten Spielraum läszt: es ist für die Geschichte des deutschen
Drama verhältnismäszig noch wenig geschehn, und des vielschreiben-
den Joh. Kehrein Versuch einer Geschichte der dramatischen Poesie
hat im Grunde nichts bewirkt, als dasz er den Mangel noch fühlbarer
gemacht hat. In neuster Zeit hat auch Joh. v. Eichendorff einen Beitrag geliefert (zur Geschichte des Drama, Leipzig 1854), aber theils
beschränkt sich die verhältnismäszig kleine Schrift nicht auf die deutsche Litteratur, theils ist die Betrachtungsweise des berühmten Dichters, wie schon frühere Werke litterarhistorischen Inhalts gezeigt haben,
nicht frei von Einseitigkeit. Die Schwierigkeit des Unternehmens ist
dadurch noch gesteigert, dasz sich eine Geschichte der dramatischen
Poesie ohne stete Bezugnahme auf das Theater nicht wohl denken
läszt. Auch hier empfiehlt sich denn das ausgehen vom einzelnen,
und eine solche Betrachtung eines einzelnen, in der Geschichte des
Dramas viel genannten Stücks liegt vor uns. Wir können hier nicht

wol auf die Analyse des Julius von Tarent und die Vergleichung
mit Klingers Zwillingen eingehn und beschränken uns darauf den
Lesern die Berichtigung einer Notiz mitzutheilen, die sich fast in
allen litterarhistorischen Handbüchern findet, und die dennoch nur auf
einem Misverständnis beruht. Es ergibt sich aus der mitgetheilten
Ankündigung von Sophie Charlotte Ackermann und Friedrich Ludwig
Schröder (Hamburg den 28. Febr. 1775), dasz damals nicht ein Preis
von zwanzig Louisd'or für das beste Trauerspiel ausgesetzt wurde,
sondern dasz man eine dauernde Einrichtung beabsichtigte, welche
jeden Dramatiker (denn man schlosz weder das Lustspiel noch auch
Uebersetzungen aus) aufmuntern und ihm einen Gewinn zusichern sollte.
Als mit Klingers Zwillingen zugleich zwei ganz ähnliche Stoffe be-
handelnde Dramen eingiengen, entschied man sich für das Stück von
Klinger und schrieb in der Motivierung des Entschlusses: 'das zweite
(Julius von Tarent) war des Preises entschieden werth, bis ihm das
dritte, die Zwillinge, denselben abgewann.' Diese Worte geben Anlasz zu dem Misverständnis, als sei ein eigentlicher Preis für das
beste Stück ausgesetzt worden; es war vielmehr nur der Fall eingetreten, welchen man wol für Uebersetzungen, nicht aber für Original-
stücke vorhergesehen hatte, nemlich dasz verschiedene Verfasser denselben Stoff behandelt hatten. Hier war eine Wahl nothwendigerweise zu treffen, nnd man entschied sich für Klinger. — Die nächste
Stelle im Jahrbuche nimmt ein Aufsatz von Heinrich Düntzer über Goethes Satyros ein, der nach unserer Ansicht sich am wenigsten empfehlende Beitrag. Denn der Vf. ist nach und nach in eine unerquickliche
Vielschreiberei hineingerathen, die seinen meist auf löbliche Intentio-
nen und auszerordentlicher Detailkenntnis ruhenden Schriften zur
Goethelitteratur einen guten Theil des Werthes, den sie bei anderer
Ausführung haben könnten, hinwegnimmt. — Den Schlusz der Aufsätze macht eine Untersuchung von Wilhelm Müller über die geschichtliche Grundlage der Dietrichsage. Von der Ueberzeugung ausgehend,
dasz die Sage von Dietrich von Bern im Gegensatz zu der wesentlich
mythischen Siegfriedsage auf historischem Grunde ruht, bemüht er
sich das Verhältnis des geschichtlichen Grundes und der mythischen
Bestandtheile, welche sich an jenen angesetzt, nachzuweisen. Den
Reigen schlieszt nun ein Bericht über die im Gebiete der deutschen
Litteraturgeschichte im J. 1853 erschienenen Schriften von W. A. Passow. Das Verzeichnis ist freilich nicht vollständig und weist namentlich nicht das in Programmen, Zeitschriften usw. zerstreute nach, ein
Mangel, den der Vf. von vornherein zugibt und entschuldigt. Die Art
und Weise, wie das zusammengestellte Material in der Anordnung
sowol wie in der Beurtheilung behandelt ist, berechtigt zu der Erwartung, der nächste Jahrgang, wenns denn beim Jahrgang bleiben
soll, werde eine werthvolle vollständige durch ein scharfes aber gediegenes Urtheil sich auszeichnende Arbeit über das J. 1854 bringen.
Sollte es möglich sein, werthvollere Programmabhandlungen oder Zeit-
schriftsartikel nachträglich zu berücksichtigen, welche dem Jahrgang

1853 angebören, so würde die Zugabe nur willkommen sein, auch möchte das paedagogische Interesse möglichst berücksichtigt werden!

So nehmen wir denn von dem ersten Bande des neuen Unternehmens Abschied mit der Hoffnung auf ein fröhliches rüstiges Gedeihen und demselben eine recht allgemeine und warme Theilnahme wünschend. Dresden.   *F. P.*

Auszüge aus Zeitschriften.

Zeitschrift für die österreichischen Gymnasien. V. Jahrgang 1854 (s. Bd. LXIX S. 695—98).

2s Heft. Abhandlungen: G. Curtius: Andeutungen über den gegenwärtigen Stand der homerischen Frage. Fortsetzung und Schlusz (S. 89—115: nachdem die Vermittlungsversuche Fäsis, Grotes und Friedländers als unhaltbar bekämpft, beiläufig auch Puntschart: die Ilias und ihre Bedeutung berücksichtigt ist, werden die Resultate der Forschungen von Sengebusch, C. A. J. Hoffmann, B. Giseke dargelegt, wobei gezeigt wird, dasz auf die kleinen sprachlichen Verschiedenheiten ein zu groszes Gewicht gelegt werde. Unter den Fortsetzern der Lachmannischen Forschungen werden als bedeutsam die 'Betrachtungen über die Ilias' in den Blättern für litterarische Unterhaltung 1844 126—29 hervorgehoben, obgleich gegen die Unterscheidung der beiden Massen Bedenken vorgebracht sind. Gleiche Einwände werden gegen Cauer erhoben, zuletzt auch Holms Bestrebungen anerkannt. Als Resultat des Ueberblicks erscheint, dasz kein stimmfähiger Forscher die Ilias, wie sie uns vorliegt, für das Werk éines Dichters erkenne. Der Verf. bekennt sich zur Liedertheorie, erkennt aber bestimmte Elemente der Einheit an und bezeichnet die Sage, die Dichter, die Nachdichter, die Rhapsoden und die Ordner als die Factoren, durch welche die Ilias zu dem ward, was sie den Griechen nach Peisistratos war). — Jäger: Beiträge zur österreichischen Geschichte. Ueber die Gründung der babenbergischen Ostmark (S. 116—24: das schon von Meiller gefundene Resultat, dasz die Gründung im J. 975, sicher im Anfange 976 statt fand, wird durch die politischen Verhältnisse im südlichen Deutschland begründet). — Litterarische Anzeigen. Licbner Páltól Hellen nyeltvan. Von K. Halder. Erster Artikel (S. 125—36: eingehende Beurtheilung dieser in magyarischer Sprache geschriebenen Grammatik, deren hohe Bedeutung für Ungarn anerkannt wird). — Seyffert: Uebungsbuch zum Uebersetzen aus dem Deutschen ins Lateinische für Secunda. 3e Aufl. Von Grysar (S. 137—39: unter Mittheilung einiger Verbesserungsvorschläge durchaus anerkennende Beurtheilung). — C. Sallusti Crispi Historiarum fragmenta. Ed. Frid. Kritz. Von Linker (S. 139—44: nach Darlegung des Schicksals der Fragmente in der Litteratur werden die bedeutenden Verdienste des Herausgebers gewürdigt). — Orlando furioso di L. Ariosto, edito ad uso delle scuole, con note ed un iudice, dal Bolza (S. 144—147: Selbstanzeige unter Angabe der für die Castigation leitenden Grundsätze). — Becker: Handkarte von Niederösterreich für Schulen. Von Fr. Simony (S. 148—51: als höchst werthvoll bezeichnet). — Schmarda: Grundzüge der Zoologie. Von M. H. Schmidt (S. 151

—60: es werden sehr viele Fehler und unzweckmäszige Stellen gerügt).
— Verordnungen und Personal-Notizen (S. 161—67). — Miscellen. A.
Wilhelm: Bemerkungen zu der statistischen Uebersicht über die
österr. Gymnasien: Classification. Schulgeld (S. 168—71: es werden
einige genauere Angaben gewünscht und in Bezug auf die Befreiung
vom Schulgeld strenge Beachtung der gesetzlichen Vorschriften gefordert). — Litterarische Notizen (S. 171—176: Auszüge aus diesen Jahrbb.,
wobei Ref. sich freut, die Absicht seiner Anzeige Bd. LXVIII S. 514 ff.
freundlichst anerkannt zu sehen. Ueber das Princip ist freilich eine
Einigung nicht herbeigeführt).

3s Heft. Abhandlungen. A. Wilhelm: zur Frage über Wahl
und Behandlung der Aufgaben für deutsche Aufsätze, insbesondere im
Obergymnasium (S. 177—85: die Zweckmäszigkeit der Bestimmungen
im Organisationsentwurfe wird unter Hinzufügung einiger weiteren
Bemerkungen nachgewiesen). — E. v. Sydow: einige Worte über den
Werth und die Verwendung der Karte beim geographischen Unterrichte (S. 185—94: Vortrag in der Versammlung der deutschen Real-
schullehrer in Gotha 1847. Man müsse die Karte lesen lehren durch
die Heimatskunde; die Wandkarte solle sich der Lehrer von dem
Schüler vorlesen und erklären lassen; auch die Repetition müsse sich
an die Karte anlehnen; das verstandene wiedergeben zu können, wird
als Hauptpunkt bezeichnet). — A. Martin: Beitrag zur Entwicklung
einer Elementartheorie der Fliehkraft für Schul- und Lehrbücher in
Obergymnasien und Oberrealschulen (S. 194—99). — Litterarische
Anzeigen. Hellen nyeltvan Licbner Páltól. Von K. Halder (S.
200—211: Fortsetzung der im vorhergehenden Heft begonnenen eingehenden Beurtheilung). — Schultz: Lateinische Sprachlehre für Gymnasien. 2e Aufl. Von Grysar (S. 211—14: lobende Beurtheilung.
Gegen einzelne Bestimmungen werden Bedenken erhoben, die Uebersicht der römischen Litteraturgeschichte als überflüssig bezeichnet). —
Dasselbe Werk. Von A. Wilhelm (S. 214—17: da die Frage, ob
eine lateinische Grammatik ein Bedürfnis für die oberen Klassen sei,
bejahend beantwortet wird, so erhält das vorliegende Buch zu diesem
Zwecke Empfehlung). — Orazioni scelte di M. T. Cicerone, con
note del G. Marimonti. Milano 1854. Von Linker (S. 217—21:
die Texteskritik wird als durchaus ungenügend, die Anmerkungen als
dürftig und vielfach überflüssig nachgewiesen). — E. Hoffmann: zu
Virgil (S. 221—24: die Aen. XII 285 von dem Verf. in der Epitome
aufgenommene Lesart terunt wird zu rechtfertigen versucht, X, 186 in
Cinyra der Name eines Ortes oder auch numero cum paucis vermuthet, im darauf folgenden Verse crimen durch causa erklärt: 'eure Veranlassung ist die Liebe und das Kennzeichen der väterlichen Gewalt
= Veranlassung ist die Liebe zu euch, als dem Kennzeichen —'). —
Kehrein: Entwürfe zu deutschen Aufsätzen und Reden. Von A. Baumgarten (S. 225—35: das Feld hätte enger begrenzt sein sollen. Dis-
positionsaufgaben werden verworfen, die zu grosze Zahl der religiösen
Aufgaben als zweckwidrig getadelt, moralische Sätze nur zur Begründung, nicht zur Beurtheilung und die Anknüpfung an concrete Fälle
empfohlen; die Dispositionen öfters als zu oberflächlich getadelt, sonst
aber vieles gute anerkannt. Während die Methode bei den Uebungen
zum disponieren Beifall findet, wird die Einleitung in die Stilistik und
Rhetorik verworfen). — Leydolt und Machatschek: Anfangsgründe
der Mineralogie. Von M. H. Schmidt (S. 235—40: zwar wird das
Buch nur für Oberrealschulen tauglich, für diese aber die Methode und
der Gang als zu sehr wissenschaftlich ungeeignet gefunden, im übrigen
aber von demselben nur günstiges gesagt). — Bill: Grundrisz der Botanik für Schulen. Von Unger (S. 240 f.: als sehr zweckmäszig drin-

gend empfohlen). — Verordnungen und Statistik (S. 242—51). — Miscellen. A. Wilhelm: über fertige Uebersetzungen als Hilfsmittel der Praeparation (S. 252—54: der Gebrauch solcher wird als auf unrichtige Forderungen und unzweckmäszige Leitung der Praeparation hinweisend bezeichnet und auf die Wirkung des Unterrichts als einziges Gegenmittel hingedeutet). — Unterstützung der Gymnasien durch die Gemeinden und Privaten (S. 254 f.: im Pest-Ofener Districte sind bis zum Schlusz des Jahres 1853 für die Gymnasien Augsb. und Helv. Conf. gestiftet worden an jährlichen Leistungen 17974 fl. 10 xr., an Capitalien 539357 fl. 33 xr.). — Bibliographische Uebersicht über die Ausgaben lat. Klassiker seit 1853 (S. 256—60).

4s Heft. Abhandlungen. Thomas: Ovidiana mit besonderer Rücksicht auf die Metamorphosen, erklärt von M. Haupt (S. 262—79: eingehende Würdigung der Verdienste des Herausgebers. Ueber die Wiederholung desselben oder derselben Worte wird eine längere Auseinandersetzung gegeben und eigene Urtheile über I, 10: wo Tellus vertheidigt wird, I, 134 über insultare, II, 75: es séi zu interpungiren: quid ages? poterisne rotatis obvius ire polis? ne te citus auferat axis! II, 760 ff., wo einige Andeutungen hinzugefügt werden, III, 63, wo fuerat als Plusquamperf. gefaszt wird, III, 658: praesens deus = urspr. der leibhaftige Gott, IV, 176 zusammengestellt mit Hom. Od. VIII, 280—82; desgl. IV, 484 mit Il. IV, 439. IV, 320 mit Od. VI, 150. V, 612 f. wird keine Anakoluthie angenommen, IV, 303: diriguit erklärt). — Jäger: Beiträge zur österreichischen Geschichte. II. über die Privilegien der Babenberger (S. 279—90: durch Darstellung der Litteratur wird nachgewiesen, dasz die Unechtheit sowohl des sogenannten majus, als auch der übrigen Privilegienurkunden feststehe, die Frage nach der Zeit und dem Urheber der Fälschung noch une e sei und auch ohne Nachtheil unerledigt bleiben könne). — Litterarische Anzeige. Hellen nyeltvan Lichner Páltól. Von K. Halder (S. 291—302: Schlusz der in den vorhergehenden Heften begonnenen Beurtheilung. Das Endresultat ist, dasz durch die Abweichungen von G. Curtius nichts gewonnen, sondern nur an Genauigkeit, Praecision und Richtigkeit eingebüszt worden sei). — Emo: grammatica della lingua greca. 3e edizione. Von Fr. Hochegger (S. 302—305: die Berücksichtigung gegen die frühere Ausgabe gemachter Bemerkungen wird anerkannt, aber eine gänzliche Umarbeitung dringend empfohlen). — Moiszisstzig: lateinische Grammatik. 2e Auflage. Von Grysar (S. 305—308: als sehr brauchbar bezeichnet, doch werden einige Berichtigungen gegeben). — Bibliotheca scriptorum Graecorum et Romanorum Teubneriana. Von G. Linker (S. 308—13: Babrii fabulae ed. Schneidewin, Diodor. Siculus ed. Bekker, Pausan. ed. Schubart, Quintus Smyrnaeus ed. Köchly, Plato ed. Hermann vol. VI., Plutarch ed. Sintenis vol. IV., Cicero ed. Klotz III, 1, Gellius ed. Hertz werden anerkennend besprochen und das Unternehmen dringend empfohlen). — Schaefer, J. R.: Tabellen zur Geschichte der deutschen Litteratur, San Marte: Walther von Aquitanieu, K. Barthel: Leben und Dichten Hartmann's von Aue. Von Weinhold (S. 313—16: Nr. 1 wird als zweckmäszig empfohlen. Gegen Nr. 2 über dem Eckehard I. Sein Antheil an der Verfasserschaft vindiciert und die Mythe als eine historische genommen, sonst aber die Arbeit gelobt. Nr. 3 von bereits verstorbenem Verf. wird als für Nichtfachgelehrte nützlich beurtheilt). — Meurer: Leitfaden für den Unterricht in der Geographie. 2e Aufl. und kurze Uebersicht der Geographie. Von A. Steinhauser (S. 316—19: der Umfang und die strenge Systematisierung machen das sonst gelobte Buch für die österreichischen Gymnasien ungeeignet; die zeitige Rücksicht auf die Karte wird belobt. Am Schlusse erläutert der Rec. an einem Beispiele, wie

Auszüge aus Zeitschriften.

auch auf der unteren Stufe bereits vergleichende Geographie getrieben
werden könne). — v. Littrow: die Wunder des Himmels. 4e Auflage.
Von Kreil (S. 320 f.: der fleiszigsten Benützung auch in der neuen
Auflage empfohlen). — Verordnungen und Statistik (S. 322—37). —
Bibliogr. Uebersicht. Ausgaben der lat. Classiker (S. 338—41). —
Litterarische Notizen (S. 341—44: aus diesen N. Jhrbb. werden Mit-
theilungen über R. v. Raumers Selbstanzeige und Schneidewins Artikel
zur Sophokles-Litteratur gemacht). — Böhm: Bemerkungen zu der
Beurtheilung seines kleinen logarithmischen Handbuchs und des Rec.
Gernerth Gegenbemerkungen dazu (S. 344—48).
   5s Heft. Abhandlungen. Revidierte Ordnung der lateinischen
Schulen und der Gymnasien im Königreich Bayern (S. 339—95: unter
Vergleichung mit dem österreichischen Organisationsentwurf werden
zuerst die einzelnen Bestimmungen mitgetheilt und erläutert. Gegen
die Lectüre von Ciceros philosophischen nnd rhetorischen, von Senecas
und Xenophons philosophischen Schriften werden Bedenken erhoben,
die des Isokrates nur kurz und vorübergehend gewünscht und bei der
Kürze der Zeit nur éin Tragiker, Sophokles, empfohlen. Principieller
Widerspruch ergibt sich gegen die Anordung des deutschen Unterrichts, in dem Zweckmäszigkeit und Angemessenheit für das Alter vermiszt und die theoretische Behandlung der Dicht- und Redekunst, so wie
die Lesung des Parcival entschieden getadelt wird. Auch der Lehrplan für Geschichte und Geographie erfährt vielfache Ausstellungen. Als
ganz verfehlt wird die Hinausschiebung des geometrischen Unterrichts
bis zur letzten Stufe und dadurch der Unterricht in der Physik als
unmöglich bezeichnet. Das durchgreifende Merkmal, dasz ausschlieszlich lateinisch und griechisch die Grundlagen bilden, wird noch durch
die Bestimmungen über die Location und Maturitätsprüfung und das
Lehramtsexamen dargethan. Das Verfahren bei der Location, die Preise,
das beibehalten der einmal eingeführten Lehrbücher für 5 Jahre, die
Zusammenlegung aller Ferien werden bedenklich gefunden, übrigens
aber vieles gute und namentlich mancher richtige methodische Wink
anerkannt). — Verordnungen und Statistik (S. 396—99). — Miscellen.
Vanicek: allgemeine Betrachtungen über den Vortrag der Vaterlandskunde auf österreichischen Gymnasien (S. 400—403: nachdem die Einrichtung als ein sehr erfreulicher Fortschritt begrüszt ist, wird das
bürgerlich-moralische Moment als hauptsächlich zu berücksichtigen bezeichnet). — Schulprogramme österreichischer Gymnasien und Realschulen am Schlusse des Schuljahrs 1850 (S. 403—22: von A. Wilhelm werden beurtheilt: Posselt: über Regelung der Lectüre bei
studierenden und Foges: einige Worte über den Nutzen der französischen Sprache für Gymnasialschüler. Böhmisch-Leipa. Zbonek: über
den Einflusz des altclassischen Studiums auf die sittlich-religiöse Bildung der studierenden Jugend. Klattau. Czajkovski: die beidui-
schen Classiker als Bildungsmittel der jetzigen Gymnasialjugend. Boch-
nia. Göbbel: Gründe, welche für die Beibehaltung der altclassischen
Studien in unseren Gymnasien sprechen. Hermannstadt. Siegl: ein
Wort über die Reform der Gymnasien in Ungarn. Leutschau. Dragoni: über die religiös-sittliche Bildung an Gymnasien. Neusohl. Ein
Wort über Aufklärung und Menschenliebe. Oedenburg. Einiges über
die frühzeitige Erwerbung naturhistorischer Kenntnisse. Güns. Besser: über den Unterricht in der deutschen Sprache als Muttersprache.
Oberschützen. Peinlich: Bemerkungen zur Satzlehre. Ofen. Lau-
kotsky: wie sollen fremde Sprachen gelehrt werden. Görz. Melzer:
Bemerkungen über die auf religiöser Grundlage zu erzielende harmo-
nische Bildung der Seelenkräfte bei der Anleitung zum Geschichts-
studium. Laibach. Vernaleken: die allgemeinen Bildungsmittel der

Realschule mit besonderer Rücksicht auf den deutschen Unterricht in
den Oberclassen. Wien. Beleuchtungen einiger Einwürfe gegen das
Wesen der jetzigen Realschule. Wien. Ueber den Humanismus an
Realschulen. Reichenberg. Von J. G. Seidl wird besprochen Holzer:
Winke für angehende Dichter und ihre Lehrer. Krems; von Kreil:
Gernerth: über die Bestimmung der Schwingungsdauer eines einfachen
oder mathematischen Pendels. Wien. Reslhuber: die Constanten
von Kremsmünster. Kremsmünster; von Gernerth: Schöpf: zur
Ableitung der Neperschen Analogien und der Gaussschen Formeln in
der sphaerischen Trigonometrie. Prefsburg. Hönigsberg: über Zah-
lentheorie und deren Benützung am Gymnasium und über einige Eigenschaften der geometrischen und arithmetischen Reihen. Olmütz.
Franzenshuld: Entwicklung allgemeiner Gesetze für Dreieckseiten.
Wien. Streinz: über Logarithmenberechnung. Marburg). — Litterarische Notizen. G. Linker: zu den Fragmenten des Livius (S.
422 f.: die Beweise für die Unechtheit der Fragmente Nr. 4 und 79
Weissenb. werden angeführt). — Neue Fragmente von Ciceros Schrift
de fato (S. 423—25: Mittheilung der darüber ausgesprochenen Ansichten von Schneidewin und Ritschl). — Breiter: Entgegnung auf
Schenkls Beurtheilung von Spiess griechischen Uebungsbüchern und
Schenkls Antwort darauf (S. 425—28). —

6s Heft. Abhandlungen. Jäger: Beiträge zur österreichischen
Geschichte. II, § 3 (S. 429—41: es wird dargethan, dasz das Privilegium von Heinrich IV. dd. Dürenbach 4. Oct. 1058 unecht sei). —
A. Wilhelm: das zu wenig nnd zu viel im deutschen Unterrichte (S.
441—49: unter I wird für die deutsche Lectüre zwar Praeparation des
Schülers empfohlen, aber unter genauen Bestimmungen und Beschränkung für die einzelnen Fälle, so wie auf gewisse Lesestücke, rücksichtlich der Ueberblickung des gelesenen aber Theilung in Abschnitte
und Beschränkung auf Hauptsachen gefordert und dies an Beispielen
erläutert. Im zweiten Abschnitt verwirft der Verf. den Gebrauch von
Lehrbüchern der Poetik und Rhetorik gänzlich und zeigt, wie man das,
was man zu erreichen hoffen dürfe und erreichen müsse, auf anderem
Wege durchführen könne). — Litterarische Anzeigen. C. Julii Caesaris
comm. d. b. c. libri III. Für den Schulgebrauch von Queck. Von
Kergel (S. 450—57: die Ausgabe wird empfohlen. Auszer anderen
kritischen Bemerkungen werden besprochen die Stellen III, 77, 2, wo
enim zu streichen gefordert wird; III, 81, 3, wo Rec. des Herausgebers
Conjectur verwirft und plenis frumentorum zur Ausfüllung der Lücke
vorschlägt; I, 1, 1, wo die Worte a Fabio C. verworfen werden und
I, 2, 3, wo eine neue Erklärung versucht wird). — Hagen: Catilina.
Von Linker (S. 458—62: beigestimmt wird der Ansicht über Ciceros
vierte catilinarische Rede, dagegen nicht rücksichtlich der Schätzung
der Quellen; auch wird einzelnen Behauptungen widersprochen und die
Uebersichtlichkeit vermiszt, sonst aber der Scharfsinn und Fleisz anerkannt). — Xenophontis Anabasis. Commentariis instruxit R. Kühner
und in deutscher Sprache erläutert von dems. Von Schenkl (S. 462
—67: unter einzelnen abweichenden Ansichten wird das Verfahren rücksichtlich der Texteskritik gebilligt, der Commentar der ersten Ausgabe
aber bei Anerkennung manches schätzenswerthen weder für Gelehrte
noch für Schüler recht gehalten gefunden; die zweite Ausgabe wird als
der Krügerschen und Hertleinschen nachstehend bezeichnet). — Herzog: Stoff zu stilistischen Uebungen in der Muttersprache. 5e Aufl.
Von A. Baumgarten (S. 467—80: nach eingehender Prüfung dem
Lehrer der deutschen Sprache zur selbständigen freien Benützung
empfohlen). — Hattala: Lautlehre des Alt- und Neuböhmischen und
des Slovakischen. Von Schleicher (S. 480—82: als erster Versuch

einer wissenschaftlichen Behandlung empfohlen). — Schmidt: Statistik des österreichischen Kaiserstaats und österreichische Vaterlandskunde. Wien. Schulbücherverlag. Von A. Steinhauser (S. 482— 92: beide Werke werden zwar als nicht genügend, aber doch als Beiträge zur Erreichung eines guten Lehrbuchs bezeichnet). — Verordnungen und Statistik (S. 493—96). — Miscellen. P. Zingerle in Meran: von der Einrichtung der Ausgaben deutscher Classiker zum Gebrauche für die Gymnasialjugend (S. 497—500: nach Darlegung des vielen gefährlichen, was die deutschen Classiker für Jünglinge, insbesondere für katholische enthalten, wird die Aufforderung ·gestellt: eine sorgfältig gewählte deutsche Jugendbibliothek aus dem bedeutendsten der deutschen Litteratur herauszügeben. In einer Nachschrift erklärt· sich J. M(ozart) für die Zweckmäszigkeit des Vorschlags, macht aber auf die Schwierigkeit der Ausführung aufmerksam). — A. Wilhelm: über die Höhe des Lebensalters der Gymnasialschüler (S. 500—504: es wird an drei Gymnasien gezeigt, wie sich die Durchschnittszahlen ermitteln lassen und darauf bezügliche Aufforderung an die Directoren der Gymnasien gestellt). — Litterarische Notizen (S. 504—12: Mittheilungen, z. Th. aus Zeitschriften, über die allgemeine Monatsschrift für.Wissenschaft und Litteratur, Hirsch: Stimmen des Volks, Szlávik: Personalbestand des k. k. Ministeriums für Cultus und Unterricht, Zell: Epigraphik, Kochs und Ingerslevs lateinische Schulwörterbücher).

7s Heft. Abhandlungen. Grysar: über die Formen und den Gebrauch des lateinischen Imperativs (S. 513—39: nachdem die Unterscheidung nach Praesens und Futurum zurückgewiesen, dagegen in imperativus und iussivus oder hortativus gebilligt ist, werden die Gebrauchsweisen durchgegangen. Der Verf. bestreitet, dasz ne mit dem iussivns nur dichterisch sei und erkennt auch die von Madvig über ne mit dem coni. praes. und pf. aufgestellte Regel nicht an). — Litterarische Anzeigen. Sophokles Elektra. Erklärt von Schneidewin, und Aias und Philoktet. 2e Aufl. Von E. Hoffmann (S. 530—49: Rec. erhebt Einwendung gegen die gar zu abfällige Schätzung der Euripideischen Elektra und bespricht vs 152. 192. 337 (Vorschlag: τοιαῦτα μᾶλλον καὶ σέ). 363. 371. 432. 451. 495 (πρὸ τῶνδέ τοι δέχου und·ἀψεφές). 581 [zu dieser Stelle gibt H. B. in einer Anmerkung eine Berichtigung wegen·des Unterschieds von ὅρα μὴ τιθῆς und ὅρα μὴ τίθης]. 608. 668 (οὐκ οἶδα τοιαῦτ᾽ ἀνδρός). 761. 783. 818 (ἕξομ᾽ statt ἔσομ᾽). 1075 (Ἠλέκτρα τόσ᾽ ἀεὶ πατρός). Bei der zweiten Ausgabe des Aias vertheidigt Rec. einige schon früher ausgesprochene Ansichten, stimmt einigen Veränderungen bei und bespricht 645 (οὖ τῳ für οὔπω). 771. 978 (ἀπημπόληκάς μ᾽ ὥσπερ). 1031 (ἐγνάπτετ᾽, αἰανές τ᾽ ἀπέψυξεν βίον); im Philoctet 502. 852 ff. (εἰ δ᾽ αὖ τὰν τούτου γώμαν ἴσχεις und μάλα τοι ἄποφά γ᾽ ἐνιδεῖν πάθη). 862 (βλέπ᾽, εἰ καίρια φθέγγομαι). 864). — La Metamorfosi di P. Ovidio Nasone, espurgate con note del prof. Gius. Rota. Von G. Linker (S. 549—52: zum Schulgebrauche ungeeignet). — Volckmar: poëmatia latina. Von Grysar (S. 552: empfohlen). — Wolf: die deutsche Götterlehre und Colshorn: deutsche Mythologie. Von K. Weinhold (S. 552—54: beide dringend empfohlen). — Petersen: Lehrbuch der Geographie und Schuberth: Schulatlas der alten und neuen Geographie. Von Steinhauser (S. 555—59: das erstere Buch trotz mancher Ausstellungen belobt, der Schulatlas aber unter der Stelle gefunden, welche ihm seine äuszere Ausstattung anweise). — Kunze: Lehrbuch d. Geometrie. 2e Aufl. Koppe: die ebene Trigonometrie. 2e Aufl. Brennecke: die Berührungsaufgabe für Kreis und Kugel. Von Gernerth (S. 559— 64: Nr. 1 sehr gelobt, auch Nr. 2 und 3 empfohlen). — Verordnungen und Statistik (S. 565—77). — Miscellen. Schulprogramme österreichischer Gymnasien und Realschulen am Schlusse des Schulj. 1852—53 (S. 578—86: von Gernerth werden besprochen: Lobpreis: über die Vertheilung des mathematischen Lehrstoffs auf Gymnasien. Wien, Theresianum. Leitgeb: die verschiedenen Methoden zur näherungsweisen Berechnung der Ludolphischen Zahl. Triest. Von H. Bonitz: Dostal: kurzgefaszte Zusammenstellung der Litteratur der Griechen von ihren Uranfängen bis zum Schlusse des zweiten Zeitraums. Saaz. Steyskal: Einflusz der homerischen Poësie auf die gesammte Cultur Griechenlands. Znaim. Schenkl: kritische und erklärende Anmerkungen zu den Trachinierinnen des Sophokles. Prag. Hochegger: de orationum in veterum historiis origine et vi, brevis commentatio. Pressburg. Kahlert: Parallele zwischen der Platonischen und Aristotelischen Staatsidee. 1r Thl. Czernowitz. Schreyer: wie der Grieche und der Deutsche den Ablativ decken. Iglau. Von G. Curtius: Burkhard: über die Personalendungen des griech. Verbums und ihre Entstehung. Teschen. Ev. Gymn.) — Unterstützung der Gymnasien von Seite der Gemeinden und Privaten (S. 587—89: wir erfahren mit Freude, dasz für die 8 evangelischen Privatgymnasien des Kaschauer Districts bis zum Schlusse des Jahres 1853 die finanzielle Aufhülfe 5855 fl. 2 xr. jährl. Leistung 268455 fl. 18 xr. Capital betrug). — Litterarische Notiz. Bekker: de Romanorum censura scenica. Von Grysar (S. 580—92: Referat unter einigen Einwendungen).

8s Heft. Abhandlungen. A. Schmidt: über geographische Hilfsmittel (S. 593—98: um dem Lehrer das eigene Studium möglich zu machen, wird auf die Vortheile einer geographischen Gesellschaft und einer von ihr herausgegebenen Zeitschrift hingewiesen, bis eine solche aber in Oesterreich ins Leben treten werde, die Beachtung und Unterstützung der Berliner Zeitschrift für allgemeine Erdkunde empfohlen). — Büdinger: historische Aufsätze der 'allgemeinen Monatsschrift für Wissenschaft und Litteratur' vom Juli 1851—Decbr. 1853 (S. 599—624: ausführliche Relationen, wobei die Aufsätze nach ihrer innern Verwandtschaft geordnet erscheinen, damit dadurch ein Bild der gegenwärtigen Bestrebungen in der Geschichtschreibung und Forschung gegeben werde). — Litterarische Anzeigen. Euripides Medea. Erklärt von Schöne. Von Schenkl (S. 625—28: sehr anerkennende Beurtheilung. Auszer andern abweichenden Ansichten emendiert Rec. 215 τοὺς δ᾽ ἐν θυραίοις· οἱ δ᾽ ἀφ᾽ ἡσύχου ποδὸς δύσκλειαν ἐκτήσαντο καὶ ῥᾳθυμίας, 456 ὑπ᾽ oder ἐξ ἀνανδρίας, 760 ὡς καὶ δοκεῖ μοι ταῦτα παγκάλως ἔχειν. An mehreren Stellen wird die Vulgata durch Aenderung der Interpunction zu retten gesucht). — Schenkl: griechisches Elementarbuch. 2e Aufl. Von K. Enk (S. 629 f.: die Vervollkommnung wird rühmend anerkannt, einige Wünsche ausgesprochen). — de Gravisi: italienische Taschengrammatik. Von Bolza (S. 630 f.: unter einigen Bemerkungen als sehr empfehlenswerth bezeichnet. Nur der Titel wird getadelt). — Wypisi Polskie. Von Bratranek (S. 631—33: sehr anerkennend. Für eine neue Auflage werden einige Vorschläge gemacht). — Duncker: Geschichte des Alterthums. 2r Bd. Von Thomas (S. 633—36: allen Lehrern zum Studium empfohlen). — Seydlitz: Leitfaden für den Unterricht in der Geographie. 7e Aufl. von Gleim. Von Steinhauser (S. 636—41: Lob und Tadel fast in gleichem Verhältnisse). — Simony: kleiner Schulatlas. Von Steinhauser (S. 641 f.: nicht gelobt). — Verordnungen und Statistik (S. 643—53). — Miscellen. A. Wilhelm: die Lehrerconferenzen (S. 654—57: Anweisung, wie die Lehrerconferenzen gehandhabt werden müssen, damit die Protokolle ein Bild der Schule geben und die früheren monatlichen Prüfungen ersetzen). — Schulprogramme (S. 658—661: von A. Gernerth werden besprochen: Pisko: Foucaults Beweis für die Axendrehung der Erde. Brünn. Pegger: Parallelogrammo delle forze. Zara. Radman: dell' uso de calcolo e della sua importanza nello studio della fisica. Udine. Von Pokorny: Samarani: Sull' importanza ed utilita delle scienze naturali. Crema. Cornaggia: Rapidi progressi, che feci la geologia. Monza. Magrini: della influenza delle scienze naturali sulla cultura letteraria et sul carattere morale della gioventù. Mailand Porta Nuova). — Bibliographische Uebersicht (S. 661—71: historische Litteratur). — Litterarische Notizen (S. 671 f.: Giebels und Heintzs Zeitschrift für die gesammten Naturwissenschaften und Giebels und Schallers Weltall).

9s Heft. Abhandlungen. Jäger: Beiträge zur österreichischen Geschichte (S. 673—96. II, 4: umständlicher und erschöpfender Beweis, dasz das sogenannte privilegium maius unecht, dagegen das minus echt die von Kaiser Friedrich I. am 17. Sept. 1156 an Heinrich Jasomirgott verliehenen Privilegien enthalte). — Litterarische Anzeigen. Bergk: poëtae lyrici Graeci. Ed. II und dess. Anthologia lyrica. Von G. Linker (S. 697—702: die Bedeutsamkeit beider Arbeiten eingehend würdigende Beurtheilung). — T. Spiess: teorica delle forme grecche pei principianti. Trento 1853. Von Hochegger (S. 702 f.: die Ausführung mit Ausnahme der Correctheit des Druckes gelobt. Die Absicht verfehlt gefunden). — St. Wolf: die Flexion des griechischen Verbums. Von dems. (S. 704 f.: für den Schulgebrauch als Beigabe zu Curtius Grammatik ungeeignet). — Daniel: Lehrbuch der Geographie. 6e Aufl. und dess. Leitfaden für den Unterricht in der Geogr. Von Steinhauser (S. 705—709: lobende Beurtheilung, obgleich einige Ausstellungen gemacht werden. Besonders wird, wie auch an so vielen anderen Lehrbüchern die Berücksichtigung der Karten vermiszt). — E. v. Sydow: Schulatlas. 6e Aufl. Von dems. (S. 709 f.: ganz dringende Empfehlung unter Aussprache einiger Wünsche für Oesterreich). — Naturgeschichtlicher Schulatlas zum Gebrauche der k. k. Gymnasien und Realschulen. Von Brücke (S. 710—13: im ganzen belobend, doch wird gegen die Auswahl, namentlich den physiologischen Anhang manches erinnert). — Hojfsak: Bemerkungen zu zwei Schulbüchern über österreichische Vaterlandskunde (S. 713—16: sowohl in Schmitts Statistik, als in der österreichischen Vaterlandskunde werden Unrichtigkeiten, welche auf Druckfehlern oder Misverständnissen von Hains Statistik beruhen, nachgewiesen). — Verordnungen und Statistik (S. 717—32). — Miscellen. A. Wilhelm: Bemerkungen aus dem didaktischen Gebiete (S. 733—39: I: da die jetzt eingeführten Prüfungen nur Mittel seien, um den Stand der Bildung zu erfahren, so thue eine Anstalt ihre Pflicht nicht gehörig, wenn sowohl zu den Locations- als insbesondere zu der Maturitätsprüfung eine besondere Vorbereitung nothwendig sei. II: die öffentlichen Prüfungen seien allenthalben nothwendig und heilsam, doch müsse die paedagogische Rücksicht auf die Schüler dabei maszgebend sein. III: werden die an die Programme nothwendig zu stellenden Forderungen aufgestellt). — Bibliographische Uebersichten (S. 739—46: historische und physikalische Litteratur). — Litterarische Notizen (S. 746—48: über drei Recensionen unserer Jahrbücher).

10s Heft. Abhandlungen. Grysar: die Coniunction quum in temporeller und causaler Bedeutung (S. 749—63: die Fälle des Gebrauchs werden aufgezählt und mit zahlreichen Beispielen belegt). — Litterarische Anzeigen. Beduschi: la chiave Omerica. Von G. Linker (S. 764—66: vernichtende Kritik). — Ovidii Metamorphoses. Auswahl mit Anm. v. Siebelis. Von K. Enk (S. 766—70: sehr gelobt, nur wird bedauert, dasz die Auswahl für die Schüler der österreichischen Gymnasien nicht ganz geeignet sei). — Stadelmann: varia variorum carmina latinis modis aptata. Von Thomas (S. 770—73: sehr empfohlen). — Deutsche Lesebücher. Stifter und Aprent: Lesestücke zur Förderung humaner Bildung in Realschulen und K. A. Menzel: historische Lesestücke. Von Bratranek (S. 773—92: das erstere Buch wird eingehend als eine bedeutende, auf ethische Bildung hinwirkende Erscheinung gewürdigt, aber die zu geringe Berücksichtigung der Bedürfnisse des deutschen Sprachunterrichts hervorgehoben. An dem zweiten wird die Durchführung eines würdig eingehaltenen gediegenen Plans vermiszt). — A. ed E. Balbi: nuove elementi di geografia. 2de ediz. Von Steinhauser (S. 792—97: belobende Anzeige, doch wird das Buch als didaktisches Hilfsmittel ungeeignet gefunden). — Ewald: Wandatlas. I. Orographische Erdkarte in Mercators Projection. Von dems. (S. 797—99: für höhere Studien eine gute Uebersicht, für welche der Aufwand an Mitteln gröszer erscheint, als er nothwendig bedingt war). — Homeri Iliadis Epitome. P. II. Ed. Fr. Hochegger (S. 799—810: die Gründe für das Verfahren beim Ausscheiden darlegende Selbstanzeige). — Verordnungen und Statistik (S. 811—22). — Miscellen. Bibliographische Uebersichten (S. 822—32: Naturhistorische Litteratur).

Paedagogische Revue. Jahrg. 1854 (s. Bd. LXX S. 103—109).

Juliheft. Allihn: zur Logik und philosophischen Propaedeutik auf Gymnasien (S. 1—32: nachdem der Verf. sich für die von Engländern, namentl. Whately, befolgte Methode, der eigentlichen systematischen Logik einen analytischen Umrisz als Vorbereitung vorauszuschicken erklärt und auszerdem die philosophische Propaedeutik auf den Gymnasien als einen nothwendigen Schutz gegen die auf den Universitäten herrschenden philosophischen Spiegelfechtereien bezeichnet hat, bespricht er in rücksichtloser Weise viele Fehler aufweisend die Lehrbücher von Matthiae und Jos. Beck). — Langbein: gegen die Methode von Spiess im Turnunterricht (S. 33—46: es werden Bedenken geltend gemacht, dasz das Spiesssche Turnen geistige, sittliche und sachliche Bedingungen bei Lehrern und Schülern voraussetze, welche unmöglich vorhanden sein können, dasz dasselbe nicht Erholung nach geistiger Anstrengung gewähre, vielmehr geistige Anstrengung sei, dasz demnach wohl in den untersten Klassen Lust und Liebe ausdauern könne, aber gewis nicht in den oberen vorhanden sein werde. Das, was an der Spiessschen Methode vermiszt wird, soll sich nach des Verf. Erfahrungen bei den von ihm längst empfohlenen militärischen Uebungen vorfinden). — X. in Z.: die Spiesssche Turnmethode (S. 46—51: derbe Einsprache gegen die Methode, welche nur als systematisch geregelte Langweiligkeit, als der Stählung und Kräftigung des Körpers gar nicht förderlich bezeichnet wird. Der Verf. hebt dagegen das Jahn-Eiselnsche Turnen hervor). — Beurtheilungen und Anzeigen. Lübben: Wörterbuch zu der Nibelunge nöt. Von H. Schweizer (S. 52—56: im allgemeinen sehr lobende Beurtheilung; die Nichtberücksichtigung der Etymologie wird neben einigen andern Ausstellungen getadelt und aus Lachmanns Vorlesungen Bemerkungen zur Berücksichtigung bei einer zweiten Auflage mitgetheilt). — Günther: die deutsche Litteratur in ihren Meistern, mit einer Auswahl charakteristischer Beispiele. Von Schubart (S. 57—61: indem in Bezug auf den ersten Theil auf W. Wackernagels scharfe Kritik in Gelzers protestantischen Monatsblättern verwiesen wird, legt der Rec.

des Verf. Ideen dar und spricht sodann ernste Bedenken gegen die vorherrschende subjective Stimmung aus). — Eckardt: dramaturgische Studien. I. Hamlet. Von dems. (S. 62—64: wenn schon Rec. die Lösung der Aufgabe nur als annäherungsweise anerkennt, so empfiehlt er doch die Schrift aufs dringendste). — Braubach: Grammatik des Styls und Organismus der Sprache. Von dems. (S. 64—66: einen fruchtbaren Gedanken in überraschender Consequenz durchführend und deshalb sehr lehrreich). — Jost: die Schule des freien Gedankenausdrucks. Von dems. (S. 66—68: der praktische Theil gelobt, der theorethische verworfen). — Scheibert: Revision der Litteratur für den Religionsunterricht (S. 68—84: nachdem in einer Einleitung folgende Sätze als allgemeine Resultate der Durchmusterung aufgestellt sind: dasz Schule und Kirche sich ferne stehen und nicht in einander greifen, dasz die meisten Schriftsteller trotz ihrer Rechtgläubigkeit doch noch tief in der Intelligenzschule stecken und deshalb die Anschaulichkeit mangle, dasz in fast allen eine eigentliche Furcht vor der Furcht vor Gott hersche, und nachdem der Mangel organisch gegliederter Unterrichtspläne beklagt ist, beurtheilt der Verf. 14 Bücher: biblische Geschichten; unter denen die biblische Geschichte von H. Kurtz als besonders bedeutsam hervorgehoben wird). — Paedagogische Zeitung. Chronik der Schulen (S. 225—246: wir heben hervor die Mittheilungen über die Lectüre in Mühlhausen S. 225 f., aus dem Programme von Fürstenwalde über den Ehrtrieb als Zuchtmittel S. 227—232, über das Turnwesen in Darmstadt S. 243 f.). — Frankreich (S. 246—252: Mittheilungen über die Reducierung der Akademien und das Turnen in den Schulen). — Ueber die Auflösung des Wingolf (S. 253—255: aus der akademischen Monatsschrift). — Verordnungen (S. 255—264).

Augustheft. Rauchenstein: über das auswendiglernen lateinischer Vocabeln und den Gebrauch von Vocabularien (S. 85—98: der Verf. begründet aus seiner reichen Erfahrung, wie vielen Nutzen ein tüchtiges lernen von Vocabeln nach einem Vocabularium gewähre und empfiehlt das zum Theil auf seine Anregung erschienene von Döderlein, an dem er nur die Nichtangabe des Genus, der Declination und Conjugation als einen auch von andern erkannten Mangel bezeichnet). — Arenz: das Gesetz über den mittleren Unterricht in Belgien. 3r Artikel (S. 99—120: Fortsetzung v. Bd. XXXI S. 177. Interessante Darstellung der Debatten über den Begriff der Freiheit des Unterrichts und der Berechtigung des Staats und der Gemeinden in Sachen des öffentlichen Unterrichts). — Beurtheilungen und Anzeigen. Behn-Eschenburg: englische Grammatik für den Schulunterricht. Von Dräger (S. 121 f.: durchaus empfohlen). — Weishaupt: die englischen Praepositionen. Von dems. (S. 122 f.: als sehr brauchbare Ergänzung zu den Grammatiken bezeichnet). — Schwarz: Handbuch für den biographischen Geschichtsunterricht. 2r Thl. Von Schubart (S. 123 f.: gelobt, aber der Ton der Darstellung und die Auswahl des Stoffes nicht durchaus gebilligt). — Scheibert: Revision der Litteratur für den Religionsunterricht (S. 133—144: Fortsetzung des im Juliheft begonnenen Artikels. Die Bücher über den Katechismusunterricht für Schüler werden durchgemustert. Gelobt werden der kleine Katechismus Luthers, Stettin 1854, wegen der Methode. Purgoldts Luthers kleiner Katechismus, Bachmanns Handbüchlein für Katechumenen, Röths hessischer Landeskatechismus, vorzüglich Kurtzs christliche Religionslehre, die aber gleichwohl den Realschulen nicht empfohlen wird, am Ende die Lehre Jesu; Tadel dagegen erfährt H. Palmer: der christliche Glaube und das christliche Leben). — Vermischte Aufsätze. Schweizer: zur vergleichenden Syntax (S.

159 f.: handelt von den Ausdrücken für das verglichene nach dem Com-
parativ). — Paedagogische Zeitung. Einweihung des neuen Schulgebäudes in Hannover am 3. Mai 1854 (S. 268—273). — Revidierte Ordnung der lateinischen Schulen und der Gymnasien im Königreiche
Bayern (S. 277—298). — Würtembergische Ministerialverfügungen in
Betreff der Heranbildung von Candidaten des höhern Lehramts.
    Septemberheft. Allihn: zur Logik und philosophischen Pro-
paedeutik auf Gymnasien. 2r Art. (S. 161—189. Fortsetzung vom Juliheft S. 1—32. Das propaedeutische Lehrbuch von Hassler wird einer
eingehenden Kritik unterworfen, die Logik wenigstens zum Unterrichte
geeignet gefunden, die Psychologie und Moral aber wegen Principlosig-
keit und vielfacher Mängel entschieden getadelt). — Kleinpaul: der
Volksunterricht in den Vereinigten Staaten (S. 190—202). — Anzeigen.
Döderlein: homerisches Glossarium. Von Ameis (S. 203—215: zu
der in Mützells Zeitschrift gegebenen Beurtheilung werden einige Nachträge geliefert. Besprochen werden ἥρωες, ἱμάσϑλη, der Doppelpanzer
(γύαλα), βέλος, ἕταροι, κρατευτής, κῆρ, ληϊστός, ἀμφίπολος, δμώς,
ἴκμενος, ἶφιος, πύρνον, εὐφραδέως, Od. IV, 258. Am Schlusse wird
die Nutzbarkeit für den Schulunterricht hervorgehoben). — Scheibert: Revision der Litteratur für den Religionsunterricht (S. 215—32.
Fortsetzung vom Juli- und Augustheft. Besprochen werden die Handbücher zum Katechismusunterricht für Lehrer. Empfohlen werden
Kündigs biblischer Leitfaden zum Confirmandenunterricht, Speners
Erklärung der christlichen Lehren nach der Ordnung des kleinen Katechismus, Arndts Handbuch für Lehrer beim Unterricht nach Luthers
kleinen Katechismus, Nissens Unterredungen, Bachmanns Hand-
buch der christlichen Lehre, Maternes christliche Glaubens- und
Sittenlehre). — Paedagogische Zeitung. Bericht über die höheren
Lehranstalten Würtembergs 1852—1853 (S. 309—315). Philologische
Vorlesungen an der Universität zu Rom (S. 316—317: kein sehr er-
freuliches Bild). — Neydecker: über die Erziehung in Alumnaten.
Abdruck aus dem Programme des Friedrich-Wilhelms-Gymnasium in
Posen 1853 (S. 319—336).
    October- und Novemberheft. Scheibert: aus der Schul-
stube. 10r Artikel (S. 233—248: Rathschläge für angehende Lehrer,
wie durch den Unterricht selbst die Disciplin erhalten werde, welche
Grundsätze dabei zu befolgen und welche Klippen zu vermeiden seien).
— Buchner: die Pflege des Geschmacks und kunstgeschichtlicher Studien als Bildungsmittel der Jugend (S. 249—261: damit ein nationaler
Charakter erzeugt und ein tieferes Verständnis der Geschichte erzielt
werde, sollen die Schüler der Gymnasien in die Geschichte der deutschen und auch der antiken Kunst eingeführt werden, die auser-
wählten der obersten Klasse sollen die Anschauung von Kunstwerken
erhalten. Als Leitfaden für die deutsche Kunstgeschichte empfiehlt der
Verf. den Abrisz, welchen er seinem Lehrbuch der Litteraturgeschichte
(Mainz 1853) auf 19 Seiten beigefügt). — Anzeigen. Schuster:
lateinische Syntax nach den Grundsätzen Göttlings. Von Queck
(S. 262 f.: durchaus nicht Iobendes Urtheil). — Müller: mittel hoch-
deutsches Wörterbuch. 1r Band. Von Schweizer (S. 263—269: die
Bedeutsamkeit des Werks wird anerkannt, Plan und Einrichtung gebilligt, einige Nachträge und Berichtigungen gegeben). — Hauschild:
die Lautlehre der deutschen Sprache. Von Buchner (S. 270: enthält
zwar manche gute Bemerkung und viel Material, ist aber höchst unnöthig und überflüssig). — Bibliotheca scriptorum graecorum et lati-
norum Teubneriana (S. 270—276: ganz anerkennender Bericht über
den Fortgang des Unternehmens und seiner neuestens erschienenen
Theile). — De Castres: chefs d'oeuvre lyriques de la France, Anlei-

tung zum praktischen Erlernen der französischen Sprache, Wiesbaden 8°. H olzapfel: Auswahl französischer Gedichte. R od o w i c z: essai d'une histoire de la littérature française. Von B u c h.m a n n (S. 276 f.: Nr. 1 wird Lehrern angelegentlich empfohlen, für Schüler zu umfangreich und weitgreifend gefunden, Nr. 2 nur dem Inhalt nach charakterisiert, Nr. 3 gelobt, Nr. 4 mit Ausnahme der Vorrede für obere Klassen der Realschulen geeignet gefunden). — G r u n e r, Eiseumanu und W ildermuth: deutsche Musterstücke zur stufenmäszigen Uebung in der franz. Composition. 3e Abtheilung. P e s c h i e r: morceaux choisis de littérature allemande. Von B a r b i e u x (S. 277— 282: beide Bücher werden empfohlen, namentlich die Peschiersche Uebersetzung als überaus wohl gelungen bezeichnet). — S c h o l l: Zeittafeln der vaterländischen Litteratur. Von B u c h n e r (S. 282—284: gelobt, aber viele Fehler und Versehen nachgewiesen). — J o s t: Lehrbuch des hochdeutschen Ausdrucks. Von dems. (S. 284 f.: als recht nutzbar empfohlen). — T h. M o m m s e n: römische Geschichte. 1r Bd. Von S c h w e i z e r (S. 289—300: anerkennende Würdigung des in jeder Hinsicht bedeutenden Werkes. Ueber einige Punkte werden aus der Sprachvergleichung Bemerkungen gemacht). — 1) C a s s i a n: Materialien für den biographischen Geschichtsunterricht. 2) S c h l a g: Weltgeschichte in dreifacher Stufenfolge. 3) N ö s s e l t: kleine Weltgeschichte. 5e Aufl. 4) S c h m i d t: histor. Taschenbuch. 2e Aufl. 5) L a n g e: Leitfaden zur allgemeinen Geschichte. 3e Aufl. 6) K l i p p e l: deutsche Lebens- und Charakterbilder. 1r Bd. 7) D i e t s c h: Lehrbuch der allgemeinen Geschichte. 3r Bd. Von M i q u é l (S. 301—307: Nr. 1 als ein zweckmäsziges Vorbereitungsbuch allen Lehrern von Herzen empfohlen, Nr. 2 höchlichst gelobt, Nr. 3 zu den besseren Werken gezählt, auch Nr. 4 brauchbar befunden, von Nr. 5 erfährt nur das 3e Heft unbedingtes Lob, bei Nr. 6 wird die Ausführung als den Erwartungen nicht entsprechend bezeichnet, Nr. 7 erfreut sich trotz verschiedenen Standpunktes doch der freundlichsten Anerkennung). — 1) J u n g c l a u s s e n: Leitfaden für den ersten Unterricht in der Geographie. 2) B e r l i n: Elementaratlas und Lehrbuch der Geographie. 3) H o l l e: Schulwandatlas. 4) I n g e r s l e v: kurzgefasztes Lehrbuch der Geographie. 5) M e u r e r: Leitfaden für den Unterricht in der Geographie. 2e Aufl. Von G r i b e l (S. 307—312: Nr. 1 wird trotz einiger Mängel auf das angelegentlichste empfohlen. Von Nr. 2 erhält der Atlas Lob, das Lehrbuch aber wird als höchst oberflächlich bezeichnet. Nr. 3 wird gelobt, Nr. 4 bestens empfohlen, an Nr. 5 aber sowohl die Anlage als die Ausführung sehr ungenügend gefunden). — Paedagogische Zeitung. Hannover (S. 346—350: Etat des Ministeriums der geistlichen und Unterrichtsangelegenheiten und die orthographische Conferenz). — Kurhessen (S. 353 f.: die Stellung der Gymnasien). — N e y d e c k e r: über die Erziehung in Alumnaten. Schlusz (S. 355—371, siehe das vorhergehende Heft). *D.*

Berichte über gelehrte Anstalten.

B a y e r n. Zu Neujahr erhielten das Ritterkreuz des Verdienstordens vom heil. Michael die Universitätsprofessoren Dr. K a r l W i l h. B ö t t i g e r und Dr. J o h. C h r i s t. H o f m a n n in Erlangen, Dr. H ub e r t B e c k e r s in München, Dr. J o h. J o s. S c h e r e r in Würzburg, der Rector und Prof. am Maximilians-Gymnasium zu München Dr.

Karl Halm und der Rector der polytechnischen Schule zu Nürnberg
Joh. Mich. Romig.

GREIFSWALD. Die Geburtstagsfeier des Königs von Seiten der
Universität (15. October) wurde durch ein Programm des Professors
G. R. R. Schömann Animadversionès de nomothetis Atheniensium
18 S. 4. angekündigt, die Festrede hielt Prof. Windscheid über
'Recht und Rechtswissenschaft'. Der Geburtstag Winckelmanns ward
durch einen Vortrag des Privatdoc. Dr. Susemihl 'über die Stellung
der Kunst in ihrer Blütenperiode bei den Griechen zum Leben und
zur Wissenschaft' gefeiert, zu welchem Prof. Urlichs durch eine
Fortsetzung der im vorigen Jahre zu einem gleichen Zwecke von ihm
abgefaszten Schrift 'Skopas im Peloponnes' unter dem Titel 'Skopas
in Attika' 27 S. 8. eingeladen hatte. Leider steht der Universität
mit Wahrscheinlichkeit der Verlust des letzteren, da er einen Ruf
nach Würzburg erhalten hat, zu dem schweren Verluste, der dieselbe
jüngst wirklich durch den in der Nacht vom 17. auf den 18. December
erfolgten Tod des Professors der praktischen Medicin und Geburts-
hülfe, Geh. Medicinalraths Berndt bereits betroffen hat, in Aussicht.
Der bisherige Privatdocent und Prosector Dr. Max Schultze ist zum
auszerordentlichen Professor der Anatomie in Halle befördert und an
seiner Stelle der Dr. F. Hoppe wieder zum Prosector ernannt worden. Auch das Gymnasium verliert auszer dem verstorbenen Prorector
Prof. Paldamus noch eine andere tüchtige Lehrkraft: Dr. Burg-
hardt geht zu Ostern als Director der dortigen Realschule nach
Nordhausen.

RAGUSA. Die Uebernahme des bisher von Piaristen versehenen
Gymnasiums durch den mittelst a. h. Entschliesung vom 14. Dec. 1853
wieder eingeführten Jesuitenorden ist durch Erlasz des Ministeriums
für Cultus und Unterricht genehmigt worden.

UNGARN. Den evangelischen Privatlehranstalten zu Kun-Szent-
Miklos, Mezö-Tur und Aszód ist die Erlaubnis entzogen worden, länger noch als Gymnasien fortzubestehen, weil der Zustand derselben
so beschaffen, dasz denselben jede dem Zwecke nur halbwegs angemessene Lebensfähigkeit abgesprochen werden müsse.

————————

Personalnachrichten.

Ernannt oder versetzt wurden:

Arndts, Dr., Prof. des Civilrechts an der Universität zu München in
　　gleicher Eigenschaft an die Universität zu Wien.

Berendt, Moriz, Maler in Berlin, als Zeichen- und Schreiblehrer
　　an das Gymnasium zu Marienwerder.

Chalybäus, K. Th., Director der k. Antikensammlung und des Mengs-
　　schen Museums der Gypsabgüsse zu Dresden, zum Director des
　　grünen Gewölbes daselbst.

Cornelius, Dr. C. A., auszerordentl. Prof. an der Universität zu
　　Breslau, als ordentl. Prof. an die philos. Facultät der Universität
　　zu Bonn.

Girschner, Dr. N. C. S., Oberlehrer am Friedrich-Franz-Gymn. zu
　　Parchim, als Director an die Realschule zu Colberg.

Grimm, J., Prof. in Berlin, zum correspondierenden Mitglied der k.
　　Akademie der Wissenschaften zu Petersburg.

Hettner, Dr. Herm., Prof. in Jena, als Director der k. Antikensammlung und des Mengschen Museums der Gypsabgüsse nach Dresden (an Chalybäus Stelle).

Jahn; Dr. Otto, in Leipzig, als ordentl. Prof. der classischen Philologie und Archaeologic an die Universität zu Bonn.

Krausz, Dr. J. K., Schulamtscandidat, als auszerordentl. Lehrer am Gymn. zu Elberfeld.

Magnus, Prof. in Berlin, zum corresp. Mitglied der k. Akademie der Wissenschaften zu Petersburg.

Mohl, Prof. in Tübingen, zum corresp. Mitglied derselben.

Stimpel, Ant., Director des Gymn. zu Görz, in gleicher Eigenschaft an das Gymn. zu Triest.

Unger, G. Pr., Lehrer an der lateinischen Schule zu Wunsiedel, als Studienlehrer an das Gymn. zu Hof (s. pensioniert, Bodack).

Viditz, Steph., provis. Director des Gymn. zu Triest, auf eignen Wunsch in gleicher Eigenschaft an das Gymn. zu Fiume.

Wiedemann, Prof. in Reval, zum corresp. Mitgliede der k. Akademie der Wissenschaften zu Petersburg.

Befördert oder praediciert:

Königsberger, Fr., Benedictinerordenspriester, Supplent am Salzburger Gymn., zum wirkl. Lehrer befördert.

Körner, Fr. Aug., College an der Realschule in den Franckeschen Stiftungen zu Halle, als Oberlehrer praediciert.

Menzl, W., Lehrer am Gymn. zu Görz, zum provis. Director derselben Anstalt befördert.

Nipperdey, Dr. K., ao. Prof. an der Univ. zu Jena, zum ordentl. Prof. in der philos. Facultät daselbst befördert.

Schumann, K. G., Hilfslehrer am Gymn. zu Salzwedel, zum 8n ordentl. Lehrer an derselben Anstalt befördert.

Trotha, Dr. Ad., College an der Realschule in den Franckeschen Stiftungen zu Halle, als Oberlehrer praediciert.

Veesenmeyer, Dr., bisher provis., definitiv zum Oberreallehrer in Ulm befördert unter Verleihung des Titels eines Professors der 8n Rangstufe.

Wiedasch, Dr., Collab. am Gymn. zu Aurich zum Oberlehrer befördert.

Bestätigt:

Decsei, Pet., Priester, als Katechet am Gymn. zu Hermannstadt.

Möller, Ed., desgl. ebenda.

Strzelecki, Ad., Priester, als Katechet am Gymn. zu Czernowitz.

In Ruhestand versetzt:

Bodack, K. Fr. Aug., Studienlehrer am Gymn. zu Hof.

Gestorben:

Am 27. Oct. 1854 zu Wien J. J. **Hannusch**, Verf. der Schrift 'Kaiser Karl V, seine Zeit und seine Zeitgenossen.'

An dems. Tage zu Turin der Prof. der Physik Giov. Aless. **Majocchi**.

Am 30. Novbr. zu Meilen am Zürcher See der dortige Pfarrer **Heinrich Gutmann**, bekannt als Uebersetzer des Tacitus, geb. 20. Oct. 1776 zu Zürich, seit 1819 in Meilen (vgl. Worte des Andenkens an den sel. Hrn. H. G., Pfarrer in Meilen, von R. **Fay**, Pf. in Meilen und H. **Hirzel**, Pf. zu Höngg. Zürich, Meyer und Zeller. 1854).

Am 28. Dec. zu Schwerin der Oberlehrer am das. Gymn., Dr. Gottl. Heinr. Lud. Darius **Heyer**, geb. am 28. Aug. zu Helmstadt.

Am 3. Jan. 1855 J o h. Graf M a i l á t h, bekannt als Verf. der Ge-
schichte des österr. Kaiserstaats in der Heeren-Uckertschen Samm-
lung, geb. 5. Oct. 1786. Derselbe wurde mit seiner Tochter im
Starnberger See todt gefunden.
Am 4. Jan. zu Urach der Prof. am evang. Seminar, R e n z, 42 J. alt.
Am 14. Jan. zu Dresden der Conrector an der Kreuzschule, Dr. K.
J u l. S i l l i g, bekannt durch seinen Catalog. artificum, seine Aus-
gaben des Catull und der kleinen Gedichte des Vergil, besonders
aber von Plinius H. N.
Am 18. Jan. zu Pirna der vormalige k. Oberbibliothekar zu Dresden,
Hofrath K a r l K o n s t a n t i n F a l k e n s t e i n.
Am 27. Jan. zu Leipzig der ao. Prof. der Philosophie an der dasigen
Universität Dr. W i l h. L u d. P e t e r m a n n.
Aus Brasilien wird der Tod des als Reisebeschreiber bekannten blin-
den J a c q u e s A r a g o gemeldet.

Zweite Abtheilung

herausgegeben von Rudolph Dietsch.

(5.)

Shakspere's Werke. Herausgegeben und erklärt von Dr. Nico-
laus Delius. Erster Band. Erstes Stück: Hamlet,
Prince of Denmark. Elberfeld, K. L. Friedrichs. 1854. X
u. 166 S. Lex.-8.

Zweiter Artikel.

Die zweite Forderung, welche man an einen guten kritischen
Philologen stellen musz, ist die, dasz er sich eine richtige Ansicht
über den Werth und das Verhältnis der Quellen bilde. Ihr gegenüber
ist jene erste Forderung nur eine praeliminarische, in der Erfüllung
der letzteren liegt der eigentliche Kern aller Kritik. Denkbar wäre
es immerhin, dasz ein Kritiker ohne Fleisz, Gewissenhaftigkeit und
Praecision in der Art verführe, wie wir es eben nachgewiesen zu haben glauben, und dasz er uns doch eine leidliche Constitution des
Textes lieferte, weil er richtige kritische Grundansichten hätte.
Die Ueberlieferung des Hamlettextes ist folgende:

1. Eine ganz unvollständige, poetisch, sprachlich, metrisch
betrachtet fehlerhafte, dennoch nicht selten Wort für Wort mit der
spätern Gestalt übereinstimmende Skizze des Textes, erhalten in der
qu. 1 von 1603 (Delius: Q. A.)

II. Die vollständigeren Texte, in zwei Familien zerfallend:

A) Die echten oder vollständigen Einzelausgaben in Quart: qu.
2. 3. 4. 5. 6 (Del. Qs.). — Sie zerfallen in 3 Unterarten: a) die beiden ersten derselben (qu. 2. 3) von 1604 und 1605 'printed by J. R.
for N. L.'; b) die zwei mittleren (qu. 4. 5) von 1607 (nach Colliers
Vermutung, sie ist undatiert) und 1611; 'printed for John Smethwicke'
c) die dritte Smethwickesche Quartausgabe (qu. 6) von 1637, auf welche der Text der Folioausgaben, in specie der Fol. 2 von 1632, einen
Einflusz übt, obwol einen geringen.

B) Die Folioausgaben, Gesammtausgaben der Sh.schen Dramen.
Hier sind zwei Unterarten zu scheiden: a) die erste Folioausgabe 1623;
F. 1 (Del. Fol.) hgg. von Sh.s Freunden und Mitschauspielern Heminge

und Condell, angeblich nach den echten Originalhandschriften; b) die
drei späteren Folioausgaben von 1632, 1664 und 1685: Fol. 2. 3. 4.`

Diese Quellen sind ziemlich zugänglich, da I, II Ab und Ba in
Wiederabdrucken vorliegen, II Aa und c sowie II Bb freilich nur in
den sporadisch von Steevens, Malone und Collier gemachten Mittheilungen, so dasz sich immer noch jemand durch Wiederabdruck von
qu. 2 (der ältesten vollständigen Ausgabe) ein Verdienst erwerben
könnte. Denn bei den von Steevens 1766 zum Wiederabdruck der
qu. 5 und qu. 3. 4 und 6 gegebenen Varianten ist man beständig unsicher, welchem von diesen 3 Drucken die Variante angehöre, abgesehen davon dasz ihm die wichtigste Quarto (qu. 2) damals noch fehlte.
Das Verhältnis der Unterabtheilungen von A und B ist im ganzen festgestellt, und zwar so dasz die jüngeren Quartausgaben den ältern Quartausgaben, die jüngeren Folioausgaben der älteren Folioausgabe gegenüber ohne Autorität sind, obwol einzeln der Fall vorkommt, dasz A b
c und B b offenbare Druckfehler in resp. A a und B a berichtigen.

Anders ist es mit dem Verhältnis der Gattungen und Familien
selbst, welches sehr bestritten ist. Es fragt sich

1) ob I nur eine durch zuhören im Theater erschlichene, von
einem gewinnsüchtigen Buchhändler mit Hilfe eines Winkelpoeten zu-
rechtgestutzte, also nur insofern werthvolle Version des echten Hamlet sei, dasz in den mehr wörtlich zusammentreffenden Stellen wir
mutmaszen können, dasz der Text so schon vor 1603 auf der Bühne
gelautet habe; oder ob I eine wenn auch vielfach verhunzte doch auf
einer echten, aber viel unvollkommneren Bearbeitung des Hamlet beruhende Ausgabe sei, deren Uebereinstimmung mit den spätern Texten
dann entscheidender wäre, insofern der Dichter selbst wörtlich manche Stelle der ältesten Recension stehen gelassen haben würde. Jenes
ist Colliers Ansicht, welche ich theile; diese Knights und unter andern
auch Hrn. Delius Meinung, obwol mit der verständigen Modification,
dasz auch der älteste Hamlet so nicht aus des Dichters Feder habe
kommen können, sondern in der qu. 1 eine sehr ungeschickte Ueberarbeitung erfahren habe.

2) ob B eine vom Dichter selbst theils gestrichene theils ver-
vollständigte Bühnenredaction von A enthalte, also nach einer Originalhandschrift letzter Hand unmittelbar abgedruckt sei, oder ob B
nicht wie A unmittelbar aus echter Quelle geflossen, sondern nach
einem von Schauspielern und Regisseuren überarbeiteten Theater-MS.
abgedruckt sei. Im erstern Falle müsten die in B enthaltenen Zusätze
echt, die synonymischen Varianten in Sonderheit Verbesserungen sein, andrerseits, da die gröszere typographische Sorgfalt von
B dem A gegenüber unzweifelhaft ist, die hundert und aber hundert
Buchstabenähnlichkeit verrathenden Varianten in A als Druckfehler,
in B als authentische Correcturen betrachtet werden. Im andern Falle müsten die in B enthaltenen Zusätze unecht, die synonymischen Varianten durch Schauspielerwillkür oder nachlässige Bühnenrecitation entstandene Verderbnisse und Modernisirun-

gen, und die diplomatischen Varianten in B aus wiederholtem rollen-
abschreiben und Schauspielerkritik entsprungene Verunstaltungen
und Schlimmbesserungen sein. — Dies ist die schroffe Gegenüberstellung der divergierenden Grundansichten; beide lassen eine
Milderung zu, indem bei einer der Quelle B zu Grunde liegenden
echten Bühnenredaction die Möglichkeit nicht ausgeschlossen ist, dasz
diese in B nicht unmittelbar enthalten sei, sondern nur so, dasz
eine Theaterabschrift derselben abgedruckt und von den Hgg. mit
ängstlicher Sorgfalt redigiert sei; indem andrerseits bei einer in B
enthaltenen Bühnenredaction von fremder Hand die Möglichkeit eines
freilich nur indirecten Zusammenhanges mit dem Original-MS. des
Dichters stehen bleibt, so weit nicht nachgewiesen werden kann, dasz
die in B zu Grunde liegenden Rollen aus A abgeleitet worden sind.
Nur in letzterem Falle würde B, abgesehn von der immer noch sehr
wichtigen Theaterreminiscenz der Originalschauspieler, so werthlos
sein, wie eine interpolierte unselbständige Handschrift.

Von diesen beiden Controversen ist die erstere zwar für die Entwicklungsgeschichte des Dichters sehr erheblich, dennoch für die Gestaltung des zweiten Hamlettextes lange nicht von so groszer Bedeutung wie die zweite. Denn mag man über I denken wie man will, die
Uebereinstimmung von I mit II wird von den Kritikern beider Art,
den B-Freunden wie den A-Freunden, als gewichtig betrachtet werden
müssen, nur mit dem Unterschiede, dasz letztere auf die Coincidenzen
von I mit II B, da ihnen beide Quellen zunächst nicht der Handschrift
sondern der Bühne entstammen, weniger geben werden, es sei denn
als ein Correctiv von den in A enthaltenen Druckfehlern, während die
ersteren jeder solchen Coincidenz als dem zusammentreffen der ersten
und letzten Hand des Dichters unbedingt Folge leisten müssen, so dasz
wir es nur als jener vorhin erwiesenen Nachlässigkeit des Hrn. D. angehörig betrachten dürfen, wenn er es nicht thut.

Aber von der Lösung der zweiten Frage hängt in der Hamletkri-
tik wie in der Shakespearekritik überhaupt alles ab. Ich weisz nicht,
ob Hr. D. sich dieselbe in ihrer ganzen Schärfe klar gemacht hat,
wenn er in seiner Vorrede sagt: 'Die Abweichungen dieses Textes
(des Foliotextes) von dem der Qs., die in Auslassungen, Zusätzen und
Verbesserungen von der Hand des Dichters bestehen, sind in den Anmerkungen unserer Ausgabe als die der Folio (Fol.) bezeichnet, auch
(?) da, wo sie nicht in die Textrecension selbst aufgenommen sind.
Der grosze Werth der Folioausgabe besteht darin, dasz sie den Hamlet, nach dem authentischen Bühnenmanuscript abgedruckt, so enthält,
wie er auf dem Shakspere'schen Theater nach der Einrichtung des
Dichters selbst zuletzt aufgeführt wurde; ihr Text läszt sich also im
ganzen und groszen füglich jeder neuen Ausgabe unseres Dramas zum
Grunde legen, unbeschadet der gerade beim Hamlet zahlreichen Ungenauigkeiten und Incorrectheiten des Druckes, welche durch eine
Collation der Qs. ihr hinlängliches Correctiv erhalten.' Denn nach
dieser etwas zweideutigen Angabe könnte der Leser glauben, als sei

Hr. D. nur da wo er Druckfehler in Fol. 1 gefunden, den Qs. gefolgt, und als seien besonders viele Druckfehler in Fol. 1, während es doch Hrn. D. wolbekannt sein muste, dasz die typographische Ungenauigkeit und Incorrectheit, die sich am deutlichsten in der Vernachlässigung der Interpunction und der groszen Initialen, in der Umkehr, Weglassung, Versetzung einzelner Zeichen, Buchstaben und Wörter zeigt, in Fol. 1 ungleich geringer ist als in den Quartos, ja dasz im Gegentheil in Fol. 1 viel falsche Sorgfalt herscht. Auch wuste er ja recht wol, dasz sehr viele der von ihm angegebenen und nicht angegebenen doch aber verworfenen Speciallesarten der Fol. 1 keine Druckfehler, sondern Glossen sind, wie *Lends* für *Grues*, *For this time*, *Daughter* für *From this time* (S. 34), *I but dipt* für *that but dippe* (S. 131) und unzählige andere, die Hr. D. meistens wie diese beispielsweise herausgegriffenen mit stillschweigen übergeht. Aber wir wollen das beste annehmen, Hr. D. hatte wol ein Princip, war ihm aber nicht sonderlich getreu, beachtete die Art der Variante nicht immer oder dachte sich unter dem 'authentischen Bühnenmanuscript' keins von Sh. eigner Hand, indem er der von ihm ausgesprochenen strengen Ansicht stillschweigend etwas abdang. Hatte er aber ein Princip, so war es das, die Foliolesart überall, wo es nicht geradezu gegen den gesunden Menschenverstand anlief, gegen die der Qs. festzuhalten.

Damit kehrte er nun freilich die Sache geradezu auf den Kopf. Wir wollen nicht mit Autoritäten markten, sonst könnten wir sagen, es sei doch bedenklich, dasz gerade die beiden bescheidensten und gründlichsten Forscher, Malone und Collier, die ihr ganzes Leben diesem Studium widmeten, zu dem entgegengesetzten Resultate gelangten, während Hr. D. einige talentvolle aber weit unmethodischere Kritiker auf seiner Seite hat, sondern wir wollen, statt zu behaupten, in der Kürze selbst den Beweis zu führen versuchen: dasz die Fol. 1 den stärksten Verdacht erregt, einen durch Schauspieler interpolierten Text zu enthalten.

Die Eigenthümlichkeiten der Foliorecension bestehen in folgendem:
1) in Zusätzen von Exclamationen, Imperativen, Verstärkungsadverbien u. dgl., namentlich in geminierender Weise, welche dem Pathos des Schauspielers entsprungen zu sein scheinen.

Alles durch den Druck hervorgehobene in den folgenden Beispielen steht nur in Fol. 1. X S. 25 *His canon gainst self-flaughter. O God, O God.* X S. 25 *Fie on't? Oh, fie, fie.* S. 26 *like Niobe, all teares. Why she, euen she.* S. 29 *Ham. Very like, very like: staid it long?* S. 29 *Indeed, indeed, Sirs: but this troubles me.* X S. 40 *Hast, hast.* X S. 43 *yes, yes.* X S. 37 *Oh, oh.* X S. 43 *My Tables, my Tables.* S. 57 *Excellent, excellent well.* S. 58 *far gone, far gone.* S. 50 *helpe; help.* X +S. 53 *very well.* S. 91 *farre more.* +S. 68 *That's good, Mobled Queen is good.* S. 76 *well, well, well.* S. 77 *O heauenly powers* S. 99 *Helpe, helpe, hoa. Pol. What hoa, helpe, helpe, helpe.* S.

108 *O h Gertrude*, *come away*. S. 118 *O p h e. Indeed l a? without an oath.* S. 123 *O h, you must* (qu. *you may* [qu. 1 *you must*] ohne *Oh*). S. 131 *This same Scull Sir, t h i s s a m e S c u l l sir, was Yoricks Scull.* S. 148 *Nay, in g o o d f a i t h, for mine ease in good faith*: (qu. *godd my Lord*). S. 153 *Ham. Come on sir. L a e r. Come on sir.* (qu. *Come my Lord.*). +S. 153 *A t o u c h, a t o u c h, I do confesse* (qu. *I doe confest*). S. 157 *The rest is silence.* **O, o, o, o** (F. 4 nur dreimal).

Obgleich von diesen pathetischen Verdopplungen und Verstärkungen schon einige wenige in qu. 1 enthalten sind (sie sind mit + bezeichnet), so läszt doch sowol die Häufigkeit dieser Fälle in einer von Schauspielern besorgten Ausgabe als auch die nicht seltene **V e r d e r b n i s   d e r   m e t r i s c h e n   R i c h t i g k e i t** durch eben diese Geminationen (einige der deutlichsten Fälle sind mit X bezeichnet) uns keinen Zweifel übrig dasz sie hier nicht vom Dichter stammen, sondern interpoliert sind, und wir halten es für Papierverschwendung an einzelnen dieser Stellen (wie Hr. D. versucht) nachweisen zu wollen, dasz diese eingeflickte Wiederholung zur Malerei irgend einer Seelenstimmung wie 'Unruhe', 'wirre Hast' u. dgl. vom Dichter beabsichtigt sei. Es mag gern ein Burbadge, wahrlich kein unbedeutender Künstler, auch das *O, o, o, o* des sterbenden fruchtbar gemacht haben, aber keiner wird uns glauben machen dasz Sh so geschrieben. Dasz ein paarmal durch solche Einschiebsel das Metrum gebessert wird, wie S. 25 durch *euen she*, S. 152 durch *Come on*, S. 155 durch das zweite *Hamlet*, darf uns die überwiegende Anzahl der durch dieselbe gebrachten Verschlechterungen des Verses nicht vergessen lassen, da wol einmal eine falsche Haplotypie in den nachlässiger gedruckten Quartos, nicht aber s o l c h e Dittographien in Fol. 1 ohne absichtliche Einwirkung der Bühne entstanden sein können.

Demnach werden auch einige auffallend auszerhalb des Metrums stehende echt bühnenmäszige Exclamationen, wie das alberne *O vengeance!* und *Ay sure* in Hamlets Monolog (S. 71), das *lawful espials* in des Königs Rede (S. 73), das *Ecstasy!* vor Hamlets Antwort (S. 104) [vielleicht auch das pathetische *Oh royall knauery* (statt *A r. K.*) in Hamlets Worten (S. 144)] derselben Quelle ihren Ursprung verdanken.

Umgekehrt ist es auffallend, dasz an einigen wenigen Stellen, in denen die Wiederholung besonders schön und passend ist, dieselbe nur von den Qu., nicht von F. 1 dargeboten wird, wie in dem von Coleridge mit Recht bewunderten dreimaligen *except my life* (S. 59); auch S. 49 (*O my Lord, my Lord*), S. 60 (*Come, come*). Doch sind diese Fälle der Verwischung richtiger Geminationen bei weitem die selteneren.

2) Die nur in F. 1 enthaltenen Zusätze von ganzen Wörtern, Halbzeilen, Zeilen und ganzen Partien verrathen nicht selten einen Bühnenzweck.

Die Zusätze der Fol. 1 zerfallen in sechs Arten:

a) solche die sich unmittelbar auf das Bühnenarrangement be-

ziehen: 1) S. 90 Ham. *What? frighted with false fire?* + — 2) S.
98 Ham. [*within*] *Mother, Mother, Mother!* + — 3) S. 109 *Gent-
leman within*. *Hamlet, Lord Hamlet.* — 4) S. 120 Qu. *Ala-
cke, what noyse is this?* + — 5) S. 127 *How now? What Newes?* —
Mes. *Letters my Lord from Hamlet.* — b) müszige Zusätze, die der
Bühnendeclamation angebören können: S. 34 *Daughter*, — S. 44 *Looke
you.* — S. 48 *At friend, or so, and Gentleman* — S. 48 *with you.* —
S. 111 *Guildensterne* (Anrede). — S. 112 *this deed of thine.*
— S. 123 *Hey non nony, nony, hey nony:* — S. 124 *I pray God* —
S. 127 *and more strange* . . . *Hamlet.* — S. 137 *For such a Gueste
is meete.* — S. 138 *now adaies.* — S. 139 *Let me see* und *As thus.*
— S. 151 *You will lose this wager.* — c) einige Worte und Halb-
verse, die aus Nachlässigkeit im Druck der Qs. ausgefallen scheinen:
1) S. 67 (Erster Schauspieler) *Then senselesse Ilium* (nothwendig). — 2) S. 76 (Hamlet) *of vs all* (sehr schön für Klang, Sinn
und Vers). — 3) S. 112 (König) *with fierie Quicknesse.* — 4) S. 140
(Priester) *Shardes*; (wie *of vs all* zu beurtheilen). — 5) S. 152
(Hamlet) *In this Audience.* — d) ganze Zeilen, welche im Druck
der Quartos (meist durch falsche Haplotypic) übersprungen zu sein
scheinen. Folgende Verse fehlen in qu. 5: 1) Ber. *Lookes it not like
the King? Marke it Horatio* (steht vermutlich in qu. 2). — 2) S.
31 (Laert.) *For hee himselfe is subiect to his Birth:* — 3) S. 58
(Polonius) *suddenly contriue the meanes of meeting between him
and . . . most humly.* — 4) S. 62 (Hamlet) *the Clown shall make
those laugh, whose lungs are tickled a'th' sere.* + — 5) S. 64 (Polonius) *tragicall-historicall, tragicall-comicall-historicall-pa-
storall.* — 6) S. 84 Ham. *I mean my head vpon your lap?* Oph.
Ay my Lord. — 7) S. 135 2 Cl. *Why, he had none.* — 1 Cl.
*What ar't a heathen? How dost thou vnderstand the Scripture? The
Scripture says, Adam digged: could he digge without armes?* —
8) S. 137 (Hamlet) *is this the fine of his fines, and the recouery of
his recoueries* (steht vermutlich in qu. 2). — 9) S. 146 (Hamlet)
Why man they did make loue to this employment. e) Zwei längere
Prosapartien in der zweiten Scene des zweiten Acts, welche um bestimmter Zwecke willen interpoliert sein können. 1) Die weitere Ausführung des Dialogs zwischen Hamlet und den beiden Hofleuten (S.
59. 60) von *Let me question more in particular* bis *I am most dread-
fully attended* incl. 2) Die ganze Stelle zwischen denselben Personen
von den Kinderschauspielen (S. 62. 63) von Ham. *How comes it?* bis
zu *and his load too* incl. f) Zwei längere poetische Stellen: 1) Die
an Laertes Rede (IV, 5) angehängte, nach Johnsons Urtheil dunkle
und affectierte Sentenz: *Nature is fine in love; and where 'tis
fine, It sends some precious instance of itself After the thing it lo-
ves.* 2) Das Ende des Gesprächs zwischen Hamlet und Horatio
V, 2 von *To quit him* bis *who comes here?* (S. 146. 147) unauflöslich
mit dem vorigen verbunden, und zur Motivierung der versöhnlichen
Stimmung des Hamlet gegen Laertes nothwendig; vermutlich sind diese

14 Zeilen nur durch einen Zufall in qu. 2 ausgelassen worden; es wäre in der Beziehung erwünscht zu wissen, ob auch qu. 2 (wie qu. 5) nach *conscience* ein Fragezeichen setzt. Man könnte sich denken dasz mit dem auftreten Osricks im Original-MS. ein neues Blatt angefangen habe, und diese letzten 14 Zeilen des vorigen oben auf einer Seite für sich standen und so überschlagen wurden, ein grobes Versehn, wie es aber gegen das Ende des Stücks bei der zunehmenden Eilfertigkeit des Setzers eher vorfallen konnte. Die schöne Zeile *Why, man, they did make loue to this employment* überschlug er eben vorher. Diese Zusätze sind also von sehr verschiedenem Werthe.

Einerseits werden dadurch mehrere nicht unbeträchtliche Stellen, die in den Qs. durch Versehn ausgelassen sind, ergänzt. Dasz die Sache sich so verhält, und nicht etwa der Dichter etwas hinzuthat, dafür gibt nicht nur die Nothwendigkeit des zugesetzten für den Zusammenhang in den meisten Fällen den Beweis, sondern auch das vorkommen dieser Fälle am Ende der iambischen Zeile, wo leichter weggelassen wird, namentlich aber die häufige Gelegenheit zu falschen Haplographien in den Qs. einen Wink. Denn von den unter d) aufgeführten 9 Fällen sind 6 von dieser Art. So schlossen 2 Zeilen nacheinander mit demselben Wort, resp. mit *Horatio, him and, historicall-pastorall, your lap* und *my Lord, armes, his recoueries;* und selbst wenn in den Prosastellen diese Worte nicht am Ende standen, konnte das Auge des Abschreibers oder Setzers sich doch leicht nach dem zweiten verirren. Demnach wäre es sehr unkritisch, wenn man die 3 andern Zusätze Nr. 2. 4. 9 als absichtlich später vom Dichter gemachte Verbesserungen ansehen wollte, oder gar nur Nr. 9 allein (wie Hr. D. thut), da es doch höchst unwahrscheinlich ist, dasz ein Poet, wenn er einmal sein Werk nachputzt, nur so ganz einzelne Kleinigkeiten zusetzen sollte.

Andrerseits tragen einige Zusätze, die unter a und e 2 aufgeführten, den Charakter von Bühneninterpolationen; und es wird nun bei mehr als einem Falle zweifelhaft bleiben müssen, ob er auch zu dieser Gattung (des absichtlich in F. 1 zugesetzten), oder zu jener Gattung (des zufällig in qu. 2 ff. ausgefallenen) zu rechnen ist. Dies gilt namentlich von a, 1. c, 3. 5. e, 1. f, 1 und 6.

Einer von Sh. selbst vorgenommenen Bühnenredaction einen Theil dieser Zusätze zuzuschreiben, finde ich keinen genügenden Grund. Man sollte denken, der Dichter würde z. B. die Scene II, 2 eher in Weise der qu. 2 gekürzt als in Weise der Fol. 1 erweitert haben, wenn auch eine Beziehung auf die Kinderschauspiele schon bei den ersten Aufführungen eingelegt sein musz, da qu. 1 Spuren davon zeigt. Eher doch wahrscheinlich, dasz hier dieselben Redactoren thätig waren, denen wir die pathetischen Varianten unter Nr. 1 verdanken.

3) Eine Menge der schönsten Partien (namentlich reflectierender Art) und Nebenscenen — im ganzen gegen 220 Zeilen — sind, offenbar um bei der Aufführung zu kürzen und Nebenrollen zu ersparen,

nicht in die Foliorecension aufgenommen worden, also nur iu qu. 2 ff. enthalten.

Nur ein Theil der Auslassungen in Fol. 1 läszt sich auf Nachlässigkeit zurückführen; selten sind dieselben gröszerer Art und entsprechen dann den unter c und d aufgeführten Auslassungen der qu. 2 ff.; z. B. S. 66 die Worte *as wholesome* bis *than fine;* S. 57 *So proceed you;* vermutlich auch S. 51 die Zeile *Whether aught* usw. Die meisten und bedeutendsten verrathen deutlich die vorhinerwähnte Bühnenabsicht. Allerdings sind diese Kürzungen mit Verstand und Bühnenkenntnis gemacht; man (auch Hr. D. S. 114 Anm. 8) hat daraus den Schlusz ziehen wollen, dasz der Dichter selbst sie vorgenommen habe. Zu rasch, wie uns deucht, da auch Burbadge, Heminge, Condell u. a. theaterkundige und gescheidte Männer waren. Da aber dieses Argument sich doch im ganzen *in utramque partem* brauchen läszt, könnten wir uns des eingehens auf das einzelne füglich überheben.

Diese Auslassungen und Tilgungen der Fol. 1 sind: S. 18 (Bernardo und Horatio, die Stelle von den Prodigien. Blosze Kürzung oder Editorenrücksicht auf Jacobs Aberglauben? fehlt auch in qu. 1). 23 (Polonius. Kürzung. Fehlt nicht ganz in qu. 1). 30 (Laertes. *perfume and*). 36 (Hamlet, die Völlerei der Dänen, reflectierend. Blosze Kürzung oder Rücksicht auf König Jacob? In qu. 1 fehlt genau dasselbe). 38 (Horatio. Sehr schöne psychologische Bemerkung). 46 (*two*). 50 (Polonius. *Come*). 51 (König. *Whether* etc. S. oben. In qu. 5 ist dies die zweite Zeile auf der Vorderseite von E 3; bei dem Wechsel der Seiten werden die meisten Fehler von Abschreibern gemacht; ebenvorher das seltsame zusammentreffen einer Variante (*humour*) mit einer Eigenthümlichkeit des Druckes der qu. 5 (*hau r*)). 61 (Hamlet. *firmament*). 62 (Haml. *such*). 63 (Haml. *'Sblood.* Editorenrücksicht?). 65 (Haml. *Why*). 66 Haml. eine Zeile in Prosa, die in qu. 5 gerade eine Druckzeile füllt. S. früher). 67 (Haml. *So proceed you*). 69 (Haml. *much*). 71 (Haml. *father;* qu. 1 hat *father*). 78 (König. *for* vor *to preuent*, modernisierend). 80 (Haml. *with* nothwendig). 87 (Königin im Schauspiel. Sentenz). 88 (Königin im Schauspiel. Ausführung der Betheuerung, Couplet). 92 (Haml. *impart*). 93 (Haml. *speake*). 101 f. (Haml. Kürzung der ersten Strafrede des Sohnes an die Mutter um einige sehr schöne Worte; fehlt auch in qu. 1). 103 (Haml. Kürzung derselben Art (Reflexionen) in der zweiten Strafrede; fehlt auch in qu. 1). 106 (Haml. *one word more, good Lady*). 107 (Haml. Fand R. Burbadge diese 9 Zeilen (die erst Pope wieder in den Text setzte) unnatürlich, sei es als Monolog bei Seile, sei es zur Mutter gesprochen? Fehlt auch in qu. 1). 108 (Königin fast wie qu. 1). 109 (ein Grund des weglassens hätte sein können dasz diese Worte ohne Theobalds von Malone verbesserten Zusatz *So haply slander* unverständlich waren; vielleicht war die Rolle des Königs, die bei dem zusammenschreiben des in Fol. 1 abgedruckten Bühnen-MS. zu Grunde lag, nicht selbständig aus dem MS. des Dichters.

sondern aus qu. 2 oder 3 geflossen. Die überschlagene Zeile S. 51 trifft dieselbe Rolle). 111 (König | Hamlet. Editorenrücksicht?). — 114—116 (die ganze Scene mit dem Hauptmann des Fortinbras, Hamlet und Rosenkranz und der darauf folgende herliche Monolog Hamlets. Ih qu. 1 fehlt dieselbe Stelle. Hr. Collier sagt mit Recht, so scheint es: *The abbreviation was the work of the players, and not of the poet*). 119 (*and now behold* in der Rolle des Königs). 120 (*attend* in der Rolle des Königs). 127 (Bote. Falsche Haplographie). 128 (*I my Lord, so you will* in Laertes Rolle; F. 1 *If so you'l* modernisierend). 128 f. (Laertes und der König, zum Theil sentenziös; fehlt mit vielem andern in qu. 1). 130 (Rolle des Königs. Editorenrücksicht?). 130 f. (Rolle des Königs, reflectierend). [132 (*But stay, what noyse* (König), wofür F. 1 *How sweet Queene*, woraus F. 2 (3. 4) *How now s. Q.* machen. Die Hgg. in ihrer Unkritik.(Hr. D. macht keine Ausnahme) packen alles zusammen in den neuen Hamlettext, während es doch zwei verschiedene Fassungen sind, von denen eine oder die andere, nicht aber eine und die andere richtig sein kann. Qu. 1 bietet sogar noch eine dritte Fassung: *How now Gertrud?* — Uebrigens scheint dem abändernden (dem Schauspieler der Königsrolle?) die Anrede *sweet Queen* in des Königs Munde besonders gefallen zu haben, da sie sich auch S. 52 als Speciallesart der Fol. 1 für das einfachere *dear Gertrud* (qu. 5 hat da *decree* statt *dear;* daher die Aenderung in F. 1?) der qu. 2 ff. findet]. 138 (der ethische Dativ *you*). 142 (Horatio wird hier erspart). 148 (*But yet*). 148 f. (ungefähr 25 Zeilen in Prosa; Hamlets, Osricks und Horatios Rolle: Verkürzung der Verhöhnung Osricks, wo H. den Euphuismus carrikiert). 149 (Zwischenbemerkung Horatios). 150 f. (kleine Scene zwischen Hamlet und dem Lord, der dadurch erspart wird. In qu. 1 eine Spur davon, doch ist da der Lord mit dem *Bragart Gentleman* (Osrick) verschmolzen).

Nur eine Auslassung scheint mir doppelter Art zu sein S. 87. 88.

For women feare too much, euen as they loue,	*For womens Feare and Loue, holds quantitie,*
And womens feare and toue hold quantity,	*In neither ought, or in extremitie.*
Either none, in neither ought, or in extremity,	

Hier hatte Fol. 1 entweder nur den unvollständigen Text der qu. 2 oder 3 vor sich, oder schon das Original-MS., die Quelle beider Texte, hatte die auf *loue* reimende Zeile überschlagen. Es ist die Zeile *For women* die erste auf H. 2 in qu. 5 und auf p. 267 die letzte in Fol. 1. Entweder kam der Setzer der Fol. 1 hier abermals, durch den ähnlichen Anfang irre geführt, in Confusion, oder er (oder seine Rolle) rückte (ohne Original-MS.) die Stelle so zurecht. Es wäre seltsam unkritisch zu behaupten, dasz die in allen echten Qs. enthaltene Zeile *For women feare* etc. unechtes Einschiebsel sei, während so oft Zeilen und Halbzeilen in denselben übersprungen werden, und gerade auch hier. Malone hatte also ganz recht. Es ist nichts im Wege, dasz diese Nebenrolle (die Königin im Schauspiel) in F. 1 auf einer Abschrift aus qu. 2 ff. beruht; von dem König im Schauspiel ist es nicht gut denkbar.

Aus diesem Verzeichnis ergibt sich, dasz einige Auslassungen in der Rolle des Königs den Verdacht erwecken, als beruhe die Form derselben in Fol. 1 auf einer Quarto. Unter den nur in Fol. 1 befindlichen Zusätzen zu dieser Rolle ist keiner der mit Sicherheit diesen Verdacht widerlegte, da das *with fierie Quicknesse* S. 112 eine aus unglücklicher Reminiscenz dem (R III, 4, 3) *Then fiery expedition be my wing?* vom Schauspieler nachgemachte Verschönerung sein könnte, wie eben vorher das erbärmlich angeflickte *of thine*. Der hochtrabende Ausdruck passt hier nicht.

Ferner ergibt sich daraus, dasz alle längeren Partien auch in qu. 1 fehlen, was die Vermutung verstärkt, dasz, wenn die qu. 1 nur eine Verstümmelung des einen echten Hamlet ist, die Bühnenrecension der Fol. 1 schon im wesentlichen ebenso von Anfang an bei dem Globustheater existiert habe.

Allein hieraus folgt nicht, dasz Sh. auch nur einen Strich an dieser Bühnenrecension gethan habe.

4) Sehr viele Speciallesarten der Fol. 1 bieten einen flacheren und gewöhnlicheren Ausdruck, eine nachlässigere Wendung, wie sie sich wol aus wiederholtem abschreiben, namentlich wenn dies von den Schauspielern selbst in Bezug auf ihre eigenen Rollen geschah und also den Einflusz der salopperen Bühnenrecitation erfuhr, aber unmöglich aus einer Theaterbearbeitung von der letzten Hand des Dichters und, den sorgfältigeren Druck der Fol. 1 erwogen, auch nur gezwungen und zum kleinsten Theil aus bloszer Setzernachlässigkeit erklären lassen.

I. Die auszerordentlich häufige Vertauschung kleiner Formwörter wie *and* und *but, as, or,* wie *could, would, should,* wie *this* und *thus, the, that* und vieler Praepositionen spricht sehr dafür, dasz auf der einen oder andern Seite Nachlässigkeit der Grund des Fehlers war, und unterstützt in keiner Weise die Annahme dasz eine doppelte Recension von des Dichters eigner Hand vorliegt. Im ganzen wahrscheinlicher ist es von vornherein, dasz solche Verderbnisse in den jüngeren Handschriften häufiger sind als in den älteren, wenn nicht deutlich jene das schärfere und eigenthümlichere, diese das mattere und allgemeinere Wörtchen bieten. Aber es ist ja gerade umgekehrt. Die Foliorecension bietet uns den schwachen Artikel *the* an eilf Stellen, wo die Quartorecension die schärfern Demonstrativa und Possessiva haben: so S. 20 *this bird, that time;* 21 *this dreame;* 31 *this whole;* 32 *their buttons;* 32 *Those* (auch qu. 1); 52 *these;* 76 *these;* 132 *that* *); 133 *her;* 146 *those,* während ich das umgekehrte

---

*) Auch S. 35 Qu. *that die* F. *the eye* ist aus *that eye* (Hörfehler) so corrumpiert.

nur zwei- oder dreimal gefunden habe (131 Qu. *the* F. *that;* 150 Qu. *it* F. *that;* 153 Qu. *the* F. *that).* Das vulgäre *ye* für *you* erscheint **siebenmal** im Foliotext (30. 52. 57. 68. 69. 74. 112) nirgends umgekehrt; *his* für *this* nicht weniger häufig (31. 46. 53 (qu. 1 *that).* 67. 101. 108. 119), selten umgekehrt (40 wo *this* Unsinn ist. 79); *him* für *them* (112); *a* für *that* (104); so für *then* (64); *that* für *yonder* (93); *her* für *their* (133); *you* für *your selfe* (150); *his* für *these* (34); *This* für *These* (127); *It* für *That* (136); *Where* für *Whether* (i. e. *Whither,* wie *hether* für *hither,* die stehende Schreibart der alten Zeil) (39); *for's* für *for his* (90); *alwayes* für *also* (159); die grammatisch incorrecten Formen *Hath* für *Hast* (82); *our selfe* für *our selues* (111); *pry thee* für *pray thee* (25). Die grosse Menge der salopperen weniger praegnanten Constructionen, wie das polysyndetische *and* für *of* (42); *you* für *to* (46); *and* (Unsinn) für *as* (47); *and* für *or* (48); *I haue* für *it hath* (qu. 1 *it had*) (52); *I but dipt* für *that but dippe* (131); *And* für *But* (57. 125); *would* für *might* (117); *would* für *worke* (126); *and* zweimal zugesetzt (134), so wie *that* (ib.); *him* für *you* (133); *and* zugesetzt (137); *And* für *As* (17); die in den bestimmten Verbindungen gemeineren Praepositionen *on* für *of* (17); *of* für *to* (21); *on* für *to* (25); *For* für *From* (34); *i'th'* für *with* (47); *Whereon* für *wherein* (55); *on* für *ore* (131); *into* für *to* (139) usw. Auch die Varianten der Wortstellung (14. 35 (bis). 38. 52. 88. 93. 129. 131) gehören zum Theil in diese Kategorie.

Gegen eine solche Masse von Verschluderungen des praegnanteren kommen einzelne Fälle des Gegentheils für jeden der weisz dasz es bei Handschriften immer auf die Pluralität der Fälle ankommt, nicht in Betracht (z. B. 129 Qu. *the* F. *our;* 130 Qu. *the* (auch qu. 1 *the*) F. *our*). Der auffallendste darunter ist der, dasz Fol. oft (48. 49. 98. 72. 108. 134—139. 150) *he* für das vulgäre *a* der Quartos bietet; da dies jedoch vorzugsweise in den losen Prosareden des Clown und Hamlets, ferner in Polonius und Ophelias Reden geschieht, so ist vermutlich das *a* ursprünglich, das ja auch stellenweise ebendort von der Fol. 1 festgehalien wird. Dagegen scheint das von F. öfter als von Qu. gebotene *the which* für *which* kein in Qu. verdrängter Archaismus, sondern ein in F. eingeschlichener Vulgarismus. Wie oft hat qu. 1, welche von allen Recensionen die trivialsten Ausdrücke liefert, dies *the which!* Auch das von Fol. S 68 gebotene *Mars his Armour* für *Marses Armor* ist ein in der Prosa jener Zeit sehr gewöhnlicher Vulgarismus, der nur ganz selten bei Shakespeare zu finden ist, vielleicht nirgends echt; eben dahin gehört der Solöcismus in Fol. 1 *To who* für *To whome* (104).

Es versteht sich dasz es in manchen Fällen einerlei sein kann, ob *the* oder *that,* ob *should* oder *would,* ob *of* oder *to* dastehe, und dasz die Entscheidung darüber nicht von subjectivem Gefühl über das passendere so sinnverwandter und geringfügiger Wörter, sondern nur von der Entscheidung über die ganze Frage abhangen darf. Aber allerdings trägt zu dieser die oben gemachte Wahrnehmung bei. Denn wenn z. B. in einer griechischen Handschrift τοῦτον häufig für ταὐτόν, αὐτόν für τὸν αὐτόν, καί für καίπερ, ἤ für ἤτοι, in einer lateinischen *is* für *iste*, *quum* für *quoniam*, *non* für *nonne* u. dgl. vorkommt, so wird, wenn es sich um Nachlässigkeit der librarii handelt, keine Frage sein, dasz sie eher auf dieser als auf jener Seite zu suchen ist. — Auch stimmt damit das Factum überein, dasz in den meisten aufgerechneten Fällen die Hgg. schon stillschweigend der Quartorecension gefolgt sind. Manche solcher Verderbnisse in F. 1 sind ja auch totaler Unsinn, z. B. *this* statt *his* (40); *wits*, *hath* für *wits*, *with* (40); *for* für *our* (45); *or thus*, für *or this*. (ohne Komma) (45); *thee* für *the* (37); *ha's* für *does* (56); *an* für *to* (134); *are ro* (F. 4 *are to*) für *now to* (158) u. a. m.

II. Dasz diese Nachlässigkeit nicht sowol auf den Setzer der Fol. 1 als vielmehr auf dessen Original kommt, liesze sich einestheils aus der verhältnismäszig viel gröszeren typographischen Sorglosigkeit der Quartausgaben (Nr. 8), die auch sonst feststeht, folgern. Solche Folio-Varianten dagegen, wie z. B. aus einer Stelle des 5n Acts

Qu.	Fol.
139 *and now how abhorred in my imagination it is.*	*And how abhorred my Imagination is.*
143 *now shall you see*	*now let me see*
145 *As loue betweene them like the palme might florish.*	*As loue between them, as the Palme should flourish.*
146 *Folded the writ vp in the form of th' other*	*Folded the writ vp in form of the other*
150 *Shall I deliuer you so?*	*Shall I re deliuer you ee'n so?*
154 *Here Hamlet take my napkin rub thy browes*	*Heere's a Napkin, rub thy browes,*

denen sich 100 andere an die Seite stellen lieszen, gehen weit hinaus über Setzernachlässigkeit und verrathen viel gründlichere Verderbnis des Textes. Anderntheils zeigen ja sich diese Fehler gerade ebenso auf dem Gebiete inhaltsreicherer synonymer Ausdrücke, und das natürlichste bliebe immer, beide Arten, jene Verschluderung der Formwörter und diese der wichtigeren Epitheta und Substantiva, einer und derselben Quelle zuzuschreiben.

Denn dasz die letztere nicht aus bloszen Druckfehlern entstanden sein kann, ist für eine gewisse Anzahl unbestreitbar. Ein Setzer kann wol *his* für *this*, *those* für *these* (17), *that* für *this* (140) drucken, aber nicht, wenigstens aus Versehen nicht, *that* für *yonder* (93), *Question it* für *Speake to it* (15), *day* für *morne* (19), *can walke* für *dares sturre* (20), *See* für *Looke* (32), *Giues* für *Lends* (34), *ground* für *earth* (45), *Chamber* für *closset* (49), *waile* für *mourne* (56), [allenfalls *two* für *tenne* (qu. 1 *tenne*)' (57)], *see* für *heare* (80), *lunacies* für *browes* (94), *tristfull* für *heated* (100), *an old* für *a poor* (122), *hast* für *speed* (125), *past my* für *topt me* (129), *come* für *make* (132), *cold* für *cull -cold* (133), *tunes* (qu. 1) für *laudes* (133), *o're Offices* für *ore -reaches* (136), *leering* für *grinning* (139), *Chamber* für *table*

(139), (kaum 140 *haue* für *been* und 145 *as* für *like*), *teach* für *learn* (144), *Virgin Rites* und *sage* für resp. *virgin Crants* und *a* (140. 141), *Away* für *Hold off* (142), *He did Complie* für *A did so* (150), *Beauy* für *breede* (150), *affear'd* für *sure* (154). Allein nun meint man, dies müsten Verbesserungen des Dichters sein. Wie geht es denn zu dasz unter den Synonymen nur ein einziges sich entschieden dem Leser als solche empfiehlt (*an old* für *a poor*), während manche ganz gleichgiltig und andere offenbar matter und schlechter sind? So *day* (es kommt 2 Zeilen darauf wieder), so das trivialere *can walke*, so *see* (beidemal), *Giues*, auch nach englischem Sprachgebrauch *ground*, so *past my*, so *giue* (*way*) und *come*, so die modernisierten *cold* (vgl. Halliwell s. v. *cull*) und *tunes*, *Ieering*, so das modernisierende *teach*. *Tristfull* ist auffallend geziert, *o're Offices* feiner, aber unkräftiger; bei *Beauy* mag man zweifeln. Zu dem Wiedergebrauch desselben Ausdrucks wie bei *day* sind noch einige Beispiele mehr da: *idle* für *wicked* (98), *makes* für *sets* (100), *Keepes* für *Feeds* (119) (vielleicht auch *feare* für *will* (31), *Newes* für *frute* (52), *spirit* für *weale* (94) und *tongue* für *turne* (150)), welche schwerlich Dittotypien, viel eher Dittomythien (s. P. Sh. S. 291) sind. Das müste ein sonderbarer Poet sein, der seine Arbeit so verbesserte, dasz von 10 anders gewählten Ausdrücken nur etwa éiner dem Leser besser gefällt. Räumen wir dagegen den Schauspielern einen verändernden Einflusz auf ihre Rollen ein, so muste gerade so das Resultat sein, und stimmt vollkommen mit den vielen Verschluderungen überein. Charakteristisch ist, dasz diese synonymen Wendungen noch speciell häufig in der A n r e d e vorkommen, so dasz ein Imperativ mit einem Vocativ, ein Vocativ mit dem andern, ein *thou* mit *you* wechselt: da dies als Element der Bühnendeclamation immer wandelbar ist und ganz mit den unter Nr. 1 besprochenen Zusätzen harmoniert. So steht in F. 1 *Hamlet* für *list* (40); *Hamlet* für das dritte *adieu* (42); *my Lord* für *Horatio* (44); *Hecuba* für *her* (ein ähnlicher Fall S. 70); *my good Hamlet* für *my dear Hamlet* (84); *my good Lord* für *mine owne Lord* (108); *you Gods* für *a God* (124); *your* für *thine; Saylors, my Lord* für *Seafaring men* (125); *good Lord* für *sweet Lord* (136, vielleicht Dittotypie in qu. 2), *you* für *thee* (143), *Come on sir* für *Come my Lord* (153), *Oh good Horatio* für *O God Horatio* (157), denen sich vielleicht *good Mother* für *coold mother* (23) und *come bird, come* für *boy come, and come* (qu. 1 *come boy, come*) (43) anschlieszt. Das sind keine Dichterverbesserungen und (mit wenigen Ausnahmen) keine Setzerfehler, es sind auf flüchtiger oder absichtlich ändernder Declamation beruhende Fehler auf der einen oder der andern Seite.

III. Dazwischen steht die grosze Menge s y n o n y m e r V a r i a n t e n (oder doch Wörter von ähnlicher Paszlichkeit), welche, da sie eine ä u s z e r e A e h n l i c h k e i t haben, immer einen Zweifel übrig lassen, ob sie auf eben dieselbe Weise entstanden sind, oder so dasz ein Druckfehler gröberer Art in Qu., oder auch (doch dürfte dies der seltenste Fall sein) in Fol. 1 begangen ist. Zunächst gehören dahin eine grosze Menge Wörter, die in den verschiedenen Recensionen verschiedene Endsilben haben. So hat F. 1 *compulsatiue* für *compulsatory* (17), *Easterne* für *Eastward* (20), *bearing* für *bearers* (22), *inuites* für das absichtlich geschraubte (?) *inuests* (33), *somewhat* für *something* (34), *posset* für *possesse* (41; dies ist sicher in F. 1 richtig, in Qu. ein Druckfehler), zweimal *wafts* für *waues* (37. 38), *crimefull* für *criminal* (126); *Why* für *What* (130); *Sir* für *sirra* (137); *Imperiall* für *Imperious* (140); *aside* für *awhile* (140); *wisenesse* für *wisedome* (qu. 1) (141), *away* für *awry* (76). Bei andern ist der Anfang verschieden, z. B. in F. 1 *Sect and force* für *Act and place* (31), *speed* für *heede* (50), *foule* für *sole* (97), *Sir* für *For* (142), *ayme* für *yawne* (11, wie es scheint Schreib- und Lesefehler hüben oder drüben), *buriall* für *funerall* (124); *aduise* für *deuise* (128); *ran* für *can* (129); *rude* für *mad* (137); *hardly* für *scarcely* (137); *Rites* für *Crants* (140); *friendship* für *Lordshippe* (147); *yesty* für *hesty* (150); *fond and winnowed* für *prophane and trennowed* (150). Die meisten jedoch variieren im innern des Wortes, im Wortstamm selbst, so in F. 1 *Landlesse* für *lawlesse* (qu. 1) (17), *shewes* für *shapes* (24), *sanctity* für *safety* (31), *peculiar* für *particular* (31), *Comrade* für *courage* (ou. 1) (33), *enurn'd* für *interr'd* (37), *fretfull* für *fearefull* (39), *stiffly* für *swiftly* (42), *wit* für *warrant* (47), *deeme* für *dreame* (51), *winking* für *working* (55), *comingled* für *comedled* (82), *excellent* für *eloquent* (93), *thumb* für *the umber* (93), *fresh* für *flush* (97), *blunt* für *blowt* (106), *coniunctiue* für *concliue* (126), *coniuring* für *congruing* (113), *claimes* für *craues* (113), *safely* für *softly* (113), *conuenience* für *conueiance* (131), *commings* für *cunnings* (132), *aslant* für *ascaunt* (132), *doubts* (i. e. *douts*) für *drowtes* (133), *sloope* für *soope* (135), *caught* für *clawed* (136), *Puh* für *pah* (139), *Winters* für *waters* (140), *deare* für *deepe* (144), *debate* (Unsinn) für *defeat* (146), *impon'd* für *impauned* (149), *vnseale* für *vnfold* (144).

Wir wollen über alle diese Folio-Varianten nicht streiten, denn natürlich sind darunter manche entschiedene Verbesserungen. Nur sind diese augenscheinlich keine zweiten Fassungen des Dichters, sondern lediglich Verbesserungen der Druckfehler in der Quartorecension. Andere mögen Druckfehler der Foliorecension sein, aber einige sind so auffallend modernisierend, wie *She's so coniunctiue to my heart and soule* (wer sollte wol aus bloszem Druckfehler auf das ganz seltene Wort *cóncliue* (davor *She is so*) gefallen sein, das vermutlich ein astrologischer Ausdruck ist?), *coniuring* (das *congruing*, ein damals seltenes Wort, änderte Fol. 1 auch in H. V. cf. Coll. Ed. V p. 476) (126), *ran* (129), *Rites* (140), *Imperiall* (140), einige so sichtlich matt und trivial wie *bearing* (22), *deeme* (51), *claimes* (113), *doubts* (133), *caught* (136), *excellent* (93), *fresh* (97), dasz auch hier von Verbesserung gar keine Rede sein kann, wol aber von Verunstaltung durch solche, denen diese Ausdrücke mundgerechter waren. Einige Synonymen der Fol. 1 sind jedoch auffallend pathetisch oder geziert, wie *foule* (97), *enurn'd* (37), *crimefull* (126) [wie *tristfull*

S. 100], *friendship* (147), *wisenesse* (142), *Landlesse* (17). Dabei wird es freilich vorerst unentschieden bleiben; ob wir das gewöhnlichere Wort in der Qu. einem Lesefehler des Setzers, oder das eigenthümlichere in F. 1 der affectierten Verbesserung durch unberufene Hände zuschreiben sollen. Die Annahme dasz diese letztern Aenderungen vom Dichter ausgegangen seien, finde ich, die Menge der übrigen Fälle und die äuszere Aehnlichkeit auch dieser Wörter angesehen, ungemein unwahrscheinlich.

Qu. 1 stimmt in Bezug auf die Synonymen nicht selten mit qu. 2 ff.; seltener mit F. 1 überein, z. B. hat sie *Question it* wie·F. 1 (13) und bald darauf *morning* fast wie qu. 2 (19), *Lends* wie qu. 2 ff. (34), *earth* wie qu. 2 ff. (45). Zuweilen hat sie auch einen dritten Ausdruck, z. B. *dare walke* für das *dares sturre* der qu. 2 ff. und *can walke* der Fol. 1 (20); *gallery*, wo qu. 2 ff. *closset*, F. 1 ff. *Chamber* geben (49). Es ergibt sich daraus dasz ein (geringer) Theil der in F. 1 erhaltenen Bühnenrecension alt, ein anderer (gröszerer) Theil aber späteren Ursprungs ist; also dasselbe wie aus Nr. 1.

5) Die geschraubte Verkehrtheit mancher Speciallesarten der Fol. 1 ist, während sie nicht unsinnig genug für blosze Setzernachlässigkeit ist, so wie sie in jüngern, abgeleiteten Handschriften vorzukommen pflegt, wie sie aber ein Original-MS. des Dichters nicht enthalten haben kann. Einige Beispiele werden dies unzweifelhafte Factum nachzuweisen genügen.

S. 101 läszt Fol. 1 die Königin sagen: *And with their corporall ayre do hold discourse*, welches eine contradictio in adiecto ist, auch von F. (2. 3) 4 in *the Corporal* verwandelt (dies vergiszt Hr. Collier zu bemerken), und von Southern (nach Colliers Angabe) berichtigt (wie?) wird; vermutlich in *th' incorporall*, die Lesart der Quartos.

S. 113 schlieszt der König in Fol. 1 die Scene mit dem Couplet: *And thou must cure me: Till I know tis done, How ere my happes, my ioyes were ne're begun.* Obgleich mit einiger Mühe ein Sinn diesen Worten abzugewinnen ist: 'Bis ich weisz dasz es geschehen ist, wäre, wie auch mein Glück sein mag, meine Freude doch kaum begonnen', so wird doch jedermann einräumen, dasz die Quartolesart *my ioyes will nere beginne* einen richtigeren und natürlicheren Gedanken gibt: 'Bis ich weisz dasz es geschehen ist, wird, was auch mein Glück sein mag, meine Freude nicht ihren Anfang nehmen', und dasz (da weder hüben noch drüben Druckfehler sein kann) die A e n d e r u n g aus einfachem Sinn zu Halbsinn unmöglich dem verbessernden Dichter, dagegen sehr wol dem schlimmbessernden Schauspieler zugetraut werden könnte, dem es gelegener war mit einem reimenden Trumpf abzumarschieren, wenn auch der Sinn der Worte dadurch etwas nebelig würde.

S. 110 hat Fol. 1 in dem Verse des Königs *But never his offence* für das Wort *neuer* das völlig unverständliche *neerer* i. e. *nearer*.

S. 127 hat Fol. 1 in Laertes Rede *Who was ... stood* für

Whose worth .... *stood;* jenes als vollkommen hybrid zu betrachten, so lange nicht etwa *to be* bei *to stand* als Hilfszeitwort nachzuweisen wäre. — Ebenso sind die Foliolesarten in derselben Rolle S. 141 *O terrible woe* (für *O trebble woe*), S. 152 *vngorg'd* (für *vngor'd*) geschraubter Unsinn; nicht minder in Osricks Rolle S. 150 *He hath one twelve for mine, and that would* (für *hee hath layd on twelve for nine, and it would*).

Freilich sind einige unter diesen beispielsweise angeführten Lesarten, z. B. *their corporall, neerer* offenbar aus falsch gelesenem *the incorporall, neuer*, entstanden, aber dies sind doch keine Druckfehler im engsten Sinne, sondern Misverständnisse, indem aus den richtigen andere, an der Stelle unrichtige Wörter gemacht wurden. Die Häufigkeit der Fälle, welche noch deutlicher eine aufs übelste zurechtmachende Hand beweisen, das zusammentreffen derselben in den Rollen des Königs, der Königin, Laertes, Osricks lassen uns auch für jene Fälle wie *neerer* eine andere Quelle als blosze Setzernachlässigkeit erkennen. Wahrscheinlich fand der Setzer manches in den Rollen corrupt vor, und manches mag seine eigne Schlimmbesserung sein.

6) Die Speciallesarten der Fol. 1 verraten einige aber sichere Spuren grammatischer und metrischer Modernisierung, wie die vorhergehenden Gattungen mehrere phraseologische darboten.

I. Fol. 1 verdrängt zweimal den alten Infinitiv mit *for to*, indem sie S. 27 (wie qu. 1) *to drinke deepe* statt *for to drinke* und S. 78 *to preuent* statt *for to preuent* schreibt, wo dann F. (2. 3) 4 ein *how* einschiebt, da das Metrum ohne *for* hinkt.

II. Die Fol. 1 verdrängt dreimal die poetisch gebildeten Participialien auf *ed*, und setzt statt dessen prosaischere Formen auf *y* und *ly*. So schreibt sie *grisly, knotty, nightly* statt *grissl'd* (qu. 1 *grisleld;* die Synkope ist falsch), *knotted, nighted* (29. 39. 23). S. Perkins Sh. S. 139. 149. Die Polemik gegen das eine *nighted* ist also ganz pervers.

III. Das alterthümlich-feierliche *sith* (die gewöhnliche Form bei Spenser) finden wir zweimal in der Rede des Königs in das moderne *since* verwandelt. An anderen Stellen wird *sith* gelassen, z. B. 126. Die Ausleger halten es da auch fest. Der Dichter charakterisierte damit die getragene Sprache, vgl. z. B. MfM. 1, 4. 4, 1.

IV. Das alterthümliche bei Spenser noch so häufige Expletiv *do* wird an vier Stellen verdrängt, einmal sicher mit Zerstörung des Metrums: S. 72 *If he but blench* statt *If a do blench*; S. 89 *protests to* statt *doth protest too* (also kein bloszer Druckfehler in F. 1, übrigens scheint Prosa beabsichtigt) und S. 103 *that you bend* statt *that you doe bend;* ohne Schaden (eher zu Gunsten) des Metrums; 154 *you but dally* für *you doe but dally*, welches sich metrisch halten läszt.

V. Wörter, in denen Sh. die der alten Zeit eigenthümliche Abwerfung der Vorsilben (P. Sh. S. 129) zuläszt, werden mehrfach verdrängt. Statt *stonish, waile, peare, hauior* schreibt Fol. 1 *astonish, warrant*, *pierce*, *humour* (92. 99. 122. 51). Später nimmt diese Modernisierung immer zu. So bietet Fol. (2. 3) 4 für das *peace-parted* (S. 141) *peace-departed*. — Gehört auch *aduise* (Fol. 1) für *deuise* (qu.) p. 128 dahin?

VI. Einige ältere Verbalformen werden verdrängt. So schreibt Fol. 1 *struck*', *sate*, *strucken* (qu. 1, ganz modern *stricken*), *taken*, *borne* für resp. *strooke* (145), *sat* (135), *stroken* (90), *tooke* (138), *bore* (139), obgleich im ganzen erst die jüngeren Folioausgaben diese Art der Modernisierung consequenter durchführen. Doch hat z. B. bei dem S. 158 vorkommenden *strooke* selbst Fol. 4 noch *strook*. Auch der in allen Folioausgaben wiederholte Solöcismus *shew'd* (Particip) für *shown* (S. 55) ist zu bemerken. (so L. L. L. 5, 2 *mis becom'd*; Jul. Caes. 3, 1 *Vnshak'd*. Aehnliche Solöcismen vom P. Sh. corrigiert cf. p. 148.) Auch die alterthümliche Anwendung des *think* als Impersonale scheint einigemal verdrängt. So 129.

Qu.	F. 1
so farre he topt me	*so farre he past my*
thought	*thought,*
That I in forgery of shapes and	*That I in forgery of shapes and*
tricks	*trickes*
Come short of what he did.	*Come short of what he did.*
und S. 146:	
Dooes it not thinke thee stand	*Does it not, thinkst thee, stand*
me now vppon?	*me now vpon*

wo die F. 1 einen widrigen Solöcismus bietet. Diese impersonelle Wendung wird schon in Sh.s Zeit selten, früher sehr häufig, bei Chaucer und noch früher, z. B. bei R. Gl. I, 32 *and that was hire thoȝte ynoȝ*. Alte Impersonalien bei Shakespeare sind T. G. 5 extr. *That you shall wonder what hath fortuned;* C. E. 2, 1 *Or else, what lets it but I would be here?* ; M. N. D. 1, 1 *How chance* = wie geht es zu (5, 2); T. S. 3, 2 *It skills not much* (noch plttdsch. *dat schêlt nich vêl* = das macht nicht viel Unterschied); T. S. 4, 4 *It likes me well*; A. W. 4, 4 *it hath fated her* (es ist ihr bestimmt worden) u. a. m. Auch in unsern ältern Sprächen waren viel mehr Impersonalien als in dem neueren Deutsch: Grimm IV p. 227—252.

VII. Manche alterthümliche seltene Wörter und Wortformen werden verdrängt. Auszer den schon erwähnten *ascaunt*, *cull-cold*, *laudes*, *thё umber*, *cóncliue*, *can*, *Crants*, *learne* (= lehren), *congruing*, *inuest* *), namentlich noch *iump* (16) und *co-mart* (17); F. 1

---

*) Nicht uninteressant ist, dasz ein Fall dieser Art auch innerhalb der Quartos vorkommt, so dasz die Smethwickeschen einen obsoleten Ausdruck (*inseamed*) durch einen gewöhnlicheren (*incestuous*) ersetzen (102). Die aus Editorenrücksicht oder aus Bedenklichkeit der recitierenden entsprungenen Varianten in F. 1 (z. B. S. 142 *Come* für den Fluch *S'wounds*) sind oben nicht mitgerechnet. Es stehen bekanntlich durch die ganze Fol. 1 durch. So steht *Heauen* für *God*

schreibt für jenes *just* (obwol *jump* damals nicht trivial war, wie es denn p. 158 von allen alten Ausgaben in feierlicherer Rede geboten und auch von den Hgg. (welche Kritik!) gebilligt wird); für dieses *Cou'-nant;* ferner *new hatcht* (F. 1 *vnhatch't* 32, cf. P. Sh. S. 230 *new* in diesem Sinne = erst eben, kommt auch in den alterthümlichen Reden der Schauspieler 2, 2 *A rowsed Vengeance sets him new a-worke* vor; in einem von 1448 datierten Prosa-MS. ebenso *newe;* noch früher (in dem ältern MS. von Rob. Gl. Saec. XIII ex.) stand *newe* = *no whit*, neuer, z. B. R. Gl. p. 468 *Hearne: Ac newe hadde god cas* aber sie hatte nie Glück); *an* und *a* für *one* (21). *Bonds* für *bands* (21), *Ere* für *Or* (27. 145. Hr. D. läszt seltsamerweise *Or* S. 26 gelten, weil *Or ere* da zusammenstehe, ohne zu bedenken, dasz nach qu. 2 ff. es auch S. 27 *Or euer I had* (und nicht getrennt wie F. 1 hat: *Ere I had euer*) heiszt, und dasz also beides von derselben Modernisierung zeugt); *whilst* öfter für *while* und *whiles* (32. 54. 159 *whiles* für *while*); *sometimes* für das ältere *sometime* (21) *); *fowards* für *toward* (25. 22). Die Verdrängung der alten 2 ps. Sing. Praes. auf *s*, S. 42 *pursuest* für *pursues* (anderswo haben nicht selten erst die jüngeren Folios *st*, z. B. S. 37 qu. 1 *Reuissets;* qu. 5 *Reuisites;* F. 1 *Reuisits;* F. 4 aber *Revisit'st* (so M. N. D. 5, 1 *stands* für *standst* Temp. 1, 2 *thou was;* ib. *thou stroakst me and made much of me;* Haml. qu. 1 *thou vsurps*), doch läszt sich dieser Fall auch anders deuten; die Verdrängung des alten *and* (so immer die alte Orthographie für *an*) durch *if* (150) und des *So* = wenn, durch *If so* (128), des feineren Conjunctivs (*turne*) nach *till* (122) und (*be*) nach *that* (100); *ordinate* für *ordinant* (146), wie *Imperiall* für *Imperious;* *no other thing . . . than* (auffallenderweise hier *than*, nicht *then* geschrieben) für *nothing . . . but* (61).

Häufig dagegen bietet F. 1 *he* für *a*, nicht ganz selten auch *you* für *yee* (49. 52), häufiger umgekehrt *ye* für *you*. Aber Princip der F. 1 ist *mine* und *thine* vor Vocalen und stummem *h* zu schreiben, während in qu. 2 ff. *my* und *thy* auch da sehr häufig sind; zuweilen steht es in F. 1 jedoch auch (41. 64). Qu. 2 ff. hat die Form *Howsomeuer* zweimal, wo qu. 1 und F. 1 *howsoeuer* haben (42. 45); an einer andern hat auch F. 1 ff. *someuer* (94). Dasz F. 1 und qu. 1 stets *vilde*, qu. (5) und F. 4 stets *vile* schreiben, läszt sich verschieden deuten. Richtiger ist *vile*, aber *vilde* war eine sehr übliche Corruption in Shakspeares Zeit.

VIII. Auch alterthümliche Messung und Betonung scheint hin und wieder verdrängt, wenn auch diese zarten Punkte der Sprachbildung

---

28. 40. 49. S. 40 *It seemes* für *By heauen;* 52 *one* für *and* (wenn es als unheilig galt, zu denken und zu sagen dasz nicht nur der Gehorsam, sondern auch die Seele dem Könige gegeben werde); 71 *Why* für *s'wounds*.

*) S. 56 (in Prosa) *sometimes* in beiden Recensionen, es war schon damals die Form des täglichen Lebens.

lange noch nicht genug für dieses Gebiet durchforscht sind, um mit
Sicherheit über jede Einzelheit urtheilen zu können. In folgenden Beispielen ist das 'erste die Quarto (5)-, das zweite die Folio (1)- Lesart:
31. *The safety and health of this whole state* | *The sanc-
tity and health of the weole State.* — 20. *Where wee shall findhim
most convénïént* (ob auch qu. 2—4?) | *convéniéntly* (qu. 1).
— 56. *It may bee very like.* (Halbvers) | *likely.* — 129. *And for
your Rapier most espécïáll*, (ob auch qu. 2—4?) | *— especial-
lÿ* (so Fol. 1). — 159. *To haue próoued most róyall; ánd for hís
passáge* (ob auch qu. 2—4?) | *To haue prou'd most royally
And for his pássage.* — 33. *Of each new hatcht vnſledgd couráge;
beware* (auch qu. 1). | *Of each vnhatch't, vnſledg'd Comráde. Be-
ware.* — 32. *Whilës a puft, and reckles libertine,* | *Whilst like
a puft and recklesse Libertine.* — 43. *There's néuer a villáine,
Dwelling in all Denmárke But heé's an arrant knáue* *). | *There's
nere a villaine dwelling in all Denmarke But hee's an arrant
knaue.* — 51. *Of Hamlets transformatïon. so call it* (so nennt
es) | *: so I call it.* — 47. *Fayth as you may seasón it in the charge* |
Faith no (das *no* ist weniger fein und praegnant in der Antwort: Ei,
das ist alles wie ihr die Sache vortragt). — 34. *You must not tak't
for fire: from this time* | *You must not take for fire. For this
time Daughter.* — 56. *And all wee mourne for. Doe yoú thinke
this?* | *And all we waile for. Do you thinke tis this?* — 155. *In
thee there is not halfe an houres life* | *In thee, there is not halfe
an houre of life;* — 28. *Armëd at poynt, exactly Cap apea*
(qu. 1 *Armëd to point*) | *Arm'd at all points.* — 127. *Too
slightly tymbered for so louëd armes*, (qu. 2 ff. *louëd armd*) | *loud
a Winde.* — 56. *And hee repel d.* (so qu. 5) *a short tale to
make,* | *And he repulsed. A short Tale to make,* — 57. *Excellent
wéll, you áre a Fishmongér*, (vielleicht Prosa) | *Excellent, excel-
lent wéll: y'are á Fishmónger.* — 126. *She ís so cóncliue to my
life and soule,* | *She's só coniúnctiue.* — 30. *The pérfume
ánd suppliánce óf a minute No more* | *The súppliánce of á minúte?
No móre.*
Diese Stellen, welche aus dem Anfang und Ende des Stückes
ausgewählt sind, lieszen sich leicht vermehren. Sicher ist, dasz Messungen wie *faëry, saféty, convenïent, especiall, transformatïon, na-
tïon, armëd, lovëd, repellëd* (oder *shortë*) bei Spenser Regel
sind, namentlich am Ende im Reim, während im Innern auch die syn-
kopierten Formen häufig sind; sicher, dasz auch Zerdehnungen namentlich bei Consonantenverbindungen mit einer liquida wie *fiér,
hourës, mourën, juggëler, beamës* (F. Q. 3 Introd. 4) **) *Certës*

---

*) Scheint Citat.
**) *Whiles* und *Whilest* habe ich bei Spenser nicht anders als ein-
silbig bemerkt.

10 *

(sehr oft) vorkommen; sicher endlich, dasz von diesen archaistischen Messungen sich ein Theil trotz aller Modernisierung der späteren Ausgaben auch bei Sh. bewahrt hat, namentlich von Malone als solche erkannt, obwol sie, soweit wir jetzt urtheilen können, bei Sh. nicht Regel, sondern Ausnahme sind, und am häufigsten in den ältesten Stücken vorkommen, so wie die auf *ed* am liebsten am Ende des Verses und vor Vocalen. Vgl. P. Sh. S. 379 f. 365. Auch wissen wir (am gründlichsten, obwol noch immer nur sehr mangelhaft, durch die Forschungen von Nares), wie die bei Spenser noch ziemlich häufigen französischen Betonungen wie *couráge, passáge, villaín, seasón* bei Sh. zwar, wie bei den Dramatikern überhaupt, seltner werden, aber doch auch noch vorkommen, so wie umgekehrt Unterschiede zwischen dem paroxytonierten Adjectiv-Substantiv und dem oxytonierten Verbum sich festgehalten finden, welche bald nachher so oder so verschwunden sind. Vgl. P. Sh. S. 24. 360 ff. 406. — Sollen wir demnach den Zuwachs an neueren Messungen und Betonungen der modernisierenden Hand des Dichters selbst, oder vielmehr der Schauspielerredaction oder Schauspielerrecitation zuschreiben? Wenn wir bedenken, dasz es ja gerade die Sprache des täglichen Lebens ist, die die volleren Formen synkopiert und die Betonung der Fremdwörter umbildet, so werden wir hier den Einflusz derselben auf den Bühnenvortrag erkennen. Denn während der dramatische Dichter schon um desselben Grundes willen vieles von der Licenz der Doppeltonigkeit, die ein nur für die Leserwelt schreibender episch-lyrischer Dichter benutzen konnte, nachlassen muste, so gilt das in noch viel höherem Grade von den recitierenden Bühnenkünstlern, die immer mit der gesprochenen Sprache in Harmonie bleiben musten. Und gewis war in dieser Zeit der Bewegung des Volkes manches um 1623 schon so veraltet, dasz es nicht mehr auf das Theater passte, was natürlich noch mehr von grammatischen, onomatologischen und phraseologischen Archaismen gilt, da bei den metrischen der Schauspieler immer den Ausweg hatte, den Vers beim sprechen zu verletzen. Gieng doch gerade in solchen Dingen, wie Malone schön erwiesen hat, die Folio 2, nur neun Jahre später, nicht minder dreist zu Werke, indem sie die doppelten Comparative, die doppelten Negationen u. a. m. verdrängte, und sie hatte doch wenig oder gar keine authentische Mittel den Text zu bessern *).

Manche einzelne jener Fälle sind noch von besonderem Interesse, z. B. der, wie es scheint, alte alliterierende Spruch von 3 kurzen Zeilen, eine Art Triplet. S. 43, die rhetorische Betonung des *you* S. 56 (denkst du es? ich nicht), die Oxytonierung von F. 1 *fishmongér;* P. Sh. 360. 496, die Möglichkeit einer wegen des unverständlichen *loued*

---

*) Von einem der wichtigsten Punkte, der scheinbaren Verbindung des Pluralsubjects mit dem Praedicat im Singular habe ich absehen müssen, da dieser Fall mir, als meist nur auf einem *s* am Ende beruhend, kein klares Resultat ergeben hat. S. Nr. 8 a. E.

arnd erfundenen Variante in der Rolle des Königs S. 127, und anderes, wobei wir uns jetzt nicht aufhalten wollen.

(Schlusz folgt im nächsten Heft.)

·Eisenach.   *Tycho Mommsen.*

9.

Zur Nibelungenfrage. Ein Vortrag, gehalten in der Aula der Universität Leipzig am 28. Juli von F r i e d r i c h Z a r n c k e. Nebst zwei Anhängen und einer Tabelle. Leipzig, Verlag von S. Hirzel. 1854. 42 S. 8.

Der Vf. setzt im Eingange seines Vortrags es als bekannt voraus, dasz im Laufe des verfloszenen Jahres eine der Lachmannschen durchaus widersprechende Ansicht über das Nibelungenlied von Hrn. Hofrat Holtzmann in Heidelberg aufgestellt ist — gleiches kann also auch wol Ref. Der Vf. bezeichnet den Gegensatz beider Ansichten und beider Parteien als einen diametralen, gewis mit Recht — doch hofft Ref. es sollen derer doch nur wenige sein, welche Holtzmanns Untersuchungen mit Geringschätzung, ja mit Ausdrücken der Entrüstung von sich weisen — vermag man auch die Holtzmannschen Untersuchungen nicht anzuerkennen — das Verdienst, die Frage neu angeregt zu haben, kann ihnen nicht abgesprochen werden und ebenso wenig das weitere, dasz durch diese Anregung die Sache noch einmal gründlich untersucht und villeicht entschieden wird. — Der Vf. erkennt Holtzmanns Ansichten als begründet, indem er durch eigene Studien fast zu denselben Resultaten gekommen ist — und so kennzeichnet denn auch die ganze Auseinandersetzung eine Selbständigkeit, ein Streben unabhängig zu untersuchen und zu entscheiden, die eine ausfürlichere Besprechung dieses kleinen Schriftchens rechtfertigen wird.

Der Vf. beginnt mit einer Darlegung der Handschriften des Nibelungenliedes und ihres Verhältnisses zu. einander, auf die Ref. nicht weiter einzugehn nötig hat, sodann geht er näher auf eine Beurteilung der Handschriften ein. Er betont die gute Beschaffenheit der Handschrift C, gibt aber selbst zu, dasz der ursprüngliche Text auch in einer spätern schlechten Hs. stehen könne — trotzdem sagt er ein paar Zeilen weiter äuszere Gründe sprächen für C. Ref. hält diesen Schlusz für etwas zu rasch — die äuszere Schönheit von C ist noch kein äuszerer Grund, der für die U r s p r ü n g l i c h k e i t ihres Textes spräche, wie ebensowenig die Nachlässigkeit, mit der A geschrieben ist, dagegen beweisen kann dasz diese Hs. nicht den ursprünglichen Text enthalte. Auch kann schwerlich der Stufengang allmähliger Verschlechterung der Hss. hier stattgefunden haben, da A eine von der

in C befindlichen ganz abweichende Recension des Textes enthält und
ferner wol schwerlich so viel später als C geschrieben ist, um einen
solchen Schlusz begründen zu können. Wäre der Text in A und C
ohne die Verkürzungen ganz gleich und gehörte A dem 14n Jh. an,
so stünde die Sache freilich anders — aber so steht es eben nicht.
    Doch der Vf. wird selbst auf die äuszere Beschaffenheit der Hss.
nicht viel Wert legen und Ref. kann ihm also zu dem folgen, was er
über den innern Wert sagt. Mit Recht hebt er hervor, dasz C den am
harmonischsten in sich zusammenhängenden Text enthalte — aber
widerum scheint dem Ref. zu rasch geschloszen, wenn er zufügt: die
Kritik habe so lange C für die ursprüngliche Bearbeitung zu halten,
bis überzeugende Beweise geliefert worden seien, dasz in diesem
Falle ein von dem sonstigen Verfahren abweichendes einzuhalten sei.
Handelte es sich hier um ein Kunstgedicht, wie der Parcival ist, um
das Erzeugnis eines einzelnen Dichters, so wäre diesz gewis richtig
— um so mehr, da die Kunstgedichte der damaligen Zeit fast alle
nach einem fremden abgeschloszenen Gedicht gedichtet sind — es handelt sich hier aber um ein volksmäsziges Epos, dessen Stoffe nicht
den Büchern, sondern dem Volksleben, dem Volksgesang entnommen sind — und diesz ist im tiefsten Grunde eigentlich der Gegensatz
der Lachmannschen und der Holtzmannschen Ansicht: Ist das Nibelungenlied Volksgedicht oder Kunstgedicht? Lachmann hat das erste
unbedingt festgehalten und weil ihm in der Hs. A das Nibelungenlied
noch mehr als Volksgedicht entgegentrat, darum hat er ihr den Vorzug gegeben, darum tritt seine Wahl dieser Hs. ohne Begründung auf,
weil sie bei ihm auf dieser Anschauung ruhte, wie der Vf. diesz auch
auf S. 10 mit Recht angibt. Ist aber diese Anschauung Lachmanns berechtigt, ist das Nibelungenlied ein Volksepos und gehört unter die
Hauptkennzeichen volksmäsziger Darstellung die Einfachheit — musz
dann nicht eine Hs. als Grundlage der Kritik bedenklich erscheinen,
die nicht ein einfach erzälendes Gedicht, sondern ein ritterlich-höfi-
sches, mit dem Glanz der Schilderungen, welche die Kunstpoesie damaliger Zeit auszeichnen, ausgestattetes gibt?
    Doch wir sind damit schon in den eigentlichen Gegenstand des
Streites hineingetreten und folgen dem Vf. mit Uebergehung dessen
was er über die Analogie des Homer sagt, zu den einzelnen Beweisen,
welche er aufstellt. Er gibt zunächst zu dasz der Stoff der Nibelungen in kürzeren Liedern in mündlicher Tradition fortgelebt habe und
diesz läszt dem Ref. den diametralen Gegensatz doch als nicht gar zu
sehr trennend erscheinen — es ist damit doch ein gemeinsamer Boden
zur Verständigung gegeben. Mit Recht setzt er weiter es als naturgemäsz auseinander, dasz am Ende des 12n und im Anfang des 13n
Jh. sich der Trieb gezeigt habe, diese einzelnen Lieder zu einem ganzen zu verbinden — dann fürt er fort: 'Was ist das warscheinlichere,
dasz dieser Trieb lebendig ward in einem groszen Dichter, der den
Stoff in einem Zusammenhange reproducierte oder dasz er erwachte
in einer pedantischen geschmacklosen Seele, die doch wider sinnig

genug war die bedeutende Anzal von zwanzig Liedern in verschiedenen Gegenden des Landes aufzuspüren, aus dem Volksmunde aufzunehmen, mit einer Sicherheit und Correctheit, der ich im Mittelalter
nichts ähnliches finde, sie aufzuschreiben, fast unberürt zusammenzustellen, dann aber mit erbärmlichen eigenen Pfuschereien zu um-
kleistern?' Das scheint dem Ref. wider zu rasch gefragt. Die Entwickelung unserer Litteratur von der Mitte des 13n Jh. war eine all-
mählige: Compilationen, wie das Annolied und die Kaiserchronik, sind
eben bei dem ersten erwachen unserer Litteratur gedichtet worden;
sind auch grosze Dichter aufgetreten, wie die Pfaffen Lamprecht und
Konrad, so leiden ihre Gedichte noch an einer gewissen Unbehülflich-
keit der Form, welche später zur Umdichtung in eine glättere Form
Ursache gab; und auch in den gewaltigen Dichtungen dieser Männer
ist es doch nicht die Person des Dichters, welche den Stoff lebendig
macht, sondern die Anwendung volksmäszig überlieferter Schlacht-
beschreibungen u. dgl. Mit dieser Entwickelung unserer Litteratur
stimmt aber die Lachmannsche Ansicht gut, die Holtzmannsche nicht
sonderlich — ihr fehlt eine Vorstufe, wie sie für Konrad von Würzburg in Herbert von Fritzlar, für Gottfried von Straszburg in Eilhart
von Oberg gegeben ist.— Das ist eins. Das zweite, das Ref. zu jener
Frage bemerken möchte, betrifft die Person des Samlers. Es ist doch
wol damals nicht nötig gewesen, die Lieder, wie heutzutage Volks-
liedersamler für ihre dicken Bücher thun, in verschiedenen Gegenden aufzuspüren; die zalreichen Anspielungen auf die Helden des
Nibelungenliedes, selbst auf unbedeutende, wie Rumold, zeigen uns,
dasz diese Lieder damals jedem bekannt waren, gerade wie im 16n
Jh. jeder den Benzenauer und vil andere Lieder auswendig konnte.
Und hierin liegt der Grund zu der Sorgsamkeit und Genauigkeit, mit
der der Samler zu Werke gieng: es war nicht sein Eigentum, mit dem
er schalten und walten konnte, es war das Eigentum seines Volkes
— die Treue hat etwas herzbewegendes, mit der dieser Samler
lieber einen inhaltslosen Vers anklebte, als an dem überlieferten etwas
änderte. — In dem Werke eines bedeutenden Dichters hätte das Volk
seine eignen Sagen nicht sogleich widererkannt und ich glaube, es
ist vil warscheinlicher, es sei ein solcher, frei schaltend mit dem
Stoff, erst aufgetreten, als die Kunstpoesie an fremden Stoffen sich
ihrer Kraft bewust geworden war und nun sich auch zurück zu den
einheimischen Liedern wandte, nachdem diese durch die Samlung
schon mehr dem Volksleben entrückt und in den Kreisz der mehr
kunstmäszigen Dichtung gezogen waren.

Mit Recht sagt der Vf. weiter, dasz mit der Holtzmannschen Ansicht sich allerdings die Entstehung aus einzelnen Liedern noch immer
verträgt — aber wir sind dann auf die kahle Vermutung reducirt,
dasz es solche Lieder gegeben haben möge und die weitere Frage:
woher nahm der Dichter der Nibelungen, wie das Gedicht in C vorliegt, seinen Stoff? bleibt gänzlich unbeantwortet, wärend nach der
Lachmannschen Ansicht diese Frage einfach beantwortet wird: er nahm

ihn aus bereits vorhandenen Bearbeitungen, diese aber nahmen ihn,
wird die weitere Antwort lauten müszen, aus dem Volksmund. Die
Holtzmannsche Ansicht stellt ein glänzendes Licht an den Anfang, das
aber nicht einen Stral rückwärts wirft.

Der Vf. geht nun S. 13 näher ein auf das Verhältnis von C zu A,
dem Zwecke des Vortrags gemäsz, nur übersichtlich. Zugegeben dasz
C bei gleichen Reimen die seltnern Formen und Ausdrücke hat, folgt
daraus mit Notwendigkeit, dasz das ganze Gedicht selbst älter ist?
Könnte sich der Dichter nicht an ein älteres Original, das von A im
einzelnen abwich, könnte er sich nicht an die Form, in der die Lieder
im Volksmund in seiner Gegend lebten, angeschloszen haben? Be-
warte villeicht gerade sein Dialekt ältere Formen? Und mit Recht
urteilt der Vf. über die Motive der Aenderungen in A nicht mit voller
Sicherheit, wenn er sagt, sie schienen auf ähnlichen Motiven zu
beruhen, wie die Correcturen in den Umarbeitungen des 13n Jh., mit
Recht nennt er dieses Gebiet sehr schlüpfrig, und mit Recht mahnt er
hier zu Bescheidenheit des Urteils und des Ausdrucks. Der ganze
Passus S. 14 verdient, namentlich gerade von den Gegnern des Vf. gelesen und beherzigt zu werden. Zu dem Beispil möchte sich Ref.
doch eine Bemerkung erlauben. Sollte wol ein Schreiber, und wenn
er noch so eilfertig wäre, die Notiz über den Sigfridsbrunnen, die
in seine unmittelbare Gegenwart einschlug, ausgelaszen haben — warum hat er nicht an dem hin- und herreden zwischen Hagen Gunther und
Sigfrid, an der Jagd abgekürzt?

Etwas zu scharf sagt der Vf. S. 15 gegen Lachmann und seine
Schule, der Grundsatz, das bessere und edlere für das ursprüngliche
zu halten, solle für das Nibelungenlied nicht gelten und er wisse
dann keinen Maszstab, nach welchem hier das ursprünglichere zu ermitteln wäre. So steht die Sache doch hoffentlich nicht und es wird
niemand behauptet haben, es solle das gute und edle nicht auch im
Nibelungenlied dafür gelten — nein der einzige Maszstab, der anzulegen ist, ist die Rücksicht auf das volksmäszige. Danach ist, wenn
möglich, zu entscheiden. Was hilft es, den 'armselig' und 'dürftig'
Lachmanns ein 'schön', 'anmutig', 'allerliebst' entgegensetzen — das
fördert die Sache kein Haar, da bleibt es bei der subjectiven Empfindung, die der Vf. mit Recht als etwas ungewisses bezeichnet. Wir
haben ja noch ein allitterierendes Volkslied alter Zeit aus der Heldensage, wir haben noch diesem gleichzeitige volksmäszige allitterierende
Gedichte christlichen Inhalts — halte man doch immer das Nibelungenlied neben diese und sehe man zu, ob die Schilderungen usw. zu
dem raschen Gang dieser Lieder passen, wir haben noch Volkslieder
erzälenden Inhalts aus späterer Zeit, auch diese kann man als Maszstab brauchen. Lachmann hat diesen Maszstab fast immer vor Augen,
wenn er es auch nicht ausdrücklich sagt, und das Resultat des begonnenen Streites musz sein, dasz wir das Nibelungenlied noch einmal
gründlich nach dieser Richtung hin prüfen und auf diesem Wege zu
einem Verständnis, zu einem Urteil über das Lied selbst kommen —

dann wird sich der Streit über die Handschriften schon entscheiden,
der von diesen selbst aus nie zu entscheiden ist.

Uns armen Anhängern von A wird freilich jetzt schon vom Vf.
der Beweis aufgelegt, dasz A nicht aus C entstanden sein könne und
uns gleich gesagt, wir würden das nicht beweisen können. Nun, das
gibt Ref. gleich zu, beweisen, mathematisch beweisen, läszt sich das
auch nicht, und er ist um so begiriger auf den Gegenbeweis. Hier
geht der Vf. ins einzelne und wir müszen ihm folgen. Die Anekdoten
und Scherze, welche er anfürt, scheinen dem Ref. Zeichen des bereits
sinkenden Volksgesangs, wie denn der Rosengarten dergleichen genug
hat und die Angabe Kriemhild habe ihren Sohn bringen laszen, um
den Streit anzufangen, passt ganz zu dem Charakter der Kriemhild,
wie er im Rosengarten vorligt. Diesz könnte also ein Beweis — doch
nein, der ist ja nicht möglich! — wenigstens eine Warscheinlichkeit
sein für die Vermutung, A habe unmittelbar aus dem Volksgesang
damaliger Zeit, der seinem Ende nahe war, geschöpft. Und ist nun
nicht der Schlusz, ein Mann von Geist, wie der Dichter von C, habe
diese Dinge aus poetischem Gefül weggelaszen, ebenso natürlich als
die Vermutung, es habe sie ihm ein Schreiber hineincorrigiert? Doch
es ist mit dergleichen Vermutungen nicht viel zu wirken — eins
aber möchte Ref. dem Vf. noch entgegenhalten. Er findet die Hinweisungen auf das tragische Ende des Liedes so schön (S. 17) und
nach unsern Begriffen ist es das auch. Aber ist eine solche Hinweisung auf die Zukunft der einfachen epischen, ist sie der Volkspoesie
angemessen? Verrät sich nicht darin das reflectieren eines Dichters,
der schon über dem Stoff steht? Und würden wol unwiszende Schreiber und schlechte Dichter damaliger Zeit, die sonst so gern mit ihrer
Weisheit, mit den Büchern pralen, diese Gelegenheiten weggelaszen
haben, zu zeigen, dasz ihnen die Sache wol bekannt war, wärend
doch gerade Strophen solchen Inhalts in C stehen, in A nicht? —
Dasz dergleichen Hinweisungen auf die Zukunft der einfach epischen
Poesie nicht angemessen sind, das können wir aus Homer sehn, z. B.
enthält Buch XVIII in der Odyssee, dessen Thatsachen fast alle zu
einer Deutung auf die Zukunft auffordern, nicht eine vom Dichter ausgesprochene derartige Hinweisung. Dasz dieser Hinweisungen in C mehr sind als in A, dasz sie in C das ganze tragen und
zusammenhalten, könnte wider für die Ursprünglichkeit von A sprechen, aber freilich — A ist nach dem Vf. eine 'gewissenlose stümper-
hafte und naseweise Abschrift' und 'ein verlorner Posten' für den,
der über Textüberlieferung reden will. Zum Glück steht der Vf. auf
S. 20 nicht an, auch in C Verderbnisse anzuerkennen und Ref. glaubt
es werde in solchen Fällen der verlorne Posten doch wider ein wenig zu Ehren kommen. Wir wollen es abwarten — jetzt ist, wie
es scheint, die Richtung der deutschen Philologen der Merzal nach für
Holtzmann — kann es nicht einen Umschlag geben, sobald wir uns
von der ersten Aufregung erholt haben, in die uns die Art und Weise
versetzt, mit der er die Sache der bisherigen Richtung gerade ent-

gegengesetzt angegriffen hat? Sehr richtig gibt übrigens der Vf. die
Holtzmannschen Untersuchungen über die Entstehung des Gedichts und
über den Zusammenhang mit dem indischen Epos preis und diesz bezeichnet wider die Selbständigkeit, die Unabhängigkeit von Auctoritäten, mit der er auf die Sache eingegangen ist.

Dem Vortrage folgen zwei Anhänge. Der erste, Beiträge zur Beurteilung der Texte von C und A, gibt zuerst eine kurze Uebersicht
über die Abdrücke der verschiedenen Handschriften. Dann geht der
Vf. über auf eine einzelne Stelle Str. 342—352 und beweist evident,
dasz hier in A eine Lücke ist — das scheint sicher — aber musz man
daraus schlieszen, wie der Vf. thut, dasz hier nun alle in C stehenden
Strophen ausgefallen wären?. Die eine Strophe, welche die Antwort
Gunthers auf Kriemhilden Frage enthält, genügt vollkommen, denn
sie motiviert in der vierten Zeile hinlänglich die weitere Antwort
Kriemhilds Str. 349. Dasz diese oder eine ähnliche Strophe durch
Nachläsigkeit ausgefallen ist, an dieser Stelle, ist recht gut möglich
— aber der Schlusz doch wieder zu geschwind, dasz hiermit ein Beweis gegeben sei, A sei eine Kürzung von C. Der Vf. macht selbst
darauf aufmerksam, dasz im ersten Theil des Nibelungenliedes eine
Menge Strophen, im zweiten nur wenige bei A fehlen. Dieser Umstand aber scheint dem Ref. sehr gegen Holtzmann zu sprechen. Der
erste Schreiber von A, der bis 1659, 3 schrieb, hat also von Aven-
tiure XII an noch etwa vierhundert Strophen geschrieben ohne vile
Strophen wegzulaszen — war er aber eilfertig und gewiszenlos, ligt da
nicht die Annahme sehr nahe, dasz er, je näher er dem Ende seiner
Arbeit kam, auch mehr und mehr weggelaszen hätte? Bei dem Empfang, dem Leben Kriemhilds bei Etzel, und sonst war Gelegenheit
genug gegeben, warum wird der gewiszenlose Schreiber auf einmal
gewissenhafter? Und wenn es überhaupt galt abzukürzen, warum
kürzte der zweite Schreiber so wenig, dem doch auch z. B. in den
Reden über die Leiche Rüdigers Gelegenheit genug dazu gegeben
war? — Auch im zweiten Theil will der Vf. eine Lücke nachweisen,
gibt aber selbst zu, dasz die Strophen sich erträglich an einander
schlieszen. Er stellt hier als Beweis auf die Schönheit der weggelaszenen
Strophe, die er sehr gut ausfürt. — Ref. hat nur das eine Bedenken
gegen diese Ausfürung, dasz es doch noch schöner ist, wenn der
Unterschied, der zwischen Giselher und Rüdiger, zwischen König und
Lehnsmann besteht, nicht so ausdrücklich in den Vordergrund gestellt
wird und dasz es deshalb immerhin möglich ist, dasz ein späterer
Dichter aus den Andeutungen 1616, 2. 1619, 4 diese Strophe als Resultat gezogen hat. Wenn der Vf. glaubt, durch diese eine Strophe
werde das matte Gespräch zum vollendeten Ausdruck der tiefsten see-
lischen Zustände, so ist das eben der Reflex, der aus seiner eignen
Anschauung der Sache auf die einfachen Reden, welche das Lied gibt,
zurückstralt.

Abermals fragt der Vf. zu vil, wenn er auf diese beiden Beispile gestützt, deren eines er selbst nicht für ganz sicher hält, gleich

die Frage stellt, ob man noch behaupten könne, A sei ein vollständig
überliefertes Original? E i n e Lücke ist ja erst bewiesen.

Der Vf. geht (S. 32) zu den Varianten über und auch hier folgen wir ihm am besten gleich in das einzelne, da ein hin- und herbe-
haupten ins allgemeine nichts hilft. 342, 4 erregt die Lesart von C
deshalb Bedenken, weil *gemeit* gewönlich im Nibelungenlied von Helden gebraucht wird in beinahe feststehenden Formeln, selten in allgemeiner Bedeutung — es scheint eine Correctur, um den Scherz
wegzubringen. 192 will Ref. den Ausdruck nicht verteidigen, 669
aber scheint er ganz gut das schwanken Gunthers zu bezeichnen, der
es nicht abweisen kann und es doch abweisen möchte Sigfrid einzu-
laden. 1951, 1 gehört gar nicht in diese Kategorie. Dasz Sigfrid
350 und 351 in A ungenannt bleibt, ist natürlich, weil er selbst dabei
ist — eine Albernheit sieht Ref. noch nicht darin. Dasz 352 so an-
gehn müsze, wie in C, liegt doch nicht so gleich auf der Hand. Str.
349, 3 war genug versprochen und die sofortigen Anordnungen, welche uns 352 erzält, lassen ein nochmaliges versprechen überflüszig erscheinen. 1612, 1 kennzeichnet das allgemeine Wort *freuden* die
Lesart in C als Correctur, namentlich wenn man hinzunimmt, dasz 1607,
3 ausdrücklich erwänt ist, dasz den Gästen guter Wein geschenkt
wurde, worauf das Wort *getrunken* zurückweist. — 1615, 1 ist es
sehr auffallend, dasz in C nicht steht *des antwurte*, während doch gerade in C die Rede Rüdigers vorausgeht, auf welche Gernot antwortet,
offenbar nur, weil in derselben Strophe Zeile 4 wider *antwurte* steht;
erkennen wir hierin nicht die Hand eines Dichters, der die Darstellung möglichst formgerecht machen wollte?

Der Vf. geht nach diesen Beispilen zu dem Anfang des Liedes
über. Von der ersten Strophe sagt er, sie bezeichne mit groszer la-
pidarer Einfachheit den Inhalt des Gedichtes. Es kann nicht geleugnet
werden, dasz dieser Eingang volksmäszig ist, namentlich da das Annolied ähnlich angeht. Aber auch hier verrät die Lesart *arebeit* nur
zu deutlich sich als Correctur, da *küener* in der vierten Zeile wieder
vorkommt und doch ist die Wiederholung nur in der Form, nicht in
der Sache vermieden, denn was ist die grosze Arbeit anders, als eben
das streiten kühner Recken? Der durchgehende Innenreim ist ferner
ein Zeichen, dasz diese Strophe später ist, aus einer Zeit, in der die
Nibelungenstrophe anfieng in den Hildebrandston überzugehn. — In
Str. 2 ist Hinweisung auf das spätere; wie schon oben bemerkt, ist
diese jedoch dem Epos, dem Volksliede nicht eigen, deshalb gewis
nicht ursprünglich. In Bezug auf Str. 3 stimmt der Vf., wenn auch
aus ganz andern Gründen, mit Lachmann überein, der von dieser
Strophe sagt: es war wol getan sie zu streichen. In Bezug auf 21
möchte Ref. dem Vf. aber wider aus ganz andern Gründen beistimmen. Lachmann hat sie als echt beibehalten. — Die abweichende Reihenfolge der Strophen in C sieht wider aus wie eine Correctur (die
Namen sollten zusammengebracht werden) welche aber den Zusammenhang zerreiszt. Diesz ist ein kleiner Risz in den harmonisch zu-

sammenhängenden Text. — Wenn der Vf. sagt, die Persönlichkeiten
der königlichen Familie seien kurz und einfach vorgeführt, so ist das
ein fast zu günstiges Urteil. In Str. 4 könnte man eher eine Häufung
der Epitheta finden und die Widerholung des pflegens entspricht nicht
der Einfachheit ursprünglicher volksmäsziger Poesie. — In Str. 5
wird nicht einmal auf den tragischen Schlusz hingewiesen, sondern
nur auf die spätern Thaten der Könige — aber steht diese Zeile nicht
auffallend zwischen den Namen des Landes und der Stadt? Doch der
Vf. sieht in diesen abgeriszenen Sätzen (deren erster auch durch das
darumbe, das auf eine Person bezogen nicht recht passt, auffallen
kann) eine gute Exposition. Aber gerade diese Exposition könnte uns
bedenklich machen. Wir sind, von modernen Ansichten, namentlich
über das Drama, ausgehend, gewohnt von einem jeden poetischen
Werke eine Exposition zu verlangen. Gehört eine solche auch für
ein Epos das volksmäszige, mithin allgemein bekannte Sagen enthält?
Das Urteil des Vf. über Str. 8 zusammengestellt mit dem Lachmanns,
beweist, dasz mit subjectiven Maszstäben zu meszen nie zum Ziele
fürt. Der Vf. nennt sie mit Recht prosaisch, Lachmann 'an sich ganz
gut' — wem soll man glauben? Zu einer sichern Entscheidung ist
hier nur zu kommen, wenn man das einzelne in der Strophe erwägt:
die abermalige Nennung der Namen und namentlich das: *als ich ge-
saget hân* ist allerdings prosaisch und kann deshalb dem Compilator
und seiner Nonchalance angerechnet werden, die andere Hälfte kann
alt sein. Die breite Form des Nibelungenverses hat gewis hier und
da auch in ganz gute Strophen Zusätze gebracht, welche nur dem
Reim ihren Ursprung verdanken — hierüber ausfürlicher zu sprechen, musz ich einer andern Gelegenheit aufbehalten. — Str. 10 und
11 versucht der Vf. mit Glück gegen den Vorwurf der Widerholung
zu verteidigen, nur éins kann er doch wol nicht wegleugnen, dasz
der Ausdruck *der êren pflegen* zweimal vorkommt. — In Str. 12 findet er mit Recht das Ideal der Phantasie der Ritterzeit — macht das aber
nicht wider bedenklich in einem volksmäszigen Gedicht? Ist dieses Ideal
nicht erst durch die glänzenden Zeiten der Hohenstaufen hervorgerufen,
und wenn das, wie kommt eine solche Schilderung in ein Gedicht, das
seinen Grundlagen nach von den Anschauungen uralter Zeit getragen
wird? — In Str. 13 verteidigt der Vf., seinem Standpunkt gemäsz,
die Lesart in C als die ursprüngliche — aber bedenklich scheint, nach
dem Maszstab des volksmäszigen gemessen, die Häufung der Epitheta: stark, schön, wilde. Wild allein den Falken zu nennen dagegen
ist genügend und volksmäszig, ebenso ist auch der Ausdruck *manegen
tac* volksmäszig. Das *in disen hohen êren* ist sehr allgemein, wenn
man es mit dem Ausdruck *tugenden*, der damals noch etwas bestim-
tes bezeichnete, vergleicht; die jungfräuliche Zucht und Ehre bezeichnet der letztere Ausdruck gewis treffender. Die Verbindung mit der
vorhergehenden Strophe ist wol eine Beszerung des Dichters, dem die
Unverbundenheit der Schilderung des Hofes und der Geschichte von
Kriemhild auffiel; was aber die Sache nicht von selbst verbindet, das

verbindet das Volkslied auch nicht. Der Reim *kriemhilde wilde* könnte aus dem Dialekt des Dichters von C (dem östreichischen?), der vielleicht älteres bewart hatte, erklärt werden.

Der Vf. faszt dann noch die Unterschiede der Lesarten innerhalb dieser Anfangsstrophen zusammen. *Von des hofes krefte* (Str. 12) kann Schreibfehler sein. Die Wiederholung der Formel *ein üzerwelter degen* kann von einem Volkssänger herrüren, der immer denselben Trumpf glaubte ausspielen zu müszen, die Wiederholung aber könnte ursprünglicher sein als die Beszerung, die gerade abgewechselt hat (4 steht *waetlich*, 10 *üzerwelt*, 11 wider *waetlich*). Sind die andern Abweichungen 'peinigende', nun warum sollten sie nicht schon einen Dichter im 13n Jh. gepeinigt haben, so dasz er änderte? In 2, 1 behauptet der Vf., A habe *edel* in *schoene* verändert; aber Ref. glaubt, wer unbefangen liest, wird wegen des Comparativs in der folgenden Zeile *schoen* in der ersten für unbedingt notwendig halten — aber der Beszerer konnte, wenn er die dreimalige Wiederholung vermeiden wollte, an keiner andern Stelle beszern, denn *diu wart ein schoene wip* muste so bleiben. Hier scheint die Beszerung der äuszern Form wegen evident hervorzuleuchten, weil die Lesart von A, obwol der Form nach unpassend, dem Zusammenhang nach notwendig ist — oder sollte der eilfertige Schreiber hier in aller Eile das richtige gesetzt haben? — In Lachmanns Schlusz vergiszt der Vf. eine Hauptsache, nämlich den zweiten Satz: neben diesen inhaltslosen und unklaren Strophen stehen nun klare und schöne, wegen dieses auffallenden Unterschiedes können beide nicht von éinem Dichter sein, und auch der andere Schlusz: 'weil A voller Ungereimtheiten' usw. (S. 37) heiszt in der Wirklichkeit so: das Gedicht von den Nibelungen ist entstanden aus einzelnen Liedern; mit dieser geschichtlich nachweisbaren (s. S. 12 die Aeuszerung des Vf.) Entstehung stimmt der Text in A, indem er als eine Compilation dieser überliferten Lieder erscheint; also ist, bis das Gegenteil evident dargetan ist (und das ist der Ansicht des Ref. nach doch noch nicht geschehn), der Text von A für den ursprünglichen zu halten.

Im zweiten Anhang gibt der Vf. einen 'kurzen Ueberblick über den Stufengang der Bearbeitungen von C zu A', der wie die angehängte Tabelle über die Handschriften, das Büchlein auch für den Gegner nicht blosz anregend, sondern sehr brauchbar macht. Auf die kurzen Notizen, die der Vf. hier eingestreut hat, einzugehn, würde die Grenzen einer Anzeige weit überschreiten, weil jedesmal nur eine längere Auseinandersetzung zu einer Verständigung führen könnte.

Hanau.   *Otto Vilmar.*

10.

Grundrisz der Geschichte der deutschen Litteratur herausgege-
ben von Dr. Otto Lange, Professor in Berlin. Zweite ver-
besserte Auflage. Berlin 1854. Verlag von L. Nitze. VIII
u. 96 S.

Die Zahl der Grundrisse und Leitfaden der deutschen Litteraturgeschichte, welche mit dem Verlangen auftreten, dem litteraturge-
schichtlichen Unterrichte in den Schulen untergelegt zu werden, ist
fortwährend im wachsen begriffen; die Jahre 1853 und 1854 bieten
eine ganze Reihe solcher neuen für den Unterricht überhaupt oder einzelner Sphaeren desselben berechneten Schriften dar. Es ist das im
ganzen kein erfreuliches bestreben, dasz jeder sich aus seinen eignen
Forschungen und für die besondern Bedürfnisse seines Lehrberufes sein
Handbuch oder Leitfädchen zusammenstellt. Man geht dabei von den
Mängeln der schon vorhandenen Bücher aus und gibt ein neues Buch,
wenn nicht mit denselben, so doch mit andern Mängeln; es wäre weit
ersprieszlicher, wenn man sich an die vorhandenen gu ten, wenn auch
nicht ganz makellosen Lesebücher anschlösze und erst dann mit neuen
Arbeiten hervorträte, wenn wirklich ein b e d e u t e n d e r Fortschritt
durch dieselben erzielt würde. So in der Litteraturgeschichte; die
Lehrbücher von Helbig und Schäfer dürften dem Bedürfnis auf Gymnasien vollständig genügen, indem sich beide durch Vollständigkeit
empfehlen, das erstere noch besonders durch Kürze.

Das Verdienst der Kürze und Reichhaltigkeit des Stoffes mag
dem oben angekündigten Werkchen nicht abgesprochen werden. Es
hat auch die Prosa Berücksichtigung gefunden, aber nicht in ausrei-
chender Weise. Sollte die Geschichtschreibung in den Kreis der Betrachtung gezogen werden, wie dies im Anschlusz an Schiller (S. 81)
geschieht, so hätten auch andere Richtungen der Wissenschaft nicht
unberücksichtigt bleiben dürfen. Am wenigsten können wir uns mit
der Behandlung der neusten Litteratur einverstanden erklären. Wir
möchten überhaupt einem für den Unterricht bestimmten Leitfaden
nicht die Verpflichtung auferlegen, die Entwicklung der Litteratur bis
auf die Gegenwart zu verfolgen; denn einmal ist schon überhaupt hier
eine historische Darstellung noch gar nicht recht möglich, theils
scheint ein solches ausdehnen uns nicht im Sinne des Unterrichts zu
liegen. Dieser nemlich wird mit dem Abschlusz der classischen Litteraturperiode sein eigentliches Ziel erreicht haben; darüber hinaus
möchten allgemeine Andeutungen der Fortentwicklung und der Verkehr mit einzelnen besonders ausgezeichneten Dichterpersönlichkeiten
genügen: eine eigentliche Geschichte der neusten Litteratur gehört
nach unserm dafürhalten sowenig auf das Schulcatheder, als eine politische Geschichte der neusten Zeit: denn die Schule will nicht s t o f f-
l i c h erschöpfen, sondern durch Vorführung des historischen zum Verständnis des gegenwärtigen befähigen und anregen. Sollen nun solche

Bücher wie das vorliegende sich bis auf die Gegenwart erstrecken, so finden sie niemals eine Grenze, jede Auflage sucht ängstlich nach neuen Namen und überladet sich mit noch gar nicht historisch reif gewordenem Stoffe. Man braucht im Langeschen Grundrisz nur die letzten Paragraphen zu lesen, welche vom neusten Zeitalter handeln, die Behandlung der Unterhaltungslitteratur, des Dramas und der Lyrik und man wird schwerlich befriedigt sein; man vermiszt Namen, die nach dem Princip des Vf. nicht wohl fehlen dürften, und findet wieder, wie z. B. bei der Litteratur des Romans und Dramas, andere, die unbedenklich wegbleiben konnten. Es ist das die nothwendige Folge einer Ausdehnung, welcher der Stoff selbst widersteht. Können wir nun auch nicht der Ansicht sein, dasz man um des vorliegenden Grundrisses willen vom Gebrauche der oben bezeichneten Lehrbücher abgehen solle, so kann doch demselben nicht die Anerkennung versagt werden, dasz er mit Fleisz und Geschick gearbeitet, dasz er reich an Stoff, dasz die Anordnung im ganzen zweckmäszig und die Darstellung geläufig, nur selten der Praecision ermangelnd ist.

Dresden. *F. P.*

11.

Historischer Schulatlas in neun Blättern. Von Rudolph Gross, Ingenieur-geograph. (Querfolio.)

Damit verbunden:

Europa und die Nachbarländer in historisch-geographischer Entwicklung ihrer Staaten und Reiche. Ein Hülfsbuch für Unterrichtsanstalten und Geschichtsfreunde. Von Dr. Ludw. Schiller, Studienlehrer in Erlangen. Stuttgart, Schweizerbart. 1854 (152 S. 8).

Je mehr das erzielen lebendiger Anschauung als ein Hauptzweck des Geschichtsunterrichts anerkannt worden ist, um so mehr hat man das Bedürfnis historischer Karten empfunden und mehrfache Bemühungen dieses zu befriedigen geben ein erfreuliches Zeugnis von dem allgemeinen Interesse, welches an dem gedeihen der Schulen genommen wird. Es wäre in der That auch zu verwundern, wenn die ausgezeichneten Materialien, welche die Geschichtsforschung zu Tage gefördert, und die ausgezeichnete chartographische Darstellung, welche dieselben hauptsächlich durch von Spruner gefunden, nicht für die Schule benützt und bearbeitet worden wären. Wir können uns nur freuen, wenn mehrfache derartige Versuche gemacht werden, vorausgesetzt, dasz nicht einer stets blos eine Copie des andern ist, weil das zweckmäszigste sich immer erst nach vielen Erfahrungen und Prüfungen an verschiedenen Maszstäben herausstellt. Wenn wir dem-

nach das erscheinen des vorliegenden Atlas schon an und für sich als
erfreulich betrachten, so können wir dies noch mehr, weil er an Genauigkeit, Richtigkeit, Sauberkeit und Wohlfeilheit die meisten der
uns bekannten gleichartigen Werke übertrifft. Wir nehmen keinen
Anstand denselben als ein recht brauchbares und nützliches Hilfsmittel
zu empfehlen. Wenn wir nun gleichwol denselben als seinem Zwecke
nicht genügend bezeichnen und manche Ausstellungen machen, so soll
dies nicht die Anerkennung des geleisteten schmälern, vielmehr nur
zu späterer Vervollkommnung Beiträge und Winke liefern. Zuerst
finden wir auf vielen Karten die Schrift in einer Kleinheit, dasz wir
eben so sehr für die Augen der Schüler Nachtheil besorgen, wie Unsicherheit der Auffassung befürchten. Zweitens ist öfter dadurch,
dasz um zwei Namen auf denselben Raum zu bringen, dieselben durch-
einanderlaufend geschrieben sind, die Uebersichtlichkeit gestört und
die Leichtigkeit des lesens erschwert. Wichtiger aber ist, dasz wir
die Vollständigkeit vermissen, welche nach unserer Meinung ein der-
artiger Schulatlas haben soll. Zwar wird mancher, welcher mit dem
Atlas bereits Bekanntschaft gemacht, auf vielen Karten, wie z. B. auf
der III und auf den folgenden, namentlich im östlichen Europa, eher
eine zu grosze Vollständigkeit finden; wir aber tadeln dies nicht, weil
wir die Nutzbarkeit eines derartigen Hilfsmittels auch auf spätere historische Studien ausgedehnt wünschen, die Brauchbarkeit für die
Schule aber dadurch nicht gestört wird, wenn nur das für sie gehörige genug unterschieden hervortritt. Die Unvollständigkeit, welche
wir an dem vorliegenden Werke bemerken, bezieht sich vielmehr auf
den Mangel einiger Karten und einiger Angaben auf den gegebenen.
Für die alte Geschichte sind nur folgende Karten gegeben: I. Bekannte
Erde zur Zeit Alexander des Groszen. Mit Cartons: 1. Griechische
Staaten. 2. Eintheilung Palaestina's zur Zeit Jesu Christi und Zug der
Israëliten aus Kanaan nach Aegypten (diese auf dem Umschlage etwas
störende Verwechslung verzeihen wir gern). II. Das römische Reich
in seiner gröszten Ausdehnung. Mit Cartons 3. Italien zur Zeit des
zweiten punischen Kriegs. 4. Der Peloponnes und das eigentliche
Hellas. Wenn in den Händen der Schüler ein historischer Atlas sich
befindet, so sollte derselbe einen besondern für die alte Geographie
billigerweise entbehrlich machen. Bei dem vorliegenden wird dies
nicht der Fall sein. Der Schüler wird sich weder von Griechenland
noch von Italien durch die beigegebenen Cartons (offen gesagt, lieben
wir diese nicht, weil sie die Einheit der Karte immer stören. 1 müssen wir übrigens, da noch 4. gegeben wurde, für überflüszig halten),
eben so wenig durch die Hauptkarten von Kleinasien und dem Oriente
(manche werden wegen Caesars Commentarien auch Gallien hinzugefügt wünschen, doch erscheint uns dies als ein zu specielles, bei
Schulausgaben zu befriedigendes und auch bereits befriedigtes Bedürfnis) diejenige Anschauung erwerben können, wie wir sie für die genauere Kenntnis der alten Geschichte, insbesondere aber für die Lectüre
der alten Schriftsteller wünschen müssen. Freilich findet sich das noth-

wendigste alles auf den Karten, aber der Schüler musz erst in den
beigefügten Verzeichnissen die Namen und dann auf der Karte selbst
die Zahlen und Buchstaben suchen. Dem Schüler wird hier eine wesentliche Erleichterung durch feste, am liebsten farbige Umrisse geboten. Würden wir demnach gröszere, genauere und ausgeführtere
Karten von Griechenland und Italien für nothwendig betrachten, so
glauben wir, dasz allen andern Bedürfnissen genügt werden könnte,
wenn eine Karte der Länder um das Mittelmeer vor der Zeit der Per-
serkriege (vielleicht 560) gegeben wäre. Auf ihr lieszen sich z. B.
die Länder Kleinasiens abgrenzen, und — was das wichtigste — die
Verbreitung der griechischen Colonien, in der That eins der wichtigsten Momente der alten Geschichte, zur Anschauung bringen. Wir
glauben, dasz man dabei nicht zu ängstlich sein müsse, um jede erst
nach 560 angelegte Colonie auszuschlieszen. Die drei folgenden Karten 'III. Wohnsitze der Deutschen und ihrer Nachbarn in den ersten
Jahrhunderten ihres Auftretens. IV. Uebersicht der nach der Völker-
wanderung entstandenen Reiche. Mit Carton: 5. Germanien um die Mitte
des 5. Jahrhundert. V. Europa zur Zeit Karls des Groszen. Mit Carton: 6. Reiche der Franken um die Mitte des 6. Jahrhunderts' genügen
dem Zwecke vollkommen, zumal die Theilung des Frankenreichs durch
den Vertrag zu Verdun auf der letzten anschaulich gemacht ist. Ob
nicht auf der letzten Karte durch eine gröszere Ausdehnung der Grenzen auch des weltgeschichtlich so wichtigen Khalifenreichs Ausdehnung zur Anschauung hätte gebracht werden können, lassen wir dahin gestellt sein. Wenn wir nun Europa zur Zeit der Hohenstaufen
folgen sehen, so vermissen wir allerdings die beiden burgundischen
Reiche, deren Lage den Schülern einige Schwierigkeit zu machen
pflegt, halten dies aber für weniger wesentlich; dagegen müssen wir
eine specielle Karte für die Eintheilung Deutschlands im Mittelalter
— wir würden dazu auch die Zeit der Hohenstaufen wählen und glauben, dasz die alten Herzogthümer zugleich mit deren Zertrümmerung
recht gut zur Anschauung gebracht werden könnten; auch die beiden
burgundischen Reiche könntèn hier eine Stätte finden — für ein Bedürfnis erklären, dem in einem historischen Schulatlas abgeholfen sein
sollte. Wir denken, dasz jeder, welcher die deutsche Geschichte mit uns
als den Mittelpunkt und Kern des Unterrichts über das Mittelalter erkennt, diesen Wunsch theilen wird. Die VII. Karte 'Europa zur Zeit
Karls V. Mit Carton: 8. Amerika zur Zeit Karls V' stellt einen bedeutenden Zeitpunkt dar. Die VIII. Karte 'Deutschland nach dem
dreiszigjährigen Kriege' nehmen wir keinen Anstand als ausgezeichnet
zn bezeichnen. Wenn dagegen die letzte Karte Europa zur Zeit des
Napoleonischen Kaiserreichs bringt, so würden wir lieber eine Darstellung des Territorialbesitzes vor der französischen Revolution gesehen haben. Dieselbe würde alle die seit dem dreiszigjährigen Kriege
vorgegangenen Veränderungen, namentlich auch Preuszen, wie es
durch Friedrich den Groszen gestaltet war, zur Anschauung bringen.
Die Grenzen des französischen Kaiserreichs sind dann für den Schüler

selbst ohne Karte nicht zu schwer aufzufassen und lieszen sich durch
einen Carton leicht zur Anschauung bringen. Wenn wir nun so vier
Karten mehr fordern, so kann es allerdings scheinen, als würde dadurch der Wohlfeilheit Eintrag gethan werden, allein sollte auch der
Preis dabei um ein Drittel erhöht werden — denn dagegen können
einige Cartons wegfallen (selbst auf die Schauplätze der Napoleonischen Kriege legen wir keinen Werth, für die Schule ganz und gar
nicht, weil für deren Bedürfnis jeder geographische Atlas genügt) —
so wird dies dadurch, dasz andere Hülfsmittel entbehrlich gemacht
werden, mehr als ersetzt. Schwieriger dürfte dem zweiten Mangel
an Vollständigkeit abzuhelfen sein, wir meinen der Angabe gewisser
durch Thaten denkwürdig gewordener Punkte und in der Geschichts-
erzählung zu erwähnender Oertlichkeiten. Dieser Mangel wird sich
deutlich herausstellen, wenn wir zur Besprechung des begleitenden
Buches kommen. Als einen Uebelstand geringerer Bedeutung erwähnen wir endlich, dasz auf der VI. Karte in der Erklärung nur die lateinischen Namen gegeben sind. In allen uns bekannten Lehrbüchern
sind dafür die modernen Bezeichnungen eingeführt. Lassen sich nun
auch viele entsprechende lateinische leicht errathen, so wird doch der
Schüler grosze Mühe haben z. B. Anjou, Auvergne, Treviso zu finden.

Dem Buche des Hrn. Dr. S c h i l l e r legen wir einen nicht unbedeutenden Werth bei. Ist eine übersichtliche Darstellung der Terri-
torialveränderungen schon an und für sich dankenswerth, weil man
aller Augenblicke sich einen Ueberblick zu verschaffen genöthigt ist,
das Material aber dazu an sehr zerstreuten Stellen zusammensuchen
musz, so zeichnet sich die vorliegende durch den umsichtigsten allenthalben auf die Quellen zurückgehenden Fleisz und eine einfach klare,
zuweilen nur fast zu gedrängte Darstellung aus. Wir empfehlen dasselbe
Lehrern, Schülern und allen, welche Geschichte studieren, zu fleisziger Benutzung. Ein Schulbuch im eigentlichen Sinne soll es nach
des Hrn. Vf. Bestimmung gar nicht sein; dazu enthält es des Materials
und der Specialitäten zu viel. Wenn wir aber das Studium der Geschichte auf den Schulen nicht allein in der Aneignung des in der
Lection vorgetragenen bestehen lassen wollen, wenn den Schüler zum
fragen und suchen anregen — ein Ziel, das nie aus den Augen verloren werden darf, weil eine aus eignem Trieb, durch eigne Kraft
gewonnene Notiz mehr Werth hat, als viele auswendig gelernte Daten —, so wird das vorliegende Buch für denselben ein recht nutz-
bares Hilfsmittel sein.

Das Buch wird zwar als ein selbständiges betrachtet und daher
auch allein ohne den Atlas verkauft, gleichwol ist sein Plan durch
diesen bedingt und wir werden wol in der Voraussetzung nicht irren,
dasz meistens, wenigstens von Schülern, beide neben einander gebraucht werden. Daher erscheint uns der Wunsch gerechtfertigt,
dasz bei einer zweiten Auflage die Karten mit dem Buche in gröszeren Einklang gebracht werden möchten. Wenn wir S. 2 lesen: 'Er
zieht von Amphipolis über den Nestus und das Gebirge Rhodope durch

das Gebiet der Odryser den Hebrus aufwärts' oder in derselben Schilderung von Alexanders Zug auf die Zusammenmündung des Indus und
Kophen ein groszes Gewicht gelegt ist, so ist es unangenehm, dasz
der Schüler jenen Zug auf der Karte nicht verfolgen, diesen Punkt
kaum zu finden vermag. Aehnlich im Buche erwähnt, auf den Karten
nicht vorhanden, sind die Nilinsel Tachompso (S. 35), Dubis (S. 98),
Poloczk (S. 99), Nicopolis (S. 100) u. a. Auch in der Schreibung
einiger Namen, wie z. B. Frisen und Friesen, wird sich bei einer zweiten Auflage der wünschenswerthe Einklang zwischen dem Atlas und
dem Buche herstellen lassen.

Betrachten wir das letztere allein, so wird es der von uns hoch-
geschätzte Vf. gewisz gestatten, ihm einige Wünsche und Bemerkungen hier mitzutheilen. Zuerst will es uns scheinen, als könne die
Brauchbarkeit seines Werkes noch wesentlich erhöht werden, wenn
er eine gröszere Uebersichtlichkeit über den reichen Stoff herstellte.
Dazu werden öftere Verweisungen auf die Seitenzahlen des schon erwähnten, deutlichere Absätze im Drucke, kurze vorläufige Zusammenstellungen der Hauptsachen dienen. Ganz besonders haben wir ein
Register vermiszt, das bei der Bestimmung zum Privatstudium kaum
entbehrt werden kann, um so weniger, als die Erklärung sich nicht
allenthalben an den Zeitabschnitt der Karte bindet. Um nur ein Beispiel anzuführen, wie vieles aus dem Mittelalter wird erst im VIII.
Abschnitte vorgetragen! Wird aber der Schüler, wenn er über derartiges nachzuschlagen veranlaszt wird, nicht zunächst nach der Karte
des Mittelalters und der dazu gehörigen Erläuterung greifen? Ganz
vortrefflich erscheint uns der erste Abschnitt, den Zug Alexanders
des Groszen darstellend, derselbe setzt aber freilich schon beträchtliche Kenntnisse voraus, z. B. vollständige Bekanntschaft mit der Geographie des alten Griechenlands, wie denn der Hr. Vf. es gänzlich unterlassen hat über die dies darstellenden Cartons etwas zu sagen. Aber
auch sonst finden wir, da wir aus Erfahrung die Unsicherheit des Gedächtnisses recht wohl kennen, dasz an manchen Orten Hindeutungen
auf die Lage einzelner Orte und Landschaften dem Schüler sehr willkommen und nützlich sein würden. So könnte S. 3 zu Iaxartes,
wohin er flieszt, eben da unten die Lage von Lycien (S. 4 von Cilicien), S. 9 eine Angabe, welche Länder man turanische nennt, S. 8
die Ausdehnung des Elburusgebirges, ohne bedeutendere Anschwel-
lung des Buches kurz bemerkt sein. Auch dürften Andeutungen über
die Tiefländer und Hochländer zur Auffrischung der geographischen
Kenntnisse und Anschauungen nicht unnützlich sein. Am meisten einer
Aenderung bedürftig erscheint uns die Stelle S. 7: 'nachdem er vergebens auf jene Kadusier und Scythen gewartet hatte', da die Kadusier vorher gar nicht genannt sind, auf der Karte I aber in der Erklärung a. Carduchi sich findet. Wenn wir ebenso zu S. 11: 'das
Bergland Paraetacene am obern Oxus' eine Hinweisung wünschen,
welche die Verwechslung mit der gleichnamigen medischen Provinz,
auf der Karte mit 16 bezeichnet, verhütet, so gehen wir vielleicht

etwas weit in Abgrenzung des praktischen, aber in einem hauptsächlich dem eignen Studium gewidmeten Buche kann man Menschlichkei-
ten des Schülers nicht genug verhüten. Bei dem II. Abschnitte würden wir eine Uebersicht über die vorrömische Bevölkerung Italiens
vorausgeschickt und namentlich auch der griechischen Colonien übersichtlich gedacht haben. Am wenigsten vermögen wir zu billigen,
dasz von den römischen Namen so häufig die praenomina weggelassen
sind, da wir unsern Schülern gegenüber um strenge Beobachtung der
römischen Sitte eifern. Am nothwendigsten erscheint die Vorsetzung
von C. vor dem Namen des C a t o S. 26, um Verwechslungen zu verhüten (Eutrop. 11, 24). Eine Aenderung begehren wir S. 20 in dem
Satze: 'Aber als das römische Volk, durch die licinischen Gesetze zu
éinem Volke erstarkt, den vollen Gebrauch seiner Kraft nach auszen
gewann, gelangte es bald dazu seine Herschaft auch über die Grenzen
von Latium und Tuscien hinaus über die Halbinsel auszudehnen.' Da
man offenbar nur an die damals (367) bereits von Rom beherschten
Landstriche denken kann, so wird der Schüler vielleicht verleitet, den
südlichen Theil Etruriens (Veji usw.) unter dem Sondernamen Tuscia
sich zu denken. Ueberhaupt halten wir in einem für Schüler bestimmten Buche darauf, dasselbe immer mit demselben Namen und mit derselben Form desselben zu bezeichnen. S e x t u s für S e x t i u s S. 23
ist nur ein Druckfehler. Wegen S. 25: 'Illyrien, das unter Teuta
und ihrem Sohne Demetrius von den Römern siegreich bekämpft wurde',
verweisen wir auf Appian III 7 p. 427 Bekk., wo der Sohn des Agron
und der Teute Πίννης heiszt. Der Erreger des zweiten illyrischen
Kriegs war Demetrius von Pharus. Unverständlich sind für uns die
Worte S. 27: 'kam das Gebiet östlich vom Nestus zu Thracien.' Dasz
146 nicht ganz Griechenland Provinz geworden sei, würden wir, abgesehen von den durch Gelehrte erhobenen begründeten Zweifeln, erwähnt haben, weil die Schüler ja später noch Athen als selbständige
Stadt gegen Sulla kämpfend finden. Warum wir S. 31 bei dem bos-
poranischen Reiche eine Erläuterung gern sähen, wird aus dem vor-
her gesagten ersichtlich sein. Unsern vollen Beifall hat der grösztentheils auf Zeuss, aber auch auf eigne Quellenforschung gegründete
III. Abschnitt. Der Consul des J. 105 (S. 38) wird freilich in einigen
Quellen Mallius genannt, allein es scheint keinem Zweifel zu unterliegen, dasz er ein Manlius gewesen. Bekanntlich wird ja (Drumann
T. V. p. 417 n. 29) gezweifelt, ob Mallius überhaupt ein römischer
Name sei. Einige Inconvenienz für den Schüler wird die Schreibung
M a r s e n und M a r s e r herbeiführen. Bei dem IV. Abschnitte würde
eine gröszere Uebersichtlichkeit hergestellt werden, wenn der IIr. Vf.
zuerst eine Zusammenstellung der Hauptmomente der Völkerwande-
rung geben und dann die Schicksale der einzelnen Länder anreihen
wollte. Man wende nicht ein, dasz das erstere schon in den Lehrbüchern und im Vortrage gegeben werde, es wird immer eine wesentliche Erleichterung sein, wenn der Ueberblick über die gleichzeitigen
oder doch in causalem Zusammenhang stehenden Wanderungen in dem-

selben Buche gefunden wird, wie die Thatsachen, welche die einzelnen Länder betreffen. Wir erwähnen, dasz ein Theil der Alanen in
Gallien geblieben ist, wie auch Spruner in seinem Atlas hat, eine Angabe, welche wir bei der sonstigen Ausführlichkeit der Darstellung
gern angebracht sähen, zumal da ein Kampf Attilas mit diesen Alanen
453 erwähnt wird. Dasz die brittische Bevölkerung im NW. Galliens
erst in Folge der angelsächsischen Ansiedlungen im Heimathlande ein-
gewandert seien, vermissen wir ungern. Ueber den Ursprung des
Bayernvolkes (S. 61) folgt der Hr. Vf. Zeuss. Ob ihm wol die Untersuchung von N e u m a n n im Anhange zu der gekrönten Preisschrift:
'die Völker des südlichen Ruszlands' S. 155 f. bekannt gewesen ist
und ob er die dort gefundenen Resultate gänzlich verwirft? Eine
gröszere Concinnität würde zwischen dem IV. und V. Abschnitte stattfinden, wenn für jenen das Jahr 570 als Endpunkt angenommen und
dann in diesem die Ausbreitung des Frankenreichs nachgeholt worden
wäre. Es ist unangenehm, dasz die Vernichtung des Vandalenreichs
erst im V. Abschnitte S. 66 folgt, wo doch bereits viel späteres erzählt ist. S. 63 hätten wir statt 'einst mit seinem Vater erobert
hatte' gesagt: 'vier Jahre vorher.' Zu S. 67: 'und es blieb nur am
südlichen Ende der mächtige Herzog von Benevent unangetastet' hätten wir bemerkt gewünscht, dasz Karl doch gegen diesen 787 einen
Feldzug unternommen und ihn zur Lehensunterthänigkeit gezwungen
habe. Den alten Streit wegen des S e l z e r Friedens (S. 64) wollen
wir nicht berühren, auch nicht die Verschiedenheit in der Schreibung
C h r o w a t e n und K r o a t e n, aber hervorheben, dasz mit den auf
S. 70 gegebenen Bestimmungen über die östliche Grenze des Frankenreichs die Karte nicht stimmt. M e i s z e n darf nicht zu den thüringi-
schen Marken gezählt werden, wie S. 73 geschieht, während Erfurt
S. 69 zu entschieden als Hauptort der südthüringischen Mark hingestellt ist. Von den Bemerkungen, welche wir uns gemacht haben und
welche wir gern vor einer zweiten Auflage dem Hrn. Vf. mittheilen
werden, heben wir, um nicht die Grenzen dieser Anzeige zu überschreiten, nur noch einige hervor. S. 108 sollten die Herzogthümer
Sachsen-Weiszenfels, Sachsen-Merseburg und Sachsen-Zeitz erwähnt
sein, da eines davon später vorkommt. Unter den Erwerbungen des
Kurhauses Sachsen fehlt der Antheil an der Grafschaft Henneberg. Da
unseres wissens die Mutter der Königin Victoria von England, eine
geborene Prinzessin von Sachsen-Koburg, nur in ertser Ehe mit dem
Fürsten von Leiningen vermählt war, so können wir den darauf bezüglichen Ausdruck S. 110 nicht gutheiszen. Die S. 116 gegebene
Ableitung des Namens R e u s z ist ganz sagenhaft und viel wahrscheinlicher die von Limmer Geschichte des Voigtlandes, Klüber genealogi-
sches Staatshandbuch 1835 S. 199 gegebene, von v. Langenn: Herz. Albrecht der Beherzte S. 46 angenommene Ableitung. Da übrigens die
reuszischen Fürsten noch jetzt den Titel 'zu Plauen' führen, so hätte
wohl ihr früheres Verhältnis zu der Voigtei, sowie das, was ihnen
im 14n Jahrhundert die sächsichen Fürsten abgewannen, berührt sein

sollen. Doch genug! möge die gegenwärtige Anzeige den Hrn. Vf.
von der Theilnahme, die wir seinem schätzenswerthen Werke gewidmet, überzeugen und zu einer recht weiten Verbreitung und Benützung
desselben, wie des Atlas beitragen.   *R. Dietsch.*

Auszüge aus Zeitschriften.

Philologus, *herausgegeben von F. W. Schneidewin.* IX.
Jahrgang.
E r s t e s   H e f t.   G. R ö p e r: Coniecturen zu Laertius Diogenes
(S. 1—42: in Anschlusz an die Bd. III S. 22 ff. veröffentlichte Abhandlung werden eine Reihe Stellen von II, 108—II, 144 kritisch erörtert. Die Stelle II, 144 gibt zu einer ausführlichen Untersuchung
über die chronologischen Daten im Leben des Stoikers Zenon und des
Menedemus des Eretriers, so wie der gleichzeitigen Geschichte Veranlassung. Zur letzten Stelle wird über die Versmasze des Laertius
Diogenes gehandelt und beiläufig Auson. parent. 27 emendiert). — H e r -
c h e r: zu Alciphron I, 23 (S. 42: der Name Ἐρεβινθολέων wird vertheidigt). — W. R i b b e c k: Zenodotea (S. 43—73: kritische Sichtung
und Feststellung, sowie Beurtheilung der Ansichten Zenodots, so weit
sie sich auf Erklärung der Worte und allgemeine Interpretation beziehen). — E. K ä r c h e r: über einige Stellen aus Tacitus Annalen (S. 74
—85: Interpretation und Vertheidigung angezweifelter Lesarten I 42,
50, 55, 59, 61, 71, II 16, XIV 6). — E. W u r m: emendata in Tacito
II (S. 86—105: nachdem einige Stellen aufgeführt sind, an denen Emendationen von früheren gelehrten mit Unrecht verworfen oder nicht beachtet worden, bringt der Verf. Emendationen zu Ann. I 41, 50 [an
derselben Stelle, welche Hr. Kärcher vorher vertheidigt, wird *inde ad
saltus* emendiert], XI 4, 8, 10, XII 38, 41, 65, 67, XIII 26 [auf die
beiläufig XIV 7 gemachte Emendation *exporgerent* ist auch Hoffmann
in Mützells Zeitschr. VIII, S 700 gekommen], 55, 58, XIV 61, XV 36,
65, Hist. I 56, 57, 70, III 57, III 30, IV 12, 16, 26, 55, V 5, Dial. 21).
— J. G. B a i t e r: ein Epigramm der Anthologie (S. 105: Anth. Pal.
VII 692 wird Ἑλλάδι τροπωτόν emendiert). — C a m p e: über die vermeintliche Rhetorik des Anaximenes. Erste Abhandlung (S. 106—128:
durch eine eingehende Erörterung und Würdigung des Inhalts wird der
Beweis versucht, dasz die Schrift weder mit Lersch dem Aristoteles,
noch mit Spengel und Finckh dem Anaximenes zuzuschreiben sei, sondern dasz dieselbe in einer Zeit, wo man nicht mehr selbst schaffen
konnte, aus Stoffen verschiedener Art, welche theils aus alter guter
Zeit stammen, theils dem spätern starren Schematismus angehören von
roher Hand zusammengefügt sei. In Betreff der von Spengel nachgewiesenen Stelle des Syrianus (Rhet. Gr. ed. Walz IV, p. 60) behauptet
der Vf., dasz dieser eine ähnliche auch den Namen des Aristoteles an
der Stirn tragende Rhetorik, nicht aber die hier besprochene vor sich
gehabt habe). — S c h n e i d e w i n: Aeschyleische Briefe (S. 129—160:
im ersten Br. interpretiert und emendiert der Vf. auf der von Welcker
gegebenen Grundlage weiter bauend, das erste Stasimon des Agam.,
corrigiert auch beiläufig Choeph. 482, so wie er seine Emendation zu
Soph. El. 192 gegen Kaysers Einwendungen vertheidigt. Im zweiten
Briefe wird zuerst das Zwiegespräch des Chors und der Klytaemnestra
Vs. 243 ff. behandelt, sodann Vs. 36—39, 593, 776 ff., 769 [beiläufig
wird das Fragment des Eurip. bei Stobae. 29, 36 emendiert], 1155 f. Am

Schlusz verbessert der Vf. Suppl. 763 ἀπρόςδερκτος, Ag. 133 ἀάπτοις, 1349 αἵματος βαφήν). — Kirchhoff: zu Aeschylos (S. 161—163: es wird nachgewiesen, dasz die Agam. 1011 im Flor. überlieferte Lesart die allein beglaubigte, die im Texte bis jetzt beibehaltene eine blosze Coniectur des Triklinios sei). — A. Schäfer: des jüngeren Meidias Ehrendecret für Phocion (S. 163—167: das in den Vitt. X orat. Hypercid. zu Ende erwähnte Decret wird aus historischen Gründen in Ol. 118, 4 unter dem Archontate des Euxenippos gesetzt und die Bekämpfung dem Glaukippos, dem S. des Hypereides, zugeschrieben. Ebenso wird das Ehrendecret für Lykurgos auf Ol. 125, 2 herabdatiert. Auch werden in den genannten Vitis noch andere Verwechselungen und dadurch veranlaszte Einschiebsel nachgewiesen). — A. Nauck: epigraphisches (S. 167—179: behandelt werden eine von Hrn. L. Stephani mitgetheilte Inschrift von der Akropolis zu Athen, ins vierte Jahrh. v. C. gehörig, Weihgeschenke von Frauen betreffend, ferner die von Astypalaea in Rosz inscr. ined. m. 312, Corp. inscr. I 1907, III 3956, 3973, 4000, 4113, 4164, 4709, 4710, 4905, 6083, 6184, 6705, 6779, 3847, 6092. Untersuchungen finden sich über die Comparative und Superlative zweier Endungen, über τίς für ὅστις und über ἀγήρατος, das allein gebilligt, während ἀγήραντος gänzlich verworfen wird). — A. Baumeister: griechische Inschriften (S. 179—184: dreizehn unedirte Inschriften aus Hermione, Argos, Kleonae, Mantinea und Sparta werden mitgetheilt und von Schneidewin mit einigen Bemerkungen und kritischen Verbesserungen begleitet). — Kärcher: Nachtrag zu den Catonianis Bd. VIII S. 727 (S. 184 f.: auszer einigem diplomatischen theilt der Vf. jetzt folgende Coniecturen mit. Vs. 10: nón exerceás ◡—◡ támen robigo intérficit und Vs. 11 ff.: item exercendo homiués videmus cónteri ◡—◡ ◡; níl si exerceás inertia ác torpedo plús facit détrimenti quam éxercitio —◡—◡—◡ ◡). — M. Schmidt in Oels: Sminthes (S. 185 f.: Vit. Arat. Bd. II p. 443 Buhl. wird Κλεόστρατος ὁ Σμινθεύς, Schol. ad Aristoph. Plut. 322 Διοννσόδωρος als Verf. des μονόβιβλον, endlich Ammon. de diff. p. 112 Valck. Καικίλιος τὰς — πειραταῖς vermuthet). — P. R. Müller in Jena: zu Ciceros Reden und Briefen (S. 186—88: Coniecturen zu Phil. II 5 11, IV 5 13, V 4 2, 7 18, 11 29, XI 4 9, pr. Rabir. Post., pr. Rosc. Am. 45 130, ad Fam. VIII 3 3 u. 4 2). — Hudemann: zu Lucret. V 1065 (S. 188 f.: districta wird gegen restricta als der Natur entsprechend und unter Hinweisung auf Ammian. 14 7 in Schutz genommen). — Ders.: zu den scriptores historiae Augustae (S. 189—192: Verbesserungsvorschläge zu Lamprid. Al. Sev. 14, Treb. Poll. Gall. 4, trig. tyr. 13, Vopisc. Car. 4, Tacit. 71, Flor. 2). — Zweites Heft. Schöll: über Herodots Lebenszeit (S. 193 — 212: die Stellen, auf welche gestützt man die Lebenszeit bis 408 v. C. ausgedehnt hat, werden beseitigt, indem rücksichtlich I 130 auf eine durch die Inschrift von Bisitun erwiesene Empörung der Meder bezogen, III 15 aber die Unmöglichkeit an einen andern Amyrtaeos als den 449 oder 448 gestorbenen zu denken gezeigt wird. Weiter wird nachgewiesen, dasz kein von Herodot erwähntes Datum über 424 hinausreiche; denn die IX 73 erwähnte Verschonung Dekeleia's könne nur auf die in dem ersten Abschnitte des peloponnesischen Kriegs vollzogenen Verwüstungen Attika's bezogen werden, die Art aber, wie H. VII 170 von der Niederlage der Tarentiner spreche, beweise geradezu dasz er die sicilische Expedition nicht gekannt; die Annahme, dasz gerade das 7e Buch keine spätere Ueberarbeitung erfahren habe, sei unzulässig, weil gerade in ihm die Anführung neuer Data verhältnismäszig am häufigsten sei; der nachtragende Fleisz zeige sich ferner besonders in der Zeit von Ol. 83—88, und es sei deshalb nicht anzunehmen dasz Herodot viel über 427 hinaus gelebt habe; der Einwand endlich dasz

er im nachtragen ein bestimmtes Masz festgehalten, werde durch die
Beschaffenheit des Werks selbst widerlegt, welche gewisse Unebenheiten der Abfassung offenbare; bei Vergleichung von VII 163 mit VI
23 könne man zwar annehmen, H. habe nur einer Verwechslung vorzubeugen unterlassen, aber wahrscheinlicher sei, dasz er das 7e Buch
geschrieben gehabt, ehe er die im 8n erwähnten Umstände genauer
kennen gelernt, wornach jenes früher abgefaszt sein würde als dieses; eben so beweise der Widerspruch zwischen VIII 104 und I 175
eine frühere Abfassung des 8n Buchs; IV 174 u. 183 ferner bewiesen
die Nebeneinanderstellung von Nachrichten aus zwei verschiedenen
Quellen zu späterer, dann aber unterbliebener Verarbeitung: die I 184
genannten Ἀσσύριοι λόγοι seien nicht für eine besondere uns verlorne
Schrift zu halten, sondern versprächen eine dann unterbliebene Berücksichtigung in dem uns erhaltenen Werke, gerade wie dies mit VII 213
der Fall sei. Das Geburtsjahr des Herodot wird 489 gesetzt). —
S c h ö n e : kritische Bemerkungen zu Euripides (S. 213—222: kritische
Behandlung der zweifelhaften Stellen in den ersten 350 Versen der
Phoenissen). — R ö p e r : M. Terenti Varronis saturarum Menippearum
quarundam reliquiae emendatae (S. 223—278: leitender Grundsatz ist
dasz in allen Fragmenten sich Spuren von Versmaszen finden. Behandelt werden die Aborigines [in der Emendation des 2n fr. scheint ein
Druckfehler vorzuliegen], Cave canem, Columna Herculis, Devicti, Hercules Socraticus, Longe fugit qui suos fugit, Sesquiulixes. Gelegentlich werden viele Fragmente aus andern Gedichten emendiert und am
Schlusz gezeigt, dasz auch Varro bereits Briefe in Versen geschrieben, sowie einige Stellen aus den logistoricis in Verse gebracht). —
H u d e m a n n : zu den scriptoribus historiae Augustae (S. 278: con-
temptor bei Iul. Capit. Max. du. 2 wird erklärt). — C a m p e : die angebliche Rhetorik des Anaximenes von Lampsacus. 2e Hälfte (S. 279
—310, Fortsetzung von S. 106—128: der Beweis dasz das Buch sich
von Anfang bis zu Ende als das Flickwerk eines Spätlings erweise,
der mit Willkür, Nachläszigkeit, sachlicher Unkenntnis aus verschiedenen Elementen ein ganzes zurecht gemacht, wird zu Ende geführt).
— K a y s e r in Sagan: Hom. Od. II 55 (S. 310: εἰς ἡμέτερον wird so
lange für richtig erklärt, bis für die andere εἰς ἡμέτερου genügende
Zeugnisse sich vorfänden). — D ü n t z e r : Zenodot und Aristarch (S. 311
—323: gegen Hrn. R i b b e c k (VIII 4) wird behauptet, dasz er die Ansichten des Vf. nicht allein in Hauptsachen, sondern auch im einzelnen
misverstanden oder verdreht habe). — M i c h a e l i s in Zütphen: notae
ad Senecae naturalium quaestionum lib. III—VII (S. 324—345, Fortsetzung von Jahrg. 1853 S. 446 ff.: meist Empfehlung handschriftlicher
Lesarten, aber auch viele auf solche gestützte Coniecturen). — S c h m i d t
in Oels: zu Stobaeus (S. 345: in der Stelle des Teles IV p. 343 wird
die Interpunction geändert, in der des Plutarch I p. 70 ἀσκοῦν, Stilp.
p. 117 ψυχρότερον conjiciert). — M o l l e r : über den gnomischen Aorist
(S. 346—366: Vertheidigung der VIII 113 ff. vorgetragenen Ansichten gegen die Einwendungen von F r a n k e in den Schriften der
königl. sächsischen Gesellschaft der Wissenschaften). — A. N a u c k :
de florilegio quodam Leidensi (S. 367—370: das von Beynen und B. ten
Brink herausgegebene Florilegium ist schon früher von Walz hinter
Arsenii Ἰωνιά aus einem münchner Cod. abgedruckt. Aus diesem berichtigt der Vf. in dem Titel Ἐπικτήτου für Ἐπικούρου, und weist
sodann den Ursprung mehrerer Gnomen nach, so wie er zu anderen
Emendationsvorschläge thut). — D e r s . : zur Kritik des Tatian πρὸς
Ἕλληνας (S. 370—372: Verbesserungen von sieben Stellen des Otto-
schen Textes). — L a n d s b e r g : Analecta Ciceroniana (S. 372—378:
theils erklärende, theils emendierende Bemerkungen zu pr. dom. c. 19,

d. harusp. resp. c. 22, pr. Planc. c. 2 u. 36, pr. Sest. c. 14, in Vat.
c. 7, pr. Cael. c. 10, d. prov. cons. c. 3, pr. Rab. c. 2, Phil. XI, c. 1,
ad Att. I 1. 14. 16, II 1. 17, IV 14, Fam. V 6, I 9, ad Q. fr. I 1 c. 8).
— L. Roth: Interpunction und Interpretation einer Stelle des Horatius (S. 378—380: Sat. I 9 26 ff. wird das Fragezeichen nach *opus*
in einen Punkt verwandelt und nun die ganze Stelle als éine Rede des
Horatius an den Schwätzer gefaszt). — Kirchner: zur Erklärung
von Hor. Sat. I 6 75 (S. 380—382: ohne die Erklärung K. Fr. Hermanns verwerfen zu wollen, erklärt sich der Vf. für die aus den Scholiasten zu entnehmende Lesart *octonos — acris* = octonos asses). —
Düntzer: Horat. A. P. 3:6 sqq. (S. 382—383: *redire* soll 'einkom-
men' bedeuten). — R. B. Hirschig: Platonica (S. 383—385: d. Rep.
I 329 C werden die Worte ἔτι οἷός τ᾽ εἶ γυναικὶ συγγίνεσθαι für ein
Glossem erklärt, 348 C οὔκουν γ᾽ ὦ ἥδιστε corrigiert. Theaet. 171 D
wird ἀποτρέχων ausgestoszen, dagegen Cratyl. 388 E nach παντὸς ἀνδρός eingeschoben ἐστίν. Charm. 176 B emendiert der Vf. ὀσημέραι,
Phileh. 54 B ἐπανερωτῴης με). — G. Wolff: zu den scholiis Didymi
in Homerum (S. 385—388: Mittheilung von Lesarten aus dem Cod.
Vat. 919 und über einen in demselben befindlichen cento homericus.
Mehrere Stellen werden emendiert). — A. Baumeister: Inschriften
von den Inseln des aegaeischen Meeres (S. 388—394: drei aus Amorgos,
sechs von Arkesine, drei aus Katapola, vier aus Herakleia, drei aus
Thera, zwei von Melos, eine von Siphnos und eine von Keos). — P.
Bötticher: zwei Palimpseste in London (S. 394 f.: aufmerksam gemacht wird auf die Handschrift des british museum Add. 17212, welche
einen lateinischen Historiker enthält, und die der Evangelien in der
Bibliothek der british and foreign bible society). — Osann: die Μό-
σχοι und Moskowiter (S. 395 f.: Nachweis eines curiosum in Th. v. Wo-
lanski Briefen über slavische Alterthümer. Gnesen 1846. Der Name
Μόσχος auf den Münzen von Smyrna wird als der des mit der Prägung
beauftragten Magistrats gedeutet und die an den Bildern gesehene rus-
sische Kleidertracht abgewiesen. Ob die auf der Münze I 9 befindliche
weibliche Figur eine Nemesis vorstelle wird bezweifelt). — Schmidt
in Oels: zu Aratos (S. 396—400: Phaen. 268 wird für die früher gegebene Emendation jetzt eine andere substituiert, im Vs. 572 eine
Lücke angenommen, auszerdem Conjecturen zu 13, 26, 69 mitgetheilt).

Rheinisches Museum für Philologie, herausgeg. v. *Welcker*
und *Ritschl.* X. Jahrgang.

1s Heft. Urlichs: über die älteste samische Künstlerschule,
Sendschreiben an Brunn (S. 1—29: die von Müller Hdb. der Archaeol.
§. 60 angenommene Genealogie und Zeitbestimmung der samischen
Künstler wird gegen Brunn vertheidigt durch eine Betrachtung über
die ihnen zugeschriebenen Werke; das Heraeon zu Samos, als dessen
erster Baumeister Rhoekos genannt wird, sei nach Herod. IV 152 schon
vor Ol. 40 so weit gefördert gewesen, dasz ein Weihgeschenk — welches übrigens der Vf. selbst für ein Werk des Rhoekos hält — in ihm
aufgestellt werden konnte; an ein besonderes Heraeon sei nach der sonstigen Bezeichnung Herodots nicht zu denken; dasselbe sei aber schon
vor Polykrates vollendet und gewisz in Herodots Zeit noch unverändert vorhanden gewesen, da Pausan. [VII 5, 5] Erzählung aus historischen Gründen keinen Glauben verdiene; der Tempel sei das älteste
bekannte Denkmal der ionischen Ordnung, denn die entgegenstehenden
Stellen Vitruv. IV 1, 5 und Plin. XXXVI 179 beruhten auf einer Verwechslung mit dem vorhistorischen Heiligthum zu Ephesos und Vitruv.
praef. VII 12 widerspreche seinen eignen sonstigen Angaben. Dasz

auch der ionische Bau in Olympia (nach Ol. 33. Paus. VI 19) von
Rhoekos herrühren möge, wird aus der Erwähnung des tartessischen
Erzes wegen Herod. I 163 vermutet. Durch den Nachweis, dasz der
Branchidentempel zu Milet, den Paeonios — der letzte Baumeister des
ephesischen Tempels — erbaut, erst um Ol. 76 angefangen worden sei,
wird in Verbindung mit Plin. XXXVI 95 für Theodoros I., welcher den
Grund zu diesem gelegt, die Zeit von Ol. 40 angenommen und dies mit
allen Nachrichten, welche man einigermaszen sicher gewinnen könne,
übereinstimmend gefunden. In gleicher Weise werden die übrigen Werke
des ältern Theodoros durchgegangen, namentlich die Beschaffenheit und
der Zweck der spartanischen Skias erörtert. Für Theodoros Bruder
wird Telekles gehalten und für dessen Sohn Theodoros II., dessen Thätigkeit als Bildner in seinen Werken veranschaulicht wird, aus welchen zugleich der Beweis verstärkt wird dasz derselbe ein Menschen-
alter nach jenen gelebt habe. Interessant ist die Annahme eines Glos-
sems bei Herod. III 48, die Auseinandersetzung über den Ring des Polykrates und seine angebliche Niederlegung in Rom, so wie endlich die
Vermutung, dasz Pythius (Herod. VII 27) ein Enkel des Kroesos gewesen sei. Am Schlusze wird die Bedeutsamkeit der gesammten Künstler für die Entwicklung der Kunst hervorgehoben). — W e l c k e r : Pnyx
oder Pelasgikon? (S. 30—76: zur Vertheidigung seiner auf Ulrichs
sich stützenden in den Schriften der Akademie zu Berlin 1852 vorgetragenen Ansicht gegen Rosz: die Pnyx und das Pelasgikon in Athen.
Braunschw. 1853 setzt der Vf. aus einander, dasz kein achtbares Zeugnis der Alten die Pnyx einen Hügel nenne oder etwas auf den gemein-
ten Hügel nothwendig zu beziehendes enthalte, dasz die Stelle bei Plut.
Themist., wornach die 30 das Bema umgedreht, geradezu widerspreche,
die Naturbeschaffenheit des Orts der Bestimmung zu Volksversammlungen entgegen sei, die Mauer und die Felsarbeit aber auf ein Heiligthum hinweisen, dasz die dort gefundenen Votivinschriften an Zeus
Hypsistos, wenn schon sie jung und nur um der Gesundheit willen geweiht sind, dennoch nothwendig beweisen, Zeus Name habe an dem
Orte von altersher gehaftet, dasz Stellen bei Thuc. Lucian u. a. die
Existenz eines von den Mauerbau an der Akropolis verschiedenen Pelasgikon evident darthun, dadurch die Ueberlieferungen über die Pelasger in Athen eine innere Wahrscheinlichkeit erhalten, die Grösze
des Raums endlich für eine Cultusstätte dem hohen Alterthume nicht
unangemessen sei. Rücksichtlich der wirklichen Pnyx entscheidet sich
der Vf. für die Ansicht von E. Curtius, dasz sie da gewesen, wo in
der Kaiserzeit das Odeon erbaut worden sei. In einem Anhange wird
Göttling, welcher zwar den Namen Pelasgikon annimmt, zugleich aber
den Platz für den Ort der Volksversammlungen erklärt, bekämpft). —
H i t z i g : punisches mit Schrift und in Sprache der Lateiner (S. 77—
109: die Stellen Plaut. Poenulus V 1, 2 u. 3 und der durch Columella
aufbewahrte Anfang von Mago's Buch über den Landbau werden in eingehender Untersuchung emendiert und erklärt). — S c h m i t z : ortho-
episches und orthographisches (S. 110—118: aus griechischen Schreibungen und den apices auf Inschriften wird die Länge der Vocale in
den participiis praes., der Endungen — ensis, — ensius, ensimus, —
onsus, so wie überhaupt vor ns, schlieszlich auch die Richtigkeit der
apices als Bezeichnungen für die Naturlänge von Vocalen und des langen i in andern Worten bewiesen und das griechische ει für das ῑ, wo
sich in den Handschriften Spuren davon finden, überall empfohlen). —
R. E n g e l : zu Aristophanes (S. 119—122: aus den Verszahlen, der
Stellung und Verbindung mit andern Rhythmen wird gefolgert, dasz die
Choreuten und zwar je 4 aus einem Halbchore das Epirrhema gesprochen, Pac. 1251 ἀντέδωκα κἀντί emendiert und in demselben Stück eine

Umstellung der Verse 960 u. 961 vorgenommen, σεῖ᾽ οὖν σὺ ταχέως corrig!ert und dies·dem Diener beigelegt, wodurch nur éin Diener auf der Bühne nothwendig wird). — Th. Mommsen: zum Prolog der Casina (S. 122—127: nachdem nachgewiesen ist, dasz *senioribus* nicht nothwendig auf die der ersten Aufführung beigewohnt habenden Zuschauer, die Erwähnung Carthagos keineswegs auf das noch stehende bezogen werden müsse, wird die Vermutung dasz der Prolog zwischen 660 u. 670 gefertigt sei, begründet durch die Erwähnung der *antiqua opera*, an welchen Interesse in Rom vor L. Aelius Stilo nicht angenommen werden könne, und der *novi nummi*, welche grammatisch und historisch nur auf die von M. Drusus beantragten in der marianischen Zeit in Umlauf gekommenen plattierten Denare gedeutet werden können; beiläufig wird das Verdienst des *praetor* Marius Gratidianus erörtert. Die Uebereinstimmung dieser Zeitannahme mit anderen Stellen des Prologs wird gezeigt, sowie aus ihm gefolgert, dasz zu jener Zeit in Apulien noch der Hellenismus geherscht und dasz die Comoedien des Plautus, nach 600 durch die verfeinerte Comoedie verdrängt, nach etwa 30—40 Jahren wieder auf die Bühne zurückgebracht worden seien). — Mähly: Horat. carm. I 28 (S. 127—136: der Behauptung dasz die Ode untergeschoben sei, folgt die zweite dasz sie nur als Monolog und zwar des über dem entseelten Körper schwebenden Schattens des Archytas gefaszt werden dürfe). — Th. Mommsen: über die von Huschke herausgegebenen magistratuum et sacerdotiorum populi Romani expositiones (S. 136—141: auszer andern Gründen wird durch den f. 24a erwähnten *provisor campi* evident gemacht, dasz das Buch nur von einem mit den venetianischen Einrichtungen vertrauten Manne des 15. Jahrhunderts verfaszt sein könne. Die Vermutung dasz Guarino von Verona selbst der Verfasser sei, wird wenigstens als nicht unwahrscheinlich bezeichnet). — Ders.: epigraphisches (S. 141—148: der von Devit le antichi lapidi romane della provincia del Polesine. Venedig 1853 p. 11—16 mitgetheilte Meilenstein beweist, dasz die Schreibung des langen i und der Consonantengemination schon weit vor Augustus stattfand und dasz die früher aufgestellte Vermutung über den Stein von·Polla wegen des Cos. P. Popillius a. u. 622 begründet war. Popillius scheint der erste gewesen zu sein, der Meilensteine mit Weisungstafeln setzte. Die Stelle des Polyb. bei Strabo VI 3 10 (es wird nachgewiesen, dasz der Seeweg von Ravenna nach Altinum bei der Millienangabe nicht mit gerechnet worden sei) macht evident dasz er die von Popillius gebaute Strasze noch nicht kannte und demnach sein Geschichtswerk nicht in die Zeit des Tiberius Grachus hinabzurücken, andrerseits dasz die Ostküstenstrasze im wesentlichen schon vor 622 vollendet gewesen sei). — Leop. Schmidt: 'mittelalterliche' Inschrift des bonner Museums (S. 148 f.: die von Lersch Centralmus. II S. 68 und Overbeck Catalog Nr. 70 mitgetheilte Inschrift wird für antik erklärt und gelesen: def] uncto m[iliti legionis] decimae quintae primigeniae militavit a[nnos trigint] a et Mire[......] coniugi ipsius M. H[elbii] libertae obite [Hoc sepulcrum] in heredem non transit). — Schwenck: Hesychius (S. 150—152: Emendationen zu den Artikeln Ἴσα ἅλες, δρίς, ἀγμηρόν, ἀωλυκον, ἀῶ, ἄλδετα). — Zwei Nachträge und Berichtigungen zu den obenstehenden Abhandlungen von Hitzig und Urlichs (S. 152). **R. D.**

Berichte über gelehrte Anstalten, Verordnungen u. Miscellen.

AUGSBURG. Die Einladungsschrift zur Preisevertheilung an der Studienanstalt bei St. Anna enthält zwei Vorträge vom Studienrector Dr. G. K. Mezger: *zur Erinnerung an Johann Gottfried Herder und*

Heinrich Pestalozzi (22 Seiten 4), die wir zur Lectüre dringend empfehlen. Gibt der erstere bei dem beschränkten Raume auch weniger ein vollständiges Bild von dem so umfangreichen wirken Herders, so legt er doch die Hauptrichtungen desselben recht klar dar, so dasz er dem Lehrer zur Vorbereitung auf den Unterricht in der Litteraturgeschichte recht gute Dienste leisten wird. Namentlich finden wir hier eine Seite hervorgehoben, die wir anderwärts öfters vermiszt haben, die Stellung zum positiven Christenthum und zur Theologie der Zeit. Der zweite Vortrag stellt uns ein tief ergreifendes Bild vor die Seele und wir haben lange nichts so anregendes, bei aller Einfachheit und Natürlichkeit doch tiefen Eindruck hinterlassendes gelesen.'

BADEN. Uebersicht der Studierenden auf den Universitäten Heidelberg und Freiburg im Winterhalbjahr 1854—55. A. Auf der Universität Heidelberg: 1) Theologen, immatriculierte und Seminaristen, Inl. 51, Ausl. 24, im ganzen 75; 2) Juristen Inl. 84, Ausl. 338, im g. 422; 3) Mediciner, Chemiker und Chirurgen Inl. 56, Ausl. 68, im g. 124; 4) Cameralisten Inl. 9, Ausl. 4, im g. 13; 5) Philosophen und Philologen Inl. 13, Ausl. 27, im g. 40. Gesammtzahl Inl. 213, Ausl. 461, im g. 674. Auszerdem besuchen die akademischen Vorlesungen noch: Personen reiferen Alters Inl. 9, Ausl. 15, im g. 24; conditionierende Chirurgen und Pharmaceuten Inl. 7, Ausl. 12, im g. 19. Gesammtzahl In'. 229, Ausl. 488, im g. 717. — B. Auf der Universität Freiburg: 1) Theologen Inl. 163, Ausl. 28, im g. 191; 2) Juristen und Notariatscandidaten Inl. 73, Ausl. 2, im g. 75; 3) Mediciner, Pharmaceuten und höhere Chirurgen Inl. 54, Ausl. 8, im g. 62; 4) Cameralisten, Philosophen und Philologen Inl. 12, Ausl. 4, im g. 16. Summa Inl. 302, Ausl. 42, im g. 344. Hospitanten 7; niedere Chirurgen 17. Gesammtzahl 368. [✠]

BAYREUTH. Im Lehrercollegium der dasigen k. Studienanstalt waren während des Schuljahrs 1853—54 folgende Veränderungen vorgegangen: Studienlehrer Raab (s. Bd. LXIX S. 117) wurde zum Lehrer der 3. Cl. der latein. Schule ernannt und an dessen Stelle rückte der vorherige Studienlehrer an der lat. Schule zu Wunsiedel Christ. Hesz. Nachdem an dessen Stelle der Gymnasialassistent G. Fr. Unger nach Wunsiedel versetzt worden war, wurde der Lehramtscand. Max Lechner aus Hof der Studienanstalt als Gymnasialassistent überwiesen. Die Schülerzahl betrug am Schlusz des Schuljahrs im Gymnasium 83 (IV: 20, III: 21, II: 23, I: 19), in der lat. Schule 193 (IV: 30, III: 32, II: 33, IB: 53, IA: 45), im ganzen 276. Den Schulnachrichten ist die Abhandlung beigegeben vom Prof. Frdr. Hofmann: *Sphaerische Trigonometrie mit Anwendungen auf Astronomie* (18 S. 4 und eine Figurentafel).

HANNOVER. Am 27. Jan. d. J. ist die vom königl. Oberschulcollegium zu Hannover berufene Commission zur Regelung der deutschen Rechtschreibung von neuem zusammengetreten, um ihr begonnenes Werk zu Ende zu führen (vgl. NJahrb. Bd. LXX S. 347 f.). Sie bestand aus denselben Mitgliedern, 8 praktischen Schulmännern, der Mehrzahl nach der deutschen Sprachwissenschaft kundig, welche im Beisein und unter thätiger Mitwirkung des Oberschulcollegiums und eines zur Vertretung der Volksschulen vom Consistorium gesandten Mitgliedes die ausgearbeiteten Vorlagen beriethen und zum Drucke fertig machten. Diese umfaszten grammatische Regeln und ein Wörterverzeichnis; von einem dritten begründenden Theile, der nach einer früheren Ansicht beigegeben werden sollte, ward abgesehen, weil er nicht praktisch nothwendig schien, dafür ward bei den einzelnen Regeln und Wörtern die Begründung meistens kurz angedeutet. Sollte eine ausführlichere wissenschaftliche Begründung sich später als nöthig herausstellen, so ist zu erwarten dasz der Dir. Hoffmann, welcher auch bei der Ausarbeitung der Vorlagen am meisten thätig gewesen ist, sie nachträglich liefern wird. Obgleich man sich schon bei der ersten Zusammenkunft über die Grundsätze und auch viele Einzelheiten geeinigt hatte, so nahm diese Berathung doch wieder zwei volle Tage in Anspruch, was bei der Eigenthümlichkeit des Gegenstandes nicht zu verwundern ist. Wo es bei einer Sache nur auf die strenge Durchführung eines Princips ankommt, wird man leichter fertig werden. Dies ist aber bei der vorliegenden Frage nicht möglich, man mag das Princip stellen wie man will. Angenommen der Grundsatz 'schreib wie Du sprichst' sollte durchgeführt werden, rücksichtslos gegen Usus und Abstammung, so würde sich bald zeigen dasz die Gebildetensprache, welche man doch zu Grunde legen müste, in vielen hundert Fällen gar nicht fest steht und noch unentschieden nach den Dialekten schwankt. Oder wollte man consequent etymologisch schreiben, so würde man über die Berechtigung der jetzt bestehenden Sprachformen in schwanken sein und wieder hunderte von Fällen haben, wo die Wissenschaft eine Verderbnis der Sprache erkennen würde, die zu verbessern, der Usus eine berechtigte Sprachentwicklung, die zu schützen wäre. Wenn aber endlich, wie es nun von obiger Commission geschehen ist, nicht eine neue Schreibweise geschaffen sondern die herschende nur einer Revision unterworfen werden soll, um sie mit den Forderungen jener beiden Principe auszugleichen und dadurch von neuem zu befestigen, so musz wohl des einzelnen gar viel sein, welches, so kleinlich es an und für sich scheinen mag, besprochen und erwogen sein will; denn da kommen ja vorzüglich gerade die Fälle in Frage, wo die Schreibweise schwankt. Bei doppelter Form hat man natürlich der sprachlich richtigeren den Vorzug gegeben, aber: ist die andre so verbreitet dasz sie wenigstens daneben erwähnt werden musz? wird sie durch die Aussprache geschützt? das sind Fragen, die nur durch eine Besprechung von Männern aus verschiedenen Gegenden, Lebens- und Geschäftskreisen erledigt werden können, wenn anders Einseitigkeit und Irthum vermieden werden soll. — Auszer dieser Regelung einzelner Wörter sind aber auch die Forderungen der Sprachwissenschaft gebührend in Betracht gezogen und, wo es nöthig schien, berücksichtigt. Der Gebrauch der groszen Buchstaben ist fast ganz auf die Substantiva beschränkt, dem ie ist in der Endung —ieren zu seinem Rechte verholfen, das falsche h ist in unbetonten Silben (Heimat, Zierat), in Wirt, Turm, Miete gestrichen, desgleichen die Verdopplung des auslautenden Consonanten nach unbetonten kurzen Silben (Finsternis, Königin, Firnis, aber Finsternisse, Königinnen, des Firnisses). Als consequente Neuerung ist nur die Einführung des historisch begründeten sz im Gegensatze zu s und ſſ zu erwähnen, welche die sprachkundigen Mitglieder als eine gebieterische Forderung der Wissenschaft einstimmig anerkannten; indessen ward berücksichtigt dasz die alte Weise noch die herschende ist, dasz sie namentlich noch in den meisten Schulbüchern steht, dasz sie fast allen älteren Lehrern allein geläufig ist, darum wird sie in den Regeln in einer kurzen, praecisen Fassung daneben gedruckt werden. Freilich ist vorauszusehen dasz viele Anhänger der historischen Schule mit diesem Resultate nicht zufrieden sein werden, sie werden namentlich tadeln dasz das th vor Diphthongen (Theil, Thau, Thier) und in —thum (Irthum) beibehalten ist; doch sind wohl mit Recht solche gewaltsame Aenderungen vermieden worden. Auch ist der Schade so grosz nicht, wenn nur ausgesprochen wird dasz th kein besonderer Buchstabe ist. — Das Verzeichnis enthält auszer den schwankenden auch viele seltenere und dunkle Wörter, die leicht dem Misverstande und in Folge davon falscher Schreibung ausgesetzt sind, dazu solche, die gleich oder ähnlich lauten aber verschiedener Abstammung sind, endlich sind als Anhang noch die Wörter aufgezählt, welche ein sz und ein ff haben und in welchen sich ein organisches h und ie findet. Meistentheils ist die Abstammung nebst der älteren Form dabei angegeben. — Regeln und Verzeichnis sind zunächst für Lehrer und die Schüler oberer Klassen, sowie auch für Laien bestimmt. Ein orthographisches Lehrbuch für die untern Schulklassen wird die Behörde wahrscheinlich gleich darnach ausarbeiten lassen, so dasz es vielleicht gleichzeitig mit der Arbeit der Commission erscheint. (Einges.)

HEIDELBERG Am 22. November 1854, als dem Geburtstage des höchstseligen Groszherzogs Karl Friedrichs, welchen die hiesige Hochschule mit Recht als ihren zweiten Gründer verehrt, hat in der Aula Wilhelmiana des Universitätsgebäudes die alljährliche Preisvertheilung statt gefunden. Die Feier begann, wie dieses gewöhnlich ist, mit einer musikalischen Aufführung, an welche sich die akademische Festrede des dermaligen Prorectors, Herrn Geheimen Hofraths und ordentlichen Professors der Anatomie und Physiologie Dr. Arnold, anschlosz. Derselbe erörterte nach einer kurzen Einleitung, in welcher er die Veranlassung und Bedeutung der Feier angab, in einem sehr gründlichen, deutsch gesprochenen Vortrage 'das Verhältnis der Kraft zur Materie in den thierischen Organismen.' Es ist hier nicht der Ort auf diese dem Inhalt und der Form nach gleich ausgezeichnete Rede näher einzugehen; wohl aber glauben wir den Bericht über die in dem verflossenen Jahre an der hiesigen Hochschule statt gefundenen Ereignisse und Veränderungen, welche der Redner seinem Vortrage anschlosz, hier mittheilen zu dürfen. Der Wortlaut des Berichts ist folgender: 'Unsere Universität hat in diesem Jahre die Freude erlebt vier ihrer würdigsten Mitglieder, die geheimen Räthe Creuzer, Schlosser, Chelius und Tiedemann, in einer besonderen Weise ausgezeichnet zu sehen. Creuzer und Schlosser wurden von Seiner Majestät dem Könige von Bayern mit dem Maximiliansorden für Wissenschaft und Kunst, Chelius von Seiner Majestät dem Kaiser der Franzosen mit dem Officierkreuz der Ehrenlegion geschmückt, Tiedemann erhielt an dem Tage seines fünfzigjährigen Doctorjubilaeums vielfache Beweise der Anerkennung für die groszen Verdienste um seine Wissenschaft. Auch die Universität Heidelberg hat sich an dieser Feier durch abgesandte nach Frankfurt betheiligt. Der Jubilar wurde am 14. April 1854 durch den Prorector, den Prodecan und den Senior der medicinischen Facultät begrüszt und es wurden ihm von diesen mit mehreren Abgeordneten der Stadt Heidelberg die wärmsten Glückwünsche dargebracht. — Die Universität hat durch den Tod und den Abgang einiger Lehrer Verluste erlitten. Durch den Tod wurden ihr erstens der Professor der Botanik und Director des botanischen Gartens Dr. Bischoff und zweitens der Privatdocent der medicinischen Facultät Dr. Pickford entrissen. Mehrere Lehrer folgten ehrenvollen Rufen an andere Hochschulen: Professor Jolly erhielt einen Ruf nach München und nahm die dortige Lehrkanzel der Physik an. Die Doctoren Stinzing und Dernburg wurden als Professoren, ersterer nach Basel, letzterer nach Zürich vociert. Der Privatdocent Dr. Rau wurde als Professor der Landwirthschaft an die königliche Academie der Land- und Forstwissenschaft in Hohenheim berufen. Dr. Moleschott hat der venia legendi freiwillig entsagt. — Unsere Lehrkräfte haben in diesem Jahre erfreulichen Zuwachs erhalten. Geh. Kirchenrath Rothe, welcher im Jahre 1849 einem Rufe nach Bonn folgte, ist zu Ostern 1854 wieder der unsrige geworden und hat den Verlust, den die Universität durch den Abgang des geheimen Kirchenraths Professor Dr. Ullmann, jetzigen Praelaten in Karlsruhe, erlitt, ersetzt.

An Professor Jolly's Stelle wurde Professor Kirchhoff aus Breslau berufen; derselbe hat den Lehrstuhl der Physik an unserer Universität kürzlich übernommen. In die Reihe der Privatdocenten ist Dr. Theod. v. Bufch neu eingetreten. — Der Verwalter des Universitätsamts, der groszherzogliche Assessor Mors, wurde von hier abberufen und zum Verweser des Universitätsamts Rechtsanwalt Mays bestimmt. An die Stelle des akademischen Musikdirectors Winkelmaier wurde der Musikdirector Schletterer von Zweibrücken berufen. — Die Gesammtzahl der Studierenden hat sowohl im Sommer wie auch im Winter-Semester keine Abnahme erlitten. — Für das Jahr 1855 wurden von den verschiedene Facultäten folgende Preisfragen gestellt: 1) Von der theologischen Facultät: Comparentur inter se Spenerus et Zinzendorfius, itaque quidem ut peculiaris pietatis christianae utriusque viri indoles et vis, quam uterque in ecclesiam sui temporis exercuit, sedulo describantur.. 2) Von der juristischen Facultät: Exponatur differentia stellionatus et criminis falsi. 3) Von der medicinischen Facultät: In typho s. d. abdominali urea majore copia ex organismo cum urina prodire solet. Experimentis igitur doceatur: primum, in quo morbi stadio haec secretio augeatur, deinde, quis esse soleat huius secretionis modus in catarrho intestinali. 4) Von der philosopischen Facultät: a) Disseratur secundum auctorum testimonia, numos, inscriptiones de rebus *Chersonesi Tauricae* inde a primordiis coloniarum Graecarum usque ad finem regni *Bosporitani;* b) Untersuchung über rohen und reinen Bodenertrag und Grösze des landwirthschaftlichen Capitals bei gröszeren, mittleren und kleineren Landgütern in einer einzelnen Gegend von Deutschland nach Erkundigungen an Ort und Stelle. — Wir theilen ferner mit die *Gesetze* für die Schüler des groszherzoglichen Lyceums in Heidelberg.*) 1) Jeder Schüler ist sämmtlichen Lehrern der Anstalt Gehorsam und Achtung schuldig, und wird auch in seiner äuszeren Haltung und in seinem Benehmen diese Achtung an den Tag legen. 2) Allen Anordnungen seiner Lehrer musz der Schüler nachzukommen suchen. Er wird daher a) alles zum Unterrichte erforderliche sich nicht nur anschaffen, sondern es auch da, wo es vom Lehrer angeordnet ist, in die Schule mitbringen; b) er wird sich bemühen seine Aufgaben nach der Anweisung des Lehrers in jeder Beziehung sorgfältig auszuarbeiten; c) er wird während des Unterrichts aufmerksam und ruhig sein und sich von allem störenden oder durch den Lehrer untersagten enthalten; d) er wird keine andern Bücher oder Gegenstände, die nicht zum Unterrichte gebören, mit in die Schule bringen. 3) Auszer der Aufmerksamkeit und Ruhe während des Unterrichts gehört zu den Pflichten des Schülers: Fleisz, Ordnungsliebe und Reinlichkeit in allen Dingen, Bescheidenheit in seinem ganzen Benehmen und Wahrheitsliebe in seinen Aussagen vor dem Director und den Lehrern. 4) Gegen seine Mitschüler hat jeder die Pflicht freundlicher Verträglichkeit. Kein Schüler darf den andern in irgend einer Weise durch Wort oder That beleidigen oder kränken. 5) Wer sich aber für beleidigt hält, darf sich nicht selbst Recht verschaffen wollen, sondern hat seine Klage vor den Lehrer oder Director zu bringen. 6) Kein Schüler wird seine Mitschüler durch misgünstiges ausplaudern auszerhalb der Schule zu verkleinern suchen, während er in seinen Aussagen dem Lehrer gegenüber Wahrheitsliebe als heilige Pflicht ansehen musz. 7) Die Schüler haben sich zu rechter Zeit, nicht zu spät und nicht zu frühe, höchstens 10 Minuten vor

---

*) Diese Gesetze wurden durch einen Erlasz des groszherzoglichen Oberstudienraths in Karlsruhe genehmigt.

der zum Beginne des Unterrichts festgesetzten Stunde, einzufinden.
8) Bei dem eintreten in das Schulgebäude und in dessen Gängen, sowie bei dem herausgehen aus demselben haben die Schüler jeden Lärm
zu meiden und sich anständig zu betragen. 9) Bei ihrem Eintritt in
den Lehrsaal sollen sich die Schüler sofort an ihre Plätze begeben und
in Stille und Ordnung die Ankunft des Lehrers erwarten. Seinen Platz
oder den Lehrsaal darf kein Schüler ohne Erlaubnis des Lehrers verlassen. 10) Kein Schüler darf an dem Schulgebäude, in dessen Gängen
oder den Lehrsälen und den darin befindlichen Geräthschaften, oder
auch am Eigenthum seiner Mitschüler etwas verunreinigen oder beschä-
digen. 11) Für jede Beschädigung ist der Urheber verantwortlich. Ist
derselbe nicht zu ermitteln, so haftet die ganze Klasse für den Schaden. 12) Kein Schüler darf den Schulunterricht versäumen.
Wer aus statthaften Gründen veranlasst ist eine Unterrichtsstunde
nicht zu besuchen, hat sich dafür bei dem betreffenden Lehrer Erlaubnis zu erbitten. Wer aber einen halben Tag oder länger den Unterricht auszusetzen genöthigt ist, hat auszerdem die Genehmigung des
Directors nachzusuchen. Nach unvorgesehenem Schulversäumnisse hat
der wiedereintretende Schüler bei allen Lehrern, deren Unterricht er
versäumt hat, sich durch ein von den Eltern oder dem Fürsorger eigen-
händig geschriebenes (nicht blosz unterschriebenes) Zeugnis zu rechtfertigen. Bei länger andauernder Krankheit eines Schülers ist der Director zeitig in Kenntnis zu setzen. 13) Insbesondere ist es den Schülern untersagt vor dem Beginne der Ferien sich zu entfernen, von den
Prüfungen wegzubleiben, oder erst nach dem Anfange der Lectionen
aus den Ferien zurückzukommen. 14) Jeder Schüler, der nicht bei seinen Eltern wohnt, musz einen geeigneten Fürsorger haben, der
die Pflicht übernimmt über den häuslichen Fleisz und das sittliche Betragen des Schülers zu wachen. 15) Alle Schüler sollen dem öffentlichen Gottesdienste an jedem Sonn- und Feiertage des Vormit-
tags nach der vorgeschriebenen Ordnung in Stille und Andacht bei-
wohnen. Jede Versäumnis des Kirchenbesuchs ist durch ein schriftliches Zeugnis der Eltern oder Fürsorger zu entschuldigen. 16) Ueberall
wo die Schüler auszerhalb der Schule öffentlich erscheinen,
sollen sie sich anständig und gesittet betragen und jedermann mit Bescheidenheit und Achtung in gebürender Weise begegnen. 17) Kein
Schüler, der nicht bei seinen Eltern wohnt, darf in einem Wirths-
hause wohnen, oder seine Kost an einer Wirthstafel nehmen. Von
jedem Wechsel der Wohnung oder des Fürsorgers ist dem Director Anzeige zu machen und dessen Genehmigung einzuholen. 18) Das
baden im freien Neckar ist den Schülern nur innerhalb des von
der Polizei zum baden abgesteckten Platzes erlaubt, und nicht vor der
von dieser Behörde bestimmten Zeit, sowie auch nur unter Beachtung
der Sittlichkeit und des Anstandes. 19) Der Gebrauch des Schiesz-
pulvers mit oder ohne Schieszgewehre ohne die gehörige Beaufsichtigung ist den Schülern verboten. 20) Kein Schüler soll sich frühzeitig das Tabakrauchen angewöhnen, das der Gesundheit in jugend-
lichem Alter meist schädlich ist, und es ist jedem verboten mit einer
Tabakspfeife oder Cigarre sich an Fenstern oder sonst öffentlich zu
zeigen. 21) Aller Besuch der Wein-, Bier- und Kaffeehäuser
in der Stadt und ihrer Umgebung ist sämmtlichen Schülern — selbst
während der Ferien — untersagt, auszer in Gesellschaft ihrer Eltern
oder ihrer angehörigen. Nur den Schülern der obersten beiden Jahrescurse — der Sexta — ist es gestattet nach der von der Direction und
Lehrerconferenz getroffenen Bestimmungen ein anständiges Wirthshaus
in der Stadt zu besuchen. 22) Es ist den Schülern durchaus verboten,
auch in Privathäusern des trinkens oder spielens wegen oder

zum Zwecke von **Fechtübungen** Zusammenkünfte zu halten oder dergleichen Zusammenkünften beizuwohnen. 23) Es ist den Schülern nicht gestattet an andern als an den für die Schüler selbst angeordneten **Turnübungen** Theil zu nehmen. 24) Nur in geschlossenen Gesellschaften, sowohl in als auszerhalb der Stadt, ist den Schülern zu tanzen gestattet. 25) Es ist den Schülern untersagt sich durch eigene **Kleidertracht** auszuzeichnen und an irgend einer **Gesellschaft**, die den Charakter einer **geheimen** trägt, welchen Namen und Zweck sie auch haben mag, Antheil zu nehmen. — Manchem Leser dieser Zeitschrift werden nicht unwillkommen sein die *Statuten* für die **Schülerbibliothek** des groszherzogl. **Lyceums zu Heidelberg.** *) I. Zweck der Schülerbibliothek und Förderung desselben. 1) Der Zweck der Schülerbibliothek ist belehrende und geistbildende Unterhaltung, sowie Erweiterung der Kenntnisse der Schüler in einzelnen wissenschaftlichen Fächern. Daher ist es Aufgabe der Schülerbibliothek, strebsamen Schülern Gelegenheit zu bieten sich mit den besten Producten ausgezeichneter vaterländischer Schriftsteller und der Geschichte der Geistesentwicklung derselben, sowie mit Geschichte und Geographie und einzelnen Partien solcher Disciplinen, die nicht speciell Gegenstand des Unterrichts sind, genauer bekannt zu machen, und sich durch geeignete Lectüre eine gröszere Gewandtheit im schriftlichen und mündlichen Gebrauche der Muttersprache zu erwerben. 2) Die Bücher der Schülerbibliothek sollen sich daher insbesondere über folgende Fächer ausdehnen: a) die vorzüglichsten deutschen Classiker; b) Bücher aus dem Fache der Geschichte, Geographie (wozu auch Reisebeschreibungen von geeigneter Form kommen können), Naturwissenschaft, deutschen Litteraturgeschichte und der classischen Alterthumskunde; c) Sammlungen deutscher Aufsätze zur Bildung des Styls, wozu auch gesammelte Briefe deutscher classischer Schriftsteller als geeignet erachtet werden; d) zur Unterhaltungslectüre soll nur classisches aufgenommen werden und etwa geeignete Sammlungen der Sagen des Alterthums, der Sagen der deutschen Vorzeit und ähnliches, was zum Zweck der Jugendbildung geeignet erscheint. 3) Die Lehrer werden darauf Bedacht nehmen die Schüler zur geeigneten Benutzung der Schülerbibliothek anzuleiten und in einzelnen Unterrichtsstunden, wo es passend erscheint, von der Art der Benutzung sich näher zu überzeugen suchen. II. Bestand und Erweiterung der Schülerbibliothek. Den Bestand der Schülerbibliothek bilden die seit dem Herbste 1849 gestifteten und von den Beiträgen der Schüler bisher angeschafften Bücher. 5) Erweitert wird die Schülerbibliothek: a) durch einen allmonatlich von jedem Mitgliede zu entrichtenden Beitrag von 4 kr.; b) durch auszerordentliche Zuschüsse; c) durch freiwillige Gaben der Schüler und anderer Wohlthäter. Insbesondere dürfte dies für die Abiturienten eine angemessene Gelegenheit sein sich ein Andenken zu stiften. Doch können von ihnen sowohl als von andern Schülern nur solche Bücher als Geschenke aufgenommen werden, die dem Zwecke der Bibliothek wirklich entsprechen. Ungeeignete Bücher sind daher nicht in die Bibliothek einzureihen. III. Benutzung der Schülerbibliothek. 6) Jeder Schüler der 4 obersten Jahrescurse ist zur Theilnahme, resp. zur Zahlung des monatlichen Beitrags von 4 kr. verpflichtet. Auch kann er am Anfang des Semesters den ganzen halbjährigen Betrag mit 24 kr. auf einmal entrichten. 7) Auch den Schülern der Oberquarta ist die Benutzung der Schülerbibliothek gegen den monatlich zu zahlenden Beitrag von 4 kr. gestattet. Doch kann deren Eintritt nur beim Beginne eines Semesters im Herbste oder zu Ostern, und der Wie-

---

*) Auch diese Statuten erhielten durch einen Erlasz groszherzogl. Oberstudienrathes in Karlsruhe die Genehmigung.

deraustritt nur am Ende eines Semesters stattfinden. Auch erhalten sie aus der Bibliothek nur dasjenige Buch, das ihr Classenlehrer jeweils als zweckmäszig für sie bezeichnet, dadurch dasz er ihrem Empfangscheine seinen Namen beifügt. 8) Ganz dürftige Schüler aller Classen steht der Lehrerconferenz frei von der Entrichtung des Beitrags zu befreien. 9) Allwöchentlich erhält jedes Mitglied — Oberquartaner jedoch nur durch Vermittlung des Hauptlehrers — gegen Schein ein Buch, aber immer nur éinen Band und nur auf 14 Tage. 10) Verspätete Ablieferung zieht eine Strafe von 4 kr. nach sich, welche der Bibliothekskasse zufällt. 11) Jeder mitlesende ist verpflichtet eine von ihm bemerkte Beschädigung des Buchs sofort dem das ganze beaufsichtigenden Lehrer zur Anzeige zu bringen und bestimmt dieser bei etwaiger Ermittlung des Thäters den zu leistenden Ersatz. IV. Aufsicht. Handhabung der Statuten. 12) Die Oberaufsicht über die Schülerbibliothek führt der jeweilige Classenlehrer der Obersexta, der auch ben Ankauf der neu anzuschaffenden Bücher besorgt. 13) Ueber die Anschaffungen der Bücher wird bei Verwendung gröszerer Summen die Lehrerconferenz berathen. Für den gewöhnlichen Geschäftsgang, wenn nur über geringere Summen zu disponieren ist, ist die Entscheidung über die Anschaffung drei Lehrern anheim gegeben, dem Classenlehrer der Obersexta, dem andern alternierenden Director und einem von dem Lehrercollegium dazu bestimmten Lehrer. Diese drei Lehrer werden in ihren Entscheidungen sowohl die Wünsche einzelner Lehrer als auch die geeigneten Wünsche der Schüler berücksichtigen. 14) Der Classenlehrer der Obersexta ernennt einen Obersextaner und einen Untersextaner als Bibliothekare und für jeden einen Stellvertreter, welche stets Verzeichnisse der vorhandenen Bücher bei sich führen, die Beiträge ihrer Classen am ersten jeden Monats sammeln und an bestimmten Tagen an sämmtliche Mitglieder die Bücher ausgeben, wieder in Empfang nehmen und im Schranke aufstellen. 15) Aus jeder der drei übrigen Classen bestimmt der Classenlehrer einen Sammler und einen Stellvertreter, welche ebenfalls Verzeichnisse der vorhandenen Bücher zur beliebigen Einsicht für ihre Mitschüler bei sich führen müssen und die Beiträge am ersten jedes Monats einsammeln. 16) Am 15. jedes Monats liefern die Sammler sämmtlicher Classen die eingesammelten Beiträge an den Classenlehrer der Obersexta ab, bringen die säumigen zur Anzeige und tragen etwaige Wünsche ihrer Mitschüler vor. Im geeigneten Falle wird der Classenlehrer sich mit den Schülern über die von ihnen geäuszerten Wünsche zu Anschaffungen näher besprechen, oder sie mit Zustimmung der beiden andern im §. 13 bezeichneten Lehrer einfach ablehnen. 17) Vor den Herbstferien sind sämmtliche Bücher abzuliefern und haben sich die zwei Bibliothekare davon zu überzeugen dasz nichts fehle. Wer am Ende des Schuljahres — oder bei seinem Austritte im Laufe des Schuljahres — die von der Bibliothek entliehenen Bücher noch nicht abgeliefert hat, erhält, bevor dies geschehen ist, kein Schulzeugnis. Die Bibliothekare sind daher verpflichtet vor der Austheilung der Schulzeugnisse am Ende des Jahres der Lyceums-Direction oder dem mit der Austheilung der Zeugnisse beauftragten Classenlehrer die jeweiligen Rückstände rechtzeitig anzuzeigen. Während der Herbstferien kann ein Schüler nur ausnahmsweise und durch Vermittlung des Classenlehrers Bücher aus der Schülerbibliothek erhalten. [#

SCHWEINFURT. Das Lehrercollegium des dasigen Gymnasiums Ludovicianum und der latein. Schule bestand während des Schuljahrs 1853—54 aus dem Studienrector Prof. Dr. Oelschläger, den Professoren Dr. von Jan, Dr. Wittmann, Dr. Enderlein, Hartmann, den Studienlehrern Pfirsch, Zink, Dr. Pfaff (nach dem am 2· Nov. 1853 erfolgten Tode des Oberlehrers Ad. Ulrich aufgerückt und Schmidt (von Memmingen berufen), dem evang. Religionslehrer Stadtpfarrer Helmsauer, dem kathol. Stadtkaplan Lutz (nach Versetzung des Stadtkaplans Bonfig), Zeichenlehrer Stössel (nach Kornachers Enthebung), Schreib- und Gesanglehrer Christoph. Die Schülerzahl betrug im Gymnasium 37 (IV: 6, III: 6, II: 9, I: 16), in der latein. Schule 72 (IV: 11, III: 17, II: 21, I: 23), im ganzen 109. Den Schulnachrichten beigegeben ist eine Rede des Studienrectors Prof. Dr. Frz. Oelschläger: *über religiöse Bildung* (19 S. 4), eine recht klare und lebendige Wärme beweisende Entwicklung der Sache und der dahin einschlagenden Fragen, zugleich ein ehrendes Zeugnis für den auf der Studienanstalt waltenden Geist.

Personalnachrichten.

Angestellt oder ernannt:

Brandis, Dr., Prof. in Bonn, an Schellings Stelle zum Mitgliede der académie des sciences politiques et morales zu Paris.

Burkhardt, Cand. theol., als Religionslehrer und Ordinarius der 6n Classe am Gymnasium zu Budissin.

von Gerber, Dr., Prof. und Vicekanzler der Universität Tübingen, zum Kanzler derselben.

Hempfing, Dr. Christoph, aus Eschwege, zum 3n Lehrer an der Realschule zu Marburg.

Knies, Dr. Karl, Prof. in Schaffhausen, zum ordentl. Prof. an der Universität zu Freiburg für die erledigte Lehrkanzel der Staatswirthschaft.

Matzke, Paul, Weltgeistlicher, als Religionslehrer am Gymnasium zu Sagan.

Opitz, Lehrer an der Bürgerschule zu Budissin, als Religionslehrer am Gymn. zu Zittau.

Ranke, Dr. Leop., Prof. und Historiograph zu Berlin, zum stimmfähigen Ritter der Friedensclasse des k. preuszischen Ordens pour le mérite.

Redner, Licent., als Religionslehrer am Gymn. zu Conitz.

Reuscher, Dr. Arn., Schulamtscand., als ordentlicher Lehrer an der Realschule zu Perleberg.

Roszbach, Dr. Aug., Privatdocent an der Universität Tübingen, zum ao. Prof. an ders. Univ.

Scheibert, Dr., Director der Friedrich-Wilhelmsschule zu Stettin, zum Provinzialschulrathe und Mitgliede des Provinzialschulcollegiums zu Breslau.

Söltl, Dr., Prof. in München, zum königl. bayerschen Geheimen Hausarchivar, mit der Erlaubnis geschichtliche Vorlesungen an der Universität zu halten.

Wüstemann, Dr. E. Frdr., Hofrath und Professor zu Gotha, zum Mitgliede des archaeologischen Instituts in Rom.

Zwolski, Dr. Ge., Schulamtscand., zum ord. Lehrer am Gymnasium zu Ostrowo.

Praediciert:

Berger, Dr. Frdr., Gymnasiallehrer zu Gotha, als Professor.

Braune, Ludw., Prorector am Gymn. zu Cottbus, als Professor.

Ellerts, Geh. Regierungsrath und vortragender Rath im Ministerium der geistl. Unterrichts- und Medicinalangelegenheiten, als Gebeimer Ober-Regierungsrath.

Gützlaff, Dr. K. Ed., Prorector am Gymn. zu Marienwerder, als Professor.

Kloppe, Dr. **Gu. Ad.**, ordentl. Lehrer am Paedagogium im Kloster
U. L. Fr. zu Magdeburg, als Oberlehrer.
Kühne, Dr. **Herm. Theod.**, Gymnasiallehrer zu Gotha, als Professor.
Michaelis, Em. **Rud.**, ordentl. Lehrer am Paedagogium im Kloster
U. L. Fr. zu Magdeburg, als Oberlehrer.
Schneider, Dr. **O. Herm.**, Gymnasiallehrer zu Gotha, als Professor.
Schröder, Dr. **Gu. Ad.**, Conrector am Gymn. zu Marienwerder, desgl.
Stiehl, Geh. Regierungsrath und vortragender Rath im Ministerium
der geistlichen, Unterrichts- und Medicinalangelegenheiten in Ber-
lin, als Geh. Ober-Regierungsrath.
Verstorben:
Am 6. (18.) Jan. zu Petersburg Dr. **Andr. Joh. Sjögren**, seit 1829
Mitglied der kais. Akademie, bekannt als Erforscher der finnischen
und ossetischen Sprache und der älteren russischen Geschichte,
geb. am 25. Apr. 1794 im Gouv. Nyland.
Am 14. Jan. zu Florenz **Paul Colomb de Batines**, bekannt durch
seine Verdienste um die Dante-Litteratur und italienische Biblio-
graphie.
Am 19. Jan. zu Constanz der Director des das Lyceums, geistl. Rath
Jos. Nicol. Schmeiszer, geb. am 9. Decbr. 1793 in Lands-
hausen, Bezirksamt Eppingen, seit 1848 in Constanz.
Am 20. Jan. auf seinem Gute Tscheidt bei Ratibor der unter dem Na-
men Max Waldau bekannte Dichter Dr. **Rich. Ge. Spiller von
Hauenschild**, geb. am 24. März 1825.
Am 27. Jan. zu München Prof. Dr. **Lindemann**, Philosoph aus der
Krause'schen Schule.
Am 1. Febr. zu Kiel der treue und kräftige Zeuge der evangelischen
Wahrheit, Oberconsistorialrath Prof. Dr. **Claus Harms**, geb. zu
Fahrstedt im Süderdithmarschen am 25. Mai 1778, seit 1816 in Kiel.
Am 3. Febr. zu Elbing Dr. **Caesar von Lengerke**, früher Profes-
sor an der Universität zu Königsberg.
Am 9. Febr. zu Budissin Dr. ph. **Karl Gfr. Gebauer**, erster Col-
lege am das. Gymn., 80 Jahr und 8 Monate alt und erst seit
einem halben Jahre emeritiert.
Am 10. Febr. in Göttingen der Prof. ord. med. Dr. **Joh. Friedrich
Osiander**, geb. am 2. Febr. 1787 zu Kirchheim in Württemberg.
Am 14. Febr. zu Göttingen der berühmte Theolog, Prof. Abt Dr.
Lücke.

Berichtigung.

Um Misdeutungen vorzubeugen, geben wir der von uns Bd. LXX
S. 539 mitgetheilten Aeuszerung des Hrn. Prof. Dr. Heerwagen aus
Bayreuth folgende genauere und richtigere Fassung:
'Was die specielle Frage Ecksteins anlange, so seien die persönlichen Verhältnisse (am Bayreuther Gymnasium) geändert. Der
frühere Lehrer habe latein. Aufsätze über philosophische Gegenstände verlangt, und es sei möglich dasz selbst diese hin und wieder gutes getragen hätten, indem die menschliche Natur zu ihrem
Glücke sich nicht so leicht verwüsten lasse. Er möchte wissen,
ob die norddeutschen Collegen die Erfahrung gemacht hätten dasz
regelmäszig die Hälfte solcher Arbeiten befriedige und nicht etwa
nur 3 — 4. In Bayreuth habe man keine glänzenden Resultate in
dieser Hinsicht erzielt, aber freilich habe die dortige Jugend mit
dem Ausdrucke bisweilen selbst im deutschen auszerordentlich zu
ringen.' *R. D.*

Zweite Abtheilung

herausgegeben von Rudolph Dietsch.

(5.)

Shakspere's Werke. Herausgegeben und erklärt von Dr. Nico-
laus Delius. Erster Band. Erstes Stück: Hamlet,
Prince of Denmark. Elberfeld, K. L. Friedrichs. 1854. X
u. 166 S. Lex.-8.

Dritter Artikel.

(Schlusz von Seite 127.)

7) Das Metrum wird durch die Zusätze und Auslassungen der
Fol. 1 häufig, durch die Varianten bisweilen verdorben.

Es ist dies einer der wichtigsten Punkte um zu beweisen, dasz
die Foliorecension nicht vom Dichter sondern von den Schauspielern
ausgegangen sei, da diese im ganzen weniger auf rhythmische Schönheit und Genauigkeit halten, und daher ist schon im vorigen oft (so
wie schon P. Sh. S. XV) darauf aufmerksam gemacht worden. Sei es
erlaubt noch die Fälle aus den ersten 40 Seiten und einige aus dem
übrigen Stück zusammenzustellen:

qu. 5.	F. 1.
13 *I thinke I heare them, stand ho,* *who is there?*	*I thinke I heare them: Stand:* *who's there?* (qu. 1 ebenso)
25 *His cannon gainst seale slaughter,* *ò God, God,*	*His Cannon 'gainst Selfe-slaugh-* *ter. O God, O God!*
25 *Fie on't, ah fie, tis an vnweeded* *garden,*	*Fie on't? Oh fie, fie, 'tis an* *vnweeded Garden*
26 *Possesse it meerely that it should* *come thus.*	*Possesse it meerely. That it should* *come to this:*
29 *A sable, siluer'd.* | *I will watch* *to night* | *Perchance twill walke* *againe.* | *I warn't it will.* (qu. 1. *I warrant it will*).	*A Sable Siluer'd.* *Ile watch to Night; perchance* *'twill walke againe.* *I warrant you it will.*
34 *And hath giuen countenance to* *his speech* | *My Lord, with almost* *all the holy vowes of heauen.*	*And hath g. c. t. h. speech,* *My Lord, with all the vowes of* *Heauen.*

37 *King, father, royall Dane,* ò *answere mee,*	*King, Father, Royall Dane: Oh, oh, answer me,*
40 *To eares of flesh and blood; list, list, O list,*	*To eares of flesh and blond; list Hamlet, oh list,*
40 *Hast me to know't, that I with wings as swift,*	*Hast, hast me to know it, That with wings as swift,*
43 *Vnmixt with baser matter, yes by heauen.*	*Vnmixt with baser matter; yes, yes, by Heauen!*
43 *My tables, meet it is I set it downe*	*My Tables, my Tables; meet it is I set it downe,*
44 *I will goe pray.* (Monometer)	*Looke you, Ile goe pray.*
48 *And then sir doos a this, a doos: what was I about to say?*	*And then Sir does he this?*
By the masse I was about to say something,	*He does: what was I about to say?*
Where did I leaue?	*I was about to say somthing: where did I leaue?*
108 *Whips out his Rapier cryeis a Rat, a Rat,*	*He whips his Rapier out, and cries a Rat, a Rat,*
94 *Out of his browes.* | *We will our selues prouide,*	*Out of his Lunacies.* | *We will our selues prouide:*
112 *Hamlet this deede for thine especiall safety*	*Hamlet, this deed of thine, for thine especial safety*
121 *Of your deere father, i'st writ in your reuenge,*	*Of your deere Fathers death, if writ in your reuenge,*
48 *He closes thus, I know the Gentleman*	*He closes with you thus. I know the Gentleman.*
70 *What's Hecuba to him, or he to her,*	*What's Hecuba to him, or he to Hecuba,*
47 *A sauagenes in vnreclaměd blood,*	*A sauagenes in vnreclaim'd bloud*
Of generall assault. | *But my good Lord.* |	*of generall assault.* | *But my good Lord.* |
50 *Come, goe with me, I will goe seeke the King,*	*Goe with me, I will goe seeke the King*
51 | *Then to intreaty.* | *But we both obey,* |	*Then to Entreatie.* | *We both obey,* |
52 *Pleasant and helpfull tó him.* | *Í Amén.* |	*Pleasant and helpfull to him.* | *Amen.* |
52 *Well, we shall sift him, welcome my good friends,*	*Well, we shall sift him. Welcome good Frends:*
53 *Most welcome home,* | *This busines is well ended,*	*Most welcome home. This businesse is very well ended,*
111 *Bring him before vs.* | *Hoe, bring in the Lord.*	*Bring him before vs.* | *Hoa, Guildensterne? bring in my Lord.*
101 *Blasting his wholesome brother: haue you eyes?*	*Blasting his wholesome breath. Haue you eyes?*

98 *Pray you be round.* | *Ile waite you, feare me not,*	*Pray you be round with him.* *Mother, mother, mother.* *Ile warrant you, feare me not.*
With-draw, I heare him comming.	*Withdraw, I heare him comming.*
97 *I his sole sonne, doe this same villaine send*	*I his foule Sonne, do this same Villaine send*
To heauen.	*To heauen. Oh this is hyre and*
Why, this is base and silly.......... *not reuendge,*	*Sallery, not Reuenge.*
103 *That you doe bend your eye on vacancy.*	*That you bend your eye on vacancie,*
73 *Affront Ophelia; her father and my selfe,*	*Affront Ophelia: Her Father, and my selfe (lawful espials)*
71 *Why what an Asse am I? this is most braue,*	*Oh Vengeance!* *Who? What an Asse am I? I sure, this is most braue,*
That I the sonne of a deere father murthered,	*That I, the Sonne of the Deere murtheréd,*

Dagegen lassen sich freilich eine Menge Fälle aufstellen, wo die Foliolesart metrisch richtiger ist als die Quartolesart. Allein bedenken wir die Flüchtigkeit des Drucks der letzteren, so konnte das nicht anders sein. Und jene Fälle beziehen sich gerade meistens auf Nichtbeobachtung der Synkope und Elision in der Quarto, welche mit fast ängstlicher Sorgfalt in Fol. 1, selten mit Auslassung der Apostrophe, behandelt wird. Da entsteht nun die Frage, ob der Dichter selbst immer sorgfältig *i' th', by th', t'haue, for's, vtter'd, th'effect, heau'n* (43), oder vielmehr auch da *in the, by the, to haue, for his, vttered, the effect, heauen* geschrieben habe, wo er im sprechen elidiert und synkopiert haben wollte. Für das letztere freilich bietet qu. meist die Spensersche Orthographie ohne Apostroph, *armd, scand, cald, puld, gleand, drownd, referd, kild, offerd, seald, deuisd, temperd, turnd, proposd, staind, witherd, falne,* [auch mit Ausstoszung des Vokals der Bildungssilbe anstatt des Flexionsvokals *muttred, vnmastred, vttred, wandring, poysned,*] *hatcht, patcht, lookt, talkt, deckt, scratcht, popt, punisht, gropt,* die einfachere und naturgemäszere, mit Beobachtung der Consonantenassimilation, insofern nach tenuis und scharfem oder breitem Zischlaut meist tenuis (*t*) eingetreten, nach liquida und leiser spirans die in den sächsischen Sprachen vorherschende media festgehalten ist. Dies Gesetz beobachtet die Fol. 1 weniger oft, und schiebt meist den (ganz überflüssigen) Apostroph ein [der in qu. (5) selten ist (*whor'd, plac't*)], selbst da wo er gar nicht hingehört z. B. in *strick'd* (von *strictus*), wo qu. richtig *strict* hat. Wie manche der Orthographien der Qu. ist überhaupt älter und etymologisch richtiger als in Fol. 1: *a leauen* (eilf: Ags. *endleofan*), *seauen* (Ags.: *seofon*, sieben), *Maister*, ohne dasz die Herren Hgg. sich darum bekümmern. — Aber auch von diesen Dingen abgesehen, ist nicht zu leugnen, dasz die meisten Varianten in F. 1 metrisch ebenso gut passen, als die Lesarten der qu. 5, was aber noch nicht beweist, dasz jene nicht blosz dem Theater ihre Entstehung verdanken, da der Schauspieler bei solchem verändern doch auch im Durchschnitt ein zweisilbiges Wort für ein zweisilbiges, ein dreisilbiges für ein dreisilbiges nehmen oder den Vers in seiner Weise schicklich zurechtstutzen wird. Aber wie die oben verzeichneten, gehen viele andere holprige Verse, namentlich die Zusätze lange, unschöne Alexandriner, die wir wol einer solchen Verderbnis, unmöglich einer Durchsicht des Dichters für die Bühne zuschreiben können. Wem kann es einfallen jene durch Geminationen von *Oh* und *fie*, durch eingeflickte Anreden und müssige Betheurungen wie *aye sure* entstandenen Holprigkeiten der verbessernden Feder des groszen Meisters zuzuschreiben? Es wäre da kein andrer Rath als zu meinen, die Quartos hätten diese Flickwörter ausgelassen, der Dichter aber hätte von vornherein an diesen Stellen unmetrisch geschrieben. Seltsam doch, dasz die Drucke, die erwiesenermaszen die nachlässigsten sind, gerade so auslassen sollten, dasz sie die Verse ohne Schaden des Sinnes reguliren. Wir halten eine solche Annahme für einen *coup* der Verzweiflung, während die entgegenstehende, dasz die Fehler in F. 1 aus Theatervortrag entstanden sind, aufs vortrefflichste mit allem übrigen übereinstimmt.

8) Die Fol. 1 enthält bedeutend weniger Speciallesarten, die augenscheinliche typographische Fehler sind, als die Qu.

Die bei weitem gröszte Menge der falschen Quartolesarten sind eigentliche Druckfehler, theils mechanische Fehler in einzelnen Buchstaben, theils Lesefehler des Setzers in schwereren namentlich gelehrten Wörtern. Umsetzungen von Wörtern wie *the are men* für *the men are* (138) u. a. m.; Umkehrungen von Buchstaben wie *ribaud* für *riband* (al. qu. 129); *buriall* (134 St. Repr. falsch); Auslassungen von Buchstaben, wie *the* für *they* (öfter z. B. 62 (zweimal) 121), *guided* für *guilded* (96), *Aainst* für *Against* (114), *sluer* für *sliuer* (133); *once* für *nonce* (132); *make* für *marke* (140) *or* für *for* (148), und Ausfall von Wörtern wie *and* (142 Zeile 1), *the top of* (93), *with* (95), *in* (99), *shall* (128), *but* (148 Z. 3), *not* (149 qu. 2 hat *not*), *impaund* (149); *murdrous* (156, veranlaszt durch die doppelte Endung *ous*); Vertauschungen von Buchstaben, wie *euocutal* für *enoculat(e)* (77 so qu. 2, daraus spätere qu. *euacual(e)*), *raine* für *Ruine* (95), *gam-giuing* (qu. 2. 3 — qu. 5 *game-giuing*) für *gain-giuing* (151), *euidence* (Steevens Reprint falsch) für *euidence* (96), *heele mas* für *heeles may* (98), *conuacation* (Steevens Reprint falsch) für *Conuocation* (111), *sighing* für *fighting* (103), *fiedge* (Steev. Repr. falsch) für *siedge* (128), *consession* für *confession* (129), *fight* (Steev. Repr. falsch) für *sight* (130), *sellingly* (qu. 2) für *feelingly* (qu. 3—5) (148), *raw* (qu. 3 ff.) für *yaw* (qu. 2 seltnes Wort) (148), *histy* (qu. 2), *hesty* (qu. 3), *misty* (qu. 5) für *yesty* (150), *so offended* für *Se offendendo* (134 Latein.), *my* für *thy* (155) *Th th'* für *To th'* (157); Vertauschungen von Endungen und Vorsilben wie *possesse* für *posset* (seltnes Wort), *detected* für *detecting*, *proposd* für *purposd* (114), *Christen* für *Chri-*

stian (135), *unice* (qu. 2, daraus qu. 3 ff. *Onixe*) für *union* (153); falsche Trennungen wie *heaue, a kissing* für *Heauen kissing* (101), *musty our* für *must your* (126), *the king at* (qu. 2 daraus qu. 4. 5 *liking not*) für *checking at* (128), *or all* für *argall* (134), *as sir* für *Assis* (145), und sehr viele andere Fehler dieser Art verraten deutlich eine mehr mechanische Nachlässigkeit des Setzers, und sind durchweg als vollständigen Unsinn ergebend leicht zu erkennen, während die schlechten Foliovarianten (cf. Nr. 4. 5) mehr matte und geschraubte Ausdrücke, seltner vollkommenen, leicht erkennbaren Unsinn darbieten.

Einzelne Fälle des Gegentheils können für die ganze Frage nichts beweisen. Denn wie Fol. 1 auch ganz unsinnige Varianten hat (cf. 4, I. a. E.), so hat sie auch eigentliche Druckfehler, nur dasz diese seltner sind. Z. B. 104. *To who* (für *whom*); *or* (*on*); 105 *ranke* (*rancker*); *this* (*these*); 106 *made* (*mad*); 107 *Now* (*How*) *now*; 119 *Battaliaes*; 127 *arm'd* (*aym'd*); 133 *buy* (*lay*); 134 *himsele*; 138 *sixteene* (*Sexton*, könnte eine absichtliche Verdrehung des *Clown* sein); 140 *of* ausgelassen; 142 *Sir* (*For*); 143 *you* (*your*); 146 *sement* (*sequent*); 147 *saw* (*say*); 149 *The sir king* (*The king sir*); 149 *but* (*bet*); 150 *mine* (*many*); 155 *owne* ausgelassen; 157 *rhis* (*this*); 158 *ro* (*to*). Gegen Ende des Stückes wurde auch in Fol. 1 der Druck nachlässiger. Die meisten dieser Fehler finden sich in den jüngeren Ff. gebessert, aber nicht alle; ja zuweilen wird der Unsinn noch vergröszert z. B. S. 150 aus *mine* (für *many*) *nine* gemacht.

Namentlich findet sich in F. 1 eine grosze Verwirrung über das s finale, und zwar dies häufiger falsch zugesetzt als falsch weggelassen. So in dem 3n und 4n Act: S. 108 *Seas; let's; Mother Clossets*; 119 *sorrowes comes*; 120 *persons* (war nicht zu vertheidigen); *comes* dicht darunter; 121 *that calmes*; 122 *turnes* (statt des feineren Conjunctivs *turne*); 127 *Occasions* (?); 135 *lasts*; 138 *heeles*; 141 *Griefes Beares* (F. 4 *Bear*); 145 *The effects*; 149 *Hangers*; 150 *Tryalls*; 153 *Trumpets*. Umgekehrt 121 *world*; 140 *praier*; 141 *Coniure and makes*; 143 *Cuplet are*; 153 *Heauen*; 157 *cracke*; 159 *body*. — Einige dieser Fälle hat man vertheidigen wollen, auch aus grammatischen Gründen, aber es läszt sich über den etwa noch von Shakespeare gebrauchten alten Plural Praesentis auf s (*th*), und über die Ausdehnung der Verbindung eines Collectiv-Singulars mit dem Plural-Praedicat für den Augenblick nichts bestimmtes sagen. Einen Anfang zu dieser Untersuchung hatte Herr Delius im Sh. Lex. p. XVI ff. gemacht, ohne jedoch auf die älteren Formen und auf den gleichzeitigen usus loquendi einzugehn. Hier möge nur daran erinnert werden, dasz diese Verwirrung in der Praesens-Flexion ein noch heute gangbarer Vulgarismus ist (ähnlich dem frz. *j'avons*), und dasz, wenn er sich auch wie die meisten sog. Incorrectheiten des Dialects aus uralten guten Gründen herschreibt, dennoch, wenn die Fol. 1 hauptsächlich die Bürgschaft dafür bei Sh. übernehmen soll, wol zu bedenken ist, dasz untergeordnetere Schauspieler denselben vielleicht vielfach im Munde führten, während der Dichter einer festeren Regel huldigte. Es könnte ein Fall sein wie mit dem 4, I in Fol. 1 häufiger bemerkten *the which* und *Mars his Armours* und den Formen *mine* und *thine* vor Vocalen so wie dem *vilde* für *vile* (cf. 6, VII a. E.); alles dieses findet sich häufig in der gleichzeitigen Prosa, seltner in der Poesie. — Jedenfalls ist die in F. 1 herschende Unordnung und Inconsequenz in Bezug auf das s finale überhaupt gröszer als sie dem Dichter zugetraut werden kann, und legt, da wieder des falschen z u s e t z e n s mehr als des w e g l a s s e n s zu sein scheint, abermals ein Körnchen dafür in die Wagschale, dasz F. 1 weniger eine n a c h l ä s s i g e als eine u n g e s c h i c k t z u r e c h t m a c h e n d e Hand verrate: dasselbe Ergebnis wie vorhin.

9) Die Interpunction in Fol. 1 ist durchweg sorgfältig und genau, aber gerade in dieser Sorgfalt und Genauigkeit sehr oft im schreiendsten Widerspruch mit dem Sinn und Zusammenhang; die Interpunction der Qu. ist nachlässig, aber selten positiv falsch.

Wir können die Interpunctions-Genauigkeit von Fol. 1, nach der nur allzulangen Auseinandersetzung im P. Sh. p. 326—338 und nach den schon im Verlaufe dieser Darstellung gegebenen Beispielen als bewiesen annehmen. Aber was ich Vorrede p. XV nur andeutete, ist die oft seltsam falsche Interp. dieser Ausgabe in Bezug auf den Sinn. Beispiele davon sind im Hamlet fast auf jeder zweiten, dritten Seite zu finden:

Qu. (5).	F. (1).
21 *His further gate heerein, in that the leuies*	*His further gate herein. In that the Leuies,* (falsch)
25 *Doe I impart toward you for your intent,*	*Do I impart towards you. For your intent,* (vermutlich falsch)
27 H o r a. *My Lord I thinke I saw him yesternight.*	H o r. *My Lord, I thinke I saw him yesternight.*
H a m. *Saw, Who?*	H a m. *Saw? Who?*
H o r a. *My Lord the King your father.*	H o r. *My Lord, the King your Father.* (falsch)
28 *Goes slowe and stately by them; thrice he walkt*	*Goes slow and stately: By them thrice he walkt,*
By usw.	*By* usw. (falsch)
32 *And you are staied for, there my blessing with thee,* (so auch qu. 1.)	*And you are staid for there: my blessing with you;* (falsch)
34 *What is betweene you giue me vp the truth.*	*What is betweene you, giue me vp the truth?* (allenfalls haltbar)
35† *The ayre bites shroudly, it is very colde.*	*The Ayre bites shrewdly: is it very cold?* (Unsinn)
37† *With thoughtes beyond the reaches of our soules,* (ähnlich qu. 1.)	*With thoughts beyond thee; reaches of our Soules,* (Unsinn)
38 *And draw you into madnesse, thinke of it,* (ähnlich qu. 1.)	*And draw you into madnesse thinke of it?* (Erst Fol. (2. 3) 4 richtig)

38 *Still am I cald, vnhand me Gent-lemen* (ähnlich qu. 1)	*Still am I cal'd? Vnhand me Gent-lemen:* (allenfalls haltbar)
Are burnt and purg'd away: but that I am forbid	*Are burnt and purg'd away? But that I am forbid* (wenn? =!, allenfalls haltbar)
40 † *I that incestuous, that adul-terate beast*	*I that incestuous, that adulterate Beast*
With witchcraft of his wits, with trayterous gifts,	*With witchcraft of his wits, hath Traitorous guifts.*
O wicked wit and giftes that haue the power	*Oh wicked Wit, and Gifts, that haue the power*
So to seduce; wonne to his sham-full lust	*So to seduce? Won toto this shamefull Lust*
The will of my most seeming ver-tuous Queene; (qu. 1 mangel-haft, aber nicht total falsch)	*The will of my most seeming ver-tuous Queene:* (auffallender Un-sinn) (Fol. (2. 3) 4 richtig)
48 *Hauing euer seene in the pre-nominal crimes*	*Hauing euer seene. In the pre-nominate crimes,* (falsch)

. 48. Zwei andere starke Beispiele unsinniger Interpunction, die zugleich Verderbungen des Maszes sind. S. vorhin p. 160.

54 — *by cause:*	— *by cause,*
Thus it remaines and the remain-der thus	*Thus it remaines, and the remain-der thus. Perpend,*
Perpend,	*I haue* usw. (vielleicht falsch)
I haue usw.	
55 *And my yong Mistrisse this I did bespeake,* (so auch Fol. (2. 3) 4.)	*And (my yong Mistris) thus I did bespeake,* (Unsinn)
71 † *With this slaues offall, bloody, baudy villaine,*	*With this Slaues Offall, bloudy: a Bawdy villaine,* (so auch F. 4 doch vermutlich falsch)
76 *I prag you now receiue them.* (so F. 4.)	*I pray you now, receiue them.* (liesze sich halten)
77 *Heauenly powers restore him.* (Optativ?)	*O heauenly Powers, restore him.* (liesze sich halten)
78 *The courtiers, souldiers, schol-lers, eye, tongue, sword,*	*The Courtiers, Soldiers, Schollers: Eye, tongue, sword,* (ein Bei-spiel der unnötigen, ängstlichen Sorgfalt)
79 *And Ile be plac'd (so please you) in the eare*	*And Ile be plac'd so, please you in the eare* (Unsinn)
82 † *Where thrift may follow fau-ning, doost thou heare,*	*Where thrift may follow faining? Dost thou heare,* (falsch)
87 *I doe beleeue you thinke what now you speake,*	*I do beleeue you. Think what now you speak:* (Unsinn)
100 *And sets a blister there, makes mariage vowes*	*And makes a blister there. Makes marriage vowes*

As false as dicers oathes, Oh such a deed!	As false as Dicers Oathes. Oh such a deed, (falsch)
94 Soft, now to my mother,	Soft now, to my Mother: (doch wol falsch)
119 Come my Coach, God night Ladies, God night. | Sweet Laides God night, God night. | (Vermutlich nicht ohne Grund als zwei Verse gedruckt; Balladenfragment: ⌣ ⌣ −́ ⌣ −́ ⌣ | −́ ⌣ ⌣ −́ ⌣ −́ ⌣ ⌣ −́ ⌣ −́) ·	Come, my Coach: Goodnight Ladies: Goodnight sweet Ladies: Goodnight, goodnight. (als Prosa gedruckt)
120 Where is this King? sirs stand you all without. (so auch F. 4.)	Where is this King, sirs? Stand you all without. (doch gewis falsch)
129 † I know him, well he is the brooch indeed And Jem of all the Nation.	I know him well, he is the Brooch indeed, And Jemme of all our Nation. (vielleicht richtig)
131 Will not peruse the foyles, so that with ease,	Will not peruse the Foiles? So that with ease, (falsch)
132 May fit us to our shape if this should fayle, (falsch; nach shape sollte stark interpungiert sein)	May fit vs to our shape, if this should faile; (genauer, aber ganz ebenso falsch, es ist, wol zu merken, die Rolle des Königs)
139 † Twere to consider too curiously to consider so.	'Twere to consider: to curiously to consider so. (Unsinn)
139 on a roare, not one now to mocke your owne grinning, quite chopfalne. Now usw.	on a Rore? No one now to mock your own Jeering? Quite chopfalne? Now usw. (Malone hielt diese Int. für falsch.)
141 Sweets to the sweet, farewell,	Sweets, to the sweet farewell. (falsch)
141 † O trebble woe Fall tenne times double on that cursed head, Whose wicked deede thy most ingenious sence Depriued thee of, hold off etc.	Oh terrible woer, Fall ten times trebble, on that cursed head Whose wicked deed, thy most Ingenious sence Depriu'd thee of. Hold off etc. (Unsinn)
141 Now pile your dust vpon the quicke and dead,	Now pile your dust, vpon the quicke, and dead, (störend genau)
154 Com for the third Laertes, you doe but dally.	Come for the third. Laertes, you but dally, (vermutlich falsch)
158 Are heere arriued, giue order	Are heere arriued. Giue order that

| that these bodies (F. 4 Kolon | these bodies (auffallend falsch; |
| vor *Give*) | mit *give* beginnt der Nachsatz) |

Unter diesen 40 Beispielen, welche die Behauptung zur Genüge erweisen, sind mehrere, die noch als Irthümer im Texte stehen, namentlich S. 25 ist durch bloszes einfaches zurückgehen auf die echtere Interpunction das Object zu *impart* in dem Satz *it is most retrograde to our desire* gewonnen und statt der verzweifelten Annahme einer Anakoluthie erhalten wir nun eine für den sprechenden ungemein passende wolstilisierte Periode. Auch unter den übrigen sind interessante Varianten: ich habe gerade auch eine zweifelhaftere gewählt, um zu zeigen, wie nothwendig die Aufmerksamkeit auf diese Dinge ist, welche die Hgg. meistens übersehen. Wenn z. B. S. 129 F. 1 Laertes das *well* zu *know* ziehen läszt, so scheint dies eine Verschluderung, wie wenn ein Schüler in Goethes Sänger 'Gegrüszt, ihr schönen Damen' für das eigenthümlichere 'Gegrüszt ihr, schöne Damen' liest; denn *well* kann sehr wol = *why*, nun, ei, mit dem folgenden verbunden werden, und hat dann mehr Praegnanz als in der trivialen Verbindung *I know him well*. Dasselbe gilt von *sirs* p. 123; dagegen ist es zweifelhafter, wohin *bloody* S. 71 und *Perpend* S. 54 gehören. Allein die bei weitem meisten dieser Fälle sind falsche Trennungen in Fol. 1 (insonderheit durch Punkte), nicht selten (mit † bezeichnet) mit einer Verderbnis des Textes selbst verbunden.

Wie wären diese nun in ein vom Dichter selbst durchcorrigiertes Bühnen- oder Souffleur-MS. gekommen? Vielmehr stimmen sie mit der ganzen übermäszig genauen Interpunction, den ängstlichen Apostrophierungen etc. überein, und verraten sich, obgleich unter 10 neu eingesetzten Zeichen 9 gut und für das lesen erleichternd sind, doch eben durch dieses Zehntheil auffallender Verkehrtheiten als das Product einer überarbeitenden Hand, die nicht immer des Verständnisses Herr war: P. Sh. p. XV. Fand sie nun einen sehr wenig interpungierten Text vor, wie man dies von Schauspielerrollen annehmen darf (cf. P. Sh. p. 330 Anm.), so musz man gestehen, dasz sie ihr schwieriges Geschäft doch im ganzen mit Verstand durchführte. — Aber grosze Geister lieben selten solche Pedanterien; aller Wahrscheinlichkeit nach wird Sh. selbst ungefähr so interpungiert und geschrieben haben wie qu. 2 ff. uns den Text darbieten, d. h. etwas cavaliermäszig. Wir erhalten also aus der 'verbesserten' Interpunction und Orthographie der Fol. 1 nicht nur kein neues Argument für ihren directen Zusammenhang mit des Dichters Handschrift, sondern einen deutlichen Beweis des zurechtmachens des Textes durch den Herausgeber oder — den Setzer.

10) Die falschen Trennungen des Verses sind in Fol. 1 sehr häufig, namentlich gegen Ende des Stückes.

Offenbar ist diese Eigenthümlichkeit von derselben Art wie die vorige. In einem MS. von des Dichters Hand, oder auch nur in einem von dem Dichter für die Bühne durchcorrigierten MS. konnte wol in Prosa geschrieben sein was Vers sein sollte, aber nicht umgekehrt in

Versen, was Prosa war, oder z. B. in sieben oder acht versartige
Zeilen zerlegt sein, was in Wahrheit nur fünf Verse waren. Negative
Fehler also sind hier gerade wie bei der Interpunction wol von positiven Fehlern zu unterscheiden, welche letztere wieder einer übermäszig ängstlichen Sorgfalt die (vielleicht in den Rollen oder dem
Theater-MS.) vorgefundene Unordnung zu bessern, ihr dasein verdanken, oder auch nur dem bestreben des Setzers, mit den Zeilen in
gefälligerer Weise für das Auge auszukommen, da seine Colonne (die
halbe Breite der Folioseite) um fast einen halben Zoll schmaler war
als die ganze Breite der Quarto. Dasz solche Gründe einwirkten
liesze sich sowol durch manche Einzelheiten nachweisen, als noch
besonders durch den Schlusz des Stücks, wo es unangenehm für das
Auge gewesen wäre, wenn die letzte Seite (280) nur ganz oben einige
Zeilen enthalten hätte, wogegen sie nun durch Vermehrung der Zeilen
bis auf das erste Drittel hinuntergeführt werden konnte.

Folgendes ist der Schlusz in qu. (5): *Which n o w to claime my*
vantage doth invite me. | H o r a. *Of that I shall haue a l s o cause to*
speake, | *And from his mouth, whose voyce will draw no more,* | *But*
let this same be presently perform'd | *Euen w h i l e mens mindes are*
wilde, least more mischance | *On plots and errors happen.* | F o r t.
Let foure Captaines | *Beare H a m l e t like a souldier to the stage,*
| *For he was likely had he beene put on,* | *To haue prooued most*
r o y a l l; and for his passage, | *The souldiers musique and the r i g h t*
of warre | *Speake loudly for him:* | *Take vp the b o d i e s, such a*
sight as this, | *Becomes the field, but heere showes much amisse.* |
Goe bid the souldiers shoote. exeunt. | Dagegen in Fol. 1 auf p. 280:
Which a r e r o claime, my vantage doth | *Inuite me.* | H o r. *Of that I*
shall haue a l w a y e s cause to speake, | *And from his mouth* | *Whose*
voyce will draw o n more: | *But let this same be presently perform'd,*
| *Euen w h i l e s mens mindes are wilde,* | *Lest more mischance* | *On*
plots, and errors happen: | F o r. *Let foure Captaines* | *Beare H a m -*
l e t like a Soldier to the Stage, | *For he was likely, had he beene put*
on | *To haue prou'd most r o y a l l y:* | *And for his passage,* | *The*
Souldiours Musicke, and the r i t e s of Warre | *Speake loudly for him.*
| *Take vp the b o d y; Such a sight as this* | *Becomes the Field, but*
heere shewes much amis. | *Go, bid the Souldiers shoote.* | *Exeunt Mar-*
ching: after the which, a Peale of | *Ordenance are shot off.* |
So erreichte es der Setzer durch Auszichung der 15 Zeilen zu
21, dasz er etwas tiefer herunterkam. Es sieht nun freilich auch die
Bühnenanweisung mit dem trivialen *the which* und dem *a Peale-are* *),
so wie die vielen dummen Fehler in derselben Passage, die inconse-
quente Orthographie (z. B. dreierlei Art in dem einen Worte *soldier*
in derselben Rede, wo qu. überall *souldier*), sehr nach der Einwir-

---

*) Solöcismen in den Bühnenanweisungen der Fol. 1 wie in der
sorgfältigen Beschreibung des *Dumb Show* sind besonders häufig; ich
denke wenigstens Sh. wird so viel Latein gekonnt haben dasz er nicht
Exits für *Exit* schrieb.

kung wenig intelligenter Hände anderer Art aus: und es liesze sich
fragen, ob nicht schon das Theater-MS. selbst auch die falschen Vers-
trennungen hatte. Doch ist zu beachten, dasz die Fol. 1 dieselben
falschen Trennungen der Blankverse in Rom. and Jul. und andern
Stücken zeigt, welche unmittelbar nach den Quartausgaben abgedruckt wurden, und dasz letztere das wol öfter als Prosa drucken
was Vers sein soll (z. B. die ganze Stelle von *Queen Mab* R. J. 1, 4,
auch in Fol. 1 als Prosa wiederholt), und mehr in éinen Blankvers ziehen als dazu gehört, aber sehr selten éinen Blankvers fälschlich in
zwei Zeilen zerlegen. Fälle also wie R. J. 1, 5.

Qu. 3: Capu. *Why how now kinsman wherefore storme you so?*
Fol. 1. Cap. *Why how now kinsman,* | *Where fore storme you so?* —
sind, so viel ich bemerkt habe, im ganzen Shakespeare sehr häufig. Im
Hamlet ist dies so häufig dasz z. B. auf S. 153 allein fünf, auf S. 154
vier Fälle von solchen falschen Trennungen der Fol. 1 sind. Auch die
Sorgfalt in der Apostrophierung und Setzung der Verbindungsstriche
geht durch. Fol. 1 schreibt durchweg in R. J. *ey'd, suppos'd, vprous'd,*
'tis, 'twill, too't, shee's, on't, as't, desir'st, sham'st, repli'st, can'st,
did'st, want'st, there's, she'l, who's, (selbst schon einzelne Genitive
wie *Romeo's, Mercutio's*) *Rat-catcher, run-awayes,* wo qu. (3 von
1609) *eyde, supposde, vprousd, tis, twill, toote* oder *to it, shees,*
ont, ast, desirest, shamest, repliest, canst, didst, wantst, thers oder
theres oder *there is, sheele, whose* oder *whoes, Romeos, Mercutios,*
ratcatcher, runnawayes, auch gedankenlos mechanisch da wo der
Apostroph gar nicht hingehört, *call's* (*vocat*), *accur'st* (verflucht),
by' th', I dan'st (= *danced*), *rin'd* (Rinde), *expetien'st* (erfahren cf.
P. Sh. p. 495), *shrow'd* (Leichengewand) statt des *cals, accurst, bith*
(= *by the*), *I danst, rinde, experienst, shrowd* der Quartos (wie
wir oben *strick'd* statt *strict* so im Hamlet bemerkten), so wie auch
da wo die Elision und Synkope (wie in Prosa) ganz überflüszig und
selbst wo sie gegen das Metrum ist. Auch in der Orthographie
läszt sich die Aehnlichkeit der Behandlung nicht verkennen. Alte etymologische Spenserorthographien (wie *aleauen, seauen*) finden sich in
qu. 3 von R. J. z. B. *fier,* in Fol. 1 immer *fire;* dort *neast, shead, spread,*
beare (= *bier*) *reareward, heart,* hier *nest, shed, spred, beere,*
rere-ward, hart, umgekehrt dort *hoe* und *ho,* hier *hoa,* gerade wie in
dem oben abgedruckten Schlusz des Hamlet in qu. *Least,* in Fol. 1
Lest und oft im Haml. in Fol. *hoa,* in qu. *ho.* Ebenso qu. *Commaun-*
dement Fol. *Command'ment* im Haml. (92); qu. 3 *demaund* Fol. *de-*
mand in R. J. und unzähliges anderes. Die Rubra sind in Fol. 1 fast
immer als dreibuchstabig durchgeführt, während sie in den Quartos
sehr wechseln. So Fol. 1 fast immer Rom. Jul. Ham. Cap. Tib.
Hor. Oph., während Quartos bald Ro. bald Romeo bald Ha. bald
Haml. bald Ho. bald Hora. usw. Auch die in Fol. 1 viel häufigere
Abwerfung des e finale trifft söwol den Hamlet als Rom. u. Jul., sowie
die Abkürzungen *ge̅tlema̅* u. dgl.: P. Sh. p. 336. Wenn wir nun auch
in R. J. Vervollständigungen der Interpunction (darunter auch ganz

falsche), grammatische Modernisierungen und andere Besserungen der miszlichsten Art (z. B. *puttest* für *puts*), namentlich auch bedenkliche Ausfüllungen des Metrums, welches in qu. 3 durch Nachlässigkeit unvollständig gelassen war, zugleich mit der Wiederholung der haarsträubendsten Druckfehler (z. B. der Nichtwiedereinsetzung der in qu. 3 ausgefallenen Zeilen) und der Besserung nur der kleineren, auf der Hand liegenden finden, so kann vernünftiger Weise das viele schlechte und das wenige gute (welches ihr eigen ist) mitsamt der pedantischen Sorgfalt nur einer und derselben Hand, der des Setzers oder Correctors (Herausgebers) zugeschrieben werden, und an ein benutzen von MS. (oder-gar von einem authentischen MS.!) ist kein Gedanke. Da wir nun aber dieselben Züge, die kleinliche unauflöslich mit positiven Fehlern verbundene Sorgfalt in Interpunction, Orthographie, Versabtheilung, die Nicht- oder Schlimmbesserung in schwereren Stellen auch im Hamlet finden, da ferner jenes zusammentreffen in den Minutien der Orthographie mit R. J. deutlich die Hand desselben Setzers auch im Haml. verrät, so möchte man glauben dasz einiges von den grammatischen Modernisierungen und den Varianten auch im Hamlet auf die Kappe des Setzers oder Correctors komme, der Archaismen, corrupte Stellen und Lücken so bessern zu müssen wähnte. Freilich war der Fall unendlich viel besser bei R. u. J., wo dem Setzer ein gedruckter im ganzen guter Text vorlag, als im Hamlet, wo er sich mit einer jüngern Abschrift aus dem Archiv des Theaters begnügen muste, die, wenn sie auch in den meisten Rollen selbständig aus dem Original-MS. des Dichters abstammte, doch noch viel schlechter interpungiert, viel inconsequenter orthographiert, und, was das schlimmste, mit einer Masse Bühnenfehlern ausgestattet war. Da wuchsen dann durch solche Ueberarbeitung die Fehler wie eine Lawine.

Somit kommen wir zu unserer Lösung der ganzen Controverse II. Wir erkennen in der Foliorecension deutlich zwei Elemente, die der zum Theil alten Bühnenredaction für das Globustheater und die Ueberarbeitung derselben für den Druck. Jene läszt sich, mit Wahl und Vorsicht gebraucht, trefflich als Correctiv der Fehler in den nachlässig gedruckten Quartos anwenden, und ist auch an sich von Interesse, diese ist ziemlich werthlos: beide müssen, insofern wir lieber wissen wollen was der Dichter schrieb als was seine Freunde für gut fanden auf der Bühne zu declamieren, im ganzen der einzigen unmittelbaren Ueberlieferung des Textes in qu. 2 ff. weichen.

Auf die erste Controverse, über die Bedeutung der qu. 1, fällt durch diese Resultate einiges Licht. Es ist auffallend, dasz die declamatorischen Wiederholungen, die Bühnenkürzungen, die trivialen Zusätze, die ordinären synonymen Ausdrücke, die salopperen Wendungen, die Vernachlässigungen der metrischen Correctheit alle sich in noch weit gröszerem Umfange in der qu. 1 im Verhältnis zu qu. 2 zeigen, als in Fol. 1 im Verhältnis zu qu. 2 ff. Dadurch wird man von der Möglichkeit in qu. 1 eine Jugendarbeit des Dichters zu besitzen immer weiter abgeführt. Die qu. 1 ist eine Karrikatur der in Fol. 1 zu Grunde liegenden Bühnenredaction.

Andrerseits fällt auch auf die Fol. 2 ein Streiflicht. Wir bemerken die Modernisierung und Regulierung für den Druck dort fortschreitend (S. Malone), wie sie in Wahrheit schon (doch in sehr geringem Grade) mit den spätern Wiederholungen der Quartos begann, wie sie sich in Rowe's Ausgabe fortsetzte und bis auf den heutigen Tag nicht aufgehört hat; wenn auch wolthätige Reactionen, zuerst durch Theobald, eintraten. Dasz nun an dieser Modernisierung und Regulierung in der Fol. 1 die Bühne einen Antheil genommen hat, steht fest, dasz der Dichter auf sie einen Einflusz gehabt habe, ist eine auf den schwächsten Füszen stehende Hypothese, insofern die Angabe der Hgg. in der Vorrede sehr verschiedene Deutung zuläszt, und auf keinen Fall auf alle Stücke passt.

Ein äuszerer Grund dafür, dasz wir in der Quarto von 1604 einen unmittelbar nach des Dichters MS. abgedruckten Text haben, ist, dasz ja die von 1603, als eine erschlichene und dem Vf. keine Ehre machende Form, ohne Frage mit dem Willen und mitwirken des Vf. durch eine richtige Ausgabe zunichte gemacht werden sollte. Zu ihr wird der Vf. denn doch wol seine eigne Hs. hergegeben haben. Dasz der Verleger der qu. 2, welcher Mitverleger der qu. 1 gewesen war, diesen Stand der Dinge dadurch verschleierte, dasz er qu. 2 als eine ʻauf das doppelte vermehrteʼ Ausgabe darstellte (*Newly imprinted and enlarged to almost as much againe as it was, according to the true and perfect Coppie*), war ein ganz natürlicher Kniff. Doch war der Zusatz ʻ*according to the true and perfect Coppie*ʼ für die, welche von der Sache Bescheid wuszten, hinreichend avisierend, während die meisten Käufer bei dem Glauben belassen wurden, nur einen ʻbessernʼ Hamlet zu besitzen, obgleich sie in Wahrheit den einzigen hatten.

Endlich tritt man einer dritten Controverse, welche wir bisher unberührt gelassen haben, nun um einen Schritt näher. Beruhte die Perkins-Folio 2 auf den Abschriften des Drury-Lane Theaters (P. Sh. p. 464—482), so stehen diese, insofern sie vermutlich auch den Original-MSS. directer oder indirecter entstammten, so ziemlich parallel mit denjenigen MSS. des Globustheaters, welche auch nicht Originalhandschriften sondern Abschriften waren, wie die des Hamlet. Dann können die Ueberreste beider Theater-MSS. in Fol. 1 wie Perkins-Fol. 2 vortrefflich als Correctiv der Druckfehler des Quartotextes benutzt werden, müssen aber im ganzen an Authenticität der Qu. von 1604 weichen, da es gar nicht zu verwundern wäre, wenn die Recension des Drury-Lane auch Bühnenverderbnisse wie die des Globustheaters enthalten hätte. Wir werden also füglich manche Vertheidigung der Lesarten des Correctors beanstanden können, ohne darum den groszen Werth einer selbständigen zweiten Quelle namentlich für die in Fol. 1 zuerst enthaltenen Stücke zu verkennen. Wir werden, wo zwischen drei Lesarten die Wahl ist, immer bei dem Corrector zu bedenken haben, dasz seine Quelle einen Fehler habe enthalten können, und dasz das Originalwort vielleicht etwas unleserlich war; wir werden einzelne Varianten und Ausfüllungen oder Regulierungen des Metrums zugeben können, die nur dem Drury-Lane *) angehörten, ohne dasz darum die Nichtselbständigkeit jener Abschriften folgte. Dies gälte dann (gerade wie in Fol. 1) namentlich von denen, die sich am meisten von der Wahrscheinlichkeit eines Druckfehlers in den früheren Ausgaben entfernen, von den undiplomatischeren, und es ist mir schon früher aufgefallen, dasz diese es sind, die am wenigstens schlagend passen (P. Sh. p. 217. 294).

Wir haben also eine vierfache Ueberlieferung des Hamlet, von denen mindestens 3 selbständig einander gegenüber sind. 1) die Quarto 2 von 1604, der flüchtige Abdruck des Original-MS. 1) die Bühnenredaction des Globustheaters. a) in der verstümmelten Auffassung eines Zuhörers von 1603. b) in der von Heminge und Condell geleiteten Ueberarbeitung von 1623. 3) die Reste eines Theater-MS. des Drury-Lane in den handschriftlichen Correcturen der Perkinsfolio von 1632. Die erste Quelle ist jeder Ausgabe zu Grunde zu legen, die zweite und dritte bieten vielfach Ergänzung und Berichtigung der Nachlässigkeitsfehler der ersten.

Wir glauben damit ein kritisches Fundament gewonnen zu haben, von welchem aus die übrigen Stücke mit Erfolg betrachtet werden können — für welche Stücke ein gröszerer Werth der Fol. 1 sich ergeben wird, wird dann erhellen — und glauben zugleich bewiesen zu haben dasz Herr Delius', wenn er die zweite Quelle zu Grunde legen und die erste als deren Correctiv benutzen will, die Sache geradezu auf den Kopf kehrt. Es ist ihm gegangen, wie so vielen classischen Philologen vordem, dasz sie die interpolierten, abgeleiteten Handschriften für die besten hielten **). Wie lange ist es denn her, dasz die Aldina des Pindar (die, auszer in den Olympioniken, auf dem Cod. Abbat. Florent. beruht, wie ich im Rh. Mus. vor Zeiten nachwies) als interpoliert feststeht? oder gar wie lange dasz man in de finibus, pro Sulla, in der 3n Decade des Livius nicht den jüngeren und interpolierten Texten folgt? Hätten die unermüdlichen Bestrebungen von

---

*) Ich bitte das Versehn P. Sh. 469 zu berichtigen, da die Palsgrave's Servants keine andere sind als die Spieler des Prinzen Pfalzgrafen, wie ich früher meinte.

**) Es ist interessant zu sehen wie die einzelnen Kriterien interpolierter Handschriften sich gleichen. So hat jener interpolierte Pindarcodex (meist mit Par. B. übereinstimmend) ängstliche, aber falsche Aufhebungen des Hiatus z. B. Ol. 6, 33 durch eingeschobenes γ'. ib. 68 durch πατρός ϑ' statt πατρί; dieselbe Handschrift hat eine Menge Modernisierungen alter dialektischer Formen: πιέσας für πιέσαις, ἡσυχία für ἀσυχία, δίδου für δίδοι; dieselbe ordinärere Synonymen πρῶτον für πρώτοις (Ol. 6, 75), τύχη für ἰϑῃ (Nem. 4, 91), πολυκάρανος τ' für ἑκατόγκρανος (P. 8, 16), βάλεν für ὦρσεν (ib. 90), τέρψιν πλούτοιο für πλούτου μ'ριναν (ib. 96); auch häufig sorgfältige aber ganz falsche Interpunction, z. B. Ol. 5, 18 nach ϑέοντα (zugleich metrisch falsch), Ol. 6, 102 nach παρέχοι, Pyth. 8, 103 nach Πηλεΐ.

Böckh, Niebuhr, Madvig, Im. Bekker, Lachmann und ihren jüngern Nachfolgern nicht den Handschriftenfamilien nachgespürt, so wären wir noch nicht besser daran. Somit brauchte auch Herr Delius sich seines Irthums nicht zu schämen, so wenig wie Herr Knight, obwol dieser als Engländer noch mehr Entschuldigung verdient. Denn wie England uns in den höchsten und gröszten Dingen des thätigen Lebens leider weit übertrifft, so übertreffen wir es in manchen Punkten der Wissenschaft, z. B. entschieden in der philologischen Kritik, wodurch diejenigen Engländer, welche aus gesundem Urtheil und ruhiger Forschung schon die rechte Bahn einschlugen, nur um so höher zu stehen kommen. Zu bedauern bleibt es also immerhin, dasz der erste Deutsche, der sich in diese Fragen einmischt, den Irweg gehen musz, und höchlich zu verwundern, wie er, nachdem schon die bessere Spur entdeckt war, doch mit sonderbarem Eifer die entgegengesetzte verfolgte. Man möchte fast sagen, es wäre besser gewesen, wenn er weniger Geist und Scharfsinn und weniger lebhafte Ueberzeugung von der Richtigkeit seiner Meinung gehabt hätte, da alles dieses nur weiter und weiter von der Wahrheit abführt, je weniger in Deutschland sind, die auf diesem Gebiete nachrechnen können, schon wegen des Mangels an Hilfsmitteln.

Eine falsche Grundansicht erzeugt immer eine Menge neuer Irthümer. Wir sahen den Hg. sich bei der Vertheidigung der handgreiflichsten Interpolationen der Fol. 1 auf das unglücklichste hin- und herwinden (wie schon früher bemerkt wurde) und die unhaltbarsten Foliovarianten mit den spitzfindigsten Gründen stützen. Man lese nur S. 152 die Gründe für die Lesart *Mother*, als eins der eclatantesten Beispiele dieser Art. Viel häufiger aber sah sich der Hg. gezwungen die Verkehrtheiten der Fol. 1 mit Stillschweigen zu übergehen, wie wir im ersten Abschnitt zur Genüge gezeigt haben. Aber er war nicht einmal seinem eigenen Princip getreu. Rec. hat sich den Spasz gemacht, die in Hrn. D.s Text aufgenommenen Speciallesarten der Fol. 1 schwarz, die der Quartos roth zu notieren. Da geht es nun auf den ersten Seiten recht foliomäszig her, aber diese pechschwarze Consequenz geht bald unter in der blutrothsten Inconsequenz, mit und ohne Angabe unter dem Text. Wir haben das schon im ersten Abschnitt gezeigt. Wie konnte ein guter Kritiker p. 61, wo qu. *nothing — but*, F'. *no other thing — than* schreiben, so vermischen dasz er *no other thing — but* schrieb? Wie konnte er p. 39 *an end* schreiben und p. 103 *on end*, obgleich dort wie hier die alten Ausgaben *an end* lesen? — Wir nennen dies conciliatorischen Dilettantismus.

Im übrigen finden wir den Commentar des Hrn. Hg. gut. Er ist sehr knapp und gut gefaszt, ohne unklar zu sein, und die meisten der Noten räumen wirklich dem gewöhnlichen Shakespeareleser die Schwierigkeiten des Verständnisses weg. Freilich möchte derjenige, der die Sprache Shakespeares kennen lernen will, manches schärfer und gründlicher wünschen, was dem dilettantischen Leser unnützer Ballast ist. So findet er nicht eine Spur wissenschaftlicher Erklärung für das neutrale *his*, keine Andeutung des interessanten Factums, dasz *its* sich erst in Shakespeares Rede zu bilden anfängt, wie die Lesarten:

qu. 5.	F. 1.	F. 4.
It lifted vp it head	*i t*	*it s*
Foredoo it owne life	*i t*	*it's*

auch schon im Hamlet erkennen lassen, so wie die nicht minder interessante alte Pluralform *yeare*, für die *yeares* erst in den jüngern Folios häufiger wird; wir vermissen S. 126 den Grund, warum *which* das persönliche Relativ so gut wie das sachliche in alter Zeit (nicht nur bei Sh.) war, so wie S. 77 die Schärfe der philologischen Begründung, da ein solches *your* mit dem ethischen Dativ (z. B. S. 138 *a tanner will last y o u nine yeare*) hätte zusammengestellt werden und aus der Vorliebe für das Possessiv (wie 'er schnitt seinen Finger' für 'sich in den Finger') erklärt werden sollen; wir vermissen überhaupt alles eingehen auf die Orthographie Sh.'s, die doch z. Th. viel richtiger war als die heutige und jedenfalls interessant, auszer dasz *swoonds* und *vilde* geschrieben wird, keineswegs die wichtigsten Fälle. Die Erklärung (S. 38) von *let* (hindern) == unterlassen machen, ist falsch, Ettm. Lex. A. S. p. 167. 158, da *let* (lassen) von *laetan*, *let* (hindern) von *letjan* (dem Factitiv zu *litan*) == *tardare*, *impedire* ist. Aber solche Einzelnheiten nehmen nicht weg, dasz der Commentar im ganzen recht gut und brauchbar ist.

Sehr viele der Erklärungen, besonders der schwereren Stellen, sind nicht des Hg. Eigenthum, sondern kurze und klare Auszüge aus den Notis Variorum, aus Collier usw. Rec. würde solche nicht gemacht haben ohne Angabe, woher er sie genommen, was durch ein eingeklammertes C. Mal. St. u. dgl. m. ohne grosze Beeinträchtigung des Raumes hätte geschehen können. Aber darin ist der Geschmack verschieden. Rec. hält nichts von dem litterarischen Communismus, der alle einmal gedruckten Meinungen für Gemeingut hält, das jeder, ohne einen Zettel daran zu kleben, in seiner Bude aushangen könne, und meint, je weniger sich die Shakespeareleser darum kümmern wollen von wem die Notenweisheit komme, um so mehr müsse ein ordentlicher Hg. die Strenge wahren und es zu verhüten suchen, dasz ihm die Verdienste wie die Fehler seiner Vorgänger aufgebürdet werden. Rec. konnte dies noch weniger im Shakespearelexikon desselben Vfs. (das doch nicht für jedermann bestimmt war) billigen, da ja doch das beste und wichtigste darin nicht sein Eigenthum war, und er, offen gestanden, durch eine s o r g f ä l t i g e Uebersetzung der Collierschen Einleitungen, mit seinen Anm. begleitet, mehr genützt hätte, als durch einen ungenauen mit seinen Ansichten (und mit bösen Fehlern) durchwebten Auszug. Das beste an jenem Buche war die Vorrede, das Lexikon selbst, fürchten wir, sehr mangelhaft, während die englischen Hilfsmittel dieser Art viel brauchbarer sind; die Noten, so weit sie Mittheilungen aus andern Commentaren richtig wiederholten, dankenswerth, aber leider von dem auf eine verlorene Sache (die Rettung der Fol. 1) verwandten Scharfsinn so durchzogen, dasz ich, der ich anfangs das Buch mit groszer Freude zur Hand nahm, es mit dem Bedauern niederlegte, Geist und Zeit so verschwendet zu sehen, während die in der Vorrede eingeschlagene Bahn gründlicher Durchforschung der Sh.schen Sprache und Verskunst zu den wichtigsten Aufschlüssen hätte führen müssen. Das Bedauern wiederholt sich nun, wenn wir die alten Irthümer in der Ausgabe oft verbotenus wiedergebracht sehen, und dagegen keinen Fortschritt in der Belesenheit in den gleichzeitigen Quellen entdecken, sondern da, wo es die Sprache und die Sachen angeht, immer den Spolien aus den englischen Commentaren begegnen. Rec. hat für den usus loquendi in seinem **P. Sh.** den Malone etwas auszubeuten gesucht, aber wie viel würde ihm nach seiner Meinung noch durchzumustern obliegen, ehe er sich für befugt hielte eine neue kritische Ausgabe des Sh. zu liefern! So kommt es, dasz wer die notae variorum benutzen kann, diese noch immer viel instructiver finden wird, als die Auszüge bei Hrn. D., trotz mancher hübschen Zuthat. Ein Beispiel mag aus S. 145 genommen werden, wo Malone's Anmerkung über die harte Aussprache von *as* und *was* nicht nur das Wortspiel von *as's* und *asses* besser erleutert, als Hrn. D.'s Note, sondern auch an sich lehrreich ist. Hätte doch der geehrte Vf. sich durch **Weglassung aller seiner kritischen Anmerkungen** Platz geschafft für eingehendere grammatische und onomatologische Nachweisungen, zu denen er gewis sehr befähigt war! Hätte er doch nicht den unglücklichen Einfall gehabt mit den schwersten Problemen der Shakespearekritik zu beginnen, mit Hamlet, Othello, Lear! Möchte er noch, das wünschen wir von Herzen, selbst wenn er in seinen kritischen Angaben in Zukunft weniger unzuverläszig und incorrect sein wollte, sein schönes Talent nicht mit der eigensinnigen Verfechtung einer, auf mildeste gesagt, höchst miszlichen Sache verzetteln, sondern da nützen und schaffen, wo es so sehr ordentlicher Arbeit bedarf, und wo der bescheidenste Forscher Ehre erwerben kann.

————

Die äuszere Ausstattung dieses Shakespeare ist recht schön und würdig. Die früher absichtlich so scharf vom Rec. ausgesprochene Rüge der Incorrectheit des Druckes (P. Sh. S. 494 f.) hat schon gute Früchte getragen, da, wie wir vernehmen, der Verleger sich veranlaszt sehen wird Carrons zum ersten Heft drucken und ins künftige seine Bogen besser und öfter corrigieren zu lassen. Wir wünschen nun unsern vorhin gemachten tadelnden Bemerkungen denselben Erfolg, haben eine zu gute Meinung von dem Geist und dem wissenschaftlichen Streben des Hrn. Hg. als dasz wir ihn nun nicht doppelt bemüht denken sollten sorgfältig zu arbeiten und seine ganze kritische Ansicht nochmals zu prüfen, und werden unsrerseits die ersten sein dies anzuerkennen, selbst wenn eine erneuerte Prüfung den Hrn. Hg. nicht davon überzeugen sollte, dasz des Rec. Ansicht eine gröszere innere

Consequenz habe als die seinige. Wir verlangen nur eine bessere Durchführung.

Gewis hat diese Ausgabe, da sie schon jetzt so viel treffliches enthält, der Shakespearelectüre genützt; dies kann uns nicht bestimmen das tadelnswerthe zu verschweigen, denn sie wird ihr noch um weit mehr nützen, je sauberer sie weiter geführt wird. Populär soll nur das sein, was Resultat der Forschung ist. Warum forschte man sonst? Und dann hat die Sache noch eine ernstere und allgemeinere Seite. Die classische Philologie hat alle Nachtheile und Vortheile zunftmäsziger Geschlossenheit. Da sind Altmeister, welche mit einiger Befangenheit nur ihre Gesellen protegieren, Gesellen, die es für wolanständig halten, die Meister mit althergebrachtem Lobe zu überschütten, Kleinmeister welche auf dieselbe Ehre Anspruch machen und gewaltig zürnen wenn sie sie nicht empfangen, da ist Neid gegen das aufkommen jüngerer, Eifersucht unter den Meistern selber und wie all die schönen Dinge heiszen. Aber trotz alledem liegt in eben dieser alterthümlichen Verfassung der classischen Ph. ein Hauptgrund ihrer kernigen Kraft und Tüchtigkeit; das wirkliche Talent arbeitet sich doch durch, und ein mäsziger Kopf kann durch Fleisz und gute Schulung sich Achtung erwerben, während kein durchaus flaches und schiefes Product geduldet wird. Gerade umgekehrt ist die moderne Philologie ein freies Gewerbe; da kann jeder ohne philosophische, historische oder philologische Vorbildung hineinpfuschen, da gibt es keine Meister und keine Gesellen, keine Handwerksregel, keine Arbeitsprüfung, kein Ziel als höchstens die praktische Brauchbarkeit und zwar hauptsächlich für Institute, deren Werth nach ihrer jetzigen Einrichtung ziemlich zweifelhaft ist, insofern sie die eigentlichen Pflanzstätten der sittlichen und geistigen Halbbildung sind, die schlimmer ist als Nichtbildung. Ueberhaupt aber bestehen die Abnehmer dieser Waaren fast ganz aus unwissenschaftlich gebildeten, und die Mangelhaftigkeit dieses Publicums, welches am liebsten nach der bequemsten, schnellgefertigten, wolfeilsten Waare greift, hat wieder eine gefährliche Rückwirkung auch auf die wenigen wissenschaftlich strebenden, macht sie schlaffer und gleichgiltiger gegen Strenge und mikrologische Geduld bei ihren eigenen Arbeiten und gegen die sorgfällige Scheidung des eignen und fremden, da kaum einer ihnen diese vortrefflichen Eigenschaften danken würde. Wie schön wäre es z. B. wenn der deutsche Fleisz eine gute historische Grammatik der englischen Sprache zu Stande brächte: statt aber zu einer solchen Jahre lang zu sammeln, verfertigt man dutzendweise Schulgrammatiken, ohne den Sprachstoff aufs neue selbständig zusammenzubringen, und macht sich noch breit mit irgend einer neuerfundenen Methode die alte Brühe einzurichtern, statt zu bedenken, dasz erst untersucht, und dann das Resultat so oder so paedagogisch zubereitet werden solle. Wem also daran liegt der Wissenschaftlichkeit auch auf diesem Felde eine Stätte bereitet zu sehn, so dasz es sich der gesammten Linguistik als ein untergeordneter Theil, aber doch ebenbürtig anschliesen dürfe, der musz gerade die besten und wissenschaftlichsten an dieselbe zu halten versuchen. Wir fanden kein würdigeres Object unseres Tadels als Herrn Delius, und darum sprachen wir so und nicht anders. Denn in der That die meisten zu tadeln ist nicht der Mühe werth. Man ist schon seit 100 Jahren *) 'unerbittlich' gegen jeden dem man die Fähigkeit zutraut mehr als mittelmäsziges zu leisten.

Eisenach. *Tycho Mommsen.*

12.

Ueber den hypothetischen Gebrauch des unabhängigen Conjunctiv und Indicativ ohne *si.*

Ein Beitrag zu den lateinischen Schulgrammatiken.

Bekanntlich wird anstatt des Conjunctiv m i t *si* in hypothetischen Sätzen bisweilen auch o h n e *si* der blosze Conjunctiv gebraucht und z. B. anstatt *si vendat aedes vir bonus* bei Cicero de off. III 18 blosz gesagt: *v e n d a t aedes vir bonus propter aliqua vitia, quae ipse norit, ceteri ignorent; pestilentes s i n t et h a b e a n t u r salubres; ig- n o r e t u r in omnibus cubiculis apparere serpentes; male materiatae s i n t, ruinosae; sed hoc praeter dominum nemo s c i a t. Quaero, si haec emptoribus venditor non dixerit aedesque vendiderit pluris multo, quam se venditurum putarit, num iniuste aut improbe fece- rit.* Dieser Conjunctiv wird, eben weil er nicht durch *si* u n t e r g e- ordnet einen Nebensatz bildet, sondern unabhängig dem Hauptsatze des Folgerungsgliedes b e i geordnet erscheint, als ein u n a b h ä n g i- g e r Conjunctiv betrachtet und mit Hilfe von g e s e t z t d a s z, a n g e- n o m m e n d a s z übersetzt. Je weniger dieser Gebrauch des Con- junctiv einem Zweifel unterliegt, desto streitiger ist es immer noch, wie derselbe zu erklären und welcher Classe von unabhängigen Con- junctiven er unterzuordnen sei.

Ganz unzulänglich und schwankend ist was Z u m p t darüber sagt (S. 482 der 9n Ausgabe seiner Grammatik, §. 529 zu Ende der An- merkung): 'Einen andern unabhängigen Conjunctiv bei blosz gedachten Voraussetzungen, den man den hypothetischen Conjunctiv nennen kann (z. B. *roges me*, fragst du mich, d. h. wenn du mich fragst, gesetzt du fragest mich, *dares illi aliquid*, gäbest du ihm etwas, d. h. wenn du ihm etwas gäbest), ordnen wir lieber dem Conjunctiv in Bedin- gungssätzen unter und nehmen zur Erklärung die Ellipse *si* an; weil

---

*) Lessings Schriften. Zweiter Theil. S. 95 (1753).

14*

sich auch der Indicativ so gebraucht findet, s. Synt. orn. §. 780.'
Wenn Zumpt die Annahme der Ellipse *si* zur Erklärung des hypothetischen Conjunctiv blosz dadurch zu begründen weisz, dasz auch
der Indicativ so gebraucht werde, so hat er damit offenbar
einen Grund angeführt, der selbst erst wieder des Beweises bedarf,
ja, was noch schlimmer ist, an den er selbst nicht recht zu glauben
scheint. Dasz Zumpt wenigstens nicht ganz mit sich einig gewesen
sei, ob er beim hypothetischen Conjunctiv und Indicativ wirklich die
Ellipse *si* annehmen, oder vielmehr den Satz als Frage anschn solle,
das hat er, wenn es sich auch nicht schon durch seine interrogative
Uebersetzung der angeführten Beispiele (*roges me*, fragst du mich
usw.) verriete, an einer andern Stelle ganz offen selbst eingestanden,
indem er in jenem hier citierten §. 780 der syntaxis ornata ganz unum-
wunden sagt: 'die Conjunction *si* wird wie im deutschen oft ausgelassen in Sätzen, die als Vordersatz zu einem Nachsatze dienen, wo
es dann zweifelhaft wird, ob nicht der Satz als Frage anzusehn ist, da er in einem solchen Tone gesprochen wird, z. B. Cic.
Rull. II 25: *libet agros emi. Primum quaero, quos agros? et quibus
in locis?* ihr wollt Aecker kaufen? d. h. wenn ihr Aecker kaufen
wollt, so frage ich zuerst' usw. Da nun aber auch, wie wir später
sehn werden, diese zweite Erklärungsart Zumpts, dergleichen unabhängige Sätze interrogativ zu fassen, nicht einmal für alle derartige
Indicativsätze stichhaltig ist, noch weniger aber auf die fraglichen
Conjunctivsätze paszt, so sind mit Recht die namhaftesten der neueren
Grammatiker weder der elliptischen noch der interrogativen Auffassung und Erklärung solcher hypothetischen Conjunctivsätze beigetre-
ten. Dennoch aber scheint bei manchen Zumpts Vorgang immer noch
insofern irreleitend gewesen zu sein, als sie den fraglichen Conjunctiv,
den wir mit Zumpt den conjunctivus hypotheticus nennen wollen, als
einen conjunctivus *potentialis* ansehn. So ist z. B. gerade jene unserer Untersuchung zu Grunde gelegte Stelle aus Cicero (*vendat aedes
vir bonus*) nicht allein bei Weiszenborn (S. 204 §. 177) und Kühner (S. 164 §. 108 5 a) unter den Belegen für den potentialis aufgeführt, sondern auch bei Kritz (S. 274 §. 118) sogar *primo loco* citiert. Und allerdings kann es, wenn man den mit *si* verbundenen potentialis (*si vendat*) als einen Conjunctiv der Annahme bezeichnet,
ganz passend scheinen diesem abhängigen potentialis den fraglichen
ebenfalls eine Annahme bezeichnenden Conjunctiv als einen unabhängigen potentialis der Annahme an die Seite zu stellen. Deshalb habe
auch ich noch in der 8n Auflage meiner kleineren lateinischen Grammatik diesen unabhängigen Conjunctiv der Annahme und dasselbe Beispiel aus Cicero dem conjunctivus potentialis untergeordnet. Bei genauerer Erwägung aber habe ich mich überzeugt, dasz dieser Conjunctiv nicht sowol als potentialis, sondern vielmehr als ein
Conjunctiv des Willens zu fassen ist.
  Gegen die potentiale Auffassung des Conjunctiv *vendat aedes
vir bonus* spricht schon die deutsche Uebersetzung, indem wir offen-

bar nicht den richtigen Sinn treffen würden, wenn wir wie beim gewöhnlichen potentialis dafür sagen wollten: ein rechtschaffener Mann
v e r k a u f t v i e l l e i c h t ein Haus (möchte, dürfte, könnte ein Haus
verkaufen), sondern dafür die viel entschiedenere Wendung brauchen:
g e s e t z t oder a n g e n o m m e n, dasz ein rechtschaffener Mann ein
Haus verkauft. Für die i m p e r a t i v e Auffassung des fraglichen Conjunctiv dagegen spricht schon die nahe Verwandtschaft, welche derselbe mit dem zum Conjunctiv des Willens gehörigen conjunctivus
concessivus hat, worauf schon die ähnliche ebenfalls imperativisch
klingende Uebersetzung des letzteren durch z u g e g e b e n d a s z hin-
deutet und ausdrücklich K r ü g e r aufmerksam macht, indem er (S. 616
seiner latein. Grammatik §. 462) bemerkt: ʻv e r w a n d t mit dem Con-
cessivsatze ist aber der Bedingungssatz, welcher ebenfalls insgemein
vermittelst der conditionalen Conjunctionen auf den bedingten Satz
(Nachsatz) bezogen wird, aber auch ohne diese zuweilen in der Form
eines concessiven Satzes im Conjunctiv ausgesprochen wird, z. B. *rex
velit honesta* (d. i. angenommen, dasz der König das gute will, wenn
er das gute will), *nemo non eadem volet.*ʼ Während somit K r ü g e r
blosz die nahe zwischen dem conjunctivus hypotheticus und concessivus obwaltende Verwandtschaft anerkennt, ist F e r d i n a n d S c h u l z
noch einen Schritt weiter gegangen und hat unsere Stelle aus Cicero
(*vendat aedes vir bonus*) an die Spitze der Beispiele vom conjunctivus concessivus gestellt, mithin den conjunctivus hypotheticus geradezu mit dem concessivus identificiert, was sich auch aus der §. 343
seiner gröszern latein. Grammatik beigefügten Anmerkung ergibt, wo
er die deutschen Formeln a n g e n o m m e n d a s z und z u g e g e b e n
d a s z unbekümmert um den zwischen ihnen bestehenden Unterschied
beide ohne weiteres als Umschreibungen des conjunctivus concessivus
bezeichnet. Gewis mit Unrecht. Denn offenbar besteht zwischen dem
conjunctivus concessivus und hypotheticus der Unterschied, dasz der
concessivus etwas blosz z u g e s t e h t, der conjunctivus hypotheticus
dagegen zur Vorstellung eines Falles a u f f o r d e r t. Wenn nun schon
das zugestehn ein Act des Willens ist, so musz die Aufforderung zur
Vorstellung eines Falles noch viel entschiedener ein Willensact, mithin der Conjunctiv *vendat aedes vir bonus* ein C o n j u n c t v des W i l-
l e n s sein. Dafür spricht aber auch ferner, dasz nicht blosz die deutsche und andere Sprachen die Annahme ebensowol wie das Zuge-
ständnis oft imperativisch ausdrücken, sondern dasz auch im lateinischen der conjunctivus hypotheticus ebenso wie der concessivus
bisweilen geradezu durch den eigentlichen Imperativ vertreten wird.
Hinsichtlich des concessiven und hypothetischen Gebrauchs der Impe-
rativform im deutschen wird es genügen an zwei Stellen in Goethes
Faust zu erinnern, wo zuerst concessiv anstatt w e n n a u c h gesagt
wird:

> S e t z dir Perrücken auf von Millionen Locken,
> S e t z deinen Fusz auf ellenhohe Socken,
> Du bleibst d o c h immer, was du bist!

bald darauf aber es hypothetisch anstatt wenn heiszt:
> Verachte nur Vernunft und Wissenschaft,
> Des Menschen allerhöchste Kraft,
> Lasz nur in Blend- und Zauberwerken
> Dich von dem Lügengeist bestärken,
> So hab' ich dich schon unbedingt!

Wie ferner im deutschen Sprichworte: 'sage mir, mit wem du umgehst und ich sage dir, wer du bist' der Imperativ sage mir anstatt wenn du mir sagst .. so sage ich dir gebraucht ist, ebenso findet sich dieselbe Construction desselben Sprichworts auch im französischen (*dis-moi qui tu frequentes, et je te dirai qui tu es*) und im englischen *tell me whom you go with* (*whom you keep company with*) *and I'll tell you who you are;* ja ebenso könnte dafür εἰπέ μοι ᾧτινι σύνει, κἀγὼ σοὶ λέξω ὅστις εἶ auch im griechischen stehn. Vergleiche z. B. Demosth. cor. §. 264: δειξάτω, κἀγὼ στέρξω καὶ σιωπήσομαι. Aeschin. III §. 209: περιγράψατέ με ἐκ τῆς· πολιτείας· οὐκ ἔστιν ὅποι ἀναπτήσομαι. Flat. Theaet. p. 154 C: σμικρὸν λαβὲ παράδειγμα, καὶ πάντα εἴσει ἃ βούλομαι. Plat. Axioch. p. 366 C: δός τι, καὶ λάβοις τί κα (aus Epicharm, nach der Emendation von Ahrens de dial. dor. p. 456). Aristoph. Nub. 1481: ἐμοὶ δὲ δᾷδ᾽ ἐνεγκάτω τις ἡμμένην, κἀγώ τιν᾽ αὐτῶν τήμερον δοῦναι δίκην ἐμοὶ ποιήσω. Pind. Pyth. IV 165: τοῦτον ἄεθλον ἑκὼν τέλεσον, καί τοι μοναρχεῖν καὶ βασιλευέμεν ὄμνυμι ποιήσειν. Pind. Nem. IV 37: ἀντίτειν᾽ ἐπιβουλίᾳ, σφόδρα δόξομεν δαΐων ὑπέρτεροι ἐν φάει καταβαίνειν. Siehe Dissen Comment. p. 400 ed. Goth. Ueber den hypothetischen Gebrauch des Imperativ im lateinischen aber vergleiche man auszer den in meiner gröszern lateinischen Grammatik (S. 348 §. 321 Zusatz 1) angeführten Stellen noch folgende: Ovid. fast. I 17: *da mihi te placidum: dederis in carmina vires*. Liv. V 21: *intuemini horum deinceps annorum vel secundas res vel adversas: invenietis omnia prospere evenisse sequentibus deos, adversa spernentibus*. Cic. Tusc. I 13: *quis est, qui suorum mortem non eo lugeat, quod eos orbatos vitae commodis arbitretur? Tolle hanc opinionem: luctum sustuleris*. Cic. or. 70: *quantum sit apte dicere, experiri licet, si. compositi oratoris bene structam collocationem dissolvas permutatione verborum, ut haec nostra in Corneliana: neque me divitiae movent, quibus omnes Africanos et Laelios multi venalicii mercatoresque superarunt. Immuta paulum, ut sit multi superarunt mercatores venaliciique: perierit tota res ... Verba permuta sic: videsne, ut ad nihilum omnia recidant?* Cic. Tusc. IV 24: *tracta definitiones fortitudinis: intelliges eam stomacho non indigere. Remove perturbationes maximeque iracundiam: iam videbuntur monstra dicere Stoici. Nunc autem ita disserunt sic se dicere omnes stultos insanire, ut male olere omne coenum. — At non semper. — Commove: senties. Sic iracundus non semper iratus est; lacesse: iam videbis furentem*. Cic. Verr. V 65: *homines tenues hac una fiducia civitatis non modo apud nostros magistratus, neque apud cives solum Roma-*

nos fore se tutos arbitrantur, sed, quocunque venerint; hanc sibi rem praesidio sperant futuram. Tolle hanc spem, tolle hoc praesidium civibus Romanis, constitue nihil esse opis in hac voce 'civis Romanus sum': iam omnem orbem terrarum civibus Romanis ista defensione praecluseris. Cic. Mil. 33: *excitate, excitate Clodium, si potestis, a mortuis: frangetis impetum vivi, cuius vix sustinetis furias insepulti?*

Wenn demnach der hypothetische Gebrauch des eigentlichen Imperativ keinem Zweifel unterliegt, so ist es gewis folgerichtiger auch den hypothetischen Conjunctiv nicht als potentialis, sondern als Conjunctiv des Willens anzusehn. Eben deshalb musz auch die Negation beim conjunctivus hypotheticus nicht durch *non*, sondern durch *ne* ausgedrückt werden, so dasz Cicero, wenn er in der ofterwähnten Stelle anstatt des zuletzt angewandten conditionalen Nebensatzes *si haec emptoribus venditor non dixerit* mit dem unabhängigen Conjunctiv hätte fortfahren wollen, ohnfehlbar gesagt haben würde: *sed haec emptoribus venditor ne dixerit.*

Nachdem wir somit zur Genüge dargethan zu haben glauben, dasz der sogenannte unabhängige conjunctivus hypotheticus nicht dem potentialis, sondern dem conjunctiv des Willens unterzuordnen ist, so wird die Erklärung und Unterscheidung desselben vom abhängigen Conjunctiv der Annahme (*si vendat*) nicht schwierig sein. Offenbar verhält es sich damit ganz ähnlich wie mit dem hypothetischen Imperativ. Denn so wie in den oben citierten Worten aus Goethes Faust (**verachte nur Vernunft und Wissenschaft** usw.) nicht blosz die Bedingung ausgedrückt wird, unter welcher Faust dem Bösen anheimfällt, sondern meisterhaft eben durch die Wahl des Imperativs dem Mephistopheles zugleich der teuflische Wunsch in den Mund gelegt wird, dasz diese Bedingung sich realisieren und Faust den betretenen Weg verfolgend sich vom Lügengeiste immer mehr bestärken lassen möge: so unterscheidet sich auch in den nächstfolgenden der angeführten Stellen (**sage mir;** *da mihi te placidum; intuemini vel secundas res vel adversas; tolle hanc opinionem* etc.) der Imperativ **sage mir** usw. von dem rein logischen und eben deshalb viel matteren **wenn du mir sagst** usw. unverkennbar durch seine **ethische** Kraft, in welcher nicht blosz die Bedingung, unter welcher etwas geschieht, sondern zugleich das Verlangen nach Realisierung dieser Bedingung enthalten ist und wenn auch die Realisierung der Bedingung wie in den letzten Beispielen (*tolle hanc spem! excitate Clodium!*) dem wahren Wunsche des redenden nicht immer entspricht, so doch die Aufforderung ausgedrückt wird die Bedingung wenigstens versuchsweise zu verwirklichen um durch die übeln daraus hervorgehenden Folgen belehrt zu werden.

Ganz ähnliche Bewandtnis hat es mit dem hypothetischen Conjunctiv, indem auch dieser nicht blosz **logisch** (blosz mit dem Verstande) eine Bedingung setzt, sondern zugleich **ethisch** (mit dem Gemüte) dieselbe entweder herbeiwünscht oder eintreten zu lasse

auffordert und daher bald o p t a t i v -, bald p o s t u l a t i v - hypothetisch
gebraucht wird. Als optativus hypotheticus ist der Conjunctiv da anzusehn, wo der redende eine Bedingung in der Form eines Wunsches
ausspricht. Wunsch und Bedingung nemlich sind ihrer Natur nach so
nah verwandt, dasz nicht allein der Wunsch oft die Bedingungspar-
tikeln *si* und *εἰ* und somit hypothetische Form annimmt *), sondern
auch umgekehrt bisweilen eine Bedingung optativ in das Gewand eines
Wunsches gekleidet wird, eine Construction, die nicht allein im deutschen vorkommt, sondern auch im lateinischen da ganz unverkennbar
ist, wo ausdrücklich die Wunschpartikel *utinam* dabei steht, z. B.
Cic. Phil. VIII 7: *u t i n a m Caesar v a l e r e t, Servius Sulpicius v i v e -
r e t! multo melius haec causa ageretur a tribus, quam nunc agitur
ab uno;* oft aber auch mit Hilfe von *dum, modo, dummodo, dumne,
modone, dummodone* ausgedrückt wird, welche Partikeln nicht blosz
in optativ - f i n a l e m Sinne für u m n u r, sondern auch in optativ-
hypothetischer Bedeutung für w e n n n u r stehn, z. B. Cic. sen. 7:
manent ingenia senibus, modo p e r m a n e a t studium et industria.
Mithin musz selbstverständlich auch ohne dergleichen Partikeln in
diesem optativhypothetischen Sinne auch der blosze Conjunctiv stehn
können. Und wirklich findet er sich so bei Seneca Thyest. 214: *rex
v e l i t honesta: nemo non eadem volet,* wo der Trabant dem Könige
Atreus nicht blosz erwidern will: a n g e n o m m e n, d a s z d e r K ö -
n i g d a s g u t e w i l l (wenn der König das gute will), sondern zugleich seinen Wunsch, dasz dem so sein möge, an den Tag legt: d e r
K ö n i g w o l l e n u r d a s g u t e (möge nur das gute wollen)! Ebenso
bei Lucan. X 191: *spes s i t mihi certa videndi Niliacos fontes: bellum civile relinquam,* wo der Conjunctiv nicht die blosze Bedingung,
sondern zugleich den Wunsch des wiszbegierigen Caesar die Quellen
des Nil zu entdecken ausdrückt. F o s t u l a t i v - hypothetisch dagegen
ist der Conjunctiv da aufzufassen, wo der angeredete geradezu aufgefordert wird eine Bedingung eintreten zu lassen, also nicht blosz
ein bescheidener Wunsch geäuszert wird, oder wo gar das wirkliche
herbeiwünschen einer Bedingung widersinnig wäre. So ist dasselbe
velis bei Hor. sat. I 9 54: *v e l i s tantummodo: quae tua virtus, Ex-
pugnabis* gewis schon mehr postulativ als blosz optativ, und ebenso
dasselbe *sit spes* nicht wie bei Lucan blosz optativ, sondern vielmehr
postulativ-hypothetisch zu fassen bei Hor. ep. I 16 24: *s i t spes fallendi: miscebis sacra profanis,* wenn man nicht dem wolwollenden

---

*) z. B.   Ach! aus dieses Thales Gründen,
  Die der kalte Nebel drückt,
  Könnt' ich doch den Ausgang finden,
  Ach! wie fühlt ich mich beglückt! — oder
  O! wär' ich eine Stunde nur
  Vor diesem Unfall aus der Welt gegangen,
  Ich wär' gestorben als ein glücklicher!   (S c h i l l e r).
Verg. Aen. VIII 560: *o! mihi praeteritos referat si Jupiter annos!*
Hom. Il. Ω 74: ἀλλ' εἴ τις καλέσειε θεῶν Θέτιν ἄσσον ἐμεῖο.

und edeldenkenden Dichter eine gar zu misanthropische Gesinnung unterlegen will. Bei Properz aber eleg. IV 5 9: *illa velit; poterit magnes non ducere ferrum, Et volucris nidis esse noverca suis,* wo der Dichter, weit entfernt die Zauberkünste einer Kupplerin in Thätigkeit gesetzt zu wünschen, dieselben vielmehr verwünscht, würde die optative Auffassung von *velit* ebenso widersinnig sein als wenn man *vendat aedes vir bonus* in der vielcitierten Stelle bei Cicero optativ erklären wollte, da ja der Wunsch, dasz ein *vir bonus* ein Haus, dessen Fehler er verschweigt, für eine den wahren Werth desselben weit übersteigende Summe verkaufe, im Munde eines Lehrers der Moral barer Unsinn wäre. Vielmehr drückt der Conjunctiv in den 3 letzten Stellen (*sit spes fallendi; illa velit; vendat aedes vir bonus*) ein Postulat aus, unterscheidet sich aber von dem Conjunctiv der viertletzten Stelle (*velis tantummodo*) wieder dadurch, dasz er nicht wie dieser ein factisches oder practisches, sondern ein blosz logisches oder theoretisches Postulat ausdrückt, mithin in der letzten Stelle (*vendat aedes*) nicht zum Hausverkaufe in der Wirklichkeit, sondern nur zum Hausverkaufe in der Vorstellung auffordert. Offenbar nemlich verhält sichs mit diesem postulativen Conjunctiv ganz ähnlich wie mit dem concessiven, so dasz wie z. B. *exeat* concessiv nicht immer *concedo, ut exeat,* sondern oft blosz *concedo eum exire* *) bedeutet, so auch *vendat* postulativ nicht immer *fac, ut vendat* (lasz den Fall wirklich eintreten, dasz), sondern auch blosz *fac vendere* (lasz den Fall in deiner Vorstellung eintreten, d. i. setze den Fall, dasz) bedeuten kann.

Mag nun aber dieser hypothetische Conjunctiv je nach dem Zusammenhange entweder optativ- oder postulativ-hypothetisch gefaszt werden, und zwar wiederum entweder als Postulat einer wirklichen Handlung, oder einer bloszen Vorstellung jener Handlung: immer unterscheidet sich derselbe so wie der hypothetische Imperativ von dem viel ruhigern, eine blosze Verstandesthätigkeit bezeichnenden *si vendat* durch gröszere eben in der Beimischung der Gemütsthätigkeit begründete Lebhaftigkeit, und dies ist wol der Hauptgrund, weshalb derselbe vorzugsweise in der affectvolleren Sprache der Dichter und Redner oder in der gemütlicheren des Dialogs und Briefstils gefunden wird. Vergleiche Caecilius Statius bei Cicero de nat. deor. III 29:

> *Aut tu illum fructu fallas, aut per litteras*
> *Avertas aliquod nomen, aut per servolum*

---

*) Auf diese doppelte Bedeutung des conjunctivus concessivus habe ich in meiner kleineren lateinischen Grammatik (S. 250 der 10n Auflage §. 97 in der Anmerkung unter dem Texte) meines Wissens zuerst aufmerksam gemacht. So wie nun aber diese doppelte Bedeutung des conjunctivus concessivus sich in der doppelten Construction von *concedere* abspiegelt, ebenso weist wiederum die ebenfalls doppelte Construction der Imperativumschreibung *fac* (mit *ut* oder dem Acc. c. inf.) auf die doppelte Bedeutung des Imperativ und des imperativen (postulativen) Conjunctiv hin.

Percutias pavidum: postremo a parco patre
Quod sumas, quanto dissipas libentius!

wo die 3 ersten Conjunctive *fallas, avertas, percutias* unabhängig hypothetische sind und erst der letzte alle 3 zusammenfassende *quod sumas* vermöge einer etwas freieren Wendung der Construction die Stelle eines abhängig hypothetischen Conjunctiv (*si quod sumas*) vertritt. Ferner Cic. fin. VI 25: *roges Aristonem, bonane ei videantur haec, vacuitas doloris, divitiae, valetudo: neget. Quid? quae contraria sunt his, malane: nihilo magis. Zenonem roges: respondeat totidem verbis. Admirantes quaeramus ab utroque, quonam modo vitam agere possimus, si nihil interesse nostra putemus, valeamusne, aegrine simus: vives, inquit Aristo, magnificè.* Cic. nat. deor. I 21: *roges me, qualem deorum naturam esse dicam: nihil fortasse respondeam: Quaeras, putemne talem esse, qualis modo a te sit exposita: nihil dicam mihi videri minus.* Hinsichtlich des hypothetischen conjunctivus perfecti aber vergleiche man Hor. sat. II 6 39: *dixeris 'experiar'; si vis, potes, addit et instat.* Hor. ib. II 7 32: *iusserit ad se Maecenas serum sub lumina prima venire convivam: 'nemon' oleum fert ocius? ecquis audit?' cum magno blateras clamore fugisque.* Pers. sat. V 189: *dixeris haec inter varicosos centuriones: continuo crassum ridet Vulfenius ingens.*
— Dabei soll jedoch keineswegs in Abrede gestellt werden, dasz die Wahl zwischen dem abhängigen Conjunctiv m i t *si* und dem unabhängigen o h n e *si*, abgesehn von der dadurch entstehenden Verschiedenheit in der Färbung des Gedankens selbst, ebenso wie hinwiederum der Gebrauch dieses hypothetischen Conjunctiv anstatt des hypothetischen Imperativ oft auch durch formelle Rücksichten auf Deutlichkeit und Wolklang, oder auch bei Dichtern auf Kürze und Versmasz, bei Prosaikern auf Periodenbau und Ebenmasz bedingt worden sein mag. Denn so wie der verhältnismäszig öfter vorkommende Gebrauch des hypothetischen Conjunctiv gerade von *velle* gewis zum Theil in dem Umstande begründet ist, dasz diesem Verbum der sonst ebenfalls hypothetisch anwendbare Imperativ ganz abgeht, so hat wahrscheinlich Cicero dem *si vendat* das blosze *vendat* vorgezogen um die Bildung einer einzigen Periode *) zu vermeiden, in welcher entweder *quaero* viel zu weit von *num . . fecerit* entfernt stehen, oder, wenn man es erst vor *si haec venditor* oder unmittelbar vor *num* stellen wollte, jedenfalls der Vordersatz wegen der allzu häufigen Wiederholung von *si* lästig und im Vergleiche mit dem kurzen Nachsatze unverhältnismäszig lang sein würde. Dazu kommt, dasz durch diese Verschmel-

---

*) *Quaero, si vendat aedes vir bonus propter aliqua vitia, quae ipse norit, ceteri ignorent, si pestilentes sint et habeantur salubres, si ignoretur in omnibus cubiculis apparere serpentes, si male materiatae sint, si ruinosae, sed hoc praeter dominum nemo sciat, si haec emptoribus venditor non dixerit aedesque vendiderit pluris multo, quam se venditurum putarit, num iniuste aut improbe fecerit.*

zung der unabhängig ausgedrückten Annahme (*vendat*) mit der ab_
hängig ausgedrückten (*si haec emptoribus venditor non dixerit*) in
eine einzige Periode zugleich die Möglichkeit verloren gegangen sein
würde die letztere Annahme als eine der ersteren wieder untergeordnete zu bezeichnen.

Was aber von dem conjunctivus hypotheticus des Praesens und
Perfect bei einer dauernden oder vollendeten Annahme der Gegenwart
gilt, das musz bei der Annahme einer dauernden oder vollendeten
Handlung der Vergangenheit auch von dem hypothetischen Gebrauche
des conjunctivus imperfecti und plusquamperfecti gelten, so dasz wie
vendat anstatt *si vendat*, *vendiderit* anstatt *si vendiderit*, ebenso
auch *venderet* anstatt *si venderet*, ingleichen *vendidisset* anstatt *si
vendidisset* weder elliptisch noch potential zu erklären, sondern vielmehr gleichermaszen als ein Conjunctiv des Willens, und zwar
ebenfalls bald optativ-, bald postulativ-hypothetisch gefaszt werden
musz. Optativhypothetisch wird z. B. das imperfectum con-
júnctivi bei Vergil gebraucht Aen. VI 30: *tu quoque magnam partem
opere in tanto, sineret dolor, Icare, haberes,* wo man sich im
deutschen durch die interrogative Wortstellung: liesze es der
Schmerz zu (hätte es der Schmerz zugelassen) durchaus nicht verleiten lassen darf *sineret dolor* als eine Frage zu fassen, weil man ja
sonst consequentermaszen genöthigt wäre fast alle deutsche Wunsch-
sätze, in denen bekanntlich die interrogative Wortstellung die bei
weitem vorherschende ist, ebenfalls als Fragsätze anzusehn. Ebenso
irrig aber, als hier die interrogative Auffassung von *sineret* sein
würde, ist die elliptische, von welcher sich hier selbst Madvig hat
täuschen lassen, indem er (S. 310 Anmerkung 5 seiner lateinischen
Grammatik) zwar richtig bemerkt: ‘Statt eines Bedingungssatzes mit
si wird bisweilen in lebhafter Rede die Bedingung in einem selbständigen Satze ausgesagt, auf welchen das bedingte ebenfalls in einem
besondern Satze folgt. Dies geschieht im Indicativ, wenn von dem,
was wirklich hin und wieder stattfindet, die Rede ist (bisweilen auch
in fragender Form), sonst im Conjunctiv als eine erdichtete Annahme’,
dann aber hinzufügt: ‘In einem wirklichen (?) Bedingungssatze wird
hingegen *si* nur einzelne Male von den Dichtern ausgelassen, wo der
Zusammenhang und die Form des Verbums das Verhältnis hinlänglich
zeigen (Verg. Aen. 6, 30).’ Offenbar wird durch diesen Ausnahme-
zusatz die obige richtige Erklärung solcher selbständigen Sätze zum
Theil wieder zurückgenommen und der leidigen Ellipse *si* wieder eine
Hinterthür geöffnet. Denn, da ja eben *si* nicht steht, woraus ergibt
sich denn, dasz *sineret dolor* ein wirklicher Bedingungssatz ist?
Wie hier bei der optativen Bezeichnung der Annahme einer dauernden Handlung der Vergangenheit das Imperfect *sineret* seht, so ist
bei der optativen Annahme einer vollendeten Handlung der Vergangenheit bei demselben Dichter das plusquamperfectum gebraucht,
Verg. Aen. IV 678: *eadem me ad fata vocasses: idem ambas ferro
dolor atque eadem hora tulisset.* Recht deutlich fällt dieser optativ-

hypothetische Gebrauch des Imperfects in die Augen bei Cicero Verr.
III 97: *negaret hic aestimatione se usum: vos id credidisse homini,
non factum comprobasse videremini*, wo die Richtigkeit der optativen
Auffassung von *negaret* durch das §. 225 gleich darauf folgende *vel-
lem etiam hoc posset dicere* auszer allen Zweifel gesetzt wird. Ebenso
unverkennbar ist die optativhypothetische Bedeutung des plusquamperfectum conjunctivi bei Plinius epist. I 12: *dedisses huic animo
par corpus: fecisset, quod optabat*, wo durch die elliptische Auffassung von *dedisses* für *si dedisses* (wenn man gegeben hätte) eine kalte
Reflexion ausgedrückt würde und die Gefühlswärme des über den Tod
des Freundes ergriffenen verloren gienge, während dagegen durch die
optative Auffassung die Bedingung (wenn man ihm gegeben hätte)
auf eine dem Affecte des ganzen Briefes so angemessene Weise in
den Wunsch eingekleidet erscheint: h ä t t e m a n i h m (doch) einen
seiner Seelenstärke entsprechenden Körper g e g e b e n: er würde
(dann) gethan haben, was er wünschte.

  Wo dagegen der angeredete geradezu aufgefordert wird eine
Bedingung eintreten zu lassen, wo mithin nicht blosz ein bescheidener Wunsch geäuszert werden soll, oder wo die ausgedrückte Bedingung gar nichts dem redenden wünschenswerthes enthält, mithin das
wirkliche herbeiwünschen einer Bedingung von Seiten des redenden ganz widersinnig wäre, da ist der hypothetische Conjunctiv imperfecti und plusquamperfecti nicht sowol als optativus, sondern wie
in demselben Falle der hypothetische Conjunctiv praesentis vielmehr
als postulativus anzusehen. Dasz aber der Conjunctiv des Willens
nicht blosz auf das praesens beschränkt ist, noch auch das imperfectum und plusquamperfectum desselben etwa blosz optativ stehn,
sondern dasz sie auch imperativ (postulativ) gebraucht werden um
auszudrücken, dasz etwas hätte geschehn s o l l e n, dafür hat Zumpt
selbst bereits (S. 489 §. 529 Anmerkung) einige Beispiele angeführt,
welche leicht noch durch eine grosze Zahl anderer vermehrt werden
könnten, wie Cic. Sest. 24: *etsi meis incommodis laetabantur con-
sules, urbis tamen periculo c o m m o v e r e n t u r;* Ter. Hec. II 1 33:
in te omnis haeret culpa sola, Sostrata! Quae hic erant, curares;
Cic. Sull. 8: *at si ceteris patriciis me et vos peregrinos videri opor-
teret, a Torquato tamen hoc vitium s i l e r e t u r;* Cic. nat. deor. III
31: *eam d e d i s s e t hominibus rationem!* ib. III 28: *quid potius dii
hominibus d e d i s s e n t?* Um so befremdlicher ist es, dasz Zumpt
diesen hier richtig erkannten Gebrauch des imperativen (postulativen)
conjunctivus imperfecti und plusquamperfecti in hypothetischen Sätzen
verkennt und alsdann die Ellipse *si* zu Hilfe ruft, z. B. in der von
ihm S. 671 §. 780 citierten Stelle aus Cicero off. III 19: *si vir bonus
habeat hanc vim, ut, si digitis concrepuerit, possit in locupletium
testamenta nomen eius irrepere, hac vi non utatur, ne si explora-
tum quidem habeat id omnino neminem unquam suspicaturum· At
d a r e s hanc vim Crasso, ut digitorum percussione heres posset scri-
ptus esse: in foro, mihi crede, saltaret,* wo schon B e i e r den Conjunctiv

dares richtiger als einen Conjunctiv des Willens gefaszt hat und nur
darin irrt, dasz er ihn anstatt postulativ zu nehmen für einen Optativ
erklärt ('*pro si dedisset, saltasset, optative loquitur Cicero*').
Offenbar aber würde hier einen Wunsch anzunehmen ebenso sinnwi-
drig wie bei *vendat aedes* sein, weil ja ein Lehrer der Moral und
Tugendfreund nicht wünschen kann, dasz einem zu allem fähigen Be-
trüger eine Testamentsfälschung so leicht gemacht worden wäre. Gewis ist hier *dares* nicht sowol optativ h ä t t e s t d u g e g e b e n, sondern vielmehr postulativhypothetisch d u h ä t t e s t g e b e n s o l l e n im
Sinne von g e s e t z t oder a n g e n o m m e n d u h ä t t e s t g e g e b e n zu
übersetzen, wofür zur Bezeichnung der Annahme einer vollendeten
Handlung der Vergangenheit (d u h ä t t e s t g e g e b e n h a b e n s o l -
l e n) das plusquamperfectum *dedisses* steht bei Hor. sat. II 3 15: *de-
cies centena d e d i s s e s huic parco paucis contento: quinque diebus
nil erat in loculis.* Vergl. Cic. Verr. V 65: *c o g n o s c e r e t hominem:
aliquid de summo supplicio remitteres; s i i g n o r a r e t, tum, si ita
tibi videretur, hoc iuris in omnes constitueres, ut, qui neque tibi
notus esset, neque cognitorem locupletem daret, quamvis civis Romanus esset, in crucem tolleretur *)*. Ferner Sall. Iug. 64, wo das
affectvolle dieser Construction in den Worten des über die langsame
Kriegführung des Metellus ungeduldigen und persönlich gereizten Marius recht deutlich hervortritt: *dimidia pars exercitus sibi p e r m i t -
t e r e t u r: paucis diebus Iugurtham in catenis habiturum*, während
dieser Affect in der von andern vorgezogenen Lesart *s i permitteretur*
bei weitem weniger zum Ausdruck kommt.

Fragt es sich nun aber endlich, wie dieser conjunctivus hypotheticus von dem ebenfalls oft hypothetisch o h n e *si* gebrauchten Indicativ, und dieser indicativus hypotheticus wieder von dem m i t *si*
gebrauchten (*vendat* von *vendit*, und *vendit* von *si vendit*) sich unterscheidet, so ist gewis klar, dasz, wenn *vendit aedes* zu *si vendit
aedes* sich ebenso wie *vendat* zu *si vendat* verhält, die Ellipse von
si, wie dieselbe beim Conjunctiv anzunehmen unzulässig, ebenso unstatthaft beim Indicativ erscheinen musz. Vielmehr haben beide Formeln (*vendat aedes vir bonus* und *vendit aedes vir bonus*) das miteinander gemein, dasz, während durch *si vendat* und *si vendit* der
Conditionalsatz s u b o r d i n i e r t wird, derselbe durch *vendat* und
vendit c o o r d i n i e r t erscheint. Weit entfernt also den indicativus
hypotheticus mit Zumpt §. 780 durch die Annahme der Ellipse von *si*
auf einen abhängigen Indicativ zurückzuführen, wodurch eine wahre
Erklärung desselben geradezu abgeschnitten wird, kann ich nicht einmal der zweiten Ansicht Zumpts beitreten, welcher den hypotheti-

---

*) wo *si ignoraret* mit Recht von Halm wiederhergestellt worden ist, dem ich nur hinsichtlich der Erklärung von *constitueres* nicht
beistimmen kann, welches er ebenso wie *remitteres* als den potentialis
der Vergangenheit angesehn wissen will, während doch offenbar *constitueres* concessiv zu fassen (d a n n mochtest d u m e i n e t w e g e n..)
schon durch *si ita tibi videretur* geboten wird.

schen Conjunctiv und Indicativ wo nicht elliptisch, so doch wenigstens immer interrogativ aufgefaszt wissen will. Denn so wie die
von Zumpt angeführten Beispiele des hypothetischen Conjunctiv (*dares hanc vim Crasso* und *dedisses huic animo par corpus*) nach dem
obigen ganz anders erklärt werden müssen, so sind auch die indica-
tivischen Beispiele Zumpts nicht von der Art, dasz die interrogative
Auffassung wenigstens bei der Mehrzahl als nothwendig, oder auch
nur als völlig angemessen erscheint, ja einige derselben haben überhaupt nicht einmal hypothetischen Sinn. So ist gleich das erste Beispiel aus Cicero Rull. II 25: *libet agros emi* durchaus nicht mit Zumpt
durch i h r w o l l t A e c k e r k a u f e n? oder w o l l t ihr A c k e r k a u-
f e n? zu übersetzen, ja nicht einmal auf die Quiriten, sondern auf
Rullus zu beziehn und nicht von einer bloszen Annahme, sondern von
einer wirklichen Thatsache zu verstehn, welche der Redner c. 24
durch *hac pecunia iubet agros emi* ausgedrückt hat, jetzt aber um
das Willkürverfahren des Rullus hervorzuheben durch das gehässigere
libet bezeichnet, weshalb auch O r e l l i nach *emi* richtiger ein Aus-
rufungszeichen gesetzt hat. Ebenso wenig ist das vierte Beispiel
Zumpts (aus Cicero Rull. II 15: *commodum e r i t Pergamum . . totam
denique Asiam populi Romani factam dicere: utrum oratio ad eius
rei disputationem deerit, an impelli non poterit, ut falsum iudicet?*)
hypothetisch oder auch nur interrogativ zu fassen, wenn man nicht
die Stelle ihrer sarkastischen Kraft berauben lassen will. Denn da
unmittelbar vorausgeht: *quaero, qui tandem locus usquam sit, quem
non possint dicere decemviri populi Romani esse factum*, so würde
zu dieser in Fragform eingekleideten Ueberzeugung, dasz alsdann jeder
Ort für ein Eigenthum des röm. Volks erklärt werden könnte, schlecht
die Frage der Ungewisheit passen: w i r d e s i h n e n b e q u e m s e i n
g a n z A s i e n f ü r e i n E i g e n t h u m d e s r ö m. V o l k s z u e r k l ä-
r e n? sondern offenbar will der Redner sagen: wenn das Gesetz des
Rullus durchgeht, so wird alles der Willkür der Decemvirn anheim-
fallen. Es wird ihnen z. B. bequem sein ganz Asien für ein Eigenthum des röm. Volks zu erklären.

Wenn nun aber auch andere Beispiele Zumpts, wie *rides: maiore
cachinno concutitur*, wirklich hypothetisch zu fassen sind, so ist
doch dadurch noch nicht sofort die interrogative Auffassung derselben
(l ä c h e l t m a n) gerechtfertigt. Vielmehr scheint Zumpt zu dieser
Auffassung lediglich durch den deutschen Sprachgebrach bestimmt
worden zu sein, welcher allerdings oft hypothetische Sätze in die
Fragform einkleidet, z. B.

Und finden wir den Feind noch vor der Nacht,
So sicht der Morgen die geschlagne Schlacht   (S c h i l l e r).

Gleichwol hiesze es selbst den deutschen Sprachgebrauch verkennen, wenn man den hypothetischen Indicativ ohne w e n n auch im
deutschen blosz auf die Fragform beschränken wollte. Vielmehr fehlt
es auch in deutschen Classikern nicht an Beispielen, wo der hypothe-

tische Indicativ nicht interrogativ, sondern unverkennbar affirmativ
gebraucht wird, wie in Gellerts Christ:

> Er duldet froh die Schmach, mit der man ihm begegnet;
> Man droht: er zittert nicht; man fluchet ihm: er segnet.

So wie hier anstatt wenn man droht, fluchet, nicht droht man,
flucht man, sondern noch treffender man droht, man fluchet
ihm gesagt wird, so sind wir auch nicht gerade gezwungen *rides*
durch lachst du zu übersetzen, sondern dürften es vielleicht ebenfalls angemessener durch du lachst wiedergeben. Es sind hier nemlich zwei Fälle zu unterscheiden. Offenbar ist die Fragform (lachst du)
diejenige Form, welche sich der eigentlichen subordinierenden Bedin-
gungsformel (wenn du lachst) am meisten nähert, eben weil durch
die Frage wie durch wenn etwas nicht als gewis behauptet, sondern
als ungewis bezeichnet wird. Deshalb ist die hypothetische Fragform
besonders da ganz an ihrem Platze, wo man auf einen Fall nicht mit
Sicherheit rechnen kann und bei der Anwendung von wenn noch
etwa, vielleicht, hinzugefügt werden könnte, oder auch da, wo
ein Fall nicht die Regel, sondern nur die Ausnahme bildet und einmal, dann und wann, beigefügt werden könnte, so dasz z. B. in
der oben citierten Stelle aus Schillers Macbeth die Vertauschung der
interrogativen Form finden wir mit der affirmativen wir finden
wegen der Unsicherheit des treffens ebenso unpassend wäre als aus
demselben Grunde in der Braut von Messina:

> Aber treff' ich dich drauszen im freien,
> Da mag der blutige Kampf sich erneuen,

an einer zweiten Stelle in Macbeth aber die interrogative Form:

> Strauchelt der gute und fällt der gerechte,
> Dann jubilieren die höllischen Mächte;

in die affirmative zu verwandeln (der gute strauchelt, der gerechte
fällt) deshalb verwerflich wäre, weil sonst das doch nur biswei-
lige unterliegen des gerechten und guten als etwas gewöhnliches
bezeichnet würde. Deshalb möchte ich auch im lateinischen den interrogativen Gebrauch des hypothetischen Indicativ nicht mit Hein-
dorf zu Hor. sat. I 3 45 unbedingt verwerfen, sondern namentlich
da gelten lassen, wo die Bedingung von dem nicht mit Gewisheit zu
ermittelnden Willen jemandes oder von der Laune des Zufalls abhängt,
z. B. Liv. X 17: *hacine victoria sola aut hac praeda contenti estis
futuri? vultis pro virtute spes gerere: omnes Samnitium urbes for-
tunaeque in urbibus relictae vestrae sunt*, wo Decius die Soldaten,
welche sich mit der Beute der éinen eroberten Stadt begnügen und
überladen zu wollen schienen, davon abzubringen und mit der ihrer
Tapferkeit entsprechenderen Hoffnung auf die Eroberung aller übrigen Städte zu erfüllen sucht. Da nun Decius diese groszartigern
Hoffnungen bis jetzt noch nicht voraussetzen, sondern erst wecken
wollte, so ist die interrogative Betonung der Worte im Sinne von
wollt' ihr Hoffnungen hegen der affirmativen im Sinne von ihr
wollt Hoffnungen hegen gewis vorzuziehn, wenn auch um die

enge Beziehung der hypothetischen Frage mit dem Folgesatze anzudeuten in allen dergleichen Fällen dém Fragzeichen, welches auch
Gernhard zu Cic. Parad. V 2 36 und Obbarius zu Hor. ep. I 1
87 S. 92 verwerfen, ein Kolon vorzuziehn sein dürfte. Wo dagegen
Fälle angenommen werden, die mit Gewisheit als wirklich vorausgesetzt werden können, deren wirkliches vorkommen im gewöhnlichen
Leben keinem Zweifel unterliegt, da wird nicht allein im lateinischen,
sondern auch im griechischen der hypothetische Indicativ selbst der
Verba des wollens gewis viel passender affirmativ aufgefaszt, z. B.
Hor. ep. I 6 29: *vis recte vivere: quis non? si virtus hoc una pot-
est dare, fortis omissis hoc age deliciis;* ep. Pauli ad Rom. 13, 3:
οἱ γὰρ ἄρχοντες οὐκ εἰσὶ φόβος τῶν ἀγαθῶν ἔργων, ἀλλὰ τῶν κακῶν.
Θέλεις δὲ μὴ φοβεῖσθαι τὴν ἐξουσίαν· τὸ ἀγαθὸν ποίει καὶ ἕξεις
ἔπαινον ἐξ αὐτῆς. Ebenso im deutschen, z. B.
Beleidigt handelt er noch als ein Menschenfreund.
Sein Feind ist ohne Brod: er speiset seinen Feind.
Sein Feind geht blosz einher, der Christ erblickt
sein Leiden:
Groszmütig läszt er den, der ihn verfolgte, kleiden.
Er duldet froh die Schmach, mit der man ihm begegnet.
Man droht: er zittert nicht; man fluchet ihm: er segnet,
wo der Gedanke des Dichters durch die Fragform droht man usw.
oder auch schon durch blosze Anwendung des Fragtones auszerordentlich verlieren würde, indem ja die Schmach nicht als ungewis,
sondern als eine solche bezeichnet werden soll, die der Christ unzweifelhaft so oft zu erdulden hat. Ja dieses oft, welches hier
durch das affirmative Praesens nur angedeutet ist, findet sich bisweilen ausdrücklich vor, z. B. bei Schiller, wo er in der Huldigung
der Künste die Malerei sagen läszt:
Mit des geliebten nachgeahmten Zügen
Versüsz ich oft der Sehnsucht bittern Schmerz:
Die sich getrennt nach Norden und nach Süden,
Sie haben mich — und sie sind ganz geschieden.
Wenn demnach der affirmative Gebrauch des hypothetischen Indicativ im deutschen ganz unbestreitbar ist, so fällt auch der letzte
Grund zusammen, durch welchen Zumpt bestimmt worden zu sein
scheint denselben im lateinischen wo nicht als einen elliptischen, doch
überall wenigstens als einen interrogativen anzusehn. Vielmehr
würde die interrogative Auffassung des hypothetischen Indicativ an
vielen Stellen ebenso effectschwächend wie im deutschen sein, namentlich da, wo er in der ersten Person steht, indem ja der redende über das, was er selbst thut, nicht in Ungewisheit schwe-
bend fragt, wenn er aber nach dem fragen will, was er thun soll,
den Conjunctiv braucht. Vgl. Cic. Tusc. II 12: *rogo hoc idem Epi-
curum: maius dicet esse malum mediocrem dolorem quam maximum
dedecus.* Cic. Sest. 42: *horum utro uti nolumus, altero est utendum.
Vim volumus extingui: ius valeat necesse est. Iudicia displicent*

aut nulla sunt: vis dominetur necesse est. Doch nicht blosz in der
ersten Person, sondern auch in der zweiten und dritten musz der hypothetische Indicativ oft ganz entschieden affirmativ gefaszt werden,
so oft nemlich dadurch Fälle bezeichnet werden, welche der wirklichen Erfahrung und der unmittelbaren Anschauung des äuszern oder
innern Lebens der Menschen überhaupt oder einzelner Classen oder
bestimmter Individuen entlehnt sind. Vgl. Hor. ep. I 1 18: *lectus
genialis in aula e s t: nil ait esse prius, melius nil caelibe vita. Si
n o n e s t, iurat bene solis esse maritis.* Iuv. III 100: *r i d e s: maiore
cachinno concutitur; flet, si lacrimas c o n s p e x i t amici.* Ter. Eun.
II 2 20: *quidquid dicunt, laudo; id rursum si negant, laudo id quoque; n e g a t q u i s: nego; a i t: aio; postremo imperavi egomet mihi
omnia assentiri.* Cic. Rosc. Am. 20: *innocens e s t quispiam, verum
tamen, quamquam abest a culpa, suspicione tamen non c a r e t.
Tametsi miserum est, tamen ei, qui h u n c accuset, possim aliquo
modo ignoscere.* Cic. Verr. V 71: *inimicitiae s u n t: subeantur; labor: suscipiatur.* So von den gewöhnlichen Launen einer herschsüch-
tigen Frau Cic. parad. V 2 36: *an ille mihi liber, cui mulier impe-
rat? cui leges imponit, praescribit, iubet, vetat, quod videtur? qui
nihil imperanti negare potest, nihil recusare audet? P o s c i t: dan-
dum est: v o c a t: veniendum; e i i c i t: abeundum; m i n a t u r: exti-
meseendum.* So von den gewöhnlichsten Fällen, welche der zu behandeln hat, welcher über die Unannehmlichkeiten des Lebens trösten
will, Cic. Tusc. III 24 57: *similis est ea ratio consolandi, quae docet
humana esse, quae acciderint. D e p a u p e r t a t e a g i t u r: multi
patientes pauperes commemorantur; d e c o n t e m n e n d o h o n o r e:
multi inhonorati proferuntur.* So von den gewöhnlichen Gemütsbe-
wegungungen und Leidenschaften Cic. Tusc. II 24 58: *ira e x a r d e-
s c i t, libido c o n c i t a t u r: in eamdem arcem confugiendum est.* Hor.
sat. I 3 49: *parcius hic v i v i t: frugi dicatur. Ineptus et iactantior
hic paulo e s t: concinnus amicis postulat ut videatur. At e s t trucu-
lentior atque plus aequo liber: simplex fortisque habeatur. Caldior
e s t: acres inter numeretur.* Hor. ep. 1 1 33: *f e r v e t a v a r i t i a
miseroque cupidine pectus: sunt verba et voces, quibus hunc lenire
dolorem possis et magnam morbi deponere partem. L a n d i s a m o r e
t u m e s: sunt certa piacula, quae te ter pure lecto poterunt recreare
libello. I n v i d u s, i r a c u n d u s, i n e r s, v i n o s u s, a m a t o r:
nemo adeo ferus est, ut non mitescere possit.* So von der öfteren
Verbreitung ungünstiger Gerüchte vom Forum aus Hor. sat. II 6 50:
*frigidus a rostris m a n a t per compita rumor: quicumque obvius est,
me consulit.* So von der regelmäszigen Wiederkehr des Winters
Verg. Georg. II 529: *v e n i t hiems: teritur Sicyonia bacca trapetis.*
Wie hier findet sich das allerdings seltnere hypothetische Perfect des
Indicativ auch noch Hor. sat. II 7 68: *e v a s t i: credo, metues do-
ctusque cavebis*, woselbst O r e l l i zu vergleichen. Ebenso wird der
hypothetische Indicativus im griechischen gebraucht, besonders häufig die dritte Person mit τις, z. B. Aeschin. III §. 246: οὐχ αἱ παλαῖ-

στραι οὐδὲ τὰ διδασκαλεῖα μόνον παιδεύει τοὺς νεωτέρους, ἀλλὰ πολὺ μᾶλλον τὰ δημόσια κηρύγματα. Κηρύττεταί τις ἐν τῷ θεάτρῳ ὅτι στεφανοῦται ἀρετῆς ἕνεκα ἄνθρωπος ἀσχήμων ὢν τῷ βίῳ καὶ βδελυρός· ὁ δέ γε νεώτερος ταῦτ᾽ ἰδὼν διεφθάρη. Δίκην τις δέδωκε πονηρὸς καὶ πορνοβοσκὸς ὥσπερ Κτησιφῶν; οἱ δέ γε ἄλλοι πεπαίδευνται. Τἀναντία τις ψηφισάμενος τῶν καλῶν καὶ δικαίων ἐπανελθὼν οἴκαδε παιδεύει τὸν υἱόν· ὁ δέ γε εἰκότως οὐ πείθεται. Demosth. III §. 18: καὶ νῦν οὐ λέγει τις τὰ βέλτιστα· ἀναστὰς ἄλλος εἰπάτω, μὴ τοῦτον αἰτιάσθω. Ἕτερος λέγει τις βελτίω· ταῦτα ποιεῖτε ἀγαθῇ τύχῃ. Ἀλλ᾽ οὐχ ἡδέα ταῦτα· οὐκέτι τοῦθ᾽ ὁ λέγων ἀδικεῖ. Demosth. XVIII §. 198: πράττεταί τι τῶν ὑμῖν δοκούντων συμφέρειν· ἄφωνος Αἰσχίνης. Ἀντέκρουσέ τε καὶ γέγονεν οἷον οὐκ ἔδει. πάρεστιν Αἰσχίνης. §. 274: ἀδικεῖ τις ἑκών· ὀργὴ καὶ τιμωρία κατὰ τούτου. Ἐξήμαρτέ τις ἄκων· συγγνώμη ἀντὶ τῆς τιμωρίας τούτῳ. Οὔτ᾽ ἀδικῶν τις οὐδ᾽ ἐξαμαρτάνων εἰς τὰ πᾶσι δοκοῦντα συμφέρειν ἑαυτὸν δοὺς οὐ κατώρθωσε μεθ᾽ ἁπάντων· οὐκ ὀνειδίξειν οὐδὲ λοιδορεῖσθαι τῷ τοιούτῳ δίκαιον, ἀλλὰ συνάχθεσθαι. Epist. Jacobi 5 13: κακοπαθεῖ τις ἐν ὑμῖν· προσευχέσθω. Εὐθυμεῖ τις· ψαλλέτω. Ἀσθενεῖ τις ἐν ὑμῖν. προσκαλεσάσθω τοὺς πρεσβυτέρους τῆς ἐκκλησίας καὶ προσευξάσθωσαν ἐπ᾽ αὐτόν. Epictet. c. 21: μέμνησο, ὅτι ὡς ἐν συμποσίῳ δεῖ σε ἀναστρέφεσθαι. Περιφερόμενόν τι γέγονε κατά σε· ἐκτείνας τὴν χεῖρα κοσμίως μετάλαβε. Παρέρχεται· μὴ κάτεχε. Οὔπω ἥκει· μὴ ἐπίβαλε πόρρω τὴν ὄρεξιν, ἀλλὰ περίμενε μέχρις ἂν γένηται κατά σε. Aber auch die zweite Ferson des hypothetischen Indicativ findet sich nicht selten, z. B. epist. Pauli ad Corinth. I 7 27: δέδεσαι γυναικί· μὴ ζήτει λύσιν. Λέλυσαι ἀπὸ γυναικός· μὴ ζήτει γυναῖκα. Menandri fr. bei Ritschl ind. lect. 1839—1840 S. VIII: τύχην ἔχεις, ἄνθρωπε· μὴ μάτην τρέχῃς· εἴτ᾽ οὐκ ἔχεις, καθεῦδε, μὴ κενῶς πόνει. Endlich auch die erste Person Demosth. XVIII §. 117: ἐπέδωκα· ἐπαινοῦμαι διὰ ταῦτα, οὐκ ὢν ὧν ἐπέδωκα ὑπεύθυνος. Ἦρχον· καὶ δέδωκά γε εὐθύνας ἐκείνων, οὐχ ὧν ἐπέδωκα. Νὴ Δί᾽, ἀλλ᾽ ἀδίκως ἦρξα· εἶτα παρών. ὅτε με εἰσῆγον οἱ λογισταί, οὐ κατηγόρεις. Eur. Or. 646: ἀδικῶ· λαβεῖν χρή μ᾽ ἀντὶ τοῦδε τοῦ κακοῦ ἄδικόν τι παρὰ σοῦ.

Doch ist der Gebrauch des indicativus hypotheticus im lateinischen keineswegs blosz auf das Praesens und Perfectum beschränkt, sondern ebenso häufig erscheint derselbe auch im Futurum, so dasz Zumpt den Gebrauch des Futuri exacti in solchen Sätzen für besonders häufig erklärt, eine Behauptung, welche nicht allein durch den mindestens nicht seltenern Gebrauch des Praesens widerlegt wird, sondern auch zu dem Irthum verleiten könnte, als wenn das Futurum in dergleichen Fällen sich durch nichts weiter unterscheide als eben durch die vorherschende Gebräuchlichkeit. Vielmehr ist unverkennbar, dasz in der Regel das Futurum, und zwar nicht blosz das Futurum exactum, sondern auch das Futurum primum nur dann steht, wenn der Folgesatz sich auf die Zukunft bezieht, also von einem erst abzuwartenden Falle die Rede ist, so dasz entweder in beiden Sätzen das

Futurum primum, oder in beiden das Futurum exactum, oder im Bedingungssatze das Fut. exactum, im Folgerungssatze das Fut. primum steht. So bei Cicero Rull. II 16: *volet esse popularis: populo Romano adiudicabit. Non sumet sibi tantum, non appetet: iudicabit Alexandriam regis esse, a populo Romano abiudicabit.* Ter. Phorm. I 2 25: *unum cognoris: omnes noris.* Cic. fin. II 17: *occultum facinus esse potuerit: gaudebit.* Hor. sat. I 1 45: *milia frumenti tua triverit area centum: non tuus hoc capiet venter plus ac meus.* Ter. Heaut. III 1 78: *dare denegaris: ibit ad aliud illico.* Hor. sat. II 3 292: *casus medicusve levarit aegrum ex praecipiti: mater delira necabit.* Cic. Verr. II 3 2: *furem aliquem aut rapacem accusaris* *): *vitanda tibi semper erit omnis avaritiae suspicio. Maleficum quempiam adduxeris aut crudelem: cavendum erit semper, ne qua in re asperior aut inhumanior fuisse videare.* Liv. XXI 44: *parum est, quod veterrimas provincias meas, Siciliam et Sardiniam adimis? etiam Hispanias? Et inde cessero***): *in Africam transcendes.* Cic. Acad. II 36: *age, restitero Peripateticis, sustinuero Epicureos: Diodoto quid faciam Stoico?* Im griechischen wird in diesen Fällen gewöhnlich anstatt des fehlenden futuri secundi mit noch gröszerer Lebhaftigkeit des Gedanken und Ausdrucks das Perfect oder der Aorist, anstatt des fut. primi bisweilen das Praesens gebraucht. Vgl. Eur. Androm. 335: τέθνηκα τῇ σῇ θυγατρὶ καί μ' ἀπώλεσε· μιαίφονον μὲν οὐκέτ' ἂν φύγοι μύσος. ἢν δ' οὐκ ἐγὼ μὲν μὴ φανεῖν ὑπεκδράμω, τὸν παῖδά μου κτενεῖτε; Hel. 1060: καὶ δὴ παρεῖκεν· εἶτα πῶς ἄνευ νεὼς σωθησόμεσθα; Med. 387: καὶ δὴ τεθνᾶσι· τίς με δέξεται πόλις; Aesch. Eum. 394: καὶ δὴ δέδεγμαι· τίς δέ μοι τιμὴ μένει; Aristoph. Eccles. 174: ἄχθομαί τε καὶ φέρω τὰ τῆς πόλεως ἅπαντα βαρέως πράγματα. ὁρῶ γὰρ αὐτὴν προστάταισι χρωμένην ἀεὶ πονηροῖς· κἄν τις ἡμέραν μίαν χρηστὸς γένηται, δέκα πονηρὸς γίγνεται. ἐπέτρεψας ἑτέρω. πλείον' ἔτι δράσει κακά. Xenoph. Anab. V 7 9: ποιῶ δ' ὑμᾶς ἐξαπατηθέντας καὶ καταγοητευθέντας ὑπ' ἐμοῦ ἥκειν εἰς Φᾶσιν· καὶ δὴ καὶ ἀποβαίνομεν εἰς τὴν χώραν· γνώσεσθε δήπου ὅτι οὐκ ἐν τῇ Ἑλλάδι ἐστέ, wo der bei der Annahme eines blosz gedachten Falles vom lateinischen abweichende Gebrauch des indicativus praesentis ἀποβαίνομεν darin seine Erklärung findet, dasz ganz dem lateinischen *facere* entsprechend im Sinne von **ich setze den Fall** ποιῶ vorausgeht und wenn auch nicht der Construction nach (welche den vorausgehenden ἥκειν entsprechend καὶ ἀποβαίνειν verlangte), doch dem Sinne nach auf ἀποβαίνομεν noch fortwirkt.

Selbst dem Imperfectum und Plusquamperfectum indicativi scheint der hypothetische Gebrauch ohne *si* nicht ganz fremd, wenn nemlich

---

*) wo Orelli sich nicht consequent geblieben ist und ein Fragzeichen gesetzt hat.

**) Hier würde die mit der affirmativen Betonung verbundene Resignation durch die Anwendung des Fragzeichens oder auch des bloszen Fragtones ganz verloren gehn.

der Folgerungssatz der Vergangenheit angehört. Wenigstens wird ganz ähnlich zwischen mehreren durch *sive* und *quum* subordinierten Plusquamperfecten das coordinierte ohne *quum* oder *sive* gebraucht um so oft auszudrücken bei Ovid. Metamorph. VIII 25 ff.:

hac iudice Minos

Seu caput abdiderat cristata casside pennis,
In galea formosus erat, seu sumpserat auro
Fulgentem clipeum, clipeum sumpsisse decebat.
Torserat adductis hastilia lenta lacertis:
Laudabat virgo iunctam cum viribus artem.
Imposito patulos calamo sinuaverat arcus:
Sic Phoebum iunctis iurabat stare sagittis,
Qnum vero faciem dempto nudaverat aere
Purpureusque albi stratis insignia pictis
Terga premebat equi spumantiaque ora regebat:
Vix sua, vix sanae virgo Niseïa compos
Mentis erat.

Ebenso findet sich dieses coordinierte Plusquamperfect anstatt des subordinierten bei Hor. sat. II 6 40 ff.:

Septimus octavo propior iam fugerit annus,
Ex quo Maecenas me coepit habere suorum
In numero, dumtaxat ad hoc, quem tollere rheda
Vellet iter faciens et cui concredere nugas.
Per totum hoc tempus subiectior in diem et horam
Invidiae noster. Ludos spectaverat una,
Luserat in campo: fortunae filius! omnes.

Freilich sind hier die neuesten Herausgeber, wie Haupt, Meineke, Krüger, vielleicht eben in Folge jener leicht irreführenden Bemerkung Zumpts, dasz in solchen Fällen besonders gebräuchlich das futurum exactum sei, wieder zur Lesart Bentleys *spectaverit* und *luserit* zurückgekehrt, doch gewis mit Unrecht, und zwar nicht etwa blosz wegen der so schwachen handschriftlichen Beglaubigung, sondern noch viel mehr deshalb, weil *spectaverit* und *luserit*, mag man es nun mit Bentley als Futurum exactum oder als Perfectum conjunctivi ansehn, sinn- oder gar sprachwidrig sein würde. Dasz Bentley *spectaverit* und *luserit* als Futurum exactum auffaszt, geht aus seinen eigenen Worten hervor, mit welchen er den Sinn dieser Stelle umschreibt: *Ego, inquit, per totum hoc tempus subiectior sum invidiae: si ludos una cum Maecenate spectavero, si in campo Martio una lusero: omnes illico, qui adstant, fortunae filius, secum aiunt taciti.* Wenn nun aber, wie wir oben an vielen Stellen nachgewiesen haben, das hypothetische Futurum nur da gebraucht wird, wo der Folgesatz der Zukunft angehört, hier aber nicht von der Zukunft, sondern offenbar von der Vergangenheit (*per totum hoc tempus, ex quo Maecenas me coepit habere suarum in numero*) die Rede ist, mithin zu *subiectior* weder *ero* noch *fuero*, zu *omnes* weder *clamabunt* noch *clamaverint* ergänzt werden darf: so möchte *spectaverit* und *luserit* als Futurum exactum schwerlich zu rechtfertigen sein. Aber auch als Perfectum conjunctivi gefaszt würde es, wenn auch nicht sprachwidrig, so doch an unserer Stelle nicht recht sinngemäsz sein. Denn obgleich in Beziehung auf das Praesens *sum*, welches Bentley zu *subiectior*, und in Beziehung auf *aiunt*, welches Bentley zu *omnes* ergänzt, das hypothetische Perfect grammatisch ganz richtig wäre, so würde, da Horaz nicht eine blosz gedachte Annahme (gesetzt dasz er dann und wann mit ihm gespielt habe), sondern wirklich dann und wann vorgekommene Fälle bezeichnen zu wollen scheint (vgl. Vers 50: *frigidus a rostris manat per compita rumor*, wo ja das Metrum, nicht aber der Sinn, ebenso gut den Conjunctiv erlaubt hätte), dennoch nicht sowol der Conjunctiv, sondern vielmehr der Indicativ *spectavit* und *lusit* hier das sinngemäszeste sein. Da dies jedoch nicht in den Vers paszt, *spectaverat* und *luserat* aber von den meisten und besten Handschriften beglaubigt wird, so ist die von Orelli festgehaltene Lesart *spectaverat* und *luserat* im Sinne von *quum* oder *si quando spectaverat, luserat*, gewis die einzig richtige, zu *subiectior* und *omnes* aber nicht sowol mit Bentley das Praesens *sum* und *aiunt*, sondern vielmehr mit Döring *) *fui* und *clamabant* zu ergänzen.

Ist somit klar, dasz auch der indicativus hypotheticus weder elliptich, noch (in den meisen Fällen wenigstens) interrogativ aufzufassen ist, sondern sich dadurch von dem Indicativ mit *si* unterscheidet, dasz z. B. *si vendit* einen als wirklich angenommenen, mithin erst durch die Verstandesthätigkeit vermittelten Fall, *vendit* dagegen einen als aus der unmittelbaren Anschauung der Wirklichkeit entlehnten bezeichnet, so tritt damit zugleich deutlich der Unterschied zwischen dem hypothetischen Indicativ und Conjunctiv (zwischen *vendit* und *vendat, vendidit* und *vendiderit* etc.) hervor, indem durch den Indicativ (*vendit*) ein Fall im Gegensatz zu einem als wirklich blosz angenommenen (*si vendit*) als ein der unmittelbaren Anschauung entlehnter, durch den Conjunctiv (*vendat*) dagegen ein Fall im Gegensatze zu einem blosz als möglich angenommenen (*si vendat*) als ein in die Wirklichkeit oder wenigstens in die Vorstellung einzuführender (als ein zu verwirklichender oder wenigstens vorzustellender) bezeichnet wird. Daher durfte eben Cicero in unserer Stelle anstatt *vendat* nicht *vendit* sagen, weil er ja sonst im Widerspruch mit seiner eignen Lehre den Fall, dasz ein *vir bonus* ein Haus wissentlich weit über dessen wahrem Werthe verkauft, als einen dem wirklichen Leben entlehnten und gewöhnlich vorkommenden bezeichnet haben würde.

Demnach kann man zwar in den früher angedeuteten Fällen die Conjunction *si* sowol mit dem Conjunctiv als mit dem Indicativ auch

---

*) *Hunc locum ego*, sagt Döring, *interpretor sic: ab eo inde tempore in diem et horam magis magisque expositus fui invidiae; si Maecenas una mecum ludos spectaverat, vel una mecum in Campo Martio luserat, et sic singularem mihi favorem probaverat, tum omnes: Horatius fortunae est filius, clamabant.*

weglassen, und umgekehrt da, wo sie zu fehlen scheint, auch hinzusetzen (mithin z. B. anstatt *si vendat, si vendiderit, si venderet, si
vendidisset; si vendit, si vendidit* etc. auch blosz *vendat, vendiderit,
venderet, vendidisset; vendit, vendidit* etc. sagen), ohne jedoch deshalb im ersteren Falle zur Annahme einer eigentlichen E l l i p s e berechtigter zu sein als derjenige, der etwa auf den Einfall käme im
letzteren Falle umgekehrt die Beifügung von *si* für einen P l e o n a s -
m u s anzusehn. Vielmehr ist die erste Construction (m i t *si*) von der
letzteren (o h n e *si*), wenn auch der Gedanke wesentlich derselbe
bleibt, nicht blosz g r a m m a t i s c h wie Subordination von Coordination, sondern auch l o g i s c h wie blosze ruhige und kalte Verstandesthätigkeit von der wärmeren und lebhafteren Mitbetheiligung des
Willens (beim unabhängigen Conjunctiv) und der unmittelbaren Anschauung (beim unabhängigen Indicativ) verschieden.

Weimar.   *Dr. C. E. Putsche, Prof.*

Auszüge aus Zeitschriften.

*Bericht über die zur Bekanntmachung geeigneten Verhandlungen
der k. preuss. Akademie d. W. zu Berlin.* Aus dem J. 1854
(vgl. Bd. LXIX S. 450 f.).

12. Jan. D i r i c h l e t: Bericht über F. W ö p c k e: extrait du Fa-
khrî, Traité d' Algèbre par Aboū Bekr Mohammed Ben Alhaçan Al-
karkhi (S. 15—17: die in Paris aufgefundene Handschrift beweist, dasz
die Algebra der Araber sich auch mit den unbestimmten Problemen
beschäftigt hat. Der Tractat beruht wesentlich auf Diophantus, kennt
aber die indischen Methoden nicht. Fibonacci hat vieles daraus, aber
nicht alles und es bleibt zu erforschen, aus welchen arabischen Quellen derselbe sonst noch geschöpft habe). — 23. Jan. R. L e p s i u s:
über den Werth einiger astronomischen Angaben auf aegyptischen Denk-
mälern (S. 33—36: Widerlegung der von B i o t recherches de quelques
dates absolues cet. Paris 1853 aufgestellten Behauptung, dasz von
einer Sirius- oder Sothisperiode, die für ganz Aegypten festgehalten
worden, nicht die Rede sein könne und dasz Menophres nicht den
König Menophtes, sondern die Stadt Memphis bedeute). — O. R i b-
b e c k: über die wissenschaftlichen Ergebnisse seiner italienischen Reise
(S. 36—46: ausführliche Mittheilung über die groszen Gewinn ver-
heiszenden Vergleichungen der codd. des Vergilius, besonders des Pala-
tinus, aus dem viele Lesarten mitgetheilt werden, über den Bembinus
und Basilicanus des Terentius, ferner codd. des Servius, Donatus,
Nonius und von Seneca's Tragoedien). — 26. Jan. H o m e y e r: über
das germanische loosen (S. 47: die in der lex Frisionum beschriebene
Sitte des loosens mit Stäbchen habe sich in einigen Gegenden des
nördlichen Deutschlands erhalten). — 2. Febr. P i n d e r: über die Zeitbestimmung der römischen Münzen (S. 49 f.: durch Wägungen werde
bewiesen, dasz der Semuncialfusz erst in den letzten Jahrzehenden des
Freistaats in Rom geprägt worden sei. Ferner ist es sehr wahrscheinlich gemacht, dasz die Sitte das Tribunat der Kaiser vom 1. Januar
zu datieren in das Jahr 907 a. u., das 16. Regierungsjahr des Anto-

ninus Pius zu setzen sei). — 20. Febr. Böckh: über das babylonische Längenmasz an sich und im Verhältnis zu den andern vorzüglichsten Gewichten und Maszen des Alterthums (S. 76—110: aus von
Hrn. Oppert gemachten Messungen ergibt sich, dasz allerdings die
babylonische Elle identisch mit der aegyptischen (Böckhs metrol. Un-
ters. S. 227) und im Mittel zu 233. 21325 Par. Lin. anzunehmen sei.
Da sich durch Messungen an dem Birs-Nimrud (Belstempel) ein gröszeres Masz ergibt (= 236. 423 P. L), an eine spätere Erbauung oder
Wiederherstellung aber nicht zu denken, vielmehr eine gänzliche Zerstörung unwahrscheinlich ist und die vorhandenen Reste dem ursprünglichen Baue angehören, so musz man für die älteste Zeit eine gröszere
Länge der Elle (Nimrodsche) und ein späteres zurückgehen derselben
um etwa 3 P. L. annehmen. Der früher auf theoretischem Wege gefundene zweidritttheilige babylonische Längenfusz (⅔ der Elle) erhält
durch die neu entdeckten empirischen Thatsachen die glänzendste Bestätigung. Daraus, dasz Oppert 360 Ellen als eine grosze Längen-
einheit gefunden hat, welche im Verhältnis zum Stadium wie 3 : 5
steht, ergibt sich das ganz neue Resultat, dasz es in Babylon einen
dreifünftheiligen Längenfusz gegeben. Einen dreifünftheiligen griechischen Doppelfusz findet Böckh auf einem Denkmal zu Ushak in Phrygien und das Verhältnis in dem einen babylonischen Längenmaszsy-
styme ist dasselbe, wie es sich zwischen dem kleineren und gröszeren
Systeme im Gewicht und Körpermasz in Griechenland, Aegypten und
Asien findet. Dieser letztere Fusz ist aber nicht als Grundlage des
Körpermaszes und Gewichtes gebracht worden, der Gebrauch des
zweidritttheiligen in Babylon aber wird durch das vorhandensein eines
solchen in Aegypten, durch das Philetaerische, ursprünglich persische
und babylonische System und den syrischen Metretes genug erwiesen.
Da nach Oppert die mittlere babylonische Mauer 440 Stadien beträgt
(für die äuszerste wird Herodots Masz anerkannt, für die innere das
des Diodor II 7 zu 360, nicht wie Kleitarchos berichtet, 365 Stadien),
Strabo aber XVI 378 385 angibt, so können diese letzten nur Philetaerische Stadien sein, und da Herod. auf den Parasanges 30 Stadien
rechnet, was aber nicht olympische sein können, so ist die Uebereinstimmung von Herons Philetaerischem Masz mit dem echt persischen
evident. Das Verhältnis von 440 zu Strabo's Angabe ist das von Her.
zwischen der babylonischen und griechischen Elle angegebene, 7 : 8,
aber nach dem dreifünftheiligen Fusze ist es 10 : 9, ein Beweis dafür,
dasz man, weil man den letztern in Griechenland nicht kannte, ihn
mit dem zweidritttheiligen Philetaerischen identificierte, was um so leichter gieng, da der Unterschied kein sehr bedeutender ist. Durch eine
ausgeführte und durch Tabellen veranschaulichte Vergleichung der verschiedenen Masz- und Gewichtsysteme des Alterthums wird nun das
Resultat gezogen, dasz die älteste Gewichtbestimmung in Babylon mit
dem ältesten Längenmasze, der Nimrodischen Elle, gestimmt habe, das
Gewicht aber stehen geblieben, während das Längenmasz herabgegan-
gen sei. Ein später eingegangener Brief von Oppert, der sehr viel
interessantes über die Entdeckungen namentlich auch von Inschriften
enthält, gibt noch Veranlassung, aus der Bemerkung, die babylonische
Elle habe aus 25, der Fusz aus 15 Fingern bestanden, zu folgern,
dasz man im persischen Reiche jene babylonische Eintheilung habe fallen lassen und zu der gewöhnlichen, womit Herod. II 149 stimmt, übergegangen sei). — Brunn: Reisebericht (S. 110—117: die im Königreiche
Neapel unternommene epigraphische Reise bestätigte die Vortrefflichkeit
des Mommsenschen Inschriftenwerks in jeder Weise und lieferte nur
unbedeutende Berichtigungen, wovon einige Proben mitgetheilt werden).
— 9. März. Henzen: über die venusinischen Fasten (S. 128—134: durch

Untersuchungen, welche de Rossi angestellt, werden Mommsens Ansichten über die Fasten, Rh. Mus. X S. 481 ff., vollkommen bestätigt). — 16. März. Haupt: über das registrum multorum auctorum von Hugo von Trimberg (S. 142—164: das schon längst dem Titel nach bekannte, neuerdings in Gratz gefundene Buch hat die Hoffnung Aufschlusz über die deutschen Dichter des Mittelalters zu bieten nicht erfüllt, da es nur von lateinischen Schriftstellern handelt und verdient auch durch seinen Werth keinen Abdruck, da es aber eine Anschauung von der Bibliothek eines deutschen Schulmeisters im Mittelalter bietet, so werden unter Mittheilung ausführlicher Proben und Zufügung von Notizen die erwähnten Bücher der Reihe nach aufgezählt. Ueber Amareius wird am Schlusze aus dem in der Dresdner Bibliothek befindlichen Manuscripte Aufschlusz gegeben und sein Leben in die Zeit nach 1054 oder 1056 gesetzt. In seinem Gedichte wird der lateinische leich im 'modus Liebnic' erwähnt und erhält durch die Anführung der von Lachmann für diese leiche gebrauchte Name lateinischer Hofpoësie Bestätigung). — 20. März. Homeyer: über den Prolog zur Glosse des sächsischen Landrechts (S. 171—175: als einleitend für die in den Denkschriften erscheinende Bearbeitung werden die Bedeutung der Glosse, die Absicht den Sachsenspiegel gegen das eindringen anderen Rechts zu schützen, die Betrachtung desselben als eines von Karl dem Gr. 810 verliehenen, von Repkow dankenswerth bearbeiteten Privilegiums und die Beweise für die Autorschaft Johanns von Buch hervorgehoben). — 23. März. Kiepert: geographische Einleitung und 1r Theil einer Untersuchung über die in Ortsnamen und Mythen vorliegenden Sprachreste des alten Kleinasiens, namentlich über die in historischer Zeit fortdauernde Grenze zwischen arischen und semitischen Dialekten (S. 175 f.: die geographische Beschaffenheit begründet die Theilung der Bewohner in den Stufenländern in viele Stämme, wie das vorhersehen zweier gröszerer auf dem innern Hochlande. In der Südhälfte nebst den Westküsten zeigt der häufige Anlaut l und r Verschiedenheit von den arianischen, wie Verwandtschaft mit dem aramaeischen Sprachstamm, das gänzliche fehlen jenes Anlauts in den Namen der Nordhälfte die Verwandschaft der dort wohnenden Stämme, namentlich der Kappadoker und Phryger mit den Westarianern, namentlich den Armeniern, womit das vorherschen desselben Lautgesetzes und das fehlen der Aspiraten in den geringen phrygischen Sprachresten stimmt. Die Verwandtschaft des phrygischen und griechischen wird dadurch widerlegt). — Böckh: Nachtrag zur Abhandlung über das babylonische Längenmasz (S. 183—186: das Bedenken, dasz die mittlere Mauer von Babylon nicht von Oppert gemessen sondern aus Strabos 350 Stadien geschlossen sei, bestimmt bei den obwaltenden unlösbaren Schwierigkeiten zur Aufgabe der aufgestellten Ansichten und zur Annahme dasz Strabo, wie Herodot, nur zwei Mauern gekannt habe und bei ihm mit Meineke ἑξήκοντα zu schreiben sei). — 24. April: Kiepert: Fortsetzung der am 23. März begonnenen Abhandlung (S. 196: die Verwandtschaft der Kappadoker mit den Arianern wird behauptet, die Spuren des semitischen Elements auf eine vorausgegangene Urbevölkerung und den Einflusz der assyrischen Herschaft zurückgeführt). — 11. Mai. Ritter: über einige verschiedenartige aber charakteristische Denkmale für das nördliche Syrien (S. 214 f.: als solche werden aufgeführt: die massiven Steinthüren der ältesten Zeit zur Sicherung der Felsenwohnungen und Landesfesten, die ursprüngliche Anlage der Tempelhöfe, aus denen die Carawanserais hervorgiengen, die Verbreitung des chaldaeischen oder sabaeischen Astraldienstes mit dem syrischen Tempelcultus, die Construction der langen Säulenstraszen, die künstlichen Wasserbauten). — 18. Mai.

Lepsius: Apisdaten nebst Folgerungen daraus (S. 217—231: aus Mittheilungen, welche Mariette über die Apisdaten gemacht, wird die Existenz einer Apisperiode geleugnet, dagegen die Annahme dasz der Apisstier nicht sein 25s Lebensjahr habe überschreiten dürfen, was mit der 25j. Mondperiode des Ptolemaeos stimmt, aufrecht erhalten. Ferner wird daraus das Resultat gewonnen dasz die Regierungszeit des persischen Königs Kambyses nach seinem Antritt in Persien bestimmt worden sei und endlich durch ausführliche Erörterung der Zeugnisse von Schriftstellern und der monumentalen Angaben folgende chronologische Reihe aufgestellt: XXVI Dyn. Stephinatus 686—679. Nechepsos 679—73. Neko I 673—65. Psametich I 665—11. Neko II 611—596. Psametich II 596—90. Apries 590—71. Amasis 571—27. Psametich III ½ J. XXVII. Dyn. Kambyses 527—521. Der Widerspruch zwischen Herodot und Jul. Afric. wird durch die Annahme dasz das Todesjahr, welches für den Nachfolger Antrittjahr war, beiden Regierungen zugezählt worden sei, erklärt). — Buschmann: über die Verwandtschaft der Kinai-Idiome des russischen Nordamerikas mit dem groszen athapaskischen Sprachstamme (S. 231—236: durch Zusammenstellung von 66 Worten und durch die Thatsache dasz der Name Kinai gleich ist mit dem von den Athapasken sich beigelegten Tinnè d. i. Menschen, wird bewiesen, dasz die Völkerschaften der Ugalenzen, Atnah, Kinai, Inkilik, Inkalit und Kottschanen den 7 bekannten Stämmen der Athapasken anzureihen seien). — 22. Mai. Bekker: Nachlese von Varianten zu seinem Demosthenes (S. 252—260: Varianten zu 19 Reden aus einer zweiten 10 Jahre nach der ersten gemachten Coll. des cod. Σ). — Böckh: drei lykische Inschriften (S. 261—263: drei von Berg in Lykien aufgefundene der Stadt Olympos werden mitgetheilt, emendiert und ergänzt. Die 2e ist im C. I. 4304 falsch unter Limyra gebracht). — Ders.: über Cato's carmen de moribus (S. 264—282: da über die Kärchersche von dem Vf. gebilligte Hypothese und die Emendation der Fragmente unser College Fleckeisen in Catonianae. poësis reliquiae Lips. 1854 gehandelt hat, so erwähnen wir nur dasz S. 270 das Bentleysche Gesetz über die Uebereinstimmung des rhythmischen und sprachlichen Accents verworfen wird). — Lepsius: die aegyptischen Felsentafeln von Nahr el Kelb in Syrien (S. 338—346 nebst Abbildung: die von Oppert getheilte Behauptung de Saulcy's, es seien am Nahr el Kelb keine aegyptischen und hieroglyphischen Denkmäler vorhanden, wird durch historische Angaben und die eigne Anschauung widerlegt und auf der mittelsten Stele das J. 1389 v. Chr. gefunden). — 27. Jul. Böckh: über einige im Besitze des Herzogs de Luynes befindliche griechische Inschriften (S. 421—428 nebst einer Tafel: durch die Mittheilung von der nur wenige Buchstaben enthaltenden Rückseite der Inschr. C. I. Nr. 141 wird dem Vf. Gelegenheit geboten, die Inschrift Nr. 140 vollständig und mit gröszter Sicherheit zu divinieren. Ebenso wird über die Zeit von Nr. 2919 jetzt die Müllersche Ansicht gebilligt und einige Berichtigungen vorgenommen). — Lepsius: Nachtrag zu den Bemerkungen über die Apisdaten (S. 495—498: da der Vicomte de Rougé die Erwähnung des 4. Jahrs des Kambyses auf einem Sarkophage auf das bestimmteste in Abrede gestellt hat, so falle jeder Grund hinweg die Einnahme Aegyptens vor 525 zu setzen und müssen demnach die früher gegebenen chronologischen Angaben alle um zwei Jahre herabgerückt werden. Weil eine Angabe auf einer Apisstele zwischen dem 5n Jahre des Kambyses und dem 4n Jahre des Darius einen Zeitraum von 8 Jahren setzt, so wird wegen der Stelle des Herod. I 214 allerdings eine Differenz zwischen dem Anfang des persischen und aegyptischen Jahres statuiert, dies aber zur Erklärung der Widersprüche über die Regierungszeit des Darius

nicht ausreichend gefunden (wegen III 66), vielmehr angenommen dasz
die 7 Monate der medischen Herschaft, weil sie über einen Jahresan-
fang hinweggiengen, für ein volles Jahr gerechnet und dies, um die
durch Betrug erdichtete Herschaft zu übergehen, im Kanon dem Kambyses zugelegt worden sei). — Haupt: über den althochdeutschen
leich vom heiligen Georg (S. 501—512: nach einer eigenen Vergleichung der Handschrift werden die neun erhaltenen Strophen emendiert). — Pinder: über die chronologische Bestimmung des Regie-
rungsantritts Justinians (S. 512—514: die in dem Vorworte zur lateinischen Uebersetzung der H. Sophia und des Ambon von Silentiarius
Paulus bestrittene Angabe dasz Justinianus am 1. Apr. 527 als Mit-
regent seines Oheims die Regierung angetreten habe, wird auszer
anderen Gründen durch die Stelle Procop. hist. arc. c. 9 p. 67 ed.
Bonn. als vollkommen gesichert bezeichnet). — 26. Oct. J. Grimm:
über Runen, welche in Frankreich gefunden worden (S. 527—530 nebst
Abbildung: die von Lenormant im Thale der Risle in der Normandie
aufgefundenen Runeninschriften werden durch die einigen beigefügten
lateinischen Uebersetzungen und das auf einer erwähnte Consulat des
Frankenkönigs Chludowig als dem sechsten Jahrhundert angehörig erwiesen, wenn schon die Form einzelner Buchstaben nordisch ist. Das
vorhandensein der Runenschrift bei den Franken wäre darnach constatiert). — Von der Hagen: Nibelungen. Wallensteiner Handschrift.
Mit einem Schriftbilde (S. 573—588: auszer dem was über die Handschrift, die mit der Hohenems-Münchener sehr übereinstimmt, mitgetheilt ist, wird die Holtzmannsche Widerlegung von Lachmanns Ansichten mit Freuden begrüszt). — Spanische Briefe aus dem Ende des
13n Jahrhunderts (S. 630—635: von Hrn. Dr. Pauli aus dem Archive
des Tower unter 105 andern Urkunden eingesandt, 9 an der Zahl). —
7. Dec. 7 Inschriften von Amorgos und Tanais, eingesandt von Prof.
Leontieff aus Moskau und mit einigen Bemerkungen begleitet (S. 683
—693 nebst einem Facsimile. Eine Emendation hat Böckh beigefügt).
— 11. Dec. J. Grimm: über das vorkommen des Wortes 'Wörterbuch'
im 17. Jahrhundert (S. 697·f.: als ältestes Datum wird Schottelius in
der Vorrede zu seiner ausführlichen Arbeit von der deutschen Haupt-
sprache, Wolfenbüttel 1. März 1663, nachgewiesen).— Theod. Mommsen: Bericht über die Arbeiten an dem Corpus inscriptionum latina-
rum (S. 698—700: den besten Erfolg verheiszend und die rühmlichste
Thätigkeit darlegend). — 14. Decbr. Spiegelthal: über die Fortsetzung der Untersuchungen im Grabhügel des Königs Alyattes (S.
700—703 nebst Abbildungen: Beschreibung der innern Structur).

                                                        R. D.

Allgemeine Monatsschrift für Wissenschaft und Litteratur.
Jahrg. 1854. Schlusz *) (S. Bd. LXX S. 550).

Octoberheft. Benfey: Skizze des Organismus der indogermanischen Sprachen. 2r Artikel (S. 713—764, Fortsetzung vom Januarheft: behandelt wird die Verbalflexion und gezeigt, wie aus den
zahlreicheren Verbalthemen und den an Zahl sehr beschränkten Prono-
minalthemen und Interjectionen die Formen durch fünf primäre Mittel,
syntaktische Nebeneinanderstellung, Zusammensetzung, Umlautung,
Einschiebung, Accent, und zwei secundäre, Differenziirung und Analogie, entstehen). — Von Quandt: geben Proportionslehren Auf-

---

*) Die Zeitschrift ist leider mit Schlusz des Jahres eingegangen.

schlusz über das geheimnisvolle der Schönheit? (S. 765—784: durch
eine eingehende Prüfung der Werke: Röber: Beiträge zur Erforschung
der geometrischen Grundformen in den alten Tempels Aegyptens und
deren Beziehung zur alten Naturkenntnis, Carus: die Proportionslehre
der menschlichen Gestalt, Zeising: neue Lehre von den Proportionen
des menschlichen Körpers, wird die in der Ueberschrift gestellte Frage
vollständig verneint. Auszer vielen Bemerkungen über antike Kunstwerke findet sich die interessante Ansicht dasz Polyklet in dem Dia-
dumenos und Doryphoros wol die äuszersten Grenzen von Jugendweich-
heit und Knabenmännlichkeit habe darstellen wollen, dagegen unmöglich den Versuch machen können den Kanon in einem Bilde darzustellen und dasz dieser, wenn er nach den schriftlichen Quellen nicht
wegzuleugnen sei, einem spätern Polyklet angehören müsse).— Haug:
über den ältesten Namen der sogenannten Indogermanen und ihren
Stammesgott (S. 785—791: gegen die wenig passenden Namen wird
der jetzt gewöhnlich gewordene 'arisch' als richtig bewiesen, indem
er von den beiden ältesten cultivierten Stämmen, den Indern und dem
Zendvolke, zu ihrer Bezeichnung gebraucht worden sei, aber auch bei
den Osseten und im griechischen ἀρι-, ἐρι- sich finde. Der Name
wird auf die Wurzel *ar*, Heerd, zurückgeführt, und von dieser der
indische Gott **Arjaman**, zend **Airjaman**, der armenische **Arme-
nak**, der deutsche **Irmin** abgeleitet). —
    November heft. Lange: die neuesten Darstellungen der ältesten
Zeiten der römischen Geschichte (S. 793—859: eingehende Beurtheilung
der Werke von **Gerlach** und **Bachofen**, **Schwegler**, **Peter** und
Th. Mommsen nach den drei Gesichtspunkten: wie unterscheiden sich
die Verfasser in dem Begriffe dessen, was sie Geschichte der Römer,
römische Geschichte, Geschichte, Geschichte Roms nennen? wie unterscheiden sie sich in ihrem kritischen Verhalten gegenüber der Ueberlieferung? wie unterscheiden sie sich in der positiven Wiederherstellung des geschichtlichen Gehalts der Ueberlieferung? Wegen der
Verschiedenheit in der Vollendung der Werke beschränkt sich der Vf.
zwar auf die Königszeit, greift aber doch auch in einzelnen Punkten
über dieselbe hinaus und wenn auch der nächste Zweck nur der ist
die Differenzen in den Standpunkten und den sich daraus ergebenden
Resultaten nachzuweisen, so enthält doch auch die Abhandlung eigene
positive Aufstellungen, z. B. über das römische Königthum, über das
Patriciat, die Clientel und die Plebs. Während Gerlachs und Bach-
ofens Principien die entschiedenste Verwerfung finden, würdigt doch
der Vf. die den von ihm allein für berechtigt erklärten Standpunkt
gemeinschaftlich festhaltenden drei anderen Gelehrten in unbefangen-
ster Weise und während er Mommsens grosze Verdienste und Leistungen sowol in der Auffassung der Aufgabe, als auch in dem Verhalten
gegen die äuszere Tradition, namentlich aber in der Darstellung der
Civilisation anerkennt und hervorhebt, tritt er doch seiner Recon-
struierung der alten Verfassungszustände entgegen und hofft dasz
Schweglers skeptische Erwägungen der wolverdienten Autorität und
der blendenden Form jenes gegenüber das erforderliche Gegengewicht
in der Auffassung des Publicums geben werden). — **Stier:** ist die
albanische Sprache eine indogermanische? (S. 869—872: durch eine
Behandlung sämmtlicher Zahlwörter und des Verbum substantivum wird
die Behauptung gestützt dasz das albanesische zu dem indogermanischen Sprachstamm gehöre, mit dem Kslavischen viele Analogie habe
und weniger jenem Sprachstamme abgewandt sei, als z. B. das armenische). — **Peez:** die Hausmarke im südlichen Deutschland (S. 873
—875: das vorhandensein und der vielfältige Gebrauch im baierschen
Hochgebirg wird nachgewiesen). —

Decemberheft. Müllenhoff: zur Geschichte der Nibelunge Not. Nebst Anhang: die Untersuchungen über das Nibelungenlied von Holtzmann und Zarncke: zur Frage über die Nibelungen (S. 877—979: da diese Lachmann vertheidigende, aber auch selbständig aufbauende Abhandlung im Buchhandel besonders erschienen ist, so enthalten wir uns eines Auszugs).   *R. D.*

Berichte über gelehrte Anstalten, Verordnungen, statistische Notizen.

CROATIEN. Durch allerhöchste Entschlieszungen vom 21. Nov. und 18. Dec. 1854 sind die Gymnasien zu Essegg, Fiume und Warasdin zu acht Classen vervollständigt und die Genehmigung ertheilt worden, dasz das Mehrerfordernis, beziehungsweise die Besoldung des Lehrerpersonals für Fiume nach den Gehaltsstufen der 2n, für Essegg und Warasdin nach den Gehaltsstufen der 3n Classe von dem croatisch-slavonischen Studienfonds übernommen werde.

FRIEDLAND. Wir haben mehrmals ausgesprochen dasz Geschichten einzelner Lehranstalten, abgesehen von dem für sie selbst vorhandenen speciellen Interesse, für die Geschichte der Paedagogik und sofern diese ein Theil von ihr ist, der Cultur überhaupt Werth haben. Ueber das Gymnasium in Friedland liegt uns vor: *Ein Beitrag zur Geschichte des Friedländischen Gymnasiums in Mecklenburg-Strelitz, von* C. Dietrich, Lehrer der Mathemat. an diesem G. Neubrandenburg, 1855 (46 S. 4). Der Vf. hat sich vorzugsweise die innere Entwicklung der Schule zur Aufgabe gemacht und durch Mittheilung wichtiger Vorgänge, einiger Actenstücke und Lehrpläne sich den Anspruch auf Dank erworben. Wenn auch die Quellen bis ins 19. Jahrhundert herab sehr spärlich sind, so erkennt man doch dasz die genannte Lehranstalt im allgemeinen ganz denselben Gang durchgemacht hat, wie wol alle nach der Reformation errichteten Stadtschulen des evangelischen Deutschlands. Wir finden in der älteren Zeit die ausschliezliche Gründung der Bildung auf die alten Sprachen oder vielmehr bei spärlichem bedenken des griechischen auf das Latein und bei spärlichen Mitteln alles auf der Persönlichkeit der Lehrer, namentlich des Rectors beruhend, im vorigen Jahrhundert das eindringen von Realien, namentlich der Naturkenntnisse, dann das sich herausstellende Bedürfnis einer gesonderten Elementar- und Bürgerschule und die Erweiterung der Gelehrtenschule durch Vermehrung der Lehrkräfte und der Classen zu einem wirklichen Gymnasium, endlich auch hier die von der Zeit erzwungene Einführung realistischen Unterrichts für diejenigen, welche nicht studieren wollen, aber eine höhere Bildung verlangen (vgl. dse Jhrbb. Bd. LXVII S. 122). Die vorliegende Schrift aber hat etwas, was jeden Leser unangenehm berühren musz, sie enthält manches persönliche und zeigt eine gewisse Gereiztheit des Vf. Das S. 29 erwähnte Verbot des Patronats die Schrift im Programme erscheinen zu lassen und die auf dieser und der folgenden Seite gegebenen Berichtigungen und Bemerkungen liefern davon den Beweis. Wir sind, weit entfernt von Ort und Stelle, nicht im Stande über die Berechtigung davon zu urtheilen, aber so viel können und müssen wir aussprechen dasz es nie wohlgethan ist, Differenzen im Schoosze eines Lehrercollegiums an das Licht der Oeffentlichkeit zu bringen, am wenigsten wenn man nicht die Veranlassung derselben in aller Vollständigkeit herausstellt. Liest man S. 16 f., so wird jedem unbefangenen das 'audiatur et altera pars' in die Ohren tönen. Der Vf. legt einen groszen Accent auf den Mangel einer Schulordnung, ob aber eine derartige gesetzliche Vorschrift im Stande sein werde Differenzen im Lehrercollegium zu verhüten und den Geist der wahren Einmütigkeit hervorzurufen, ob durch eine Beschränkung der Amtsgewalt des Directors die Einheit besser bewahrt und namentlich die Verschmelzung des humanen und realen Princips, denn darauf scheint uns des Vf. streben gerichtet, zu einem wirklichen Segen angebahnt sein werde, darüber hegen wir Zweifel. Wir geben gern zu dasz in manchem, was der Vf. beibringt, z. B. in der Anstellung auf Kündigung, ein groszer Uebelstand liege, aber man musz doch immer erst wissen, was dazu gezwungen oder veranlaszt hat.   *R. D.*

OESTERREICH. Wir theilen folgende höchst wichtige Erlasse im Wortlaut mit. ·I) Verordnung des Ministeriums für Cultus und Unterricht, wirksam für alle Kronländer, vom 16. Dec. 1854. Seine k. k. a. Majestät haben mit allerhöchstem Handschreiben vom 9. Dec. 1854 die in Folge allerhöchsten Auftrags dargestellten Erfahrungen hinsichtlich der Erfolge der provisorischen Organisation der Gymnasien zur Kenntnis zu nehmen und die Vereinigung der ehedem bestandenen philosophischen Jahrgänge mit den Gymnasien und demnach die Beibehaltung der achtjährigen Gymnasien mit der an denselben gegenwärtig eingeführten Lehrmethode und mit den derzeit bestehenden Einrichtungen überhaupt allergnädigst zu genehmigen geruht, insofern Abweichungen nicht durch die nachstehenden· allerhöchsten Anordnungen hinsichtlich einzelner Punkte begründet werden. 1) Der Ausbildung der Schüler in der lateinischen Sprache ist besondere Sorgfalt zuzuwenden, die ·philosophische Propaedentik ist mit gröszerer Ausführlichkeit zu behandeln als es bis jetzt der Fall ist und dieselbe hat sodann auch einen Gegenstand der Maturitätsprüfung zu bilden. 2) In Bezug auf die Unterrichtssprache hat als oberster Grundsatz zu gelten dasz der Unterricht immer und überall in der Sprache zu ertheilen ist, durch welche die Bildung der Schüler am besten gefördert werden kann, demnach ist sich unter allen Umständen einer Sprache zu hedienen, die den Schülern so bekannt und geläufig ist, dasz sie den Unterricht mittels derselben mit ganzem Erfolge empfangen können: auch da wo infolge dessen die deutsche Sprache nicht ausschlieszliche Unterrichtssprache sein kann, ist der Unterricht in allen Gymnasien mit Ausnahme der lombardisch-venetianischen, in dem Masze, als es gründlicher Bildung dienlich ist, und daher jedenfalls in den höheren Classen vorhersehend, in deutscher Sprache zu ertheilen, welche ohnehin an allen, auch den lombardisch-venetianischen Gymnasien obligater Gegenstand sein musz. Insoweit es mit diesen Grundsätzen vereinbar ist, können jedoch auch andere Landessprachen als Unterrichtssprache gebraucht werden. Demgemäsz sind die jeweilig geeigneten Bestimmungen hinsichtlich der einzelnen Gymnasien von dem Minister für Cultus und Unterricht zu treffen. 3) Zum Behufe der Erlangung zweckmäsziger Lehrbücher, insoferne es an solchen für einzelne Gegenstände oder Classen noch mangelt, hat der Minister f. C. u. U. Programme ausarbeiten zu lassen, welche so zu verfassen sind, dasz darin die Zwecke, der Charakter des Unterrichts und die Ordnung desselben festgestellt erscheinen. Neue Lehrbücher sind der Genehmigung des Unterrichtsministeriums zu unterziehen und unter den von demselben genehmigten Lehrbüchern ist den Lehrern die Wahl für ihren Gebrauch, jedoch nur in der Art zu überlassen dasz ein Wechsel des Lehrbuches im Laufe eines Lehrcurses des bezüglichen Gegenstandes nicht stattfinden darf. 4) Im Jahre 1858, wo der bestehende Gymnasialplan in den deutsch-slavischen Kronländern und beziehungsweise auch im Königreiche Ungarn während eines achtjährigen Curses zur vollständigen Durchführung gekommen sein wird, ist aus vertrauenswürdigen und bewährten Fachmännern verschiedener Kronländer, sowie aus einigen Facultätsprofessoren eine Commission zu bilden, welche die Wirkung der jetzigen Gymnasialeinrichtung zu prüfen und ihre Anträge über etwaige Verbesserungen zu erstatten haben wird. Nach dieser Bestimmung ist bei der fortschreitenden Einrichtung und Leitung des Gymnasialunterrichts im ganzen Reiche vorzugehn und sind die hierzu erforderlichen Anträge nunmehr auf dieser Grundlage zu erstatten. II) Circular des Ministeriums vom 28. Dec. 1854. Die theilweise unzulänglichen Leistungen der Gymnasien im Latein, im Vergleich zu den befriedigenden Unterrichtsergebnissen in den anderen Gegenständen, haben zu öfteren Malen das Ministerium veranlaszt die Lehrkörper auf die Maszregeln aufmerksam zu machen, durch deren gewissenhafte Anwendung den beklagten Mängeln abgeholfen werden soll. Hierher gehören insbesondere die Weisungen, welche mit dem hierortigen Erlasse v. 11. März 1854 mitgetheilt worden sind. Es ist daher nicht zu zweifeln dasz darnach die Directoren und die betreffenden Lehrer ihre didaktische Praxis gehörig vervollkommnen und in kurzem, sobald auch die Folgen der Versäumnisse früherer Zeiten sich nicht mehr bemerkbar machen werden, dahin gelangen ihrer Lehraufgabe den vollständigen Erfolg nach den maszgebenden Bestimmungen des Organisations-Entwurfes zu sichern. Wenn nun auch kein Grund vorhanden ist und es auch bedenklich wäre in dieser Beziehung eine Aenderung vorzunehmen, welche das Lehrsystem in seiner Gliederung alteriren könnte, so erscheint es doch nicht als überflüssig und ist der allerhöchsten Bestimmung entsprechend, nichts unberücksichtigt zu lassen, was dazu beitragen kann den bezeichneten Zweck zu fördern, ohne zugleich durch eine Vermehrung der Lehrstunden im ganzen die Gefahr der Ueberbürdung der Schüler nahe zu bringen, oder durch wesentliche Beeinträchtigung eines anderen Gegenstandes die Stellung des letzteren in Frage zu stellen. Den angedeuteten Rücksichten dürfte daher genügen, wenn am Untergymnasium, wie es bei der Naturgeschichte der Fall ist, auch die Physik, bei welcher es sich ohnehin nur um die anschauliche Darlegung des wichtigsten der Fassungskraft der Schüler sich anschlieszenden Lehrstoffes handelt, auf zwei Lehrstunden in der Woche beschränkt, und die hierdurch gewonnene eine Lehrstunde in der 3. und 4. Classe dem Latein zugelegt würde. Denn so viel aus den bisherigen Ergebnissen des Unterrichts entnommen wurde, scheint ein Uebelstand hauptsächlich darin zu liegen, dasz das Lehrziel welches vom Organisationsentwurfe dem Untergymnasium vorgesteckt ist, nicht vollkommen erreicht werde, indem geklagt wird, dasz häufig den Schülern des Obergymnasiums zu der Gründlichkeit und Fertigkeit im selbstthätigen lesen eines Classikers die gehörige grammatische Vorbildung abgehe und sie daher nicht dahin gebracht werden können einen für die Classicität des lateinischen Ausdrucks entwickelten Sinn zu zeigen. Ein anderes Bedürfnis, welches sich in der Verbesserung des allgemeinen Lehrplans den bisherigen Erfahrungen zufolge herausgestellt hat, gehört der philosophischen Propaedeutik an, für welchen Gegenstand eine Vermehrung der Lehrstunden daher als nothwendig erscheint. Die Gliederung des allgemeinen Lehrplans gestattet nicht diesen Gegenstand theilweise schon in der 7. Cl. zu berücksichtigen; denn abgesehen davon dasz es bedenklich wäre zu Gunsten desselben irgend einen andern Gegenstand in seiner keineswegs bedeutenden Stundenzahl zu verkürzen, steht hauptsächlich der Umstand im Wege dasz es nicht angienge die Anzahl der Lehrfächer noch mit einem neuen (neunten) Gegenstande zu vermehren. Hingegen wäre es nicht unangemessen und dürfte für das betreffende Unterrichtsfach auslangen der philosophischen Propaedeutik in der 8. Cl. vier Stunden zu widmen. Der einzige Gegenstand, auf dessen Kosten diese Aenderung vorzunehmen wäre, könnte das griechische sein. Es entsteht nur die Frage, ob der Bildungszweck, welcher mit dem griechischen Unterrichte verbunden ist, durch die Herabsetzung der diesem Gegenstande zugewiesenen Lehrstunden von sechs auf vier in der 8. Cl. nicht erheblich gefährdet würde, oder ob dem griechischen nur éine Lehrstunde abgenommen und nebst einer zweiten (Mehr-) Stunde der philosophischen Propaedeutik zugewiesen werden sollte. Im ersteren Falle bliebe die vom O.-E. festgesetzte Gesammtzahl der Lehrstunden unverändert; im letzteren Falle würde sie (mit Einschlusz der zweiten Landessprache) 27 statt 26 in der Woche betragen. Es ist mir daran gelegen über diese beabsichtigten Modificationen innerhalb der bezeichneten Grenzen ein wolerwogenes, für die Bedürfnisse und thatsächlichen Zustände der Gymnasien berechnetes Urtheil von Fachmännern zu erlangen, um der erwähntèn allerhöchsten Anordnung gemäsz die geeigneten Masznahmen zu treffen. III) Verordnung des Ministeriums, wodurch die Sprachverhältnisse an den Gymnasien in Ungarn, Siebenbürgen und der serbischen Woiwodschaft mit dem Temescher Banat geregelt werden, vom 1. Jan. 1855. Auf Grundlage der mit der Verordnung vom 16. Dec. 1854 kundgemachten allerhöchsten Bestimmungen wird in Betreff der Sprachverhältnisse an den Gymnasien der bezeichneten Kronländer nachstehendes verordnet: § 1.*Die deutsche Sprache ist an allen Gymnasien als unbedingt obligater Lehrgegenstand in allen Classen zu behandeln. § 2. Auch da, wo die deutsche Sprache nicht die Muttersprache der Schüler ist, sind, sobald die Schüler sie insoweit erlernt haben dasz sie sie ohne Schwierigkeit verstehen, wenigstens einige Gegenstände deutsch und auf Grundlage deutscher Lehrbücher zu lehren. Die hierzu erforderliche Kenntnis der deutschen Sprache musz den Schülern auch in Orten, wo dieser Unterricht bisher ganz vernachlässigt wurde, in Zukunft jedenfalls im Untergymnasium beigebracht werden, so dasz unter allen Umständen in der ersten Classe des Obergymnasiums einige Gegenstände deutsch gelehrt werden, deren Zahl von Jahr zu Jahr so zu vermehren ist, dasz die deutsche Sprache in den obersten Classen die vorhersehende Unterrichtssprache sei, und den Schülern auch in ihrer Anwendung auf schwierige Gegenstände vollkommen geläufig werde. Es ist jedoch wünschenswerth, dasz mit dem Gebrauche der deutschen Sprache beim Unterrichte schon im Untergymnasium begonnen werde, was schon jetzt keinem Anstande unterliegen kann, wo die Schüler in der Hauptschule bereits einigen Unterricht im deutschen erhalten oder wo sie Gelegenheit haben sich diese Sprache als Umgangssprache anzueignen. § 3. Nebst der deutschen Sprache ist da, wo eine andere Sprache Muttersprache der groszen Mehrzahl der Schüler ist, auch diese und ihre Litteratur als unbedingt obligater Lehrgegenstand durch alle Classen des Gymnasiums für alle Schüler zu behandeln. § 4. Für diese Sprache und die deutsche Sprache zusammengenommen sind fünf Stunden wöchentlich zu verwenden, bei deren Vertheilung einerseits auf die zu einer gründlichen Erlernung beider Sprachen erforderliche Uebung, andrerseits auf den Grad der Rückhaltigkeit an bildendem Inhalte der Litteratur Rücksicht zu nehmen ist. § 5. Die Muttersprache der überwiegenden Mehrzahl der Schüler ist als Unterrichtssprache jedenfalls insolange anzuwenden, als nur durch sie ein gründliches Verständnis vermittelt werden kann, sie kann aber auch noch weiterhin bei dem Unterrichte angewendet werden, insoweit es mit der sub 2 ertheilten Vorschrift vereinbar ist. § 6. Mehr als zwei lebende Sprachen können niemals an einem Gymnasium als Unterrichtssprachen gebraucht werden. Eine dritte lebende Sprache darf für Schüler, welche darin noch keine Kenntnis besitzen, nicht früher als in der ersten Classe des Obergymnasiums als Lehrgegenstand eintreten. §. 7. Die obligaten Sprachfächer (§. 1 u. 3) bilden auch einen unerläszlichen Gegenstand bei den Versetz- und den Maturitätsprüfungen und kein Schüler kann für reif erklärt werden, der nicht beider Sprachen bis zu dem Grade des grammatisch und syntaktisch richtigen Gebrauchs derselben in Schrift und Rede mächtig ist. §. 8. Bei dem Sprachunterrichte ist überhaupt, insbesondere aber da, wo zwei lebende Sprachen obligater Lehrgegenstand sind, so viel als möglich eine vergleichende Methode anzuwenden und ist die Vergleichung dieser Sprachen nicht nur unter einander, sondern auch mit den classischen Sprachen durchzuführen, zu welchem Ende sobald als möglich entweder die lateinische oder griechische Sprache auf Grundlage einer deutschen Grammatik zu lehren ist. §. 9. Die Bestimmung, in welcher Weise die voranstehenden Grundsätze an den einzelnen Gymnasien mit Rücksicht auf die thatsächlichen Verhältnisse zur Geltung zu bringen sind, bleibt dem Ministerium für Cultus und Unterricht vorbehalten. §. 10. Keinem Gymnasium, welches den voranstehenden Grundsätzen gemäsz sich nicht einrichtet oder in dieser Einrichtung nicht beharrt, kann der Charakter der Oeffentlichkeit und das Recht staatsgiltige Zeugnisse auszustellen zugestanden oder belassen werden. §. 11. In Zukunft kann kein Lehrer an einem Gymnasium angestellt werden, welcher nicht in gesetzlicher Weise die Befähigung erprobt hat, sich der an dem fraglichen Gymnasium eingeführten Unterrichtsprachen zu bedienen und welcher demnach für jedes auch wenigstens eine für die von ihm gewählten Lehrfächer ausreichende Kenntnis der deutschen Sprache und Litteratur besitzt. IV) Erlasz und Verordnung des Ministeriums, die Schulferien der Gymnasien betr., giltig für sämmtliche Kronländer mit Ausnahme des lomb. venetianischen Königreichs und der Militärgrenze, vom 15. Dec. 1854. Seine k. k. a. Majestät haben mit allerhöchster Entschlieszung vom 6. Dec. 1854 allergnädigst zu genehmigen geruht, dasz in Betreff der Schulferien an den Gymnasien nachstehende Bestimmungen festgesetzt werden: §. 1. Im Laufe des Schuljahrs sind auszer den Sonn- und Festtagen vom Unterrichte frei folgende Tage: a) zu Weihnachten der 24. Dec.; b) im Fasching der letzte Montag und Dienstag; wo jedoch mit dieser Ferialzeit das erste Semester (§. 4) geschlossen wird, ist derselben auch der Aschermittwoch und der darauf folgende Donnerstag beizugeben; c) zu Ostern vom Mittwoch vor bis einschlieszlich zum Dienstag nach dem Ostersonntage; d) wöchentlich die Nachmittage am Mittwoch und Samstag oder statt derselben nach Umständen der ganze Donnerstag; e) vier Tage im Laufe des Schuljahres, an welchen dem Director des Gymnasiums eingeräumt wird bei auszerordentlichen Anlässen Ferien zu gewähren, jedoch mit der Beschränkung, dasz diese Ferialtage ohne zureichenden Grund nicht gewährt werden und weder in eine ununterbrochene Folge fallen, noch dazu benützt werden die oben bezeichneten Feriengrenzen (a—d) zu erweitern. §. 2. Die Haupt- oder Herbstferien dauern zwei Monate. An jenen Gymnasien Galiziens und der Bukowina jedoch, an welchen wegen der Geltung des doppelten kirchlichen Kalenders mit Rücksicht auf die namhafte Frequenz von Schülern verschiedenen Ritus sich eine gröszere Zahl von Feiertagen ergibt, verbleibt es bei der früheren sechswöchentlichen Feriendauer. Diese Bestimmung findet auch auf solche Gymnasien in Ungarn, Siebenbürgen und der Woiwodschaft Serbien mit dem Temescher Banate Anwendung, an welchem der gleiche Grund dieser Zeitbestimmung vorwaltet. §. 2. In

Betreff der Zeit, in welche die Hauptferien in den einzelnen Kronländern und an den Gymnasien fallen, bleiben die früheren gesetzlichen Anordnungen aufrecht, jedoch mit der Aenderung, dasz an den Gymnasien Galiziens und der Bukowina die Hauptferien in die Monate Juli und August verlegt werden. Demnach fängt in der Regel das Schuljahr mit dem 1. Oct. an und schlieszt mit dem 31. Juli an den Gymnasien von Niederösterreich, Oberösterreich, Salzburg, Steiermark, Tirol (mit Ausnahme von Botzen und Meran), Kärnthen, Krain, Croatien und Slavonien (mit Ausnahme von Fiume), Böhmen, Mähren, Schlesien, der Woiwodschaft Serbien und dem Temescher Banate, Ungarn und Siebenbürgen. Im Küstenlande, in Dalmatien, dann in Fiume beginnt und schliesst das Schuljahr um einen Monat später und dauert daher vom 1. Nov. — 31. Aug., — im Krakauer Verwaltungsgebiete, dann in Botzen und Meran um einen Monat früher und dauert daher vom 1. Sept. — 30. Jun. An den Gymnasien, an welchen die Dauer der Hauptferien sechs Wochen beträgt, fällt der Anfang des Schuljahrs und zwar im Lemberger Verwaltungsgebiete und in der Bukowina auf den 1. Sept. — an den im §. 2 bezeichneten Kronländern auf den 1. Oct. — und der Schlusz des Schuljahrs auf den 15. Juli, beziehungsweise auf den 15. Aug. §. 4. Das erste Semester ist derart abzuschlieszen, dasz seine Dauer nicht mehr als fünf Monate betrage; sie kann aber kürzer sein. Demnach wird das erste Sem. an den Gymnasien, an welchen das Schuljahr mit dem 1. Oct. beginnt, mit den Faschingsferien, welche in diesem Falle fünf Tage dauern (§. 1 b.), — an welchen aber das Schulj. am 1. (2.) Nov. den Anfang nimmt, in der Regel mit den Osterferien geschlossen. Gymnasien, deren Hauptferien in die Monate Juli und August fallen, schlieszen das erste Semester gegen Ende Jänner; zwischen das erste und zweite Semester sind mit Einschlusz eines Sonntags fünf Ferialtage zu legen. §. 5. Es ist keinem Gymnasium gestattet, einen durch die vorhergehenden Bestimmungen nicht genehmigten Feiertag eintreten zu lassen und darf die vorgezeichnete Unterrichtszeit, mit Ausnahme der einzelnen dem Gottesdienste vorschriftsmäszig zu widmenden halben oder ganze Tage, weder im Beginne, noch im Laufe oder zu Ende des Schuljahres irgendwie abgekürzt werden. Daher ist die Besorgung anderweitiger Schulgeschäfte und namentlich die Abhaltung der Maturitäts-, Privatisten und Aufnahmeprüfungen, in soweit sie im Laufe des Schuljahrs nicht ohne irgend welche Beeinträchtigung der festgesetzten Unterrichtszeit vorgenommen werden können, jedenfalls in den Anfang und den Schlusz der Ferienzeit zu verlegen. — Aus dem begleitenden Erlasse heben wir folgende Stelle hervor: Es ist zu empfehlen, dasz die Lehrer ihren Schülern vor deren Abgange eine zweckdienliche Anleitung zu dem Behufe einer geistigen Beschäftigung während der groszen Ferien an die Hand geben, ohne jedoch daran die Forderung von Leistungen in Form exacter Hausaufgaben, über welche die Schule Rechenschaft verlangt, zu knüpfen. Die Erfahrung aus dem Schulleben hat gelehrt, dasz Ferienaufgaben, welche zu schriftlichen Pflichtarbeiten gemacht werden, und deren Revision und Correctur überdies zu einer erheblichen und ihrer Wirkung nach kaum ausgiebigen Arbeit für die Lehrer erwachsen würde, die paedagogischen Zwecke eher benachtheiligen als fördern, während eine Schule, die es verstanden hat, Interesse für den Lehrstoff und Geneigtheit zur selbstthätigen Fortbildung in den Schülern zu erwecken, mit leitenden Andeutungen auslangt, um die Schüler dahin zu bringen, dasz sie sich in dem gelernten auch noch nachträglich mit Befriedigung umsehen, daran Versuche der Vorbereitung für die nächste Classenaufgabe knüpfen nnd auf diese Weise sich vor den Nachtheilen bewahren, welche sonst aus der gänz-

lichen Unterbrechung geistiger Beschäftigung während der Ferienmo-
nate entstehen würden. V) Eine Verordnung des Ministeriums vom
1. Jan. 1855, schärft die rechte Führung und Benutzung der im O. E.
§. 115 vorgeschriebenen Normalienbücher (d. h. Sammlung der ergan-
genen Verordnungen) ein und macht die Ernennung, Beförderung,
Versetzung und Bestätigung von Lehrern von der gewissenhaften Erfüllung der bezeichneten Anforderung abhängig. — Zu wirklichen Schul-
räthen sind für den Kaiserstaat ernannt worden: für Nieder-Oester-
reich die provisorischen Schulräthe Dr. Carl Enk von der Burg
und Dr. Mor. Becker, für Oesterreich ob der Enns der provis.
Schulrath Adalbert Stifter, für Salzburg der prov. Schulr. Joh.
Kurz mit Gestattung seiner gleichzeitigen Verwendung in Oesterreich
ob der Enns, für Kärnthen der prov. Schulr. Sim. Rudmarsch, für
Krain der prov. Schulr. Dr. Frz. Močnik, für Steiermark der prov.
Schulr. Frdr. Riegler mit Gestattung seiner gleichzeitigen Verwendung in Kärnthen und Krain, für Triest, das Küstenland und die
Grafschaft Görz der prov. Schulr. Vinc. Koren mit Gestattung seiner gleichzeitigen Verwendung in Dalmatien, für Tirol der prov. Schulrath Dr. Joh. Köhler, für Böhmen die provv. Schulräthe Dr. Greg.
Zeithammer, Joh. Maresch, Frz. Effenberger und der Be-
zirkshauptmann Dr. iur. Joh. Czermak, für Mähren der prov. Schulrath Dr. Jos. Denkstein, für Galizien die prov. Schulräthe Dr. Eus.
Czerkawski und Ed. Linzbauer mit Gestattung ihrer gleichzeitigen Verwendung in der Bukowina; für das Krakauer Verwaltungs-
gebiet der prov. Schulrath in Schlesien Andr. Wilhelm mit Gestattung seiner gleichzeitigen Verwendung in Schlesien und der Kreiscom-
missär Dr. iur. Andreas Macher, für Croatien und Slavonien der
prov. Schulr. Dr. Ant. Jarz, für Ungarn die prov. Schulräthe Dr.
th. Abt. Jos. Kozacek, J. Paul Tomaschek, Dr. th. Ign. Nyi-
rak, Joh. Mikulas und Dr. ph. Michal Haas, dann die Gymnasialdirectoren Piaristenordenspriester Dr. th. u. ph. Joh. Greschner,
und Benedictinerordenspriester Sev. Schmidt.

Königr. Sachsen. Das Gymnasium zu Zittau hat eine gleiche
Einrichtung und Erweiterung für den realistischen Unterricht erhalten, wie schon früher das zu Plauen (s. Bd. LXIX S. 580).

Personalnachrichten.

Ernannt oder bestätigt:

Beer, Ado., Supplent am Altstädter Gymn. zu Prag, zum wirklichen
Gymnasiallehrer für das Gymnasium zu Eger mit einstweiliger
Verwendung an dem erstgenannten Gymn.

Böttcher, Dr. th. et ph., Tertius an der Kreuzschule zu Dresden,
zum Conrector an ders. Anstalt (an Silligs Stelle).

Dragoni, Jak., provis. Director des Gymnasium zu Kaschau, zum
wirklichen Director ders. Anstalt.

Frapporti, Dr. Jos., Supplent am Lyccalgymn. zu Vicenza, zum
ord. Gymnasiallehrer daselbst.

Höfig, Herm., Schulamtscand. zum ordentl. Lehrer am Gymn. zu
Krotoschin.

Jacobi, Dr. th., ord. Prof. der Theologie an der Univers. zu Königsberg, in gleicher Eigenschaft an die Universität zu Halle.

Katkic, Ign., Weltpriester, Supplent am Gymn. zu Agram, zum wirkl. Lehrer am Gymn. zu Fiume.

Kehrein, J., Gymnasialprof. zu Hadamar, zum Director des Schullehrerseminars in Montabaur.

Kern, Frz. Ge. Gu., Schulamtscand., zum Collaborator am Gymnasium zu Stettin.

Kernstock, Bouif., Benedictinerordenspr., zum Religionslehrer am Untergymnasium zu Seitenstetten.

Kirschbaum, Gymnasialprof. in Wiesbaden, zum Inspector des naturhistor. Museums daselbst unter Belassung in seinen bisherigen Functionen.

Kotlinski, Hilfslehrer am Gymn. zu Ostrowo, zum ordentl. Lehrer an ders. Anstalt.

Kübler, Dr. O., Schulamtscand., zum ordentl. Lehrer am Gymn. zu Krotoschin.

Lüttgert, Dr. Gli. Aug., Schulamtscand., zum ordentl. Lehrer am Gymn. zu Sorau.

Marimonti, Dr. ph. Jos., bish? Lehrer am Communalgymn. zu Monza, zum ordentl. Lehrer am Staatsgymn. Portanuova, an welchem ders. bisher schon verwendet war.

Marten, Hilfslehrer am Gymn. zu Ostrowo, zum ordentl. Lehrer ebendaselbst.

Mischiato, Joh., Weltpriester, Suppl. am Gymn. zu Capo d'Istria, zum wirkl. Gymnasiallehrer ebendaselbst.

Petmecky, Decan und Pfarrer, unter Belassung in seiner bisherigen Stelle, provisor. zum Referenten in Schulsachen bei der herz. nassauischen Landesregierung.

Risch, Dr. Ferd., zum Dir. der Realschule in Stralsund.

Rumpel, Dr. Theod., als Dir. am Gymn. zu Gütersloh bestätigt.

Siegl, Ant. Ed., prov. Dir. des kath. Gymn. zu Leutschau, zum wirkl. Director ders. Anstalt.

Sporer, Dr., Ordinariatsrath in Limburg, zum Prof. am Gymn. zu Hadamar.

Steblecki, Dr. Alb., Weltpriester, Supplent am 2n Gymn. zu Lemberg, zum wirkl. Gymnasiallehrer.

Tkalec, Jak. Frz., Supplent am Gymn. zu Agram, zum wirkl. Gymnasiallehrer ebend.

Urlichs, Dr. K. L., ordentl. Prof. an der Univers. zu Greifswald, für den zweiten ordentlichen Lehrstuhl für klassische Philologie an der Univ. zu Würzburg'(S. oben S. 104).

Weber, Dr. Wilh. Ed., Prof. der Physik an der Univ. zu Göttingen, zum provis. Director der Sternwarte an Gausz' Stelle.

Wolff, Joh. Gli. W., Schulamtscand., zum ordentl. Lehrer am Gymnasium zu Ratibor.

Praediciert:

Lex, Dr., Gymnasialdirector in Wiesbaden, als Oberschulrath.

Metzler, Dr., Oberschulrath u. Gymnasialdir. in Weilburg, als Geh. Regierungsrath.

Müller, Schulrath und Dir. des Realgymnasiums in Wiesbaden, als Oberschulrath.

Roscher, Dr., ord. Prof. des Staatsrechts an der Univ. zu Leipzig, als Hofrath.

Pensioniert oder entlassen:

Boczek, Frz., Lehrer am Gymn. zu Brünn,

Hantschke, Dr., Director am Gymn. zu Wetzlar.
Kapp, Dr., Prof. und Oberlehrer am Gymn. zu Soest (ist nach Zürich übergesiedelt um dort ein Institut für Mädchen einzurichten).
Zell, Dr. K., Geh. Hofr. und Prof. an der Univ. zu Heidelberg.

Gestorben:

Am 24. Nov. 1854 auf der Insel S. Lazaro zu Venedig der Mechitarist P. Paschal Aneber, aus Anciria in Armenien, im 83 Lebensj., bekannt als Lexikograph und Sprachkenner.

Am 28. Debr. 1854 zu Prag Dr. Joh. Prawoslaw Keubek, seit 1840. Prof. der böhm. Spr. und Litt. an der das. Univ.

Am 12. Febr. 1855 in Berlin der k. Hofrath Prof. Karl Stein im 82n Lebensjahre.

Am 20. Febr. zu Paderborn der Justizrath Wilh. Rosenkranz, Vf. der Verfassung des Hochstifts Paderborn, der Gesch. der Grfsch. Rietberg und der Lebensbeschreibungen Mor. von Bürens und des General Spork.

Am 23. Febr. zu Göttingen der Geh. Hofr. und Prof. Dr. K. Frdr. Gausz, geb. am 30. Apr. 1777 zu Braunschweig, seit 1807 Prof. und Director der Sternwarte zu Göttingen, einer der bedeutendsten Mathematiker und Astronomen aller Zeiten.

Am 3. März zu Köln der Dir. des dortigen kathol. Gymn. Prof. Eug. Jac. Birnbaum.

Am 16. März zu Meersburg am Bodensee Freiherr Joseph von Laszberg, bekannt durch seine Verdienste um die Litteratur des deutschen Mittelalters.

Der ord. Prof. der Theol., Consistorialrath und Abt zu Bursfelde Dr. Gottfr. Christ. Frdr. Lücke, dessen Tod wir oben S. 158 gemeldet haben, war geb. zu Egeln bei Magdeburg am 23. Aug. 1791 und seit 1827 in Göttingen.

Zweite Abtheilung

herausgegeben von Rudolph Dietsch.

13.

Elementa Latinitatis in etymologischer Ordnung für die beiden untersten Classen gelehrter Schulen bearbeitet von Dr. Adolf Hauser. Karlsruhe bei Chr. Th. Groos. 1854. *)

Das so betitelte Buch enthält auf 71 Seiten alphabetisch geordnete Stammwörter nebst ihren gangbarsten Ableitungen, die in 51 Pensa, von denen jedes 4 bis 5 Stammwörter nebst ihren Derivatis enthält, eingetheilt und zugleich mit der erforderlichen Phraseologie versehen sind. Dasselbe ist zwar, wie der Vf. im Vorworte sagt, für einen bestimmten Zweck gearbeitet, um nemlich auf das etymologische Schulwörterbuch Kärchers, welches an den badischen Gelehrtenschulen zum auswendiglernen für die drei mittleren Jahrescurse vom 11n bis zum 15n Lebensjahre der Schüler eingeführt ist, vorzubereiten und den für die beiden untersten Klassen vom 9n bis zum 11n geeigneten Lehrstoff zu liefern; da dieser Zweck indes, wie der Vf. selbst erklärt, nirgends so hervortritt, dasz er der anderweitigen Brauchbarkeit des Buches Eintrag thäte, so darf es auch, ohne Rücksicht auf diesen besondern Zweck, vom allgemeinen paedagogischen Standpunkte aus beurtheilt werden.

Die Nothwendigkeit, mit dem grammatischen Cursus des lateinischen Sprachunterrichts gleich von vornherein auch ein methodisches Vocabellernen zu verbinden, wird jetzt wol ziemlich allgemein anerkannt und factisch auch durch die Menge der in neuerer Zeit zu diesem Zwecke erschienenen Vocabularien und Gedächtnisbücher — von denen mir auszer dem zu beurtheilenden die von Wiggert, Nadermann, Maultzsch, Meiring, Bischoff, Herold und Döderlein vorliegen — bezeugt. Was nun aber die Einrichtung solcher Bücher betrifft, so kommt hiebei zunächst das Princip der allgemeinen Anordnung in

---

*) Obgleich wir bereits eine Beurtheilung des vorliegenden Buchs gebracht haben oben S. 80 ff., so wird doch die Wichtigkeit der gegenwärtig schwebenden paedagogischen Frage die Aufnahme einer zweiten rechtfertigen.　　　　　　　　　　　　　　　D. Red.

Frage. In dem Hauserschen Buche ist, wie mit Ausnahme des Bi-
schoffschen Gedächtnisbuches in allen genannten, die etymologische
gewählt. Und dasz diese ein treffliches Mittel zur Gymnastik des
Geistes liefern und somit vorzugsweise der Bestimmung des Gymnasiums entspreche, darf nicht geleugnet werden. Dennoch aber können
wir in Büchern, die wie das vorliegende für die untersten Klassen
bestimmt sind, eine solche Anwendung nicht billigen. Wie nemlich
die Gymnasien selbst, je weiter nach oben hinauf, desto mehr und
entschiedener die Idee eines Gymnasiums darzustellen und zu verwirklichen haben, so müssen auch die für sie bestimmten Schulbücher
den eigentlichen und volleren Gymnasialcharakter erst nach den mittleren und oberen Klassen hinauf an sich tragen. In den unteren musz
die Reflexion entschieden zurücktreten und Anschaulichkeit die vorhersehende Form der Darstellung sein. Die etymologische Anordnung
ist nun aber vorzugsweise auf Reflexion gegründet, auf Reflexion über
einen Stoff, den der in eine Sprache eben erst einzuführende Knabe
noch nicht hat, sondern mit der Reflexion selbst erst gewinnen soll,
und es fehlt diesem daher wie der Sinn und das Bedürfnis, so auch
das Verständnis für dieselbe. Das Wort vielmehr als solches, nach
seiner physischen Seite gefaszt und nach der Gesamtheit seiner Töne
mit dem entsprechenden Worte der Muttersprache verglichen, ist es,
was zunächst das Interesse des Knaben erregt, einen vollen sinnlichen Eindruck auf ihn macht und eine kräftige Anschauung hervorruft. Mit dem realen Principe musz daher beim Vocabellernen der
Anfang gemacht werden, und wer es je mit seinen Schülern gethan,
wird wissen, wie gern sie gerade die ihnen so gebotenen Vocabeln
lernen und wie viel leichter sie lautlich ganz verschiedene Wörter
behalten z. B., equus, asinus, camelus, als solche, die nur durch,
nicht einmal auf bestimmte Regeln zurückgeführte Endungen unterschieden sind, z. B. equus, eques, equito. Hat nun der angehende
Lateiner sich auf diese Weise einen gewissen Tact für Klang und
Tonfall der lateinischen Wörter ungeeignet, dann schlieszt sich hieran gleichzeitig mit dem nun beginnenden grammatischen Cursus naturgemäsz ein diesen vorbereitendes und zugleich begleitendes Vocabellernen nach dem grammatischen Principe. Der Schüler hat
hier eine Masse gleich endender und deshalb leicht ins Gehör fallender
Wörter vor sich, er erkennt bei jedem derselben sofort den Zweck,
zu dem er es lernt, und kann jedes sofort auch für die Regel, die er
gelernt hat, anwenden. Ist dieser die Flexionslehre umfassende Cursus beendigt, dann erst hat der Knabe die grammatische und lexicalische Grundlage, welche die nothwendige Bedingung zum wachwer-
den seines Interesses an der Formationslehre ist, und nun auch erst,
also von Quarta oder frühestens von Ober-Quinta, wird daher das
etymologische Vocabellernen für ihn eine wahre, ihn zugleich
erfreuende und fördernde Gymnastik des Geistes sein *). Und dasz

*) Die Grundzüge des oben ausgeführten Ganges beim Vocabeller-

in der That mit diesem nicht angefangen werden könne geben selbst
alle die, welche dem Anfänger gleich etymologisch geordnete Vocabularien in die Hände geben wollen, factisch dadurch zu, dasz sie
für den Gebrauch derselben die Anweisung geben: der Lehrer solle
zuerst, bei Döderleins Buch ein Jahr, bei Hausers ein Vierteljahr hindurch nur Stammwörter lernen lassen. Mit diesem unwillkürlichen
Abfall vom Principe ist nun aber freilich zugleich der grosze Uebelstand verbunden, dasz der Knabe Vocabeln lernen musz, die nach
gar keinem Principe geordnet sondern blosz nach dem zufällig übereinstimmenden Anfangsbuchstaben zusammengestellt oder vielmehr,
weil ja noch viele andere erst später zu lernende dazwischen treten,
zur noch gröszern Erschwerung des lernens auseinandergerückt sind;
bei Döderlein z. B. *abies, acuere, adulari, aeger, aequus, aer* usw.
bei Hauser: *acuo, ago, alo, ango, arceo* usw. In den meisten jener
Bücher sind überdies, um die Stufenfolge der zu erlernenden Vocabeln kenntlich zu machen, allerhand Zeichen angewandt. Wiggert
hat Hände, Sterne und Zahlen, Hauser Sterne. Diese Zeichen wirken
aber zunächst schon unangenehm auf das Auge, lenken überdies die
Aufmerksamkeit von der Hauptsache ab und stören das Gefühl des
etymologischen Zusammenhanges. Döderlein hat mit richtigem Tacte
diese Zeichen verschmäht und seinem Buche dadurch schon äuszerlich
den Vorzug eines reinlichen und einladenden Aussehens verschafft.

Ein zweiter Punct, der bei einem Vocabular in Betracht kommt,
ist die A u s w a h l des aufzunehmenden Stoffes. Hauser hat als Stammwörter blosz Verba aufgenommen, z. B. im 1n Pensum: *acuo, ago,
alo, ango*, während die Nomina: *abies, aedes, aeger, aequus, aer,
aes, ager, alo, alauda, albus, amnis, animus, annus* nebst ihren
Derivatis ausgeschlossen sind; weshalb, wird nicht gesagt, aus dem
speciellen Zwecke des Buches geht es auch nicht hervor, und aus der
Sache selbst läszt sich so wenig ein Grund dafür auffinden, dasz von

---

nen habe ich bereits in meiner Programm-Abhandlung v. 1850: ʻdie
Anschauung als Grundlage alles Unterrichts; mit besonderer Anwendung auf die Erklärung der lateinischen Spracheʼ angedeutet. Wenn
ich aber auch in der zweiten Ausgabe meines lat. Elementarbuches
gleich mit dem g r a m m a t i s c h e n Vocabellernen beginne,- so leitete
mich dabei die Ansicht, dasz das Vocabellernen nach einem r e a l e n
Principe dem eigentlichen Gymnasialunterrichte schon vorausgehen
müsse. Am besten nemlich werden jene ersten Vocabeln spielend gelernt und mehr durch hören als sehen und lesen. Da sich indes nicht
jedes Kind in der glücklichen Lage befindet, durch lebendige Mittheilung im Umgange und Verkehre mit erwachsenen Vocabeln lernen zu
können, so dürfte ich mich bei einer etwa nöthig werdenden neuen
Auflage jenes Buches veranlaszt finden, dem grammatischen Cursus
eine nach realem Principe geordnete Sammlung von Vocabeln voranf-
zuschicken. Diese würden aber nothwendig auf eine mäszige in wenigen Wochen, am besten schon in der Vorbereitungsschule zu lernende
Zahl zu beschränken und vorzugsweise dem sinnlichen Gesichtskreise
zu entlehnen sein.

hier aus vielmehr entschieden dagegen Einspruch gethan werden
musz. Im Satze zwar ist das Substantivum das starrere und abstractere, das Verbum dagegen das flüssigere, concretere und lebendigere
Element. Anders aber beim Vocabellernen. Hier ist umgekehrt das
Nomen und vorzugsweise das Substantivum, eben weil es.ein in sich
abgeschlossenes Bild vorführt, das für den Knaben faszlichere, an-
schaulichere und zu Bezeichnungen im Leben verwendbarere, während das Verbum ihm mit seiner nur im Zusammenhange Sinn und
Verständnis habenden Handlung als etwas abstractes und nicht recht
brauchbares entgegentritt. Wie aber die Wahl nur der Verba, so
können wir auch die Auswahl unter diesen selbst deshalb nicht billigen, weil wir durchaus keinen Grund einsehen, warum der Vf. so
vielen der gebräuchlichsten regelmäszigen Verba, als: *amo, aro, audio, clamo, debeo, doleo, egeo, erro, festino, guberno, gusto, hor-
tor, laudo* und vielen anderen die Aufnahme versagt und dagegen
vorzugsweise den unregelmäszigen, als: *alo, ardeo, audeo, augeo,
cado, caedo, cano, capio* usw. dieselbe vergönnt hat. Wie aber
nach dieser Seite hin das Buch zu wenig gibt, so nach einer anderen
zu viel. Was soll der neunjährige, eben Latein anfangende Knabe
mit den ungebräuchlichen Stammwörtern *fendo, fligo, lacio, leo, nuo,
perio, pleo, specio, sueo, temno?* was mit den ebenfalls ungebräuchlichen Nebenformen *cubavi, domavi, fulgĕre, hausivi, hausitum* und
hausum, elexi, metitus, necui, osus sum, pegi? was mit den orthographischen Doppelformen *haeres* und *heres*, *allicio* und *adlicio*, *intelligo* und *intellego*, *negligo* und *neglego*, *loquutus* und *locutus*, *moe-
reo* und *maereo*, *ningit* und *ninguit*, *plaustrum* und *plostrum*, *urgeo*
und *urgueo*, *everto* und *evorto*, *reverto* und *revorto?* was endlich
mit den zum Theil sogar lateinisch gegebenen synonymischen Unter-
scheidungen wie: '*cupio* begehren (leidenschaftlich), *velle* (ruhig);
dico sagen von der künstlich berechneten Rede, *loqui* vom gewöhnlichen Gespräch; *loqui* sprechen opp. *tacere, mutum* esse; *insolentia*
Uebermut, als Misbrauch der Ueberlegenheit, *superbia* Stolz, opp.
modestia; splendere glänzen (*arte, ut aurum: fulgent, quae natura
lucem habent); contemnere* geringschätzen (*contemnimus magna*,
opp. *timere, despicimus infra nos posita*)'? Alles dieses dient nur
dazu, den Knaben zu verwirren, das gebräuchliche über das unge-
bräuchliche vergessen zu lassen, zu falschen Anwendungen zu verleiten und an ein mechanisches nachsprechen zu gewöhnen. Döderlein
ist in allen diesen Punkten, treu den gesunden und vortrefflichen
Grundsätzen, die er in seinen Erläuterungen entwickelt hat, tactvol-
ler und praktischer gewesen; und wie er nach der einen Seite hin
auch für den Anfänger mehr gegeben hat, so hat er nach der anderen,
trotzdem dasz sein Buch auch für die spätern Klassen und Lebensalter
berechnet ist, sich eine weise Beschränkung aufgelegt und jene seltneren Stammverba, die in dem Hauserschen Buche mit Sperrschrift
als gleich zuerst auswendig zu lernende vorgeführt sind, mit kleiner
Schrift und in Klammern drucken lassen, die seltneren Verbalformen

aber ganz unerwähnt gelassen, auch von den orthographischen Doppelformen nur die gebräuchliche aufgenommen und endlich fast nirgends
Synonymik gegeben, sondern den Unterschied synonymer Wörter
durch eine ' den strengsten Ansprüchen der Kyriologie ' genügende
Uebersetzung dem Gefühle des Schülers nahe gebracht. Hinsichtlich
des letzten Punktes meint Hr. Hauser zwar: 'jedenfalls sei das Alter
bis zum fünfzehnten Jahre die Zeit, wo dem Knaben eine stufenweise
sich eröffnende Einsicht in die synonymischen Sprachunterschiede schon
an und für sich wahrhafte Erkenntnisfreude zu bereiten vermöge,
später wende sich seine Vorliebe mehr den Sachen und dem stofflich
interessanten zu.' Nach meiner Erfahrung aber, die durch die Natur
der Sache bestätigt werden dürfte, ist gerade das spätere Alter dasjenige, für welches die Synonymik von Interesse und Nutzen ist. Der
Schüler in den unteren Klassen spricht die ihm gegebenen Unterschiede nach und gewinnt ein todtes Gut an ihnen, der in den oberen
fühlt und denkt sie nach, das dunkel geahnte wird ihm durch sie zum
klaren Bewustsein, und das ist der Gang der Natur, und nur wo dieser befolgt wird, kann in Wahrheit von Erkenntnisfreude die Rede
sein. — Fraglich kann nun aber noch hinsichtlich der Auswahl des
stofflichen sein, ob die Bezeichnung der Declination und Conjugation
durch Zahlen und Flexionsendungen für den Genetiv, das Perfectum,
Supinum und den Infinitiv, sowie die des Genus hinzuzufügen sei.
Der Vf. des vorliegenden Buches hat es, mit einziger Ausnahme der
Verba der In Conjugation, die blosz mit der Praesens-Endung aufgeführt sind, gethan. Und doch durfte er es, bei der Bestimmung und
Einrichtung seines Buches, gerade am wenigsten thun. Der viertel-
jährige Lateiner soll dasselbe zu benutzen anfangen. Mit welcher irgend wie rationellen grammatischen Methode nun will der Vf. es vereinigen, dasz jenem zugemutet wird von den ihm gleich zuerst dargebotenen Verbis *acuo, ago, alo, ango, arceo, ardeo, augeo, audeo,
bibo, cado, caedo* usw. sofort auch die Perfect- Supin- und Infinitiv-
formen mitzulernen? Döderlein hatte in den beiden ersten Auflagen
seines Vocabulars weder den Substantivis noch den Verbis derartige Bezeichnungen beigefügt, in der 3n hat er sich 'auf vielfachen
Wunsch achtbarer Schulmänner' entschlossen es, wiewol mit einigen Einschränkungen, zu thun. Sollte aber diesem Wunsche doch
wol nicht eine momentane Verkennung der eigentlichen Bestimmung
eines solchen Vocabulars zum Grunde liegen und Döderlein zum
Schaden der Sache selber ihm seine Ueberzeugung geopfert haben?
Ein Vocabular, und namentlich Döderleins Vocabular ist nicht darauf
berechnet, dem Schüler ohne weiteres zum freien Gebrauche in die
Hände gegeben zu werden, damit er sich etwa daraus auf ein Stück
in seinem Lesebuche vorbereite, in welchem Falle eine auf das ungewöhnlichere sich beschränkende Bezeichnung des Genus, der Declination und Conjugation ihren Sinn und ihre Berechtigung hat, sondern es soll gemeinschaftlich vom Lehrer mit dem Schüler durchgenommen und dabei als Vehikel zur Gymnastik des jugendlichen Gei-

stes benutzt werden. Wozu also hier jene Bezeichnungen? Ist das
vorkommende Wort nach seinem Genus und seiner Flexion dem Schüler aus seinem bisherigen grammatischen Unterrichte noch nicht bekannt, so ist es gewis nicht gerathen, ihn in so sporadischer zufäl-
liger Weise damit bekannt zu machen; es verwirrt und stört ihn nur,
statt ihn sicher und fest zu machen und nimmt ihm zum Theil auch
die Freudigkeit des lernens; denn hier tritt das ein, was Döderlein
neulich in Altenburg gesagt hat: 'Wenn der Knabe hört, dasz tempus
die Zeit bedeute, so freut er sich; wenn er aber hört tempus, temporis, so freut er sich nicht mehr; denn dies bewahrt ihn nur vor
einem Fehler, worüber sich niemand freut, während jenes ihm etwas
neues bietet'. Ist es ihm aber bereits bekannt — und da Döderleins
Buch sich vorzugsweise zum Gebrauch für die mittleren Klassen eignet, so wird dies fast durchweg der Fall sein — nun so freue man
sich, dadurch ein Mittel mehr zur Uebung der geistigen Kräfte zu
haben und mute dem Schüler die Anstrengung zu, das schon gelernte
in seinem Gedächtnisse wach zu rufen; vermag er dies nicht oder irrt
er sich, so ist dann ja eben der Lehrer da, um seinem Gedächtnisse
zu Hilfe zu kommen und dem falschen auf der Stelle das richtige ent-
gegenzuhalten.   Gewis werden daher mit mir auch manche andere
Schulmänner schmerzlich die frühere Einrichtung des Buches vermissen und sich freuen, wenn der wie um die Wissenschaft so um die
Gymnasialpaedagogik so hoch verdiente Mann sich bei einer neuen
Auflage des Buches zu ihr zurückzukehren entschlieszen sollte.
     Ein dritter Punkt ist die den Vocabeln beigegebene Bedeu-
tung. Der Vf. unseres Buches hat die Grundbedeutung vorangestellt
z. B. *prodigere:* heraustreiben, *cernere:* absondern, *minari:* empor-
ragen, *minax:* hoch, steil, *minae:* die Zinnen, *muto:* wegbewegen,
mit dem Beispiele: *se non mutare loco, parēre:* erscheinen, *repre-
hendere:* zurückhalten, *rapere:* schnell und gewaltsam fassen, *ro-
strum:* Nagewerkzeug, *tentare:* berühren. Döderlein stellt dagegen
die Hauptbedeutung d. h. die üblichste voran, was, wie er in den
Erleuterungen sagt, zwar nicht wissenschaftlich aber für den rein
praktischen Zweck des Vocabulars das allein zweckmäszige sei. Und
der praktische Schulmann wird ihm beipflichten. Dem vorgerückten
Schüler ist es eine Freude, wenn er für die ihm längst bekannten und
fast allein gebräuchlichen abgeleiteten Bedeutungen eines Wortes nun
auch die fast ganz untergegangene Grundbedeutung desselben erfährt
und so das herauswachsen jener Bedeutungen aus dieser denkend
nachfühlen kann, den Anfänger aber beirrt es nur und verleitet ihn
wieder zu falschen Anwendungen, ohne ihm den genuszreichen Nutzen
zu verschaffen, den die spätere, rechtzeitige Erkenntnis der Wahrheit mit sich führt. Ueberdies kommen in dem Hauserschen Buche
auch mehrere Ungenauigkeiten in der Angabe der Bedeutungen vor
wie: *accendo* und *incendo*, beides anzünden, statt: anzünden und
entzünden; *aufugio* und *effugio*, beides: entfliehen, statt: davon fliehen und entfliehen; *fungor* und *defungor*, beides: mit etwas fertig

werden, was doch ebenfalls nur zu einem, dem zweiten, paszt; *fer-vere* mit der Grundbedeutung: glühen, statt: sieden; *caedere:* opfern statt: schlachten, da der Begriff des opferns erst durch *victimam* hinzukommt; *niti:* sich anspannen statt: sich anstrengen.

Es liegt uns nun noch als vierter Gegenstand für die Beurtheilung des Buches die Seite vor, welche ihm vor den meisten anderen Vocabularien eigenthümlich ist, die phraseologische. Zunächst ist nun aber hier wieder eine Principienfrage zu entscheiden: ob nemlich die Hinfügung einer Phraseologie für derartige Bücher überhaupt sachgemäsz und zweckdienlich sei. Das lexicalische Material, sagt man, musz sofort zur Verwendung gebracht werden, weil es dadurch erst lebendig und anschaulich wird, und deshalb musz den Vocabeln eine Phraseologie hinzugefügt werden. Man kann aber jene Behauptung zugeben, ohne die Nothwendigkeit dieser Folgerung anzuerkennen. Legen wir die oben genannten drei Stufen des Vocabellernens zu Grunde, so bietet sich für die erste, vom Inhalt entlehnte, die sich der Natur der Sache nach vorzugsweise auf Substantiva beschränken wird, bei jedem Schritt und Tritt, so zu sagen, die Anwendung von selber dar. Ueberall erblickt der Knabe die Gegenstände, für die er die lateinischen Benennungen gelernt hat, und diese anzuwenden ist ihm selbst die gröste Freude, sobald ihm nur die geringste Aufforderung und Gelegenheit dazu gegeben wird. Die zweite grammatische Stufe erhält in der vollständigsten Weise ihre Anwendung durch das die Grammatik begleitende Lesebuch. Kommt dann endlich der Schüler etwa in Quarta zur letzten, etymologischen Stufe, so hat er bereits einen gewissen Vorrath von Redensarten auf der vorhergehenden Stufe gesammelt, durch die nun hinzutretende Lectüre des Nepos oder eines anderen neuen Lesebuches nimmt derselbe von Tag zu Tage an Umfang zu, und da, denke ich, ist es denn doch bildender und die Gymnastik des Geistes, die ein Hauptzweck eines solchen etymologischen Vocabulariums ist, fördernder, wenn der Lehrer beim durchgehen desselben den Schüler aus dem Schatze seines eigenen Gedächtnisses die erforderlichen Redensarten hervorsuchen oder auch auf der Stelle bilden läszt, als wenn sie ihm im Buche selbst wieder vorgeführt und fertig gegeben werden. Wendet man aber ein, dasz zum festeren haften und zu einer sicheren Aneignung der Redensarten doch auch eine äuszere, dem Knaben immer wieder vor Augen tretende Zusammenstellung derselben wünschenswerth sei, so ist das zuzugeben, allein hier fiudet dann das von Döderlein angeführte Wort Montesquieus seine Anwendung, dasz die grösten Unternehmungen oft dadurch scheitern, dasz man im vorbeigehen noch eine kleinere mit abmachen will. Fügt man einem etymologischen Vocabularium eine nur einigermaszen vollständige Phraseologie hinzu, so leidet sofort, weil die etymologische Uebersicht selbst dann erschwert und die Aufmerksamkeit des Knaben von ihr abgezogen wird, der didaktische Zweck des Buches. Die Phraseologie erfordert vielmehr für die in Frage stehenden Klassen, von Sexta bis Tertia hinauf, ihre

eigene Zusammenstelluñg in eigenen Büchern nach eigenen Kategorien, wie dies Bischoff in seinem lat. Gedächtnisbuche mit einigem
Glücke versucht und dabei mit Recht das Realvocabular zum Ausgangspunkte genommen hat. Später, und auch schon von Tertia an,
tritt dann das Lexicon als die Vereinigung des onomatischen und
phraseologischen Theils der Sprache ein, so jedoch, dasz die Zusammenstellung der Redensarten nach Kategorien von den Schülern selbst
noch fortzusetzen ist.

Wenn also das Vocabellernen dem Begriffe der Sache gemäsz,
wie wir ihn uns denken, getrieben wird, so dürfen die dazu bestimmten Vocabularien nicht zugleich mit einer Phraseologie versehen sein.
Das vorliegende Buch weicht nun aber, als etymologisch eingerichtet
und doch nur für die untersten Klassen berechnet, von jenem Begriffe
ab; vielleicht ist also für dieses doch die Hinzufügung einer Phraseologie zu entschuldigen und sogar nothwendig. In gewisser Hinsicht allerdings; denn die Vocabeln, die in demselben gegeben sind,
gehen einestheils nicht Hand in Hand mit der Grammatik und einem
grammatischen Lesebuch und hangen anderentheils in ihren ersten
Pensen, wie wir gesehen, zu sehr. in der Luft und entbehren zu sehr
jeder Beziehung auf einen gemeinsamen und Licht auf sie werfenden
Mittelpunkt, als dasz ihnen nicht irgend eine äuszere Stütze und ein
sie einigermaszen noch belebendes Element nöthig wäre. Auf der anderen Seite aber hat es doch auch wieder sein groszes Bedenken,
dem Knaben, der eben erst anfängt, Vocabeln zu lernen, diese ihm
unbekannten Gröszen durch andere, ihm ebenso unbekannte erleutern
zu wollen. Das erste Wort z. B., das hier der Schüler zu lernen hat,
lautet: *acuo, ui, utum*, 3. schärfen, spitzen, *ferrum, mentem, indu-
striam;* das zweite: *ago,* e*gi, actum,* 3. 1) führen, treiben, *iumenta,
praedam* (i. e. *pecora*), 2) etwas thun, treiben; *quid agis?* — *aliud
agendi tempus, aliud quiescendi.* Statt zweier Vocabeln also hat
hier der Schüler — ganz abgesehen von den verschiedenen ihm noch
unbekannten Flexionsformen — gleich zwölf zu lernen, jene zwei
absichtlich und die anderen zehn noch nebenbei. Wo bleibt da das
methodische und wo vollends das etymologische .Vocabellernen? In
solche Schwierigkeiten und Widersprüche verstrickt man sich aber,
wenn man nicht von einem festen Begriffe der Sache ausgeht, sondern
auf ein dunkles Gefühl hin dieselbe durchzuführen versucht.

Sehen wir nun aber auch von dieser Principienfrage ab und betrachten die Phraseologie des Buches an sich, so können wir dieselbe doch auch dann nicht billigen und sie keinesweges eine gut und
zweckmäszig gewählte nennen. Fürs erste müssen wir in ihr die
grosze Anzahl der ganz inhaltlosen Beispiele tadeln. Wenn einmal
auszer den allgemeinen durch den Infinitiv ausgedrückten Redensarten, wie *acuere ferrum, agere iumenta* usw. auch vollständige
Sätze aufgenommen werden sollten, so musten diese nothwendig einen
Inhalt haben, aus dem der Knabe etwas lernen oder woran er seine
Freude haben konnte. Statt dessen lesen wir aber bei *cogo: vi coepi*

cogere, ut rediret; bei *arguo* darthun: *hoc ita esse, arguam;* bei *audeo: nunquam est ausus optare;* bei *occido* zu Boden schlagen: *Marcus me pugnis occidit;* bei *decipio: novem homines decepit;* bei *decerno: decreram, cum eo valde familiariter vivere;* bei *consulo: Galli, quid agant, consulunt;* bei *haereo: in pede calceus haeret;* bei *nubo: virgo nupsit ei, cui Caecilia nupta fuerat;* bei *pereo: parva periit* soror; bei *interficio: eum insidiis interficere studuit,* und so geht es das ganze Buch durch, während solche Sätze, die einen belehrenden und allgemein ansprechenden Sinn enthalten, verhältnismäszig nur selten vorkommen. Wie nahe lag es, bei *lavo* zu geben: *manus manum lavat;* dafür: *manus lava et coena;* wie nahe bei *cedo: cede maiori;* dafür: *ego cedam et abibo,* und so in vielen anderen Fällen.

Andere Beispiele sind für den Knaben unverständlich, weil sie entweder aus dem historischen Zusammenhange herausgerissen sind, wie: *affligo* niederschlagen, *arbores pondere; claudo* einschlieszen, *Romanos flumina aut montes claudebant; corrumpo* verderben, *frumenta flumine atque incendio; rideo: risi nivem atram,* oder weil sie über den begrifflichen Horizont des Knaben hinausgehen, wie zu *laedo: proprium humani ingenii est, odisse, quem laeseris;* zu *memini: cui placet, obliviscitur, cui dolet, meminit;* zu *pendo: in philosophia res spectatur, non verba penduntur;* andere sind in ihrer Losgerissenheit vom ganzen nur halbwahr, wie zu *gaudeo: cum privamur dolore, liberatione omnis molestiae gaudemus,* und zu *langueo: languet iuventus nec in laudis cupiditate versatur;* noch andere durch ihren Inhalt überhaupt unpassend, wie zu *prodigo: sues in lustra, ut volutentur in luto;* zu *aufero: stercus ab ianua;* zu *suspendo: restem tibi cape et suspende te;* zu *sumo: abibis, si fustem sumpsero;* zu *poto: domus erat plena ebriorum, totos dies potabatur;* zu *succenseo: ex perfidia et malitia dii hominibus irasci et succensere consuerunt;* zu *derideo: per iocum deos deridere.* Noch andere passen nicht zu der angegebenen Bedeutung und bedurften eines entsprechenden deutschen Ausdrucks, wie, um von vielen nur einige anzuführen, zu *accido:* an etwas hinfallen, *ad pedes (genibus) alicuius accidere;* zu *accipio,* empfangen, erhalten: *iniuriam, dolorem;* zu *collido,* zusammen, an einander stoszen: *collidere manus;* zu *promo,* hervorlangen: *promere et exercere iustitiam;* zu *promitto,* vorwärts schicken: *tela, barbam;* zu *permitto,* durchschicken: *equos in hostem, saxa, tela;* zu *pario,* gebären: *gallinae ova pariunt.* Andere enthalten wieder statt der eigentlichen gleich die bildliche Bedeutung z. B. zu *elicio,* herauslocken: *e terrae cavernis ferrum;* zu *sido,* sieh niedersetzen: *navis coepit sidere;* zu *insidior: haec sica insidiata Pompeio est;* oder die seltnere und mehr poetische, wie zu *ruo,* niederstürzen: *ruere rempublicam;* zu *candeo,* glühend sein: *haec loca aestate saevissime candent;* zu *plecto,* wenden: *vitulus monstrabat tauro, quo se modo plecteret,* ein so einzig dastehendes Beispiel vom Gebrauche dieses Verbums, dasz die Kritiker zum Theil *flecteret* emendiert haben, und von Seiten seiner Paszlichkeit dürfte sich dasselbe doch in der That gerade auch nicht für ein Vocabularium empfehlen.

Nach allem diesem müssen wir das ganze vorliegende Buch für ein in der Anlage sowol als in der Ausführung verfehltes erklären und können in demselben, wenn wir es mit dem Döderleinschen Vocabularium vergleichen, nur einen Rückschritt in der Methode erkennen.

Wittenberg.   *Dr. Herm. Schmidt.*

14.

Die Vereinfachungen der deutschen Rechtschreibung vom Standpunkte der Stolzeschen Stenographie beleuchtet, mit besonderer Rücksicht auf Grimms Vorrede zum deutschen Wörterbuche und Weinholds deutsche Rechtschreibung nebst Proben aus der deutschen Literatur in vereinfachter Rechtschreibung von Dr. G. Michaelis, Lector der Stenographie an der Königl. Friedrich Wilhelms Universität und Stenograph bei der Preussischen Zweiten Kammer. Berlin, Verlag von Franz Duncker (W. Bessers Verlagshandlung). 1854. 164 S. 8.

Vorschläge zur Vereinfachung unserer heutigen deutschen Rechtschreibung sind bereits viele und von vielen Seiten her gemacht worden, so dasz auch der entschiedenste Verehrer derselben die Thatsache nicht ableugnen kann, dasz etwas faul sei an der Sache. Denn fänden sich keine Schwankungen, keine Zweifel in der Schreibung, keine Widersprüche zwischen Laut und Zeichen, entliesze die Elementarschule die Mehrzahl der Kinder orthographisch so eingeschult, dasz sie später eine Rechnung, eine Quittung, einen Brief, eine Eingabe fehlerlos schrieben — nun dann erschienen alle Vorschläge, alle Neuerungen geradezu widersinnig, da sie ganz zwecklos wären. Aber weitgefehlt, dasz die Elementarschule das eben angedeutete Ziel erreichte, wovon sich wer in einen Brief eines Mannes aus dem Volke nur einen Blick thut, leicht überzeugen kann, selbst die gelehrten sind über die Sache keineswegs einig. Es scheint hier dem Gymnasium, obgleich es zunächst nicht so wie die Volksschule hiebei betheiligt ist, die Rolle der Vermittlung zwischen gelehrtem wissen und der Praxis der Elementarschule anheim zu fallen, da die Lehrer der letzteren die dazu nöthigen Kenntnisse nicht besitzen, die groszen deutschen Philologen aber an die Einführung der Neuerungen nicht Hand anlegen. Selbst Jacob Grimm hat erst in der **neuesten** Zeit die ganze Sache wegen Vereinfachung unserer herkömmlichen Orthographie für spruchreif erklärt, ohne jedoch die für nöthig befundenen Verbesserungen in sein deutsches Wörterbuch einzuführen.

Alle älteren Vorschläge zu Aenderungen, alle vor J. Grimm von einzelnen damit gemachten Versuche können wir auf sich beruhen lassen; als Einzelheiten, als neue Willkür für die alte haben sie für uns nur die éine trostlose Bedeutung, dasz sie unter der Masse der gelehrten ein tiefes Mistrauen gegen alle, auch wol begründete Aenderungen erzeugt haben. Aber von der historischen deutschen Grammatik ist die Verwirrung, die in unserer hergebrachten Rechtschreibung herscht, gründlich dargelegt; sie ist zugleich für alle Aenderungen maszgebend und diese sind sämtlich nicht sowol Neuerungen, als vielmehr Rückkehr zur älteren, einfacheren, für Kinder und Ausländer leichteren Schreibweise.

Die Zahl derer, die Vereinfachungen unserer Orthographie wünschen und diese entweder ganz oder zum Theil in ihren Büchern verwenden, wächst zusehends. Ihren rastlosen Bemühungen wird die irthümliche Ueberschätzung unserer Orthographie, das durch frühere planlose, unbegründete Vorschläge erzeugte Mistrauen gegen alle und jede Verbesserung, die Gleichgiltigkeit und die Trägheit weichen müssen; es wird das bessere zum Segen für tausende von Schulkindern endlich doch durchdringen.

Auch Hr. Dr. Michaelis tritt gegen diese Feinde der ihm theuren Sache mit seinem Buche in die Schranken; er führt die Stenographie als Bundesgenossin mit auf das Kampffeld. Wir können diese Bundesgenossin nur willkommen heiszen; sie hat ja so recht eigentlich die Pflicht, überall bei der Hand zu sein, wo es gilt die Schreibung zu kürzen und zu vereinfachen und so das lesen und schreiben zu erleichtern. Alle der Stenographie unkundigen mögen sich übrigens von der Lectüre des Buches nicht zurückschrecken lassen, weil der Verfasser sich auf den Standpunkt derselben gestellt hat; das Buch setzt überall keine genaue Bekanntschaft mit ihr beim lesen voraus. Wer es nebenbei kennen lernen will, wie die Stolzesche Stenographie keine aus äuszerlichen Zeichen willkürlich abgekürzte Schrift ist, sondern vielmehr ein consequentes System von Schriftzeichen, das auf der historischen deutschen Grammatik fuszt, der kann es aus dem Buche dieses Stenographen leicht abnehmen.

In der Einleitung des Buches S. 1—8 zählt der Verf. die Schriften auf, die er vorzugsweise berücksichtigt hat *) und spricht sich über das zeitgemäsze einer Reform unserer Orthographie meist mit Worten J. Grimms und von der Hagens aus. S. 5 sagt er, nach meiner besten Kenntnis von der Sache mit vollem Recht: 'Die Stol-

---

*) 1) J. Grimm: Ueber das pedantische in der deutschen sprache. 1) Olawsky: Der Vocal in den Wurzeln deutscher Wörter. 3) von der Hagen: Deutsche Rechtschreibung, Aussprache und Sprachgebrauch. 4) Weinhold: Ueber deutsche Rechtschreibung. 5) J. Grimm und W. Grimm: Deutsches wörterbuch. Vorrede.

zesche stenographie hat die wichtigsten von der sprachwissenschaft gefordérten vereinfachungen der rechtschreibung bereits mit dem glücklichsten erfolge durchgefürt und die groszartigen ergebnisse der neuren sprachforschung auf eine eigentümliche und höchst scharfsinnige weise zum zwecke einer möglichst einfachen, naturgemäszen und folgerichtigen schriftlichen darstellung unserer muttersprache verarbeitet.'

S. 9—39 handelt vom Vokalismus. Die Verwirrung und die Schwierigkeiten für Kinder und Ausländer liegen beim Vokalismus vornemlich in der Bezeichnung der gedehnten Vokale. Was nun die Dehnung der Vocale 1) durch Gemination, *aa, ee, oo* (S. 11—·12) und 2) durch das unorganische *h, ah, ih, ieh, eh, oh, uh*, (S. 32—36) anbetrifft, so verlangt nicht blosz die historische Grammatik den Wegfall dieser ganz willkürlichen und wahrlich nicht leicht zu erlernenden Dehnzeichen — und es herseht in dieser Rücksicht unter den Germanisten Uebereinstimmung — sondern auch der Sache unkundige werden sich von der Verwerflichkeit dieser Bezeichnung und von der Nothwendigkeit der Rückkehr zu der älteren, einfachen Schreibweise, die solche Dehnmittel durch Gemination oder *h* fast ganz verschmähte, leicht überzeugen. Die Grundregel für die Schärfung und Dehnung des Vokals im Nhd. wäre also so, wie sie der Verfasser S. 9 f. angibt. Schade, dasz derselbe die Formel τόπος, τῶπος und τόππος, die Professor Olawsky im Programm des Lissaer Gymnasium 1852 S. 24 aufgestellt, nicht gekannt hat; diese Formel bezeichnet die Sache kurz und treffend. Nicht blosz das ganze Verhältnis der nhd. Wurzelvokale zu den älteren, sondern auch zugleich die Grundregel für den nhd. Vokalismus selbst ist durch dieselbe ausreichend angedeutet. Von der Wurzel τόπος gibt es im Nhd. nur noch wenig Fälle, vielmehr wird sie in unserer heutigen Sprache entweder zu τῶπος d. h. sie wird unorganisch verlängert, oder zu τόππος d. h. der Consonant wird verdoppelt und die alte Kürze durch Schärfung des Vokals erhalten *). In manchen Wörtern von derselben Wurzel streiten sich gleichsam im Nhd. beide Principe, nemlich τῶπος und τόππος z. B. ne*h*me, ne*h*men (= τῶπος) und ni*mm*st, ni*mm*t, ni*mm* (= τόππος), goth.: *nima, niman, nimis, nimith*, alle == τόπος, ebenso: trete, treten, tritt, der Tritt u. s. w. Die Grundregel, wie sie sieh auch durch alle Bemerkungen des Verfassers über den nhd. Vokalismus hindurchzieht, ist also diese: einfache Consonanz der Wurzel bedeutet Dehnung, doppelte Consonanz Schärfung des vorangehenden Vokals. Mithin ist im Nhd. weder die Gemination *aa* noch die Dehnung *h* nöthig, sondern vielmehr als eine überflüssige Qual für Kin-

---

*) Den Grund für diese auffallende Erscheinung in unserer Sprache und Schreibung siehe bei Olawsky: der Vocal in den Wurzeln deutscher Wörter S. 38—45, wo beiderlei unorganische Veränderungen (τῶπος und τόππος), die unsern nhd. Dichtern alle als Längen im Verse gelten, Accentlängen genannt werden.

der und Ausländer durchweg zu verwerfen. Allerdings haben wir
noch Wörter mit der Betonung τόπος, nemlich a) ab, an, ob, in (vgl.
innen, erinnern), von, mit, um, man, hin, un— b) Lob, grob, Schlag,
Glas, Gras; indes ist zu bemerken, dasz die Wörter unter a) Formwörter sind, für welche das Princip der Gemination nicht consequent
durchgeführt ist, und dasz die Kürzen o und a in den Wörtern unter
b) wol nur landschaftlich sind. S. Grimm Grammatik I 214. 3e Ausgabe. Schlimmer steht es mit den Ausnahmen von der Formel τόππος. Es gibt nemlich im Nhd. auch Fälle, die wir in Bezug auf
Aussprache und Schreibung mit τῶππος bezeichnen müssen d. h. auf
ge d e h n t e n Vokal folgt Doppelconsonanz z. B. Art, Herd, Geburt,
Trost (S. 9 u.). Dies gilt insbesondere von Silben, in denen der
letzte Consonant ein Zungenlaut (t, d, s, z) ist. Zu den von dem Verf.
verzeichneten füge ich noch: erst, Erz, Krebs, Magd, nächst, Obst,
nebst, Papst, Pferd, Probst, Spatz, stets, Vogt. Dazu kommen noch
durch Flexion: schont, spart, usw. und gerade die nach dem Verfasser einzuführenden Veränderungen würden diese Ausnahmen von
der regelmäszigen Formel τόππος noch vermehren, z. B. lont, stilt.
Der Verfasser scheidet zwar diese Fälle, wo die Doppelconsonanz
durch Flexion (spar-t, stil-t) bewirkt ist, von jenen, wo ein Deriva-
tionsconsonant hinzutritt (Bar-t, Schwer-t), dem Schulkinde ist aber
der Unterschied kaum begreiflich zu machen und der Standpunkt der
Elementarschule überall festzuhalten. Ich lasse es unentschieden, ob
und welche Bezeichnung für diese Ausnahmen (τῶππος statt τόππος)
von der Grundregel den Kindern und Ausländern noth thue, aufmerksam wollte ich aber den Verfasser darauf machen. Die Sache musz
ins reine gebracht werden, ehe an eine Fibel nach der vereinfachten
Orthographie gedacht werden kann.

Das u n o r g a n i s c h e h ist, wie auch der Vf. S. 32—36 will,
als bloszes Dehnmittel überall zu streichen und so fällt für die lernende Jugend eine grosze Qual weg, da ja nach der Formel τῶπος
der einfache Consonant immer auf die Dehnung des Vokals zurück-
deutet. Auch das h nach t = th (S. 40—42) ist zu tilgen, da unser
heutiges th keine Aspirata, sondern Tennis ist. Die Uebereinstimmung der kundigen in diesem Punkte ist so grosz, dasz nicht blosz
die Mitarbeiter an Haupts Zeitschrift, sondern auch solche, die zaghaft
an die Sache herangehen, z. B. Bauer in seiner nhd. Grammatik, mit
der Verbannung dieses unnützen Dehnzeichens den Anfang in ihren
Büchern gemacht haben. Die o r g a n i s c h e n h würde ich nur in den
Wörtern beibehalten, in denen sie, wenn auch nur als schwacher
Laut, durch die Flexion hörbar werden; ich schreibe also: Reh —
Rebe, geh, geht— gehen, blüht— blühen; ebenso aber auch Blühte,
Draht, Naht, nicht wie der Verfasser will: Blüte, Drat, Nat, da die
Ableitung von blühen usw. am Tage liegt und auch dem Kinde kann
begreiflich gemacht werden. Dagegen würde ich, freilich den Vor-
wurf der Einseitigkeit nicht scheuend, im Interesse der Volksschule
die n i c h t m e h r h ö r b a r e n organischen h in den meist zusammen-

gezogenen Wörtern: Aehre, Dohle, Gemahl, fahnden, Zähre usw. (S.
35) zu tilgen rathen, wie ja auch im Mhd. der Wegfall des *h* durch
Zusammenziehung sehr ausgedehnt ist: *zar (zaher); se (sehe), vers-
man (versmahen).* Hingegen schreibe ich z e h n, denn man spricht
und schreibt statt dessen auch z e h e n, wie Jahrzehend.

Das Dehnzeichen *e* hinter *i*, also *ie*, hat der Verfasser von S.
12—32 sehr gründlich behandelt, wahrscheinlich getrieben von einer
Vorahnung, dasz hier 1) das physiologische und 2) das historische
Interesse *) leicht in Zwiespalt gerathen und so Unfrieden zwischen
den Sachverständigen unter einander und zwischen diesen und der
Volksschule gesät werden könnte. Wir müssen in dieser Hinsicht
seine Gründlichkeit, die gern Frieden stiften und der Uneinigkeit vor-
bauen möchte, höchlich billigen. Ist nun dieses *ie*, wie es im Nhd.
überall den Anschein hat, stets ein Diphthong? Antwort: Nein. Dieses *ie* ist 1) ein Diphthong gleich älteren *iu, ia* z. B. z e r s t i e b e n
diffundi, 2) ein bloszes Dehnzeichen für älteres kurzes *i* z. B. s i e -
b e n goth. *sibun*, also eine unorganische Längerung $= \tau \tilde{\omega} \pi o \varsigma$ 3) eine
Art von Brechung, die Grimm für das *ags.* mit *eó* bezeichnet z. B.
den S i e b e n *cribris*. Was nun thun? Da die besten nhd. Dichter alle
drei Arten: zerstieben (*iu*), sieben ($\tau \tilde{\omega} \pi o \varsigma = \breve{\imath}$) und den Sieben
(*cribris, ags. eó*) reimen, so verlangt die Rücksicht auf den Reim, die
Volksschule und den physiologischen Standpunkt alle diese *i* $=$ Laute,
durchweg mit *i* zu schreiben; die Dehnung ist durch die einfache Con-
sonanz ($\tau \tilde{\omega} \pi o \varsigma$) für das Nhd. genügend angedeutet. Der Verfasser nun
tilgt in den Fällen 3) (Brechung) und 2) ($\tau \tilde{\omega} \pi o \varsigma$) das *e* als bloszes
D e h n z e i c h e n hinter *i*; ebenso schreibt er das imperfect. der VIII
Klasse der starken Verba mit bloszem *i*: ich bleibe, ich bl*i*b, wir
bl*i*ben, da hier das *ī* nicht gleich mhd. *ei (ich blibe, ich bleip)* son-
dern gleich verlängertem mhd. Pluralablaut *ī* (also gleich $\tau \tilde{\omega} \pi o \varsigma$) ist.
Dann ist aber auch zu schreiben nicht nur: scheide, gesch*i*den, Ab-
sch*i*d, Untersch*i*d, sondern auch: ich sch*i*d, wir sch*i*den und nicht
wie der Verfasser S. 23 will: ich sch*i*ed, w*i*r schieden, denn sc*h*ei-
den, welches im Goth. redupliciert *(skaida, skaiskaid)*, ist im Nhd.
ganz in die VIII Klasse ausgewichen, sonst müste ja das partic. im
Nhd. gesch*e*iden und nicht gesch*i*eden heiszen. Da aber, soll irgend
eine durchgreifende Vereinfachung der nhd. Orthographie gelingen,
praktische Brauchbarkeit und Gelehrsamkeit Hand in Hand gehen
müssen, so behält demgemäsz der Verfasser den D i p h t h o n g *ie* mit
Recht bei 1) für die IX Klasse der starken Verba: liegen, fliegen,
flieszen usw. 2) für die reduplicierenden Verba mit Ausschlusz von
ling, ging, hing (S. 15) und 3) für die ebendaselbst (Bier — zier) aufgeführten Wörter, die aber kaum vollständig sind. Die alterthümlichen jetzt nur von Dichtern gebrauchten Nebenformen: fleuchst, fleucht
für fliebst, flieht deuten noch auf die diphthongische Natur das *ie* in
den Verben der IX Klasse hin.

---

*) 1) Schreibe, wie du hörst. 2) Schreibe nach der Abstammung.

Das *ie* in Fremdwörter (*ieren:* regieren, spazieren(S. 27—31
ist durchweg zu verwerfen. Auch in Quartier, Officier, Barbier, Re-
vier usw. (S. 27) u. musz es fortfallen; wir Deutsche nehmen ja auf
diese Fremdwörter — Gott seis geklagt — so schon eine Rücksicht,
wie kein anderes Volk auf Erden. Der Verfasser schreibt S. 15 f. die
ursprünglich romanischen, jetzt eingebürgerten Wörter: Fieber, Spiegel, Ziegel, Brief usw. mit *ie*, ich würde auch hier bloszes *i* vorziehen, wie in: Sigel, Stifel. Was kümmert die Elementarschule die
romanische Abkunft?

S. 38 erklärt der Verfasser einen der Diphthongen *ai* und *ei* für
entbehrlich. Wir unterscheiden beide in der Aussprache nicht mehr,
lassen wir daher auch von den Zeichen eins fallen. Da in der Schrift
das *ai* dem *ei* mehr und mehr weicht (die Heide, Getreide, Weizen),
so scheint es rathsam die Schreibung *ei* überall durchzuführen, wiewol das Ohr durchgängig *ai* wünscht. Eine Verwechslung wird dadurch nie entstehn; immer wird der Zusammenhang zeigen, in welcher Bedeutung z. B. Rein, Seite, Weise, Leib zu nehmen sind. Zu
bedauern ist, dasz sich der Verfasser über die Inconsequenz der hersehenden Orthographie in Bezeichnung des kurzen Umlauts *ae*, welcher willkürlich unzählige mal mit bloszem *e* ausgedrückt wird, nicht
ausgesprochen hat. Wir reimen setzen (*satjan*) und schätzen, Ende
und Hände (*handjus*). Die Geschichte der Sprache, die heutige Aussprache, die Schule endlich, sie alle fordern gebieterisch ein und
dasselbe Zeichen. Am gerathensten schien es, wie im Mhd. immer,
mit Verdrängung des kurzen *ae* durchweg *e* zu schreiben. Man vergleiche darüber die treffliche Auseinandersetzung von Olawsky am
angef. O. S. 134—38.

S. 39—70 handelt vom Konsonantismus. Veränderungen in
den konsonantischen Elementen eines Wortes sind bei weitem stö-
render, als die Fortlassung eines unnützen Buchstabens. Aus diesem
Grunde weicht auch Hr. Dr. Michaelis hier von der gewöhnlichen
Orthographie nur wenig ab; insbesondere wagt er nicht auf eigene
Hand der Tyrannei des Schreibgebrauchs im anlautenden *f*, *v* und *w*
entgegenzutreten (S. 42 f.) Der einzige Fall, wo er im konsonantischen
Anlaut eine Veränderung vornimmt, ist die schon erwähnte Vereinfachung von *th* in *t*, ebenso will er einfaches *r* für *rh* in dem niederd.
rhede, rheder, usw. Länger verweilt der Verfasser bei Betrachtung
des auslautenden Konsonanten. Die mhd. Schrift setzt im Auslaut
den harten Konsonanten an die Stelle des weichen (*tac, grap, tot*),
läszt diesen hingegen bei der Verlängerung des Wortes eintreten, gemäsz der Regel: schreibe, wie du hörst. Anders ist es bei uns. Wir
sprechen: Tak, Grap, Tot und schreiben trotzdem die Media: Tag,
Grab, Tod. Mit Recht hält der Verfasser S. 44 f. an dieser unserer
Schreibweise fest, um den Stamm soweit es zulässig ist in unverän-
derter Gestalt vors Auge treten zu lassen, und um die Neuerungen möglichst zu beschränken; deshalb schreibt er auch: gescheit,

Schwert, tot (*adj.*), Schmid*); ebendeshalb: sandte, wandte, gesandt, gewandt, beredt (nicht sante usw.). Eine Schwierigkeit für das Kind entsteht dadurch nicht: es braucht nur entweder das Wort durch Flexion zu verlängern oder nach der nächsten Abstammung desselben zu fragen.

Eine sorgfältige Erörterung von S. 54—68 widmet der Verfasser den Zungenspiranten s und sz und deren Geminationen. Da wol nirgends in unserer Orthographie die Ansichten der gelehrten mehr auseinander gehen, als grade hier (vgl. das in dem Buche über Grimm, Ph. Wackernagel, Weinhold und Heyse gesagte), so ist dem Verfasser zu danken für die ebenso besonnene als eindringende Prüfung, der er jene Ansichten unterzogen, nicht minder aber dafür, dasz er bei Entscheidung der Frage sich von der Rücksicht auf die jetzige Sprache ꞌdie ja auch zur historischen Entwicklung gehörtꞌ, hat bestimmen lassen. Was wäre auch gewonnen, lieszen wir die Schreibung, wie sie sich in einer früheren Zeit festgesetzt hat, unverändert fortdauern? Allerdings ein feststehender nie wankender Schreibgebrauch. Aber dieser geriethe in einen stets zunehmenden, endlosen Widerstreit mit der Aussprache und dem Reime der Dichter, der ja doch auch ein Kriterium für die Schreibung ist; Zeichen und Laut würden sich zuletzt nicht im entferntesten mehr entsprechen. Wir hören Ameise und sollten schreiben Ameisze, wir hören erboszen und sollten schreiben erbosen?

Das Resultat nun, zu dem der Verfasser gelangt ist folgendes: 1) Für den einfachen weicheren Laut nach langem Vokal ($\tau\tilde{\omega}\pi o\varsigma$) gebrauche man das einfache ſ, am Ende der Wörter ß, im lateinischen Druck in beiden Fällen s z. B. laſen, laß, *lasen, las*. 2) Für den harten scharfen, die Aspirata von *t* vertretenden Laut, wo er einfach d. h. nach langem Vokal ($\tau\tilde{\omega}\pi o\varsigma$) steht, setze man ß, im lateinischen Druck die Grimmsche Type ß oder, wo diese nicht vorhanden, *fs*: Fuß, Füße, *Fufs, Füfse*. 3) Für die Verdoppelung des scharfen Lautes nach kurzem Vokal ($\tau\acute{o}\pi\pi o\varsigma$), welche eigentlich durch ß bezeichnet werden müszte, gebrauche man ſſ, am Ende der Wörter ſß oder die von Heyse eingeführte aus ſ und ß zusammengezogene Type, im lateinischen Druck sowol innerhalb als am Ende des Wortes *ss*: Flüſſe, Fluß, *flüsse, fluss* **). Ausnahmen bilden nur Formwörter und En-

---

*) Der Verfasser schreibt Brod wahrscheinlich weil er Brode spricht; die Schlesier wenigstens, auch wol die meisten Schriftsteller sprechen und schreiben Brote, danach müste es Brot heiszen.

**) Hiezu käme noch 4) die seltene Verdoppelung des weichen Konsonanten d. h. der weiche Laut nach kurzem Vokale ($\tau\acute{o}\pi\pi o\varsigma$). Da die hieber gehörigen Wörter als Provincialismen kaum in die höhere Schriftsprache eingedrungen sind, so kann man diese Verdoppelung ebenfalls durch ſſ bezeichnen, also: quaſſeln, druſſeln, oder man schreibe, will man sie unterscheiden: quäseln, drüseln, im lateinischen Druck, zum Unterschiede von *ss*, *ſſ*: *quaſſeln*.

dungen, namentlich: *es, das, was, bis, aus,* die Neutralendung — *es* z. B. *groszes, gutes.* Die Endung *niss* schreibt der Verfasser, übereinstimmend mit den namhaftesten Vertretern der Sprachforschung, *nis; niss* nur, wenn eine vokalisch anlautende Endung hinzutritt; ebenso *mis* als Vorsilbe, vor Konsonanten, statt *miss.*

Was die Abbrechung der Silben beim schreiben betrifft, so entscheidet sich der Verf. für die hergebrachte, also: ha-ben, dek-ken, set-zen, obgleich die Etymologie, hab-en, deck-en, setz-en ver-. langt.

Doppelte Konsonanz bedeutet, wie oben mehrfach gesagt, Schärfung des vorangehenden Vokals; deshalb wird der einfache Konsonant in dem Stamme nach kurzem Vokal geminiert. Soll nun die Gemination auch dann beibehalten werden, wenn auf die beiden Stammkonsonanten noch ein oder zwei Konsonanten der Flexion, Derivation oder Composition folgen? In der Flexion hat sich der Schreibgebrauch für Beibehaltung der Gemination entschieden, man schreibt: schaffen — schaffst, kennen — kennst, gewinnen — gewinnst, gewinnt. In der Derivation dagegen läszt man vor den Zungenlauten *t, st, d* die Gemination in der Regel fallen: Geschäft, Kunst, Kunde; Gespinnst, Gewinnst schwankt jetzt neben Gespinst, Gewinst. Der Verf. verlangt aber auch hier, wie es wol auch das zweckmäszigste ist, den einfachen Stammkonsonanten also Gespinst, Gewinst, wie Kunst, Geschäft, S. 68 f. Wo durch die Zusammensetzung gleiche Konsonanten zusammentreffen, müssen sie unverkürzt beibehalten werden, S. 70, also: Rohheit = *raucus,* Hohheit.

Mit dem, was der Verf. S. 71 und 72 über Fremdwörter und Eigennamen, S. 72—74 über den Misbrauch des Bindestrichs, des Apostrophs und der groszen Anfangsbuchstaben grösztentheils mit Worten Grimms und Weinholds sagt, erklären wir uns einverstanden. Vor der sogenannten deutschen Schrift, die nicht nur das Auge beleidigt, schreiben und Druck mühsamer macht, sondern auch die Verbreitung unserer Litteratur im Auslande hindert (Grimm Gramm. I 27. 3. Ausg.), verdient die lateinische Schrift unbedingt den Vorzug S. 74—75. Wir wiederholen den Vorschlag von Prof. Olawsky: der Vokal in den Wurzeln S. 119: 'Jetzt lernen die Schulkinder zuerst deutsch lesen und schreiben, erst später übt man sie im Gebrauche der lateinischen Buchstaben; könnte man die Sache nicht geradezu umkehren, die Elementarschüler zuerst lateinisch lesen und schreiben lehren und später erst deutsch?'

Im 'Schlusz' S. 67—80 weist der Verf. darauf hin, wie wenig seine Vorschläge zur Vereinfachung unserer Rechtschreibung von denen Grimms, von der Hagens und Weinholds abweichen und vertheidigt seine Aenderungen gegen den Verdacht, als könnten sie uns die vorhandene Litteratur entfremden. 'Die dichtungen Klopstocks, Schillers, Goethes und der übrigen groszen schriftsteller aus der blütezeit unserer literatur würden in dem neuen gewande, aus dem ja nur einige wenige überschüssige fäden fortgefallen wären, uns ebenso heimisch entgegenklingen, ebenso eingreifend zu unserm herzen reden, als sie es bisher getan haben, und es tun werden, so lange es Deutsche gibt.'

S. 81—164 läszt der Verf. als zweiten Theil des Buches Proben aus der deutschen Litteratur in der von ihm angenommenen Rechtschreibung folgen. Sie gehören einundsechzig unserer nhd. Dichter und Prosaiker von Luther bis auf die neueste Zeit an. Dem Zwecke des Verf. an einem hinreichenden Material die vereinfachte Rechtschreibung vor Augen zu führen hätte offenbar eine geringere Anzahl Proben sehon genügt; um dem Schüler als Anhalt beim Unterrichte in der neueren deutschen Litteratur zu dienen, ist die gegebene nicht grosz genug, abgesehen davon dasz das Buch für Schüler überhaupt nicht bestimmt sein kann. Gegen die Auswahl selbst dürfte nichts zu erinnern sein; man müszte denn den etwas derben Schwank 'die Landsknechte' von Joh. Fischart S. 91 ff. ausnehmen wollen. Aber das müssen die Proben jedem unbefangenen zeigen, dasz die Abweichung von der hersehenden Orthographie keineswegs so bedeutend ist, als die Gegner jeder Vereinfachung derselben gern möchten glauben machen. Man liest oft 10—15 Zeilen, ehe das Auge einem ihm nach seiner Schreibung fremdartig scheinenden Worte begegnet. Dasz durch Weglassung der unnöthigen h, der e nach i, durch Schreibung der einfachen Vokale für aa, ee, oo eine Verwechselung oder Zweideutigkeit nirgend entstanden ist, können wir nach genauer Lektüre der mitgetheilten Probestücke den ängstlichen versichern.

Es ist das grosze Verdienst der historischen Sprachforschung, die regellose Willkür in der bisherigen Orthographie aufgedeckt und eine einfachere auf die Geschichte der Sprache basierte Rechtschreibung nachgewiesen zu haben. Doch auch diese ist, wie die andern groszen Resultate der historischen Grammatik, Eigenthum weniger geblieben. Der Stolzeschen Stenographie scheint die Aufgabe anheimgefallen zu sein, sie auch in weitere Kreise zu tragen. Gegründet auf die Einsicht von dem Bau und der Geschichte unserer deutschen Sprache hat sie die von Dr. Michaelis in seinem Buche vorgeschlagenen Aenderungen im wesentlichen bereits praktisch durchgeführt; von Tage zu Tage verschafft sie sich mehr Ansehen und Verbreitung nicht nur unter den gelehrten und gebildeten, sondern selbst unter dem Volke und mit jedem Anhänger, den sie sich gewinnt, entzieht sie der hersehenden Tyrannei des Schreibgebrauchs einen Vertheidiger. *) Gerade denen, die mit dem System der Stolzeschen Steno-

---

*) Da die erlangte Fertigkeit in der Kurzschrift nicht nur befähigt alle Vorträge auf der Hochschule, Predigten berühmter Geistlichen und Reden jeder andern Art leicht nachzuschreiben, sondern auch beim eignen Studium, bei Auszügen aus Büchern sehr viel Arbeit und Zeit erspart, da es ferner zu erwarten steht, dasz die Stenographie auch auf das geschäftliche Leben und auf die Vielschreiberei der Beamten Einflusz und dadurch Weiterverbreitung gewinnen wird, so thun die Gymnasien, wie es scheint, Unrecht, wenn sie von der

graphie nicht bekannt sind, empfehlen wir das Büchlein des Hrn. Dr.
Michaelis zur Lektüre; die Einsicht, dasz auch wir Deutsche noch
eine Orthographie haben können, wenn wir nur ernstlich wollen,
wird sich ihnen von selbst aufdrängen. 'Allerdings' wir schlieszen
mit den Worten des Verf. 'mut und ausdauer gehört dazu eingeris-
senen misbräuchen entgegenzutreten. Doch, wie sich so viles andere
gute und schöne ban gebrochen hat, so wird auch hier der fortschritt
nicht ausbleiben.'

Lissa. *Dr. B. Günther.*

15.

*Lehrbuch der Geographie und Geschichte für die untern Klassen
der Gymnasien und Realschulen von Johann Bumul-
ler *). Wien, Gerold. 1855.*

Unsere deutsche Schullitteratur besitzt für jedes Gebiet des Unterrichts gelungene oder doch brauchbare Bücher in dem Masze, dasz
jedes neu erscheinende, um seine Existenz zu rechtfertigen, nicht
nur von auffallenden Fehlern frei sein, sondern auch durch eigenthümliche Vorzüge in irgend einer Richtung vor den bisher vorhandenen sich auszeichnen musz. Ob das vorliegende, das nach Titel
und Verlagsort zu schlieszen, für die Mittelschulen Oesterreichs bestimmt ist, ein solches Recht zu existieren besitzt, wird sich unzweifelhaft ergeben, wenn wir es nach einigen Hauptgesichtspunkten
betrachten und überall wenigstens einige Belege beispielsweise anführen.

I. Die geographische Darstellung. Einem aufmerksamen Schuler,
welcher gewöhnt ist bei dem Studium der Geographie unausgesetzt
die Landkarte zur Hand zu haben, wird nichts so schnell auffallen
als geographische Fehler in dem Lehrbuche, welches ihm vorliegt.
Man darf daher wol an ein solches in dieser Beziehung die strengsten
Anforderungen machen, weil ohne deren Erfüllung die Auctorität desselben in den Augen des Schülers am leichtesten untergraben wird.
Die Mängel, welche Bumüllers Lehrbuch gerade in seinen geographischen Theilen an sich trägt, sind aber so bedeutend, dasz der Anblick einer Landkarte für dasselbe immerhin sehr gefährlich sein

---

Sache gar keine Notiz nehmen. Meist liegt es wol daran, dasz man
keinen Versuch anstellt. Hierorts hat Hr. Dr. Methner nicht blosz
Gymnasiasten, sondern auch viele aus andern Ständen für die Kurzschrift zu gewinnen verstanden.

*) Von einem geachteten Katholiken aus Oesterreich eingesandt.
Wir behalten uns vor, von dem gröszeren Geschichtsbuche desselben
Verf. eine besondere Beurtheilung zu bringen. D. Red.

wird. S. 6 heiszt es: 'westlich senkt sich von dem Central- und Hochlande, dem Laufe ¦des Oxus und Iaxartes entlang, zum Aral-See und
dem kaspischen Meere das asiatische Tiefland, das sich jenseits des
kaspischen Meeres bis in das östliche Europa hinein erstreckt, von
woher das kaspische Meer die Wolga empfängt.' Wer dagegen eine
Karte von Asien betrachtet, sieht leicht, dasz Hr. B. das wichtige
sibirische Tiefland ganz vergessen hat. Nach der Darstellung des·
Hrn. B. möchte man glauben, dasz das angegebene Tiefland das einzige Asiens sei, er spricht weder in der geographischen Beschreibung von China S. 8 von dem chinesischen, noch S. 11 von dem hin-
dostanischen. — S. 7 müste für 'arabische Wüste' arabisches Hochland gesagt sein. — Ebenda heiszt es: 'das Gebiet des Euphrat und
Tigris gehört in dem obern Laufe der Flüsse dem a r i s c h e n und
armenischen Hochlande an.' Dagegen heiszt es S. 6: 'das arische
Hochland kann keinen bedeutenderen Flusz dem Meere zuschicken.' —
S. 8 wird gesagt, dasz China in seinen Hochgebirgen der k a l t e n
Z o n e angehöre, ein Ausdruck, der wenigstens einer Erklärung bedarf um etwas richtiges zu besagen, und daher vielmehr durch einen
an sich verständlichen zu ersetzen war. — S. 11 ist bei der Beschreibung Indiens das wichtige Kabulthal, das Plateau von Dekan
und wie schon oben erwähnt das hindostanische Tiefland gar nicht
erwähnt. Wollte aber jemand einwenden, dasz diese specielle Ausführung nicht im Plane Hrn. B.s lag, so können wir freilich einerseits auf das kleine Büchlein von Bellinger hinweisen, wo solche
Dinge doch ihre Stelle gefunden haben, andererseits fragen wir, wozu Hr. B., wenn er Raum gewinnen wollte, S. 24 und S. 29 ganz
unerwartet eine Menge unbedeutender Völkerschaften aufzählt, welche
besser wegbleiben konnten. — S. 24 ist behauptet, Medien grenze östlich an Assyrien und Armenien! — S. 62 sagt Hr. B.: 'Thessalien
besteht aus drei Thalbecken', und zählt sodann das des Peneus, Sper-
cheus und O n c h e s t u s auf. Dem letzten beliebt es Hrn. B· seinen
Ausflusz in den pagasaeischen Meerbusen anzuweisen. In diesem
Punkte hat Hr. B. einen sichtbaren Widerspruch mit den Landkarten
freilich nicht zu fürchten. — S. 64 ist der Taygetus mit 7900 Fusz
Höhe angeführt, während dieselbe höchstens 7500 Fusz beträgt. Ebd.
ist der Flusz N e d a fälschlich nach Messenien gesetzt. — Die geographische Beschreibung von Griechenland überhaupt ist unsystema-
tisch: bei der Aufzählung der Landschaften des Peloponnes sind die
Städte meistens mitgenannt, bei der der Landschaften Mittelgriechen-
lands nicht; so kommen Sparta, Olympia, Argos u. a. zu der Ehre
genannt zu werden, aber Athen und Theben bleiben ganz unerwähnt.
Ebenso willkürlich, zerfahren und nachlässig werden S. 65 unter den
ältesten Städten Argos, Athen, auch 'Sycion' (statt Sikyon), Theben
und L a r i s s a genannt, als ob dieser Name nur éiner bestimmten
Stadt zukäme. Bei Akarnanien sind die tapfern Männer der griechischen Heldensage hervorgehoben, dagegen bei dem in jeder Beziehung
verwandten Actolien nur die 'halbbarbarischen und räuberischen

Einwohner', der historischen Zeit erwähnt. Die molossischen Hunde
und Spartas Jagdhunde sind sorgsam hervorgehoben, aber dies ist
auch alles, womit Hr. B. seine Schüler zu unterhalten weisz. Wer
einmal die geschmackvolle und doch populäre Darstellung der griechischen Geographie in den Vorträgen von Friedrich Jakobs, welche
er einst dem König Ludwig von Baiern hielt, gelesen, bekommt einen
wahren Abscheu vor der Geschmacklosigkeit dieses Buches. Anstatt
in schöner Weise durch kurze Andeutungen der Sagen, welche sich
an einen Ort knüpfen, dem Schüler den Ort selbst geläufig zu machen, spricht Hr. B. blosz von den 'stinkenden Lokrern' und von Cyti-
nium, weil es den Beinamen 'das kothige' hat (s. S. 63). Noch
schlechter ist es freilich mit der Geographie Italiens bestellt. Von
den Ebenen, Lagunen, Maremmen, ja selbst von den pomptinischen
Sümpfen Italiens ist nicht die Rede. S. 127—128, wo die ältere Eth-
nographie Italiens ohnehin ganz unklar bleibt, werden die Samniten
neben den Hirpinern und Frentanern als Sabeller, d. h. sabinische
Stämme bezeichnet, als ob der Name der Samniten nicht die beiden
folgenden kleinen Stämme mit umfaszte. — Diese und viele andere
Fehler werden immer bewirken, dasz ein Schüler, welcher die geographische Darstellung des vorliegenden Buches mit einer guten Landkarte vergleicht, in das unangenehme Dilemma geräth, das Buch oder
die Landkarte für schlecht zu halten.

II. Einige auffallende Widersprüche in der historischen Darstellung. S. 7. 'Um das Jahr 2000 vor Christus beginnt die Geschichte
der ältesten Völker.' S. 39. 'Soviel ist gewis, dasz um 2000 v. Chr.
Aegypten ein wolbevölkertes, gut angebautes und mit
Städten und Dörfern bedecktes Land war.' S. 16 wird Babylon
als das älteste Reich bezeichnet. S. 42 lesen wir: 'Es ist noch nicht
ausgemacht, ob Aegypten oder Meroë das Mutterland der alten
Cultur war.' — S. 22 wird die Geschichte von Ninus als griechische Erfindung bezeichnet, dagegen S. 26 als Thatsache hingestellt:
'die Lyder waren ein semitischer Stamm, dessen erste Könige
sich der Abstammung von Bel und Ninus rühmten, wie das assyri-
sche Herscherhaus.' — S. 39. 'Ob es (Aegypten) einem Könige
oder mehreren gehorchte, ist ebenfalls unbekannt.' S. 36: 'zur Krie-
gerkaste gehörte der König und die Fürsten.' — S. 66 ist behauptet,
dasz die Dorier ursprünglich in Doris 'hausten'. S. 74 'der Stosz der
Thessaler traf auch die Dorier, welche sich nach manchem gewaltsamen Wechsel des Wohnsitzes zwischen dem Oeta und Parnass nie-
gelassen hatten.'

III. Historische Irthümer. 'Die Pelasger, sagt Hr. B. S. 65, haben einen ausgebildeten Göttercultus, Tempel und Orakel gehabt';
S. 66 'die Geschlechtsregister der Heldenfamilien sind mangelhaft.'
Dies sind Dinge, von welchen sich besser das Gegentheil behaupten
läszt, aber woher Hr. B. weisz, dasz die Odyssee um das Jahr 1000
v. Chr. (S. 71) entstanden ist, wären wir begierig zu hören. S. 77
würde es Hrn. B. schwer fallen 'einige Hundert unabhängige

Staaten', in Griechenland aufzuzählen, wenn man ihn beim Wort
nähme. Ebd. ist behauptet, dasz alle Bürger in den demokratischen
Verfassungen 'gleiche Rechte und gleiche Pflichten' hatten.
Diese Behauptung bezieht sich wol insbesondere auf die solonische
Verfassung, und ist falsch: es müste heiszen: die Bürger hatten im
Verhältnis zu ihren Pflichten angemessene Rechte. Eine auffallende
Unrichtigkeit findet sich S. 78, wo gesagt ist, dasz zwölf Städte
um die Ehre stritten, für deu Geburtsort Homers zu gelten. S. 79
befindet sich Hr. B. in einer Täuschung, wenn er meint, dasz die
sichere Zeitrechnung mit dem Jahr 776 v. Chr. beginnt. Ebd. kann
die Zahl von 39000 Kleren nicht für die Zeit Lykurgs, sondern erst
für die Zeit nach den messenischen Kriegen gelten. Es ist ferner
nicht wahr, dasz ein Familiengrundstück von 7—8 Heloten angebaut
wurde; es musz heiszen Helotenfamilien (S. 80). S. 86 ist eine ganz
falsche Auffassung von Prytaneia Schuld an einem Misverständnisse
über die 'ständige Regierung Athens'. S. 89 ist es falsch, dasz
Hippias in der Schlacht bei Marathon blieb, und da sich Hr. B. sonst
bei der Darstellung der persischen Kriege bemüht gerade die Ungereimtheiten des Herodot, wie z. B. die groszen Zahlen der persischen
Heere, gewissenhaft nachzuerzählen, so nimmt es uns Wunder, dasz
bei jenem Factum das schweigen des Herodot nicht maszgebend
war. Die Darstellung der persischen Kriege ist höchst langweilig:
über die Schlacht von Marathon weisz Hr. B. nichts anderes zu sagen, als dies: S. 89 'die Athener hatten die Spartaner zur Hilfe aufgefordert, aber diese zögerten aus einem abergläubischen Grunde,
nur 1000 Plataeer kamen rechtzeitig und halfen 10000 Athenern bei
Marathon die Perser besiegen.' Die Charakteristik des Miltiades besteht aus folgendem: 'Miltiades, ein vornehmer, reicher und unter-
nehmungslustiger Athener.' Da aber S. 87 die Athener überhaupt als
'unternehmungslustige Leute' geschildert werden und die zwei andern Epitheta kaum zur Charakteristik etwas beitragen, so ist eigentlich die ganze Phrase ganz inhaltslos. Ebenso ist aber Themistocles
(S. 90) 'ein auszerordentlich kluger und ehrgeiziger Mann.' Gleich
darauf ist von Aristides gesagt: 'auch er war ehrgeizig wie Themi-
stoeles.' Aber solchen Männern gegenüber wird eine That, wie des
Zopyrus, naeh Niebuhrs Urtheil 'eine Handlung der höchsten Schänd-
lichkeit und Nichtswürdigkeit' als 'aufopfernde List' hervorgehoben
(S. 57). S. 103 erscheint die Stadt Haliartus in einen Feldhern um-
gewandelt: 'Lysander wurde von dem Haliartus geschlagen.'
    Am schlimmsten steht es übrigens mit der römischen Geschichte,
und wir wollen auch hier die wichtigsten Punkte nur herausheben,
denn wenn wir alle Fehler dieses Buches nachweisen wollten, so
müsten wir dasselbe ganz abschreiben. Als das wichtigste werden
bei der römischen Geschichte unzweifelhaft die Verfassungsverhält-
nisse betrachtet werden müssen. S. 131 'Servius Tullius . . . das
wichtigste Werk dieses Königs ist aber seine neue Eintheilung des
römischen Volkes. Dieses bestand 1) aus Patriciern d. h. den Alt-

bürgern oder dem städtischen Adel, der alle Staatsämter verwaltete.'
Wir müssen gleich fragen, von welcher Zeit diese Eintheilung gilt.
Gilt sie von der ältesten, so ist es eine Ungereimtheit von einem
städtischen Adel'zu sprechen, da der Name, wie Hr. B. selbst anzunehmen scheint, die ganze städtische ursprüngliche Bevölkerung
begreift, aber von dieser ursprünglichen Bevölkerung hat Hr. B. freilich nirgendwo gehandelt. Weiter heiszt est: '2) den Plebejern d. h.
den Neubürgern, welche seit Tullus Hostilius freiwillig oder
gezwungen sich aus den andern Städten in Rom niedergelassen hatten.'
Warum gerade Tullus Hostilius als der Schöpfer der Plebs bezeichnet
wird, ist uns nicht klar geworden, man könnte mit gleichem Rechte
auch jeden andern König nennen. Weiter heiszt es: 'Servius Tullius
theilte die Stadt in 4 und das Land in 26 Bezirke (*regiones*); die einem
Bezirke angehörigen Plebejer bildeten einen (statt eine) Tribus';
doch die Streitfrage über die Richtigkeit dieser Behauptung wollen wir
lieber ganz bei Seite lassen. Hierauf werden statt V wieder VI (Druckfehler: IV) Classen der Centurien genannt; ein ganz grober Irthum
ist es aber, wenn Hr. B. meint, dasz die I. Classe 98! Centurien gehabt habe, und dazu noch die eigenthümliche Bemerkung macht: '18
Centurien der I. Classe dienten zu Pferd.' Er hätte ebenso gut sagen
können: die II. Classe hatte 40 Centurien und 18 dienten zu Pferd;
in Wahrheit aber gehören die Rittercenturien weder in die erste noch
in eine andere Classe, weil sie mit dem Census der Classen gar
nichts gemein haben. S. 133 heiszt es: 'die Consuln wurden
von dem Senate gewählt.' Eine solche unerhörte Unwissenheit
hätten wir dem Hrn. B. nicht zugemutet, weil wir eine solche Behauptung bei einem halbwegs gebildeten Manne des 19. Jahrhunderts
kaum voraussetzen möchten. Einen Schüler, welcher bei der Maturitätsprüfung eine solche Behauptung aussprechen würde, könnte kein
gewissenhafter Lehrer für reif erklären. Das Wesen des Senats begreift
Hr. B. nicht im entferntesten, denn wer nur irgend einen Begriff von
dem römischen Senate hat, der weisz vor allem andern, dasz es im
Wesen dieser Behörde lag Beschlüsse zu fassen, aber nie dieselben
selbst zu executieren. Eine ganz gleiche Unkenntnis beweist es, wenn
Hr. B. S. 134 behauptet, dasz die Volkstribunen gleich im Jahre 494
v. C. im Senate saszen. Andererseits aber bleiben nach der Darstellung des Hrn. B. die Volkstribunen auch durch die ganze römische
Geschichte hindurch an der Thüre des Senats sitzen. Ebenso unrichtig ist S. 136, dasz nur Senatoren zum Decemvirat gewählt werden
konnten. Im Jahre 367, sagt Hr. B., wären die Plebejer zu allen
Staatsämtern zugelassen worden (S. 138), während ihnen damals
nur erst das Consulat zugänglich wurde. Auch bei der darauf folgenden Uebersicht über die höhern Staatsämter in Rom fehlt durchaus
jede Genauigkeit sowol in der Angabe der Zeit der Einführung des
Amtes, als auch in Betreff des Umfangs der Geschäfte desselben. So
ist die wichtigste Amtsthätigkeit der Censoren nicht erwähnt: das Sit-
tenrichteramt und die senatus lectio. Ein Lustrum dauert nicht, wie

Hr. B. will, 4 Jahre (!), sondern fünf u. dgl. m. Dies mag genügen, um den Beweis zu liefern, wie wenig Hr. B. mit der römischen Verfassung vertraut ist. Oh es vernünftig ist, die älteste Geschichte aller frühern Völker mit Ausnahme der Juden, wie sich von selbst versteht, als 'ganz fabelhaft' zu erklären, und die älteste Geschichte Roms als ganz historisch darzustellen, darüber wollen wir mit ihm nicht rechten. Kaum dürfte sich dagegen vertheidigen lassen, dasz die Comitien der Curien und die Comitien der Tribus, sowie die tribuni militares consulari potestate, eine Behörde, welche beinahe ein Jahrhundert dauerte, ganz unerwähnt geblieben sind.

Kleinere Versehen erscheinen als unbedeutend gegenüber einer solchen Anzahl von Irthümern der Art, durch welche nicht blosz Flüchtigkeit in der Abfassung, sondern Mangel an klarer Einsicht in den wichtigsten Punkten der alten Geschichte sicher erwiesen wird. Von kleinern Versehen nur einige Beispiele. S. 141: 'P. Decius Mus, der Sohn des am Gaurus gebliebenen Consuls', soll heiszen 'am Vesuv'. S. 143 soll der erste punische Krieg bis 241, auf S. 145 bis 240 gedauert haben. S. 146: 'der Kriegsschauplatz war nun (sc. nach dem mislingen der Expedition des Regulus) wieder auf Sicilien und dem nahen Meere; die Römer siegten zu Lande bei Panormus, zur See am hermaeischen Vorgebirge.' Aber dieses Vorgebirge gehört weder zu Sicilien, noch fällt die Schlacht an demselben nach der bei Panormus. S. 153: 'Scipio starb auf seinem Landgute Liternum', als ob dieser Name dem Landgute zukäme! S. 175: Das unsittliche Verhältnis zwischen Antonius und Cleopatra kann doch nicht eine 'Heirat' genannt werden. S. 181. Bei der Angabe des Geburtsjahres Christi ist das Jahr 747 der Erbauung Roms mit dem 29. Jahre der Alleinherschaft des Augustus zusammengestellt. Dagegen ist S. 129 die Erbauung Roms auf 753 vor Christi Geburt angegeben, womit auch das 29. Jahr der Alleinherschaft des Augustus übereinstimmt. Wie es scheint, entspringt dieser Widerspruch aus der Benutzung verschiedener Hilfsmittel, deren entgegengesetzte Angaben Hr. B. nicht der Mühe werth gefunden hat in Einklang zu bringen.

IV. Anordnung, Form der Darstellung und Stil. Schon im groszen und ganzen entbehrt die Anordnung dieses Lehrbuches jedes vernünftigen Eintheilungsgrundes. In althergebrachter Weise wird begonnen mit der Geschichte der Chinesen, welche sowie die der Indier bis zur Gegenwart fortgeführt ist, dann folgen in buntester Reihe weder nach ethnographischen Gesichtspunkten, noch nach der historischen Folge ihres auftretens geordnet: Indien, das alte babylonische Reich, Assyrien, Medien, das neubabylonische Reich, Lydien, Cilicien, Syrien, Phönicien, Aegypten, das Volk Israël, endlich die Perser, Griechen und Römer. Mitunter wird bei einem Volke der betreffende Volksstamm, zu dem es zählt, bemerkt, doch keineswegs bei allen. Dazu musz der Name der Arier oder Indogermanen (S. 24 ff.) ganz unverständlich bleiben, da die Angabe fehlt, dasz er mit der S. 4 angewendeten Bezeichnung der Japhetiten zusammenfalle.

Man kann überhaupt die Bemerkung machen, dasz Hr. B. Namen viele
Seiten hindurch gebraucht, ehe er sich endlich herbeiläszt ihre Bedeutung zu erklären. Um unter vielen Beispielen nur éins zu erwähnen,
finden wir den Gebrauch griechischer Götternamen beständig ohne
irgend eine näbere Bestimmung von Seite 65—78, erst auf der 78. Seite
wird dann ein dürres Verzeichnis der hellenischen Götter gegeben.
In Bezug auf die Form der Darstellung wird niemand bei einem
Schulbuche poëtische oder rhetorische Färbung des Stils beanspruchen oder wünschen; aber die schlichte und edle Einfalt des Stils, die
hier Gesetz sein musz, benimmt den Forderungen der stilistischen
Correctheit nichts von ihrer Strenge und gibt kein Recht in gemeine
Trivialität herabzusinken. Von einer Nachlässigkeit in der stilistischen
Form, wie sie selbst einem Schüler des Untergymnasiums nicht dürfte
ungerügt bleiben, nur einige kleine Proben: S. 46: 'D i e Israëliten
gaben an die Phönizier Wolle, Weizen, Balsam, Vieh u. dgl. ab, und
empfiengen dafür Geld òder Tauschwaaren, aber in der Welt herum-
wandern konnte d e r alte Israëlite nicht, so lange e r a l s G o t t e s
V o l k im Jordanlande wohnte. Es war i h m geboten: bleibe im Lande
und nähre dich redlich! und das thaten d i e alten Israëliten. Sie bau-
ten jedes P f l ä n z c h e n an, wo nur eine zahme F r u c h t W u r z e l
fassen konnte' usw. — S. 80: 'Die Ephoren waren A u f s e h e r über
Markt und P o l i z e i.' 'Die curulischen Aedilen ü b e r w a c h t e n die
Polizei der Stadt' (in beiden Fällen sind die Polizeibeamten selbst
gemeint). S. 156 über das römische Consulat seit den Gracchen: 'wer
Consul wurde, d e r kommandierte Heere, führte Kriege, eroberte und
b r a n d s c h a t z t e ganze Länder (ein jeder Consul?), verwaltete Provinzen und wurde d a d u r c h nicht nur ein hochangesehener (nobilis),
sondern auch ein sehr reicher Mann, und seine Familie trat in die der
ersten römischen Familien ein, sie gehörte zur Nobilität' (und abgesehen von der Form dieses Passus, wird die Nobilität nur durch das
Consulat erworben?). — Dazu kommen öfter niedrige und vulgäre
Ausdrücke, die wir in einem Lehrbuche für Gymnasien nicht leicht erwartet hätten, Wiederholungen desselben Wortes und andere Nachlässigkeiten. S. 84: 'Die adeligen Geschlechter (in Athen) hoben
e n d l i c h auch das lebenslängliche Archontat auf und setzten ein 10jäh-
riges ein, e n d l i c h aber einen Archonten für ein Jahr ....' S. 99:
'Die Spartaner boten Frieden an, die Athener hingegen schlugen ihn
ab, bis ihr Stolz gekühlt wurde. D a s geschah bei Delium in Boeotien.'
S. 107: 'Bei d i e s e r Thronbesteigung hatte Philipp mit Illyriern und
Thraziern zu kämpfen, die Athener a b e r wollten Amphipolis w i e d e r
haben.' S. 159: 'Die Cimbern, welche ein römisches Heer an der
Etsch w e g g e j a g t h a t t e n.' S. 175: 'Oktavian hielt den Lepidus
für einen u n g e f ä h r l i c h e n W i c h t.' S. 183: 'Nero w o l l t e Musi-
ker, Säuger und Dichter sein, u n d verübte d a n e b e n bübische Streiche.'
Besondere Vorliebe scheint Hr. B. für das pronomen demonstrativum
zu hegen; abgesehen von vielen Unterabtheilungen beginnen allein
13 H a u p t s t ü c k e des Buches mit 'dieser'. Auszerdem ist zu tadeln

der häufige Gebrauch des 'auch', der jede Möglichkeit einer wahrhaft
erzählenden Form aufhebt, und ebenso störend sind die beständigen
'usw.', wie auch die gewöhnliche und unhistorische Form, wo irgend
ein allgemeiner Satz durch einige 'z. B.' erläutert ist: 'Den Griechen
eigenthümlich waren die Philosophen, z. B. die sieben Weisen;' und
in ähnlicher Weise liesze sich noch manches zum Theil stärkere her-
vorbeben.

V. Schreibung und Druckfehler. Wenn wir ·auch die überaus
zahlreichen Druckfehler und manche erst in letzter Zeit berichtigte
oder doch noch controverse Schreibungen, wie Mitylene oder Mytilene,
Larissa oder Larisa, Arginusen oder Arginussen u. dgl. unberührt lassen wollen, so findet sich doch eine ganze Reihe der offenbarsten
Irrungen in der Schreibung der Eigennamen, und selbst bei manchen zum Theil richtig geschriebenen Namen kehrt die falsche Form
so oft wieder, dasz auch hier nicht alle Fälle zu den bloszen Druckfehlern zu rechnen sind. So lesen wir S. 5 'das ägäische Meer', aber
S. 33, 62, 88, 89, 106 das 'ägeische Meer'; ähnlich S. 75: 'Phokea';
ebd. und überhaupt immer 'Jouer, jonisch' statt 'Ioner, ionisch'; noch
auffallender sind die Vertauschungen des i und y: S. 56 'lybisch',
S. 65 'Syphnus', ebd. und S. 95 'Sycion', S. 76 und 124 'Stagyra',
S. 160 'Bylhinien'. Aehnlich ist die κιϑάρα S. 27 zur 'Cyther' geworden. S. 40 und 41 'Psametich' neben 'Psammenit', S. 64 'Cepha-
lenia', S. 97 'Dyrhachium', S. 111 'Codomanus', S. 171 'cimerischer
Bosporus'; die Vaterstadt des Hesiod heiszt S. 78 'Askrae', als wäre
der griechische Name derselben Άσκραι; dem entsprechend S. 102
'Phylae' für 'Phyle', S. 62 'Tesproter', S. 76 'Borystenes', S. 112
'Tapsacus', dagegen S. 126 'das thyrrenische Meer', S. 173 'Renus',
aber S. 177 'Rhætien', S. 40 'Tutmosis'; der letzte König von Baby-
lonien ist S. 54 'Nabconid' statt 'Nabonetus' (Nabunita, Duncker Gesch.
des Alt. I 475 Anm.); S. 64 'chelonytischer' für 'chelonatischer Meerbusen', S. 64 und 91 u. a. O. 'Trözene', S. 93, 96 u. a. O. 'Piraeus'
für 'Piraeeus'. S. 137 hören wir von 'senonischen', S. 142 'sennoni-
sehen Galliern', S. 143 'M.' statt 'M.' (Manius) Curius Dentatus, S. 158
'Bochus' für 'Bocchus', S. 159 'die carmischen Alpen', S. 161 'das
aesquilinische Thor', S. 177 'Boiehemum' für 'Boihemum', S. 102
'Sagdianus' für 'Sogdianus', S. 111 'Bagoos' für 'Bagoas', S. 108
'Abiae' für 'Abae', S. 128 'Kreton' für 'Kroton' usw. Offenbar ist
die Mehrzahl dieser Fehler mehr der Nachlässigkeit des Schriftstellers
als der des Schriftsetzers zuzuschreiben. Dazu kommen sonstige Inconsequenzen, wie, wenn zwischen den sonst aufgenommenen lateinischen Namensformen mitunter die griechische Form beibehalten wird:
S. 75 die schon erwähnte Phokaea, S. 74 Cadmeionen, 82 Eira, 101
und 103 Aegos Potamos. Mischformen: 'Corsika' S. 61 u. a. O. dagegen 33: Corsica; S. 62 der maliakische Meerbusen neben dem am-
bracischen Meerbusen. Auch die Dorier S. 66 u. a. O. wollen zu den
lateinischen Formen nicht passen. Auch sonst findet sich mancherlei
auffallendes bei den Endungen der verdeutschten Volksnamen, wie

wenn S. 76 die *Φωχαιεῖς* und S. 108 die *Φωχεῖς* in gleicher Weise als Phocier benannt werden, endlich im folgenden S. 95 gar die letz-teren als Phocaeer vorkommen. Ebd. findet man die 'Persier', S. 99 'Mityleneer', S. 105 und 108 die 'Arcadier', S. 141 nebeneinander die 'Peligner' und die 'Marsen', S. 146 die 'Karthager', S. 147 die 'Kar-thagen'. Auch die Bezeichnung der altitalischen Völker als 'Italie-ner' S. 66 ist neu. Das hebraeische Chet wird bald durch h bald durch ch gegeben (so S. 4 Noah neben *Cham*), schin bald durch s bald durch sch (S. 17 Schinear, S. 40 Sissak) usw.

VI. Die Tendenz des Bumüllerschen Lehrbuchs. Ein Lehrbuch, welches darauf Anspruch macht, in katholischen Schulen einge-führt zu werden, hat eine schwierige und grosze Aufgabe zu lösen. Wiewol der Katholicismus aus jedem Kampf neugekräftigt hervorgegangen ist, so wird doch von keinem besonnenen geleug-net werden können, dasz derselbe seit der Aufhebung des Jesui-tenordens seine Stellung in der Wissenschaft andern Confessionen gegenüber nicht mehr so glänzend geltend gemacht hat. Es ist die Aufgabe der Gegenwart gleich jenem Orden, der seiner Zeit auf der Höhe der Wissenschaft stand, auch in dieser Beziehung dem Katho-licismus den alten Vorrang wieder zu gewinnen. Ein geschichtliches Lehrbuch, welches in katholischen Schulen eingeführt werden will, wird demnach nicht nur allen denjenigen wissenschaftlichen Anfor-derungen genügen müssen, welchen die zum Theil vorzüglichen prote-stantischen Schulbücher entsprechen, sondern es wird nothwendig sein, dasz es dieselben weit übertrifft. Wenn aber schon das vorliegende Buch durch seine vorhin nachgewiesenen Mängel kaum im Stande sein dürfte irgend einem protestantischen Lehrbuch an die Seite gesetzt zu werden, so möchten wir behaupten, dasz es in Hinsicht seines Gehalts nicht nur, sondern auch in Hinsicht seiner Tendenz die christliche und religiössittliche Gesinnung der Schüler zu stärken nicht geeignet ist. Die gröszten Päpste aller Jahrhunderte haben sich für die grosze Be-deutung des Studiums der Alten ausgesprochen. Namentlich hat Pius II. Fürsten und Gelehrten das Studium der alten Geschichte mit begeister-ten Worten empfohlen, indem sich der Geist Gottes sichtbar in den Schicksalen der unerlösten Menschheit erkennen lasse (vgl. die Briefe Pius II. an Herzog Sigmund von Tyrol). Gerade an dem religiösen Bedürfnisse, welches die alte Welt durchdrang und in den verschie-denartigsten Aeuszerungen zur Erscheinung kam, soll dem Schüler klar gemacht werden, dasz selbst die schönsten und edelsten Formen ihrer Religionsanschauungen ohne das belebende Wort Gottes nicht zum Heil der Menschen ausschlagen konnten, sondern dasz das Bedürf-nis einer allgemeinen Religion in den Völkern, welche die Vor-sehung in einen groszen Staat verschmolzen hatte, immer lebendiger wurde und zur Auflösung des alten Cultus führte, der, nachdem er in einer Reihe von Entwicklungen alle Phasen seines Lebens durchge-macht, endlich fähig wurde das Christenthum zu empfangen. Wir dür-fen die Anforderung einer solchen Darstellung an ein katholisches

Schulbuch um so eher stellen, als wir einen Gewährsmann wie Paulus
Orosius für diese Auffassung anführen können. Von dem h. Augustin
aufgefordert die Geschichte des Alterthums darzustellen, wuszte dieser
Mann in bewunderungswürdiger Weise die historische Wahrheit mit
dem christlichen Sinne zu durchdringen, und er hat sich dabei keineswegs des Mittels bedient die Religion der alten Völker als etwas absolut verächtliches oder lächerliches darzustellen, sondern er sucht
die guten und edlen Seiten derselben hervorzukehren, um zu zeigen,
dasz trotz dieser das Christenthum das gröszte Bedürfnis für die
Menschheit geworden war. Hr. Bumüller dagegen hat den entgegengesetzten Weg eingeschlagen; er hat das religiöse Gefühl der alten
Völker herabzuziehn, ja! fast möchten wir sagen, geradezu in den
Koth zu treten gesucht. Hierin liegt der Hauptvorwurf, welchen man
dem Bumüllerschen Lehrbuch vom katholischen Standpunkte aus leider
machen musz. Gleich der Abschnitt über die Religion der Inder ist so
dargestellt, als ob dieselbe nur den allergröbsten Wahnsinn enthielte.
Gerade die bessern Theile derselben, welche eine dunkle Ahnung der
wahren Religion schon verrathen, sind dabei gänzlich übergangen, so
die Vorstellung der indischen Trimurti. Es wird im Gegentheil nur
von den unzähligen Göttern gesprochen, während nach der Lehre der
indischen Religion diese nur verschiedene Formen der Erscheinung der
Gottheit sind. Gleich darauf wird dann behauptet, dasz in 'Waschungen
und ähnlichen Dingen' das Wesen der indischen Religion bestehe.
Die Lehre von der Unsterblichkeit der Seele ist nur nebenbei erwähnt,
dagegen die Seelenwanderungslehre auf die allertrivialste Weise dargestellt. Für den christlichen Unterricht wäre es, wie gesagt, gerade
nöthig darauf hinzuweisen, wie achtungswerth an sich das starke religiöse Gefühl bei den alten Völkern war, wie aber der Mensch, der
von Gott selbst nicht geleitet wird, Misgriffe thut bei der Befriedigung
seines religiösen Bedürfnisses. Dagegen zieht es Hr. Bumüller vor
dieses religiöse Gefühl der alten Völker zu schmähen, indem er unter
andern die 'braminische' Religion ganz ungerechtfertigt und unbegründet eine 'Religion des Hochmuts' nennt. Freilich um zu zeigen,
wie das dem Menschen innewohnende religiöse Bedürfnis allmälig
durch die Geschichte und die Schicksale der Völker geleutert, und
diese so dem groszen Erlösungswerke entgegengeführt wurden, dazu
freilich müste man nicht mit der Religion der Inder beginnen, als mit
einer von der einfachen ursprünglichen Gestalt bereits weit entfernten,
vielmehr müste eben jene Entwicklung des religiösen bewustseins
nachgewiesen werden, oder wenigstens der Gedanke derselben in der
Darstellung und Anordnung als leitender zu erkennen sein. Davon
findet sich bei Hrn. B. keine Spur, namentlich nichts von einer Entwicklung, die Darstellung ist vielmehr ganz ungeordnet und wie zufällig durcheinander geworfen. Ueber die indische Religion ist ziemlich viel gesagt, auch über den babylonischen Religionscultus und
über den phönizischen; dann folgt dürftigeres über den aegyptischen
Cultus; ausführlicher wird die Zendreligion behandelt, allein über die

griechische Religion schreibt Hr. B. nur zwei Zeilen, wo, wie oben erwähnt, die olympischen Götter g e n a n n t s i n d , über die römische Religion sagt er gar nichts. Hr. B. widerspricht also in der That den von uns gestellten Anforderungen; je niedriger die Stufe des religiösen bewustseins eines Volkes ist, desto ausführlicher spricht er über die Religion desselben. Wie soll aus einer so verkehrten Darstellungsart einem Knaben die providentielle Nothwendigkeit des Christenthums einleuchtend gemacht werden? Wird er auch nur ahnen können, welche Wohlthat das Wort Gottes für die unerlöste Menschheit war, wenn er auch nicht im mindesten darauf aufmerksam gemacht wird, mit welcher Macht sich bei den alten Völkern das r e l i g i ö s e Bedürfnis, und auf letzter Stufe geradezu das Bedürfnis nach der Erlösung durch Christum geltend gemacht hat? Wir wollen uns kein Urtheil darüber erlauben, aus welchen Gründen Hr. B. diesen Misgriff gemacht hat, so viel ist aber gewis, dasz er überall dort, wo der edlere sittliche Geist eines Volkes zur Erscheinung kommt, eine unbegreifliche Misachtung dessen an den Tag legt, was der menschlichen Natur als das heiligste innewohnt. So namentlich bei den Griechen, deren Heldensage er mit einer beispiellosen Trockenheit referiert. Wir begnügen uns insbesondere auf die Abschnitte über Herakles und Theseus hinzuweisen.

Besonders schneidend aber tritt die gerügte Geringschätzung der sittlichen Bestrebungen der Völker in dem Capitel: ' die Griechen als Nation' S. 77 hervor. Auf die höhere sittliche Bedeutung des Amphiktyonenbundes wird dort kein Gewicht gelegt, dagegen fast mit Hohn hervorgehoben, dasz ' das Gericht der Amphiktyonen nie allgemeine Anerkennung seiner Aussprüche erlangte', was noch dazu an sich unwahr ist. Ebenso ist bei den religiösen Festen der Griechen mit einer gewissen Absichtlichkeit die geistige Anregung, welche dieselben übten, die grosze Bedeutung, welche sie für Dichter und Schriftsteller hatten, v e r s c h w i e g e n , aber das Wettrennen, das Scheibenwerfen, ja sogar der Faustkampf, der in der guten Zeit nie vorkam, ist scharf betont. Wir sprechen hier von Absichtlichkeit, weil wir nicht annehmen können, dasz Hrn. B. die Beziehungen der gröszten Schriftsteller und Dichter Griechenlands (Herodot, Pindar usw.) zu den religiösen Festspielen unbekannt seien.

Auch die übrigen groszen Leistungen der Griechen in Litteratur, Kunst und Philosophie werden (natürlich ebenfalls in der von uns characterisierten trivialen Weise) nur obenhin behandelt, doch entspricht hier die Kürze dem Zwecke eines für das U n t e r g y m n a s i u m bestimmten Lehrbuchs, wenn aber von Sokrates, an einem Orte, wo die Sache gar nicht hingehört, nur nebenbei bemerkt ist: ' der 399 den Giftbecher trinken muste', so ist dies ein neuer Beweis, dasz Hr. Bumüller die Schüler für die Groszthaten des Alterthums n i c h t e m pf ä n g l i c h m a c h e n w o l l t e .

16.

Ueber die Handbücher der Weltgeschichte von W. Pütz.
Eine offene Besprechung. Zweite Sendung. (Vgl. Supplem.-
Bd. XIX S. 472 ff.)

Als der unterzeichnete die 'erste Sendung' seiner Beurtheilung
der bekannten Pützschen Geschichtshandbücher erscheinen liesz, glaubte
er deutlich genug angegeben zu haben, dasz es keineswegs in seiner
Absicht läge, eine v o l l s t ä n d i g e Beurtheilung dieser Werke zu liefern. Wären jene Handbücher erst frisch auf den Büchermarkt gekommen, dann allerdings wäre es die Aufgabe des Recensenten gewesen,
auch auf die V o r z ü g e einzugehen; nun aber, wo dieselben in vielen
Auflagen und Uebersetzungen vorlagen, bedurfte es des Lobes nicht,
aber wol schien es an der Zeit zu sein, darauf aufmerksam zu machen,
dasz trotz der vielen Auflagen jene Werke nicht ohne Vorsicht gebraucht werden dürften. Um dieses Urtheil zunächst in Bezug auf die
g e o g r. und h i s t o r. A n g a b e n zu erhärten, wurde eine Reihe von
Nachweisen geliefert. Damit sollte aber k e i n e s w e g s gesagt sein,
dasz man alle übrigen historischen Angaben für unantastbar hielte.
Beispielshalber wollen wir nur, ehe wir zu wichtigern Punkten übergehen, eine. kleine Nachlese auf dem Gebiete d e r a l t e n G e s c h i c h t e
anstellen.

§ 64 heiszt es: 'Die Spartaner v e r m o c h t e n n i c h t d i e E m -
p ö r t e n u n t e r d a s a l t e J o c h z u b e u g e n, denen die Athener das
kurz vorher den ozolischen Locrern entrissene Naupaetus einräumten.'
Diese Worte scheinen fast eine freie Uebersetzung von Diod. XI 64
extr. zu bieten: οἱ δ᾽ εἵλωτες πανδημεὶ τῶν Λακεδαιμονίων ἀφεστῶτες
συνεμάχουν τοῖς Μεσσηνίοις, καὶ ποτὲ μὲν ἐνίκων, ποτὲ δὲ ἡττῶντο.
Ἐπὶ δὲ ἔτη δέκα τοῦ πολέμου μὴ δυναμένου διακριθῆναι, διετέλουν
τοῦτον τὸν. χρόνον ἀλλήλους κακοποιοῦντες. Allein hiermit hat Diodor
nicht das E n d e des Kriegs erzählt, und wollte man seiner Darstellung
nun einmal folgen, so hätte auch XI 84 nicht unbeachtet bleiben dürfen: κατὰ γὰρ τὸν αὐτὸν χρόνον οἱ Λακεδαιμόνιοι πρὸς τοὺς εἵλωτας
καὶ Μεσσηνίους πεπολεμηκότες ἐπὶ πλεῖον, τότε κρατήσαντες ἀμ-
φοτέρων, τοὺς μὲν ἐξ Ἰθώμης ὑποσπόνδους ἀφῆκαν, καθότι προεί-
ρηται, τῶν δ᾽ εἱλώτων τοὺς αἰτίους τῆς ἀποστάσεως κολά-
σαντες τοὺς ἄλλους κατεδουλώσαντο. Und hiermit stimmt vollkommen
Thucyd. I 103. Pausan. IV 24 extr. — In der Geschichte des ersten
messenischen Kriegs (§ 60) lesen wir, der K ö n i g Aristodemus habe
seine Tochter zum Opfer angeboten. Nun lebte aber damals noch
Euphaës, König der Messenier; erst nach dessen Tode, der sechs Jahre
später erfolgte, wurde Aristodemus zum Könige gewählt. Pausan. IV
9 u. 10. — Dem § 61 zufolge wäre die Wahl der Archonten d u r c h s
L o o s bereits unter Solon angeordnet worden. Abgesehen von der
Unrichtigkeit (vgl. Hermann. Griech. Antiq. I § 103 ff. § 112), steht

dieses auch im ausdrücklichen Widerspruche mit dem, was etliche
Seiten weiter über Klisthenes in unserm Handbuche erzählt wird. —
§ 53 c: 'Schon die Urenkel des Danaus theilten das Reich in zwei:
A r g o s und T i r y n s, welches letztre unter den Söhnen des Perseus
abermals in zwei Reiche: T i r y n s und M y c e n ä zerfiel' — undeut-
liche und misverständliche Abkürzung des allerdings verwickelten
Mythus! Es gewinnt nemlich hiernach den Anschein, als ob bei der
Theilung zwischen den Urenkeln des Danaus, Acrisius und Proetus,
ersterer, des Perseus Groszvater, eben Tiryns bekommen hätte, während das umgekehrte der Fall ist, und erst zwischen Perseus und Mega-
penthes eine andere Regulierung der Länderverhältnisse erfolgte. S.
Jacobi Handwörterb. der griech. und röm. Mythol. s. v. — Ebd. d:
'Pelops kam, nachdem sein Vater Tantalus, König in Sipylus, durch
die Troer vertrieben worden war *), aus Phrygien, nahm Pisatis und
Arcadien ein, und seine Söhne Atreus und Thyestes gewannen die
Herschaft von Mycenä und Tiryns' . . . Um von letztrer Angabe,
die zum mindesten eine unklare ist (vgl. übrigens Jacobi s. v. Atreus),
ganz abzusehen, so wäre doch noch nachzuweisen, wo denn eine Ein-
nahme von A r c a d i e n ausdrücklich erwähnt würde. Oder bieten die
Worte einen Druckfehler statt 'u n d O l y m p i a' nach Pausan. V 1:
Πέλοψ δὲ ἀποθανόντος Οἰνομάου τήν τε Πισαίαν ἔσχε καὶ Ὀλυμπίαν
ἀποτεμόμενος τῆς Ἐπειοῦ χώρας ὅμορον οὖσαν τῇ Πισαίᾳ? Möglich
wäre es aber auch, dasz jene Angabe eine eigene Auslegung wäre von
Diod. IV 73 extr.: παρέλαβε τὴν ἐν Πίσῃ βασιλείαν καὶ διὰ τὴν ἀν-
δρείαν καὶ σύνεσιν ἀεὶ μᾶλλον αὐξόμενος τοὺς πλείστους τῶν κατὰ τὴν
Πελοπόννησον οἰκούντων προσηγάγετο. — Im § 55 ist nicht abzusehen, warum der Verf. abweichend von den bewährteren und bekannteren Klassikern, Homer, Ovid usw., den Mythus von Theseus und
Ariadne nach der weniger beachtenswerthen Version des Diodor und
etlicher Scholiasten erzählt. Vgl. Preller griech. Mythol. II S. 198.
Jacobi s. v. — Bei den Bedingungen des antalcidischen Friedens hätte
wol der Vollständigkeit und Richtigkeit wegen — da, wo es heiszt:
'.... dem Perserkönige das asiatische F e s t l a n d überlassen'....,
eingeschaltet werden können 'nebst den Inseln C y p e r n und C l a z o-
m e n a e' (welches letztere erst unter Alexander durch einen Damm mit
dem Festlande verbunden wurde; vgl. Schneider zu Xenoph. Hellen.
V 1 31). — In § 68 ist von einem dreimaligen Zuge der Thebaner
gegen Alexander von Pherae die Rede, und zwar sei 'auf dem e r s t e n
Zuge Pelopidas in die Gefangenschaft des Tyrannen gerathen, auf dem
z w e i t e n durch Epaminondas befreit worden, auf dem d r i t t e n sie-
gend bei Kynoskephalae gefallen.' Die Sache verhält sich jedoch
ganz anders. Plutarch. Pelop. 26—32: I. Pelopidas fällt mit einem
Heere in Thessalien ein, erobert Larissa, sucht die Eintracht zwischen
Alexander und den Thessalern herzustellen usw. Nachdem er die

---

*) S o, abweichend von der v e r b r e i t e t e r e n Behandlung dieses
Mythus, nach Diodor IV 74 extr.

Thessaler gegen Alexander sicher gestellt hat, dringt er nach
Macedonien vor, wo Thronstreitigkeiten ausgebrochen waren. Als
er auch dort die Verhältnisse geordnet hatte, kehrte er mit
einer Anzahl Geiszeln, worunter auch der nachmalige Philip-
pus II., nach Theben zurück. II. Neue Klagen gegen Alexander
veranlassen eine abermalige Intervention der Thebaner in Thessalien. Pelopidas und Ismenias werden als Gesandte und o h n e
H e e r abgeschickt. Als sich aber die Lage der Dinge darnach gestaltete, sammelte Pelopidas rasch ein ziemlich unbeträchtliches Heer
von Thessalern, zieht mit diesem gegen Alexander, wird jedoch,
als er, um mit dem Tyrannen zu unterhandeln, in einiger Entfernung
vom Heere vorauf und jenem entgegengegangen war, verrätherischer
Weise gefangen genommen. III. Jetzt schicken die Thebaner ein
Heer zur Befreiung des Pelopidas und Ismenias ab, und zwar zunächst
unter andern Feldherrn, n i c h t unter Epaminondas. IV. Als diese
jedoch nichts ausrichteten, wurde Epaminondas abgeschickt, Pelopidas
und Ismenias frei. V. Neuer Zug des Pelopidas. Sein Tod bei Kynoskephalae. VI. Rachezug der Thebaner mit 4000 M. zu Fusz und 700 M.
Reiterei. Alexander gedemütigt. — § 72 werden die Moeren mit Plu-
ton zusammengestellt und zu Gottheiten der Unterwelt gemacht. Vgl.
dagegen unter andern Preller griech. Mythol. I 227. — § 105 wird
gesagt, die comitia tributa seien überhaupt ohne Auspicien angestellt
worden statt: 'die comitia tributa haben auch ohne Anstellung von
Auspicien Gültigkeit.' — Im § 140 läszt der Vf. den Sertorius in
Africa, nachdem er aus Spanien dorthin entwichen war, Mauretanien
erobern. So wenig nach Plutarch. Sertor. 9, als nach irgend einem
andern Schriftsteller hat Sertorius Mauretanien erobert. Vielmehr
nahm er bei Thronstreitigkeiten in Mauretanien g e g e n den von cilici-
schen Seeräubern unterstützten Ascalis Partei, besiegte denselben,
sowie auch den von Sulla geschickten Römer Paccianus, eroberte die
Stadt Tingis, wohin sich Ascalis geflüchtet hatte, und ordnete darauf
die Reichsangelegenheiten zur Zufriedenheit der Mauretanier. — Die
Schlacht bei den aegatischen Inseln wird im § 119 ins Jahr 241 statt
ins J. 242 verlegt. Der Friedensabschlusz fällt ins Jahr 241, nicht aber
zugleich die Schlacht. — § 147: 'doch Pompejus ... beharrte bei dem
Plane, den Gegner durch Hunger aufzureiben, b i s d i e s e r d u r c h
v e r s t e l l t e (sic!) F l u c h t die entscheidende Schlacht bei Pharsalus
48 erzwang'. Vgl. damit Caesar b. civ. III 85: Caesar, nulla ratione ad pugnam elici posse Pompeium existimans, hauc sibi commo-
dissimam belli rationem indicavit, uti castra ex eo loco moveret sem-
perque esset in itineribus: *hoc spectans, ut, movendis castris pluri-
busque adeundis locis, commodiore frumentaria re uteretur: simulque
in itinere ut aliquam occasionem dimicandi nancisceretur et insoli-
tum ad laborem Pompeii exercitum quotidianis itineribus defatigaret.*
Cap. 86: Pompeius quoque, ut postea cognitum est, suorum omnium
hortatu statuerat proelio decertare. — § 151: 'Zunächst erregte Antonius durch seine Leichenrede auf Caesar die Wuth des Volkes gegen

dessen Mörder, worauf diese Rom verlieszen und in die ihnen von
Caesar verliehenen P r o v i n z e n a b g i e n g e n: Dec. Brutus nach
Gallia cisalpina, M. Brutus naeh Macedonien, C. Cassius nach Syrien;
dann trieb er mit Caesars Papieren . . . . den frechsten Misbrauch.' —
Wenn auch die Geschichte gerade jener Zeit eine höchst verwickelte
ist (vgl. Drumann), so kann doch schwerlich in dieser Weise die
Sache übers Knie gebrochen werden. Um nicht zu weitläuftig zu werden, so lassen wir hier blosz' einen kleinen Abschnitt aus Drumann
No.-XXII § 3 folgen: 'Vergebens erwartete M. Brutus eine Bewegung
zu seinen Gunsten, und als er um die Mitte des April sich entfernt
hatte, verweilte er in gleich nichtiger Hoffnung in der Nähe auf seinen Gütern. Er fragte bei Antonius an, ob er am 1. Juni mit Sicherheit im Senate erscheinen könne, und durch die Antwort und dén
Zusammenflusz der Veteranen in Rom wenig ermutigt, durch die Berathungen mit Cicero, welcher ihn bei seiner Unthätigkeit lieber ganz
gemieden hätte, und mit andern wenig gefördert, erfuhr er zu seinem
grösten Misvergnügen, dasz er bestimmt sei, in Greta Getreide zu
kaufen. Nun sollten die Apollinar-Spiele entscheiden; er gab sie im
Juli als Praetor durch andre, während er auf der Insel Nesis bei Pu-
teoli der Wirkung auf das Volk entgegensah; es unternahm nichts für
ihn, Antonius drohte, und Brutus schiffte endlich im September von
Velia nach Athen, um-Macedonien, die ihm von Caesar überwiesene
Provinz, in Besitz zu nehmen, und der Gewalt mit Gewalt zu wider-
stehen' — usw. Auch Cassius bleibt bis zum September in der Nähe
Roms (s. Drum.); n u r Decimus Brutus war damals gleich nach dem
cisalpinischen Gallien abgezogen. — Durch das 10 Zeilen weiter folgende: 'Als Antonius beim Volke durchsetzte, dasz D. Brutus das
cisalp. Gallien gegen Macedonien (dem M. Brutus ward Creta statt
Macedonien als Provinz angewiesen)' . . . . usw. — macht der Vf.
unsres Handbuchs die Sache erst recht verworren, wie man aus den
angeführten Worten Drumanns ersehen kann. Ob nicht vielleicht die
Worte von Florus IV 7: *ne tamen publici doloris oculos ferrent, in
provincias ab illo ipso, quem occiderant, Caesare datas, Syriam et
Macedoniam, concesserant* — ersterer Stelle des Handbuchs zu Grunde
liegen? — Ebd. 'Der mutinische Bürgerkrieg. . . . . . Pansa f i e l
i m e r s t e n G e f e c h t e, ebenso Hirtius in der Schlacht bei Mutina.'
— Am 15. April hatten 3 Gefechte statt; im d r i t t e n ward Pansa
v e r w u n d e t; er wurde nach Bononia gebracht (Cie. ad Fam. XI 13.
Appian. III 570), wo er gleich nach der Schlacht bei Mutina starb,
etwas später als Hirtius. — Also nach Drumann und den Alten.

Sed haec hactenus. Wollte man noch solche Stellen heranziehen,
wo durch eigenthümliche Ausdrucksweise zu Misverständnissen Anlasz
gegeben wird, so würde das Verzeichnis der Ungenauigkeiten noch
um ein nicht unbedeutendes anwachsen. Doch da in solchen Fällen
eine einfache E r k l ä r u n g über die histor. Bedenklichkeiten hinweg-
hilft, so schweigen wir lieber hiervon gänzlich. Indessen fällt uns hier
eine Unbedachtsamkeit des Vf. ein, wo der Lehrer, wenn er die Sache

erklären sollte, den Schülern gegenüber in die allergröste Verlegenheit gerathen würde. Im Handbuche der neueren Geschichte § 32 ist zu lesen: ... 'Pompadour, die Ludwig XV. durch die manigfaltigsten Zerstreuungen (im Hirschpark) fortwährend zu fesseln wuste.' Wozu diese Parenthese? Soll der Lehrer die Sache erleutern?! Das kann Hr. P. nicht gewollt haben; denn er wird mit jedem gewissenhaften Erzieher einverstanden sein, dasz man sich im Lehrfache kaum etwas schrecklicheres denken könne, als wenn der Lehrer vor der Phantasie seiner Zöglinge unzüchtige Bilder vorüberführen wollte, wodurch vielleicht manche unschuldige Seele mit dem Pesthauche des schmählichsten Lasters inficiert würde. Wird aber die Sache nicht erklärt, so wird dadurch erst recht die ungeordnete Neugierde manches jungen Mannes gereizt und er holt sich Aufklärung — Gott weisz in was für Büchern!

Wenn der Geschichtsunterricht an den höhern Bildungsanstalten weniger zu dem Ende eingeführt ist, dasz die Schüler ein Conglomerat von einzelnen historischen Daten in ihr Gedächtnis aufnehmen, als zu dem Ende, dasz das Gemüt gebildet und veredelt, dasz sittlicher Ernst geweckt und genährt werde, — dasz Gesinnungstüchtigkeit erwachse so in Beziehung auf die höchsten Interessen der Menschen, die Religion, wie in Beziehung auf die allgemein-menschlichen Verhältnisse und das Vaterland: dann hat derjenige, der es übernommen, ein Schulhandbuch der Weltgeschichte zu schreiben, die unabweisbare Aufgabe, durch die Art und Weise seiner Darstellung für die Erreichung jenes schönen Zieles zu wirken; er hat seinem Werke einen Geist einzuhauchen, oder vielmehr, sein Werk musz von einem Geiste durchweht sein, der jenem Endzwecke entspricht. Ist das bei unsern Handbüchern der Fall?

Die Geschichtsstunden sind wesentlich auch dazu bestimmt, dasz die Zöglinge im mündlichen Vortrage geübt werden. Daher musz das Geschichtsbuch, was ihnen in die Hände gegeben wird, durchaus in einem correcten und gefälligen Stile geschrieben sein. Es mag ein Lehrer die höchst sonderbare Methode haben, die betreffenden Abschnitte des Handbuchs auswendig lernen zu lassen oder nicht, immer nimmt der Schüler unglaublich viel in Beziehung auf sprachliche Darstellung aus dem eingeführten Geschichtshandbuche an. Wie ist denn der Stil unsers Handbuches? Proben werden dies wahrnehmen lassen; und diese Proben sind nicht etwa nach langem Suchen, sondern bei einem ganz flüchtigen Durchblättern gefunden worden. — Komisches. § 21. B 2: 'Auf diese Nachricht eilte Cambyses nach Persis zurück und starb ohne Kinder in Folge einer Verwundung am Schenkel.' — § 68: 'Agesilaus starb auf dem Rückwege von einem Zuge nach Aegypten, um dort eine Empörung gegen die Perser zu unterstützen.' — § 119: ... 'indem P. Claudius Pulcher (Appius des Blinden Sohn), welcher die heil. Hühner in die See werfen liesz, bei einem Angriffe auf die punische Flotte geschlagen wurde.' — § 147: 'Einige Tage nach der Ermordung seines Schwiegersohnes erschien Caesar vor Alexandrien und beweinte ihn.' — § 155: 'So wurden, um Spanien zu beruhigen, die noch unbezwungenen Cantabrer und Asturier von Agrippa völlig unterworfen.' — Sonderbares. § 10: 'Berosus, Priester des Bel und Astrolog zu Babylon, schrieb Βαβυλωνικά, nach alten, einheimisehen, zu Babylon aufbewahrten Schriften und nach bedruckten gebrannten Steinen, und umfasste die babylonische, assyr. und med. Geschichte.' — § 76: 'Jenseits des Hydraotes betrat Alexander das Gebiet der freien Inder, welche das Nomadenleben noch nicht gänzlich verlassen und keine Könige hatten.' — § 40: 'Die Feinde des Hamilcar klagten ihn (i. e. Hamilcar) an, als sei er' etc. — § 124: 'Hannibal floh .... zum Könige Prusias von Bithynien und nahm, als er sich von diesem verrathen glaubte, Gift.' — § 122: 'Dann zog er auf dem schwierigern und deshalb nicht geahnten Wege durch die Sümpfe am Arnus, erfocht einen dritten Sieg am See Trasimenus über die ungeübten Legionen des Consuls Flaminius, welcher mit dem grösten Theile seines Heeres umkam, gieng dann aber nicht auf Rom los . . .' Und derartige 'Sonderbarkeiten' liefert jeder Abschnitt. — Ungrammatisches. § 6, V: 'Die gefangenen Krieger und die am letzten Aufstande am meisten betheiligten . . .' (statt: welche betheiligt gewesen waren!) — § 61: 'Solon declamierte im verstellten Wahnsinne.' — § 147: 'Caesar erzwang durch verstellte Flucht die Schlacht.' — § 65: 'Pericles liesz dem Areopag (auf den Vorschlag eines gewissen Ephialtes) die Entscheidung in Rechtsfällen' etc., d. h. 'Ephialtes schlug diese Masregeln dem Pericles vor', heiszt aber nicht: 'Ephialtes sei des Pericles Werkzeug gewesen', was der Vf. eigentlich sagen wollte. — § 66: 'Der in Boeotien gereifte Plan' u. dgl. Ueberhaupt hat das bestreben, möglichst viele Angaben in éinen Satz hineinzuzwängen, zu einem (schonend zu reden) höchst eigenthümlichen Gebrauche der Participien und der Adverbialbestimmungen Anlasz gegeben. Eben dieses 'streben nach Kürze' hat jenen dem Verfasser eigenthümlichen Satzbau hervorgerufen, den wir ohne weiteres bezeichnen müssen als etwas unlogisches. Denn wenn die Hauptsache in Nebensätze verwiesen wird, wenn das, was in gar keinem logischen Zusammenhange untereinander steht, in grammatischen Zusammenhang gebracht resp. durch Relativa oder Partikeln aneinandergekittet wird, so wird man das doch nicht ein logisches Verfahren nennen wollen. Statt zahlloser Belege einige wenige; auch in den bereits vorgekommenen und weiter unten folgenden Stellen wird man Beispiele finden. — Theil I, § 21. 'Der lydische König Croesus, um sich wegen der Vertreibung seines Schwagers Astyages zu rächen und einen Orakelspruch zu seinen Gunsten deutend, gieng diesem über den Halys entgegen und fiel verheerend in Cappadocien ein, zog sich aber nach einer unentschiedenen Schlacht in seine Hauptstadt Sardes zurück, welche Cyrus nach einer neuen Schlacht belagerte, einnahm und verwüstete. Nach der Eroberung des lydischen Reiches, welches sich vom Halys bis zum aegaeischen Meere erstreckte, liesz Cyrus die griech. Küstenstädte Kleinasiens, welche gegen Tribut die Beibehaltung ihrer Verfassun-

gen begehrten, dureh Harpagus unterwerfen' usw. — § 116: 'Als
diese Auträge auf den Rath des blinden Appius Claudius verworfen
wurden, drang er (Pyrrhus) bis Praeneste vor, um sich mit den Etrus-
kern zu vereinigen, denen aber die Römer schleunigst einen günstigen
Frieden bewilligt hatten.' — § 21: 'Das Unternehmen des Darius
gelang, er unterwarf die Anwohner des Indus, die auch noch seinem
Sohne Xerxes gehorchten, aber von den spätern Achaemeniden unabhängig erscheinen.' — § 160: 'Nach einem verheerenden Einfalle in
das parthische Reich ward Caracalla ermordet auf Anstiften des Praef.
praet. Macrinus, welcher folgte und von den Parthern, die, um Cara-
callas Einfall in Medien zu rächen, auf römischem Gebiete erschienen,
den Frieden erkaufte.' — § 156: 'Tiberius sättigte jetzt seinen Blut-
durst durch die Verfolgung der Freunde des Sejanus, bis er mit Pol-
stern erstickt ward, auf Veranlassung des Caligula, der ihm folgte.
Caligula 37—41, welcher im ersten Jahre den ungeheuren Schatz des
Tiberius durch Speisungen des Volkes usw. verschwendete und nach
einer Krankheit allmälig in völlige Geisteszerrüttung verfiel, a b e r
trotz seiner zahllosen Willkürlichkeiten und Grausamkeiten erst nach
4 J. durch eine Verschwörung der Praetorianer gestürzt wurde.' —
Weiterhin noch Proben von der Schwerfälligkeit der Diction u. dgl. m.
zu geben, halten wir für gänzlich überflüssig; die Darstellungsweise
des Vf. ist hinlänglich charakterisiert.

Unwillkürlich drängt sich uns jetzt die Frage auf: Woher einerseits die Ungenauigkeiten in historischen und geographischen Angaben — und andrerseits dieser sonderbare Stil? Antwort: das eine
wie das andre rührt von der Entstehungsweise dieser Handbücher her.
Proben werden hierüber nähere Aufschlüsse liefern; wir wollen aber
statt vieler nur wenige geben. — § 67 (nach der neuesten Aufl.) zusammengestellt mit Sievers Geschichte Griechenlands vom Ende des
peloponnesischen Kriegs bis zur Schlacht bei Mantinea. 1840. P. 'Inzwischen besiegten die Lacedaemonier schon die verbündeten, welche
ihre Streitkräfte bei Korinth zusammengezogen hatten, um den noch
schwankenden Peloponnesiern zu der ersehnten Befreiung vom spartanischen Joche zu verhelfen.' — Sievers S. 66: 'Darauf zogen die
verbündeten ihre Streitkräfte bei Korinth zusammen, wol in der Ab-
sieht, den Peloponnesiern zu der ersehnten Befreiung vom spartani-
sehen Joche zu verhelfen.' — P. 'Agesilaus siegte bei Koronea, wohin die verbündeten blosz einen Theil ihres in Korinth stehenden
Heeres geschickt hatten.' — Sievers S. 71: 'Denn jetzt hatten endlich
die verbündeten wenigstens einen Theil ihres in Korinth stehenden
Heeres dahin abgeschickt.' — P. 'Konon stellte mit persischem Gelde
die Mauern Athens wieder her und gewann seiner Vaterstadt für kurze
Zeit die Seestaaten und die (von Sparta verlorene, von Persien aufgegebene) Meeresherschaft wieder.' — Sievers S. 83: 'Auch benutzte
Konon diese Umstände, um die Vortheile, welche persisches Geld und
persische Schiffe errungen hatten, seinen Athenern zuzuwenden: ihnen
gewann er die Seestaaten, ihnen verschaffte er die von Persien auf-

gegebene Meeresherschaft' — P. (olynthischer Krieg) 'Und auf das Gesuch des Königs Amyntas von Macedonien sandten die Spartaner ein Heer dahin, welches erst im 3. Jahre und naeh bedeutendem Verluste die Olynthier nöthigte ihre Eroberungen aufzugeben und sich der spartanischen Symmachie anzuschlieszen, wogegen, sie ihre Unabhängigkeit behielten.' — Sievers S. 155. 156: 'Sie behielten ihre Unabbängigkeit, dagegen musten sie sich der spartanischen Symmachie anschlieszen und wie es sich erwarten läszt, ihre Eroberungen aufgeben.' — Gleich im folgenden Paragraphen haben wir ein Beispiel, wohin diese Abkürzungs - und Excerpier - Methode in historischen Angaben führen kann. 'Bald (nach Thebens Befreiung) erschienen die spartanischen Könige Kleombrotus und Agesilaus mit einem Heere in Boeotien.' — Beide zusammen mit éinem Heere?!? — Sievers S. 201: 'Denn noch ehe die Kadmeia gefallen war, hatten die Spartaner ein Heer zusammengebracht, mit welchem König Kleombrotus in Boeotien einfallen sollte.... Kleombrotus wandte sieh nach Plataeä...' — Und S. 204: 'Agesilaus rückte mit einem 18000 Mann starken Heere in Boeotien ein.' — Andre Parallelstellen zu diesem § findet man bei Sievers S. 157. 166. 170. 174. 209 usw.

Wer mehr Beispiele aus Theil I verlangt, der braucht nur geringe Umschau zu halten. Wir gehen über zu etlichen Beispielen aus Th. II, Gesch. des M. A. — § 21. 'Arnulf bewies seine Tüchtigkeit zunächst im Kampfe mit den Normannen, welche, aus Frankreich dureh eine schwere Niederlage vertrieben, wieder in Lothringen eingefallen waren und die Gegenden an der Maas plüuderten, indem er gerade dem tapfersten aller normannischen Stämme bei Löwen eine so furchtbare Niederlage beibrachte, dasz sie wenigstens keine gröszeren Angriffe mehr versuchten. Schwieriger war der Krieg gegen den mährischen Pürsten Zwentibald, welcher alle slavischen Stämme im Norden der mittlern Donau vom Böhmerwalde bis zu den Karpathen zu einem groszen Reiche vereinigt hatte. Denn obgleich Arnulf mit einem Heere an der Donau nach Mähren hinabzog, während die Thüringer in Böhmen einbrachen und gleichzeitig die Ungarn oder Magyaren, ein finnischugrischer Stamm (vom Ural und der Wolga), der sich damals dauernd an der Südostgrenze Deutschlands niederliesz, die mährische Grenze überschritten (auf Arnulfs Veranlassung?), so behauptete sich doch Zwentibald gegen die von allen Seiten andringenden Feinde' usw. Nun lese man F. H. Müller die deutschen Stämme, III. Theil (1842) S. 243: 'Arnulfs Tüchtigkeit im Kampfe offenbarte sich vornemlich gegen die so gefürchteten Normannen. Deñn jene normannischen Schaaren, welche bis dahin das Land Francien unaufhörlich bedrängt hatten, brachen 891 wieder in Lothringen ein.' — S. 244: 'Zwar hatten die Normannen bei Löwen an der Dyle ... eine sehr feste ... Stellung eingenommen, aber diese vurde erstürmt und den Normannen eine furchtbare Niederlage beigebracht.' — S. 245: 'Wenigstens erfolgte seitdem kein gröszerer Angriff mehr.' — S. 235: 'Es ist dies die Zeit des groszmährischen Reiches, das aus einer Vereinigung aller

slavischen Stämme im Norden der mittleren Donau von dem Böhmerwalde an den baierschen Grenzen bis zu den Karpathen hervorgieng.'
— S. 248: 'Als Arnulf . . . mit den Heerschaaren . . . an der Donau
nach Mähren hinabzog . . . Um aber die Entscheidung des Kampfes so
schnell als möglich herbeizuführen, musten auch die Thüringer gegen
Böhmen vorrücken, und während zu gleicher Zeit die Ungarn von
Osten her (S. 247: 'Die Ungarn bilden das letzte Glied des finnischen
oder ugrischen Volksstammes, dessen Heimat in den Gebieten am
Ural und der Wolga erscheint'), sei es nun auf Arnulfs Veranlassung
oder nicht, ... verheerend die mährischen Grenzmarken überschritten — — —' — S. 249: . . . 'behauptete sich doch Zwentibald gegen
die von allen Seiten andringenden Feinde . . . . . . Nur erst mit Zwen-
tibalds Tode im J. 894 brach diese mährische Macht zusammen . . .' —
Ueberhaupt ist das Werk von Müller seiner ganzen Länge nach in den
betreffenden Geschichtspartien excerpiert und zwar mit einer fast buch-
stäblichen Treue, z. B. Pütz S. 77 (Vertrag von Mersen): 'So hatte
das deutsche Reich gröstentheils die ihm von Natur angewiesenen
Grenzen in Westen erlangt, und der Rhein war wieder ein deutscher
Strom geworden von seinem Quellgebiet bis zu seinem Deltalande.'
Dasselbe (mit etlichen genauern Bestimmungen mehr) buchstäblich bei
Müller S. 189. Oder man vgl. Pütz § 13 und Müller Theil II S. 283.
324. 333. 334 usw. Mit Pütz S. 92. 93. 95 vgl. Rospatt die deutsche
Königswahl. 1839. S. 33. 39. 46. 49. Ueberhaupt beliebe man nur die
als Hülfsmittel von P. angegebenen Werke genauer durchzugehen,
wenn die hier gegebenen Beispiele zur Charakterisierung der Art und
Weise der Abfassung genannter Schulbücher noch nicht genügen sollten; so unter andern namentlich auch Schmidt Gesch. von Frankreich
— und in Betreff der brandenburgisch-preuszischen Geschichte (Anhang zum Grundrisz der deutschen Geschichte von W. Pütz. 1852.
5e Aufl.) Lancizolle Gesch. der Bildung des preusz. Staats. 1828. Letz-
tres Werk führen wir lediglich deshalb an, weil sich hier wieder ein
schlagendes Beispiel findet von der Zuverlässigkeit der Excerpier-Me-
thode. Bei P. S. 167 ist zu lesen folgendes: '. . Hier lernte er (Albrecht) Luther und Melanchthon kennen, liesz sich von diesen bewegen, den Orden aufzuheben, sieh zu vermählen und Preuszen in ein
weltliches Fürstenthum zu verwandeln. Die Ausführung dieses Rathes
ward dadurch erleichtert dasz inzwischen die reformierte (?!) Lehre
auch schon in Preuszen eingedrungen war und der Bischof von Sam-
land zuerst von den Bischöfen zu ihr übertrat' usw. Vgl. Lancizolle
S. 412. 414 und 407: 'Schon mehre Jahre vorher, bereits seit dem
J. 1520, hatte die Reformation in Preuszen Eingang gefunden' etc.
Daraus ist von Hrn. P. 'die reformierte Lehre' gemacht worden, während es die lutherische Lehre war (s. Alzog Kirchengesch. § 323);
ja es bestand damals noch gar nicht die Scheidung in lutherische und
'reformierte' Lehre.

    Sind nun in der genannten Weise die Geschichtsbücher des Hrn.
P. entstanden, so ist es mehr als begreiflich, woher die histor. Unge-

nauigkeiten, woher der durchgehends so eigenthümliche Stil. Dieser Stil übt jedoch nicht allein auf die Ausdrucksweise der Schüler nachtheiligen Einflusz, sondern auch auf den Geist selbst. Wir haben gesehen, dasz der Verfasser bemüht gewesen ist, in wenige Zeilen zusammenzudrängen, was anderswo ganze Seiten, Blätter, ja Bogen füllt. Durch diese unvergleichliche Zusammenhäufung von Daten wird das Gedächtnis in ärgster Weise überladen, noch mehr, es wird, da in Folge der dürren (nomenclatorischen) Behandlungsweise weder die Phantasie in Anspruch genommen wird, noch von einem eigentlichen Antheile des Gefühls die Rede sein kann, somit jenes Vermögen ganz allein zum festhalten der Data thätig sein musz, in fast schrecklicher Weise angestrengt. Sobald nach einiger Zeit das eine oder das andere Glied aus jener Verkettung historischer Einzelnheiten herausfällt, so kann es nicht fehlen, dasz Verwirrung angerichtet wird; es wird dadurch Unklarheit des Geistes wesentlich gefördert.

Zum Schlusze noch eine Bemerkung. Wenn bei den vorgekommenen Beispielen hier und da statt des Pronomens ('er', 'sie' . .) der Deutlichkeit halber, oder um weniger Worte citieren zu müszen, das betreffende Substantiv gesetzt worden ist, so wolle man darum nicht sophistischer Weise sagen, die Worte des Verfassers seien verdreht oder entstellt worden; es ist das nirgends der Fall gewesen. Nicht irgendwie persönliche Anlässe oder dgl., sondern Liebe zur Wahrheit und Eifer für die gute Sache der Jugenderziehung haben uns bei vorstehender Auseinandersetzung die Worte geliehen. Ist das Urtheil nicht ausgefallen, wie es mancher gewünscht, so ist dies nicht die Schuld des Referenten. Sollte aber ein Ausdruck unvorsichtig gewählt und schärfer sein, als man gewollt hat, so bittet man mit Hinweisung auf die genannten Beweggründe bei der Auffassung dieser Besprechung aufrichtig um Verzeihung.

Düren in der preusz. Rheinprovinz.   *Oberl. Dr. A. Goebel.*

17.

Hegels Ansichten über Erziehung und Unterricht. In drei Theilen. Als Fermente für wissenschaftliche Paedagogik, sowie zur Belehrung und Anregung für gebildete Eltern und Lehrer aller Art aus Hegels sämmtlichen Schriften gesammelt und systematisch geordnet von Dr. Gustav Thaulow, Prof. a. d. Univers. z. Kiel. Kiel, akademische Buchhandl. 1854. (1r Theil: Zum Begriff der Erziehung, zur anthropologisch-psychologischen und ethisch-politischen Basis, sowie zur Methodik der Erziehungslehre gehöriges. 2r Theil:

Zur Geschichte der Erziehung. 3r Theil: Zur Gymnasialpaedagogik und zur Universität gehöriges.)

Wir sind überzeugt, dasz Hegels paedagogische Grundgedanken keinen Eingang in die neuere Paedagogik erlangen werden, und dasz, wenn es wirklich geschehen sollte, das gedeihen eines in gutem Fortgange begriffenen Werkes gestört werden würde. Denn das ist nicht die rechte Sittlichkeit, deren Wesen in der Allgemeinheit und Substantialität des Willens besteht, und das ist auch nicht die rechte paedagogische Wirksamkeit, wenn vorzugsweise der Weltgeist, der sich in den substantiellen Mächten der Familie, der Schule, des Standes, der Kirche, des Staates objectiviert hat, das Erziehungsgeschäft besorgt. Indes geziemt es sich, nach dem Ausspruche eines der ausgezeichnetsten paedagogischen Schriftsteller, in einer praktischen Wissenschaft, wie die Paedagogik ist, nicht, den litterarischen Erscheinungen auf dem paedagogischen Gebiete gegenüber die wissenschaftlichen Gegensätze allzu scharf hervortreten zu lassen, sondern man musz vielmehr darauf hinweisen, wie die Erreichung des gemeinsamen Zweckes von den verschiedensten Seiten her gefördert werden kann. In der That verdienen schon Hegels bekannte Gymnasialreden die ernsteste Aufmerksamkeit. Aber auch die aphoristischen paedagogischen Bemerkungen, die in seinen Werken vorkommen, sind des erwägens und prüfens werth, und dieses nothwendige Geschäft hat uns Hr. Prof. Thaulow dadurch sehr erleichtert, dasz er sie gesammelt und einigermaszen geordnet hat. Man findet allerdings nicht einen vollständigen Erziehungsplan, aber manche feine paedagogische Beobachtung wird uns auf eine geistvolle, anregende Weise dargeboten. Sogar die Nothwendigkeit der Scheidung zwischen Regierung und Zucht und die Wichtigkeit eines vielseitigen unmittelbaren Interesses wird angedeutet. Die Lehre von der Gewohnheit scheint auch Anklänge an die Forderung einer Charakterstärke der Sittlichkeit zu enthalten. Hegels Geringschätzung der Beschäftigung mit den Zahlen und ein absichtliches hinarbeiten auf eine solche abstracte Form irgend eines Unterrichts, dasz der Jugend dabei das ʻsehen und hören vergehe und sie in die Nacht der Seele zurückgezogen werdeʼ, darf sich freilich die Paedagogik wie so manches andere nimmermehr aneignen, und ebenso wenig darf sie völlig heterogenes mit den Ansichten von Hegel vermengen, wie es z. B. Hr. Prof. Thaulow thut, indem er die Hegelsche und die Platonische Auffassung vom Staate einander gleichstellt. Sie musz es auch verstehen, Vorschriften, wie die über das Raesonnieren mit den Kindern, auf ihr rechtes Masz zurückzuführen, und Lehren, wie die über den unter verschiedene Gesichtspunkte fallenden Gehorsam, die einer trüben Mischung vergleichbar sind, durch Scheidung zu leutern.

Den Werth seiner Sammlung würde der Hr. Hg. bedeutend gesteigert haben, wenn er alles das, was zur Sache nicht gehört, völlig abgesondert und bei Seite gelassen hätte. Es würde dann auch möglich gewesen sein, das ganze in einem einzigen mäszigen Bande zusammenzufassen. Aber augenscheinlich hatte sich in dem Geiste des Hrn. Hg., als er die Arbeit unternahm, sein nächster Zweck, die Ansichten Hegels über Erziehung und Unterricht zusammenzustellen, von andern, an sich vielleicht ganz löblichen Zwecken, die er gleichfalls verfolgte, noch nicht abgelöst. In seinen weitläufigen Vorreden und überall im Buche, wo er selbst redet, geht er zugleich allen möglichen Nebengedanken nach. Alsdann faszt er die Aufgabe der Paedagogik in solcher zerflieszenden Allgemeinheit, dasz er, während er z. B. Hegels Lehre mit der biblischen Erzählung vom Sündenfall zu versöhnen sucht oder die Bedeutung des römischen Privatrechts erörtert, immer noch auf paedagogischem Gebiete sich zu bewegen meint. An der Verallgemeinerung des paedagogischen Gesichtskreises, welche vielfach geradezu zu paedagogischem Nihilismus führt, trägt freilich das System von Hegel selbst einen nicht geringen Theil der Schuld. Steht es einmal fest, dasz die Geschichte mit der Erziehung zusammenfällt, so wird man auch den 2n Band, der einen Abrisz der Philosophie der Geschichte vom römischen Reiche an gibt, in der Sammlung nicht entbehren können. In Wahrheit enthält er, auszer einer Aeuszerung Hegels über Hamann und seiner Zustimmung zu Solgers total verkehrtem Urtheil über Pestalozzi, kaum einen einzigen paedagogischen Gedanken. Indes hängt der zweite Band wenigstens noch mit der Vorstellung zusammen, die der Hr. Hg. von Erziehung hat. Dagegen erscheint der 3e Band, abgesehen von den darin befindlichen Gymnasialreden Hegels und den auf den Unterricht in der Philosophie bezüglichen Aufsätzen, im Verhältnis zu dem Gegenstand, um den es sich handelt, fast gänzlich als ein *hors d'oeuvre*. Es wird uns eine Biographie Hegels, zumeist nach der Darstellung von Rosenkranz, aufgedrängt, weil beiläufig auch nachgewiesen werden soll, dasz Hegel sich während seines ganzen Lebens mit Paedagogik beschäftigt habe. Zu diesem Zwecke hat es der Hr. Hg. sogar für nöthig befunden, auf S. 14—161 das Tagebuch Hegels und zahlreiche Beispiele von seinen Excerpten und eigenen Arbeiten aus seiner Gymnasialzeit mitzutheilen, mit deren Beschreibung Hr. Prof. Rosenkranz sich begnügt hatte. Dankbarer kann man dafür sein, dasz eine Gymnasialrede Hegels, die bei der Herausgabe von dessen gesammelten Werken übergangen worden ist, im 3n Bande ihre Stelle gefunden hat. Uebrigens ist derselbe zugleich zu einem Lesebuche für die oberen Klassen der Gymnasien bestimmt, wozu er sich jedoch nur zum allergeringsten Theile eignet. Manche Gymnasiallehrer sollen allerdings schon bisher, wie Hr. Prof. Thaulow versichert, Hegels Gymnasialreden ihren Schülern in die Hände gegeben haben. Es bedarf indes kaum der Erinnerung, dasz jene Reden über den Gesichtskreis der Gymnasiasten hinausliegen.

Hr. Prof. Thaulow, der in seinen früheren, ziemlich zahlreichen kleineren Schriften sich gleichsam nur mit den Auszenwerken der Paedagogik beschäftigt hat, stellt für die Zukunft auch gröszere selb-

ständige Werke auf dem Gebiete derselben in Aussicht. Für einen
exclusiven Anhänger Hegels will er nicht gelten. Indes hält er daran
fest, dasz Gegensätze in einer höhern Einheit ihre Ausgleichung finden können, dasz die Ethik abhängig sei von der Metaphysik, dasz
bei der Erziehung das Verhältnis des einzelnen Erziehers zum Zog-
ling zurücktreten müsse. Sein lebendiges paedagogische Interesse
verdient volle Anerkennung.

Leipzig.   *tz.*

Auszüge aus Zeitschriften.

*Das Correspondenzblatt für die Gelehrten- und Real-
schulen Württembergs (monatlich 1 Bogen Hauptblatt und
1½ Bogen hauptsächlich statistischen Inhalts) herausgegeben von
Klaiber, Zimmer und Holzer, Professoren am k. Gymnasium
zu Stuttgart.* Jahrg. 1854.

Ueber dieses Schulblatt läszt sich Dr. Freiherr von Reden in
seinem neuestens erschienenen Aufsatz: Vergleichende Studien über
Land, Volk und Staat Württembergs, aus Veranlassung seiner Quel-
lenangaben, folgendermaszen vernehmen: 'Eine in jeder Hinsicht ihrer
Bestimmung genügende Zeitschrift, unter tüchtiger, umsichtiger Leitung fast nur ganz gediegene Darstellungen von unmittelbar prakti-
scbem Werthe liefernd.'

Durch Anführung dieses Urtheils von einem in seinem Fach anerkannten Meister ist es in den Augen solcher Leser, denen es um
Kenntnis der Schulstatistik zu thun ist, sowie namentlich gegenüber
von Redactionen anderer Schulzeitungen sehon hinreichend gerechtfertigt, wenn wir hiemit dieses in bescheidener Stille sich haltende Blatt
der Aufmerksamkeit auch anderer deutschen Provinzen empfehlen. Uebrigens sind es nicht allein Beiträge zur Kunde des auswendigen
Standes, der Geschichte und Einrichtungen der genannten Schulen
Württembergs, was hier, und zwar unter unmittelbarer Mitwirkung
der königlichen Schulbehörde, geboten wird, sondern in einer unseres
Wissens sonst noch nicht angewendeten Weise, durch Mittheilung und
Besprechung der Prüfungsaufgaben für die Schüler der verschiedensten Anstalten sowie für die betreffenden Lehrer ist ein besonders
klarer Einblick in die an unsern Schulen gemachten Anforderungen
und ebendamit in den gegenwärtigen Stand dieses Schulwesens überhaupt gestattet.

Aber auch der übrige Inhalt dieser Zeitschrift verdient in der
That nicht weniger die Beachtung der Lehrer an Gelehrten- und Realschulen, theils wegen der Wichtigkeit der Fragen aus der Wissenschaft und dem Leben der Schule, die darin verhandelt werden, theils
weil die vorherschend praktische Tendenz weitaus der meisten Aufsätze, die so recht aus der Schule und für die Schule geschrieben
sind, dem hier mitgetheilten fast durchaus den Charakter unmittelbarer Anwendbarkeit gibt, ein Vorzug, den der praktische Schulmann
an Büchern und Abhandlungen doch namentlich zu schätzen gewohnt
ist. Die eben genannte Eigenthümlichkeit zeigt sich insbesondere darin,
dasz in dem Blatte auch die Paedagogik und Didaktik in verschiedener Form der Rede gebührend bedacht ist, indem neben abhandelnden

Erörterungen fortwährend Aufzeichnungen aus Tagebüchern eines ge-
wiegten Schulmanns hergehen, dem man wird zugestehen müssen, dasz
er's versteht: *ridendo dicere verum.*

Doch statt weiterer Worte der Empfehlung wird es genügen, einfach, aus dem vorliegenden ersten Jahrgang 1854 die wichtigsten Mittheilungen hier zu verzeichnen.

Unter den amtlichen Erlassen heben wir hervor: den Erlasz des
k. Studienraths über die bei den Visitationen gemachten Erfahrungen;
die Instruction für die Lehrerconvente zur Beurtheilung dessen, was
zur Reife für die Universität erfordert wird, sowie die Instruction zur
Vornahme der Maturitätsprüfung für die hiezu bestellte Commission.

Von den philologischen Abhandlungen werden auch in weiteren
Kreisen mit Interesse gelesen werden: Beiträge zur Berichtigung des
Textes und zur Erklärung etlicher Stellen im Dialog des Tacitus
von Dr. Roth in Stuttgart; von demselben: über zwei Stellen in des
Tacitus Agricola und deren Deutung durch Wex, und: Beitrag zur
Lösung eines alten Räthsels (des Grundes der Verbannung Ovids);
Besprechung einzelner Stellen aus Ciceros Catilinarien mit besonde-
rer Berücksichtigung der Halm'schen Ausgabe von Prof. Kraz; über
die Sonnenfinsternis beim Aufbruch des Xerxes aus Sardes und die
Mondfinsternis am Tage vor der Schlacht bei Pydna von Prof. Zech
in Tübingen.

Prüfungsaufgaben — meist mit beigefügter Uebersetzung der Themen — sind mitgetheilt von dem Professorats- und Praeceptoratsexa-
men, von dem Oberreallehrer- und Reallehrer-Examen, von der Con-
cursprüfung für das evangel. Seminar in Tübingen, von der Prüfung
der Candidaten für das Studium der kathol. Theologie, von dem evangelischen und katholischen Landexamen zur Aufnahme in die niederen
Seminarien.

Der Unterricht in der Mathematik, in der Naturgeschichte, im
französischen ist in mehreren eingehenden Aufsätzen besprochen; über
die Bedeutung des Griechischen für die Gymnasien ist eine längere
Rede von Rector Schmid in Ulm aufgenommen. Desgleichen eine
Abhandlung von Professor Frisch über die Realschule.

Die Bücheranzeigen bringen, auszer der Angabe der württembergischen Schulprogramme des Jahres 1853, längere oder kürzere Beurtheilungen von Rink Religion der Hellenen, Krais biblischer Geschichte in Poësien, Vogel griech. Formenlehre, Gaupp, lat. Anthologie, Curtius griech. Schulgrammatik, Hermann lat. Elementargrammatik, Reuschle beschreibende Geographie, Plate vollständiger Lehrgang zur Erlernung der englischen Sprache, Beschäftigungen
für die Jugend mit einem Vorwort v. Klumpp.

Von bleibendem Werthe sind in dem statistischen Theile: Geschichte und Statistik des württ. Realschulwesens vom Oberstudienrath
v. Klumpp und: statistische Notizen über den Stand des gelehrten Schulwesens in W. im Schuljahr 1852—53 vom Oberstudienrath
Hirzel.   *M.*

Zeitschrift für das Gymnasialwesen. Hrg. v. W. J. C. Mützell.
8r Jahrgang 1854. (S. oben S. 34—45).

Decemberheft. Zinzow: die Mythologie auf den Gymnasien,
Vortrag in der Berliner Gymnasiallehrer-Gesellschaft (S. 897 — 909:
es wird von systematischer Faszung gänzlich abgesehn, aber darauf
gedrungen, dasz der bei der Lectüre und sonst gewonnene Stoff in
einer wahrhaft bildenden und erziehenden Weise zum Bewustsein ge-

bracht werde. Der Verf. erörtert die genetische Entwicklung des Gottesbegriffs bei den Griechen und Römern, um dadurch zu zeigen, in welche Anschauung der Lehrer und Schüler treten müsze, damit theils ein tieferes Verständnis des Alterthums, theils die richtige Erfassung seines Verhältnisses zum Christenthum erzielt werde. Die praktische Behandlung der Aufgabe wird einer andern Gelegenheit vorbehalten.) — Programme der Provinz Sachsen. Ostern 1854. Von Jordan (S. 910—916: ausführlicher werden besprochen: Schulze: de imaginibus et figurata Aeschyli elocutione. Halberstadt. Recke: über die Spracheigenthümlichkeit Justins. Mühlhausen. Silber: über den Modus im Neuhochdeutschen. Naumburg. Hahn: systematisch geordnetes Verzeichnis der an den preusz. Gymnasien 1842—50 erschienenen Programme. Salzwedel. Schrader: über den Ursprung und die Bedeutung der Zahlwörter in den indogermanischen Sprachen. Stendal. Francke: über den deutschen Unterricht auf Gymnasien besonders in den beiden obern Klassen. Torgau. Schmidt: Platòs Phaedon, für den Schulzweck sachlich erklärt. Wittenberg). — Vermischte Nachrichten über Gymnasien und Schulwesen. Von Merleker (S. 917—942: es werden 1. die gesetzlichen Bestimmungen über die Programme angeführt, dann 2. die Gymnasien, welche in den Programmentausch eingetreten sind, aufgezählt, 3. die Titel der von 1850 — Ostern 1853 erschienenen Programmabhandlungen nur nach ganz allgemeinen Begriffen geordnet aufgezeichnet, endlich 4. über die Gymnasien und Progymnasien der Provinz Preuszen aus dem J. 1853 nach den Programmen Nachrichten mitgetheilt). — Aus Westphalen (S. 947: statistische und Personalrichten). — Personalnotizen (S. 948). —

9r Jahrgang. Januarheft. Kühnast: über den Unterricht im lateinischen Stil (S. 1—30: die Nothwendigkeit der lateinischen Composition auf dem Gymnasium wird darin begründet gefunden, dasz ohne Kenntnis des römischen Alterthums auf dem Höhestand seiner Entwicklung einsichtige Auffassung des nationalen Lebens in seiner Besonderheit und in seinem Zusammenhange mit der Gesamtentwicklung des Menschengeschlechts unmöglich ist, Composition aber zur Lectüre sich verhält wie Analysis zur Synthesis. Indem nun dadurch zugleich die Grundlage für die Methodik gewonnen ist, zeigt der Verf., wie die Forderungen zu beschränken, aber zugleich zu vertiefen sind. Durch gelehrte Anführungen und Beurtheilung der gangbarsten Stilistiken wird dargestellt, wie schwierig es sei der Forderung der Correctheit und Deutlichkeit, geschweige der Schönheit zu genügen, deshalb aber der enge Anschlusz der Composition an die Lectüre gefordert. Für diese wird strenge Auswahl in Bezug auf die Classicität der Schriftsteller, aber auch Umfänglichkeit und gründliche Interpretation der sprachlichen Eigenthümlichkeiten, jedoch ohne zu weite Ausdehnung verlangt, damit so der Schüler bei der Composition für den Ausdruck Vorbild und Regel gewinne. Am Schlusz zeigt der Verf. kurz wie er anzuleiten sei, nach Analogien über die Brauchbarkeit eines Ausdrucks zu entscheiden). = Litterarische Berichte. Programme der evangelischen Gymnasien der Provinz Schlesien. Ostern 1854 (S. 31—50: eingehendes zum Theil scharf kritisirendes Referat über die Lehrpläne, innern und äuszern Verhältnisse der Gymnasien und meist mit den eignen Worten gegebene Inhaltsanzeigen von: Fickert: Thucydides consulto ambiguus. Breslau Elisabet. Palm: Christian Weise. Ebend. Magdal. Tobisch: über das Leben und die Schriften Benedetto Varchi's. Ebend. Kaiser: de Melchiore Laubano. Brieg. Lucas: disputationis de ratione qua Livius usus est opere Polybiano p. I. Glogau. Struve: einiges über den Unterricht im Lateinischen und Anton: einiges aus dem Leben des Verf. Görlitz). — 1) Xenophons

Anabasis hrg. v. K. Matthiae, 2) — — rec. et expl. R. Kühner, 3) — — durch grammatische und Sacherklärungen in deutscher Sprache sorgfältig erleutert von R. Kühner. Von Hollenberg (S. 51 —57: dem kritischen Verfahren Matthiäs wird in vielen Punkten widersprochen, dabei gibt der Ref. Proben aus drei von ihm in Venedig verglichenen Handschriften der Anabasis. Während dieselbe Ausgabe rücksichtlich der Erklärung für noch nicht hinreichend den Anforderungen entsprechend erklärt und namentlich gegen die Zweckmäszigkeit des grammatischen Anhangs Einwendungen erhoben werden, wird die Kühnersche entschieden höher gestellt). — Sophoclis Electra. Rec. et expl. Ed. Wunderns. Ed. III. Von G. Wolff (S. 57 f.: kurze Angabe der vorgenommenen Veränderungen. 356 wird Kaysers Emendation gebilligt, 51 die Emendation zwar gutgeheiszen, aber die Vulgata beibehalten, auch 1439 die bisherige Interpunction vertheidigt). — Sophokles Trachinierinnen. Erkl. v. Schneidewin. Von dems. (S. 59—64: die groszen Verdienste werden aufs lebhafteste anerkannt. Rücksichtlich der Erklärung wird über 27—30 und 674 widersprochen, gebilligt werden die Conjecturen 57, 627, 632, dagegen verworfen 75, 418, wo Hr. W. ἦν ὑπ᾽ ἀγνοίᾳ σπορᾶς emendiert, 526, wo ἔργων δὲ μάτηρ μὲν οἵ᾽ ἀφράσμων, . . . ἔλεγχον κτέ. vorgeschlagen, 661, wo Köchlys τῷ und Haupt's φάρους gebilligt wird, 1277, 835, 882, wo ein Dochmius gefunden wird, 972, wo die Figur der Kommen als regelmäszig bezeichnet wird). — Georges: Thesaurus der classischen Latinität. Von Obbarius (S. 64—66: empfehleudes Referat). = Verordnungen. Erlasz des Ministeriums des Innern in Nassau vom 19. März 1854, die höhern Lehranstalten betreffend (S. 67—69). = Miscellen. Kawerau: für die Methodik von A. Spiesz im Turnunterricht (S. 70—80: die in der paedagogischen Revue von Langbein und einem ungenannten, so wie in einem Artikel der Didaskalia erhobenen Bedenken werden widerlegt, die beiden letztern entschieden verworfen). — Funkhänel: zu Demosthenes (S. 81: Leptin. § 155 wird μηδέ vertheidigt, μὴ δέ verworfen). — Hirschfelder: zu Horaz (S. 82—84: über die Verlängerung kurzer consonautisch und vocalisch auslautender Silben und die Zulassung des Hiatus werden die Gesetze erörtert und die einschlagenden Stellen kritisch geprüft). = Foss: Rede bei der Eröffnung der 14n Philologenversammlung (S. 85—99. S. NJhb. Bd. LXX S. 526). — Aus Kurhessen (S. 99—103: über das Disciplinarverfahren gegen einen Gymnasiallehrer aus Hanau). — Funkhänel: eine Notiz über die Klosterschule Rosleben vom J. 1578 (S. 103 f.: Mittheilung eines Briefes vom Cantor Val. Funke an Christoph Winer). — Uebersicht über die Maturitätsprüfungen an den preuszischen Gymnasien im J. 1853 (S. 105 f.) — B. in E.: über die Externen (S. 106—108: es wird vorgeschlagen, dasz in den Abgangs-Zeugnissen derjenigen Schüler, welche wegen Nichtversetzung das Gymnasium verlassen, die Nichtreife für die höhere Klasse bemerkt, und dasz solche, welche mit einem Zeugnis der Unreife für Prima die Anstalt verlassen, erst nach drei Jahren zum Maturitätsexamen zugelassen werden). — Aus dem Fürstenthum Waldeck (S. 109: Notizen über das Landesgymnasium zu Corbach). — Aus dem Herzogthum Nassau (S. 109 f.: Anstellungen). — P. in A. curiosum (S. 110: Mittheilung eines in classisches Latein zu verwandelnden Briefes, welcher den Abiturienten eines deutschen Gymnasiums aufgegeben worden). — Personalnotizen (S. 111 f.).

Februarheft. Deuschle: über den Unterricht in der Philosophie auf Universitäten (S. 113—133: die Frage ob philosophische Propaedeutik auf dem Gymnasium zu lehren sei, hange von der über den philosophischen Unterricht auf der Universität ab; dasz dieser einer Umgestaltung bedürftig sei, werde sattsam durch die Klagen über erkalteten Eifer von Seiten der studierenden erwiesen; Mängel seien dasz man sofort in Systeme einführe, ohne leitendes Princip Vorträge halte, nichts bleibendes und sicheres überliefere und somit die erziehende Kraft vernachlässige, die nur durch die Weckung und Uebung des philosophischen denkens, die Befähigung des Urtheils gegenüber den verschiedenen philosophischen und unphilosophischen Weltansichten, endlich durch die Kenntnis dieser selbst, d. h. die Geschichte der Philosophie erreicht werden könne. Deshalb schlägt der Verf. unter eingehender Begründung und Ausführung folgenden Lehrgang vor: Erste Stufe. Lectüre und Interpretation der hervorragendsten Schriften der beiden Hauptphilosophen des Alterthums, des Plato und zwar von Dialogen, welche in den Kernpunkt seiner philosophischen Anschauung eindringen, und des Aristoteles und zwar einer Auswahl aus dem organon, metaphysica, de anima. Zweite Stufe. Kritische Interpretation von Spinozas Ethik und Kants Kritik der reinen Vernunft oder Schriften ähnlicher Art. Dritte Stufe. Einzelne Fragen aus der Philosophie werden historisch kritisch durch alle Philosophieen hindurch behandelt. Vierte Stufe. Geschichte der Philosophie als ganzes. Psychologie. Philosophischer Unterricht auf dem Gymnasium sei nicht in dem Wesen und Zwecke dieses selbst begründet gewesen, sondern allein in der Einrichtung des akademischen Unterrichts in dieser Wissenschaft, genüge dieser in sich dem paedagogischen Zwecke der Sache, so falle das Bedürfnis von selbst weg). ═ Litterarische Berichte. Programme der evangelischen Gymnasien der Provinz Schlesien. Ostern 1854. Fortsetzung vom Januarheft S. 17 —62 (S. 134—175: Inhaltsanzeigen werden gegeben von Brix: emendationes Plautinae. Hirschberg. Beisert: die lateinische Grammatik und die Gymnasien. Lauban. -Balsam: Uebersetzung des Briefes an die Pisonen. Liegnitz. Platen: de fide et auctoritate Caesaris de bello Gallico commentariorum. Ebend. Rabe: commentatio de vita Hyperidis, oratoris Attici. Oels. Fülle: die Kometen. Ratibor. Held: observationes in difficiliores Sophoclis Antigonae locos. Schweidnitz: Auszer einer Frequenztabelle folgt eine tabellarische Vergleichung der an den einzelnen Gymnasien für die einzelnen Lehrfächer angesetzten Stundenzahlen mit dem Normallehrplan, sowie der Einrichtung und Vertheilung der Lehrpensa des geographischen und geschichtlichen Unterrichts; sodann Ab- und Zugang von Lehrern von und nach Schlesien in dem Zeitraume von 1845—54, ferner die Abituriententhemata im Schuljahre 1853—54, endlich Nekrologe von Dr. J. C. H. A. Bartsch und C. Fr. Schneider).— Thüringische Programme vom Jahre 1854. Von Hartmann (S. 176—178: angezeigt werden Cott: deutsche und französische Sprichwörter. Gotha. Herzog: Rückblick auf die Vaterlandsliebe Cicero's und Eisel: über die Wichtigkeit der Productenkunde beim geographischen Unterrichte in den mittleren Klassen. Gera. Funkhänel: Beiträge zur Geschichte des Eisenacher Gymnasiums. 3r Thl. Eisenach). — Giesebrecht: drei Schulreden und ein Fragment, betreffend das Christenthum in den Gymnasien (S. 178 —180: ganz anerkennende Anzeige). — Eilers: Ansichten über den Geschichtsunterricht an höhern Bildungsanstalten. Von Campe (S. 180—185: trotz mancher abweichender Ansichten im einzelnen dringend empfohlen). — C. Sallusti Crispi historiarum fragmenta. Ed. Kritz. Von Wagner in Anclam (S. 186—199: eingehende die Verdienstlichkeit der Leistungen ans Licht stellende Anzeige. Auszer anderen Bemerkungen, z. B. Trennung der fr. I, 27 und 28 und Nachtrag zu III 23, macht der Rec. folgende Verbesserungsvorschläge: III 37 *faciles sunt*, 81: *frustra fuit*, I 41: *poena tam paucis proscriptis*

vera est aestumanda, 80: *inclutam portu, specu, nemore, in quo* cet.,
II 49: *in* (*summum* oder *ipsum*) *Palatium*, 60: *e muris clam se sportis
demittebant*, III 6: *dicta consultaque eum aemulatus erat*, 82 15: *modo*
zu streichen und *quod* für *quo* zu schreiben, IV 69: *quia praedones*
oder *praedatores*). — Süpfle: Aufgaben zu lateinischen Stilübungen.
Ir Thl. 7e Aufl. Von dems. (S. 199 f.: die Sorgfalt bei Verbesserung
der neuen Aufl. wird gerühmt). — Dasselbe Buch. Von Hartmann
(S. 200 f.: lobt auch die gemachten Verbesserungen). — Gaupp:
lateinische Anthologie für Anfänger. Von dems. (S. 201 f.: gar nicht
unbrauchbar). — Bonnell: Uebungsstücke zum Uebersetzen aus dem
Lateinischen ins Deutsche. 5e Aufl. Von dems. (S. 202 f.: belobend).
— Ciceronis Cato maior. Erkl. von C. W. Nauck. Von dems.
(S. 203 f.: sehr gelobt, wenn schon in den Anmerkungen öfter ein
zuviel gefunden wird). — Xenophontis Hellenicorum libri I et II.
Recogn. et interpr. est. L. Breitenbach. Von dems. (S. 205 f.:
über die Einleitung werden Mittheilungen gemacht, die Arbeit ge-
lobt). — Miscellen. B. in E.: zum Prüfungsreglement (S. 207: zur
Meldung für das Maturitätsexamen sei zweckmäszig, wenn der einjäh-
rige Aufenthalt in Prima superior als Bedingung festgestellt werde).
— Braunhard: ein Wort, die Vereinfachung des Unterrichts auf
Gymnasien betreffend (S. 207 f.: an Hudemann wird die Bitte gestellt, seine VIII S. 503 ff. gemachten Vorschläge weiter auszuführ-
en). — Heinrichs: wann wurden die nemeischen Spiele gefeiert?
(S. 208—215: es wird bewiesen dasz die Winter- und Sommernemeen
in einem 8jährigen Cyclus so gefeiert worden seien, dasz zuerst je $2\frac{1}{2}$
J., dann je $1\frac{1}{2}$ Zwischenzeit gewesen). — Unger: de Ciceronis loco,
qui est or. pr. Sest. 8 19 (S. 215—217: unter gelehrten Nachweisungen wird gezeigt, dasz *ut illo supercilio Maximus ille vinci videretur*
zu lesen und der Legat des Pompeius zu verstehen sei). — Pabst:
Miscellen (S. 218 f.: Bemerkungen zur Erklärung von Tac. Agric. 42,
Hor. C. II 18 26, I 12 19, II 3 25, sat. I 4 81—85). — Schmidt in
Oels: Vermischtes (S. 219 f.: die Glosse bei Suidas p. 568 Bekk.
κάρτα ἐπαφρόδιτος wird als aus Herod. II 135 genommen bezeichnet,
und Mar. Plot. Sacerd. p. 271 Gaisf. ἀγώννυμον τί Μοῦσα πρὸς λαλί-
στατον conjiciert). — Funkhänel: Demosthenes de pace § 24 (S.
220 f.: Erklärung der Stelle). — Vermischte Nachrichten (S. 222:
Mittheilung über Stiftungen für die im Kl. Gaesdonk bei Cleve bestehende Anstalt zur Heranbildung katholischer Geistlicher). — Personalnotizen (S. 223 f.). *R. D.*

Berichte über gelehrte Anstalten, Verordnungen, statistische Nachrichten, Anzeigen von Programmen *).

BERLIN.] Am Gymnasium zum grauen Kloster unterrichteten
im verflossenen Halbjahr der Dir. Dr. Bellermann, die Proff. Dr.
Wilde, Dr. Zelle, Dr. Müller, Liebetreu, Lic. Dr. Larsow,
die Oberlehrer Dr. Hartmann, Dr. Curth, Dr. Hofmann, Dr.
Bollmann, die ordentl. Lehrer Dr. Kempf, Dr. Dub, Dr. Sengebusch, die Streitschen Lehrer Collaboratoren Dr. Bremiker und

---

*) Diejenigen Programme, von denen hier nur die Titel angeführt
werden, sind anderweitiger Besprechung vorbehalten.

Dr. Franz, Prof. Schnackenburg und Dr. Liesen, die Hülfslehrer Dr. Simon, Dr. Hoppe, Dr. Hirschfelder, Dr. Heine, Walter, Dr. Schulz, und die technischen Hülfslehrer Koller, Dr. Lö-
sener und Bellermann II. Die Schülerzahl betrug 459 (I 46, II*
40, II[b] 41, III[a] 61, III[b] A 32, III[b] B 33, IV[a] 53, IV[b] A 31, IV[b] B 31,
V 53, VI 38). Abiturienten waren Mich. 1854 8, Ostern 1855 11. Das
Programm enthält die Abhandlung vom ord. Lehrer Dr. Max. Sengebusch: *Aristonicea. Frustula nonnulla derivata ex primo libro
operis ab Aristonico scripti περὶ Ἀριστάρχου σημείων Ὀδυσσείας.* (33
S. 4).— Das Lehrercollegium des Friedrichs-Werderschen Gymnasiums bestand, nachdem Ostern 1854 der Conr. Prof. Dr. K. H.
L. Bauer in den Ruhestand getreten und Mich. der Hülfslehrer Dr.
Schirrmacher um eine Stelle an der Ritteracademie zu Leignitz anzutreten ausgeschieden war, Ostern 1855 aus dem Dir. Prof. Dr. Bonnell, dem Pror. Prof. Salomon, Subr. Prof. Dr. Jungk I, den Proff.
Dr. Zimmermann und Dr. Köpke, den Oberlehrern Dr. Runge
(Math.), Beeskow, Dr. Richter, Dr. Stechow, den Collaboratoren Dr. Jungk II, Dr. Schwartz, Dr. Wolff, Dr. Zinzow,
dem Zeichen- und Schreiblehrer Schmidt, den Mitgliedern des kön.
Seminars Dr. Eiselen und Dr. Lüttgert, den Hilfslehrern Lang-
kavel, Dr. Hermes, Schellbach, Dr. Wunschmann, Musikdir.
Neithardt, Geh. Justizr. Prof. Dr. Rudorff und den das Probejahr abhaltenden Candidaten Kloss, Dumas, Dr. de Lagarde (vorher Bötticher genannt). Die Schülerzahl betrug 461 (I A 22, B
34, II[a] 46, II[b] 49, III[a] A 28, B 28, III[b] A 34, B 36, IV A 32, B 34,
V 60, VI 47). Zur Universität wurden Ostern 1854 18, Mich. 16 entlassen. Die Abhandlung schrieb der Dir. Prof. D. K. E. Bonnell:
*Friedrichs des Groszen Verhältnis zu Garve und dessen Ueber-
setzung der Schrift Ciceros von den Pflichten nebst einer Betrachtung über das verhalten der Schule gegen die Uebersetzungen der
alten Classiker* (21 S. 4). Nachdem der hochverehrte Hr. Verf. aus
Garves und seiner Freunde Briefen die Entstehung der genannten Uebersetzung geschildert, den Werth derselben dargelegt, auch ein eben
so gerecht anerkennendes wie nicht überschätzendes Urtheil über die
Schrift Ciceros gefällt, endlich auch die Gründe, welche Friedrich
den Gr. zu dem so überaus günstigen Urtheil über dieselbe bewogen,
erörtert hat, führt ihn die Absicht, welche der grosze König bei der
Aufforderung, Garve bei der Arbeit der Uebersetzung gehabt, und
der Nutzen, den sie gestiftet, auf die Leichtfertigkeit, mit welcher
jetzt dergleichen gesudelt werden, und auf den Schaden, den sie in der
Schule stiften. Dabei werden auch die dem Schüler jede Arbeit sparen wollenden Ausgaben, wie namentlich die von Freund, nicht vergessen. Indem der Hr. Verf., dem eine reiche Erfahrung zu Gebote
steht, die Mittel, welche man um den Misbrauch schlechter Uebersetzungen bei den Schülern zu verhüten angewandt oder vorgeschlagen
hat, als unzureichend oder unzweckmäszig bezeichnet, thut er selbst
einen Vorschlag, der zumal er zugleich auf ein anderes paedagogisches
Bedürfnis hinweist, gewis alle Beachtung verdient. Indem er nemlich
die Nothwendigkeit nachweist, dasz die Lehrer statt selbst alles zu
docieren, vielmehr zu der in England üblichen Unterrichtsweise, dem
genauen und gründlichen abfragen dessen, was der Schüler gelernt
und gefunden, zurückkehren und dasz deshalb Bücher und Ausgaben,
welche jenes dem Schüler erleichtern, eingeführt werden müszen, zeigt
er durch Angabe der Forderungen, welche man rücksichtlich der Praeparation an den Schüler zu stellen babe, dasz und wie die Schule
jene Uebersetzungen, deren Misbrauch zu verhüten sie jetzt vergeh-
lich strebe, sich dienst- und nutzbar machen könne. — Am cöl-

nischen Realgymnasium bestand, nachdem der Oberlehrer Dr.
Busse am 25. Nov. 1854 gestorben, die Hilfslehrer Dr. Bechmann,
Dr. Erfurt und Dr. de Lagarde (s. oben), sowie der Schulamts-
candidat W. Tell an andre Lehranstalten übergegangen waren, das
Lehrercollegium aus dem Dir. Dr. August, den Proff. Selckmann,
Dr. Benary, Dr. Polsberw, Dr. Barentin, den Oberlehrern Dr.
Kuhn und Dr. Hagen, den ordenti. Lehrern Prof. Dr. George,
Kersten, Bertram und Dr. Kuhlmey, dem Predig. Eyssen-
hardt, Zeichenlehrer Gennerich, Schreiblehrer Strahlendorff,
Gesangl. Dr. Waldästel, den Hülfslehrern Dr. Hermes, Dr. Tö-
pfer und Hermann, den kön. Seminaristen Dr. Büchsenschütz,
Dr. Natani und Dr. Dütschke, endlich dem Schulamtscandidaten
Gause. Die Schülerzahl betrug im letztvergangenen Wintersemester
494 (I 35, II^a 22, II^b 32, III^a 44, III^b 55, IV^a 35, IV^b 48, V (2 Coet.)
76, VI 47). Im Sept. 1854 waren 9, Ostern 1855 7 Abiturienten. Die
Abhandlung für das Programm schrieb der ord. Lehrer Dr. Kuhlmey: *Schillers Eintritt in Weimar* (23 S. 4). Mit groszem Fleisze
und ausgebreiteter Gelehrsamkeit hat der Hr. Verf. alles, was sich
auf den ersten Aufenthalt Schillers in Weimar und auf die ihm dort
begegnenden Persönlichkeiten bezieht, gesammelt, übersichtlich geordnet und überall den Gründen der Verhältnisse und Stimmungen nach-
spürend ein sehr werthvolles Bild geliefert, das um so mehr den Leser
fesseln musz, als es den Beginn einer innern Umwandlung des groszen
Dichters vor die Seele stellt und die Energie seines Geistes und Wesens hell beleuchtet. Wie viel auch sonst die Abhandlung zur besseren Kenntnis der Heroen unserer Litteratur bietet, glauben wir nur
andeuten zu müssen. = Dem Programme der höhern Gewerbschule
ist vorausgestellt eine Abhandlung des Oberl. Dr. von Klöden: *Beiträge zur neuern Geographie von Abissinien* (49 S. 8). Je wichtiger
das genannte Land als Mittelpunkt des Verkehrs zwischen Nord- und
Südafrica, Innerafrica und Asien, je interessanter es durch seine Geschichte und eigenthümliche Beschaffenheit ist, um so mehr müszen
wir die fleiszige und geschickte Darstellung, welche uns der Hr. Verf.
aus den zahlreichen neuesten und älteren Reiseberichten geliefert hat,
dankbar anerkennen und dürfen darauf, dasz manche Notiz unvermittelt erscheint, wie z. B. der letzte von Menschenopfern berichtende
Satz, und dasz man die Beigabe einer Karte vermiszt, keinen Nachdruck legen. — Dem Programme der königlichen Realschule ist beigegeben eine Abhandlung des Dr. Krönig: *über Mittel zur Vermeidung und Auffindung von Rechenfehlern* (64 S. 8).

CLAUSTHAL. Das Lehrercollegium des dasigen Gymnasiums be-
stand am Schlusze des Schuljahrs Ost. 1854—55 aus dem Dir. Elster, dem Rector Dr. Urban, Prof. Dr. Muhlert (dem Gymn.
aggregiert.), Conr. Zimmermann, Oberl. Schoof (Math.), Subconr.
Vollbrecht, den Collaboratoren Rempen, Dr. Buchholz, Pertz
und Morgenstern, Gesanglehrer Cantor Jacke, Zeichenlehrer
Gutsmuths, Lehrer der Arithmetik und Kalligraphie Schwarze.
Die Frequenz betrug 213, darunter 37 Realisten (I 19, II 17 G, 7 R,
III 28 G, 8 R, IV 17 G, 21 R, V 47, VI 28). Abiturienten waren 4.
Die Schulnachrichten enthalten einen vom Dir. verfaszten Nekrolog
des am 12. Mai 1854 verstorbenen Generalsuperintendenten und Pastor primarius K. Chr. Th. R. Steinmetz, welcher von 1825—30
selbst als Lehrer an der Anstalt gewirkt und zuletzt als Mitglied der
Schul- und Prüfungs-Commission mit derselben in Verbindung gestanden hatte. Derselbe gibt ein recht klares Lebensbild und bestätigt,
indem er besonders auf die ausgezeichnete paedagogische Wirksamkeit
des verbliebenen eingeht, indirect die Ansicht derer, welche bei aus-

gezeichneten Geistesgaben eine Vereinigung des theologischen und philologischen Studiums für möglich halten und daraus eine gesegnete Wirksamkeit verheiszen. Auf die vorausgeschickte Abhandlung des Collab. Dr. Buchholz: *emendationum Sophoclearum* specim. I (18 S. 4) wird anderwärts Rücksicht genommen werden.

DRESDEN. An dem Vitzthumschen Geschlechtsgymnasium und der damit vereinigten Blochmann-Bezzerbergerschen Erziehungsanstalt 'wirkten im abgelaufenen Schulj., nachdem der Cand. Summa von der bayrischen Regierung in die Heimat zurückberufen worden war, als ausschliesslich der Anstalt angehörende Lehrer [s. Bd. LXIX S. 575]: Geh. Schulr. Prof. Dr. Blochmann, Prof. Dr. Bezzenberger, Dr. Hübner, Heusinger, Dillon, Dr. Krippendorff, Dr. Grautoff, Guignard, Dr. Müller, Dr. Kammrath, Dr. Lehmann, Dr. Herm. Wunder, Morin, Sörgel, Leidloff, Dr. O. Roquette, Dr. Crecelius, Fürstenau, Coch. Die Zahl der Schüler betrug 117 (Gymn. I 4, II 16, III 19, IV 17, Realkl. I 8, II 9, III 14, Prog. I 16, II A 7, II B 7). Zur Universität wurden zwei Abiturienten entlassen. Die Schulnachrichten enthalten S. 61—73 zwei am Geburtstage des Königs gehaltene Reden, die erste vom jetzt geschiedenen Collegen Summa mit dem Thema: *deines Königs Bild sei ein Vorbild für deine Bestrebungen*, die andere vom königl. Commissar, Geh. Kirchenr. Dr. von Zobel: *wie wird des Königs Geburtsfest fruchtverheiszend für die Anstalt?* Die wissenschaftliche Abhandlung zum Programm schrieb Dr. Jul. Lehmann: *allgemeine Betrachtungen über die Pilze und chemische Beiträge zur näheren Kenntnis derselben* (32 S. 8).

EUTIN.] Das Bedürfnis denjenigen, welche ohne zu studieren dennoch eine höhere Schulbildung wünschen, Gelegenheit zur Erwerbung einer solchen zu gewähren, hat an der vereinigten Gelehrten- und Bürgerschule eine eigenthümliche Einrichtung veranlaszt, die zwar länger schon angebahnt, doch erst mit dem neuen Jahre 1855 vollständig ins Leben getreten ist. Es bestehen nemlich zuerst zwei Elementarklassen, welche die Grundlagen der Bildung überhaupt geben. An diese schlieszt sich nach oben einerseits die II. Abtheilung der Oberklasse der Bürgerschule, andernseits das Progymnasium an, welches durch die Einrichtung einer Quinta eine die sichrere Erreichung des Zwecks verbürgende Vervollständigung erhalten hat. Die Schüler dieser beiden Klassen, welche nicht Latein lernen, haben in Parallelstunden besonderen Unterricht im Französischen, rechnen und schreiben, die der Quarta auch im Englischen. Die letzteren gehen nach absolvierter Quarta in die I. Abtb. der Oberklasse der Bürgerschule über, während diejenigen, welche Latein gelernt, in die Gymnasialtertia eintreten. In Tertia und Secunda nun erhalten wieder diejenigen Schüler, welche nicht Griechisch lernen, in Parallelstunden Unterricht im Französischen, Englischen und rechnen. Die Prima endlich enthält nur Schüler, welche auch das Griechische erlernt haben und demnach die volle Vorbereitung zu den Universitätsstudien suchen. So sind drei Arten von Schülern in derselben Anstalt vereinigt, solche die den Unterricht einer höhern Bürgerschule suchen ohne das Latein, solche, welche eine höhere Schulbildung mit Ausschlusz des Griechischen erstreben, endlich solche, welche die akademische Laufbahn zu ergreifen beabsichtigen. Die Bedenken, welche eine solche Vielheit der Zwecke und Verschiedenheit der Schüler erregen müszen, werden in dem Programme keineswegs verkannt, indes als dadurch beseitigt bezeichnet, dasz die einfachern Verhältnisse einer kleinern Stadt vieles möglich machen, was in einer gröszern als ganz unthunlich erscheine, und dasz langjährige Erfahrung einen guten Erfolg von der vorher nur noch mangelhaften Einrichtung beweise. Die neue Einrichtung wurde dadurch ermöglicht dasz zwei neue Lehrer provisorisch angestellt wurden, Dr. Jaep, vorher Collaborator am Progymnasium in Münden, und cand. th. Kürschner, vorher Lehrer an der Gelehrtenschule in Meldorf. Dadurch ward ermöglicht, dasz der Pastor Müller seiner Thätigkeit an der Schule ganz enthoben, die des Pastor Drost auf 3 Stunden reduciert werde konnte. Das Lehrercollegium bestand demnach aus dem Rector Dr. Pansch, Conr. Hausdörffer, Collabor. Rottok, Collaborator Knorr, Dr. Jaep, Cand. Kürschner, Pastor Drost, den Oberlehrern Schmidt und Kruse, den Lehrern Kirchmann, Woiberg und Detlefs, dem Hülfslehrer Tamm und Zeichenlehrer. Knoop. Die Schülerzahl betrug in den Gymnasialklassen 94 (I 13, II 15, III 22, IV^a 9, IV^b 15, V^a 12, V^b 8). Zur Universität wurde Mich. 1854 1, Ostern 1855 2 entlassen. Ueber die dem Programme beigegebene Abhandlung vom Conrector Hausdörffer: *Aphorismen über Gymnasialbildung* geben wir den Bericht eines geehrten Mitarbeiters:

Eine Schrift, die, obwol sie zunächst einem localen Zwecke dienen soll, doch durch die Art, wie sie ihren Gegenstand behandelt, einer allgemeineren Kenntnisnahme in besonderem *Grade werth ist. Der Werth der Gymnasialbildung, dem Realismus und den Anstalten, die ihn vertreten und lehren, gegenüber, wird in lichtvollster und den Inhalt vollkommen beherschender Form dargestellt. Nach dem Verf. waren es zwei Mächte, die dem Princip des Gymnasiums schon seit der Mitte des vorigen Jahrhunderts feindselig entgegentraten: zunächst die negative Richtung, welche allem hergebrachten und überlieferten die Berechtigung zur Existenz bestreitend auf allen Gebieten des geistigen Lebens, und also auch auf dem der Schule mehr und mehr sich geltend machte, und dann, mit jener im Bunde und aus ihr erwachsen, der materielle Sinn, der alles und also auch jedes Bildungselement nur nach der handgreiflichen Nutzbarkeit beurtheilte, zumal indem er durch den ungewöhnlichen Aufschwung der Industrie begünstigt und genährt wurde. Die Gymnasien, betäubt von dem lauten Geschrei nach einer Bildung, die man mit Händen greifen könnte, verloren selbst den richtigen Gesichtspunkt und überluden sich mit Unterrichtsgegenständen, deren Werth für die Schule man je nach dem Nutzen abschätzte. Bald machte man indes die Erfahrung, dasz in diesen Zugeständnissen noch gar nicht ein gründliches Abfindungsmittel mit den Forderungen der Zeit, wie man es nannte, gewonnen sei. Eine ganz eigene Art von Schulen muste gestiftet werden: so entstanden die Realschulen. Der Verf. dringt nun mit Klarheit und Entschiedenheit auf Vereinfachung und Concentration des Gymnasialunterrichts und verlangt, dasz die durch ihn gewährte Bildung die allgemeine wissenschaftliche Grundlage für alle werden müsse, die sich über die Stufe der Elementar- und Volksschule erheben wollen. Dahin müsse es wieder kommen, weil eine gewisse Gemeinsamkeit der Lebensanschauung für das ganze heilsam, weil aus praktischen und localen Ursachen eine Theilung des Bildungsweges oft unausführbar und weil endlich das Gymnasium wirklich und in der That im Stande sei die Vorbereitung der höheren Stände für Wissenschaft und Leben zu gewähren und also die Realschule überflüssig zu machen. In wiefern nun die Lehrmittel des Gymnasiums geeignet sind diese Aufgabe zu lösen, wird im folgenden auseinandergesetzt. Insbesondere finden da die alten Sprachen, wie sie durch Form und Inhalt den Geist bilden und kräftigen, Klarheit und Ordnung in sein anschauen und denken, Wahrheit und Reinheit in seine Gefühle bringen und ihn für jede Thätigkeit geschickt machen, eine Erörterung, die jeden, der für den

Gegenstand überhaupt eines Verständnisses fähig ist, in hohem Grade befriedigen wird. Dasz nur die beiden alten, nicht die modernen Sprachen die eigentliche Substanz des Gymnasialunterrichts bilden können, wird auf das anschaulichste dargethan. Gleichwol ist der Verf. weit entfernt, die Betreibung der neueren Sprachen im Gymnasium zu gering anzuschlagen, er ist vielmehr ganz damit einverstanden, dasz in den oberen Klassen in Parallelstunden neben dem Griechischen neuere Sprachen mit gesteigerter Energie getrieben werden, um denjenigen, welche einem höheren Gewerbe vom Gymnasium aus sich zuwenden wollen, Gelegenheit zu geben, sich bis zu einem gewissen Grade von Fertigkeit im Englischen und Französischen auszubilden. Ohne im einzelnen auf die Uebelstände eingehen zu wollen, welche bekanntlich für die gesamte Wirksamkeit des Gymnasiums mit solcher Einrichtung verbunden sind, so darf doch nicht unerwähnt bleiben, dasz der Verf. hier seinem eigenen Princip untreu wird. Vom Griechischen sollte kein Gymnasiast dispensiert werden, auch nicht in den oberen Klassen, und da gerade am allerwenigsten, abgesehen von allen anderen Nachtheilen, schon um des einen Homers willen. Wer nicht den Homer in der Ursprache und mit dem Verständnis, wie es erst die oberen Klassen bieten, gelesen hat, den dürfte der Verf. nach seinen Praemissen am allerwenigsten zu den gebildeten zählen. Dieses ist der einzige Tadel, den Ref. über die sonst durchaus trefliche, gediegene und in warmer Begeisterung für die Sache des Gymnasiums abgefaszte Schrift auszusprechen sich veranlaszt fühlt. An Ort und Stelle, wo sie geschrieben wurde, wird sie Misverständnissen und Irthümern gegenüber ihre Wirkung sicher nicht verfehlen. Dasz sie auch in weiteren Kreisen gelesen werde, das ist der Zweck dieser kurzen Anzeige.

Wittenberg. *Breitenbach.*

FRANKFURT A. M.] Ueber die im Lehrercollegium des dasigen Gymnasiums vorgekommene Veränderung und die eingeführten allgemeinen Vorschriften für die Schüler ist schon Bd. LXX S. 561 berichtet worden. Zu den neuen Einrichtungen gehört die Einführung des Turnunterrichts in den vier untern Klassen, welche der Lehrer Dr. Schmidt, nachdem er in Darmstadt die Methode von Spiesz kennen gelernt hatte übernahm, und die Erweiterung der Schulbibliothek durch vorläufige Bewilligung von jährl. 300 fl. auf drei Jahre, so dasz von nun auch den Bedürfnissen der Schüler Rechnung getragen werden kann. Interessant sind die Bestimmungen wegen der Maturitätszeugnisse: 1) das Maturitätszeugnis wird nur nach vollständig absolviertem Gymnasialcursus, also nach zweijährigem Besuche der ersten Klasse ertheilt. 2) zu Anfang des letzten Semesters hat der Abiturient dem Director das Thema zu einer freien lateinischen Arbeit zu nennen, welche er nach dessen Billigung und mit seinem Rathe neben den regelmäszigen Schularbeiten auszuführen und vier Wochen vor dem Schlusz der Schule einzuliefern hat. 3) auf Grund seiner gesamten Leistungen, so wie seines Betragens und Fleiszes und mit Berücksichtigung der eingelieferten Abgangsarbeit wird das Zeugnis von der Lehrer-Conferenz berathen und festgestellt. In demselben wird ihm über seine Kenntnisse in den obligatorischen Unterrichtsfächern des Gymnasiums, so wie für die künftigen Theologen im Hebraeischen ein Praedicat nach der fünffachen Stufenfolge ertheilt 1. Sehr gut. 2. Gut. 3. Genügend. 4. Nicht ganz genügend. 5. Gering. Das niedrigste für die Zuerkennung der Reife erforderliche Masz ist die mittlere Stufe (Nr. 3.) in allen Unterrichtsgegenständen. Nach diesem Masze ergeben sich von selbst die höhern Stufen, wobei eine Compensation des einen Gegenstandes gegen den andern stattfindet. Doch schliest das

Praedicat ge ri ng (Nr. 5) in zwei Fächern die Ertheilung des Maturitätszeugnisses aus.' Für die Schüler der drei untern Classen, deren Aeltern es wünschen, sind in einem Lehrzimmer des Gymnasiums in zwei Abendstunden täglich Arbeitsstunden unter Beaufsichtigung eines Lehrers (Schreiblehrer Z i n n d o r f) eingerichtet worden. Die Frequenz betrug im Sommer 181, im Winter 171 (I 17, II 30, III 30, IV 29, V 24, VI 17, VII 23). Im Herbst wurden 3, Ostern 1855 4 zur Universität entlassen. Dem Programm geht voran die Abhandlung vom Dir. Prof. Dr. J. C l a s s e n: *Beobachtungen über den homerischen Sprachgebrauch.* Z w e i t e r T h. (27 S. 4).

H a d a m a r.] Das Lehrercollegium des dasigen herzoglichen Gymnasiums bestand nach den Bd. LXX S. 229 und oben S. 209 (K e h r e i n, S p o r e r) berichteten Veränderungen aus dem Dir. Reg.-R. K r e i z n e r, den Proff. S c h m i d t, M ü l l e r, Dr. S p o r e r und B a r b i e u x, den Correctoren B i l l und M e i s t e r, Collabor. C o l o m b e l, Hülfslehrer D e u t s c h m a n n, den Candidaten B i e h l und B r a n d s c h e i d, Elementarl. W e p p e l m a n n, Zeichenl. D i e f e n b a c h, Musiklehrer W a g n e r, Reitlehrer S t r o h, dem Religionsl. für die katholischen Schüler Priester S c h m e l z e i s, für die evangelischen Pfarrer S c h e l l e n b e r g, für die israëlitischen (1) Bezirksrabbiner Dr. W o r m s e r. Die Schülerzahl betrug im verfloszenen Schuljahr 133 (VIII 18, VII 20, VI 21, V 19, IV 15, III 10, II 7, I 3). Ostern 1854 waren 16, Mich. 2 Abiturienten. Die dem Programme beigegebene Abhandlung vom Conr. M. M e i s t e r: *über die klassischen Studien auf Gymnasien, vom christlichen Standpunkte* (26 S. 4.) nöthigt uns zu ausführlicherer Besprechung. Zuerst müssen wir dem Eifer des Hrn. Vf., seiner Gründlichkeit und ausgebreiteten Gelehrsamkeit aufrichtige Anerkennung zu Theil werden lassen und aussprechen, dasz er der Sache der classischen Bildung auf den Gymnasien einen recht dankenswerthen Dienst geleistet hat. Nachdem er in der Einleitung die Gegner der alten Klassiker charakterisiert und die Gründe, auf welche sie sich berufen, angeführt hat, wobei er sofort hervorhebt, dasz die so vielfach benützten Aeuszerungen von Kirchenvätern in ihrem Zusammenhange viel von ihrer Härte einbüszen und meist nur die Methode der Lesung, nicht den Inhalt der alten Klassiker selbst treffen, nachdem er auch in der Kürze sich dafür erklärt hat, dasz die Kirchenväter in den Schulen nicht als Bildungsmittel gelesen werden können, wol aber zur Privatlectüre benützt werden sollen — eine Ansicht, gegen welche wir nichts einzuwenden haben würden, wenn wir dazu ausreichende Zeit vorhanden wüsten oder die Möglichkeit sie zu verschaffen einsähen, stellt er sich eine dreifache Aufgabe, zuerst nachzuweisen warum die alten Klassiker das Fundament unserer Gymnasialbildung bleiben müssen. Die S. 6—9 darüber gegebene Auseinandersetzung bringt zwar im wesentlichen nichts neues, entwickelt aber die Gründe recht klar und lebendig und legt, was die Hauptsache ist, weil gegen jeden einzelnen sich immer Einwendungen machen lassen, auf ihr zusammenwirken gebührend Gewicht. Der zweite Theil (S. 9—19), der Nachweis, dasz die Klassiker von den ersten christlichen Zeiten und während des ganzen Mittelalters, nicht erst seit der Renaissance, wie Gaume behauptet, für das Fundament aller höhern Bildung gegolten und unter dem Schutze der Kirche, soweit es unter gegebenen Verhältnissen möglich war, es gewesen sind, löst allerdings die erste Aufgabe recht gut, läszt jedoch die zweite weniger glücklich behandelt. Könnte man von einem wiederaufleben der Humanitätsstudien nur reden, wenn nicht ein gänzlicher Verfall vorausgegangen wäre? Der Hr. Vf. aber scheint, wenn schon wir ein bewustes zurückstellen von Seite der Kirche nicht behaupten können, doch nicht ganz richtig diesen nur als eine zeitweilige durch Umstände herbeigeführte Vernachlässigung zu betrachten und es ist auffallend, dasz er gerade den stärksten Beweis für die Behauptung im ersten Theil aus dieser Zeit nicht genügend gezogen. Jener Verfall ist ja eben eine Erscheinung, welche die Gesunkenheit des Zeitalters ebenso offenbart, wie sie durch sie herbeigeführt wurde, und bietet somit die beste Gelegenheit, historisch nachzuweisen, wohin das aufgeben jener Studien führt, während die Wirkungen des sogenannten wiederaufle- beus am stärksten die ihnen innewohnende Kraft bezeugen. Um zu diesem in vieler Hinsicht uns recht lehrreichen Abschnitt einiges spe- cielle zu erinnern bemerken wir, dasz die in 'Meisen' bestandene Schule (S. 12), wenn darunter das in unserem Vaterlande gelegene zu ver- stehen ist, nach den darüber vorhandenen sicheren Nachrichten keines- wegs mit den übrigen dort genannten in Parallele gestellt zu werden verdient. Wie S. 13 die griechischen Studien im Orient von den klas- sischen des Occidents mehr gesondert sein sollten, so wird die Behaup- tung S. 16: 'Hat ja das Morgenland in Bezug auf die römische Litte- ratur nur gänzliche Unbekanntschaft aufzuweisen' nach Webers diss. de latine scriptis quae Graeci veteres in lingnam suam transtulerunt, einige Modification zu erfahren haben. Auch erlauben wir uns gegen den Ausspruch S. 15: 'dasz in der 'Zeit der Barbarei' für Erhaltung der klassischen Schriften wol mehr gesorgt worden ist, als in den letzten Zeiten des Alterthums selbst' Bedenken zu hegen. Mindestens scheint uns die Ungunst, welche die Verheerungen der Völkerwande- rung herbeiführten, in Anschlag gebracht werden zu müssen. Die nach dem wiederaufleben eingetretene heidnische Richtung in der Betreibung führt den Hrn. Vf. auf den dritten Theil, die Methode, wie die alten Klassiker in den Schulen behandelt werden müssen. Wenn er dabei äuszert: 'Mit Rücksicht auf die Schwierigkeit der Beantwortung die- ser Frage erkläre ich im voraus, dasz ich nicht ohne Schüchternheit und im Bewustsein, eher das richtige zu fühlen, als es in klaren, be- stimmten Sätzen aussprechen zu können, die Lösung versuche', so hat Ref. durch die Art und Weise, wie wie Bd. LXVIII S. 518 aufge- stellten Ansichten von dem Hrn. Vf. misverstanden worden sind, einen thatsächlichen Beweis erhalten, wie schwierig es ist über Methodik zu schreiben. Ich habe die Ehre mit denen zusammengestellt zu sein, welche ohne gerade christenfeindliche Gesinnungen zu hegen, bei der Erklärung der Schriftsteller vom Christenthum nichts wissen wollen, weil eine christliche Anschauung entweder für die Schüler zu schwer oder nicht nothwendig sei oder gar das unbefangene objective Ver- ständnis unmöglich mache, das jugendliche Gemüt verwirre und zu verkehrten Urtheilen verleite, ja dem Christenthum selbst schade' (Wiese Zeitsch. f. christl. Wissenschaft und christl. Leben. 1851. Mai. Schmitz in Mützells Zeitschr. 1852. Febr. und März). Allerdings scheint dem Hrn. Vf. das, was ich Bd. LXIX S. 453—55 geschrieben, unbe- kannt geblieben zu sein, sonst würde er wol erkannt haben, dasz ich nicht gegen das· gegenüberstellen von Heidenthum und Christenthum überhaupt, sondern nur gegen ein 'fortwährendes' mich ausgesprochen und eben dasjenige bekämpft habe, was er selbst S. 21 n. 107 als zu- rückzuweisen anerkennt. Wenn er ebendas. sagt: 'Hier [in obscoenen Stellen] hört die 'lautere Objectivität' auf und die unlautere beginnt', so glaube ich die Deutung, welche einem von mir gebrauchten Ausdruck gegeben zu werden scheint, hinlänglich durch das, was ich Bd. LXIX S 519 am Anfang gesagt habe, widerlegt, und ich branche um so we- niger ein Wort darüber zu verlieren, als der Hr. Vf. auf der vor- hergehenden Seite ein richtigeres Verständnis davon selbst darlegt. Um aber vor ferneren Misverständnissen jener nur gelegentlich und in Hinblick auf anderer Meinungen vorgetragenen Aeuszerungen bewahrt zu sein, will ich versuchen, meine Ansicht in möglichst kurzen und klar bestimmten Sätzen darzulegen. Ueber allem Zweifel erhaben steht, dasz auch das lesen der alten Schriftsteller christlich erziehend wirken müsse; dem Christenthum wird aber nur geschadet, wenn man es beweisen und gegen Angriffe ohne Noth vertheidigen will, und wenn man überall und zu aller Zeit religiöse Vorstellungen, Gedanken und Gefühle bei dem Schüler anzuregen strebt. [Dies erkennt der Hr. Vf. an, indem er S. 8 sagt: 'Bei dem ausschlieszlichen Gebrauch der Kirchenväter würde den Jünglingen zu viel zugemutet werden, wenn man von ihnen verlangte sich fortwährend zu Hause und in der Schule mit religiösen Dingen zu beschäftigen, religiöse Anschauungen und Gedanken in sich aufzunehmen. Der Geist müste nothwendig bald für das religiöse überhaupt abgestumpft werden']. Deshalb ist eine Erklärung der alten Schriftsteller, welche ihren Inhalt nur benützt, um daran die Wahrheit, Erhabenheit, Vortrefflichkeit des Christenthums zu erweisen, der also das Alterthum nur zur Folie für das Christenthum dient, zu verwerfen. Aber eine nur einigermaszen tiefere und bildendere Auffassung der alten Litteratur ist unmöglich ohne Kenntnis des religiösen Glaubens und der sittlichen Ansichten. Darum musz die Erkenntnis des religiösen und sittlichen Lebens ein Zweck bei der Erklärung sein und noch viel mehr beachtet werden, als es bisher wol geschehen zu sein scheint. Diese Erkenntnis musz objectiv sein, d. h. es darf ebenso wenig in die Aeuszerungen der alten etwas hineingetragen, wie wesentliches übergangen und bei Seite gelassen werden. Dasz das Licht als Licht, der Schatten als Schatten vom Schüler erkannt und demnach vom Lehrer bezeichnet werden müssen und dasz dies nur von der christlichen Anschauung aus geschehen könne, ist selbstverständlich; es wird dies aber weder durch polemisieren gegen das Heidenthum, noch durch darstellen und beweisen der christlithen Lehre erreicht werden, sondern am besten durch das zurückführen der einzelnen Erscheinung und Aeuszerung auf die letzten Gründe geschehen. Wenn z. B. dem Schüler anschaulich wird, dasz die Idee der $Μοῖρα$ einen Versuch die vom Verstande geforderte Einheit des vielgestalteten Götterthums herzustellen beweise, und wenn er erkennt, wie ungenügend derselbe ausgefallen, so wird er an einem concreten Beispiele das, was er im Religionsunterrichte gelernt haben musz, gesehen haben, wie vergeblich das ringen nach besserer Gotteskenntnis ohne Offenbarung sei, und es bedarf demnach von Seiten des Lehrers nur einer Hinweisung darauf, nicht aber einer Exposition von der Höhe und Herlichkeit des Christenthums, welche vom Schüler gewis als zu dem Zwecke der Stunde nicht gehörig betrachtet werden wird. Oder wenn wir den Ruhm als das höchste Ziel des strebens gepriesen finden, genügt nicht für den christlich von klein auf unterwiesenen Jüngling die Nachweisung wie diese falsche Ansicht aus der Verkennung des wahren Verhältnisses zu Gott und den unwahren Vorstellungen von einem jenseitigen Leben hervorgehe, oder musz man dies erst nach christlicher Lehre auseinander setzen? Oder hält man es vielleicht für nöthig, wenn Homer die Gestalt des Zeus beschreibt, die Ungereimtheit Gott in menschlicher Gestalt zu denken zu beweisen? Dasz die erhabene Speculation, mit welcher die Kirchenväter das Christenthum dem Heidenthum gegenüber vertheidigt haben und in welche jeder sich einlassen musz, der den gleichen Zweck verfolgt, nicht in die Schule gehört, darüber wird kein Zweifel obwalten, ebenso wenig aber auch darüber, dasz je entschiedener das Christenthum vom Lehrer dem Schüler als über allem Zweifel erhabene Wahrheit hingestellt wird, desto sichrer der Erfolg ist. Hat ja doch zu allen Zeiten das Zeugnis am meisten vermocht. Ja ich scheue mich nicht zu behaupten, dasz je zuversichtlicher der Lehrer bei dem Schüler christlichen Glauben und christliches wissen voraussetzt, je weniger er in denselben stürmt und drängt, desto ernster der Sinn des letztern auf die christliche Wahrheit gerichtet sein wird. Und wenn ich natürlich nichts dagegen haben kann, wenn der Hr.. Vf. Erleuterung vom christlichen Standpunkt, sei es durch **eine kurze Frage**, durch **einfache Darlegung des richtigen Verhältnisses**, durch **eine zum Verständnis führende Bibelstelle** oder einen andern **Fingerzeig** fordert, so bleibe ich doch immer der Ueberzeugung, dasz eine Uebertreibung in dieser Hinsicht Schaden stiftet und dasz in sehr vielen Fällen das gerathenste ist, objectiv klar und deutlich die religiöse und ethische Anschauung des Alterthums in ihrem genetischen Zusammenhang dem Schüler vor Augen zu stellen, einfach das gute als gut, das schlechte als schlecht, das wahre und falsche als solches zu bezeichnen und den Schüler in seinem eigenen Bewustsein die Vergleichung mit dem Christenthum vollziehen zu lassen. Ich bin mit dem von Zinzow (Ztschr. f. d. G. W. VIII S. 897 ff.) aufgestellten im wesentlichen einverstanden, ob wir in der Praxis überall zusammentreffen, kann ich nicht voraussehen, aber in ihr entscheidet ja vieles die Individualität. Wir können nur vor zu falschem und schädlichem führendem warnen. Und wie ich denn mit Hrn. Dr. Geier in herzliches Einvernehmen gekommen bin, so hoffe ich auch den Hrn. Vf. durch meine Selbstvertheidigung nicht verletzt zu haben und scheide von ihm mit der aufrichtigen Versicherung der Hochachtung.

HANNOVER.] Obgleich wir schon oben S. 150 f. über die dritte orthographische Conferenz einen Bericht gegeben haben, so halten wir uns doch verpflichtet, hier mitzutheilen das dritte Rundschreiben des königl. Ober-Schul-Collegiums an die Lehrer-Collegien der höheren Schulanstalten des Königreichs, den Unterricht über deutsche Rechtschreibung betreffend: Unsere beiden Rundschreiben vom 9. Nov. 1853 und 6. Juni 1854 haben unsere Absicht ausgesprochen, die möglichste Uebereinstimmung in dem Unterrichte über deutsche Rechtschreibung in den höheren Schulanstalten des Königreichs herbeizuführen. Die Arbeiten der für diesen Zweck berufenen Commission liegen in der beikommenden Druckschrift vor; sie enthält eine Zusammenstellung der Regeln über deutsche Rechtschreibung und ein Verzeichnis derjenigen Wörter, deren Schreibung ins schwanken gerathen oder überhaupt zweifelhaft, zum Theil auch weniger bekannt ist, mit Angabe der durch Gebrauch oder wissenschaftliche Folgerichtigkeit gerechtfertigten Schreibweise. In dem ganzen wird die Durchführung des von uns von Anfang an festgehaltenen Grundsatzes nicht verkannt werden, die im allgemeinen üblichen Schreibweise, wo eine solche sich findet, beizubehalten, in den Fällen aber, wo eine solche nicht mehr besteht, diejenige hinzustellen, die nach Ableitung, Analogie und Zweckmäszigkeit den Vorzug verdient. Es ist gelungen, über die fraglichen Punkte einen endgiltigen Beschlusz der Commission zu erzielen, der unsere Zustimmung erhalten konnte; nur in den Regeln über die Schreibung der S-Laute hat die Mehrheit der Commission die auf historische Forschung gegründete strenge Scheidung des sz vom ss geltend machen zu müssen geglaubt, während eine Minderheit mit uns der Ansicht war, dasz die etwa seit der Mitte des vorigen Jahrhunderts in Gebrauch gekommene Schreibung jener Laute, die sich auf die herschende Aussprache zu stützen sucht, zu fest gewurzelt und zugleich so einfach in Regeln zu fassen sei, dasz es bedenklich sein müsse, sie für den allgemeinen Schulunterricht gegen eine neue, nach unserem Urtheile verwickeltere Theorie zu vertauschen, noch bevor letztere eine überwiegende Geltung im Gebrauche sich verschafft hat. Denn auf die möglichst **allgemeine**

Brauchbarkeit der von uns angebahnten Feststellungen, selbst für den Kreis der niederen Schulen, haben wir bei der weiteren Entwicklung der Sache immer mehr unser Augenmerk gerichtet. Auf der andern Seite musten wir Bedenken tragen, die entschieden ausgesprochene und auch bereits von einer Anzahl neuerer Schriftsteller vertretene Ansicht derjenigen Commissionsmitglieder, welche sich mit deutscher Sprachforschung vorzugsweise beschäftigt haben, auszuschlieszen, oder ein mühsam zusammengearbeitetes Werk, dessen bei weitem gröszter Theil eine wünschenswerthe Uebereinstimmung begründen konnte, wegen eines einzelnen Kapitels fallen zu lassen. Es erschien daher als der geeignetste Ausweg, die Abweichungen beider Systeme so kurz als möglich neben einander zu stellen, um den Schulen und einzelnen Gelegenheit zu geben sich für das eine oder andere zu entscheiden. Dieses ist auf den Seiten 18 und 19 der Regelnaufstellung geschehen und als nothwendige Folge davon sind in dem Wörterverzeichnisse, welches auch in Absicht der S-Laute nach den Beschlüssen der Conferenz abgefaszt ist, diejenigen Wörter in eckigen Klammern und mit besonderer Schrift beigefügt, die nach der bisher gebräuchlichen Weise mit einem verschiedenen S-Zeichen geschrieben werden. Eine umfassende Darlegung der Gründe gegen die neuere Theorie über die Schreibung der S-Laute, die wir aber hier nicht aufnehmen konnten, findet sich in einer Abhandlung über deutsche Rechtschreibung von dem Professor Rud. v. Raumer in der Zeitschrift für die österreichischen Gymnasien, 1855 erstes Heft, welches wir, auch des übrigen beachtenswerthen Inhaltes jener Abhandlung wegen, hier beifügen. Der sorgfältigen Ueberlegung des dortigen Lehrercollegiums stellen wir es nunmehr anheim, ob die vorliegenden Arbeiten über deutsche Rechtschreibung, die neben jeder deutschen Grammatik, natürlich an der Stelle der denselben Gegenstand behandelnden Kapitel derselben, gebraucht werden können, dem orthographischen Unterrichte der Anstalt zum Grunde zu legen sind, und zwar mit gleichzeitiger Entscheidung darüber, ob die Lehre von der Schreibung der S-Laute nach der bisher gebräuchlichen oder, um sie kurz zu bezeichnen, nach der historischen Theorie, vorgetragen und eingeübt werden solle. Wir rechnen darauf, dasz bei der Ueberlegung der Sache nicht die eine oder andere Einzelheit die Entscheidung geben, sondern dasz der grosze Vortheil einer möglichst allgemeinen Uebereinstimmung des Unterrichts in der deutschen Rechtschreibung kleinere Bedenken überwiegen werde. Es versteht sich von selbst, dasz, wenn die Einführung beschlossen wird, jeder Lehrer in allen Klassen der Anstalt in seinem Unterrichte an die Vorlagen gebunden ist, unbeschadet der bereits in unserem Rundschreiben vom 9. Juni 1854 unter No. 3 ausgesprochenen Gestattung, dasz in den oberen Klassen, deren Schüler die übliche Rechtschreibung schon sicher kennen, der Lehrer der deutschen Sprache Abweichungen, die er als Berichtigungen oder Verbesserungen erkennt, vortragen und wissenschaftlich begründen kann. Es wird uns angenehm sein, über die Entscheidung der Anstalten baldthunlichst in Kenntnis gesetzt zu werden. Wir bemerken dabei, dasz diejenige Anstalt, bei welcher die Einführung der Vorlagen nicht beschlossen wird, die Verpflichtung hat, uns binnen der nächsten drei Monate dasjenige System anzuzeigen, nach welchem der orthographische Unterricht in der Anstalt, von den unteren bis zu den oberen Klassen, ertheilt werden soll. Es kann dabei nicht ausreichen im allgemeinen zu sagen, dasz die bisher übliche Schreibweise beibehalten werden solle; denn gerade weil in neuerer Zeit so viele Schwankungen in derselben entstanden sind, ist in vielen Fällen eine allgemeingiltige Regel gar nicht mehr nachzuweisen und die jüngeren Lehrer würden wahrscheinlich vielfach eine andere Orthographic lehren, als die älteren. Es musz daher eine Uebereinstimmung des bezeichneten Unterrichts in ein und derselben Anstalt herbeigeführt und uns durch eine ähnliche Arbeit, wie die vorliegende, oder durch Bezeichnung einer Grammatik, welche ein das nöthige umfassendes System der Rechtschreibung enthält, dargethan werden. Sollte übrigens die Entschlieszung eines Lehrercollegiums so ausfallen, dasz der Director (bezw. Rector) deren Durchführung nach den Verhältnissen der Anstalt für bedenklich erachtet, so hat derselbe, bevor dem Beschlusze Folge gegeben wird, zuvörderst darüber an uns zu berichten und unsere Verfügung abzuwarten. Die in Folge der jetzt zu treffenden Maszregeln bei einer Anstalt einmal eingeführte Orthographie darf künftig durch einen Beschlusz des Lehrercollegiums nur mit unserer Zustimmung abgeändert werden. Wir machen noch darauf aufmerksam, dasz die mit diesem Rundschreiben vorgelegten orthographischen Arbeiten ihrem Umfange und ihrer ganzen Fassung nach wol erst für die oberen Gymnasialklassen, etwa von Quarta oder Tertia an, passen werden, dasz aber die Absicht ist, eine abgekürzte Redaction für die Elementarklassen der höheren Schulen und für Mittel- und Volksschulen zu veranstalten und ebenfalls zum Druck zu befördern. Zuletzt bemerken wir, dasz die vorliegenden Druckbogen auf gewöhnlichem Papier für 4 ggr. im Ladenpreise verkauft werden, dasz aber auch vielleicht die Verlagshandlung bei gröszeren Bestellungen einen Rabbat bewilligen wird. Exemplare auf feinem Papier werden ein geringes mehr kosten. Hannover, den 21. März 1855. Wenn wir die Bemühungen der hohen hannöverschen Regierung in einem so wichtigen Punkte eine Einheit herzustellen um so freudiger begrüszen, als wir dabei die richtigsten, allen Verhältnissen gebührende Rücksicht tragenden Grundsätze befolgt sehen, so glauben wir die Regeln und Wörterverzeichnis für deutsche Rechtschreibung. Clausthal, Schweiger 1855 (51 S. 8) als ein durchaus praktisch eingerichtetes und wissenschaftlichen Werth habendes Handbuch zum fleiszigen Studium auch auszerhalb des Königreichs Hannover empfehlen zu müssen. Vielleicht dasz wir dadurch der von so vielen gewünschten Erreichung des Ziels, übereinstimmender Feststellung der Orthographie in einer den Forderungen der Wissenschaft und des Gebrauchs gerecht entsprechenden Weise durch ganz Deutschland näher kommen. Wir fügen bei die Uebersicht der im Jahre 1854 im Lehrerpersonale der höhern Schulanstalten des Königreichs Hannover, sowie unter den pensionierten Lehrern vorgegangenen Veränderungen.

I. Gestorben:
1. Der Rector Schrickel am Gymnasio in Göttingen.
2. „ Zeichenlehrer Dankworth am Gymnasio in Celle.
3. „ pens. Lehrer Thospann am Gymnasio in Göttingen.

II. Mit Pension entlassen:
1. Der Rector Schröder am Gymnasio Andreano in Hildesheim.
2. „ Conrector Grauert am Gymnasio in Lingen.
3. „ Oberlehrer Hilbrath am Gymnasio in Meppen.

III. Aus dem Verwaltungskreise abgegangen:
1. Der Lehrer der neueren Sprachen Lindemann am Lyceo in Hannover.
2. „ Cand. der Theologie Müller am Gymn. in Emden.
3. „ „ „ „ Hesse „ „ „ „
4. „ „ „ „ Brauns „ „ Andreano in Hildesheim.
5. „ Collaborator Jaep am Progymn. in Münden.
6. „ Lehrer Breusl am Progymn. in Goslar.
7. „ Cantor Pluns „ „ „ Nordheim.
8. „ Caplan Feszler am „ „ Duderstadt.

IV. Versetzt.

1. Der Coll. Fehler vom Paedagogio in Ilfeld an das Lyceum in Hannover.
2. „ „ Ruprecht vom Progym. in Nordheim an das Andreanum in Hildesheim.
3. „ Lehrer Gropengieszer vom Progymn. in Osterode an das Progymnasium in Nordheim.

V. Neuangestellt:

1. Der Cand. Schorkopf als Collaborator am Paedagogio in Ilfeld.
2. „ „ Kühnemund als Collab. am Andreano in Hildesheim.
3. „ „ Schufzen „ Hilfslehrer am Andreano in Hildesheim.
4. „ „ Rinklake „ Lehrer am Gymnasio in Meppen.
5. „ „ Pahle „ „ „ „ „ Stade.-
6. „ „ Lührs „ „ „ „ „
7. „ „ César „ „ „ Progymn. „ Münden.
8. „ „ Gercke „ „ „ „ „ Nordheim.
9. „ Seminarist Wiecking als Lehrer am Gymnasio in Emden.
10. „ „ Tappert „ „ „ Progymn. „ Goslar.
11. „ „ Ziegenhorn „ „ „ „ „ Osterode.
12. „ Zeichenlehrer Schmidt am Gymnasio in Celle.

VI. Auf ihren Stellen verbessert:
31 Lehrer.

NORDHAUSEN.] Nachdem von dem Gymnasium der 7e ordentl. Lehrer Dr. K. A. G. Weiszenborn Mich. 1854 in ein Pfarramt übergegangen war, rückte der 8e Lehrer Dihle in die 7e Stelle auf. Dem vom Magistrat gewählten Cand. Frdr. Ad. Reidemeister ward die Genehmigung, dasz er bei gleichzeitiger Ableistung des paedagogischen Probejahrs die 8e ordentl. Lehrerstelle unter Beihülfe der übrigen Lehrer gegen eine monatliche Remuneration für sich und eine dergl. für die betreffenden übrigen Lehrer wahrnehme. Das Lehrercollegium bestand demnach Ost. 1855 aus dem Director Dr. Schirlitz, Conr. Dr. Theisz, Oberl. Dr. Rothmaler, Gymnasiall. Nitzsche, Oberl. Dr. Haake, Mathem. Dr. Kosack, Gymnasiall. Dihle, Cand. Reidemeister, Musikdir. Sörgel, Schreib- und Zeichenlehrer Deicke, Elementarl. Dippe. Die Schülerzahl betrug 266 (I 16, I^a 21, II^b 24, III 29, IV 59, V 63, Vorkl. 54). Abiturienten waren Ost. 1854 und Mich. dess. J. je 2. Die wissenschaftliche Abhandlung lieferte Conr. Dr. Theisz: *de proverbio* Ταντάλου τάλαντα *vel* Ταντάλου τάλαντα τανταλίζεται (16 S. 4). In sehr überzeugender Weise thut der gelehrte Hr. Vf. dar, dasz die bisher übliche Deutung des in der Ueberschrift genannten Sprichworts 'Reichthum wie Tantalus häufen' falsch, dagegen 'Tantalus-Qualen erleiden' die einzig richtige sei. Der Beweis gründet sich 1) auf die Etymologie, indem Τάνταλος in Uebereinstimmung mit Nitka de Tantali nominis verborumque cognatorum origine et significatu p. 8 und mit Plat. Cratyl. 365 d von τάλας abgeleitet, die ursprüngliche Bedeutung von τάλαντον gleich *pondus* festgestellt, endlich ταλαντίζεσθαι als nur: 'ähnliches wie Tantalus thun' bedeutend erwiesen wird. 2) Die übereinstimmende Deutung der Paroemiographi und Grammatiker kann nicht ins Gewicht fallen, da sie erweislich alle aus Zenobius geschöpft haben, dieser aber, da ihm die ursprüngliche Bedeutung von τάλαντον gar nicht mehr geläufig war, dagegen πλοῦτος Ταντάλειος und ähnliches vorschwebte, leicht in Irthum verfallen konnte, ein Misgeschick was ihm sehr oft passiert, namentlich auch bei dem vom Hrn. Vf. hervorgehobenen διπλοῦς ἄνδρας (Corp. I p. 64). 3) Die Sprichwörter Ταντάλου τράπεζα, τιμωρίαι, δένδρα, κῆποι bezeichnen immer nur Güter, die man nicht genieszen kann. Wegen τάλαντα hat die Stelle Stob. XXII p. 151 Grot. (Menandr. et Philem. ed.

Meineke p. 103) für die gewöhnliche Deutung kein Gewicht, weil sie lückenhaft ist, die Worte ἐκεῖνα λεγόμενα aber einen uneigentlichen Gebrauch des Worts beweisen. Anacreont. 143 Fischer widerspricht der Ansicht des Hrn. Vf. nicht. Plutarch. Amator. c. 12 aber zeigt das folgende, dasz an wirkliche Reichthümer nicht zu denken sei. Das gewichtigste Zeugnis liefert Plat. Euthyphr. p. 11 e, in welcher Stelle alle Feinheit verloren geht, wenn an Reichthum gedacht, nicht vielmehr gedeutet wird: 'mihi tecum disputanti idem accidit quod Tantalo, qui quidem habet bona, iis tamen frui non potest, ita tu argumenta et definitiones proponis, quae videntur aliquid esse, quum nihil sint, quibus igitur ut Tantali bonis uti non possum'. Ferner wird auch auf die gleiche selbst von den Paroemiographen anerkannte Bedeutung in Ζωπύρου τάλαντα (ἔργα καὶ πράξεις) und τὰ Κινύρου τάλαντα hingewiesen. 4) Tantalus erscheint bei den griechischen und römischen Schriftstellern niemals als ein glücklicher reicher, stets nur als von Qual der unerfüllten Sehnsucht gepeinigt.

PLAUEN.] Da in dem Schuljahre Ost. 1854—55 die von uns Bd. LXIX S. 580 berichtete neue Einrichtung des Gymnasiums ins Leben und somit eine neue Periode in dessen Geschichte eingetreten war, so konnte das Programm in der That mit keinem würdigeren Stoffe ausgefüllt werden, als mit einer Geschichte der Anstalt. Dieselbe hat bis zum J. 1835, wo das Gymnasium eine erweiterte Einrichtung empfieng, den Archidiakonus M. Fiedler, früher selbst Lehrer an der Schule, zum Verfasser (S. 2—23). Wir verdanken demselben ein recht lebendiges Bild der äuszeren und inneren Entwicklung der Schule von den ersten Anfängen vor der Reformation an, welches nicht nur ein specielles und locales Interesse befriedigt, sondern auch jedem, der die Geschichte des Gelehrtenschulwesens Deutschlands tiefer und vollstäudiger kennen zu lernen wünscht, vielfache Belehrung und Aufschlusz bietet und um so mehr Anerkennung verdient, als nur durch groszen Fleisz die einzelnen Nachrichten aus sehr zerstreuten und schwerer zugänglichen Quellen zusammengebracht und nur durch scharfsinniges nachdenken die getrennten Züge zu einem vollständigen ganzen vereinigt werden konnten. Die Entwicklung der Schule seit 1835 hat dann der Director Prof. Dr. Frdr. Palm hinzugefügt und dabei namentlich die Ursachen, welche zur Verwandlung der vorher bestandenen Gewerbschule in eine Realschule und deren Vereinigung mit dem Gymnasium drängten, sowie die bei der Einrichtung leitenden Grundsätze ausführlich entwickelt (s. Königreich Sachsen). Die neu entworfene Lehrverfassung, die wir, da sie die methodische Stufenfolge des Unterrichts in den einzelnen Fächern und zum Theil die Klassenziele übersichtlich, aber recht vollständig gibt, zur sorgfältigen Beachtung empfehlen, schlieszt (S. 29—36) den wissenschaftlichen Theil des Programms. Der Jahresbericht gicht S. 39 f. die Worte des Directors bei dem verlassen des vorherigen Schulgebäudes, S. 43—45 eine den frömmsten christlichen Sinn und die wärmste Liebe athmende und gewis einen tiefen Eindruck bei jedem hinterlassende Ansprache des Geh. Kirchen- und Schulraths Dr. Meiszner an Schüler und Lehrer, endlich S. 48 ein vom Oberl. Dr. Schubart verfasztes lateinisches Gratulationsgedicht bei des eben genannten 50jährigem Amtsjubilaeum. Aus dem Lehrercollegium schied Ostern 1854, in den Ruhestand mit Pension übertretend, der Prorector Dr. Pfretzschner. Während des abgelaufenen Jahres ertheilten noch die vorherigen Lehrer der Gewerbschule Schuster und Kohl in den Realclassen Unterricht, traten aber mit Ostern 1855 ab. Das Probejahr hielt der Schulamtscandidat Dr. Opitz ab. Das Lehrercollegium besteht gegenwärtig auszer dem schon oben genannten Director aus dem Vicedirector Dr. Meutzner,

den Gymnasiallehrern Dr. T h i e m e (Mathem.), V o g e l , G e s s i n g , Dr.
F l a t h e , V o l k m a n n , Dr. B e e z (Klassenl. der 1n Realkl.), Dr. S c h u -
b a r t (Klassenl. von VI), Dr. S c h m i d t (Klassenl. der 2n Realkl., von
der Thomasschule zu Leipzig berufen), Dr. R i e c h e l m a n n (Klassenl.
der 3n Realkl., vorher Lehrer am Bülauschen Institut in Hamburg),
B l e y l , (Lehrer der Mathem., der prakt. Geometrie und des geometrischen Zeichnens), F r e y t a g (franz. Spr.), Zeichenlehrer H e u b n e r ,
Gesang-, Schreib- und Turnlehrer K r e t z s c h m a r. Die Frequenz betrug am Schlusze des Schuljahrs 163 (VI 36, V 21, III R 21 und 2 Hospitanten, IV 17, II R 9 und 2 Hosp. III 26, I R 5 und 2 Hosp. II 13,
I 9). Abiturienten waren Ostern und Mich. 1854 je 3.

POSEN.] Das F r i e d r i c h - W i l h e l m s - G y m n a s i u m (s. Bd. LXIX
S. 467) erhielt im verflossenen Schulj. 1854 — 55 insofern eine Erweiterung, als die Vorbereitungsklasse als Sexta mit dem Gymnasium aufs
engste vereinigt ward. Das Lehrercollegium erfuhr keine andere Veränderung auszer dasz der Oberlehrer der Realschule Dr. L ö w e n t h a l
den bisher ertheilten Unterricht aufzugeben genöthigt war. Dasselbe
bestand aus dem Director H e y d e m a n n , den Professoren M a r t i n ,
Dr. M ü l l e r I., S c h ö n b o r n , Dr. N e y d e c k e r , den Oberll. M ü l -
l e r II. u. R i t s c h l , den Gymnasiall. Dr. T i e s l e r , Dr. K r a h n e r ,
Dr. S t a r k e , P o h l , dem Lehrer H ü p p e , Divisionspred. B o r k , Kaplan G r u n w a l d , den Lehrern H i e l s c h e r und W o l i n s k i und Cand.
B r o s s m a n n. Die Frequenz betrug im Winter 328 (I 25, II 21, III[a]
39, III[b] C. I 29, C. II 27, IV 53, V 59, VI 75). Abiturienten waren
12. Als wissenschaftliche Beigabe geht voraus Dr. H e i n r. K r a h n e r :
*Erleuterungen über den Gedankenplan des periklëischen Epitaphios,
gegeben durch Erklärung betreffender Stellen* (23 S. 4).

KÖNIGREICH SACHSEN.] Auf Veranstaltung des Ministeriums des
Cultus und des öffentlichen Unterrichts ist folgende Schrift ausgegeben worden: ü b e r d i e B e g r ü n d u n g d e r R e a l s c h u l e n z u
P l a u e n u n d Z i t t a u u n d i h r e V e r b i n d u n g m i t d e n G y m n a -
s i e n . Ein Beitrag zur Geschichte des Realschulwesens im Königreich
Sachsen (48 S. 8).*) Dieselbe entwickelt zuerst die Ursachen, welche
neben den Gymnasien die Errichtung von Realschulen zum Bedürfnis
gemacht, indem so wünschenswerth es sei dasz die künftigen höheren
Berg- und Forstbeamten, die gröszeren Landwirthe, alle welche sich
eine höhere technische Ausbildung erwerben wollen, die vollständige
Gymnasialbildung sich aneigneten, weil ihre künftige Stellung einen
höhern Grad allgemeiner wissenschaftlicher Bildung verlange, die Lehrer der höhern Fachschulen anerkennten, dasz die von Gymnasien kommenden Schüler schneller und sichrer das Ziel erreichten, als die von
den Realschulen abgehenden, auch thatsächlich noch immer künftige
Kaufleute und Fabrikanten selbst bei durch eine Realschule gebotener
Gelegenheit das Gymnasium bis zur Prima besuchten, dennoch immer
eine beträchtliche Zahl solcher zurückbleibe, welche den vollständigen
Gymnasialcursus nicht durchmachen können, aber eine höhere Bildung
verlangen als die Volks- und Bürgerschule zu gewähren vermöge, für
welche aber die mittleren Gymnasialklassen wenigstens extensiv nicht
ausreichen. Nachdem nun der Vorgang anderer Länder, dasz an solchen Orten, wo ein Gymnasium und eine Realschule nebeneinander
nicht existieren können, zuerst an jenen Parallelstunden für nichtstu-
dierende eingeführt, dann, weil man dies nicht ausreichend befunden,
vollständige Realanstalten mit den Gymnasien verbunden wurden, dar-

---

*) Auch durch den Buchhandel von B. G. Teubner in Leipzig zu
beziehen.

gestellt, auch auf die früher schon in Sachsen darauf hinzielenden Bestrebungen hingewiesen ist, wird durch ausführliche statistische Angaben der Beweis gegeben, dasz einerseits die Gymnasien zu Plauen und
Zittau stets von einer überwiegenden Zahl nichtstudierender besucht worden, andrerseits die dort bestandenen Gewerbschulen nur in den Realun-
terricht bietenden dritten Klassen stärker, in den obern schwach benützt
worden seien, und dadurch gezeigt, wie die Umgestaltung der letztern
Anstalten zu wirklichen Realschulen und deren organische Verbindung
mit den bestehenden Gymnasien sich als eine unabweisbare Nothwendigkeit aufgedrängt. Um nun Bedenken im Interesse der neuen Anstalten zu beseitigen, wird, nachdem der Plan für die Anstalt zu Plauen
in der Kürze mitgetheilt ist (S. 19 u. 20), erörtert, dasz durch die
Einführung einjähriger Curse (in den obern Klassen 2 Jahre, aber mit
nur jährlichen Versetzungen) unter Beibehaltung der Dauer und der
Stundenzahl für den Unterricht in den alten Sprachen die Gefahr, dasz
der Gymnasialbildung Eintrag geschehen werde, beseitigt sei, ausführlicher aber unter Vergleichung mit anderen Realanstalten dargelegt,
dasz der für die gemeinsamen Vorbereitungs- und die getrennten Realklassen angenommene Lehrplan die Erreichung des den Realschulen
nothwendig zu steckenden Ziels, den Schülern eine ihrem künftigen
Beruf und bürgerlicher Stellung entsprechende allgemeine Schulbildung zu geben, verbürgt erscheine, wobei namentlich die Nothwendigkeit des Lateins, wie überhaupt wissenschaftlicher Gründlichkeit
für dieselben gebührende Berücksichtigung findet. Als Resultat erscheint (S. 29): 'dasz, wo locale Verhältnisse sie empfehlen, man unbedenklich eine Vereinigung von Gymnasium und Realschule, wie die
besprochene, eintreten lassen dürfe, so wenig behauptet werden soll,
dasz sie als das normale zu betrachten sei.' Die bereits angegebene
Feststellung des allgemeinen Zweckes der Realschule gibt weiter die
Veranlassung zur Entwicklung, welche Bedeutung dieselbe für das Leben
und für den Staat habe, und wie der letztere von seinen künftigen
praktischen und technischen Beamten die Erwerbung der allgemeinen
Bildung, wie sie jene Anstalt gebe, zu fordern berechtigt und verpflichtet sei, wie demnach die Aufstellung fester Bestimmungen für die Reife-
zeugnisse aller Realschulen für ihn eine Nothwendigkeit geworden,
deren Erfüllung auf das Realschulwesen nur günstig zurückwirken
könne und demselben in Sachsen eine bis jetzt ihm mangelnde Stellung
im Staatsorganismus verleihe. Die Lehrziele werden im Anhang II
mitgetheilt, in der Schrift selbst aber die bei ihrer Aufstellung leitenden Grundsätze, in denen man die weiseste Umsicht nicht verkennen
kann, erörtert. Es haben dabei ebenso die Forderungen, welche an
die Recipienden der Berg- und Forstakademie, der III. Classe der polytechnischen Schule, der Militärbildungsanstalt und der medicinisch-
chirurgischen Akademie und an die Adspiranten des Postfachs gestellt
werden (mitgetheilt im Anhang I), wie die an den bereits bestehenden
Realschulen gemachten Erfahrungen und aus ihrer Einrichtung herzu-
leitenden Voraussetzungen, endlich auch die Einrichtungen in andern
Ländern Berücksichtigung gefunden. Wenn die Anforderungen in
Preuszen höhere sind, so bemerkt die Schrift dagegen mit vollem
Rechte, dasz je mäsziger die Forderungen seien, um so strenger auf
deren Erfüllung gehalten werden könne, während wer das Ziel zu hoch
stecke, hinter demselben leicht zurückbleibe, dasz man z. B. Fertigkeit
im sprechen der neuern Sprachen nicht allgemein verlangen dürfe, weil
eine solche das Leben, nicht die Schule in ihren wenigen Unterrichtsstunden geben könne. Vollkommenen Beifall verdient auch die Bemerkung (S. 38), dasz bei der Beurtheilung die allgemeine Befähigung und
Reife hauptsächlich ins Auge zu fassen sei, aber auch denen, welche in

einzelnen Fächern vorzügliches leisten, während sie in andern nicht vollständig befriedigen, das Zeugnis der Reife ertheilt werden könne, wobei der künftige Beruf maszgebend sein müsse. Für den Zweck unserer Jahrbücher heben wir noch die letzten Sätze aus: 'Zum Schlusz mag noch der Wunsch ausgesprochen werden, welcher durch die Bemerkungen, mit denen wir diese Betrachtung begonnen, gewis gerechtfertigt ist, dasz nach dem Vorgange von Preuszen der Realschule das Zeugnis der Reife für Obersecunda oder Prima eines Gymnasiums oder wenigstens das Gymnasialmaturitätszeugnis gleich gestellt werde. Durchgebildete Gymnasiasten können den Fachschulen in der That nur willkommen sein. Denn gesetzt auch, dasz sie in einigen Fächern weniger leisten als die Zöglinge der Realschule, so ist doch kaum zu bezweifeln, dasz was ihnen etwa an wissen abgeht, durch den Grad geistiger Bildung und Reife ersetzt wird, den der Gymnasialunterricht unzweifelhaft gewährt.'

SCHLEUSINGEN.] Das Lehrercollegium des Gymnasiums (s. Bd. LXIX S. 706) hat im verflossenen Schuljahre keine Veränderung erfahren, nur ward der Sextus Wahle während eines 6monatl. Urlaubs durch die Lehrer Schmidt und Heise vertreten. 'Vom 2. März an war Dr. Nauck zu fernerer Führung seines Amtes unfähig geworden: ein Nachfolger wird, zufolge der hohen Verfügung vom 6. März, zu Ostern erscheinen.' Die Schülerzahl betrug 134 (I 17, II 17, III 34, IV 28 V 38), Abiturienten waren 13. Den Schulnachrichten voran geht *die Uebersetzung einiger Idyllen Theokrits* (XI. VI. XIV. XV. XXI) vom Dir. Dr. Hartung (15 S. 4).

WEILBURG.] Im Programm des Gymnasiums von 1855 ist die Abhandlung enthalten vom Conr. H. W. Stoll: *die ursprüngliche Bedeutung des Ares* § 1—10. Vollständig ist dieselbe im Buchhandel erschienen Weilburg, E. Lanz (50 S. 8).

WITTENBERG.] Im Lehrercollegium des dasigen Gymnasiums (s. Bd. LXIX S. 707) trat im Schulj. 1854—55 keine weitere Veränderung ein, als dasz der Schulamtscandidat Förster zum Adjunct ernannt ward (s. oben S. 54). Die Schülerzahl betrug 227 (I 32, II 37, III 57, IV 52, V 28, VI 21). Abiturienten waren Ostern 1855 16. Den Schulnachrichten vorausgeht die Abhandlung des Gymnasiallehrers Wentrup: *Beiträge zur Kenntnis der neapolitanischen Mundart* (27 S. 4).

ZERBST.] An dem Franciscenum trat Ostern 1854 für den erkrankten Oberlehrer Friedrich als Vicar der Schulamtscand. K. Meiszner ein. Der Director Dr. Karl Sintenis wurde am Schlusz des Schuljahrs zum Schulrath ernannt. Die Schülerzahl betrug 262. Zur Universität gingen 4 über. Die wissenschaftliche Abhandlung für das Programm schrieb der Oberlehrer Dr. Hammer *de Jove Homerico* (23 S. 4).

Personalnachrichten.

I. Ernannt:

Carrière, Dr. Mor., Prof. honor. an der Universität zu München, zum Professor der Kunstgeschichte und akademischen Secretair der Akademie der bildenden Künste daselbst.

Gilbert, Dr. Otto Rob., Kirchen- und Schulrath bei der Kreisdidirection zu Budissin, zum Geh. Kirchen- und Schulrath im Ministerium des Cultus und öffentl. Unterrichts in Dresden.

Lange, Dr. Ludw., ao. Prof. an der Universität zu Göttingen, zum
ordentl. Professor der klassischen Philologie an der Universität
zu Prag.
Laroche, Paul, zum Studienlehrer an der lateinischen Schule zu
Dillingen.
Nitzsch, Dr., Oberconsistorialrath u. Prof., zum Propst von Berlin.
Reichenbach, Dr. Heinr. Gust., Privatdocent, zum ao. Prof. in
der philosophischen Facultät der Universität zu Leipzig.
Schmidt, Dr. Osk., Prof. in Jena, zum ord. Prof. der Zoologie und
vergleichenden Anatomie an der Universität zu Krakau.
Stein, Dr. Friedr., Prof. an der Forstakademie zu Tharand, zum
ord. Prof. der Zoologie an der Universität zu Prag.
Stein, L., als Prof. von der Universität zu Kiel entlassen, als ord.
Prof. für den Lehrstuhl der Nationalökonomie an der Universität
zu Wien.
Willkomm, Dr. Heinr., Privatdocent, zum ao. Prof. in der philos.
Facultät der Universität zu Leipzig, mit der Aufsicht über das
Herbarium.

II. Praediciert:

Sintenis, Dr. Karl, Director des herzogl. Franciscum zu Zerbst,
als Schulrath.

III. In Ruhestand getreten:

Egger, Nicol., Studienlehrer zu Dillingen.
Meiszner, Dr. Conr. Benj., Geh. Kirchen- u. Schulrath zu Dresden,
unter Anerkennung seiner treuen Dienste und Vorbehalt seiner fer-
nern Zuziehung zu Berathungen.

IV. Gestorben:

Am 25. März starb zu Solothurn der bekannte Naturforscher Prof. Fr.
J. Hugi.
Am 26. März auf seinem Schlosse Bel-Air bei Maçon Charles Jos.
Lacretelle, geb. zu Metz 27. Aug. 1768, seit 1811 Mitglied,
später Privatdocent der Academic, Prof. der Geschichte an der
Universität zu Paris, Verf. mehrerer geschätzter Werke über fran-
zösische Geschichte.
Am 15. April zu Dresden Geh. Hofr. Dr. H. W. Schulz, Director der
königl. Kunstsammlungen, als Kunstkenner und Kunsthistoriker be-
rühmt, auch nicht ohne Verdienst um die Alterthumswissenschaft.
Am 22. April zu Kassel der seit einigen Jahren in Ruhestand getretene
Generalsuperintendent, Oberconsistorialrath und Oberhofprediger
Dr. Ernst im 90. Lebensjahre.

Da wir Bd. LXX S. 567 die Pensionierung des Conr. Dr. Mühl-
berg erwähnt haben, so bemerken wir nachträglich, dasz derselbe noch
fortwährend den hebraeischen Unterricht am Gymnasium ertheilt, auch
den historischen Leseverein desselben leitet.

Zweite Abtheilung

herausgegeben von **Rudolph Dietsch.**

18.

Elementarbuch der lateinischen Sprache von Dr. Hermann
Schmidt, Director des Gymnasiums zu Wittenberg. 2e gzl.
umgearbeitete Aufl. Neustrelitz, Verl. von G. Barnewitz 1854.
Th. 1. 223 S. Th. 2. (Latein. Lesebuch für Oberquinta) 181 S.

Die zweite Auflage dieses im J. 1841 zuerst erschienenen Elementarbuches ist ein Beweis, dasz der Vf. desselben nicht aufgehört
hat die methodische Behandlung des Elementarunterrichts im lateinischen mit steter Aufmerksamkeit auf die Forschungen anderer und
sorgsamer eigner Beobachtung zu verbessern; eine Pflicht jedes Schul-
mannes, deren gewissenhafte Erfüllung nicht selten durch eine gewisse Vorliebe für den einmal eingeschlagenen Weg beeinträchtigt
wird, so dasz oft gute Lehrbücher, je mehr Auflagen sie erleben,
desto unbrauchbarer werden wegen einer immer stärker hervortre-
tenden Einseitigkeit und Mangelhaftigkeit. Gerade die Methode des
ersten Lehrganges ist aber beim erlernen der alten Sprachen und insbesondere der lateinischen, von so entscheidender Wichtigkeit, weil
der Knabe am lateinischen zuerst überhaupt Grammatik lernt, und,
seit die geistigen Kräfte der Jugend noch durch so viele andere Lehrobjecte in Anspruch genommen werden, in ganz anderer Weise lernen musz, als früher, wo die alten Sprachen, besonders das lateinische, beinah wie eine lebende Sprache, hauptsächlich durch vieles
lesen, auswendiglernen, übersetzen und schreiben gelernt wurde.
Man kann es denen, welche über die Abnahme der Fertigkeit im
Gebrauch der alten Sprachen klagen — und ihre Zahl ist nicht klein,
so wie ihr Einflusz auf die von obenher kommenden Anweisungen für
Lehrer häufig nicht gering — nicht oft genug ins Gedächtnis rufen,
dasz jetzt die geistige Kraft der Schüler auf eine Menge Dinge gerichtet wird, von denen sie etwas wissen sollen, in denen früher
jeder so viel wuste, als er beiläufig und gelegentlich davon gelernt
hatte, dasz aber dadurch nicht blosz einige Stunden Schulunterricht
dem lateinischen und griechischen entzogen sind, sondern die ganze
häusliche Thätigkeit des Schülers eine viel umfassendere und daher

getheiltere ist, als früher. Wie wenig Geschichte, Geographie, deutsche Litteraturgeschichte, Französisch, Mathematik, Physik, Naturgeschichte wurde früher von den Schülern gefordert; wenn sie nur tüchtig Latein und Griechisch und alte Geschichte wusten, so war man zufrieden. Ich verkenne den Nutzen und die ˙Nothwendigkeit einer gleichmäszigeren allgemeinen Bildung nicht, aber ungerecht und unverständig ist es von Lehrern und Schülern zu fordern, ·dasz unter so veränderten Umständen die Leistungen, namentlich die **Fertig-keit** im Lateinschreiben und übersetzen eine ebenso grosze sein·solle, als damals, wo die ganze geistige Kraft der Schüler sich auf die alten Sprachen concentrierte, wo sie, je höher sie stiegen, desto mehr Zeit ihrer häuslichen Thätigkeit durch Lectüre und Uebungen aller Art (Chrien, Versemachen usw.) diesen Sprachen, besonders der lateinischen, zuwandten, während sie jetzt durch die oben aufgezählten Lehrobjecte abgezogen werden von den alten Sprachen und ihre **Lust** an denselben natürlich desto mehr abnimmt, je weniger sie zum eigentlichen **Genusz** derselben kommen. Damals hörten sie von jedem gebildeten Latein und Griechisch als einzige Grundlage jeder wahren Bildung rühmen, während man jetzt sogenannte gemeinnützige Kenntnisse von ihnen fordert undᶜerwartet im täglichen Leben und im Kreise gebildeter; früher zeigte ihnen das Beispiel älterer Männer ihres Kreises fortwährend, wie Latein und Griechisch jeden gebildeten durch sein ganzes Leben geleiteten, alle bevorstehenden Examina, Disputationen usw. wurden lateinisch gehalten, die Nothwendigkeit einer Fertigkeit darin trat ihnen also täglich vor Augen. Nur zu sehr vergessen viele, wie solchergestalt die ganze Atmosphaere des geistigen Lebens der Jugend sich geändert, und ihren Bestrebungen, Neigungen, und daher auch ihrer Thätigkeit eine ganz andere Richtung gegeben hat. Wol scheint noch der Einwand zu beachten, dasz durch verbesserte Methode und Lehrbücher dem Schüler das erlernen der alten Sprachen bedeutend **erleichtert** sei. Aber diese Erleichterungen haben nicht blosz durch den damit zusammenhängenden Misbrauch (z. B. deutscher Uebersetzungen, welche jetzt die Mehrzahl der Schüler einer gründlichen Praeparation ganz entfremden) einen sehr zweifelhaften Werth, sondern es ist auch an sich bekannt, dasz Erleichterungen des lernens auch Erleichterungen des **vergessens** sind, indem von dem leicht erlernten viel mehr vergessen wird, als von dem mühsam angeeigneten; ganz entschieden aber dienen diese Erleichterungen gröszentheils mehr dazu ein besseres grammatisches Verständnis herbeizuführen, als dazu eine **Fertigkeit** im Gebrauch der Sprache beim lesen und schreiben zu fördern, da die Fertigkeit stets nur Erzeugnis und Frucht **vieler** und manigfaltiger **Uebung** ist. — .

Der Verf. des vorliegenden Lesebuches hat nun eine durch Einfachheit und Zweckmäszigkeit sich empfehlende Methode zu Grunde gelegt. Sein **Elementarbuch** zerfällt in 3 Haupttheile: **Lesebuch** (S. 8—91), **Vocabularium** (S. 92—147), **Exercitienbuch** (S.

151—223), welche alle drei Abschnitt für Abschnitt genau aneinander passen. Nur die sehr zweckmäszigen Vorübungen des Lesebuchs (S. 1—7) sind ohne entsprechenden Abschnitt in den beiden andern Theilen, da sie dessen nicht bedürfen. Sie bestehen nemlich aus Substantiven und Adjectiven der In u. 2n Declin., welche erst partienweise als Vocabeln gelernt, dann mit *est* und *sunt* zu kleinen Sätzen verbunden werden, damit der Schüler von vorn herein bei diesen kleinen Sätzen sich an die Verschiedenheit des Geschlechts im lateinischen und deutschen und an die Uebereinstimmung des Substantivs und Adjectivs in der Praedicatsverbindung gewöhne, die erlernten Vocabeln aber bilden zugleich eine recht gute Grundlage für die fernere Lectüre und gewöhnen Auge und Ohr des Schülers gleich an eine nicht zu manigfaltige Menge lateinischer Formen in recht praktischer Anwendung.

S. 8 beginnt der grammatische Cursus mit Sätzen aus der ersten Declination, wobei die Praepositionen und Adverbien, so wie die noch nicht in den Vorübungen gelernten Adjectiva unter den Lesestücken als Vocabeln gegeben, dagegen die hiehergehörigen Substantiva im Vocabularium S. 92—96 alphabetisch geordnet sind. Diesen Sätzen entsprechen dann im dritten Haupttheile (S. 151—153) kleine Exercitien, so dasz Abschnitt für Abschnitt dieselbeln Vocabeln, die in den lateinischen Lesestücken vorkamen, zur Anwendung kommen, wodurch diese Vocabeln sich natürlich desto fester einprägen und alles zeitraubende aufsuchen derselben vermieden wird. Wir fänden es nun sehr zweckmäszig, wenn diese Uebungen aus der ersten Declination noch etwas vermehrt würden, um dieselben gleich systematisch, besonders durch Anwendung von Praepositionen, zur Einübung eines neuen syntaktischen Elementes zu benutzen, nemlich zur Gewöhnung des Anfängers an die Verschiedenheit des Gebrauchs des Casus im lateinischen und deutschen, namentlich an die Eigenthümlichkeit des Ablativs in seinen üblichsten Uebersetzungen (von, durch, mit). Hierdurch gewinnt die Erlernung der Declination für den Anfänger sofort Leben, und die Beobachtung der Gleichheit und Verschiedenheit des Gebrauchs des Casus im lateinischen und deutschen, erst an den Lesestücken, dann an den parallelen Exercitien eingeübt, ist eine ganz angemessene geistige Beschäftigung des Schülers auf dieser Stufe.

S. 10—13 folgen dann in gleicher Weise Sätze mit Substantiven und Adjectiven der 2n Declination, mit Heranziehung der In Declin., wobei dann schon Feminina auf *us* und Masculina auf *a* zur Anwendung kommen. Den Schlusz dieses Abschnittes bilden dann 3 gröszere zusammenhängende Lesestücke; im Vocabularium sind die vorkommenden Substantiva der 2n Decl. S. 96—101, und zwar 1) Masculina, 2) Neutra, 3) Feminina wieder alphabetisch geordnet, die Adjectiva und Partikeln aber wieder unter den Lesestücken selbst gegeben, sofern sie noch nicht dagewesen sind, und S. 153—157 linden sich wieder Stück für Stück entsprechende Exercitien. In gleicher Weise folgen nun die Uebungen, Vocabeln und Exercitien der 3n Declination, und zwar sind hier 1) nur regelmäszige Masculina, 2) Fem., 3) Neutra, dann 4) Substantiva mit unregelmäszigem Genus gewählt, und am Schlusz 6 zusammenhängende gröszere Lesestücke gegeben, die in Bezug auf Stoff und Form zweckmäszig zu nennen sind.

In dieser Weise füllen die Uebungen der 5 Declinationen beinah 30 Seiten im Lesebuch (inclusive der Vorübungen), ebenso viel Raum nehmen die Vocabeln und etwa 20 Seiten die Exercitien zu diesen Abschnitten ein, worauf die Lectüre zur Lehre von der Gradation der Adjectiva und vom Gebrauch der Pronomina fortschreitet (S. 30— 34). Es hätte aber, glaube ich, eine für die Schüler nicht blosz angenehme, sondern auch nützliche Abwechslung und Manigfaltigkeit der Uebungen erreicht werden können, wenn nach der 1n u. 2n Declin., ehe zur 3n Decl. fortgegangen worden wäre, *esse* gelernt und durch Lesestücke und Exercitien eingeübt würde. Eine gewisse Einförmigkeit der Uebungen die sämtlichen fünf Declinationen hindurch war sonst nicht zu vermeiden, und musz zuletzt Lehrer und Schüler ermüden. Die Satzbildung beschränkt sich jetzt 30 Seiten hindurch hinsichtlich des Verbums auf *est, sunt, erat, erant*, (ein paar einzelne Sätze mit *video* ausgenommen), die 1e u. 2e Person und andere Zeitformen kommen gar nicht vor.

Ich kann mir wol denken, dasz man es vielleicht bedenklich findet, die Lehre von den Declinationen so zu durchkreuzen; allein erstlich ist es sogar ein Vortheil, dasz man die bis dahin gelernten zwei Declinationen noch länger übt, ehe man zu der ganz verschiedenen 3n Decl. übergeht, sofern dies durch Heranziehung anderen grammatischen Stoffes ohne Ermüdung geschehen kann, was eben das Hülfszeitwort *esse* ermöglicht. Es thut sich dann dem Schüler hierdurch neben dem kleinen überschaulichen Kreis von Declinationsformen ein ebenso kleiner übersichtlicher Kreis von Conjugationsformen vor den Augen auf, den er nachher wieder während der ganzen 3n, 4n, 5n Declination nebenher in Uebung behält; und wie bedeutend wird der Kreis der Satzbildung nun erweitert, dadurch dasz man von da an schon alle Zeiten und Personen, selbst leichte Conjunctivsätze mit *ut, ne* usw. in Anwendung bringen kann. Auch dasz der Knabe schon recht früh, so lange der Kreis der Sprachformen noch ein leicht übersehbarer ist, sich gewöhnt das Perfect und den Conjunctiv zu gebrauchen, wo im deutschen das Imperfect und der Indicativ steht, ist ein Gewinn. Die Grundbegriffe der Conjugationslehre werden nachher, wenn der Formenreichthum der 4 Conjugationen dem Knaben mehr zu schaffen macht, weit mehr seiner Beobachtung entgehen, als früher. Warum hat der Vf. überhaupt das Verbum esse so kärglich bedacht, dasz nur 13 lateinische Sätze (§ 9) zur Uebung desselben dienen? Die Vorübungen für die Declinationen nehmen 7 Seiten ein; Vorübungen für die Conjugationen konnten ebenso nützlich hier an *esse* angeknüpft werden und beanspruchten jedenfalls einen gröszern Raum als 13 Sätze.

Hierauf folgen nun in dem Elementarbuche von S. 35 an die Ue

bungen zu den 4 Conjugationen, und zwar natürlich I. die erste Conj.
a) Activum, b) Passivum: 2 Seiten Sätze, dann 3½ S. zusammenhängende Lesestücke. Auch der Umfang dieser Uebungen däucht uns ein
zu kleiner, um so mehr, als die von uns bei *esse* geforderten Vorübungen zur Conjugation nicht vorhanden sind, also alles dazu gehörige mit eingeübt werden soll. So kommen z. B. auf das Passiv
nur 6 Sätze, was um so weniger ausreicht, als nachher in den zusammenhängenden Lesestücken fast nur 3 Pers. Passivi vorkommen. Ein
längeres verweilen bei der In Conjugation scheint überhaupt rathsam,
um die Formen und Formenbildung derselben fester einzuprägen, da
man hierdurch die Möglichkeit gewinnt, nachher bei den andern Conjugationen rascher fortzuschreiten, wenn die 1e recht sicher und fest
sitzt; denn ehe in der In Conj. der Unterschied der activen und passiven Formen, der Zeiten, der Modi usw. einigermaszen sicheres
Besitzthum des Schülers geworden ist, halten wir es für bedenklich
die Aufmerksamkeit desselben durch neue Formen schon wieder von
diesen Hauptunterschieden abzuziehen.

    Auch in Betreff der Ausführung im einzelnen möchte ich hier
noch einige methodische Vorschläge aus eigner praktischer Erfahrüng
machen, welche dazu dienen später nothwendiges gleich beim ersten
lernen vorzubereiten. Schon bei *esse* habe ich die Formen stets so
lernen lassen, dasz erst die Tempora der dauernden Handlung (*sum,
eram, ero*), dann die der vollendeten (*fui, fueram, fuero*) zusammengenommen wurden. Der Grund ist leicht einzusehen *): erstlich
die Verschiedenheit der Formen beider, die später sich noch mehr
geltend macht (z. B. *mitto, mittebam, mittam — misi, miseram, misero*); zweitens die spätere Bedeutung dieser Anordnung für die Tempuslehre, die schon beim erlernen der 1n Conj. dem Knaben klar gemacht werden kann (bei *scribit, scribebat, scribet* denkst du dir
einen, der mit schreiben beschäftigt ist, der die Feder noch in der
Hand hat; bei *scripsi, scripseram, scripsero* einen, der mit schreiben
fertig ist, der die Feder weggelegt hat). Sobald ferner der Knabe
alle Tempora des Indicativ gelernt hat, wird derselbe nochmals gelernt nach den Personen geordnet:
       1) *sum, eram, ero; fui, fueram, fuero*
      2) *es, eras, eris; fuisti, fueras, fueris* usw.,
damit er auf diese Weise gleich die Personenendungen in ihrer Uebereinstimmung und Verschiedenheit beachten lernt, und das mechanische einerlei der Zusammenstellung aufgehoben wird. Dasselbe
geschieht nachher beim Conjunctiv. Durch eine solche Erlernung von
esse ist die Erlernung des Activs der In schon bedeutend erleichtert.
Wenn ferner der Indic. Pass. I. gelernt ist, beginnt die Aufgabe, den
Knaben an die Unterscheidung der activen und passiven Formen zu

---

    *) Zu meiner Freude habe ich gesehen, dasz auch andere, z. B.
B e r g e r in seiner viel treffendes enthaltenden Grammatik, dieselbe
Anordnung gewählt haben.

gewöhnen, indem *amo, amor* — *amas, amaris* usw. schriftlich und
mündlich nebeneinander geübt werden, bald mit Hinzufügung des
deutschen, bald ohne dasselbe, und zwar im ersten Falle gewöhnlich
so, dasz das deutsche vorangeht (ich liebe *amo*, ich werde geliebt
amor usw.). Ebenso werden dann die Conjunctive, Imperative, Participien und Infinitive beider Actionen zusammengestellt. Geht man
dann zur 2n Conj. über, so nehme man nicht *moneo* oder *doceo* als
Paradigma, sondern *fleo* oder *deleo;* der Knabe lernt den Unterschied
der 2n von der In dadurch schneller und fester, und behält bald, dasz
die meisten Verba dieser Conjugation den Kennlaut $\bar{e}$ ausstoszen (*do-
cui, monui, doctum*) oder verkürzen (*monĭtum*). Auf die 2e lasse
ich sodann die 4e folgen, (lasse ihr aber den Namen der v i e r t e n),
da der Knabe leicht sieht, dasz das *i* hier die Rolle des *a* u. *e* in der
1n u. 2n spielt, mit einigen leicht zu merkenden Modificationen (*audiebam*, aber *audirem*, u. *audi-am* statt — *bo*): So hat er 3 Conjugationen gelernt, die sich fast durchweg durch den Kennlaut (*a, e, i*)
leicht unterscheiden. Diese drei Conjugat. werden dann schriftlich und
mündlich manigfach n e b e n e i n a n d e r durchgeübt, z. B. alle 1. Ps.
Plur. von *laudo, deleo, audio*, oder alle Infinitive usw. Dann erst
folgt zuletzt die 3e Conj., da sie von den übrigen ganz abweicht
und in sich selbst so manche Verschiedenheiten hat (Perf. *i, si;* Sup.
sum, tum). Den Schlusz der 4 Conjugationen bildet sodann die Einübung der Ableitung aller Formen von den 4 Grundformen (Prs. Perf.
Sup. Infin.), wodurch der Knabe in Stand gesetzt wird, jedes unregel-
mäszige Verbum, dessen 4 Grundformen ihm gegeben sind, ohne weiteres richtig zu conjugieren. Damit möchte ich aber überhaupt den
2n Cursus (Quinta) abgeschlossen wissen, und die v o l l s t ä n d i g e
E r l e r n u n g der Verba *) irregularia und anomala, so wie den Gebrauch der Deponentia für den folgenden dritten Cursus aufheben,
weil 1) dann der Knabe in den regelmäszigen Formen schon sicherer
ist und nicht so leicht verwirrt wird, 2) das Gedächtnis für Festhaltung und Unterscheidung fremder Sprachformen schon geübter ist,
und endlich 3) h a u p t s ä c h l i c h d a r u m, weil die für den 2n Cursus
dadurch gewonnene Zeit besser benutzt wird, um durch tüchtige Einübung der syntaktischen Grundlehren das erworbene etymologische
Material zum rechten Verständnis zu bringen und dadurch zu beleben,
den Schüler an ein richtiges construieren, an Participialconstructio-
nen, Accus. c. Infin., Ablativi absoluti, und vor allem daran zu gewöhnen, dasz er in den W o r t f o r m e n immer W o r t b e d e u t u n g e n
sieht. Denn es ist für die grammatische Bildung des Knaben von groszer Wichtigkeit, dasz er schon früh einsehen und bedenken lernt,
dasz in *domus'patris* auszer den Begriffen H a u s und V a t e r noch
ein dritter, der des E i g e n t h u m s, im Genetiv steckt, dasz bei *ut
sciam* = dasz ich weisz, im Conjunctiv ein m ö c h t e, s o l l t e, k ö n n t e

---

*) Doch können und sollen sie gebraucht werden in Lesestücken
und E x e r c i t i e n, so viel Veranlassung dazu ist.

steckt, welches er im deutschen bald ausdrücken musz, bald unübersetzt läszt. Gerade durch diese syntaktische Anwendung und Einübung aller ihm bekannten Formen lernt er die Formenlehre überhaupt als etwas bedeutsames und daher geistig lebendiges erkennen und gewöhnt sich in allen Endungen eine Bedeutung zu finden und sie nicht gedankenlos zu brauchen.

Man verzeihe uns diese Abschweifung von der Relation über den Lehrgang des Elementarbuches selbst, allein es scheint uns ein Hauptfehler der jetzt üblichen Methode im allgemeinen, dasz man in dem bestreben, das etymologische Material dem Knaben in systematischer Ordnung und Vollständigkeit zur Anschauung zu bringen, nicht gleichzeitig und gleichmäszig genug das syntaktische Element berücksichtigt, durch welches die Formenlehre für den Knaben erst Leben erhält. Aus diesem Grunde halte ich es für wichtig 1) das Zeitwort *esse* gleich nach der 2n Decl. einzuschieben, 2) nach der 1n Conj. wieder eine Pause in der Vermehrung der Formenkenntnis eintreten zu lassen, damit in der Erlernung der Formen und ihres syntaktischen Gebrauches möglichst gleichmäszig fortgeschritten werde, und die vermehrten Elemente der Satzbildung auch zu einer Vermehrung syntaktischer Uebung führen, ganz besonders aber, damit der Knabe von vornherein zum Verständnis der Verschiedenheiten des lateinischen und deutschen Ausdrucks komme, und nicht erst später sich z. B. mit Mühe losreiszen müsse von der Gewohnheit das Perfect falsch zu übersetzen.

Es folgen S. 40—56 Leseübungen u. S. 182—223 Exercitien zur 2n—4n Conjug., jedesmal erst eine Reihe kleiner Sätze, dann kurze Erzählungen, wobei es nur gebilligt werden kann, dasz in der 3n Conj. die regelmäszigen Verba in 4 Klassen (*i, tum; i, sum; si, tum; si, sum*) gebracht sind, wodurch die Zahl der sogenannten unregelmäszigen vermindert wird, obgleich noch immer alle diejenigen Verba, deren Unregelmäszigkeit in einer Consonantveränderung besteht, die der Wollaut veranlaszte, als unregelmäszig dastehen, wie *gero, gessi, gestum; traho, traxi, tractum* u. a., während doch im griechischen niemand τύπτω, γράφω, πράττω um solcher Veränderungen willen zu den unregelmäszigen Verbis zählt. Auch ist zu bemerken, dasz S. 134 über die Reduplication der Composita von *disco* und *posco* vergessen ist anzugeben, dasz sie n i c h t wegfällt.

S. 57—69 folgen Lesestücke zu den u n r e g e l m ä s z i g e n Verbis der 1—4n Conj., S. 69—78 zu den Deponentibus, S. 78—80 zu den sogen. Verbis anomalis. Sehr zweckmäszig ist es, dasz zu jedem einzelnen Abschnitte die betreffenden Verba im Vocabularium zusammengestellt sind, und also als Vorbereitung jedesmal erst gelernt werden können. Aber keinen rechten Zweck und Nutzen sehen wir von den Gedenkversen (S. 80—91) zu den Declinationen und Conjugationen, da sie nur wenige Beispiele der einzelnen Fälle und selbst diese ohne rechte Nutzanwendbarkeit bringen. Was soll z. B. ein Schüler mit dem Verse: *Improba corrumpunt rectos consortia mo-*

res? Er hat nicht einmal die Unregelmäszigkeit des einen Verbums
dadurch gelernt, da das Praesens doch nicht als solche angesehen
werden soll. Oder was sollen die Verse: *Navita de ventis, de tauris
narrat arator, enumerat miles vulnera, pastor oves?* Die 10 Seiten
für diese Verse und Sprichwörter, namentlich aber die Zeit, welche
deren Erklärung und Einübung auf dieser Stufe kostet, kann wol
nützlicher verwandt werden. Allenfalls könnte hier und dort in den
betreffenden Abschnitten ein solcher Vers am Ende der kleinen Sätze
zum memorieren gegeben sein, aber nur wenige der hier vorhandenen
möchten die Mühe lohnen.

Das Vocabularium weicht in seiner der Folge der Lesestücke
entsprechenden Anordnung von der sonst üblichen blosz alphabetischen Reihenfolge der Vocabeln ganz ab, und zwar für den ersten
Anfang gewis zum groszen Nutzen des Schülers, doch glaube ich,
dasz diese Einrichtung mit Unrecht bis zu Ende beibehalten ist. Das
Vocabularium enthält nemlich I) Substantiva der In Decl.: 1) Feminina, 2) Masculina. — II) Subst. d. 2n Decl.: Masc. auf *us*, 2) auf
er, 3) Neutra, 4) Fem. — III) Subst. d. 3n Decl.: a) regelmäsziges
Genus 1) Masculina auf *o*, auf *or*, auf *os* usw. und zwar sind in jedem
dieser Abschnitte die Vocabeln alphabetisch geordnet, desgleichen
nachher die Adjectiva auf: 1) *us, a, um;* 2) *er, a, um;* 3) *er, is, e;*
4) *is, e* usw. Diejenigen Vocabeln aber, welche in den Lesestücken
vorkommen, ohne in diese Rubriken zu gehören, z. B. Formen von
esse, Adverbien, Praepositionen, Conjugationen sind unter den Lesestücken selbst angegeben. Der Verf. des Elementarbuches ist dabei
von dem richtigen Grundsatze ausgegangen, dasz das aufsuchen der
einzelnen Vocabeln in einem gewöhnlichen Vocabularium anfangs, wo
dem Schüler fast alle unbekannt sind, und ihm überhaupt das aufsuchen langsam von der Hand geht, den Schüler ermüdet und ihm zu
viel Zeit kostet. Daher billigen wir diese Einrichtung für die ersten
Abschnitte ganz; allein, wenn die ersten Schwierigkeiten überwunden
sind, musz der Schüler auch das aufsuchen der Vocabeln unter einer
gröszern Anzahl alphabetisch geordneter Worte lernen und üben und
die zu lange festgehaltene Einrichtung des vorliegenden Vocabulariums macht dem Schüler gewis noch mehr zu schaffen, als das blosze
aufsuchen in einem gröszern alphabetischen Verzeichnis; denn wenn
der Sextaner z. B. *nigris, timidis, cervis, acris* suchen will, so wird
er ohne nachdenken, welches ihm auch nichts helfen könnte, alle Abtheilungen der Substantiva und Adjectiva nacheinander durchsuchen,
bis er das Wort findet, und die Arbeit wird ebenso mechanisch und
noch ermüdender sein, als die das Wort in e i n e m gröszern alphabetischen Verzeichnisse zu finden. Und dieses suchen wird nicht etwa
selten vorkommen, denn auch die Bedeutung der schon ein- und zweimal vorgekommenen Vocabeln vergiszt der Knabe doch oft wieder
und soll sie dann später sich wieder aufsuchen können. Darum würde
ich es für zweckmäszig halten, für die Substantiva und Adjectiva der
ersten und zweiten Declination diese Einrichtung beizubehalten, wo-

bei ich eben von der Voraussetzung ausgehe, dasz diese hintereinander folgen ehe die dritte Declination anfängt, aber von da ab die gewöhnliche alphabetische Ordnung aller Vocabeln eintreten zu lassen, und selbst die früher vorgekommenen mit aufzunehmen, damit alles doppelte suchen von nun an vermieden wird; dafür können dann alle unter den Lesestücken selbst gegebenen Vocabeln wegbleiben. Die unregelmäszigen Verba aber, die zu jedem Lesestücke von S. 57 an gehören, würde ich auszerdem jedem betreffenden Lesestücke vorsetzen, um sie erst lernen zu lassen, wie dies in den Vorübungen mit den Substantivis und Adjectivis geschehen ist; der Raum hierfür würde gewis durch Weglassung des gröszten Theils der Gedenkverse gewonnen.

Wenig zu bemerken ist über den zweiten Theil des Elementarbuches, der ein halbes Jahr später erschienen ist, und lauter zusammenhängende Erzählungen als Lectüre für das zweite Halbjahr in Quinta enthält nebst einem Vocabularium in der üblichen Weise alphabetisch geordnet, aber ohne Exercitien. Diese Erzählungen sind, wie die Uebungen im ersten Theile sorgfältig für diesen Standpunkt stilisiert, paszlichen Inhalts und mit zweckmäszigen Fingerzeigen für die Vorbereitung versehen. Aus der Vorrede zum ersten Theile scheint hervorzugehen, dasz die erste Hälfte der Klasse, welche den Cursus schon einmal durchgemacht hat, die zusammenhängenden Lesestücke und Erzählungen lesen soll, während die kleinen Sätze für die übrigen, die den Cursus zum erstenmal machen, bestimmt sind. Vorausgesetzt, dasz diese beiden Abtheilungen nicht getrennt, sondern in demselben Lokal und zu gleicher Zeit unterrichtet werden, können wir nach unserer Erfahrung eine solche Verschiedenheit der Aufgaben beider Abtheilungen nicht zweckmäszig finden; denn 1) werden dadurch die besseren Schüler der untern Abtheilung gehindert mit den älteren Schülern zu wetteifern, und 2) kostet diese Trennung viel Zeit, wenn jede Abtheilung etwas anderes vornimmt, wobei die andere nicht mitarbeitet. Wol kann man den älteren und geübteren ein gröszeres Pensum aufgeben und sie z. B. die zusammenhängenden Stücke vorübersetzen lassen, während die ungeübteren sie erst nachher noch einmal übersetzen, allein im ganzen musz der geübtere immer die Aufgaben der schwächeren mitmachen und der ungeübtere Gelegenheit, ja Veranlassung haben, die Aufgabe jener, sobald er kann, mitzumachen. Für den Lehrer mag diese Methode etwas schwieriger und anstrengender sein, aber sie ist auch durch die Förderung der begabteren lohnender.

Wir hoffen, dasz der Verfasser, dessen wir noch stets mit der Pietät des einstigen Schülers gedenken, in den hier gemachten Meinungsäuszerungen nur das Streben erkennt, auch unsrerseits zur Verbesserung der Methode des lateinischen Elementarunterrichts beizutragen, nicht die Anmaszung etwa das allein richtige zu wissen und zu thun, da gerade in der Methode so viel von der Subjectivität des einzelnen Lehrers abhängt, dasz es fast keine für alle Lehrer gute

oder schlechte Methode gibt; und wenn daher auch einigen des Referenten Vorschläge zusagen sollten, so wird es gewis nicht an anderen
fehlen, die in den Hauptpunkten den methodischen Gang des Verfassers als geeigneter vorziehen. Wenn das Elementarbuch, wie wir
wünschen und glauben, in weiteren Kreisen Verbreitung fiudet, soll
es uns daher freuen, wenn auch nur eine oder die andere Ansicht in
einer neuen Ausgabe Billigung und Beachtung findet.
Stralsund.   *vGruber.*

19.

*Grammatik der neuhochdeutschen Sprache nach Jacob Grimms
deutscher Grammatik bearbeitet von Joseph Kehrein. 1r
Th. Grammatik. 1e Abth. Laut- und Flexionslehre VIII u.
151 S. 1852. 2e Abth. Wortbildungslehre XVI u. 185 S.
1843. — 2r Th. Syntax. Erste Abth. Syntax des einfachen
Satzes X u. 164 S. Zweite Abth. Syntax des mehrfachen
Satzes VIII u. 179 S. Leipzig, O. Wigand 1852. 8.*

In der Vorrede zu seiner Wortbildungslehre hat der Verf. noch
ausgesprochen, dasz er bei der Abfaszung seines Werkes die Gymnasien und höheren Bildungsanstalten im Auge gehabt habe, ja er
hielt es damals noch für nötig, sich gegen die falsche Auffaszung zu
verwahren, als solle das Buch wörtlich auswendig gelernt werden. In
den Vorreden zu den später erschienenen Teilen des Werkes spricht
der Verf. nur noch einmal es aus, dasz er Grimms Forschungen habe
in die Schule bringen wollen, sonst äuszert er sich nicht mehr über
den Zweck des Buches als eines für die Schule bestimten und gewis
mit Recht, denn für ein eigentliches Schulbuch ist diese Grammatik
vil zu umfangreich. Ref. kann sie also auch nicht von diesem Standpunkt aus betrachten — er würde dem Buche unrecht thun, das mehr
für den Handgebrauch des Lehrers in seiner gegenwärtigen Gestalt
eingerichtet erscheint. Dennoch aber möchte Ref. behaupten, dasz
auch dafür das Buch zu umfangreich sei — es enthält manches, das
mit dem neuhochdeutschen nicht in unmittelbarer Beziehung steht.
Villeicht hat den Verf. das Streben, das Material so vollständig als
möglich zusammenzustellen, das durch das ganze Buch hin sichtbar
ist, nach dieser Seite hin etwas zu weit geführt: wer einmal so weit
zurück geht, wie uns der Verf. zurückfürt, der wird Grimms Grammatik doch benutzen und des Auszugs in dieser Beziehung entraten
können, wer sich dagegen nur auf das Nhd. beschränken musz, wie
etwa bei dem Unterrichte in einer Realschule, wird schwerlich das
dargebotene sämtlich benutzen können. So scheint dem Ref. gleich
die Einleitung etwas zu ausführlich behandelt, da alle deutschen Dia-

lekte hineingezogen sind. Wollte der Verf. aber die Verwandschaft
des nhd. mit den lebenden Sprachen Europas durch dise Auseinandersetzung angeben, so ist sie wieder zu enge gefaszt; denn die
Lautverschiebung (§ 97) fürt auch auf die Verwandtschaft mit den
romanischen Sprachen. — Die § 10. 11. 12 scheinen dem Ref. für ein
wiszenschaftliches Werk etwas zu bilderreich — warum statt des 'allerhand Künste' nicht einfach: durch Praepositionen u. dgl.? Was
soll es heiszen dasz in der alten Sprache 'lebhafte Farben allzu grell
nebeneinander spielen?' (Aehnliches § 1. Anm. 1. § 22. Anm. 1.).
Wenn der Verf. § 15 sagt, die Majuskel sei gewissermaszen national
geworden, so hat er insofern recht, als die Pedanterie leider auch
gewissermaszen national geworden ist. Dem falschen Nationalgefül
aber, das sich der s. g. deutschen Schrift, der groszen Buchstaben,
der unhistorischen Orthographie rühmt, darf keine Concession gemacht werden. In § 17 konnte bei der Erklärung von Buchstabe noch
etwas weiter zurückgegriffen werden: dasz die Züge der Runenschrift
stabartig sind, kommt einfach daher, das ihr der Gebrauch wirklicher Stäbchen zu Grunde liegt. — Die willkürlich erfundenen deutschen Namen für Vocale und Consonanten würde Ref. nach § 18 weg-
wünschen, ebenso § 19 Anm. 2 und § 21 Anm. 2, § 61 das anatomische, § 20 Anm. 2 die Erwänung M. Wochers, § 21 Anm. 1 die
aufgegebene Ansicht Jac. Grimms. — Der Uebergang von *a* in *o*
muste doch wol (§ 26) als Vergröberung wenigstens im nhd. bezeichnet werden und gehörte beszer zu *o* § 29, wo es noch einmal
vorkommt. — *e* ist von *ä* getrennt, ohne Not und bei dem Unterschied von öffenem und geschlossenem *e* hätte der Verf., der so oft,
auch wo es nicht eben nötig ist, die frühern Stufen der Sprache her-
einzieht, geradezu den Ursprung aus *i* und *a* angeben können, der
in geben, gibst, Menge, mancher auch nhd. noch deutlich ist. — Bei
Friedhof § 28 konnte die scheinbare Ableitung von Fride als Grund
der Erhaltung des ursprünglichen *i* geltend gemacht werden. — Das
o würde Ref. nicht als Brechung zwischen *a* und *u* (§ 29) bezeichnen,
sondern als Brechung aus *u* durch den Einflusz des *a*. Die Veränderung des *a* und *o* ist keine regelmäszige. — § 31 genügten eigentlich
schon die ersten Worte — *y* ist übrigens nicht nur in Juni und Juli,
sondern überhaupt am Schlusze aus dem in die Form des *j* gezogenen
i entstanden. Ein neueres Beispiel für den Gebrauch des *y*, als das
in Anm. 3 erwähnte, ist Bodmer, der überall *y* für *ü* schrieb. — § 33
scheint dem Ref. nicht klar genug, wòl deshalb weil der Umlaut *ä*
aus dem kurzen *a* zur Grundlage der ganzen Erörterung gemacht ist,
während diser Umlaut doch eigentlich *e* ist, den nur die Pedanterie
ä schreibt. Dasselbe gilt von § 41. — Warum der Verf. aus der
Brechung noch einmal ein besonderes Capitel gemacht hat, kann Ref.
nicht einsehn: die Brechungen *e* und *o* waren schon da, die Brechung
ie kommt § 44 noch einmal vor. — Die Anmerkungen zu § 44 konnten selbständig gestellt und dadurch etwas schärfer geordnet werden.
Anm. 2. 5. 8 gehören zusammen, wie 4 und 7. — Der Apostroph verdient

nicht in fünf Paragraphen besprochen zu werden; 's Bad zu schreiben ist eigentlich falsch, denn der Accusativ und Nominativ wird an
das vorhergehende Wort angeschleift. Die furchtbaren Formen am
Schlusze von § 51 konnten wegbleiben, ebenso wie § 55 Anm. 3 und
4 und § 61 Anm. 4 die Bezüge auf Keltisch, Finnisch usw. In dem
Capitel von den Consonanten hat der Verf. deutsche Namen den lateinischen vorgezogen, für die er sich doch § 16 erklärt hat: uns fehlt
aber die unmittelbare Anschauung des flüszigen in *l, m, n, r*, so dasz
die Uebersetzung die Sache eher unklar, als klar macht. — § 64
Anm. 7 muste genauer heiszen: die mittelrhein. (u. a.) Mundarten
setzen *rer* für *der*, *ter*, *tter*, denn nur bei solchen Formen kommt
diese Assimilation vor. — Oh die Erwähnung der ahd. Lautabstufung (§ 68) in eine nhd. Grammatik gehört, kann zweifelhaft sein
— in der Schrift tritt sie wenigstens nhd. gar nicht mehr hervor. —
Auslautendes einfaches *p* (§ 69) kommt nhd. doch nur in Fremdwörtern vor. — *f*, und *v* (§ 71 und 73) kann nhd. gleich zusammengestellt werden, ebenso würde Ref., um die Zal der Paragraphen zu
mindern, *p* und *pf* (*ph*) zusammengenommen haben. — Die Form
Wittib (§ 74) ist doch beinahe ganz veraltet, wie der Verf. auch selbst
sagt Wortbild. S. 27. — Im dritten Capitel konnten wol die Beziehungen auf Gotb. Ahd. Mhd. (die überhaupt die ganze Darstellung
auch sonst sehr breit und unbehülflich machen) wegbleiben, weil in
ihnen nichts gesagt wird, woraus für das nhd. etwas bedeutenderes zu
folgern wäre. — Auch *Hoffart* (§ 79 Anm. 3) hat in der ersten Silbe
die Länge eingebüszt. — § 80 war villeicht gleich mit 78 zu verbinden. — Warum der Verf. Lilje für Lilie ohne weiteres für einen
Misbrauch erklärt, sieht Ref. nicht ein, da er selbst an das mhd. Lilye
erinnert und dis durch Hinweisung auf gäten und jäten unterstützt.
Die Form Liljen findet sich poëtisch ohnedis weit häufiger als die andere. — Roheit und Rauheit sollte man der Analogie von Hoheit und
der Aussprache nach eigentlich immer schreiben. — ·Die Formen mit
chs sind doch denen mit *x* jedenfalls vorzuziehen; schreiben wir
doch auch nicht Fux, Flax. usw. — § 87 Anm. 1 erscheint dem Ref.
überflüszig in Bezug auf den Zweck der Grammatik — das schwanken der Aussprache von Aristokratie u. dgl. hat lediglich in dem Einflusz des französischen seinen Grund, doch steht die Aussprache des
t als *t* in diesen Worten noch so fest, dasz von einem eigentlichen
schwanken nicht die Rede sein kann. — *z* als Dreilaut aufzufaszen,
wie § 91 Anm. geschiht, scheint dem Ref. Künstelei: ist es Aspiration
von *t*, so besteht es jedenfalls nur aus zwei Lauten, nemlich eben dem
t und der Aspiration. — § 96 wiederholt eigentlich nur sehr allgemeine
Bemerkungen und schon dagewesenes, er konnte fehlen, ebenso die
ganze Lehre von der Lautverschibung, die nhd. als feststehendes Gesetz gar nicht mehr wirksam, vilmehr sehr häufig gestört und getrübt
ist (vgl. Wortbild. S. 133). Konnte nicht auch der ganze dritte Abschnitt fehlen? Ist es denn unumgänglich nötig, die Einteilung der
Wortarten zu geben? Und wenn das auch, so waren die speciellen

Unterabteilungen in §. 111, die meist z. B. bei dem Pronomen doch
wider vorkommen, überflüszig. — Zu § 113 waren fünf Anmerkungen entberlich (ebenso § 114). Ob die lateinischen, eigentlich
griechischen Namen wirklich nur einzelne Beziehungen des Casus
ausdrücken, darüber liesze sich streiten; wenn man freilich Accusativ durch Klagefall übersetzt, so scheint das richtig — Ref. hat
aber immer disen Namen für eine Uebersetzung des griechischen αἰ-
τιατική angesehn. — § 115 und 116 waren zusammenzufaszen; in
§ 117 Anm. 2 die Grimmsche Hypothese einer vorgothischen Declination zu erwähnen, war wol kein zwingender Grund vorhanden, eben
so wenig die goth. ahd. mhd. Erscheinungen in der Declination § 118
Anm. 1—3. — In § 119. 121. 124 usw. hat der Verf. bescheiden angegeben, er habe nur die gebräuchlichsten Worte zusammenstellen
wollen — es sind aber doch eine Reihe sehr ungebräuchlicher in den
Aufzälungen, die der Verf. selbst hat erklären müszen: die Fremdworte konnten villeicht wegbleiben — ja villeicht konnten alle Aufzälungen felen und die Anmerkungen dafür in die Regel treten und
selbst dise würden überflüszig sein, wenn wir schon ein gründliches
Wörterbuch des nhd. hätten. — Die *u* Declination, die teils schon
ahd. (§ 127) teils mhd. felt, in eine nhd. Grammatik zu bringen,
ist falsches Streben nach Vollständigkeit. — Die Pluralformen *Han-*
den und *Nöte* sind doch zu gewönlich (von Nöten) um unter die selt-
nen gerechnet zu werden, zu denen sie der Verf. § 126 Anm. 3
rechnet. — § 130 Anm. 1, § 132. 133. § 134 Anm. 1. 2. 3 scheinen
überflüszig, die Declination der Fremdworte und der Eigennamen
scheint einen zu groszen Raum einzunehmen, ebenso die goth. ahd.
mhd. Paradigmata bei dem Adjectivum, denen nhd. nur eins entspricht.
Die Partikel *so* statt des Relativs (§ 162) ist doch wol mit Becker für
veraltet zu halten: wir brauchen sie im gewönlichen Leben fast gar
nicht. — In der Conjugation ist abermals manches zu entberen, so
die umfangreichen Paragraphen 170 bis 172 fast ganz. — Das Praeteritum von *dingen* muste nicht *dung*, sondern *dang* haben; beide
Formen sind aber fast völlig verschwunden; *begunnte* ist auch fast
nicht mehr gebräuchlich; *dreschen* würde Ref. hierhergezogen haben, denn die Form *drasch* ist noch nicht ganz ausgestorben und
kann noch gerettet werden, ebenso 175 *verholen*, das durch die Zusammensetzung mit *un* noch lebendig ist. — Warum der Verf. das
Praeteritum von *backen* auch mit *ck* schreibt, ist nicht abzusehn, da
es mhd. *buoc* hat und wo es noch nhd. üblich ist, stets lang gesprochen wird. Zu dem Praeteritum *mul* könnte die Ableitung Müller als
Beleg gestellt werden. Ob *gesiehen* (S. 131) noch gebräuchlich ist,
weisz Ref. nicht zu sagen, ihm ist es nie zu Ohren gekommen, dafür
regelmäszig *geseiht*. Die vier gothischen reduplicierenden Conjugationen kommen schon ahd. auf eine hinaus und waren deshalb zusammenzufaszen, ebenso die schwachen Conjugationen, deren Unter-
schide nhd. nicht mehr erkennbar sind. Bei den unregelmäszigen

Verben nehmen die Paradigmen der früheren Sprachstufen wieder einen unverhältnismäszigen Raum ein.

Was in der Wortbildungslehre die nochmalige Aufzälung der
starken Verba soll, die alle schon da waren, weisz Ref. nicht zu sagen, weil beszer war es, wenn die Worte einfach in ihrer nhd. Form
aufgefürt und alle nhd. gebräuchlichen Ableitungen der verschidenen
Ablaute zugesetzt wurden (wie in der Grammatik von Frei); dis wäre
beszer gewesen, als die hier folgenden fünf Paragraphen abstracten
Inhalts. ;Warum ist § 20. 21 und 22 nicht zusammengefaszt? die Form
Prophetin ist so gewönlich, dasz es kaum eines Beispils bedurfte. —
War es schwer und gewagt über den Sinn der Ableitung mit e zu
sprechen, wie es § 40. 4 heiszt, so blib der ganze Passus beszer
weg, denn nhd. ist die Bedeutung gewis nicht mehr zu erkennen. —
§ 99 konnte bei *Haupt* erwänt werden, das Platen durchweg, wenn
auch villeicht nur des Reimes wegen *Haubt* schreibt, namentlich, da
sonst in der Grammatik eine Menge Proben der ganz verwilderten
Orthographie des 16n Jahrhunderts gegeben sind. — § 120 Anm. 3
in *Armut* scheint e nicht aus dem ursprünglichen o zu stammen, sondern zu § 27 Anm. 3 der Grammatik zu rechnen, ebenso *Heimat*. —
Ereignen (§ 131) widerholt sich in der Grammatik § 42 Anm. 5; einmal ist also die nähere Ausfürung der Ableitung entberlich. — Die
seltsame Ableitung des Namens *Mainz* § 135 war der Erwänung nicht
wert.

Gegen die Einteilung diser ersten Abteilung will Ref. nichts sagen; obgleich das zurückgreifen auf ¡das gothische villeicht zu vil
der Einteilungen herbeigefürt hat, so ist es doch wol notwendig, da
so vile Ableitungen im nhd. getrübt sind; die Zusammensetzungen aber
sind nach Praepositionen geordnet und dis scheint dem Ref. doch eine
höchst schwankende Grundlage. So erklären sich vile Composita in
§ 156 einfacher durch einen Genetiv, wie *Erdbeben*, *Fluszgott*, *Herzeleid*, und statt des. 'bewegenden in' kann man bei *Schlachtruf* auch
ein ruhendes annehmen: ein Ruf in der, nicht in die Schlacht, bei dem
'ruhigen an' kann man auch *auf* annehmen in Compositis, wie *Berg-
kräuter*, *Blattlaus* und so wäre es noch an mehreren Beispilen nachzuweisen. Es ist die Composition gerade das Gebit, auf dem sich
unsere Sprache am freiesten bewegt: es wird kaum möglich sein, ihr
äuszere Schranken zu ziehn. — In § 181 war es doch wol als Nachläszigkeit zu rügen, dasz die zweite Hälfte der Composition weggelaszen wird, namentlich da dis im 17n und 18n Jahrhundert selbst mit
Endungen geschah (*Handel-* und *Gegenhandlungen*). — Dasz die
Adjectiva nach der gothischen Form alle aufgezält sind, erschwert
die Uebersicht nach einer Beziehung: ob es noch lebendige, oder ausgestorbene sind. Ref. würde aus disem Grunde und auch weil er es
dem nächsten Zwecke der Grammatik entsprechender findet, die nhd.
Form vorangestellt und nur wo eine solche nicht vorhanden war, zurückgegriffen haben, ebenso § 225. 232. 233. — Der Verf. (§ 196)
sagt, es dürften nicht neue Composita mit dem Partic. Praeteriti nüch-

tern erfunden werden und es müsze überhaupt ihre Anwendung Masz halten — aber der wortbildenden Thätigkeit der Sprache läszt sich nicht halt gebiten und selbst die Composita welche er aus Freiligrath anfürt, haben nichts auffallendes. Hat doch schon Fischart seine Gewalt über die Sprache gerade mit solchen Compositis bewisen, wie *drillhimmelverzuckt*, *fuszverstrickt* u. dgl. — Das sind allerdings keine nüchternen Bildungen, unserer Prosa und selbst der Rede des täglichen Lebens aber ligen dise Composita vil näher. *Spurverlornes Wittern* fällt uns noch auf, aber selbst *blumenbekränzt* wird schwerlich anstöszig sein. — § 203 scheint die genauere Ausfürung der einzelnen Fälle nicht in die Wortbildungslehre, sondern eher in das Capitel von der Wortstellung zu gehören. — Die Angriffe Jean Pauls auf das Compositions-*s* geschahen nicht dem eingebildeten Wollaut zu gefallen, sondern vor allem, weil er das *s* als das Zeichen des Genetivs bei Masculinen in Zusammensetzungen mit Femininen nicht dulden wollte. — Das *en* in *Christen* (§. 211) gehört gewis der Ableitung an: ʻ*ein Christen*ʼ, sagte man in alter Zeit, nicht *ein Christ*. Ebenso ist es wol bei *Heiden*. — In Bezug auf das Wort *Jungfrau* (§ 224) ist zu bemerken, dasz der eigentümliche Sinn, den wir dem Worte beilegen, doch erst ein abgeleiteter ist. *Frau* heiszt Herrin, *Jungfrau* junge Herrin, Tochter des Hauses, steht also ganz gleich dem Worte *Junker* == junger Herr. — § 230 gehört wol unter die substantivische Zusammensetzung; denn es ist die einfache Figur pars pro toto, wo das Glied usw. für den Mann eintritt, wenn man sagt: der breite Kopf, *der Breitkopf*, der lange Mantel, *der Langmantel*. Als Adjectiva kommen dise Zusammensetzungen nie vor, nur als Stellvertreter des Substantivums. — Sind die § 241 und 242 aufgefürten Composita wirkliche Zusammensetzungen? Es läszt sich bezweifeln, da fast jedes der angefürten Beispile auch getrennt geschriben werden und die erste Hälfte als Adverbium angesehn werden kann. — Kann die Form *blendweisz* wirklich belegt werden (249)? Ref. weisz nur von *blendend weisz*, was keine Composition ist. — 271 Anm. konnte wegbleiben, da *Amt* oben schon erwänt ist S. 58 oder es konnte oben fehlen. *Empfang* kommt 311 wieder vor, sowie Gramm. S. 33. — 278. Ob sich der neuere Gebrauch für *Vorbitte*, *Vorsprache*, *Vorsprechen* entscheidet, könnte doch noch fraglich sein: in diesen mehr abstracten Worten ist im gewönlichen Leben *für* gewöhnlicher. — In 262 war 2) villeicht als die Hauptbedeutung der Partikel *ge* voranzustellen und 1) konnte als eine Abzweigung dieser collectivischen Bedeutung angesehn werden; in allen substantivischen Zusammensetzungen mit diser Partikel (3—5) läszt sich die collectivische zusammenfaszende Bedeutung erkennen, so in *Geback* d. h. das was auf einmal gebacken ist, *Gespann*, was zusammengespannt ist; ebenso fast *Geläute*, *Geprahle*, *Geklingel*, das einzelne zusammen. Ein solcher einheitlicher Gedanke fehlt den 5 Abteilungen. — 299 zu Anf. konnte erwänt werden, dasz *in* ja auch im Lat. in der Zusammensetzung privative Bedeutung hat (wenn nicht villeicht die ganze

Beziehung, als dem unmittelbaren Zweck des Buches nicht entsprechend, beszer weggebliben wäre). Unter den Beispilen vermiszt Ref.
ungern das eigentümliche, privative und doch scheinbar verstärkende
Compositum *Unkosten.* — 310 5 verdinte keine besondere Auffü-
rung, denn *benehmen* heiszt doch wol nichts anderes als ganz nehmen; die zu dem Verbum *beschneiden* gegebene Erklärung paszt also
auch hier; auch die unter 4) aufgezälten Beispile liszen sich unter
disen allgemeinen Begriff recht gut bringen. — 311 1 läszt sich
entgelten leicht unter die Grundbedeutung von *ent* zurück stellen.
Auch § 312 bedurfte es der Unterabteilungen nicht: der Begriff, her-
auf, das Erreichen eines Zieles durch die Thätigkeit, die das Verbum
angibt, umfaszt alles — und privative Bedeutung hat *er* gewis nicht:
ertragen heiszt bis zu Endé tragen, in *erschöpfen* läszt sich auch die
Grundbedeutung nicht verkennen: schöpfen bis zu Ende; *erziehen* hat
heut zu Tage keinen andern Sinn. — Die Verwandtschaft zwischen
be und *er* ist eine sehr weitläufige, denn dasz zwischen *bestürmen*
und *erstürmen* ein groszer Unterschied ist, kann man jetzt gerade
alle Tage lernen; ebenso zwischen *besetzen* und *ersetzen.* — .313 fehlt
es widerum an der nötigen Klarheit, weil die Grundbedeutung von
ge nicht festgehalten ist; so 4) *gerinnen* heiszt nichts anderes als zu-
sammenflieszen — wie ligt darin etwas privatives? In 314 muste
4) als die Grundbedeutung voranstehn. Bedeutungslos ist die Partikel
gar nicht in *verläugnen* (wegläugnen), *verbergen* u. dgl. Jedenfalls
war 5 und 6 zu verbinden. — Auch in 315 ist die Einteilung eine
rein willkürliche, denn in *zergliedern, zerstreuen* ligt der Begriff der
Scheidung sogut wie in *zerteilen* usw. Die Bemerkung konnte ganz
kurz heiszen: *Zer* tritt vorzugsweise zu solchen Verben, in deren
Sinn schon eine Teilung ligt. — Zu 320: es ligt der Unterschied
zwischen *durchgelesen* und *durchlesen* nicht in dem Ton, sondern
wol in der zusammenfaszenden Kraft des *ge*, die sich selbst hier noch
geltend macht. — Das unflectivische Compositions-*s* hätte wol seine
Stelle beszer oben bei den Substantiven gefunden, weil es bei ihnen
allein vorkommt. — Die Einteilung 337 in 1 und 2 konnte rein wegfallen, da der Begriff des Beraubens doch nur ein Nebenbegriff ist
und ebenso war 4) gleich hinzuzunehmen. — In 340 waren villeicht
statt der erfundenen Namen die bekannten Worte *Störenfried, Wage-
hals* u. dgl. aufzunehmen. — 342 und 343 können fehlen. — 350
folgt der Verfaszer ohne eine Gegenbemerkung der falschen Orthographie *desz,* wärend diese Form doch dieselbe ist, wie der Genetiv
des einfachen Artikels. — Die Bemerkungen über *desgleichen* § 360
scheinen dem Ref. verfelt, weil der Verf. gleich anfängt, es lige in
der Phrase etwas incorrectes — beszer aber, man begreift erst eine
Spracherscheinung und urteilt dann; ferner weisz Ref. nicht, wos es
heiszen soll, dasz *gilihho* als Subst. bezeichnet wird. Ref. würdé
das für das Adverbium von *galich* halten. Dasz *gleich* sonst den Dativ regiert, ist eine sehr leicht zu machende Bemerkung, welche hier
aber nur verwirren kann, namentlich, da unmittelbar vorher auer-

kannt wird, dasz in mhd. *min geliche min* der Gen. sei, der von
geliche abhängt. Und so ist es: *gleich* regiert schon ahd. den· Genetiv
der Pronomina Personalia, doch kommt auch vor *adames kelicho;*
des in *desgleichen* ist also Gen. des pronomen demonstrativum und
die schwache Form beweist uns, das durch das ausfallen des Artikels
die ganze Redeweise sich verhärtet hat. In *dergleichen* ist *der* gen.
plur., die Erklärung von Art und Schlag, das zu ergänzen wäre, ist
gänzlich fallen zu laszen. — Auch 361 hiesz es beszer für: eine ganz
anomale Zusammensetzung ist *einander: einander* ist neben *desgleichen* das einzige Beispil auf disem Gebiete, dasz sich eine ganze
Redensart zu einem Compositum verhärtet hat. Dann konnten 360 und
361, villeicht auch 359 zusammengefaszt werden. — In dem Capitel
von den Adverbien muste doch wol 367 voranstehn, als die eigentliche Adverbialbildung. In 371 2) waren *derweile* und *mittlerweile*
zu erwänen, die nichts anomales haben. — 377 waren villeicht 1 und
7, 3 (4) und 8 zusammenzufaszen, um der Abteilungen weniger zu
erhalten und die Uebersicht zu erleichtern. — § 383 1) gehört doch
wol unter 399, denn nur eben im Ausruf kommt das *io*, wie mhd. das
angehängte *â* vor. — § 385 wäre villeicht als Anhang zu 371 zu stellen gewesen, da *ing* und *ling* eigentlich eine substantivische Bildung
ist; an diser Stelle steht es auszer allem Zusammenhang zwischen
Zahladverbien und verbalen. Adverbien. — 387 war 4 und 5 villeicht
zusammenzufaszen. Die Erklärung der Partikel *mein* aus *mein ich*
scheint dem Ref. bedenklich, da *mein* oft in der Anrede, um einen
aufmerksam zu machen gebraucht wird; es könnte also möglicherweise das possessivum zu Grunde ligen. — Da *nun* und *noch* schon
goth. Adverbien sind (388) und ihre Bildung sich nicht nachweisen läszt, so waren sie hier, wo es sich um die Bildung der nhd.
Adverbien handelt, wol wegzulaszen. — 392 war villeicht statt 'das
gewöhnliche Ableitungsmittel ist R' zu sagen: die Ableitung geschieht durch eine comparativische Bildung; dasz wir eine solche in
dem *er* zu erkennen haben, zeigt das lateinische und griechische;
ohne und *durch* waren besonders zu stellen. — Das Capitel über
die Interjectionen hat eigentlich die Grenzen der Wortbildung verlaszen und ist eine vollständige Zusammenstellung geworden, die auch
nicht nach der Bildung, sondern nach den Affecten geordnet ist. Ist
es so sicher, dasz *jemine* slavisch ist? Die meisten der uns heutzutage unverständlichen Interjectionen (*potz* u. dgl.) stammen aus dem
16n Jarhundert und ruhen alle auf christlichen Dingen; so könnte auch
ojemine, dem *Herrje, Herrjesses* ganz gleich, aus *o jesu domine*
entstanden sein. — *Potz* erklärt der Verf. nicht: es ist aus dem Genetiv *Gottes, Gotts* entstanden, wie Flüche des 16n Jarh. *Gottsmarter*
und *Potzmarter* beweisen; französisch tritt auch der *b* laut ein in *mor-
bleu* = *mort de dieu*. — War 407 und 408 notwendig, da in 406
bereits das nötige gesagt war? Die ganze Auseinandersetzung S.
160 bis 174 scheint dem Ref. etwas zu ausfürlich. — Was heiszt
es (444): der Begriff gesteigerter Wörter wird gleichsam erhöht? —

Die Steigerung mit *aller-* eine unlogische Sprachgewonheit zu nennen, ist ganz falsch: *aller* ist der gen. plur., ein solcher ist aber bei dem Superlativ so logisch als möglich. — Gehört *nahe* und *hoch* zu 455? *nahe näher nächst* ist eine vollkommen regelmäszige Comparation, denn dasz *h* vor *st ch* wird, ist eben regelmäszig. — In 462 waren villeicht auch noch Bildungen, wie Frömmler zu erwänen. Dasz die Deminutiva auf *lein* poëtisch sind, begreift Ref., wie sie aber etwas feierliches haben, das begreift er nicht.

Ref. fürchtet, mit seinen Scholien, so kurz er sie auch gefaszt hat, doch schon etwas zu ausfürlich geworden zu sein und musz deshalb über die Syntax etwas geschwinder weggehn. Im ganzen scheint die Syntax des einfachen Satzes etwas zu ausfürlich für eine Grammatik, die nur ein Auszug sein will, der Unterabteilungen und der einzelnen Paragraphen zu vile, z. B. 92. 93. 94, die ebensogut drei Unterabteilungen éines Paragraphen hätten bilden können, wobei 93 jedenfalls voran zu stellen war als das ursprüngliche. Es ist übrigens leicht die Construction seltsam und den Infinitiv widersinnig zu nennen, schwerer sie zu erklären. Zu bemerken ist, dasz es lauter Hülfsverba sind, die sich leicht mit dem Infinitiv eines andern Verbs verbinden: *ich will ihn kennen lernen, ich soll es bleiben laszen, ich will mich gewönen lernen, ich will ihn singen hören* — alle dise Zusammenstellungen haben nichts auffallendes und aus ihnen entstand eine so enge Verbindung des Infinitivs mit dem Infinitiv des dabei stehenden Wortes, dasz dise Construction auch bei *haben* angewendet wurde, wozu die gleichlautenden Participien die Veranlaszung waren. — Der Weglaszung des *ich* durfte doch wol kein Freibrief gestellt werden, wie 113 für den kaufmännischen Stil. — 117—120, 124—126 konnten zusammengefaszt werden. — Die Behauptung 128, es könnten die Personen sich gegenseitig vertreten, wird durch die einzelnen Bemerkungen innerhalb des Paragraphen eigentlich ganz aufgehoben: in *lasz uns gehn* steht nicht die zweite für die erste Person, sondern es ist disz eine von *gehn wir!* durchaus verschiedene Aufforderung, da letztere offenbar weit energischer ist und eigentlich nur paszt, wenn die Handlung von dem auffordernden selbst gleich begonnen wird. — Dasz *Ohr* in der Redeweise: *ich bin ganz Ohr*, adjectivisch gebraucht werde (135), kann Ref. nicht einsehn; der Verf. scheint durch dise Annahme die Kühnheit des Bildes mildern zu wollen, statt sie einfach anzuerkennen. — Was die Geschichte der Höflichkeitsbezeugungen angeht, so möchte Ref. dem ' *ihr* ' doch ein höheres Alter und weitere allgemeine Verbreitung zugestehn als es der Verf. thut; die Anrede scheint nicht aus dem byzantinischen Canzleistil, wie das ' *wir* ' entstanden, sondern echt deutsch. Dasz die Mutter von der Tochter gewönlich *du* genannt sei, läszt sich bezweifeln: in den zalreichen Wechselgesprächen Nitharts, die doch gewis einen ziemlich treuen Spiegel des wirklichen Lebens geben, herseht *ihr* vor, und selbst wenn die Tochter grob antwortet: *muoter là daz sin* geht sie in derselben Rede in *ihr* über. — § 179. Anm.

wird *denen* für den Dat. des pron. demonstr. erklärt — es steht aber
im 18n Jarhundert, namentlich im Canzleistil, oft als Artikel und
scheint auch in den beiden angefürten Beispilen nur Artikel zu sein,
der durch die Anhängsilbe hervorgehoben werden soll. — 198 steht
2) unpassend zwischen den beiden zusammengehörenden Angaben in
1) und 3) und gehörte beszer ans Ende. Auch in 200 war die Anordnung übersichtlicher, wenn der unbestimmte Artikel (4, 5) vor-
ausgieng, dann der Fall, wenn zwei Adjectiva zusammen treffen (7)
dann erst die Fälle, wenn Adjectiva mit andern Worten zusammen-
stehen (2, 3, 6.) — Warum 221 eine einfache Accusativ-Construction
nach den Paragraphen, welche die Rection von zwei verschidenen
Casus behandeln, gestellt ist, sieht Ref. nicht ein; nur wenige der
angefürten Impersonalia regieren zwei verschiedene Casus. — *Helfen*
mit dem Genetiv (§ 225) ist Ref. noch nicht vorgekommen; 7. und 10
waren villeicht zusammenzufaszen, auch wol 'es braucht' aus 4),
während *sich bedienen* zu 1) gezogen werden konnte; 9) gehörte jedenfalls als eine Einzelheit zuletzt. — In 228 sind wol auch die 9
Abteilungen zu vil; warum nicht 7) zu 1), 3) zu 2) als zu *dienen*
gehörig, 8) zu 4)? Und bei den abermals neun Abteilungen von 232
ist wol ein Unterschid zwischen 4 und 5? Der 9e Satz ist unklar
ausgedrückt und auch nicht durch Beispile klarer gemacht. — Der
Abschnitt über die Praepositionen ist unendlich wegen der vileu Unterabteilungen, dann auch wegen der mühsamen Definitionen des Sinnes
— wozu dise in einer für Deutsche geschribenen Grammatik, wozu,
da die Beispile den Sinn angeben können? Viles musz in diser
Beziehung auch zweimal, bei Subst. und Verbum, vorkommen. Was
in 266 der erste Satz soll mitten in den Regeln über Praepositionen,
weisz Ref. nicht. Vile Einzelheiten in disem Capitel konnten unter
éinen Gesichtspunkt gebracht werden — auf das alles aber einzugehn
würde den Ref. zu weit füren und er hat wol schon der Einzelheiten
fast zu vile gebracht; er wendet sich daher jetzt zur Syntax des
mehrfachen Satzes. Ref. musz gleich in Bezug auf die Vorrede sein
ceterum censeo gegen die Beckersche Grammatik widerholen, doch
kann gleich das nächste Blatt etwas versönen, das durch seine vi-
len Abkürzungen Berücksichtigung des ältern Sprachgebrauchs verspricht. Dis versprechen wird auch gehalten, nur wäre etwas mehr
Verarbeitung des aufgespeicherten Stoffes, namentlich eine directere Beziehung auf das nhd. und eine Vergleichung mit dem Sprachgebrauch desselben, an einzelnen Stellen wünschenswert gewesen.
Gleich auf der ersten Seite aber sehen wir die abstracte Logik: *Menschen und Thiere atmen* soll ein zusammengezogener Satz sein; gewis nur weil man allenfalls zwei Sätze bilden könnte: *die Menschen atmen, die Thiere atmen* — nein der Verf. hat gewis recht,
auch diese Sätze einfach zu nennen (denn es ist das einfache in beiden
Sätzen das gemeinsame, satzbildende) und brauchte um einer solchen
künstlichen Anname willen nicht zwei Paragraphen zu machen; ebensowenig scheint disz bei 5 und 6 nötig, namentlich da der Anfang von

§ 5 sich ja auch auf 6 mit bezieht. — § 8 paszt logisches Verhältnis der Uebereinstimmung doch nicht auf alles, da 'und' ja nach Lehmann Himmel und Hölle miteinander verbindet. — 10 paszt das Beispiel zu 4) nicht, da es nur eine einfache Fortfürung des Satzes enthält. 14 gehört streng genommen nur als Anmerkung zu 13. — 16 u. 17 gehören zusammen. Ist zwischen 23, so weit die Beispile den Sinn desselben erleutern, und dem Schlusse von 22 irgend ein Unterschid? — Dasz *nicht — vilmehr* schwächer sein soll, als *nicht — sondern* (47) scheint dem Ref. nicht den Worten selbst, wie ihrem Gebrauch gemäsz. Das Beispil aus Goethe kann das leicht zeigen — der Gegensatz zu *aufgeben* ist *wider anfangen* und wenn disz gesagt wäre, könnte *sondern* recht gut stehn; statt dessen wird aber mehr gesagt: 'ernsthafter und gründlicher untersuchen', das sich von dem *aufgeben* noch weiter entfernt, und disz rechtfertigt den Gebrauch von *vilmehr; dasz vilmehr* bei *sondern* treten kann in Fällen, wo *sondern* entberlich ist, beweist auch, dasz *vilmehr* eben viel mehr aussagt, als das nur absondernde *sondern.* — Wenn der Verf. 48 sagt: zuweilen felt *sondern* oder *vilmehr,* so ist das falsch: noch ist unsere Sprache lebendig genug, der Hülfsmittel entraten zu können und durch die einfache Negation den Gegensatz auszudrücken — dise Fälle und die 59. 67 Anm. musten voran (vor 46) stehu, besonders, und dann erst die Conjunctionen, welche den Gegensatz ausdrücken. — Wärend sonst in der Grammatik alles fast zu sorgsam auseinander gehalten und in Paragraphen getrennt ist, scheinen in 52 zwei ganz heterogene Dinge in éines verbunden: *sonst* und *es sei denn* oder *denn* — mit *sonst* wird eine Möglichkeit abgewisen, mit *es sei denn* angenommen. Man braucht sich nur einen Satz zu denken, in dem beide Worte vorkommen, um sich den Unterschid klar zu machen; beide müszen sich in einem solchen Satze mit den entgegengesetzten Behauptungen verbinden, bei éiner können sie nicht stehn. Ist 53 abweichend von der Bedeutung des *sonst* die in 52 angegeben wird? In allen Beispilen heiszt *sonst* nicht mehr als: im andern Falle, bezeichnet also ein anderes, als das was genannt wird. — 57 war unnötig: *aber* enthält immer eine Einwendung gegen den vorhergehenden Satz und die Frage ist nur Form: es ist kein Beispil zu 52, das sich nicht auch in diser Form ausdrücken liesze. *Nur* (§ 60) bezeichnet streng genommen eine Ausnahme, nicht einen Gegensatz, gehört also zu *allein*, nicht zu *aber;* bei *allein* felt die Hervorhebung diser eigentlichen Bedeutung, die allein erklärt, wie ein Zalwort adversativ werden kounte. Auch bei *hingeyen* 62 felt die Grundbedeutung, die das Beispiel aus dem Simplicissimus noch hat und die gar nicht adversativ ist. — Dasz (66) *doch* als ein elliptischer Satz vorangehe, ist eine rein willkürliche Annahme — nur das Komma weggelaszen! — 81 konnte entbert werden, denn *um des willen* ist keine Conjunction. *Darum* und *daher* als mit *da* zusammengesetzt waren wol zusammenzufaszen. Vor 82 war wol ein Abschnitt nötig, denn die Auffaszung in *demnach* ist eine etwas andere als in den vier vorausgehenden;

die in éinem, höchstens zwei Paragraphen zusammengefaszt werden
konnten. Warum überhaupt bei jedem neuen Wort einen neuen Paragraphen? Es erschwert die Uebersicht sehr. — Weshalb das einfache *so* nach dem zusammengesetzten *also* steht, kann Ref. nicht einsehn. In dem zweiten Beispil aus Götz scheint *so* nur Partikel des
Nachsatzes zu sein. — 88 muste wider vorangestellt werden, doch
können in sämtlichen Beispilen die Nebensätze auch als erklärende
Zusätze aufgefaszt werden. In 98 stehen wider 10 Punkte hintereinander, wärend doch z. B. 1—3 recht gut zusammenzufaszen waren;
ebenso ist es mit 100. — Weshalb der Name conditionalis für das
plusquamperf. Conj.? Wird der Unterschid temporal gefaszt, so
wird er klarer, als durch einen solchen erfundenen Namen, der ohnehin aus der franz. Grammatik aufgenommen ist. Auch wurden dann
unnütze Widerholungen wie 115. 116 vermiden. — 110 muste noch
angegeben werden, dasz eine solche Construction nur in Bedingungs-
sätzen möglich ist. — Die Auseinandersetzung über das Relativum
in Betreff der Formentwicklung gehört, namentlich in dieser Ansfür-
lichkeit, nicht in die Syntax (manches widerholt sich wirklich im
ersten Teil, so 179 Anm.); *swer* konnte als eine nhd. ausgestorbene
Form ganz wegbleiben. — Ob man für den Gebrauch für *der* und
welcher Regeln aufstellen kann, bezweifelt Ref. sehr: es scheint das
kürzere *der* in neuerer Zeit allmälig über *welcher* den Sieg davon-
zutragen und kein Beispil fürt der Verf. an, in dem *welcher* stehen
müste und nicht durch *der* vertreten werden könnte. — 144 konnte
zur Erklärung dieses Sprachgebrauchs hinzugefügt werden, dasz *was*
allgemeiner ist, als *welches*, deshalb auch zu den unbestimmten Ausdrücken *alles* usw. beszer paszt; bei *alles* steht wol nie *welches*, sondern eben nur bei den speciellern Ausdrücken *eins*, *etwas*. — Warum
146 nicht nach 141 steht, sieht Ref. nicht ein. Ebenso wenig warum
nicht 143 und 151 zusammengefaszt sind; gegen die Ellipse des De-
monstrativpronomens vor *wer* liesz sich mancherlei einwenden: *wer*
ist ja eigentlich nicht Relativum, sondern Fragewort und vertritt in
solchen Fällen das alte *swer;* so ist es auch mit *was.* Ueberhaupt ist
Ellipse sehr selten zu statuieren, nur in den Fällen, wo das Demon-
strativ einen andern Casus haben würde, als den des Relativs. —
Warum der Verf. bei einer so gewönlichen Construction, wie die 158
erwänte, von Unebenheit und gehemmtem Verständnis spricht, weisz
Ref. nicht — gerade in einer solchen Abwechselung sind zwei Relativa noch am ersten zu ertragen. Und von Misklang ist oft gar nicht
die Rede, selbst nicht, wo er sich nach des Verf. Meinung steigern soll.
Man lese nur einmal die Periode von Schiller, welche der Verf. als
Beispil anfürt, ob sie nicht oratorischen Klang hat? Häufen sich die
Relativsätze auf die Hauptsache, so schaden sie gar nichts, schlimmer ist es, wenn sie, wie in dem angefürten Beispile aus Goethes
Lehrjahren, wechseln. — Noch schwerer wird des Verf. Anklage in
161 uud 162, es stehe ein solcher Sprachgebrauch in Widerspruch
mit der Logik und Grammatik; aber doch wol nur mit einer sehr abs-

tracten nach ganz äuszerlichem Masze meszenden. Denn das eintreten
des Demonstrativums im zweiten Satze ist vollständig gerechtfertigt
dadurch, dasz zwischen das Subject und das zweite, das von ihm
ausgesagt wird, eiu Relativsatz getreten ist, über den hinweg durch
disz Demonstrativum unmittelbar zum Subject zurückgegriffen wird.
So vermeidet dise Construction gerade, was der Verf. nicht weit
vorher getadelt hatte, das anhängen mehrerer auf einanderfolgender
Relativsätze. — Auch mit 162 ist es wol nicht so arg. Einmal ist es
pedantisch, das Relativum in Sätze, wie in den letzten auf S. 101 und
die vier folgenden, hineinzucorrigieren, wo es gar nicht nötig ist,
zweitens aber fehlt hier das Relativum an zweiter Stelle eben um
den Satz nicht durch ein allzudeutliches hervortreten der Nebensätze
schleppend zu machen. Eine lebendige Prosa musz auch auf den Wollaut achten und diser würde bis zur Unerträglichkeit gestört, wenn
jedesmal das Relativum, namentlich noch vor einem Zwischensatz,
nackt dahin gestellt würde. Die Fälle in 163, wo der Verf. selbst
sagt: es sei der Kürze, Leichtigkeit und Glätte wegen eine Attraction
eingetreten, sind kein Har von disen verschiden. Nennt man die
Construction fehlerhaft, wie Lehmann, so ist man allerdings bald fertig, aber Ref. glaubt, es sei doch noch ein klein wenig Unterschid
dazwischen, wenn wir Schülerexercitien corrigieren und wenn wir
über Goethes Sprachgebrauch sprechen. Selbst in Sätzen, wie die 169
angefürten, ist eher das leichte und schnelle Verständnis die Ursache
gewesen die Relativa zu häufen, als dasz dises gehindert worden
wäre, wie der Verf. angibt. Man versuche es nur den Salz, der
das erste Beispil bildet, anders auszudrücken mit andern vier Neben-
sätzen, ob er klarer werden wird. — Der § über die oratio obliqua
(181) steht etwas auffallend zwischen den von *dasz* handelnden, um
so auffallender, da die s. g. Ellipse der Conjunction *dasz*, welche in
der oratio obliqua so häufig ist, erst hinterher kommt in 191. Oh der
Verf. durch dise Stellung in die 14 auf einander folgenden Paragraphen, die alle über *dasz* handeln, etwas Abwechselung hat bringen
wollen, weisz Ref. nicht. Mit der Ellipse von *dasz* ist es übrigens
eine eigne Sache: in dem Beispil: *Ich hoff' es ist alles noch herzustellen* (S. 120) felt gar kein *dasz*, obwol die Möglichkeit vorligt
das hier in einem Hauptsatz ausgesagte in einen Nebensatz zu bringen; wie kann man aber eine solche lebendige Construction mit dem
Maszstab einer vil unlebendigeren meszen und um der lieben Regel-
rechtigkeit und sogenannten Logik willen behaupten, es sei hier *dasz*
ausgefallen? So ist es aber mit der Merzal der angefürten Beispile. — 206 war wol als Anmerkung zu 203 zu ziehn. — *Indem*
(§. 229) paszt nicht so gut zu *dä*, — mit dem es der Verf. einmal
ausnahmsweise in einen Paragraphen zusammengebracht hat, als zu
weil, indem beide Partikeln ursprünglich nur die Gleichzeitigkeit andeuten. — In dem fünften Capitel kommt der Verf. auf die Perioden
zu sprechen, dem Beckerschen Systeme gemäsz, aber eigentümlich
genug, nachdem in fast 200 Paragraphen (s. 241 die eignen Worte

des Verf.) fortwärend von Perioden die Rede war; denn Sätze, wie
sie der Verf. als Beispile für die s. g. invertierte Periode anfürt,
sind schon in Masse dagewesen — warum also nur um der Abteilung
willen noch einmal ein Capitel, das nur abstractes nachbringen kann,
da das conerete schon da war? Die Wortfolge ist gleichfalls lediglich von abstractem Gesichtspunkt aus behandelt, wärend gerade disz
Capitel eins der interessantesten sein würde, wenn man es vom historischen Standpunkt aus behandeln wollte. In diser Beziehung aber
wie in so vilem, was die Syntax angeht, felt uns noch der Meister,
der den Grund legt.

Hanau.   *Otto Vilmar.*

19.

Geschichte der deutschen Poësie nach ihren antiken Elementen.
Von Carl Leo Cholevius, Oberlehrer am Kneiphöfischen
Stadtgymnasium zu Königsberg i. Pr. Erster Theil. Von der
christlich-römischen Cultur des Mittelalters bis zu Wielands
französischer Graecität. Leipzig, F. A. Brockhaus. 1854
(632 S.).

Wir haben unlängst bei der Anzeige des Hennebergerschen Jahr-
buches (oben S. 80 ff.) Veranlassung genommen, in Uebereinstimmung mit dem Herausgeber desselben uns dahin zu erklären, dasz der
gegenwärtige Zustand der deutschen Litteraturgeschichte eine wissenschaftliche Behandlung des Gesamtgebietes zunächst nicht erfor-
dere, sondern dasz es an der Zeit sei, durch möglichst gründliche
und vielseitige Einzelforschung einer späteren neuen Bearbeitung des
ganzen vorzubauen. Zugleich aber erklärten wir, dasz eine Behandlung des ganzen von einem einzelnen Gesichtspunkte aus, der bisher
entweder übersehen oder doch nicht zur Genüge ins Auge gefaszt
worden sei, eine dankenswerthen Erfolg versprechende Unternehmung
sein möchte. Der erste Theil eines in solchem Sinne unternommenen
Werkes liegt unter dem oben angegebenen Titel vor uns, und wir
wollen von vornherein in demselben eine durch den leitenden Gesichtspunkt berechtigte und durch das geleistete sich vorzüglich empfehlende litterarische Erscheinung begrüszen.

Ueber die Gesinnungen und Ueberzeugungen, mit welchen der
Verf. an sein Werk gieng, gibt die Vorrede (S. I—XX) näheren Ausweis. Bezeichnet nun schon der Titel dasselbe als ein solches, das
vermöge des leitenden Gesichtspunktes ganz besonders in das Gebiet
dieser Zeitschrift gehört, so nöthigt uns insbesondere gleich das Vorwort hier auf dasselbe weiter einzugehen: denn die in demselben niedergelegten Gedanken berühren Fragen, welche nicht nur unbeant-

wortete, sondern auch Lebensfragen für die Interessen·sind, welche
diese Blätter mit Ernst und Eifer und — so Gott will! — nicht ohne
Erfolg vertreten. Wie aber die Dinge jetzt stehen, dürfen diejenigen,
welche mit unwandelbarer Treue am Alterthume und an den klassischen Studien festhalten und nicht von dem modernen Realismus, sondern von einer aus innerster Ueberzeugung hervorgehenden Wiederbelebung des Humanismus eine nachhaltige Verbesserung vieler theils
offenbar vorhandener theils uns bedrohender Misverhältnisse· erwarten, keine Gelegenheit versäumen, in nachdrücklicher Würdigung
jedes klassischen Elementes der materialistischen Geringschätzung
desselben entgegenzutreten. Zwar werden viele entgegnen, die Zeit
der Vernachlässigung sei schon vorüber, und man sei nur auf das
rechte Masz der Schätzung gekommen, zwischen übertriebenem Tadel
und maszloser Bevorzugung die Mitte einhaltend. Wahr mag so viel
sein, dasz der Humanismus sich von den Stürmen der letzten Jahre
zu erholen angefangen hat, aber er hat noch offne Feinde, die ihn
befehden, genug und nicht weniger schlechte Freunde, die ihn aus
zehn und zwanzig Rücksichten stützen und halten, nur nicht aus der
echten und rechten Ueberzeugung von seinem Werth und seiner un-
verlöschlichen Bedeutung für unser ganzes Leben.

Der Verfasser sagt im Eingange seines Vorwortes, er wolle
durch sein Werk eine alte, doch nicht verjährte Schuld abtragen;
schon Herder habe eine Geschichte des Geistes der neuern Litteratur
nach seiner Umwandlung und Ausbildung unter den Einwirkungen der
Orientalen und auch der Griechen und Römer vermiszt; in neuern Zeiten haben das antike und romantische alle Gegensätze in sich aufgenommen und seien einander als unversöhnliche Feinde entgegengetreten; damals sei von Friedrich Schlegel und Tieck die Forderung
einer geschichtlichen Darlegung der Folgen aufgestellt worden, welche das Studium der alten Klassiker für Poësie und Cultur gehabt; noch
dringender mahne die gegenwärtige Lage der Dinge an die Erfüllung
dieser Aufgabe, indem der Sieg der Romantik über die Antike ihre
charakterlose Vielseitigkeit zwar zu dem schimmernden Resultate geführt habe, dasz wir im Besitz einer Weltlitteratur seien, aber die
Sinn- und Maszlosigkeit der Reproduction die Erzeugnisse selbstän-
diger Dichtungskraft zu überwuchern und zu ersticken drohe. Der
Verfasser erinnert ferner an den Ausspruch Goethes, dasz der neuern
Zeit nicht das Talent versagt sei, dasz aber die Zeit für das Talent
keine Schule und beinahe keinen Gegenstand habe; einige neuere
Dichter, namentlich die schwäbischen und österreichischen, seien
zwar nicht mehr auf das antike zurückgegangen, aber haben sich
doch unter den Nachwirkungen desselben gebildet, geleitet von dem
dichterischen Geiste und dem reinen Formensinn, der in den Werken
unserer Klassiker, hauptsächlich Schillers und Goethes, zur Erscheinung gekommen sei; aber die Klassiker zähle man nicht mehr zu den
modernen Dichtern, andere Interessen seien in den Vordergrund getreten, der Idealismus der klassischen Periode sei bekämpft worden;

darauf sei durch die Forderung, dasz die Kunst in unmittelbare Beziehung zu den politischen und socialen Bewegungen trete, der Realismus in die Dichtung eingeführt worden, zugleich habe sich eine
moderne der an der Antike herangebildeten Form abgewendete Darstellungsart geltend gemacht. Nach dieser kurzen Uebersicht der Entwicklung unsrer neuen Poesie wendet sich der Verfasser zu einer
Betrachtung der Angriffe gegen den Idealismus der klassischen Periode, indem er die Richtigkeit der Behauptung bestreitet, dasz die
Poësie des 18n Jahrh. ohne ein modernes Zeitbewustsein geblieben
sei. Nach seiner Meinung lag, wenn man die politischen und socialen
Interessen zu wenig vertreten findet, die Schuld weniger an den Dieh-
tern, als daran dasz diesen ʻbei der Versteinerung aller herkömmlichen Zustände' keine Wirklichkeit entgegenkam. Indes findet er
auch in den Werken der Dichter des 18n Jahrh. hinreichende Spuren
von dem Zusammenhange derselben mit den Ideen der Zeit; er versucht dies in der Kürze an Lessing, Klopstock, Schiller, Goethe nachzuweisen. Daraus folgt nicht nur, dasz die Behauptung, die klassischen Dichter hätten in ihrem imaginären Idealismus nur sich selbst
gelebt, unzweifelhafte Thatsachen leugnet, sondern dieselbe gründet
sich auch auf die verderbliche Meinung, dasz das Nationalleben sich
ausschlieszlich oder hauptsächlich in politischen Reformen äuszere.
Hr. Ch. erblickt vielmehr in der Philosophie, den Wissenschaften, der
Religion und der Kunst gleichberechtigte Factoren des Nationallebens.
Nachdem er nun in Bezug auf Goethe eine bekannte Aeuszerung desselben (bei Eckerm. II 356) angeführt, geht er auf die Griechen zurück, welche die Einheit der Poësie und des Lebens nicht in der Anwendung der erstern auf die Ereignisse des Tages, sondern in der
Auffassung und Behandlung der Stoffe gesucht.

Der Verfasser — denn wir wollen ihm zunächst in seiner Auseinandersetzung folgen — geht zu der Betrachtung der modernen
Poësie über, um ihr Verhältnis zum Alterthume zu ermitteln. Da er
vorher Werth darauf legte, dasz der sogenannte Idealismus der klassischen Periode mit den öffentlichen Interessen seiner Zeit in Zusammenhang gestanden, so darf er auch dem Realismus der modernen
Poësie seine Berechtigung nicht absprechen. Er fragt, weshalb nun
diese moderne Litteratur, namentlich Drama und Novelle, selbst in
der modernen Kritik keine Anerkennung, sondern fast nur Tadel und
Verwerfung finde? Bei dieser Gelegenheit erwähnt er die Geschichte
der deutschen Nat. Lit. v. J. Schmidt, welche das aufgeben der Idealität als einen erheblichen Fortschritt über die klassische und romantische Periode unsrer Poësie bezeichne, gleichwol aber die Leistungen
fast durchgängig verwerfe. Hr. Ch. charakterisiert kurz die neuere
Dichtung. In der Neuheit der Form sieht er hier zumeist nur die alte
Kunst, einem Phantasiegebilde weder Einheit und organische Gliederung noch einen abrundenden Schlusz zu geben. Die ganze Ausdrucksweise der neuen Dichter, mit welcher sie der Correctheit des
klassischen Stils Trotz bieten, verräth nur die Neigung, in den ver-

zerrten Titanismus und in die rohe Natürlichkeit der alten Geniedich-
tung eines Lenz und Klinger zurückzufallen. Das Drama der Zukunft
(Grabbe, Büchner, Hebbel) überflügelt die Sturm- und Drangperiode
an Ideenfülle und poëtischer Kraft, aber die unreinen Ideale, die Auf-
lehnung gegen die gesunde Vernunft, die verkehrte Gefühlsweise, die
Abschweifung zu undichterischen Nebenzwecken und ganz unpoëtischen
Gegenständen ist hier dieselbe wie dort. Auch in den Tendenzroma-
nen spielen Laster, Verrücktheit und Elend ihre schauerliche Rolle.
Der modernen Poësie fehlt also zu ihrer Vollendung die Kunst der
Gestaltung, die Kunst das reale in die Sphaere des schönen zu erheben. Dies, sagt der Verf., ist der Idealismus, ohne welchen weder
die neuern Zeiten noch das Alterthum eine klassische Poësie besitzen
möchten. Angesichts des Gegensatzes zwischen dem modernen und
dem klassischen und antiken erhebt sich nun die Frage, ob wirklich
der ganze Bildungsstoff des Alterthums so in unsere Poësie übergegangen sei, dasz das antike als aufgebraucht zurückzulegen sei. Und
hier spricht der Verf. die Ueberzeugung aus, dasz kein wesentlicher
Fortschritt in der Entwicklung unserer Dichtung möglich sei, wenn
man nicht sich mit dem Alterthum versöhne, wenn man nicht anerkenne, dasz dasselbe, namentlich das griechische, nie veralten könne,
und dasz es die Befähigung auch jetzt noch in sich trage, ein neues
goldnes Zeitalter unsrer Dichtung hervorzurufen. In diesem Sinne
erscheint dem Verf. eine auf Geschichte und Kritik gegründete Darlegung dessen, was uns die Poësie der Alten gewesen, und was mit
Hülfe der klassischen Studien erreicht worden ist, als ein Unternehmen, das einem dringenden Bedürfnisse begegne.

Wir machen hier einen kurzen Halt. Wenn wir den Verf. bisher
allein reden lieszen, so geschah es um den Zusammenhang seiner Erörterungen nicht zu sehr zu stören: wenn wir überhaupt mit dem Vorworte
begannen, so bedarf es gewis nach dieser kurzen Darstellung bei den
Lesern dieser Blätter keiner Entschuldigung weiter: denn jeder sieht
ja, dasz hier Kernfragen berührt sind, welche in unmittelbarstem Zusammenhange mit den speciellen Interessen derselben stehen. Wir
haben hier eine Litteraturgeschichte vor uns, die sich denjenigen Aus-
gangs- und Mittelpunkt wählt, der zugleich der unsrige ist: wir finden zugleich einen wolgerüsteten Kämpfer für das klassische Princip,
das gleichfalls das unsrige ist, und sehen den Kampf in einer Weise
aufgenommen, die uns Erfolg und Sieg verspricht. Denn die Vertreter dieses Princips haben es bisher auf zweierlei Art versehen,
einmal, indem sie sich zu sehr auf die Defensive beschränkten, oder
wol gar durch Concessionen sich dauernde Anerkennung zu gewinnen
meinten: dann auch, indem sie sich nicht genug um den historischen
Nachweis bemühten, welches der innere und äuszere Zusammenhang
zwischen dem antiken und dem nationalen, dem deutschen in Poësie
und Leben sei, und an eine gründliche Zersetzung des Realismus giengen. Einzelnes ist allerdings gegeben worden; wir erinnern nur an
die auch von Hrn. Ch. in seiner Einleitung erwähnte Schrift von W.

Herbst: aber es bleibt noch immerhin viel zu thun ührig, um allmählich dem klassischen Principe zu der ihm gebührenden Stellung zu
verhelfen. Wer, wie wir, die feste und innige Ueberzeugung in sich
trägt, dasz das klassische Alterthum die unvernichtbare Basis unseres geistigen Lebens ist, dasz in ihm auch für unsre Zeit und für die
Zukunft das wesentlichste Bildungsmittel liegt, dasz es nicht blosz
historisch überkommen, sondern zum organischen Bestandtheil germanischen Culturlebens geworden ist, dasz nur aus und durch dasselbe diejenigen Verbesserungen sowol als Sicherungen erreicht werden können, die man jetzt auf allerlei neuen oder erneuten Wegen
anstrebt:' der könnte sich vielleicht mit dieser Ueberzeugung beruhigen wollen, und im Vertrauen auf die dem Principe inwohnende Sieg-
haftigkeit es der historischen Entwicklung ruhig überlassen, das Uebergewicht jener über den modernen Realismus herzustellen. Das
wäre aber nicht viel mehr als ein verwerflicher-Indifferentismus;
kann man dazu beitragen, vor der Heftigkeit des Rückschlages zu
bewahren, so ist es heilige Pflicht es zu thun. Als ein solcher Beitrag kündigt sich das vorliegende Werk an.

Indes. schon an die im Vorwort gegebenen Erörterungen möchten
wir einige Bemerkungen anschlieszen: einverstanden mit dem Principe
des Verf. in Bezug auf das festhalten an den Grundgedanken seines
Unternehmens, können wir nicht überall seinen Anschauungen beitreten. Zunächst ist allerdings der Gang unserer neuen Litteratur in
kurzem der, dasz sich gegen das' antike Element der klassischen Periode die Romantik erhob; gegen dieselbe und zum Theil durch dieselbe entstand der moderne Realismus. Wenn aber der Verf. sagt,
dasz die durch die Romantik in die Litteratur eingeführten Reproduc-
tionen des fremden alle selbständige Production zu erdrücken drohen,
so scheint uns nicht sowol die Romantik vermöge ihres Gegensatzes
gegen das antike daran Schuld zu sein, als vielmehr der Mangel an
dichterischer Productionskraft. Die Reproductionswuth hat sich auch
dem antiken zugewendet, wie sie denn überhaupt nur ein erschlaffen
der schöpferischen Kraft ist. Der Verf. dehnt hier seinen Blick weiter aus, als wir den Begriff der Litteratur zu erweitern geneigt sind:
die Betrachtung des gesamten Culturlebens wird diese Gattung von
Uebersetzungen, wie sie sich jetzt im Gebiete des Romans finden,
nicht übersehen, die specielle Litteraturbetrachtung hat mit der groszen Fluth derselben nichts gemein und behandelt die Verfertiger als
Fabrikarbeiter. — Was ferner unsre klassischen Dichter betrifft, so
müssen wir von dem zweiten Bande des Werkes einen genaueren
Nachweis verlangen über die vom Verf. behauptete 'innigste Verbindung derselben mit den öffentlichen Interessen ihrer Zeit': denn die
kurzen Bemerkungen des Vorworts reichen für die Stärke dieser Behauptung nicht aus. Dasz der Realismus, wie er jetzt in der Dichtung —
wenn überhaupt da dieser Name noch giltig ist — sich häufig zeigt,
dieselbe geradezu aus ihren Angeln hebt, dasz nur ein Idealismus im
Sinne der Verf. eine echte Poësie schafft, davon sind wir lebhaft über-

zeugt, nicht minder davon, dasz das klassische, zumal das hellenische Alterthum die unentbehrliche Bildungsstätte ist. Aber es ist wol
ebenso gewis, dasz es drei Factoren sind, auf welchen unser ganzes
Culturleben fuszen musz: der christliche, der nationale und der antike. Das sind drei, gar nicht gleich, aber doch so nebeneinader
berechtigte Elemente, dasz von ihrem zusammenwirken alles zu erwarten ist. Wir mögen ebenso wenig denen das Wort reden, welche
den klassischen Idealismus um seines Mangels an nationalem Inhalt
verdammen, oder gar denen, welche von der Forderung eines positiven christlichen Elements absehen. Eine Regeneration unsrer gesun-
kenen Litteratur wird sicher nur durch die Rückkehr zum klassischen
Alterthum erfolgen, aber nach unserer Meinung nicht ohne ein natio-
nales Element und ohne eine positiv christliche Grundlage: nur in
diesem Sinne machen wir des Verf. Ansicht von einer solchen Befähigung des antiken zu der unsrigen. Wie verhält sich nun unsre klas-
sisehe Litteratur zu der Verwirklichung eines solchen Zieles? Sollte
nicht eine Bevorzugung des antiken vorliegen? Sollten nicht die andern Factoren zurückgeblieben sein? Wäre dies nicht der Fall, welche Berechtigung hätte das auftreten der Romantik gehabt? Dasz
diese auf dem Gebiete der Poësie selbst unfruchtbar blieb, widerlegt
nicht die Berechtigung ihres erscheinens; um so mehr hat sie mittelbar genützt. Wir sehen der Darstellung dieser Litteraturperiode
durch den Verf. erwartungsvoll entgegen, aber kaum dürfte es ihm
gelingen, den vollständigen Nachweis der im Vorworte ausgespro-
ebenen Behauptungen zu liefern. Es werden Schiller und Goethe von
einem einseitigen klassischen Idealismus nicht ganz frei zu sprechen
sein, der eben dadurch, dasz er andere gleichberechtigte Elemente
nicht aufnahm, eine Gegenbewegung veranlaszte. Insbesondere werden wir uns bei der aus den Gesprächen mit Eckermann angeführten
Aeuszerung Goethes nicht beruhigen können, um ihm den Vorwurf zu
ersparen, dasz es ihm an nationaler Gesinnung gefehlt habe. Wenn
der Verf. jene Worte mit einem Seitenblick auf die letztvergangenen
Jahre anführt, so stimmen wir ihm und Goethe gern bei, indem wir
'die Pfuscherei in Staatsangelegenheiten' verabscheuen und nationalen
Sinn nicht blosz darin finden, dasz man 'in Politik macht'; aber wenn
wir an jene Zeiten vor den Freiheitskriegen und während derselben
zurückdenken, da erwarten wir von einem deutschen Dichter, der zugleich Minster ist, doch etwas mehr, als dasz er den eignen Sohn an
der Theilnahme am Kampfe hindert. Da wird denn auch die Parallele, die der Verf. in der Herbeiführung altgriechischer Verhältnisse
zieht, recht miszlich und hält nicht Stich. Damit verlangen wir keineswegs, dasz der Dichter seine Stoffe unmittelbar aus der Zeitbewe-
gung herausnehme, das nationale Element, wenn es wirklich in ihm
ist und ihn durchdringt, wird auch unmittelbar zu einer lebensvollen
Aeuszerung kommen. Da der Verf. selbst mit Recht die Angriffe gegen den klassischen Idealismus mit der jetzt herschenden Gleichgiltigkeit gegen das Alterthum in Verbindung bringt, so wollen wir

auch hier ein Wort hinzufügen. Es ist das nahe mit einander verwandt. Nicht dem klassischen Princip überhaupt stellte sich das romantische gegenüber, sondern zunächst der einseitigen Erscheinung
desselben: es war also eine Schuld vorhanden. Und ebenso trug die
Einseitigkeit der klassischen Studienmethode dazu bei, ihr die Ge-
müter zu entfremden. Sie büszen im Leben, wie in der speciell-
ren Beziehung zur Litteratur durch die ihnen jetzt entgegentretende
Gleichgiltigkeit eine nicht abzuleugnende Schuld: aber so gut, wie
wir — mit dem Verf. — an die Nothwendigkeit des antiken für unsre Poësie glauben, so gewis erfolgt auch seine Wiedereinsetzung in
die Stelle des ersten und ausgiebigsten Bildungselementes.

Zu dieser Zuversicht fühlen wir uns ganz besonders durch den
gegenwärtigen Stand der Poësie mit angeregt: in den Bemerkungen
über die moderne Dichtung stimmen wir dem Verf. vollständig bei.
Differenzen zwischen unserer Ansicht und der Auffassung von Jul.
Schmidt haben wir bei der kürzlich gegebenen Anzeige des reichhaltigen und verdienstvollen Werkes [Bd. LXX S. 477 f.] mehr angedeutet, als ausgeführt: in der Negierung des jetzt vorhandenen wird
man ihm im ganzen, einzelne Ausnahmen abgerechnet, beitreten, das
historisch construierende Element oft vermissen oder die Construction für zu künstlich halten müssen. Haben wir nun oben bemerkt,
wie wir in der Betrachtung der klassischen Periode nicht ganz auf
Seite von Hrn. Ch. stehen, so stimmen wir ihm und Jul. Schmidt, der
weit mehr nachweist, wie sich der moderne Realismus entwickeln
muste, als dasz er auf Seiten desselben stände, im verwerfen der
jetzt hersehenden Richtungen und Leistungen bei. Aber es scheint
uns auch unzweifelhaft, dasz gerade durch den Uebermut des Materialismus ein baldiger Rückschlag herbeigeführt werden wird. Irren
wir nicht, so bereitet sich derselbe gerade durch diejenigen Elemente,
welche der einseitige Classicismus übersehen hatte, vor, durch das
nationale und vor allem durch das christliche. Nur irthümlicherweise
können sich beide mit dem Realismus verbinden, sie werden zum antiken zurückkehren, und dann eine Einheit bilden, die ebenso dauer-
haft als erfolgreich sein musz.

Ueber den zweiten Theil des Vorworts gehen wir schneller hinweg. Der Verf. sagt, dasz er seine Aufgabe nicht im Sinne von L.
Tieck habe behandeln können. Natürlich, er will ja zeigen, wie wenig wir berechtigt sind, über den Anschlusz an das Alterthum Klage
zu führen. Hierauf berichtet er über die Vorarbeiten, welche ihn
gefördert haben, wobei aus der älteren Zeit Lessing und Herder, aus
der neueren Gervinus besonders hervortreten. Die Absicht, das Werk
allgemeiner zugänglich zu machen, hat hie und da eine ausführlichere
Behandlung herbeigeführt: der Charakter der Aufgabe, die sich Hr.
Ch. gestellt, läszt uns auch hiemit einverstanden sein.

Wir gehen zu dem Werke selbst über, das sich gleich am Eingange durch eine sehr sorgfältig ausgearbeitete Inhaltsangabe em-

pfiehlt: auch ist jedem Capitel eine kurze Inhaltsübersicht vorangestellt. Beides kann den Lesern nur willkommen sein.

Die erste Periode (bis 1180) behandelt den 'Anschlusz an die
römische Litteratur und die Dichtungen in lateinischer Sprache' und
zerfällt in zwei Capitel (1—19—40). Der Verf. betrachtet zunächst
das Verhältnis der Deutschen zum Alterthum in Bezug auf den Bildungsgang der Menschheit, indem er davon ausgeht, dasz der Eintritt der germanischen Völker zur Heraufführung einer neuen Bildung
nothwendig war. Das römische Heidenthum hatte schon frühzeitig,
schon zur Zeit Caesars, an innerer Geltung verloren, die Religion
erschien als politische Maszregel, so dasz dem Eintritte des Christenthums kein im innern Leben der Völker begründeter Widerstand entgegentrat. So wurde das Römerthum befähigter, das Christenthum
aufzunehmen und vermöge seiner Weltsprache zu verbreiten, als das
Hellenenthum, das in seiner Blütezeit durchaus heidnisch, schon in
den Anschauungen der Tragiker, des Sokrates, Platon das eigenthümliche hellenische Leben als verfallend erblicken läszt, während die
spitzfindige Dialektik der spätern, sowie die angeborne Neigung phantastische Idealanschauungen mit einer schönen Sinnlichkeit zu ver-
schmelzen, dem reinen aufnehmen des christlichen hinderlich ward.
Sowol in dieser Auffassung des Verf., als der (S. 4) ausgesprochenen
Beurtheilung der römischen Litteratur, welche nach ihm 'von Anfang
an nur die Bestimmung hatte, das Abendland mit der griechischen und
mit der orientalischen Litteratur bekannt zu machen', tritt uns eine
nicht ganz von Einseitigkeit freie Behandlungsweise entgegen, wie
leicht der Fall ist, wenn man mit bestimmten Voraussetzungen an die
Construction der Geschichte herantritt. Uns scheint hier der geehrte
und gelehrte Verf. in der Beurtheilung der griech. Litteratur, namentlich der römischen gegenüber, zu weit zu gehen. 'Dagegen hieng
der Germane (S. 4) als der unbefangene Sohn und Zögling der Natur
mit aller Innigkeit des Gemütes an den Göttern der Schöpfung und
der Sittlichkeit, und selbst die phantastischen Constructionen einer
übersinnlichen Welt, wie sie der höhere Norden versuchte, gelangten
weniger zu einer mythischen Objectivität, sondern wandten sich wieder zu der Innerlichkeit des Gemütes zurück. Man betete nicht in
Tempeln von Menschenhänden gemacht, sondern in der Romantik ein-
samer, dunkler Wälder; das Herz bewegte sich nicht zu Bildern,
sondern zu einem geheimnisvollen unsichtbaren etwas, das durch eine
spätere Erleuchtung Namen und Wesen empfieng. Doch nicht die
blosze Aufnahme eines religiösen Lebensprincipes sollte hinreichen,
sondern die allseitige Ausbildung desselben zu Kirche und Staat, zu
Kunst und Wissenschaft, die allmähliche Realisierung der durch das
Christenthum aufgeschlossenen und erhöhten Idee der Menschheit war
die Aufgabe der germanischen Völker, und dazu sollte ihnen die alte
Welt, besonders wie sie in den hinterbliebenen Denkmalen der Litteratur und Kunst vorlag, gesicherte Resultate und Analogien darbieten. Indessen vergiengen Jahrhunderte, ehe man sich nur des Zwecks

bewuszt wurde, andere Jahrhunderte, in denen man sich nur des
Mittels bemächtigte, noch andere, in denen man die Mittel und die
Zwecke unterscheiden lernte. Wir versuchen es nun zu zeigen, wel-
chen Gang diese Entwicklung auf dem Gebiete· der poëtischen Litte-
ratur genommen.' Die wörtliche Anführung dieser entscheidenden
Stelle möge um ihrer Wichtigkeit willen entschuldigt werden.

Dem reichen Inhalte des 632 Seiten starken Bandes nach allen
Seiten hin eingehende Würdigung widerfahren zu lassen, ist bei dem
geringen Raume, den eine Zeitschrift der einzelnen litterarischen Erscheinung einräumen kann, nicht wol möglich. Nachdem wir die im Vorworte ausgesprochene principielle Stellung des Verf. hervorgehoben,
und die leitenden Gedanken des Werkes gefunden haben, gehen wir
rascher durch dasselbe hindurch, nur hie und da zu kurzer Rast ver-
weilend.

Seit den Zügen der Gallier, der Kimbern und Teutonen nach Italien blieben die Völker in ununterbrochenem Verkehr. Allmählich
eignete man sich fremde Sitten, Erfahrungen und Kenntnisse an, die
römische Litteratur breitete sich in Deutschland aus, und die lateinische
Sprache wurde das Organ der abendländischen Kirche. Dagegen bildete sich auch die lateinische Litteratur völlig um, und die Kluft zwischen der neu entstehenden und der älteren Litteratur ward so grosz,
dasz die alte bereits zum Gegenstand der Studien und der Staatspflege
wurde.(Boëthius, Cassiodorus). Inbesondere wurde Gallien, später
das·fränkische Reich, durchströmt von römischer Bildung, der Herd
der neuen Cultur. Indes wurde nicht blosz durch die vorwiegende
Berücksichtigung der Theologie die Auffassung der alten Litteratur
beschränkt, sondern die Kirche setzte sich schon früh den klassischen
Studien entgegen, kämpfte gegen die nugae und litterae seculares, verbot das lesen heidnischer Dichter und empfahl die specifisch christlichen Studien, unde et anima susciperet aeternam salutem et casto
atque purissimo eloquio fidelium lingua comeretur. Und obwol so
wol zur Zeit des auf die Entwicklung des deutschen Geistes so ein-
fluszreichen Karls des Groszen (Alcuin), wie später unter den Ottonen die Anfeindungen der klass. Schriftsteller, namentlich der Dichter, sich fortsetzten, so ist doch immer gewis, dasz schon damals
das klass. Alterthum, allerdings zunächst vorwiegend das römische,
Grundlage germanischer Bildung ward. Der Verf. wirft (S. 12) einen
Blick auf die von Zeit zu Zeit, am lautesten wol seit Herder und
Tieck erhobenen Klagen, dasz die lateinischen Studien dem deutschen
Volke seine Eigenthümlichkeit geraubt und eine selbständige Entwickelung unmöglich gemacht, und weist namentlich die Unbilligkeit
der Vorwürfe Herders nach. Es sind das dieselben Einwände, die noch
heutzutage oft von den sogenannten Nationalen gegen die klassischen
Studien vorgebracht werden. Wir treten dem Verf. in diesen Auseinandersetzungen bei, sowol darin, dasz das antike Element uns nicht
von unserem Ziele abführt, als darin, dasz die Frage, ob irgend ein
anderer Bildungsweg uns eine kräftigere Nationalität gegeben hätte,

nie genügend zu beantworten sein wird. Endlich erinnern wir mit
ihm daran, dasz 'das aufnehmen des christlichen Elementes und seine
Durchbildung ohne die alte Litteratur mit aufzunehmen unmöglich
war, sowie dasz die Germanen damals kaum eine eigne Schrift besaszen. Interessant sind die sprachlichen Erörterungen (S. 15), welche den Einflusz der lat. Sprache auf die deutsche an Beispielen nachweisen, zugleich schon im 7n Jahrh. puristische Versuche zeigen.
Nachdem der Verf. das Verhältnis der gelehrten Bildung zur nationalen Selbständigkeit und den Einflusz auf die Sprachbildung behandelt, geht er (Cap. 2) zu den materiellen Erzeugnissen der Volkscul-
tur über und betrachtet das zusammentreffen beider Elemente in Bezug auf die im Volke lebenden, sich unabhängig von der gelehrten geistlichen Litteratur fortentwickelnden Heldensagen. Hier ergibt
sich nun dasz die gelehrte und christliche Bildung dem volksthümli-
eben nicht blosz nicht Abbruch that, sondern demselben wesentliche
Dienste leistete: die Geistlichkeit erwarb sich geradezu Verdienste
um die Volksdichtung. Der Verf. verweilt zunächst beim Waltharius,
in dem er eine Versöhnung des heidnischen und christlichen erblickt,
ein zusammentreffen des gelehrten und fremden mit dem volksthümlichen. Denn die römische Lectüre des Dichters hat den objectiven
Inhalt der Sagen und den Charakter der Personen unverändert gelassen. Ferner ist von Bedeutung, dasz im 12n und 13n Jahrh. dem her-
vortretenden Epos häufig lateinische Quellen zu Grunde lagen; es ist
gewis, dasz seit dem 10n Jahrh. die geistlichen eifrig bemüht waren,
die im Volke zerstreuten Sagen zu sammeln und nachzuerzählen.
Zum Verständnis des Verhältnisses dieser Dichtungen zu den lateinischen oft dürftigen Quellen verweist der Verf. an den niederländi-
schen Reinaert, und dem Isengrimus und Reinardus vulpes: auch die
Gralromane und überhaupt die nordfranzösischen Sagen mögen zuerst
lateinisch existiert haben. Zuerst im Ruodlieb zeigt sich im Gegensatze zu dem alten heroischen ein modernes Element im Epos, höfi-
sches Wesen, Abenteuer, Reiseerfahrungen, geselliger Verkehr, mo-
ralisierende Sentenzen. Es ist ein Umschwung im Bewustsein der
Dichtung, nicht erklärbar durch irgend welchen Einflusz 'fremder
Litteratur, sondern eher im Zusammenhange mit dem politischen Verkehr stehend; hier liegen die Keime der ganzen späteren modernen
Dichtung. Wurden bisher bei dem zusammentreffen der gelehrten Bildung mit dem volksmäszigen nur formelle Einflüsse des Alterthums wahrgenommen, so ist es vielleicht nicht ganz so mit
der Thierdichtung, indem dieselbe nicht zuerst mittels einer lateinischen Bearbeitung in die Litteratur eintritt, sondern auch die Frage
zuläszt, ob nicht eine materielle Entlehnung stattgefunden habe.
Jac. Grimm hat der deutschen Thierdichtung auch in Bezug auf den
Stoff Originalität zugesprochen und die Verwandtschaft derselben
mit ausländischen Fabeln aus der uralten Gemeinschaft der Sagenstoffe und Sprachen erklärt. Indes hat auch er zugegeben, dasz sie
sich Stücke aus Aesop 'angeflickt' habe, und der Verf., der noch

über Grimm in diesem Punkte, wenn schon ihm wesentlich zustimmend, hinausgeht, weist diese Einflüsse der fremden Thierfabel nä-
ber nach.

  Die zweite Periode (Cap. 3—9) geht bis gegen das Ende des
15n Jahrhunderts und ist überschrieben: Behandlung antiker Dich-
tungsstoffe im Geist der Romantik. Wir treten in die schwäbische
Dichtungsperiode ein, in welcher plötzlich die Kunde des Alterthums
nicht benutzt und vernachlässigt wurde, dagegen eine Poësie empor-
blühte, 'welche an Tiefsinn, an Fülle und Macht der Phantasie, an
gediegenem Culturgehalte weit über das Alterthum wegstrebt und
selbst da, wo sie sich an die Poësie anlehnt, nur ihre Stoffe und Vorbilder benutzt, um gewisse Schwächen derselben desto deutlicher
kundzugeben.' Auch der Verf. sucht den Ursprung dieser neuen Er-
scheinuugen nicht in fremden Einflüssen, sondern in einem substantiellen Kerne des germanischen Wesens, der durch jene äuszern Einflüsse nicht geschaffen, sondern nur in seiner Entwicklung begünstigt
und gezeitigt wurde. Er bezeichnet als die Grundelemente der Romantik die Innerlichkeit in der Auffassung und Durchbildung des Lebens, und die freie Phantastik in Erscheinung und Darstellung, welche
beide Elemente im Germanenthume von vornherein vorhanden waren. Wir können dieser Auffassung beipflichten, zumal da Ch. ausdrücklich hinzufügt, dasz die Romantik mehrere Zwischenstufen zu
durchwandeln hatte, dasz zwischen älterer und neuerer Periode der
Romantik zu unterscheiden ist. Da es nun im Wesen der Romantik
liegt, das Alterthum in allem, was Kunstform heiszt, unbeachtet zu
lassen, seine epischen Stoffe aber in modernem Geiste zu behandeln,
so sucht der Verf. weiter nachzuweisen, und zwar mit vorzüglicher
Berücksichtigung des antiken Sagenkreises, 'worin die Romantik das
Alterthum überragte, so dasz sie mit Recht als ein neues Element
der Cultur anzusehen ist, und worin sie hinter demselben zurückblieb, so dasz spätere Zeiten wieder den mühevollen Weg durch die
klassische Litteratur einschlagen musten, bis dann endlich beide Fak-
toren zu höheren Resultaten zusammenwirkten.' Zu diesem Zwecke
stellt er zunächst (S. 43) eine anziehende Vergleichung zwischen der
altgriechischen und der germanischen Heroenwelt an. Hier wie dort
treffen wir zuerst die Periode des ungeheuerlichen: in Griechenland
die Zeit der über der menschlichen Natur stehenden Heroen, im germanischen Heldenthum noch bis in das Nibelungenlied hinein (Hagen)
nicht minder das ungeheure, riesige, das Masz der Natur und Sitte
überschreitende. Dagegen entspricht dem in den homerischen Gesängen dargestellten achaeischen Zeitalter das Heldenthum des Nibelungenliedes: es ist nicht mehr die Körperkraft, der trotzige Muth, die
ungebändigte Kampflust, welche den Helden ausmacht, sondern es
verbindet sich mit diesen Vorzügen Sinnesadel und Gefälligkeit des
Wesens. Tritt hier in das Heldenthum die Ehre als wesentliches
Moment ein, so gewinnt dieselbe in der dritten Periode des Helden-
thums, der romantischen, einen bestimmten Inhalt durch den Glauben

und die Minne. Mit Recht verweilt der Verf. bei der Entwicklung des
Verhältnisses der germanischen Welt zu den Frauen; wir aber können hier nur auf seine interessanten Erörterungen verweisen. Eine
Vergleichung des deutschen Heroen- und Ritterthums in diesen Stadien
mit der antiken Heldenzeit zeigt, dasz unsere Dichtungen die epische
Grösze entschiedener auf dem Begriffe der Ehre bestimmen, welcher
durch das sittliche Princip des Glaubens und der Minne einen bestimmten und reinen Inhalt gewann. Deshalb beschäftigt sich die Romantik ausschlieszlich mit der Gesinnung und dem innern Sturme der
Leidenschaft, während das Alterthum die Handlungen darstellt. Im
Gegensatz zu den homerischen Gesängen zeigt schon das Nibelungenlied innere Kämpfe. Nirgends aber zeigt sich die Innigkeit und Reinheit des deutschen Sinnes deutlicher, als in der Heiligkeit der Treue;
dieser uralte Zug des deutschen Herzens zeigt sich am schönsten und
ergreifendsten in Rüdiger. Ferner zeigt sich früh schon in dem deutschen Epos, und je mehr die Romantik sich in die Minne vertiefte,
in desto höherem Grade ein lyrischer Beisatz, den das homerische
Zeitalter noch gar nicht kennt: zugleich das hervortreten eines musikalischen Elements.

Hierauf wendet sich der Verf. (Cap. 4 S. 59) zu dem antiken
Sagenkreis der deutschen Dichtung und zwar zunächst zu den Bearbeitungen der Geschichte Alexanders, deren Hauptquelle der bekannte
griech. Roman (welchen man sonst dem Kallisthenes von Olynth zu-
schrieb). Ausführlich bespricht unser Werk das Alexanderlied des
Pfaffen Lamprecht (um 1180), ohne an den übrigen Behandlungen der
Sage vorüberzugehen. Einen Schritt weiter führt die Sage von Herzog Ernst, indem die Naturmythen der Griechen und Orientalen völlig
Eigenthum des germanischen Mittelalters wurden; diese Mythen dran-
gen auch in Chroniken und in die ersten Anfänge der Naturwissenschaften ein. Wir kommen hierauf zur Eneide des Heinrich v. Veldek
(um 1186) und stehen mit dieser schon in der Zeit des eigentlichen
Ritterthums, in welcher sich das Gemüth schon mehr auf sich selbst
richtet, und wo sich zugleich die höfische Sitte und Feinheit des Betragens ausbildet: die Poësie geht von dem geistlichen Stande in den
der Ritter über. Der Verf. vergleicht nun die Eneide Veldeks mit
dem Gedichte des Vergil, welches mittelbar die Quelle des deutschen
Gedichtes ist. Ueberall tritt der Mangel an epischem Sinne, das vor-
wiegen der Sentimentalität, das behagen an breiter Schilderung hervor. Von besonderem Interesse ist ferner die Betrachtung der troi-
sehen Sagen, als deren Hauptquellen für die mittelalterliche Dichtung
Dares und Dictys erscheinen, über welche viel geschrieben worden
ist. Der Verf. nimmt an, dasz der historia de excidio Troiae und den
6 Büchern de bello Troiano griechische Dichtungen zu Grunde lagen.
Demnächst betrachtet er die zahlreichen Nachdichtungen und zeigt
die Entstellung der Antike und die romantische Umgestaltung des
Stoffes, sowie die veränderte Behandlung desselben. Das folgende
Capitel stellt die vorzüglichsten Bearbeiter der troischen Sagen Guido

de Columna, Herbort v. Fritzlar und Konrad von Würzburg vergleichend zusammen und gibt eine sorgfältige Untersuchung der Quellen der letzteren, aus welcher sich ergibt, dasz namentlich die Metamorphosen des Ovid vielfach benutzt sind: doch ist freilich nicht genau zu ermitteln, aus welchen Quellen Benoit, welchen Herbort übersetzte, schöpfte. Von diesen Bearbeitungen fand namentlich die des Guido de Columna, die in Prosa geschrieben war, auszerordentlichen Beifall und half den Uebergang vom Epos zum Romane vermitteln. Die antiken Sagenstoffe giengen in Chroniken und Genealogien über und wurden auch Gegenstand mimischer Darstellungen. Zwar ist von unmittelbaren Uebertragungen classischer Dichtungen aus dieser Zeit eigentlich nur das zu erwähnen, was in Bezug auf Ovid, der eine grosze und doch um des Verlustes der ersten Uebersetzung (um 1210) willen noch nicht durchsichtig genug gewordene Rolle spielt, um so mehr aber bemächtigte man sich der antiken Stoffe für kleinere Erzählungen in romantischer Gestalt und für die nun auftretenden Romane. In dieser Periode der deutschen Litteratur liegt noch ein reicher Stoff für gründliche Einzelforschung, so vieles auch schon, zum Theil sehr gewagtes und willkürliches in der Aufstellung von Zusammenhängen und Beziehungen, versucht worden ist. Auch die Legende zeigt deutlich antike Beisätze, wie der Verf. (S. 163 f.) in anziehender und gründlicher Weise erörtert; ja selbst alte Schriftsteller, wie Aristoteles, Vergil, Ovid wurden legendarisch aufgefaszt. Hierauf wendet sich Ch. zu einer Betrachtung der romantischen Auffassung der Göttermythen: der Beitrag, den der Vf., die Aufgabe möglichst begrenzend, zur Lösung dieser überaus schwierigen, schwerlich je zu einem völligen Abschlusz zu bringenden Frage gibt, zeichnet sich durch geistvolle und klare Behandlung aus. Wir müssen es denen, die dieses Gebiet zum besondern Gegenstand ihrer Forschungen gemacht haben, überlassen, hier eingehender zu urtheilen und begnügen uns mit der Aeuszerung unserer lebhaftesten Anerkennung.

Die dritte Periode beginnt mit dem Ende des 15n Jahrhunderts und wird durch die Aufschrift charakterisiert: 'Einflusz des Alterthums auf die geistige und sittliche Bildung im Zeitalter der Humanisten' (S. 196—306). Im Anfange dieses Abschnittes faszt der Verf. die bisher gewonnenen Resultate seiner Darstellung in einem anschaulichen Abrisse zusammen; wir erwähnen dies, um es überhaupt als ein Verdienst des trefflichen Buches hervorzuheben, dasz es durch an rechter Stelle eingeschaltete Recapitulationen den Leser nicht wenig unterstützt: durch diese fortgesetzte Bemühung, den Faden des leitenden Gedankenganges immer wieder klar vor dem Leser auszubreiten, erhöht sich zugleich der Werth der sorgfältig geführten und sauber gearbeiteten Einzeluntersuchungen. Der Verf. zeigt uns, warum und in welcher Weise das Ritterthum und die Minnedichtung verfielen, wie das hervortreten des Bürgerstandes ein neues Bildungsprincip geltend machte, und wie gerade in diese Lage der Dinge die Regeneration der classischen Studien hineintrat. Diese letztere ver-

sucht er gegen die einseitigen und oberflächlichen Urtheile, durch
welche sie häufig und heftig angegriffen worden ist, zu vertheidigen.
Es wird hier insbesondere nachgewiesen, dasz vorerst von einem Ein-
flusze der classischen Studien auf die deutsche Poësie nur wenig die
Rede ist, indem sich vielmehr zunächst die prosaische Litteratur entwickelte; diejenige Seite des geistigen Lebens, welche in der Prosa
ihren Ausdruck findet, die Intelligenz, war im Zeitalter der Minnedichtung zurückgeblieben. Ist aber J. Grimms Bemerkung (Vorrede
zu den lat. Ged. d. X u. XI Jahrhunderts) nur allzuwahr, dasz die
Poësie einer begleitenden Prosa bedürfe, so ist es auch natürlich,
dasz die sich jetzt neu erhebenden Einflüsze der Antike zunächst auf
die Prosalitteratur wirkten. Der Humanismus arbeitete zunächst an
der Reform in Wissenschaft, Staat und Kirche. In dem Gebiete der
Poësie pflegte man vorzugsweise die in ihrem Wesen der Prosa verwandte Didaktik, und von eigentlichen Dichtungsformen blieb nur das
Kirchenlied und das Volkslied übrig; zweifeln liesze sich, ob der
Verf. Recht hat, die Anfänge des Drama (S. 206) so gering zu taxieren. Das nächste Capitel gibt uns ein Bild von dem Zustande der
philologischen Gelehrsamkeit im 12n und 13n Jahrhundert, das reich
an interessanten Notizen ist. Bei der hierauf folgenden Betrachtung
der Wiederbelebung der classischen Studien werden wir besonders
darauf aufmerksam gemacht, wie die Philologie in Deutschland von
vornherein eine andere Gestalt als in Italien annahm und auch ein
ganz anderes Ziel verfolgte. Denn theils gieng in Italien, und auch
in den Niederlanden anfänglich, diese Regeneration vom moralischen
Gesichtspunkte aus, theils ward sie dort in jeder Weise begünstigt
und begründete eine aristokratische Standescultur, während sich den
deutschen Humanisten tausend Hindernisse entgegenstellten, weil sie
die Bildung des Volkes im Hinblick auf die höchsten Güter des Lebens in Angriff nahmen: daher standen dort Fürsten, Geistliche, Vornehme der Philologie bei, während dieselben Stände sie in Deutschland verfolgten. Konnte nun aber auch die neue Bildung nicht unmittelbar auf die poëtische Cultur einwirken, so war sie doch von der
allergröszten Bedeutung für die Erweiterung des Gedankens und für
die Kräftigung des Charakters, sie hatte einen geistigen und sittlichen Einflusz. Man ringt nach einer freien Wissenschaft, nach einer
freien Kirche, nach einem freien Vaterlande (Reuchlin, Luther, Hutten); mit rastloser Thätigkeit war man bemüht, die alte Litteratur,
namentlich die Philosophen und Historiker auch den ungelehrten zugänglich zu machen. In der Poësie zeigte sich, wie wir schon sagten,
eine vorwiegende Richtung zur Didaktik; so wurde denn namentlich
die Fabel (Cap. 13) gepflegt, doch wurde das antike Element derselben durch den vorhersehend parabolischen Charakter der orientalischen Fabel (Calila we Dimna) und durch die einheimische Thierdichtung gehemmt; doch verlor die letztere durch den lehrhaften Zweck:
wir treten in das Gebiet der Satire hinüber. Gleichzeitig mit den Fabeln
wurde die Beispieldichtung beliebt, welche sich nach vielen Seiten hin

ausbreitet (Cap. 14) und aus lateinischen Sammelwerken schöpft; der Verf. unterscheidet hier vier grosze Familien: die geistlichen Anekdoten, die morgenländischen Parabeln, die Anekdoten aus der Geschichte der Griechen und Römer, die launigen Witzspiele oder Schwänke. Das folgende (15e) Capitel wendet sich dem Drama zu: die ersten Anfänge desselben sind in ihrer Entwicklungsgeschichte jedem bekannt: aus dem Gottesdienste hervorgehend, zunächst die Kirche selbst zum Schauplatz wählend, nahmen diese ersten Spiele immer mehr weltliche Beisätze hinzu, gaben das Latein auf, gestatteten dem Volke gröszeren Antheil, bis sie sich in weltlichen Fastnachtspielen ganz und gar von der Kirche emancipierten. Hier macht nun der Verf. darauf aufmerksam, dasz ein antiker Zweig des Dramas von älterer Zeit her in ununterbrochenem Zusammenhange unabhängig vom Volksschauspiel gepflegt worden sei. Dieses Drama der Humanisten bildete sich nach Terenz und läszt sich in drei Arten theilen, in die Schulstücke, die protestantischen Kampfdramen, die harmlosen Behandlungen biblischer Geschichten. Nur wenige Dramen wurden dagegen dem Novellenschatze des Volkes entlehnt, doch müssen diese als die werthvollsten gelten. Kommt nun der Verf. zu der Ansicht, dasz die Uebersetzungen der alten Dramatiker mehr Einflusz auf die Volksbühne hätten haben können, so schliesz er eine chronologisch geordnete Betrachtung der wichtigsten Uebersetzungen (namentlich des Terenz) bis 1627 an. Das letzte Capitel dieses Abschnittes handelt von der Volksbühne und zuerst von dem Vertreter desselben Hans Sachs, der als Repraesentant des Bürgerstandes erscheint. Indem der Verf. den pöetischen Gehalt seiner Dichtungen nicht hoch anschlägt, bezeichnet er den sittlichen Inhalt als ihr Hauptverdienst und weist den Zusammenhang desselben mit der auch in die Bürgerkreise eingedrungenen humanistischen Bildung nach. Wir können hier auf seine zahlreichen Arbeiten nicht eingehen, doch scheint die Betrachtung derselben den Ausspruch des geehrten Verf., beide Hauptgattungen des Dramas, das neulateinische stofflich antikisierende und das Volksdrama, seien unabhängig neben einander hergegangen, nicht zu entkräften. Wenn endlich am Schlusze dieses Abschnittes die oft gehörten Klagen, dasz die Humanisten dem Volksdrama geschadet haben, sowie die andern, dasz sie nicht genug für die Hebung der Volksbühne gethan, noch betrachtet werden, so stimmen wir dem ' Verf. bei, der beide für ungerecht hält.

Wir treten in die 4e Periode ein (das 17e und die erste Hälfte des 18n Jahrh.), überschrieben: ' Die antike Poësie als Muster für die Form mit der Beschränkung auf das technische. Die stoisch-christliche Moral als Kern der Humanitätsbildung. Der frivole Anakreontismus.' Hier stehen wir schon in einer allgemeiner bekannten Zeit, die zwar in dichterischer Beziehung verrufen genug, aber in litterarhistorischer Hinsicht von nicht geringer Bedeutung ist. Keiner unserer älteren Poëten mag von den mitlebenden so überschätzt, von der Nachwelt so unterschätzt worden sein, wie Martin Opitz: selbst Litte-

raturhistoriker geben hier nicht genug begründete einseitige Urtheile.
Um so dankenswerther ist das bemühen des geehrten Verf. den histo-
rischen Zusammenhang genau zu erörtern und darauf hinzuweisen,
wie es nothwendig war, dasz zunächst wieder ein Verhältnis zur
Form und eine Fertigkeit in derselben gefunden wurde. Das ist das
Verdienst von Opitz und zum Theil auch das seiner Nachfolger bis
Gottsched, und wenn wir heute auch an ihren Formübungen keine
Freude mehr haben können, so sollen wir ihnen doch ihre litterar-
historische Bedeutung lassen und namentlich nicht vergessen, wie diese
sterile Formschule der späteren Blütheperiode der deutschen Dieht-
kunst im 18n Jahrhunderte vorangehen muste. Ch. weist im Eingange zu der Besprechung dieser Periode auf des älteren Scaligers
Poëtices libri septem (1651) hin, als die Quelle der technischen Bestrebungen und der zahlreich auftauchenden Dichtungstheorien. Er
erörtert dann die Stellung Opitzens, die Aufgabe, die er sich stellte,
die Verdienste, die er sich erwarb, und das, worin er zurückblieb,
in den folgenden Abschnitten (17—21) in ausführlicher und gründlicher Weise. Wir begnügen uns mit der Anführung der Inhaltsangaben: Opitz sucht die lateinische Poësie der Humanisten durch eine
gleichartige deutsche zu ersetzen. Er findet in der Volksdichtung keinen Anhalt, doch ermuntern ihn verwandte Bestrebungen in Deutschland und in der Fremde [die Entwicklung des lateinischen in den
Schulen, und die classischen Studien in Frankreich]. Die Idee des
schönen liegt fern, und er sucht der Poësie ihren Werth durch die
Würde des Inhalts zu sichern. — Cap. 18: die neue humanistische
Kunstpoësie verbreitet sich vorzüglich in Norddeutschland. Viele er-
niedrigen sie zu einer einfachen Fertigkeit. Flemming, Simon Dach,
Andreas Gryphius, die von einander und von Opitz sehr verschieden
sind, beweisen, dasz die Kunstregel dem Talente und der Individualität keinen Abbruch that. Die Dichter an der Pegnitz durften sogar
ein ganz abweichendes Princip aufstellen. Eine Gruppe der Ana-
kreontiker steht zwischen ihnen und den Schlesiern in der Mitte
[Chr. Homburg, Zach. Lundt, Jak. Schwieger, G. Greflinger, G. Neumark, Dav. Schirmer]. Cap. 19: Man versuchte im Anschlusz an das
antike die Gattungen der Poësie und die Versarten abzusondern und
genauer zu bestimmen. Das eigentliche Epos wird nun vorbereitet.
Alle Nationen huldigen der Schäferdichtung. Die Poëten an der Pegnitz geben ihr durch Verschmelzung griechischer und biblischer Vorstellungen einen mystischen Charakter. Das Epos wird auch durch
Hymnen angekündigt. Der Gebrauch der griechischen Mythologie
musz durch moralische, pragmatische und mystische Deutungen gerechtfertigt werden. Personificationen und deutsche Götternamen.
Cap. 20: die Lyrik der Alten hat noch wenig Einllusz, doch wird der
Anakreontismus aufgenommen. Einzelne Entlehnungen und Uebersetzungen. Prosodie und feste Metra. Nachbildung des Hexameters,
der jedoch neben dem Alexandriner nicht aufkommt, und einiger ho-
razischer Strophen. Das Lehrgedicht, welches sich auf die humuni-

stische Bildung stützt, erhält durch Opitz hoben Werth. Inhalt seiner
Trostgedichte. Das Epigramm und die Satire. Cap. 21: A. Gryphius, dem die Volksbühne nicht fremd war, dichtet Tragoedien nach
antiken Vorbildern. Ihre Mängel sind weniger der Kunstregel als
persönlichen Eigenthümlichkeiten zuzuschreiben. Verwechselung der
tragischen Erhabenheit mit der epischen. Die Einseitigkeit der Charaktere. Die Armuth der Handlung. Der undramatische Dialog. Aehnlichkeit mit dem antiken Drama in einzelnen Dingen. Hoffmannswal-
dau entfernt sich mit der zweiten schlesischen Schule von Opitz und
den Alten. Der frivole Anakreontismus. Die Heroiden. Lohenstein.
Sein Hymnus auf Venus. Seine Tragoedien. Der historische Roman.
Antikes in der Prosa (Schuppius)'. — Dasz gerade in diesem Abschnitte manche von den Ansichten des Verf. abweichen werden, ist
wol selbstverständlich: doch wird wol auch bei den principiell verschiedenen die gründliche Erörterung, welche Ch. diesen in der
Regel mehr verurtheilten als gekannten Zeiten zu Theil werden läszt,
manche Milderung der Auffassung herbeiführen.

Wir kommen zu der 5n Periode (seit 1740), welche der Verf.
folgendermaszen charakterisiert: 'Vollendetere Dichtungen im antiken Stil. Theoretische Forschungen bis zur Entdeckung des kunst-
schönen. Der Paganismus und die sokratische Moral' (Cap. 22—32.
S. 402—632). Zunächst treten die Hof- und Gelegenheitsdichter des
18n Jahrhunderts, Canitz, Neukirch usw. auf, welche vermöge ihrer
Beziehung zum antiken, allerdings nur im formellsten Sinne, als Vor-
läufer Gottscheds erscheinen: ihre poëtischen Productionen sind meist
werthlos, wie denn nur éin Dichter aus diesem ersten Drittheil des
18n Jahrh. eine wirklich dichterische Bedeutung hat, Chr. Günther
(1695—1723). Hierauf folgen Gottsched und die Schweizer Bodmer
und Breitinger, welche in der Opposition gegen die Ausartung der
zweiten Schles. Schule und in der Verehrung von Opitz zusammen-
trafen, in ihren Ansichten über Poësie aber wesentlich auseinander
giengen. Auch in der Würdigung dieser Zeit und Persönlichkeiten
weichen unsere Litterarhistoriker vielfach von einander ab: der Verf.
sucht mit Gervinus den hauptsächlichsten Gegensatz zwischen Gottsched und den Schweizern in ihrer verschiedenen Ansicht von der
Berechtigung der Phantasie. Er erkennt den Fortschritt, der in der
Auffassung der Schweizer, namentlich Breitingers, liegt, an, überschätzt denselben jedoch auch nicht, wie er denn in der That nicht
viel über Opitz hinausgieng. Die Regeneration der Poësie begann nun
merkwürdiger Weise mit dem Epos, und es war Homer, auf den,
besonders in Beziehung auf seine Gleichnisse, sich die Aufmerksamkeit richtete. Breitinger trat in seiner Abhandlung von der Natur,
von den Absichten und von dem Gebrauche der Gleichnisse (1740)
an das später von Lessing im Laokoon aufgestellte Princip heran. Man
regenerierte das Epos namentlich nach der descriptiven Seite und kam
so auf das malerische (H. Brockes und in einer gröszeren Weise Albrecht von Haller), und gelangte, da es an der eigentlichen schöpfe-

rischen Kraft noch fehlte, auf die Fabel zurück, von der man eigentlich erst zum Epos in weiterem Sinne gekommen war. Erst durch F. G. Klopstock gelangte die Dichtung wieder zu einem echten poëtischen Gehalte; mit ihm beginnt die neue Zeit der Aernte nach mühsamer Zeit der Saat und nach langsamem emporwachsen. Eine beredte Schilderung seiner Verdienste gibt Vilmar (II 121 fg. 3e Ausg.): auch unser Verf., der mit Recht hier einen ersten Versuch einer Verbindung des christlich-germanischen (romantischen) mit dem antiken erblickt, vertheidigt den Dichter gegen die auf seinen Patriotismus und sein Christenthum gemachten Angriffe. Mehr Rücksicht indes nimmt er, im Sinne seiner Aufgabe, auf die genaue Erörterung des Verhältnisses Klopstocks und seiner Dichtung zur Antike, und entwickelt ausführlich die Verschiedenheit des biblischen und des homerischen Epos, was Gelegenheit zu einer genaueren Betrachtung der Noachide Bodmers gibt. Während nun viele jüngere Dichter Bodmer und Klopstock im biblischen Epos nachzufolgen versuchten, legten sich die Gottschedianer auf weltliche Gedichte, und namentlich auch auf Uebersetzungen epischer Gedichte des Alterthums, freilich zugleich gegen die Form des Hexameters eifernd. Auch das komische Epos erneuerte sich durch Zachariae. Hieran schliesz der Verf. noch eine Betrachtung der Idylle, als verwandter Dichtungsgattung, Gesner mit Theokrit vergleichend und jenen vor unbilligen, gebräuchlich gewordenen Urtheilen schützend. Die nächsten Abschnitte entwickeln, wie auch im Gebiete der Lyrik das antike zur Herschaft gelangte, wie man sich an Horaz und Anakreon anschlosz, wie sich eine eigenthümliche lebensfrohe sorgenlose lyrische Stimmung entwickelte, und diese wiederum nicht ohne ernstere Gegensätze blieb, allmähliche Leuterungen statt fanden und von mechanischer Nachbildung zu freier Reproduction fortgeschritten ward. Indes möchte es gerade bei diesem schwierigen Abschnitte in unserer deutschen Litteraturgeschichte, der Geschichte der Lyrik im ersten Theile des vorigen Jahrhunderts, nicht möglich sein, unserem Werke ins einzelne zu folgen: auch dieser-Theil ist sauber und sorgfältig gearbeitet und reich an instructiven Beispielen: es ist auch dies ein Vorzug des Werkes von Ch., dasz es uns in unmittelbare Beziehung zu den Dichtungen durch Reichthum an Beispielen setzt. Wir kommen zur dritten Hauptgattung der Dichtung, zum Drama; bier tritt Gottsched von neuem, und zwar mit besonderer Bedeutung hervor. Das Drama im Anfange des 18n Jahrhunderts war in einem jämmerlichen Zustande, indem nicht blosz die Dichtung verfallen, sondern auch in der Oper ein Element aufgetreten war, welches zwar nicht ohne Beziehung zur Antike in Bezug auf die Form und auf mythologischen Inhalt stand, aber bis auf den heutigen Tag nur zum weitern Verfalle der dramatischen Dichtung beigetragen hat. Gottsched, der sowol der damaligen Oper, wie dem Volksstücke feind war, unternahm die Einführung des französischen Schauspiels, das ihm für eine Modification des antiken galt, indem er zugleich den Hauswurst durch Frau Neuber feierlich zu Grabe tragen liesz. Sowol die Beseitigung dieser komischen, jedenfalls damals entarteten Figur, wie der Anschlusz an die französische Dichtung ist oftmals auf das heftigste getadelt worden. So verwerflich aber auch beides in gewissem Sinne sein mag, so sehr auch Lessing zur Gegnerschaft berechtigt war, so müssen wir doch wol dem Verf. darin Recht geben, dasz diese Angriffe sich mehr und mehr überboten haben. Es ist das überhaupt ein auch jetzt noch nicht aus den Litteraturgeschichten im groszen und kleinen verschwundener Mangel, dasz man das Urtheil auszerhalb der historischen Betrachtung hinstellt, oder doch diese durch von vornherein eingenommene Standpunkte trübt. Als ein Beispiel solcher einseitigen, ja geradezu leidenschaftlichen Behandlung der Litteraturgeschichte sei es erlaubt das neueste Werk des berühmten Dichters J. v. Eichendorff (Zur Geschichte des Drama. Leipzig, Brockhaus 1854) anzuführen. Ch. schlägt Gottsched gegenüber den milderen und jedenfalls dem Historiker angemessenen Weg ein, indem er neben gerechtem Tadel eine Anerkennung des Verdienstes zu stellen weisz. Wie aber im Epos und in der Lyrik alles vor Klopstock geleistete durch diesen überboten und in Vergessenheit gebracht ward, so trat im Drama Gotthold Ephraim Lessing mit siegreicher Kritik und antikem Sinne den Gottschedianern entgegen; über diesen handeln das 30 u. 31 Cap. unsers Werkes in eingehender und entsprechender Weise. Das letzte Capitel des ersten Bandes endlich führt als den dritten Träger der poëtischen Erhebung Wieland ein, den unserer Zeit bereits ganz und gar entfremdeten, den Mischling aus Griechen- und Franzosenthum, der das Wolgefallen an dem schönen, und zwar eine Zeit lang vorzugsweise an dem sinnlich schönen, zum Grundsatze seiner Dichtung machte, und dessen Hauptverdienst wol darin liegt, dasz er unser erster gesellschaftlicher Schriftsteller war und die Sprachgewandtheit nicht unbeträchtlich förderte. Wir stehen mit ihm am Ausgange des ersten Bandes. Wer unserer kurzen Wanderung durch denselben folgte, wird die Ueberzeugung gewonnen haben, dasz Ch. seine Aufgabe mit Umsicht, Kenntnis, Sorgfalt und Gründlichkeit ergriffen hat. Es ist ein werthvolles Geschenk, das wir ihm verdanken: theils werthvoll dadurch, dasz er diese bisher noch nicht genug hervorgehobene Beziehung unsrer deutschen Litteratur in so gründlicher, gelehrter Weise zum Gegenstande seiner Arbeit gemacht hat, theils schon darum werthvoll, dasz er es ü b e r h a u p t, dasz er es i n d i e s e r Z e i t gethan hat, welche sich in der ungerechten Vernachlässigung des Humanismus so gefällt. Mag darum, wie es bei einem solchen Werke nicht anders sein kann, die Einzelforschung hie und da etwas aussetzen und nachbessern, wo wir uns bis zu einer Kritik der einzelnen Resultate nicht erheben konnten und mochten, gewis werden alle Humanisten dem Vf. Dank wissen für die energische Unterstützung, die sein Werk dem P r i n c i p e zu Theil werden läszt, und sie werden dem ganzen, in Plan und Ausführung, ihr Lob nicht versagen können. Denn kein Weg scheint uns geeigneter, um dem Alterthum in unserer Litteratur und in unserm Bildungsbe-

wustsein die gebührende Anerkennung zu erhalten und wiederzuver-
schaffen, als der historische Weg: möchte derselbe auch auf
andern Gebieten, und mit nicht minderem Erfolge eingeschlagen werden! Möchte recht vielseitige Anerkennung und Unterstützung endlich
den Vf. in den Stand setzen, mit dem zweiten Bande hervorzutreten,
von dem wir uns noch gröszere Wirkung versprechen.

Dresden. *F. Paldamus.*

21.

*Lehren der Weisheit und Tugend in auserlesenen Fabeln, Er-
zählungen, Liedern und Sprüchen usw. Herausg. von Dr.
Karl Wagner.* 22e Ausg. Lpz. 1855. E. Fleischer. 24¼ B. 8.

Es ist Ref. ein süszes Gefühl, sich veranlaszt zu sehen, Wagners
Lehren usw. zur Anzeige zu bringen; denn er gedenkt dabei der Zeit,
da dieselben seine eigene Jugend erquickten, erfrischten und stärkten,
als der liebenden Mutter weise Auswahl das treffliche Buch unter die
Weihnachtsgaben gelegt hatte und sein Gefühl steigert sich zur Empfindung dankbarer Pietät. Das Buch ist mit dem Ref. nach dem Tiro-
cinium der Jugend auch zur Kraft des Mannes erstarkt und es hat mit-
und angenommen, was die Zeit zu dieser Reife zum vollkommenen
Mannesalter ihm bot. Aber es ist dabei treu geblieben dem erhabenen
Ziele, zu dem der erste Bildner es bestimmte, hat von dem nichtssa-
genden Klingklang einer leeren Muse nichts an- und aufgenommen,
aber die Bekanntschaft des besten und kräftigenden, wahrhaft bildenden und fördernden gesucht und gefunden und ist so ein rechter Segens-
quell geworden, für den die Bezeichnung 'Lehren der Weisheit und
Tugend' nicht ein verlockender Aushängschild ist. Es hat aber
auch bei diesem rastlosen streben nach Vervollkommnung die grosze
Schaar seiner Brüder weit überlebt und zählt zu den seltenen Erscheinungen, dasz es jetzt in rechtmäsziger Ausgabe zum 22n Mal aufgelegt wurde, ein testimonium für ein derartiges Buch, bei so unge-
messner Concurrenz, das zu den vollgültigsten und ehrenvollsten gehört. Der liebend der Pflege des Buches sich angenommen hat, der
hat aber auch sein treffliches Geschick, für die deutsche Jugend das
beste und rührendste aufzufinden, durch die umsichtigste Auswahl bewährt und indem er den gelungensten Erzeugnissen der Neuzeit Stelle und
Aufnahme gewährte, ist er doch nicht in den Fehler so vieler verfallen, die über dem haschen nach dem neuen das treffliche alte vornehm
ignorierten, wodurch Gefahr drohte, dasz unsere deutsche Jugend von
einem Chamisso, Rückert u. a. wol zu sagen weisz und einen Gellert,
Gleim, Hölty usw. kaum dem Namen nach kennt. 'Bei der Auswahl
unserer Saatfrüchte waren Gesundheit, Schönheit und Leben erzeugende
Kraft derselben entscheidend, für Kopf und Herz sollte gleichmäszig gesorgt, dem jugendlichen Wesen gemäsz aber mehr durch Beispiele als
Lehren gewirkt werden.' So der Herausgeber in der Vorrede. Und dies

ist so preiswürdig gesagt, und darf so auf die allgemeine Zustimmung aller richtig denkenden Jugendfreunde rechnen, dasz der Ref. nichts weiter hinzuzusetzen braucht, als dasz der mit dem Geiste des Alterthums wohlvertraute und durch dasselbe hochgebildete Herausgeber diesem Programme bei jedem einzelnen Stücke vollkommen treu geblieben ist.

Und so empfiehlt er das Buch, das äuszerlich bestens ausgestattet seinen neuen Lauf beginnt, mit dem stolzen Gefühl, mit dem ein Freund den bewährten alten Freund nach einem fremden Orte hin einen Empfehlungsbrief mitgibt, im voraus gewis, dasz er bei dem Empfänger Dank sich verdient, ihm zu der Bekanntschaft verholfen zu haben.

Anspach. Prof. *Hoffmann.*

Auszüge aus Zeitschriften.

Gelehrte Anzeigen der k. Akademie zu München. October bis December 1854.

a) Philologisch-philosophische Classe Nr. 12—16. Vindiciae Plinianae. Scr. C. L. Urlichs. Fasc. I. 1853. Ausführliche Recension von Ludwig von Jan, welcher der Schrift für die Kritik und Erklärung des Plinius eine grosze Bedeutung beimiszt, aber auch an einer beträchtlichen Zahl von Stellen sich mit den Resultaten des Vf. nicht einverstanden erklärt. — Nr. 18—23. 1) Ausgewählte Komödien des Aristophanes erkl. von Theodor Kock 1r u. 2r Bd. 1852—3. 2) Aristophanis comoediae ed. Theod. Bergk. 2 Voll. 1852, angezeigt von L. Kayser. Der Rec. spricht zuerst seine Verwunderung aus, dasz auch Komoedien des Aristophanes in der Haupt-Sauppeschen Sammlung von Schulschriftstellern erscheinen, da die wunderbaren Schöpfungen des Dichters über die Fassungskraft des Schülers weit hinausgehen, während sein Cynismus entweder auf die Sittlichkeit der Jugend nachtheilig wirke oder zu einer falschen Beurtheilung seiner Poësie verleite. So sei denn auch die Accommodation für die Schulzwecke auf die Fassung der Noten von Einflusz gewesen, indem die stärksten Obscenitäten umgedeutet, die versteckten Anspielungen mit Stillschweigen übergangen seien. Abgesehen davon vermiszt der Rec. in der Bearbeitung von Nr. 1 ein tiefer gehendes Studium, 'um sowol die jetzt zu hastig verfahrende Kritik als die oft zu wortreiche Exegese auf das rechte Masz zurückzuführen.' In der einzelnen Besprechung der Ausg. der Ritter findet Ref., dasz dem Hg. in der Exegese viele komische Beziehungen in Situationen und Redeformen entgangen oder von ihm falsch gedeutet worden seien. Der gröszte Fleisz sei auf die sachliche Exegese verwendet, diese aber etwas zu ausführlich ausgefallen. Die Kritik sei sehr häufig, aber kaum irgendwo mit Glück an den Rittern ausgeübt worden. In Betreff der Wolken bekämpft der Ref. ausführlich die auch von Kock angenommene Meinung, dasz in der erhaltenen Komoedie eine Mischung der ersten und zweiten Bearbeitung des Dichters vorliege, und geht sodann eine Reihe einzelner Stellen durch, in denen ihm die Behandlung des Hg. mislungen scheint. Die Ausg. von Bergk, über die sich der Ref. im ganzen sehr anerkennend ausspricht, zieht er nur in den von Kock herausgegebenen Komoedien in Betracht und spricht den Wunsch aus, dasz der Hg. sein in der pracf. p. IV ausgesprochenes Versprechen 'auf den Dichter secundis curis zurückzukommen' recht bald ausführen möge. Die Freunde des Dichters machen

wir auf die zahlreichen Emendatiansversuche, die in die Recension eingestreut sind, besonders aufmerksam. — Nr. 27. 28. Beiträge zur Beurtheilung des Thukydides von Bonitz. Wien 1854. Sehr anerkennende Recension von G. M. Thomas, der nur in ganz wenig Stellen
den Resultaten des Vf. nicht völlig beipflichtet. — Nr. 29—31. Vale-
rii Maximi factorum et dictorum libri VIIII cum incerti auctoris frag-
mento de praenominibus. Rec. Car. Kempfius. Berol. 1854 beurtheilt von K. Halm. Zunächst berichtet der Rec. von dem reichen
Inhalt der Prolegomena, in Betreff deren er den Resultaten der Untersuchungen in den wesentlichsten Punkten beistimmt. Vermiszt wird
in dem Capitel über die Hss. eine eingehende Untersuchung über die
oft sehr stark abweichenden Lesarten der Epitome der Paris., die den
Vf. wol dahin gebracht hätte, dieser Quelle ein noch gröszeres Gewicht in der Feststellung des Textes einzuräumen. Als Mangel des
kritischen Apparates wird bezeichnet, dasz Hr. K. nicht alle Varianten der Paris. mitgetheilt hat, die in einer kritischen Ausgabe unter
dem Text einen vollständigen Abdruck verdient hätten. Die Verdienste
des Hg. um Verbesserung des Schriftstellers werden anerkannt; sie
würden aber nach der Ansicht des Rec. noch gröszer erscheinen, wenn
sich nicht manchmal eine gewisse Unsicherheit des Urtheiles kund
gäbe, der es beizumessen sei, dasz der Hg. an solchen Stellen, wo die
Entscheidung über die Haltbarkeit einer überlieferten Lesart von einem
sicheren Takte und feineren Sprachgefühle abhange, nicht selten fehl-
greife. So sei es gekommen, dasz der Text durch nicht wenige längst
beseitigte Fehler wieder verunstaltet erscheine. Auch die Berichtigung
der Interpunction und die Correctur des Buches hätte eine gröszere
Sorgfalt verdient.

          Januar bis März 1855.
     Bulletin der Akademie. Nr. 1—4. Rede zur Feier des Geburts-
festes des Königs am 28. Nov. 1854 von Friedrich v. Thiersch
mit einer kurzen Erinnerung an die im J. 1854 verstorbenen Mitglieder der Akademie. — Nr. 5—7. Sitzung der philosophisch-philologi-
schen Classe am 11. Nov. 1854. a) Vortrag von Thiersch über Verbindung von Kunst und Handwerk im Alterthum und über sehr zweckmäszige, jetzt unbekannte Einrichtungen mehrerer für den gewöhnlichen Gebrauch bestimmter Geräthe (Nicht mitgetheilt). b) trug
Prof. Hofmann vor: Kritische und erklärende Bemerkungen 1) über
zwei altromanische Denkmäler des X. Jahrhunderts, die Champollion
Figeac zuerst 1848 in den Documents historiques inédits aus der Stadtbibliothek von Clermont-Ferrand herausgegeben und Fr. Diez in besonderer Ausgabe Bonn 1852 bearbeitet hat. 2) über das Hildebrands-
lied, besonders über die in demselben vorzunehmenden Umstellungen. —
Nr. 9. In der Sitzung vom 2. Dec. 1854 trug vor a) Prof. Haneberg
über Composition und Echtheit des Buches Zohar. b) von Thiersch
berichtete über den gegenwärtigen Stand der Untersuchungen über das
Erechtheum (Nicht mitgetheilt). — Nr. 14—16. Sitzung vom 13. Jan.
1855. a) Rector Halm trug vor eine kritische Abhandlung über Ciceros Rede pro Rabirio Postumo (die nicht mitgetheilte Abhandlung wird
in den Denkschriften der Akademie erscheinen). b) Prof. Hofmann
sprach über des verst. Schmeller amtliche Thätigkeit auf der k.
Staatsbibliothek. Der vollständig mitgetheilte Vortrag weist einerseits
das hämische Urtheil Böhmers über die Katalogisierung der Manuscripte (s. Wittelsbachische Regesten S. XI) als platte Verleumdung
zurück, andrerseits gibt er genaue Auskunft über die zum gröszten
Theil durch Schmellers Thätigkeit geschaffenen Kataloge und Reperto-
rien der an 27000 Nummern umfassenden Handschriftensammlung der
Bibliothek mit einem vollständigen Verzeichnis ihrer Fundorte.

Gelehrte Anzeigen. a) *Philosophisch-philologische Classe.* Nr. 1—3.
Cornelius Tacitus. Erklärt von Dr. Karl Nipperdey. 1r u. 2r Bd.
Leipz. 1851. 52, angezeigt von Eduard Wurm. Aus der Einleitung
bestreitet der Rec. die Ansicht des Hg., Tacitus sei bei Abfassung des
Agricola mit dem Plane umgegangen, die Geschichte der Regierung
Domitians und der Anfänge Nervas und Trajans zu verfassen; sodann
geht er eine grosze Anzahl der von N. im Text vorgenommenen Neuerungen durch und spricht sich am Schlusze über die kritischen Leistungen der neuen Bearbeitung dahin aus, dasz diese an und für sich nicht
unbeträchtlich seien und vieles wahrhaft verdienstvolle und für den
Autor erspriesliche enthielten, dasz aber neben dem vielen guten und
brauchbaren sich eine fast gleich grosze Masse unbrauchbares und verfehltes finde. Ueber den exegetischen Theil der Ausg. bemerkt der
Rec.: 'Die Exegese enthält vieles werthvolle zur Belehrung über Personen und Sachen, über Sprache und Gedankenverknüpfung, manches
überraschend neue in der Auffassung der Worte des Autors, sowie in
dem Verständnis der von ihm geschilderten Ereignisse und Thatsachen,
daneben aber auch nicht selten verkehrtes und unhaltbares, sei es in
der Bekämpfung der Ansichten anderer oder in der Aufstellung eigner
Deutungsversuche.' — Nr. 3—5. Aristoteles über die Sklavenfrage. An-
tagonismen gegen alte und neue Ausleger von Dr. S. L. Steinheim.
Hamburg 1853. Der Rec. Dr. Ludwig Schiller bezeichnet den Versuch des Vf., den Aristoteles gegen die klarsten Zeugnisse in seinen
eigenen Schriften zu einem Abolitionisten zu stempeln, als einen ganz
verkehrten, der nur bei den höchst mangelhaften Sprachkenntnissen des
Vf. möglich gewesen sei, wie er durch eine eingehende Analyse der
von St. übersetzten und erleuterten ersten Capitel der Politik erweist.
— Die schönsten Ornamente und merkwürdigsten Gemälde aus Pompeji, Herculanum und Stabiae von W. Zahn. Dritte Folge, Heft 1—6.
Berlin 1849—54. Referat von Pr. (Preller?), der an der neuen Folge
rühmend den groszen technischen Fortschritt der im lithographischen
Farbendruck gegebenen Blätter hervorhebt, während das Werk in wissenschaftlicher Beziehung dadurch ungemein gewonnen habe, dasz die
Erklärung der Denkmäler der kundigen Hand des Prof. O. Jahn anvertraut worden sei. — Nr. 6 u. 7. Der Fund von Lengerich im Königreiche Hannover. Goldschmuck nnd römische Münzen. Beschrieben von
Friedr. Hahn. Hannover 1854. Bericht von Fr. Creuzer über den
auch in histor. Beziehung höchst interessanten Fund, durch dessen Beschreibung der Vf. ein rühmliches Zeugnis von seinen historisch-antiqua-
rischen Kenntnissen und seiner feinen Combinationsgabe abgelegt habe. —
b) *Historische Classe.* Römische Geschichte von Theodor Mommsen. Erster Band. Leipz. 1854. Charakteristik des Werkes von G.
M. Thomas. Der Ref., der die ungemeine Bedeutsamkeit des Werkes
nach allen Seiten rühmendst hervorhebt, setzt dessen Hauptvorzug in
die meisterhafte Bewältigung eines durch Alter dunkeln, durch wissent-
liche und unwissentliche Irthümer manigfach entstellten und an sich
sehr schwierigen Stoffes. Insbesondere wird von den Abschnitten über
die innere Geschichte hervorgehoben, dasz sie durch lichtvolle Darstellung, Fülle des neuen und lehrreichen, Schärfe des Urtheils und Kraft
der Zusammenfassung zu dem besten, was über solche Verhältnisse
noch geschrieben sei, gehörten. Ueber die Form der Darstellung bemerkt der Ref.: 'Die Darstellung ist voll Leben und Frische; der Satzbau meist klar und durchsichtig, die Sprache körnigt, scharf und treffend. Einzelne Ausdrücke, aus dem Umlauf der Gegenwart und der
Anschauung der nächsten Verhältnisse entlehnt, wird eine strengere
Censur misbilligen oder als leidenschaftlich tadeln. Dafür bietet sein
Buch wahre Muster des Stils, unter andern auch in der Charakteristik

der Personen. Aehnliche plastische Kunstwerke, wie Niebuhr vom Manlius Capitolinus, gibt Mommsen in der Parallele vom Pyrrhos von Epi-
ros und Alexander von Makedonien, vom Hannibal, P. Scipio Africa-
nus usw.' — Nr. 6—8. Die Echtheit des Auszuges und der Kosmo-
geographie des Aithikos geprüft von Heinr. Wuttke. Leipz. 1854,
beurtheilt von Friedr. Kunstmann. Die gegen den Recensenten
(s. Jahrb. Bd. LXX S. 342) und gegen den Beurtheiler in den Heidelb.
Jahrb., Prof. Roth, gerichtete Schrift wird in eingehender Beleuchtung der Gegengründe als ein völlig verunglückter Versuch bezeichnet,
die Echtheit eines Buches zu erweisen, das sich nach seinem ganzen
Gehalt als ein buntes Gemengsel fabelhafter Berichte oder, wie Roth
will, als ein historisch geographischer Roman darstelle. — Nr. 16—19.
1) Die deutschordenschronik des Nicolaus von Jeroschin. Ein beitrag
zur geschichte der mitteldeutschen sprache und litteratur von Dr. Frz.
Pfeiffer. Stuttg. 1854. 2) Sebastian Brants narrenschiff, herausg.
von Friedr. Zarncke. Leipz. 1854, ausführliche Beurtheilung von
Rudolf von Raumer. Als ein sehr dankenswerthes Unternehmen
wird die Ausg. Nr. 2 bezeichnet, in welcher das ganze kritische, historische und sprachliche Material in einer Reichhaltigkeit zusammengestellt sei, die kaum etwas zu wünschen übrig lasse und in ihrer Art
allen Herausgebern älterer deutscher Werke dringend zu empfehlen sei.
Den werthvollsten Theil der Arbeit biete der ausführliche sprachliche
und sachliche Commentar, zu dem der Rec. einige Nachträge und Berichtigungen mittheilt. Auch Nr. 1. wird als ein sehr interessanter
sprachlicher Beitrag und als eine vorzügliche wissenschaftliche Leistung
erkannt; mit der Ansicht des Hg. jedoch eine besondere 'mitteldeutsche'
Mundart aufzustellen ist der Rec. nicht einverstanden, und bestreitet
auch seine Bestimmungen über den Begriff von 'hochdeutsch', wobei er
ausführlich seine eigenen neuen Ansichten über Entstehung einer allgemeinen Reichssprache auf der Scheide des 15n und 16n Jahrhunderts
entwickelt. — Nr. 19—23. Leonis Grammatici chronographia. Ex re-
cognitione Imm. Bekkeri. Accedit Eustathii de capta Thessalonica
liber. Bonnae 1852, ausführlich beurtheilt von J. L. Fr. Tafel. Der
Rec., der überhaupt vielen Theilen der bonner Sammlung keinen höhern
Werth beilegt als den einer lobenswerthen Druckcorrectur, spricht sich
mit dem schärfsten Tadel über die Bearbeitung des Leo Grammaticus
aus, die darnach angethan sei, den Ruf deutscher Philologie in Misere-
dit zu bringen. Von diesem nicht unwichtigen Chronographen hatte
den zweiten kleineren Theil zuerst Combefis 1655 herausgegeben, den
ersten Theil aber erst Cramer in seinen Anecdota Graeca II p. 243—249
veröffentlicht. Der Ref. weist nun nach 1) dasz die zwei von Combefis
und Cramer edierten Stücke wirklich einem und demselben Schrift-
werke angehören, indem der münchner ungedruckte Theodosius Meliti-
nus mit dem bonner Leo Grammaticus wesentlich eine und dieselbe
Person sei, mit dem Unterschied jedoch, dasz der fehlende umfangreiche
Anfang des Leo Grammaticus im münchner Codex des Theodosius sich
findet; 2) dasz sowol dem englischen als deutschen Hg. der von Ignaz
Hardt 1792 edierte und von L. Dindorf in der Ausgabe des Io. Mala-
las wol gekannte sogen. Julius Pollux, in welchem Cramer den fehlenden Anfang eines Leo Grammaticus und das folgende bis S. 53 cd.
Bonn. hätte finden können, ebenso unbekannt geblieben sei als die
von Hardt 1808 herausg. lectiones variantes Leonis Grammatici ex
codd. Monac. Theodosii Melitini et Georgii Hamartoli etc., aus welchen Mitteln sich ein viel richtigerer und vollständigerer Leo Grammaticus hätte geben lassen. Abgesehen davon spricht der Rec. auch darüber seinen scharfen Tadel aus, dasz der Hg. es unterlassen hat, die Parel-
lelschriftsteller zur Verbesserung seines Schriftstellers beizuziehn. Wie-

viel nun einem künftigen Hg. noch zu thun ührig gelassen sei, zeigt der Rec. an einer gröszeren Probe zu S. 207—225 der bonner Ausg.

Berichte über gelehrte Anstalten, Verordnungen, statistische Notizen, Anzeigen von Programmen.

BRESLAU.] Der index lectionum für das Sommersemester 1855 enthält: Fr. Haasii *disputatio · de tribus Tibulli locis transpositione emendandis.*

JENA.] Zum Antritt seiner ordentlichen Professur hat Dr. C. Nipperdey eingeladen durch eine Dissertation: *emendationes Historiarum Taciti* (15 S. 4).

KIEL.] Dem index lectionum für das Sommersemester ist vorausgestellt G. Curtii *de nomine Homeri commentatio* (VIII S. 4).

NASSAU.] Im vergangenen Jahre sind in Folge eines Ministerialerlasses vom 19. März 1854 folgende Veränderungen an den höheren Lehranstalten des Landes eingeführt worden: 1) die Zahl der wöchentlichen Lehrstunden ist für den Director auf 14, für die Lehrer der obern Klassen auf 20, für die der untern Klassen auf 24 (mit Ausschlusz der Religions-, Neben- und Elementarlehrer) festgesetzt worden. 2) Der Lehrplan von 1846, welcher folgende Gestalt hatte:

	VIII	VII	VI	V	IV	III	II	I (2j. K.)
Religion	2	2	2	2	2	2	2	2
Deutsch	6	4	3	2	3	4	4	4
Latein	6	8	8	8	10	10	10	8
Griechisch	—	—	—	6	6	6	6	5
Französisch	—	—	4	3	3	3	2	2
Geographie	3	2	2	2	—	—	—	—
Arithmetik	4	3	2	2	2	2	2	—
Geometrie	—	3	3	2	3	2	2	—
Naturwissensch.	2	2	2	2	—	—	—	2
Hodegetik	—	—	—	—	—	—	—	2 (im letzt. Sem.)
Zeichnen	2	2	2	—	—	—	—	—
Schreiben	3	2	2	—	—	—	—	—
Gesang	2	2	1	1	1	1	—	—
Sa.	32	32	33	33	33	33	30	25 (27)
Hebraeisch	—	—	—	—	—	—	2	2
Englisch	—	—	—	—	—	2	2	2

hat folgende Abänderungen erfahren:

	VIII	VII	VI	V	IV	III	II	I
Religion	2	2	2	2	2	2	2	2
Deutsch	4	3	2	2	2	2	2	3
Latein	9	9	9	9	10	10	10	8
Griechisch	—	—	—	5	6	6	6	6
Französisch	—	—	4	3	3	3	3	2
Geschichte	2	2	2	2	3	3	3	3
Geographie	3	3	3	2	—	—	—	—
Arithmetik	3	3	2	2	2	2	2 } 2	
Geometrie	—	2	2	2	2	2	2 }	
Naturwissensch.	2	2	2	2	2	2	2	2
Hodegetik	—	—	—	—	—	—	—	1
Zeichnen	2	2	2	2	—	—	—	—
Schreiben	3	2	2	—	—	—	—	—
Gesang	2	2	1	1	1	1	—	-
Sa.	32	32	33	34	33	33	32	29

Hebraeisch	—	—	—	—	—	2	2
Englisch	—	—	—	—	2	2	2

3) Rücksichtlich der einzelnen Lehrfächer sind folgende Anordnungen getroffen worden: a) im deutschen fällt der Unterricht zur grammatischen Erlernung der alt- und mittelhochdeutschen Sprache weg; die Litteraturgeschichte ist nur übersichtlich in ihrem Entwicklungsgange darzustellen, die Lectüre der Klassiker mehr zu beschränken und dem gröszeren Theile nach einem geregelten Privatstudium zu überlassen, dagegen auf gewissenhafte Correctur der deutschen Arbeiten strenger zu halten und zur Bildung des deutschen Stils die schriftlichen Uebersetzungen aus den alten Klassikern zur früheren Bedeutung wieder zu bringen. b) die vermehrte Stundenzahl im lateinischen läszt eine sichere Erreichung des Ziels, namentlich der öfter vermiszten grammatischen Kenntnis erwarten. c) der um eine Stunde vermehrte Unterricht im französischen soll nicht sowol die formelle Geistesbildung ins Auge fassen, als vielmehr in praktischer Richtung den Schüler zum Verständnis nicht allzuschwerer Prosaiker und Dichter und zu einiger Fertigkeit im mündlichen und schriftlichen Gebrauche der Sprache führen. d) der biographische Cursus in der Geschichte wird auf die beiden untern Klassen eingeschränkt, der mittlere Lehrcursus auf die 4 folgenden ausgedehnt. e) die vermehrte Stundenzahl in der Geographie läszt sicheren Erfolg erwarten, zumal wenn in den obern Klassen bei der Geschichte auf sorgfältige Repetition dieses Fachs Rücksicht genommen wird. f) die Wiederausdehnung der Mathematik auf die oberste Klasse war zur sichern Erreichung des Ziels nothwendig. g) der fortan in allen Klassen zu ertheilende naturwissenschaftliche Unterricht umfaszt in 10 Sem. Naturgeschichte, in 8 Naturwissenschaft und zwar in jenen Zoologie und Botanik, welche abwechselnd semesterweise gelehrt werden können, in den letztern Physik, anorganische Chemie, bei der auf Bekanntschaft mit einer Anzahl Mineralien Bedacht zu nehmen ist, und Mechanik. h) für alle Schüler aus Klasse V—I, welche eine schlechte Handschrift haben, werden 2 weitere auszerhalb des Raumes der Schulstunden fallende Stunden angesetzt und haben die Klassenlehrer die betreffenden Schüler zur Benützung dieser Stunden anzuweisen. i) bei der Wichtigkeit des Privatstudiums in den obern Klassen ist nichts dagegen einzuwenden, wenn die von einem Lehrer nachweislich auf die Controle der Privatarbeiten zu verwendende Zeit bei der Festsetzung der ihm zufallenden Stundenzahl Berücksichtigung findet.

KAISERSTAAT OESTERREICH.] Die im 12n Hefte der Zeitschr. f. d. ö. G. enthaltenen statistischen Tabellen über die Gymnasien am Schlusse des Schulj. 1853—54 haben zwar noch nicht gänzliche Vollständigkeit erreicht, aber derselben sich bedeutend genähert. In Rücksicht auf die von uns Bd. LXIX S. 462 f. über das Schulj. 1852—53 gemachten Mittheilungen heben wir aus den Tabellen folgendes heraus. In Niederösterreich ist das eingegangene Gymnasium zu Horn wieder begonnen worden und hatte am Schlusze des J. die erste Klasse mit 13 Schülern; in Tirol und Vorarlberg erscheint zum erstenmale die Hauslehranstalt der Kapuziner zu Bruneck, welche in den Kl. VII u. VIII, die sie allein umfaszt, 17 Sch. hatte. In Ungarn hatten a) im Pressburger District die evangelischen Gymnasien zu Pressburg, Schemnitz, Modern und L'ossonz (Helv. und Angsh. B.) das Oeffentlichkeitsrecht noch nicht erlangt, von den ebenfalls noch des Oeffentlichkeitsrechts ermangelnden ev. Gymnasien zu Kremnitz, Komorn, Lipto Szt Miklós und Turóc Szt Marton fehlten die statistischen Nachrichten. b) im ödenburger District ermangelten des Oeffentlichkeitsrechts noch die evang. Gymn. zu Oedenburg, Raab und Csurgó. Da die evangelischen Gymnasien zu G ü n s und K ö v a g o - E ö r s in der Tabelle ohne Bemerkung fehlen, so dürfen wir sie wol als eingegangen annehmen. c) im Pest-Ofener District sind die oben S. 104 genannten Gymnasien in Volksschulen verwandelt worden. Von den evangelischen hatte das zu N a g y - K ö r ö s schon früher das Oeffentlichkeitsrecht, das zu H ó l d - M e z ö - V á s á r h e l y hatte es erworben, die übrigen ermangelten desselben noch. d) im Kaschauer District war das Gymnasium zu B a r t f e l d eingegangen, die noch übrigen evangelischen Gymnasien entbehrten noch des Oeffentlichkeitsrechts, e) im Groszwardeiner District bestand das evang. Gymnasium zu B é k é s nicht mehr als Gymnasium. Auszer dem Gymnasium zu Debreczin entbehrten die evangelischen Gymnasien noch immer des Oeffentlichkeitsrechts. Die Bd. LXIX S. 465 gegebene Tabelle der Gymnasien in der Lombardei ist durch das bischöfliche zu B r e s c i a , das Convict zu B r e s c i a , die Privatgymnasien zu M i l a n o B o s e l l i , C a s a l m a g g i o r e und Ca-stell·o s o p r a L e c i o zu vervollständigen, ebenso die in Venetien durch die Privatgymn. zu V e r o n a und B o l o g n a . Die diesjährige Tabelle enthält ein bischöfliches Gymn. zu P o r t o g r u a r o , läszt dagegen das zu T r e v i s o hinweg. Wir vermögen darüber nicht Aufschlusz zu geben. Rücksichtlich der Lehrer zeigt sich folgendes Verhältnis in den deutsch-slavischen Kronländern:

	Dir.		ord. Lehr.		Suppl.		Nebenl.		Sa.
	g.	w.	g.	w.	g.	w.	g.	w.	
1853	51	29	380	206	131	171	18	187	1173
1854	51	31	374	219	139	155	17	187	1173

$$+ 2 - 6 + 13 + 8 - 16 - 1$$

Da das wieder ins Leben getretene Gymnasium zu Horn und die Hauslehranstalt zu Bruneck hinzugetreten sind, so ergibt sich eine Verminderung, welche aber insofern nicht ins Gewicht fällt, als sich die Zahl der ordentlichen Lehrer vermehrt, die der Supplenten vermindert hat. Das ungünstigste Verhältnis findet noch in Galizien statt, indem auf 63 ord. Lehrer (ohne die Directoren) 102 Supplenten kommen. — Die allgemeine Frequenz hat sich in denselben Ländern um 1 pCt. vermehrt, indem sie 18609 betrug. Sie betrug im gesamten Staate, soweit die Nachrichten vorlagen, 47630 (794 mehr), nach den Religionsbekenntnissen 36970 röm. kath., 2184 gr. kath., 1266 gr. n. un., 2582 Augsb. Bek., 2507 Helvet. Bek., 32 arm., 236 unitar., 1853 jüd. Eine gröszere Abnahme ergibt sich in der Lombardei (— 1035), was in den Vorbemerkungen aus der vorher bestandenen auszerordentlichen Höhe und der Durchführung gröszerer Strenge erklärt wird. Wenn aus der Abnahme der Privatisten in den meisten Ländern (mit Ausn. der italienischen Provinzen) ein sich steigerndes Vertrauen in die Gymnasialeinrichtungen gefolgert wird, so dürfen wir aus dem in den Vorbemerkungen selbst unbegreiflich gefundenen zahlreichen vorhandensein in den Realschulen wol den umgekehrten Schlusz machen. Die Ueberschreitungen der Minimalzahl von 80 in den Klassen scheinen sich sehr vermindert zu haben. Wenn in den deutsch-slavischen Kronländern trotz der gesteigerten Frequenz das Schulgeld von 119580 fl 32 x auf 119029 fl 48 x, die Aufnahmetaxen von 12158 fl 8 x auf 10443 fl herabgesunken sind, so wird in den Vorbemerkungen der Grund dafür in der häufigern Befreiung gefunden. Von 2592 Schülern, welche sich zur Maturitätsprüfung gemeldet, wurden 1762 approbiert. In den deutsch-slavischen Kronländern studierten von 890 Abiturienten 299 Theologie, 332 Jurisprudenz, 137 Medicin, 51 historisch-philologische, 33 mathematisch-physikalische Wissenschaften, 38 wählten einen andern Beruf; der Theologie wandten sich auszerdem noch 229 ohne Maturitätszeugnis zu. In dem Ergebnis der Maturitätsprüfungen sehen die Vorbemerkungen mit Recht den Beweis, dasz die Organisation sich ihrem Ziele nähert und dasz die Forderungen nicht zu hoch gespannt seien. Uebrigens machen sie selbst darauf aufmerksam, dasz in Bezug auf Ertheilung des Praedicats 'ausgezeichnet' an vielen Gymnasien eine zu milde Praxis vorzuwalten scheine.

STRALSUND.] Nach dem Mich. 1854 vom Gymnasium gegebenen Jahresberichte war der Schulamtscand. H. Michaelis an das Gymnasium zu Salzwedel berufen, der ord. Lehrer Fischer pensioniert worden. Nach der in Folge davon eingetretenen Ascension bestand das Lehrercollegium aus dem Dir. Dr. Ernst Nizze, Conr. Prof. Dr. Cramer, Subr. Prof. Dr. Schulze, Oberlehrer Dr. J. v. Gruber, Dr. Freese, Prof. Dr. Zober, Oberl. Dr. Tetschke, Dr. Berthold Nizze, Dr. Rietz, Dr. Rollmann, und den auszerordentlichen Lehrern Consistorialrath Dr. Ziemssen, Brüggemann, v. Lühmann, Musikdirektor Fischer. Die Frequenz betrug 231 (I 20, II 36, III 45, IV 38, V 28, VI 29, VII 35), Abiturienten waren 10 entlassen worden. Die wissenschaftliche Abhandlung lieferte der Oberlehrer Dr. J. von Gruber: (de locis quibusdam ad institutionem grammaticam pertinentibus, maxime de diversa a Romanis nostra ratione utendi nominibus, verbis, particulis (10 S. 4). Der gelehrte Hr. Verf. hegt die unsrer Ueberzeugung nach ganz begründete Ansicht, dasz im grammatischen Unterricht die Schüler bei den Genus-, Declinations- und Conjugationsregeln viel zu viel einzelne Fälle lernen müssen, dasz aber die damit verschwendete Zeit viel nützlicher auf eine in den Geist der lateinischen Sprache, namentlich in die zwischen ihr und unserer deutschen Muttersprache obwaltenden Verschiedenheiten einführende Lectüre verwandt werden würde. Er zeigt ebenso richtig die Nothwendigkeit, auf diese schon frühzeitig die Aufmerksamkeit zu richten, weil ohne dies weder nur einige Fertigkeit im Lateinschreiben, noch, was für unsere Tage von gröszerem Gewicht ist, eine richtige und sichere Auffassung des Inhalts und Erkenntnis der Sprachgesetze überhaupt möglich ist. Als ein Fall der Art wird z. B. der Gebrauch der relativa für unsere demonstrativa mit einer Partikel bezeichnet, wo, wenn man den Schüler nicht an die Zusetzung der letztern gewöhnt, die Fertigkeit in der Auffassung des Zusammenhangs wesentlich für die Folgezeit erschwert ist. Da es nun im Unterricht ebensowol den lateinischen Ausdruck zum Verständnis zu bringen, wie im richtigen Deutschen zu üben gilt, so wird die vom Hrn. Verf. geforderte Methode, jedesmal eine doppelte, eine wörtliche und eine dem Deutschen entsprechende Uebersetzung zu geben (ut sementem feceris, ita metes: 'wie du die Saat gemacht haben wirst, so wirst du ernten' und 'wie du säst, so wirst du ernten') und analoge deutsche Ausdrücke zur Erleuterung abweichender lateinischer herbeizuziehen (z. B. 'mir wird geholfen' zu mihi parcitur), für ebenso in sich berechtigt, wie zweckmäszig erkannt werden. Es wird durch solche Uebung und Gewöhnung beim übersetzen eine gröszere und unmittelbarere Sicherheit erreicht und dadurch ein leichteres und sichereres Verständnis der lateinischen Schriftsteller bewirkt werden, als durch weitläuftige Observationen und Reflexionen. Die Zusammenstellungen, welche der Hr. Vf. über die Art, wie die Lateiner Substantiv-, Adjectiv- und Adverbialbegriffe ausdrücken und ihnen fehlende Worte ersetzen, gibt, sind recht dankenswerth für den Lehrer, da es ja jeder wol erlebt hat, wie lange man sich oft um einen guten deutschen Ausdruck quälen musz. Für den Schüler wird zweierlei den meisten Nutzen bringen: Vergleichung guter deutscher Uebersetzungen mit dem Urtext, die man, wenn man, wie der Hr. Verf. fordert, die wörtliche Uebersetzung stets verlangt, unbedenklich mit Hrn. Bonnell (s. oben den Artikel Berlin) den Schülern zur Praeparation wird in die Hände geben können, und die Sammlung von Beispielen aus der öffentlichen und Privatlectüre (Seyffert, das Privatstudium S. 54).

ULM.] Am dasigen königl. Gymnasium trat im Herbst an die Stelle des Repetenten E h n i im Pensionat Cand. P r e s s e l und bald darauf als 3r Repetent Vicar S t r ö l i n. Den Religionsunterricht in VI und V übernahm Garnisonspfarrer H e i n t z e l e r, die Verwaltung der Bibliothek Prof. K a p f f. Für den unterm 29. Nov. 1853 zum Oberpraeceptor ernannten vorherigen Praeceptor S c h a r p f trat eine Zeit lang der Unterlehrer B o k l e r von Herrenberg ein. Die Stelle des pensionierten Praeceptor H e t s c h (Bd. LXX S. 119) erhielt dessen bisheriger Hülfslehrer, Amtsverweser Z e l l e r, zu versehen. Die Frequenz betrug im Sommersemester 1844 221 (IX 15, VIII 10, VII 20, VI 10, V 19, IV 27, III 27, II 47, I 46). Das Programm enthält von dem Rector S c h m i d: 1) *Beiträge zur lateinischen Grammatik* (S. 1—12). Der grammatische Unterricht in den alten Sprachen hat zum Zwecke nicht blosz die alten Schriftsteller richtig verstehen zu lehren, sondern auch die allgemeinen Sprachgesetze zur Anschauung und zum Bewustsein zu bringen. Wenn man auch mit Recht im Gegensatz gegen eine alles auf Reflexion gründende Methode auf ein mehr unmittelbares aneignen der Sprache dringt, niemals wird doch das Gymnasium eines zusammenhangenden oder systematischen grammatischen Cursus entrathen können, welcher freilich in die obern Klassen vielmehr als in die untern gehört. In denselben wird einerseits dem Schüler begreiflich, dasz bei den scheinbar verschiedensten und ganz willkürlich gebildeten Spracherscheinungen dennoch der Geist sich zwar mit Freiheit, aber doch nie ohne innere Gründe bewegt hat, andrerseits wird jedes einzelne durch die Herleitung von und Unterordnung unter ein allgemeines mit bestimmter Klarheit und Sicherheit erkannt werden. Je schwieriger aber eine solche Durchführung der Grammatik ist und je mehr Punkte in derselben noch dunkel und schwankend sind, um so dankenswerther sind Beiträge wie sie der Hr. Vf. geliefert hat. Eine besondere Schwierigkeit bieten die adverbialen Bestimmungen, namentlich diejenigen, welche durch den Ablativ ausgedrückt werden, da man oft in Verlegenheit ist, unter welche Kategorie man den einzelnen Fall subsumieren soll. Im ersten Abschnitt nun hat der Hr. Vf. diese Sache in sehr lichtvoll belehrender Weise behandelt. Er theilt die genannten Adverbialbestimmungen unter Berücksichtigung der Adverbialsätze, welche in der That das beste Licht zu verbreiten im Stande ist, und vollständiger Angabe des in jede Klasse fallenden einzelnen ein in 1) Ortsadverbien [ob 'auf welchem Wege?' als eine besondere Frage hinzustellen sei, scheint dem Ref. zweifelhaft. Der Weg bezeichnet doch immer die Richtung auf ein Ziel oder einen Endpunkt. Bei *it hasta per tempus utrumque* ist gewis weniger an den Weg, den die Lanze nimmt, als an das herausdringen auf die entgegengesetzte Seite zu denken. Die Richtung wohin kann aber ein bestimmtes oder unbestimmtes Ziel haben. Sage ich *iter per provinciam*, so ist die Richtung wohin gegeben, aber nicht der Endpunkt; steht *sanguis per venas diffunditur*, so ist die Richtung noch ohne bestimmtes Ziel bezeichnet, aber wie der Ausgangspunkt *a corde, ex his partibus* [Cic. n. D. II 55, 138], so kann dann auch noch das Ziel *in omnes partes corporis* hinzutreten], 2) Zeitadverbien, 3) Causaladverbien [der Hr. Vf. macht hier ganz richtig darauf aufmerksam, wie der Schüler, wenn er die Conditional-, Concessiv- usw. bestimmungen unter die causalen zusammenfassen gelernt, begreift, warum *quum* bald causale, bald concessive Bedeutung habe], 4) Modaladverbien, 5) Zahladverbien [mit Recht trennt der Vf. die auf die Frage

'wie oft?' antwortenden Bestimmungen von den Zeitadverbien; er
hätte aber auch gewisse Ortsbestimmungen, *passim, per* in der Bedeutung von 'hin und her', sowie alle distributiva hierher ziehen müssen],
6) Adverbia respectus. Die Negationen erkennt er nicht für Adverbien an, weil sie in manchen Sprachen schon dem Substantiv inhaerie-
ren können ('ein Nicht-grieche'), nicht den Sinn des Satzes modificie-
ren, sondern denselben ins Gegentheil verwandeln, und ihnen, wie den
übrigen Adverbialien keine Adverbsätze versprechen. Wie damit, wird
man auch mit der Annahme unechter Adverbien einverstanden sein,
'welche keine logisch untergeordnete Bestimmungen der Sätze euthal-
ten, sondern ihrer Dignität nach eigentlich den Satz beherrschen, als
dessen untergeordnete Glieder sie erscheinen', wie 'bekanntlich, hoffentlich' usw. Zu diesen werden auch gezählt, welche ein Urtheil des
redenden über den Inhalt des Satzes ausdrücken, z. B. *haec creduntur
stultissime.* Unwillkürlich drängt sich die Frage auf, ob nicht die
Negationen diesen unechten Adverbien beizuzählen seien. In dem zweiten Abschnitt 'zur Lehre von den Fragesätzen' verwirft der Hr. Vf.
mit vollem Rechte die Ausdrücke 'zweifelnde Frage' und coniunctivus
dubitativus, wenn er aber dafür den Namen 'Iussivfrage' in Anwendung bringt, so scheint der schon bei andern gebräuchliche 'delibera-
tive Frage' weit vorzuziehn. Auch kann man schwerlich die Herleitung des coniunctivus von dem des Wunsches oder mildern Befehls zugeben, vielmehr scheint hier nur dieselbe Erklärung stattfinden zu können, wie sie im Griechischen für den coniunctivus deliberativus (τί φῶ,
in obliquer Rede nach praeteritis εἰ — παραδοῖεν) erforderlich ist.
Die dritte Abtheilung endlich enthält die Darstellung des Genetivus in
Abhängigkeit von Adjectiven und Verben, wie sie dem Hrn. Vf. in
einer Schulgrammatik zweckmäszig scheinen würde. Die Regeln sind
recht praecis gefaszt, auch die Herleitung des Gebrauchs recht klar
in hinlänglich passenden Beispielen gegeben, doch scheint uns statt der
zahlreichen Anmerkungen übersichtliche Zusammenfassung vorzuziehn.
2) enthält das Programm einen Vortrag dess. Hrn. Vf. *über die Bedeutung des Griechischen für die Gymnasien,* von welchem bereits in dem
Correspondenzblatt für Württemberg Bruchstücke mitgetheilt waren
(S. 17—26). Die Ansicht, dasz die modernen Sprachen in den Gymnasien gleich berechtigt seien mit den alten und dasz die französische im
Unterrichte der lateinischen vorangehen müsse, wird mit klaren Gründen eindringlich bekämpft, die Nothwendigkeit der Concentration nachgewiesen und durch Erörterung, welche Stellung die griechische Sprache
und Litteratur einnimmt, der Beweis geführt; dasz man dem Gymnasium mit der Beschränkung dieses Unterrichtsgegenstandes einen seiner
wesentlichsten Bestandtheile entziehen würde.

Personalnachrichten.

Angestellt, befördert, versetzt, bestätigt:

A m e n, als ordentl. Lehrer bei den Realklassen der Friedrich-Wilhelm-
städtischen neuen höhern Lehranstalt zu Berlin.

B a m e s, Lehrer der 1n Klasse der lat. Schule zu Reutlingen, als Lehrer der 2n Klasse.

B a s s e, Dr. H e i n r. R o b., bisher wissenschaftl. Hülfslehrer am Gymn.
zu Gumbinnen, als ordentl. Lehrer das.

B o r n, Dr, als ord. Lehrer bei den Realkl. der Friedr.-Wilhelmstädt.
höhern Lehranstalt zu Berlin.

B r ü c k n e r, Lic. Dr. B r u n o, bisher ao. Prof., nach Ablehnung eines
Rufes ins Ausland, zum ord. Prof. der Theol. an der Universität
zu Leipzig.

Büchsenschütz, Dr., Schulamtscand., als Oberlehrer bei den Gymnasialklassen der Fr.-Wilhelmst. höhern Lehranstalt zu Berlin.
Dernburg, Dr., in Darmstadt als ord. Prof. des röm. Rechts an die Universität zu Zürich berufen.
Dietlein, W. A., als Oberlehrer am Gymn. zu Gütersloh bestätigt.
Dietzel, Dr. Gust., Privatdocent, zum ao. Prof. iur. an der Univ. zu Leipzig ernannt.
Egler, als ord. Lehrer bei den Realkl. der Fr.-Wilhelmstädt. höhern Lehranstalt zu Berlin.
Ficker, Heinr., Supplent am Gymn. zu Gratz, als Lehrer am Gymnasium zu Ofen.
Gerhard, Dr. Heinr. Osw., Collaborator an der lat. Hauptschule zu Halle, als ord. Lehrer an der Realschule zu Siegen.
Göcker, K. Fr. Th., als Elementarl. am Gymn. zu Gütersloh bestätigt.
Goldmann, Dr., als Oberlehrer bei den Realkl. der Fr.-Wilhelmst. höhern Lehranstalt zu Berlin.
Grützmacher, Th., Schulamtscand., als 8r. ord. Lehrer am Gymn. zu Bromberg.
Herbst, Dr. Wilh., Schulamtscand., als 3r Oberlehrer am Gymnas. zu Elberfeld bestätigt.
Herrig, Prof. Dr., als Oberlehrer bei den Realkl. der Fr.-Wilhelmst. höhern Lehranstalt zu Berlin.
Höck, Dr. Herm., Privatdoc., zum ao. Prof. iur. an der Universität zu Leipzig.
Hummel, Subconrector am Gymnasium zu Göttingen, zum 2n Conr. an derselben Anstalt.
Joachim, Ge., Prof. am Paedagogium zu Lörrach, in gleicher Eigenschaft an das Gymn. zu Lahr.
v. Kittlitz, Dr., Collabor. am Magdalenen-Gymn. zu Breslau, als Civilinspector an der Ritterakademie zu Liegnitz.
Köpke, Prof. Dr., } als Oberlehrer an der Friedr.-Wilhelmst. höhern
Köppen, } Lehranstalt zu Berlin, ersterer bei den Gymnasial-, letzterer bei den Realkl.
Möhring, Fr. W. Al., ord. Lehrer am Gymn. zu Essen, in gleicher Eigenschaft an das Gymn. zu Kreuznach.
Müller, Dr. Wenzel, Supplent am Gymn. zu Cilli, als Lehrer am Gymn. zu Ofen.
Müller, H. D., Collaborator am Gymn. zu Göttingen, zum Subconrector an derselben Anstalt.
Pabst, Oberstudienrath in Hannover, zum schulkundigen Referenten bei dem k. hannov. Ministerium der geistlichen und Unterrichtsangelegenheiten.
Partl, Dr. Joh., Supplent am Gymn. zu Ofen, als wirkl. Lehrer das.
Petermann, H. R., Schulamtscand., als ord. Lehrer am Gumnasium zu Gütersloh bestätigt.
Römer, Dr. Ferd., Privatdocent zu Bonn, zum ord. Prof. der Mineralogie an der Univers. zu Breslau ernannt.
Runge, Dr., als Oberlehrer bei den Gymnasialkl. der Fr.-Wilhelmst. höhern Lehranstalt zu Berlin.
Schartmann, desgl. bei den Realkl.
Scheuba, Heinr., Suppl. am Gymn. zu Ofen, als wirkl. Lehrer das.
Schöning, Conr. am Gymn. zu Göttingen, zum Rector an derselben Anstalt.
Schöttler, C. J., } als Oberlehrer am Gymn. zu Gütersloh be-
Scholz, A. L. W. H., } stätigt.
Seemann, J. O., Hülfsl. am Fr.-Wilh.-Gymn. zu Köln, als ordentl. Lehrer am Gymn. zu Essen.

Stüve, Schulamtscand., als provisor. Collaborator am Gymnasium zu
     Göttingen.
Thiele, Dr. Gust., Oberlehrer an der Realschule zu Barmen, in
     gleicher Eigenschaft an das Gymn. zu Frankfurt a. d. O.
Tzschirner, Dr. Joh. Trang., Oberlehrer am Magdalenen-Gymnas.
     zu Breslau, als Director am Gymn. zu Cottbus.
Vischer, Prof. Dr. F., in Tübingen, als ord. Prof. der Philosophie
     an der Universität und dem Polytechnicum in Zürich.
Waas, Dr. K. Brun., Schulamtscand., als wissenschaftl. Hülfslehrer
     am Gymn. zu Gumbinnen.
Weiszenborn, Dr., als ordentl. Lehrer bei den Realkl. der Friedr-
     Wilhelmst. höhern Lehranstalt zu Berlin.
Zimmer, vorh. Prof. an der 6n Kl. des Gymn. in Stuttgart, an das
     evang. Seminar in Urach.

Praediciert:

Heidtmann, Dr. J. G. H., ord. Lehrer am Gymn. zu Neustettin, als
     Oberlehrer.
Heinisch, Dr., Oberlehrer am Gymn. zu Glatz, als Professor.
Janssen, Dr. Joh., Lehrer der Geschichte für die katholischen Schü-
     ler am Gymn. zu Frankfurt a. M., als Professor.
Möricke, Dr. ph. Karl, von Neuenstadt als kön. württembergischer
     Hofrath.
Nicolay, Kaplan, katholischer Religionslehrer am Gymn. zu Frankf.
     a. M., als Professor.
Uhdolph, Oberlehrer am Gymn. zu Glogau, als Professor.

Pensioniert:

Perez, Paolo, Prof. der italien. Sprache und Litteratur an der Uni-
     versität zu Graz.
Ruperti, Dr. G. F. F., Conr. am Lyceum in Hannover, wegen vor-
     gerückten Alters.

Gestorben:

Am 16. Jan. zu Brüssel Pierre Bergeron, prof. emer. an der Uni-
     versität das., geb. zu Paris den 3. Nov. 1787, Vf. französ. Ueber-
     setzungen des Anacreon und Terenz, eines précis historique des
     antiquités romaines, mehrerer lateinischer Gedichte und vieler an-
     deren Schriften.
In der Nacht vom 24—25. Febr. in St. Petersburg der Staatsrath Ch.
     v. Meyer, Director des kais. botanischen Gartens, bekannt durch
     seine Reise nach dem Altai und den kaukasischen Ländern.
Am 25. Febr. Osc. Ferd. Cambrelin, 3r régent an der Staatsmit-
     telschule zu Wavre, 29 J. alt.
Am 27. März zu Mergentheim der Oberpraeceptor Ruckgaber, 50 J. alt.
Am 2. April in Neapel George Bellas Greenough, erster Praesi-
     dent der geologischen Gesellschaft in London, geb. 1778.
Am 12. April zu Carlsruhe der Director des das. Lyceums, Geh. Hofr.
     Dr. Ernst Kärcher, geb. 7. Aug. 1789 in Ichenheim bei Lahr.
Am 13. April in London Sir Henry Thomas de la Beche, berühm-
     ter Geolog, geb. 1796.
     Auszerdem sind in hohem Alter der conservateur des estampes an
der bibliothèque impériale zu Paris, Duchèsne d. ält., und der Prof.
der Univ. zu Christiania, Dr. Rathke, gestorben. Der letztere, durch
seine Reisen in Europa und Amerika bekannt, hat seine reichen Sammlungen nebst Bibliothek an die Universität vermacht.

Zweite Abtheilung

herausgegeben von Rudolph Dietsch.

22.

Scholae latinae. Beiträge zu einer methodischen Praxis der lateinischen Stil- und Compositionsübungen von Dr. Moritz Seyffert, Prof. am k. Joachimsthalschen G. zu Berlin. 1r Theil. Die Formen der tractatio. Leipzig, O. Holtze. 1855.

Der Hr. Vf., über dessen Forschungen und Leistungen auf dem Gebiet der lateinischen Sprachwissenschaft jede weitere Bemerkung hier überflüssig ist, bringt hiemit eine neue Frucht seiner scharf eindringenden Beobachtungen und seiner vom glücklichsten Geschmack geleiteten Sprachstudien vor die Oeffentlichkeit, und es steht zu hoffen, dasz diese Beiträge auf der einen Seite ebenso zur Aufräumung von falscher Ziererei, wie auf der andern zur Einführung und Geltendmachung der echten und einzig wahren Formen auf dem vielfach noch überstruppten Feld der Latinität aufs kräftigste mitwirken werden. Es ist ein vollständig in sich selbst abgeschlossenes Gebiet, das der Hr. Vf. theils erobert, theils weiter bebaut: die Strömungen des lateinischen Sprachgeistes in den feinsten Verästungen, über welche ebendeshalb das Auge sehr gern nur obenhin [gleitet, und ohne Ahnung ihres tieferen geistigen Grundes weiter eilt, faszt er in ein ganzes zusammen, entreiszt diese Formen ihrer stillen Verborgenheit oder blinden Vereinzelung und bringt die in ihnen waltende Gedankenmacht zum klaren Bewustsein, wovon die nächste Wirkung die zu sein vermag, dasz der Verfasser recht eigentlich das denkende erkennen des lateinischen Sprach- und Redestoffes in den beabsichtigten Kreisen vervollkommnet. In diesem Bestreben, den lateinischen Sprachorganismus in gewissen Hauptfunctionen Schritt für Schritt einer durchsichtigen Erkenntnis zu unterwerfen, sind es vorzugsweise zwei Principien einer gedankenmäszigen Gestaltung des sprachlichen Stoffes, die der Verfasser seiner Untersuchung unterstellt, und die er zur umfassenden Darstellung bringt, die Formen und Bestimmungen der partitio und die der argumentatio, Formen, die weit über die Requisite der Sprachrichtigkeit und Sprachreinheit hinaus vielmehr dem freien und geistvollen Spiel der Dialektik des Gedankens ange-

hören, und deren Bedeutung darin zu suchen ist, dasz der Genius der
Sprache, dem Bedürfnis einer freien Beherschung des unterbreiteten
Sprachmaterials folgend und unaufhaltsam zur plastischen Durchsich-
tigkeit des materiellen Substrats vordringend, als echter Künstler in
Bezug auf malerisch wirksame Verschmelzung seiner sinnenfälligen
Elemente gewisse organische Vermittlungs- und Bindepunkte aus seinen innern Schachten, wir möchten fast sagen, aus jener zwischen
Phantasie und Reflexion getheilten Region heraussetzt, die sofort in
lebendiger Verwebung mit dem ganzen, mit der jeweiligen Gedanken-
substanz der Sätze an sich, das Bild anmuthsvoller Leichtigkeit und
Beweglichkeit vollenden, und ein stiller Mitfaktor sind von dem, was
wir schon im Rahmen der Sprache selbst den Sieg des klassisch
schönen nennen. Mit einem treffenden Ausdruck nennt der Hr. Verfasser diese typischen Formen irgendwo A r a b e s k e n. Die Auffassung dieses Sprachphaenomens könnte kaum zarter sein, wenn wir
bei diesen Ereignissen, an denen allerdings die spielende Phantasie
einen wesentlichen Antheil hat, nur nicht an leere Hülsen denken
wollen, sondern gleicherzeit das Auge offen behalten für die Signatur,
die seinerseits auch der νοῦς βασιλεύς diesen schwebenden Gestalten
aufgedrückt hat. Nennt der Verfasser das ganze Buch eine Lehre von
der *tractatio*, so stellt er sich hiemit nur auf den Standpunkt der
alten Terminologie, sofern die Alten unter *tractatio* nichts anders
verstunden, als die formale Behandlungsweise eines gegebenen Gedan-
kenstoffs. Diese letztere Inhaltsbestimmung ist aber selbst nichts
anderes, als eine kurzgefaszte Formel für das, was das ganze Buch
überhaupt sein will.

Den ersten Theil bildet die Lehre von der *partitio*. Diese Lehre
begreift unter sich 1) die Form, unter welcher das Thema angekündigt wird (propositio im specielleren Sinn), 2) die daran meist angeschlossene Distribution des Themas, Scheidung desselben in seine
Theile. Jede dieser Formen wird in ihren mannigfachen Nüancierungen
und immer neuen Wendungen aufgezeigt. Wir gestatten uns hier
sogleich eine Bemerkung. Wenn die Heraussetzung der wesentlichen
Glieder eines Themas nicht einzig nur im Sinn einer v o r a u s z u -
s c h i c k e n d e n   a u s d r ü c k l i c h e n   u n d   k u r z e n   F o r m e l gefaszt
ist, wenn sich die partitio nach ausdrücklicher Erklärung des Vf. (§
4 u. 5) auch auf die Succession der einzelnen Unterabtheilungen eines
Haupttheils bezieht, und in diesem letzteren Fall den Namen einer
v e r s t e c k t e n partitio erhält, deshalb, weil sie sich mit der Argumentation selbst u n m i t t e l b a r   v e r w e b t, so ist diese letztere
Form der partitio unzweifelhaft mit der Form der Anreihung und Aufeinanderfolge der einzelnen Unterabtheilungen, die einen eigenen
Lehrstoff bildet, identisch. In der That finden wir auch, dasz die
unter § 5 hervorgehobenen Figuren der partitio in der wesentlich
damit zusammengehörenden Lehre vom U e b e r g a n g (transitio) ihre
Stelle nachträglich finden sollten, weil sie ihrer ganzen Bedeutung
nach mit den Formen der transitio wesentlich zusammenfallen. Wenn

daher die vom Vf. adoptierte Begriffsbestimmung der partitio eine
traditionelle ist, so wäre seinerseits die Bemerkung vielleicht nicht
überflüssig gewesen, dasz die erweiterte Anwendung dieses Begriffs
an irgend einem Punkte zur Confundierung mit den Formen der von
der partitio ausdrücklich gesonderten transitio unausweichljch führen
müsse. Mit dem reflectierten Bewustsein dieser Vermengung zweier
vorher ausdrücklich abgesonderten Punkte wäre wenigstens so viel
erreicht gewesen, dasz der Vf. den Grund dessen auf eine andere
Seite hinübergeschoben hätte. Wir werden bald noch einmal auf diesen Punkt zurückkommen.

Einen höchst wichtigen und gründlich besprochenen Abschnitt
bildet nun eben die Lehre von der beregten transitio, zweifach geschieden als Lehre vom Uebergang zwischen den Haupttheilen und als
Lehre vom Uebergang von einer Unterabtheilung zur andern innerhalb
eines Haupttheils, letztere vielleicht zusammenfassender die Lehre
vom Uebergang zwischen den gegebenen Momenten eines gröszeren
ganzen genannt. Zuerst führt der Vf. diejenigen Formeln auf, die zur
Einführung des ersten Haupttheils dienen, und die theils in Verbal-
figuren, theils in der eigenthümlichen Kraft von Conjunctionen liegen.
In letzterer Hinsicht macht er unter anderem auf die unstatthafte Vermengung des *et* und *ac* bei *quoniam* und *primum* deshalb aufmerksam,
weil der Sinn durch eine derartige Verwechslung zum Beweis des
Formengewichts an und für sich oft plötzlich ein ganz anderer wird.
Unter denjenigen Figuren, 'die zur Fixierung des zweiten Haupttheils
dienen, fiudet sich häufig das: *veniamus (nunc) ad* — '. Diese
Schleife kann indessen ebenso nach Umständen beim ersten Haupttheil
geschlungen werden, wie z. B. p. Mil. § 23, sofern in dieser Rede
alle früheren Capitel von 1—9 nur die negative Bedeutung einer Säu-
berung des Bodens (§ 7 *ut omni errore sublato rem plane — videre
possitis*) und Vorbereitung zur positiven Hauptfrage bilden (ebend. *sed
antequam ad eam orationem venio, quae est propria nostrae
quaestionis*), die dann aber mit c. 9 § 23 als erster positiver
Haupttheil mit den Worten *quamobrem, ut aliquando ad causam
crimenque veniamus* sieh geltend macht. Ja es kann gewissermaszen
nur als Beweis vom flieszenden Charakter dieser Figuren gelten, wenn
wir an derselben Stelle auch das *reliquum est ul* (das der Hr. Vf.
den letzten Haupttheilen zuweist) allerdings mit bestimmter Negation
von vorausgeschickten Nebenpunkten vorfinden, eine Formel, die
gleich darauf § 31 durch die Wendung: *numquid igitur aliud — venit
nisi* etc. ersetzt wird. Ueberall und so auch bei diesen Uebergangsformen findet das Buch Veranlassung genug, auf ungeschicktes Rad-
brechen mit solchen Figuren aufmerksam zu machen, und auf die allein mustergiltigen und durchsichtigen Verbindungslinien hinzuweisen.
Zur Ergänzung dieses Abschnittes erlauben wir uns die Bemerkung
zu machen, dasz theils negative Umschreibungen mit: *ac ne illud
quidem, nec vero, n. v. non* (das griechische οὐ μὲν δὴ οὐδέ, οὐδέ γε,
καὶ μὴν οὐδέ, οὐ μήν, οὐ μέντοι, οὐ μέντοι — γε, ἀλλὰ μὴν οὐδέ), theils

auch die vom Buch erst bei der Argumentation besprochene Figur
num igitur und *itaque num* Formen sind, die hier nach unserer Anschauung ausdrücklich zu betonen waren. Zu negativ umschreibenden
Fortsetzungsfiguren hat sich die lateinische Sprache, wie es scheint,
ganz vorzugsweise durch die wirkende Macht der griechischen Vorbilder bequemt, indem es die griechische Sprache auszerordentlich
liebt, den zu markierenden neuen Punkt durch eine gelinde negative
Andeutung im Geist der λιτότης einzuführen. Das *num igitur*, allerd-
dings seiner Hauptbedeutung nach unter die a r g u m e n t a t i o zu verweisen, bildet doch anderwärts wieder ein sehr ausgeprägtes U e -
b e r g a n g s m i t t e l; so z. B. p. Mil. § 31, wo auf Grund der vorausgeschickten T h a t f r a g e sich die eigentliche R e c h t s - oder Schuldfrage
nur um so dringender geltend macht, und ihre Erörterung und Durchführung auch wirklich von § 31—72 mit dem überführenden: *num
quid igitur* findet. Ebenso wird p. Ligar. von dem ersten Haupttheil
zum zweiten, in welch letzterem Ligarius scheinbar blosz durch einen
hochherzigen Gnadenakt Caesars gerettet werden kann, durch die folgernde Figur *itaque num* § 29 übergeschritten; und zwar erinnert
diese Arabeske mit ihrer negativen, die ganze Beweisführung des
ersten Theils affectiert abschwächenden Bedeutung deutlich genug
wieder an den Geist verneinender Umschweifung, so dasz ihre Aufnahme unter jene in sanfterer Weise auftretenden Gruppen negati-
ver Uebergangsfiguren kaum einen erheblichen Anstand haben sollte.
Zwar hat der Hr. Vf. einzelne Beispiele von solchen Wendungen S.
16, 19, 21, 28 beigebracht hat, allein nicht unter dem Gesichtspunkt
einer s e l b s t ä n d i g e n G r u p p i e r u n g. Gleichwol läszt sich in
eigener Weise fürs erste zwischen Formeln unterscheiden, die blosz
im rasch einschneidenden Nebensatz auftreten (*ac ne quis miretur*
etc. cf. pag. 18, 19 u. 63), um in demselben Augenblick dem positiven
Hauptgedanken die Stätte zu räumen, und zwischen Formeln, in denen der Hauptgedanke selbst in negativ umschreibender Weise oder
geradezu mit der offenen Wucht des Widerspruchs geltend gemacht
wird, offenbar die wichtigere Art, mit der selbst gewisse Haupttheile
der Rede eingeführt werden können, so z. B. p. Mil. § 72. Sodann
aber scheint das Interesse einer möglichst genauen f o r m a l e n Bestimmung und Abhebung dieser Figuren unter sich selbst darauf hinzuweisen, die Pole des negativen und positiven, unstreitig zu den
schärfsten Markierungspunkten gehörend, überall da, wo wir sie finden, auch aufzugreifen und als Fingerzeige zur formalen Abscheidung
der Gruppen unter sich zu benützen, so dasz von selbst die Frage
entsteht, ob der Hr. Vf. die Benennung jener Figuren 'directere Formen dieser Art' (pag. 20), wenn gleich das Praedicat direct zunächst
blosz auf die gröszere technische Ausbildung der Form an sich gerichtet ist, im ganzen genommen nicht lieber mit der aus dem Haupt-
charakter dieser Arabesken flieszenden Definierung derselben als negative (litotische) Uebergangsformen vertauscht hätte. Wenn wir
sodann im Fortschritt von einem subordinierten Moment zum andern

häufig genug die Formel *praesertim quum* angewendet finden (neben d. imp. Cn. Pomp. § 14, worauf sich das Buch S. 7 bezieht, vgl. p. Archia § 10 u. 19; p. Mil. § 42; in höchst kurzer Beweisführung p. Mil. § 81, pro Dejot. § 21) und diese Figur weder weniger noch mehr leisten will, als andere verbrüderte Mittel technischer F.o r t l e i t u n g, wie z. B. sehr deutlich bei der citierten Stelle p. Mil. § 42, deutlich auch p. A. § 10 u. 19 zu sehen ist: so würde die Aufzählung der wesentlichen und typischen Uebergangsmittel zwischen §§ 14 — 25 durch Nennung dieses *praesertim quum* (ἄλλως τε καὶ ἐπειδή oder ohne ἐπειδή; den Participialsatz hat hiefür als sichtliches Original das Griechische), wie wir das schon oben angedeutet haben, gewis nur vervollständigt sein. Trefflich ist die Bedeutung des oft schwierigen und elliptischen *nam* entwickelt, wofür fälschlich noch an vielen Stellen *iam* gelesen wird. Im Sinn von *nam quid dicam de* etc. steht statt *nam* indes *enim* (*quid enim d. d.*) nicht blosz, wie die Anmerkung S. 32 meint, bei Livius, sondern auch bei Cicero p. Mil. § 75. Sodann findet sich *porro*, von dem der Hr. Verf. bemerkt, dasz keine Partikel in der Regel von neueren Scribenten falscher gebraucht wird als diese, nicht blosz 'in Aufforderungen, einer zusammenhängenden Reihe von Argumenten weiter zu folgen', mit einem Wort, nicht blosz mit der stringenten Kraft logischer Schluszfolgerung, sondern auch in der ruhigen Ueberschau gleichartiger Momente, so z. B. pro Dejot. § 16; pro Mil. § 19 u. § 25, in weich letzterer Stelle selbst das anspruchslose *autem* = δέ ganz am Platz wäre, weil dort beide Gedanken: eine machtlose Praetur unter Milos Consulat, und die unfehlbare Ernennung Milos zum Consul für den Clodius als zwei gleichartige Instanzen gegen eine öffentliche Bewerbung ins Gewicht fallen. — Dieser ganze Abschnitt, namentlich die Lehre von den Uebergangsformen zwischen den untergeordneten Punkten eines *locus* ist mit einer auszerordentlichen Reichhaltigkeit von typischen Wendungen und Figurationen ausgestattet, nicht ohne dasz der Vf. auch hier wieder auf falsche Verbindungen und Misgestalten aufmerksam macht, um die reine Besitzergreifung dieses ganzen Gebiets desto mehr zu sichern.

Der ganze bisher von uns besprochene Stoff zerfällt in folgende Paragraphen: Begriff und Bedeutung der *tractatio* § 1. Cap. 1. Die Formen der *partitio*. Begriff der *partitio* § 2. Allgemeines über die Behandlungsweise der *partitio* § 3. Doppelte Art der *partitio* § 4 u. 5. Formen des Uebergangs nach ihren Klassen § 6. Einführungsformen der Haupttheile: des ersten § 7—9, des zweiten § 10, 11; des letzten Theils § 12. Uebergangsformen innerhalb eines und desselben Theils § 13. I Einfache Uebergangsweisen: copulative, adversative, causale Partikeln (*atque, que, et; sed, autem, vero, at; nam* in der *occupatio*.) § 14—22; *iam, iam vero* § 23; *adde, accedit, praeterea, etiam* § 24; *porro* § 25. II Rhetorische Uebergangsformen: *age, agedum* § 26; *quid? — quid, quod —? quid, si —? quid? qui —?* § 27. *quid dicam de —? quid commemorem de —?* § 28. *ecce* §

29. Formen der Aufzählung § 30. Das Pronomen *ille* zur Einführung des neuen § 31. Die transitio im engern Sinn und ihre Formen § 32 —38. Die Formen der Recapitulation § 39, der Conclusion, revocatio, reditus ad propositum, praeteritio § 40—43. — Die wenigsten dieser Formen-, die wir zum Zweck einer deutlicheren Uebersicht hier nachträglich zusammengestellt haben, finden auf grammatischem Felde diejenige stilistische Beleuchtung, die ihnen doch offenbar für die höheren sprachlichen Zwecke, wir möchten sagen für p l a s t i - .s c h e Kunst in der Sprache gebührt, zum Theil liegen sie auch schon so entschieden innerhalb des rhetorischen Gebiets an sich, dasz sie im gleichen Verhältnis von der Region der grammatischen Technik abliegen. Unter ganz neuen und eigenthümlichen Gesichtspunkten läszt also der Verfasser diesen Theil des lateinischen Sprachstoffes vor den Jüngern und Schülern der Antike erscheinen, und darum ist es auch nicht weiter nothwendig den Grad des Verdienstes zu bemessen, den er durch geistvolle Beleuchtung dieser vielfach still verborgenen Kammern in der krystallhaltigen Werkstätte des römischen Sprachgeistes für immer errungen hat.

Der zweite Haupttheil des Werks beschäftigt sich mit dem Wesen der argumentatio (rednerischer Beweis), und die darin einzeln vorkommenden Lehren sind: die rednerische Beweisart im allgemeinen § 44. Die Frageform in der argumentatio, und zwar Unterschied der interrogatio und percontatio § 45. Die Formen der ratiocinatio, und zwar 1) begründende Formen: *quid ita? quid enim?* § 46, 47. 2) folgernde Formen: *quid igitur? quid ergo?* (*quin igitur est? quid ergo est?*) § 48. *quid postea? quid tum?* (*quid deinde?*) § 49. Die Formen der subjectio § 50. Die argumentierende Frage mit *an* (*an non*). (Unterschied von *num* und *nonne*, *an* in der Widerlegung) § 51—53. Das argumentum ex contrario oder das contrarium κατ᾽ ἐξοχήν § 54—57. Apagogische Beweisform mittelst ironischer Wendungen: 1) *nisi forte, nisi, nisi vero.* 2) *quasi, quasi vero, proinde quasi* § 58. Die Argumentation mittelst der disiunctio, complexio und enumeratio § 59. Die Widerlegung, durch thetische Formen oder durch das σχῆμα der occupatio eingeführt; verschiedene Formen der occupatio § 60—62. Die reprehensio, ihre verschiedenen Arten und Formen § 63—67. Uebersicht derselben in einem Beispiel § 68. Die Formen der concessio oder permissio 1) im Uebergang zu einem neuen stärkeren Argument § 69. 2) zum Zweck der Widerlegung der propositio § 70. Die Formen der Widerlegung in zusammenhängender Darstellung an Beispielen nachgewiesen § 71—73. Der Imperativ in der argumentatio § 74. Das *quod si* § 75. Das exemplum und simile (Formen der inductio) § 76— 82. Der Syllogismus § 83. 84. Anhang: 1) exempla tractationis pag. 191—208. 2) Themata pag. 208—214. — Man sieht den inneren logischen Unterschied der in beiden Theilen entwickelten Denkoperationen theilweise schon aus der vergleichenden Uebersicht des Gesamtinhalts unseres Werks. Schreitet der Gedanke in den Lehrstücken des

ersten Haupttheils in Form unmittelbarer Anweisung zusammengehö-
render Momente weiter, so verläszt die Denkbewegung in den Formen des 2n Theils diesen positiven, unmittelbar anreihenden und einfach setzenden Gang, und kehrt sich in sich selbst zum Widerspruch
gegen sich um; sofort aber zur Aufhebung des Widerspruchs schrei-
tend vermittelt sie ihr positives Resultat durch den vertiefteren und
vermehrten Denkprocess der Aufhebung der Negation. Es liegt somit
am Tag, dasz wir im allgemeinen Gang unseres Werks eine auf die
innerste Natur des logischen Elements gegründete Entwicklung des
gesamten Stoffes haben, und zwar gedachten wir den idealen Fortgang der Sache hier deshalb ausdrücklich hervorzuheben, weil darin
ein besonderer Reiz zum nachdenken über den Standpunkt des ganzen
Werks liegen dürfte. — Um aufs einzelne zu kommen, so sind die
gegebenen Winke und Regeln in Betreff der Formel *quid enim?* (Er-
härtung der allgemeinen Wahrheit der Thesis durch subsumierte Beispiele) und *quid ergo? quid igitur?* (Bestimmung — affirmative oder
negative — des einzelnen durch die allgemeine Wahrheit des Princips) höchst beachtenswerth, so namentlich die genauere Bestimmung
der Art und Weise, wie die Negativfrage bei diesen Arabesken zu
formieren. Die Wichtigkeit dieser genauen Regulierung liegt darin,
dasz durch die leiseste Veränderung der Form sogleich auch die logische Bedeutung des ganzen verschwindet: so eng klebt auch hier der
Inhalt an seiner Form. Bei *quid ergo?* bemerkt der Verfasser, dasz
der Ton dieser Figur, wenn sie der Redner in apagogischer Absicht
in Form einer Frage gegen sich selbst wendet, ein ethischer sei,
und es drängt uns unwillkürlich zu wissen, welches entsprechende
Mittel die deutsche Sprache hierorts besitze. Der Affect dieses *quid
ergo?* steigert sich an vielen Stellen zu einem Grad (z. B. da, wo das
selbstische Interesse des redenden ins Spiel kommt), der in der einfachen deutschen Floskel: *ich frage nun* weit hinter sich selbst zu-
rückbleibt, und der darum in einem gleichmäszig entgegenkommenden
Ausdrucke gröszerer Spannung und Gereiztheit sein treues Abbild
findet, vielleicht in Formeln, wie: *im Ernst! ich frage im Ernst!
aufs Gewissen gefragt! ich bitte!* usw. — Noch eigenthümlicher gestaltet sich der Gedankengang und sein sprachliches Abbild in Sätzen
mit dem argumentierenden *an*, wo die Thesis durch Negation eines
stillen Zweifels oder förmlichen Widerspruchs (die Negation selbst
besteht hier in der Berufung ans allgemeine Bewustsein von der Nichtigkeit des Zweifels oder Widerspruchs gegen ein wesentliches Moment der Thesis oder gegen die Thesis als ganzes) als eine individueller begründete Behauptung hervorgeht. In einer bedeutenden Zahl solcher Stellen findet der Vf. zwischen dem ersten und
zweiten Satz eine Tautologie, und nennt die Sache einen Zirkelbe-
weis. Allein gerade in den für diese Behauptung angeführten Beispielen vermögen wir ein reales Moment der Fortschreitung immer
noch zu entdecken, was den Zirkel glücklich noch zu einem scheinbaren herabsetzt. In der ersten Stelle p. Ligar. § 34 besteht die

Thesis aus der einfachen Behauptung, dasz die ganze Familie der
Ligarier Caesars Sache angehangen habe. Im zweiten Satz mit *an*
erscheint nun die in Frage stehende Sympathie des Q. Ligarius keineswegs in dieser tautologischen Weise, sondern behaftet mit einem
neuen Moment, nemlich mit dem Gegensatz: innere Gesinnung und
äuszere Erscheinung, sofern diese letztere durch locale Zufälligkeiten
und andere blind dareinfahrende Queerlinien in ihrer Verwirklichung
gestört ward. Ebenso wenig ist ein Zirkel in der Stelle p. Arch. §
12, wo vielmehr die allgemeine und vage Bestimmung: *animus ex
forensi strepitu reficitur et aures — conquiescunt* durch Be-
sonderung oder Individualisierung des Inhalts und mit Ausscheidung
falscher Umfangsglieder auf ihre concrete Wahrheit (wissenschaftliche Erfrischung) reduciert wird. So lassen sich nun nach unserer
Ueberzeugung sehr viele Fälle, die nach dem ersten Anschein eine
rein tautologische Bewegung haben, auf reale Gedankenbewegungen
zurückführen, wenn gleich anerkannt werden musz, dasz das discrete
Moment, um das es sich handelt, dabei gern eine Art Versteckens
spielt. — Zu den eigenthümlichsten Erscheinungen argumentierender
Sätze unter dem Mitspiel eines negativen Moments gehört in Bezug
auf stilistische Formierung der Analogiesatz, das argumentum ex
contrario, von den Alten auch das Enthymem schlechtweg genannt,
vielleicht nicht mit Unrecht wegen seiner vorhersehenden Richtung
aufs denken und handeln eines zweiten ethischer Vergleichssatz zu
nennen, als ein ethisches Spiegelbild, in welchem irgend eine Handlungsweise zur Beschämung, respective zur Rectificierung der Handlungsweise eines zweiten sich als Folie unterbreitet findet. Der ethische Vergleichssatz, wofür der Hr. Vf. das Schlagwort argumentum
ex contrario festhält, läszt nun eine verschiedenartige Formierung der
beiden Hauptgruppen des Satzes zu, und S. 114—117 sind die einzelnen Fälle namhaft gemacht. Sie bestehen aus der relativen Wendung,
aus *si* im Vordersatz und aus der asyndetischen Coordination, die so
ziemlich als Regel angenommen werden musz, in welch letzterem
Fall das Griechische unerläszlich mit μέν und δέ coordiniert. Zu den
seltensten Fällen rechnet endlich der Vf. die Construction mittelst
cum, indem dieses *cum* nach neueren Collationen fast überall gestrichen worden sei. Das einzig vorkommende Beispiel dieser Art be-
schränke sich also auf Tuscul. II, § 46. Allein es ist nicht schwer,
die Gültigkeit dieses *cum* in mehreren schlagenden Beispielen nachzuweisen, und die Zahl der Formen des Vergleichssatzes mit der Form
cum als einer durchaus legitimen zu ergänzen. Wir lassen solche
redende Beispiele der Reihe nach folgen: 1) *pro Arch.* § 10: *Etenim
cum mediocribus multis et aut nulla aut humili aliqua arte prae-
ditis gratuito civitatem in Graecia homines impertiebantur, Rheginos
credo, aut — Tarentinos, quod scenicis artificibus largiri solebant,
id huic, summa ingenii praedito gloria, noluisse.* Der Charakter
eines ethischen Vergleichssatzes liegt hier auf der Hand: das Benehmen der Städte Unteritaliens, ihre Zuvorkommenheit gegen Schau-

spieler und Künstler niederen Rangs wird als Folie benützt, um darnach das Benehmen derselben Städte gegenüber dem gefeierten Dichter Archias desto begreiflicher zu finden. Den Affect des Unmuths, der Gereiztheit über w i d e r s p r e c h e n d e s Handeln in g l e i c h e n Fällen, den die Sprache sonst durch eigene später zu benennende Mittel ausdrückt, und den sie von vorneherein mit allen Anzeichen pathologischer Beweisführung an die Spitze des Satzes rückt, bannt hier der Redner in das ironisierende und dem Zweck der deductio ad absurdum (was ja das Endziel der fraglichen Gedankenfigur ist) ganz conforme *credo*, das aber hier aus nahe liegenden Gründen erst beim zweiten Hauptglied des ganzen Satzes erscheint. Der Vordersatz, der zur Unterlage der Argumentation dient (ihr Inhalt ist das Bürgerrecht des Dichters), tritt mit dem *cum* auf, das, wenn die Lesart *impertiebantur* richtig ist, der Sache allerdings eine gewisse z e i t l i c h e Färbung mittheilt, und das handeln der Locrenser usw. in einen bestimmten Zeitrahmen eingrenzt, ohne jedoch das weitere und wichtigere Moment, das der Vergleichung zwischen dem, was jene Gemeinden an Schauspielern thaten, und zwischen dem, was sie in Folge dessen um so mehr an Archias thun musten, deshalb abschwächen, und das Verhältnis der beiden Satzglieder dem Gebiet a n a l o g i s c h e r G e g e n ü b e r s t e l l u n g entreiszen zu können. Mit allen Requisiten eines apagogischen, eines ethischen Vergleichsatzes (oder wie wir ihn endgültig im Deutschen bezeichnen wollen) praesentiert sich also unser Beispiel gleicherzeit mit einem grammatischen Vordersatz mittelst *cum*. — 2) Gleich der nächste Satz p. A. § 10 construiert sich nicht viel anders: *quid? cum ceteri — in eorum municipiorum tabula*s *irrepserint; hic, qui ne utitur quidem illi*s *— reiicietur?* Das Princip der Vergleichung ist in dieser Stelle eine gewisse Humanität in Behandlung der römischen Bürgerrechtsfrage, die sich nach dem moralischen Gefühl des Redners keineswegs als L i b e r a l i t ä t auf der einen Seite, und auf der andern plötzlich als m ü r r i s c h e S c r u p u l o s i t ä t erweisen darf (Zu *irrepserint* ist offenbar hinzuzudenken: 'und im Besitz dieses Bürgerrechts unangefochten belassen worden sind', denn das gibt erst den schlagenden Gegensatz zu *reiicietur*). Dies auseinandergehen in zwei falsche Seiten, das der Redner hier eben verdammt, könnte sich mit leichter Mühe in coordinierter Fügung, die wie gesagt als Regel anzunehmen ist, folgendergestalt praesentieren: *quid? ceteri — irrepserunt: hic — reiicietur?* Auch im ersten Beispiel, wo der vorausgeschickte Gedanke ist: das Bürgerrecht des Arch. steht um so mehr fest, als der Dichter in mehreren Provinzialstädten Bürger ist, hätte hieran anknüpfend *an* den Satz eröffnen können, und sofort durch die coordinierte Fügung der beiden Hauptglieder (*an in Graecia homines — impertiebantur: Locrenses — huic — noluerunt?* wo *credo* von selbst überflüssig wird) die hersehende Regel sich herstellen lassen. — 3) p. Arch. § 25: *Sulla, cum Hispano*s *[et Gallo*s (civitate) *donaret, credo, hunc petentem repudiasset.* Der Fall ist mit 1 fast ganz analog, und erledigt

sich auf Grundlage dieses Beispiels von selbst. — 4) p. Milone § 90:
*quo quid miserius —? templum sanctitatis — funestari! neque id
fieri a multitudine — sed ab uno* (S. Clodio)! *qui cum tantum ausus sit pro mortuo, quid signifer pro vivo non esset ausus?* Dieser
Satz streift an die Formierung mit *si* heran, weil das *cum* durchaus
den faktischen Sinn des *si* hat. Hier verbietet nun das Epiphonem
des zweiten Satzglieds dem ersten den Anlauf zur Coordination zu
machen, und das Gegengewicht, womit in solchen Fällen der erste
Satztheil gegen den zweiten nothwendig irgendwie auftreten musz,
wird sofort durch *si*, oder wie hier durch *cum*, das nur die rasche
Ueberzeugung von dem Zusammenhang des gesagten vermitteln will,
in einem fühlbaren und genügenden Grad erreicht. — 5) Ebend. § 95:
nec timet (Milo) *ne, cum plebem muneribus placarit, vos non conciliarit meritis in remp. singularibus.* Hier, wo der Gegensatz theils
im Objectsaccusativ, theils im Verbum so scharf ausgeprägt ist, würde
das *ne* selbst im Fall der coordinierten Fügung: *ne plebem — placarit, vos — non conciliarit* anspruchslos genug gewesen sein, zugleich aber auch elastisch genug, um den lesenden oder hörenden
rasch über das *plebem — placarit* wegzuführen, und eben den zweiten
Satztheil als Zielpunkt des Arguments, als Hauptgedanken zu fühlen
zu geben. Allein Cicero liebt es hier, hinter dem *ne* die Gegensätze
in leicht periodisierender Unterordnung zu zertheilen, vielleicht, weil
der Gedanke *plebem placarit* nicht neu ist, sondern nur kurze Recapitulation des im vorhergehenden näher entwickelten, so dasz mit
cum eine Erinnerung an schon gesagtes erreicht werden will, zu
welchem Zweck in anderen Satzfügungen das *quod si* (s. u.) zu dienen hat. Hiezu vgl. p. Dejot. § 9: *si, quum auxilia — ipse* cet. —
6) p. Mil. § 44: *Post diem tertium gesta res est, quam dixerat* (sc.
Clodius). *Cum ille non dubitarit aperire, quid cogitaret, vos potestis dubita*re, *quid fecerit?* Clodius hatte etliche Tage vor dem
blutigen Zusammenstosz mit Milo kein Hehl zu sagen, spätestens in
drei Tagen müsse Milo kalt sein. Der Redner fordert nun von den
Richtern Anerkennung dessen, dasz in den Worten des Clodius eine
Entsiegelung seiner verbrecherischen Absicht liege, und hätte sicherlich ebenso gut das energische *ergo* an die Spitze des Satzes stellen,
und der Construction folgende Gestalt geben können: *ergo ille non
dubitavit — vos postestis* etc., wenn er sich nicht hier ganz vorzugsweise an das Schluszvermögen seiner Zuhörer, anstatt wie sonst an
das sittliche und rechtliche Gefühl gewendet hätte, und mithin einen
Denkprocess voraussetzt, für welchen das *cum* samt Conjunctiv wie
geschaffen, wenn nicht gar unerläszlich ist. Dies mag überhaupt als
Wink dienen, warum so manche Analogiesätze ganz besonders der
Construction mit *cum* zuneigen: es beruht auf der psychologischen
Berechnung und Feinheit der Rede. — 7) p. Dejot. [§ 21: *cum igitur
eos vinciret, quos secum habebat, te solutum Romam mittebat.* Die
Absurdität eines solchen handelns, das der Redner ebendeshalb als
unglaublich bezeichnet, hätte wenigstens ebenso lebhaft durch: *ergo*

eos, quos — *te, qui* — *solutum* — *mittebat* zum Bewustsein gebracht
werden können. Uebrigens erklärt sich diese ganze Stelle wie 6. —
8) p. Ligar. § 5: *Cum ipsa legatio plena desiderii* — *fuisset* — *hic
aequo animo esse potuit* — *distractus a fratribus?* Hier hätte entweder ein *quid* oder ein zweites *an* (ähnlieh wie auch p. Arch. § 30
zwei Sätze mit *an* auf einander folgen) dem Satz den Charakter der
Coordination aufdrücken können. Eine Möglichkeit war die, den Satz
mit der Bedeutung einer epexegetischen Erweiterung des vorhergehenden asyndetisch anzuschlieszen, demgemäsz zu beginnen mit: *legatio ipsa* — *fuit* — *amorem*, dann mit der asyndetischen Fügung:
hic, und mit Festhaltung des einmal angeschlagenen ironisierenden
Tones mittelst *credo* (*hic, credo, belli discidio distractus a fratribus*)
die Coordination symmetrisch mit: *aequo animo esse potuit* abzuschlieszen. — 9) ibid. § 31: *An sperandi Ligario causa non sit,
cum mihi apud te locus sit* etc. Dieses Beispiel ist insofern bemerkenswerth, als der die Folie des ganzen enthaltende Satz hier nach-
geschleppt wird, statt voranzugehen wie sonst. Aehnlich ist auch p.
Mil. § 28: *obviam fit Clodius* — *cum* ́ *hic* etc., obgleich dieser letztere Satz nicht mehr streng unter das Enthymem gehört. Zu erwägen
ist auch p. Ligar. § 3. 10) d. imp. Cn. Pomp. § 57: *Utrum* ́ *ille* —
cum ceteri — *an ipse.* — Hier liegt die Nothwendigkeit des *cum*
am Tage. Cic. konnte in einem und demselben Satze nicht żwei Gegensätze zugleich: 1) *utrum ille* — ́ *an ipse*, und 2) *ille* — *ceteri*, in
coordinierter Form deutlich und kenntlich ausdrücken.

Zugleich bemerken wir in diesem letzten Beispiele die eigenthümlich wirkende Macht der Coordination auch in gewissen Sätzen
mit der Doppelfrage *utrum* — *an*, wo wir der Klarheit halber eine
andere, näherhin subordinierende Wendung zu machen genöthigt sind.
So z. B. d. imp. Cn. Pomp. § 38, wo wir richtiger sagen: 'fragt
nicht, wie viele feindliche Städte — durch — den Untergang fanden
wo es leider mehr befreundete Gemeinden sind, die durch — zu
Grund gegangen sind.' Auch an andern coordinierten Wendungen der
Art, bei denen freilich der Zweck der deductio ad absurdum verschwindet, bei denen aber das Spiel der Gegensätze im allgemeinen
doch verbleibt, hält die lateinische Sprache in charakteristischer
Weise fest. Neben dem apagogischen Vergleichssatz zu einer andern
species von Coordinationssätzen gestempelt sind solche Gedankenfü-
gungen gewis eigenthümlich genug, um es zu rechtfertigen, wenn
wir sie hier neben dem contrarium eines flüchtigen Blicks würdigen.
Betrachten wir z. B. die Stelle d. imp. Cn. Pomp. § 2 *ita neque hic
locus vacuus unquam fuit ab iis, qui* —, *et meus labor* — *fructum
amplissimum est consecutus.* Der Redner hatte so eben Gründe angeführt, die ihn bisher vom öffentlichen auftreten und von Besteigung
der rostra zurückgehalten hatten, und nun fährt er fort. Das letzte
Satzglied, das doch so unzweideutig den Hauptgedanken, die durch ·
ita angedeutete Folgerung aus dem vorhergehenden: *omne meum tempus amicorum temporibus transmittendum putavi* in sich schlieszt,

musz dennoch dem Nebengedanken des ersten Satztheils, der nur ein
hoffender Seitenblick auf den lockenden Glanz der rostra ist, den gleichen Rang in der sprachlichen Ausdrucksweise und grammatischen
Fügung einräumen. Nur ist gleicherzeit die Weise der Coordination
hier variiert, d. h. durch die verbindenden Glieder *neque — et* (οὔτε
— τε) ist die Asyndesis aufgehoben. Noch significanter ist de nat.
deor. I 9 9: *omnes stulti — miserrimi; maxime quod stulti sunt,
deinde quod ita multa incommoda sunt in vita, ut ea sapientes commodorum compensatione leniant, stulti nec vitare venientia possint,
nec ferre praesentia.* Hier würde zwischen der Thesis (miseria stul-
torum) und dem beweisenden Beispiel (commodorum compensatione
leniant) wenigstens dem äuszeren Arrangement nach, geradezu eine
Art von contradictio in adiecto bestehen, würden wir nicht eine gewisse übergreifende Macht des logischen Moments im Coordinatsatz
über das grammatische oder sprachliche Moment zum voraus kennen,
und dessen ausgleichende Macht wieder in die Wagschale legen können. Bei all dem springt es nun in die Augen, dasz sowol in solchen
einfachen Vergleichungssätzen, als auch beim widerlegenden contrarium im engern Sinn nichts anderes als das griechische Vorbild auf
den lateinischen Sprachgeist eingewirkt hat (cf. Xenoph. Mem. II 7
11. Isocrat. über den Frieden c. 16 n. 43, 45, 46, 47. Lysias c. Era-
tosth. 79). Dieses eigenthümlich typisierende Gesetz kann indessen
nur von der plastischen Feinheit der antiken Sprachen Zeugnis geben,
sofern in allen diesen Sätzen, und so namentlich im ethischen Vergleichssatz die Idee der Gleichartigkeit zweier Handlungen und ihre
wesentliche Zusammengehörigkeit als zwei Umfangsglieder eines gemeinsamen höhern (rechtlichen, politischen, sittlichen usw.) ganzen,
eben hiemit aber auch die Absurdität und Nichtigkeit einer widersprechenden Behandlungs- und Auffassungsweise beider, die Unnatur
einer Nöthigung gegen einander Front zu machen, oder in entgegengesetzten Richtungen auseinander zu fliehen die Grundanschauung ist,
die vorerst beide Glieder im idealen Ebenmasz enthält, dessen plasti-
sches Spiegelbild sofort in der Stellung der beiden Momente auf gleicher Linie und in der einheitverkündenden Form der Coordination
sich sprachlich zu erkennen gibt, gleichsam eine Mahnung, dasz, was
in der Idee éins ist, auch in der Wirklichkeit seine Einheit behalten
soll. Der Gegensatz, der im ganzen Process eine Rolle spielt, kann
durch die Asyndesis des Lateinischen an Lebhaftigkeit und schneiden-
der Schärfe nur gewinnen. — Nachträglich fügen wir noch bei, dasz
uns ein schwebendes Beispiel zwischen der reinen Coordination und
der subordinierten Vertheilung der Satzglieder, und gewissermaszen
eine Abschaltung der Relativconstruction der Participialsatz: *hunc
diem igitur* etc. p. Milone § 43 zu sein scheint.

Der ethische Analogiesatz tritt nun oft mit *an* und *ergo* an der
Spitze des Satzes in Frageform auf, aber so, dasz das Verhältnis der
beiden Satzglieder nach der kurzen Bemerkung des Buchs in beiden
Fällen ein umgekehrtes ist. Diese Umkehr ausdrücklich benannt ist

folgende: in der Formel mit *ergo* ist das zur Folie dienende erste
Satzglied seinem Sinne nach schon früher dagewesen, und wird jetzt
in der Absicht eine Operationsbasis zu bilden wiederholt· (logische
·Seite des er*go*); das zu richtende thun und lassen, das Ziel der Operation, näherhin ihres Angriffs (Inhalt des zweiten Satztheils), erscheint zum erstenmal. In der Formel mit *an* wird der zur Folie
dienende Satz zum erstenmal aufgeführt, dagegen wird die zu richtende, zu rectificierende Handlungsweise des zweiten Satzgliedes als
ein in seiner Allgemeinheit schon dagewesener Gedanke durch Negation seines Gegentheils (= Charakter des argumentierenden *an*) wiederholt, näherhin als eine fester begründete und auch im einzelnen
erwiesene Thesis (vorgehaltene, künftige Norm des handelns usw.),
hingestellt. Neben *ergo* kommt nach der richtigen Bemerkung des
Buches auch *quid ergo?*, und fügen wir bei, auch das einfachere
quid? (vgl. p. Archia § 10) und *et* = εἶτα (p. Dejot. § 34) an der
Spitze des Satzes vor. Diese Wörtchen verrathen eben nichts anderes
als den indignierten Fragesteller gegenüber einer inconsequenten
parteiischen Handlung. Zu derartigen Anläufen gehört nachträglich
offenbar auch die Formel: *etenim — credo* p. Arch. § 10. Sodann
macht sich die Steigerung des Affects Luft in einem ausdrücklichen
Satz: *o me miserum, o me infelicem*, was wir aus p. Mil. § 102
schöpfen, so wie ein andersmal das *qui igitur convenit* als durchsichtiger Verbalsatz den dunkleren Knotenpunkt des *quid ergo* etc. zur
Genüge commentiert. Das griechische Original für diese lebhafteren
Anlaufsformen ist: ἀλλ' — ἄρα — μέν = δέ — ἄρα cf. Stallbaum
zu Plat. Apol. 34 C.; πῶς οὖν εἰκός sq. accus. c. inf.; ἆρ' οὐ δεινόν,
εἰ μέν — δέ. Das verstärkte *an vero* entspricht nach unserm Bedünken
am ehesten unserm 'wäre wirklich, sollte wirklich usw!', *ergo* in
seiner gedoppelten Bedeutung und mit gesteigerter Stimmung 'wäre
es möglich! soll ich es glauben!' Zum Schlusz der ganz ausgezeichneten Abhandlung über das höchst bedeutsame Sprachphaenomen des
argumentum ex contr. gibt der Vf. über Wortstellung, modus und
tempus noch einige sehr instructive Winke, sofern die damit angedeuteten Punkte ganz ·wesentlich vom Gesamttypus dieses eigenthümlichen Sprachgebildes bedingt sind.

Schreiten wir zu den weiteren Formen apagogischer Beweisführung, so verdeutscht der Vf. die Figur: *proinde quasi*, schlagend mit:
'das klingt gerade so: wie wenn usw.' Welches ist die edle und
mustergiltige Verdeutschung des *nisi vero?* Gerade in solchen Figuren liegt für den übersetzenden eine eigenthümliche Schwierigkeit,
die zumeist als ein sitzenbleiben in Trivialitäten übrig bleibt, wo
doch das wahre überall nur ein ebenso klar gedachter als leicht be-
schwingter Ausdruck sein kann. '*Proinde* vor *quasi* gibt die Identität des Irthums in der fremden Annahme so wie in ihrer Voraussetzung noch entschiedener zu erkennen.' Diese Bestimmung, verstehen wir sie recht, würde vielleicht unzweideutiger so lauten können:
die Identität des Irthums im Kopf des Gegners und auf der Zunge des

widersprechenden Redners. Die in corrigierender Weise eingescho-
bene wahre Ansicht neben der falschen widerlegten wird durch das
einfache *non* oder *ac non* angefügt, und hat, was wir hier zu bemerken
nicht unterlassen wollen, sein Gegenbild im griechischen ἀλλὰ μή.

Einen Hauptpassus bildet sofort die Lehre von der Widerlegung,
die selbst wieder ·in die Lehre vom Einwand, und in specie in die
Lehre von der Widerlegung des Einwandes zerfällt, und ist das ganze
in einem höchst· wolgeordneten Rahmen mit dem reichhaltigsten Material abgehandelt. Nur vorübergehend möge bemerkt sein, dasz die
Formel: *num igitur*, die der Hr. Vf. blosz unter den einen zweiten
widerlegenden Redensarten aufführt § 64, sich ebenso bei einem
selbstgemachten Einwand vorfindet, und demnach in dieser zweifachen
Unterscheidung ganz ebenso vorkommt, wie das verwandte *quid ergo,
q. igitur*, das nach §·48 c zuerst einen selbst erhobenen Zweifel
niederzuschlagen hat, während es sich ein andersmal (nach § 65 c)
auf die Gegenrede eines zweiten stürzt. In der gedachten Weise steht
das *num igitur* z. B. p. Ligar. § 4, p. Mil. § 31, 17, vgl. 19; das
leicht modificierte *itaque num* steht so p. Ligar. § 29, wo es, wie
schon oben angedeutet wurde, zugleich auf einen neuen Haupttheil
der Rede überleitet. Statt beider Formeln steht wol auch *num idcirco*, wo es im Namen des darstellenden ein zwischen ihm selbst
und einem zweiten schwebendes Gedankenbild einführt, z. B. Cie. To-
pic. § 45: *finge mancipio aliquem dedisse id, quod mancipio dari
non potest. Num idcirco id eius factum est, qui accepit?*

Zu den wesentlichen Gliedern eines Schlusses, d. h. zur assum-
ptio (die sonst mit *atqui, autem*), zur neuen propositio (die mit *iam*
und *porro*) und zur conclusio (die sonst mit *igitur* und *ergo* anhebt),
wird nun, und zwar für alle diese drei Formen promiscue, nach der
Lehre des Buchs das *quodsi* verwendet. Indes zweifeln wir, ob mit
dieser Bestimmung der Gebrauch des *quodsi* allseitig erschöpft und
dessen innere Natur vollständig gezeichnet ist, · indem wir auszerdem
noch gewisse andere, durchaus discrete Gedankenbewegungen in
seinen Satzverbindungen wahrnehmen können. In éinem müssen wir
dem Hrn. Vf. unbedingt beipflichten: in allen Wendungen knüpft das
quodsi, wie jedes Glied eines Schlusses seiner Natur nach an ein
dagewesenes an, und benützt dieses Moment als Ausgangspunkt, als
Basis einer weiteren Digression, und hiedurch fällt es unzweifelhaft
in das Gebiet der technischen Mittel des schlieszens. Allein das ist
nicht alles. Das weitere, ja ohne Zweifel das wichtigere ist der modus
seines weiterschreitens, und dieser modus ist ein doppelter, logisch
zweifacher. Entweder nemlich wiederholt *quodsi* unbefangen die Behauptung, die schon im vorhergehenden da war, und fügt an diesen
ersten Punkt einen zweiten Gedanken an als naturgemäsze Folgerung
des ersten, und beide stehen zusammen im Verhältnis der Inhaerenz.
Weil aber das Verhältnis des erkennenden Subjects zum objectiven
Zusammenhang beider Glieder ein verschiedenes, ein durch die Stufen
und Grade dieses Bewustseins variiertes sein kann, so ist auch die

äuszere Form, in welcher beide Glieder ausgesprochen werden können, dem Wechsel unterzogen, und bald ist sie ein directes Urtheil,
bald erscheint sie in conditioneller (subjectiv abhängiger) Weise,
bald mit verneinender Umschreibung der beiden Glieder, in der ver-
neinenden Umkehr. Oder aber das *quodsi* erinnert rasch an die in
Frage stehende Thesis, weicht aber plötzlich in Form einer negativen
Operation um eines Einwandes willen einen Fusz breit von seiner
Thesis zurück, um jedoch in demselben Augenblick dem wirklichen
oder fingierten Gegner das 'bis bieher und nicht weiter' entgegenzu-
werfen, d. h. um jede weitere Consequenz, die zum wirklichen Nachtheil der Thesis gezogen werden möchte, als falsch abzuschneiden.
Der Unterschied ist also grosz genug, wenn dort einfach neben der
Thesis ein neues harmonierendes Moment auftritt, hier aber durch
Abschneidung einer gewissen Consequenzmacherei und durch Vernichtung eines Widerspruchs die allgemeine Wahrheit der Thesis sich
von neuem geltend macht. Im ersten Fall ist also *quodsi* wesentlich
t h e t i s c h e r Natur, einfache selbstgewisse Wiederholung einer vorausgegangenen Thesis, und zieht sofort im folgernden Satz, je nach
der Stellung des erkennenden Subjects zur objectiven Wahrheit der
Sache, theils den Indicativ, theils den Conjunctiv nach sich. Im
zweiten Fall ist es vorübergehend p r i v a t i v e r Natur = Abscheidung
eines Moments aus der Thesis, und zieht im Geist der Concedierung
jederzeit den Conjunctiv nach sich, im Nachsatz das *tamen*. Für den
ersten Fall hat der Grieche das: εἰ μὲν οὖν sq. indic. fut. oder indic.
praesent., oder imperfect., letzteres weil es Rückblick auf ein schon
gesagtes ist; für den zweiten das καὶ εἰ, εἰ οὖν καί mit den üblichen
Formen der Hypothesis. Wir lassen für beide Gattungen eine Reihe
von Beispielen folgen: 1) d. imp. Cn. Pomp. § 68: *Quodsi aucto-
ritatibus hanc causam, Quirites, confirmandam putatis, est vobis
auctor* etc. Namhafte Auctoritäten hatten sich für und wider die
manilische Bill erhoben; letztere hatte Cicero so eben widerlegt, und
nichts natürlicher, als dasz die Freunde des Pompejus im Gedanken
längst schon auf ihre Gewährsmänner hingeschaut hatten, und an das
Gegengewicht dachten, dasz diese hohen Personen gegen Hortensius
und Catulus zu bilden vermochten. An diesen Gedanken anknüpfend
und ihn gewissermaszen bestätigend sagt also der Redner: *quodsi —
putatis*, und fügt im Nachsatz diejenigen Auctoritäten an, in denen sich
allerdings die zu Grund liegende Tendenz eines siegreichen Gegen-
gewichts vollständig verwirklicht (Inhaerenz der Begriffe des Vorder-
und Nachsatzes). — 2) p. Ligar. § 34: *Quodsi penitus perspicere
posses concordiam Ligariorum, omnes fratres tecum fuisse iudicares.*
Unmittelbar vorher spricht der Redner von einem jederzeit brüderlich
übereinstimmenden handeln der drei Ligarier, und bezieht sich in
dem jetzigen Satz wieder auf dieselbe Eintracht und Brüderlichkeit.
Diese Bezugnahme erstreckt sich aber nur auf das factum der aequa-
litas fraterna; und ihr gegenüber tritt das wissen um sie als etwas
problematisches auf, mit dem das factum an sich nichts zu thun hat.

Dadurch wird es möglich, dasz 'das verbum, welches die zufällige und·wandelbare Stellung eines zweiten zur recapitulierten Thatsache enthält, im conditionellen Conjunctiv (*si posses* cet.) auftritt. Ueberhaupt ist damit der Punkt angedeutet, wie es denkbar wird, dasz Sätze, deren Begriffe im immanenten Zusammenhang stehen, nach auszen hin die conditionelle Form wenden,· bei denen aber nun der Conjunctiv ja nicht mit demselben modus in Sätzen der zweiten Gattung zu verwechseln ist, da vielmehr der Inhalt des Nachsatzes in obigen Sätzen in vollständiger Harmonie mit dem Gedanken des Vordersatzes steht, und sich geradezu als dessen naturgemäsze Folgerung repraesentiert. In unserm Fall konnte Cicero gewissermaszen sagen: *quod si est talis ac tanta illa Ligariorum concordia, profecto, si — noveris, — iudicare — debebis*, letzteres die nothwendige Folge von ersterem auf dem allgemeinen Grund der notorischen concordia Ligar. 3) p. Arch. § 1: *Quod si haec vox — nonnullis — saluti fuit, — profecto huic ipsi — salutem ferre debemus*, und § 4: *quod si mihi a vobis tribui — sentiam, perficiam profecto* cet. Diese Sätze repetieren, wie der erste Augenschein lehrt, die vorausgegangenen Begriffe, dort den der Bildung des Redners durch Archias, hier den der Geneigtheit zur Anhörung eines Vortrags über den Werth der Wissenschaften. Im letzten Satz bemerken wir sodann die doppelte Bedeutung des *quod*, sofern es auszerdem auch Accusativ ist, wie z. B. p. Mil. § 31. Auch ist in beiden Beispielen der psychologische Zusammenhang der jeweiligen Satzglieder klar und deutlich; dort sprechen beide eine ethische Verpflichtung aus, hier schlieszt sie ein rednerischer Zweck zusammen. — 4) p. Mil. § 9: *quodsi duodecim tabulae nocturnum furem — interfici impune voluerunt: quis est, qui quoquo modo quis interfectus sit, puniendum putet, quum videat aliquando gladium nobis ad occidendum hominem ab ipsis porrigi legibus?* Die ganze vorhergehende Beweisführung von § 7 an betrifft den Satz: naeh dem römischen Recht ist die Tödtung eines Menschen nicht schon eo ipso ein Verbrechen, sondern es kommt hiebei auf die Absicht und auf die Umstände an, und schlieszt nun mit den Worten: *quodsi* etc. Dieser Gedanke, wie wir ihn so eben hingestellt haben, ist allerdings in seiner abstracten Allgemeinheit nicht vorhanden, da er vielmehr aus einer Reihe von Beispielen (geschichtlichen) nur bewiesen wird, und auch dem letzten Beispiel der zwölf Tafeln zu Grunde liegt. Allein das *quodsi* mit seiner reassumierenden Kraft hebt dieses letzte Beispiel über die Reihe der übrigen hinaus, und während der Redner annimmt, dasz die vorhergehenden argumenta den allgemeinen Gedanken zur Genüge constatiert haben, identificiert er den Inhalt des letzten Exempels um mit ihm sofort weiter zu argumentieren, mit dem allgemeinen Gedanken selbst, und gelten ihm also die beiden Sätze, der allgemeine 'das römische Recht gestattet oder entschuldigt unter Umständen die Tödtung', und der individuelle 'die zwölf Tafeln gestatten eine gewisse Tödtung', als Wechselsätze. Der allgemeine Satz concentriert sich plötzlich im individuellen, und dieser enthält jenen ganz in sich, während die früheren ihre ursprüngliche Bedeutung als vereinzelte Beispiele behalten. Zum Ueberflusz sei bemerkt, dasz der Nachsatz in unserem Beispiel wiederum nur die naturgemäszeste und unmittelbarste Folge vom Vordersatz, zugleich also ein neues Moment darstellt: 'erlaubt das Gesetz eine gewisse Tödtung, so ist eine derartige Tödtung nichts verbrecherisches und strafbares.' Hier bindet keine sittliche Idee, nicht der Zweck rednerischer Belehrung die Sätze zusammen, sondern die logische Natur der Begriffe an und für sich. — 5) p. Mil. § 14 und 31. Beide Fälle sind nach Analogie von N. 2 zu behandeln. Das *nullam* in § 14 löst ja nicht das Verhältnis der beiden Glieder auf, sondern gehört an und für sich zur Folgerung, richtiger zum Praedicat des Nachsatzes. 6) p. Mil. § 15: *Quod nisi vidisset* (Pompejus) *posse absolvi eum, qui fateretur — neque quaeri unquam iussisset, nec vobis — dedisset.* Diese Wendung ist offenbar nur negative Inversion der beiden Glieder für den positiven Gedanken: *quod quoniam vidit, ut — quaeri — iussit, ita — dedit.* Auch hier ist das entscheidende, dasz die Gedanken des Vorder- und Nachsatzes hinter der negativen Auszenseite dennoch ein immanentes Verhältnis ausdrücken, während in Fällen zweiter Art das Resultat überall durch Zerstörung der Negation vermittelt wird. In dieser Weise erledigen sich denn auch die vom Vf. § 75 a beigebrachten Exempel.

Für die zweite Gattung von Sätzen mit *quodsi* führen wir folgende Beispiele an: 1) d. imp. Cn. Pomp. § 50: *quodsi Romae Pompeius privatus esset, tamen ad — bellum erat deligendus.* Der Mittelpunkt der dortigen Ausführung ist die Feldherrnpersönlichkeit des Pompejus. An diese knüpft der Redner weiter an mit *quodsi*, fügt aber in demselben Augenblick eine Concession bei, um jedoch im gleichen Athemzug jede weitere Folgerung als falsch abzuschneiden, und seine Thesis (Uebertragung des Kriegs an den groszen Feldherrn Pomp.) als feststehend und unantastbar selbst in Mitte des Zugeständnisses aufzuzeigen. Die Einräumung, die man macht, und die selbst als Realität der Wahrheit der Thesis dennoch keinen Eintrag thun könnte (offenbar ist hier der Sieg der Position über den Widerspruch der wirksame Gedanke), ist indessen selbst nur fictiv, was schon aus der Wahl des conj. imperf. in allen diesen Stellen sich kund gibt. In unserm Beispiel fiudet sich das Gegentheil der Einräumung (oder richtiger eine Annahme, die man ungefährdet machen kann, aber nicht zugeben will) dicht neben dieser Annahme selbst. Es heiszt dort: *nunc, cum ad ceteras — utilitates haec quoque opportunitas adiungatur, ut in iis ipsis locis* (Kriegsschauplatz) *adsit* (Pomp.) etc., wo schon von vorneherein *nunc*, das griechische νῦν δέ, als logisches adversativum das gerade Gegentheil des vorigen erwarten läszt. — 2) p. Arch. § 16 und 17, Beispiele, die unser Buch anführt. Dort ist der Gedanke, an den mit *quodsi* angeknüpft wird, das segensvolle der Wissenschaft (*hic tantus fructus*) und die numittelbar daran angeschlossene Beschränkung reduciert vorläufig diesen

von Satz 1, = *sin autem hic unus interfectus fuerit, intelligo* etc.
Das fragliche *quodsi* im 3n Satz ist also mit gar nichts zu vertauschen, sondern ist nach allem dem als technische Bezeichnung eines
wiederholten Gedankens nur ganz und gar in Ordnung. Indes finden
wir es auch ganz natürlich, dasz Cicero denjenigen Satz, der seine
staatsmännische Politik gegenüber der Gefühlsaufwallung zeigen soll,
nicht in der einfachen Schwebe des Gegensatzes, sondern mit trium-
phierendem Bewustsein in einem siegreichen Recapitulationssatz, in
welchem wir zugleich eine treffliche Amplification bewundern können,
in die Wagschale wirft. So wenig braucht der Redner 'den Gedanken
als Folgerung seiner so eben ausgesprochenen Ueberzeugung und
somit das bewustvolle und reflectierte seiner eigenen Ansicht durch
die Form des schlieszens deutlich mit *quodsi* (statt *sin autem*) zu
bezeichnen', dasz wo ein wählen und wägen zwischen sein und nicht-
sein an Kopf und Herz herankommt, da gewis auch eine gewisse
Reflectiertheit und Bewustheit herseht; und doch hält der Redner § 23
da, wo er an Catilina die imperatorische Forderung stellt, die Stadt
zu räumen, jene beiden inhaltsschweren Folgen, die dieser Schritt für
ihn selbst nothwendig nach sich ziehen musz, ganz richtig mit *si* und
sin autem auseinander. Nicht viel anders p. Mil. § 31, wo es sich
auch um eine Lebensfrage handelt, und wo dennoch ganz consequent
die beiden Pole mit *si* (und repetierendem *quodsi*), dann mit *sin* (=
sin hoc nemo vestrum ita sentit —) markiert werden.

Höchst beachtenswerth ist wieder das, was der Vf. bei der Lehre
über das exemplum über eine asyndetische Anordnung der betreffenden Sätze bemerkt. Die ganz schlagende Bemerkung, dasz die Figur
censetis, putatis sq. gerund. in exemplificierenden Satzwendungen
durch das deutsche 'müssen' zu übersetzen sei, liesze sich allenfails
statt der auch noch den Redner umschlieszenden Definition: 'es werde
hiemit die Nothwendigkeit der Schluszfolgerung unabhängig von jeder
Bedingung, dem ermessen des subjectiven Urtheils anheimgegeben',
durch die strictere Formel: 'dem eigenen ermessen des hörenden,
lesenden (ohne Zuthun des Redners) anheimgestellt', zum eigentlichen
Abschlusz bringen. — 'Wo eine historische Persönlichkeit zur Folie
einer Behauptung dient, steht *quidem*, wenn gleich der Nachdruck
weniger auf der Person an sich, als auf ihrem (deiktischen) handeln
liegt.' Wir können beifügen: da, wo der beweisende sein eigenes
subjectives Urtheil, immerhin aber in bescheidener Weise, in die
Wagschale legt, und mithin der persönlichen Auctorität eines andern
sich selbst substituiert, steht *vero* statt *quidem*. Cf. p. Arch. § 12 u.
30, p. Lig. § 19. — Die Formel im ausgebildeten Gleichnissatz: *ut
enim, si: sic*, hat, was wir hier beisetzen wollen, offenbar ihr griechisches Vorbild an der bekannten Figur: ὥσπερ γὰρ ἄν, εἰ — (ἄν
per abundantiam), οὕτως, ganz so wie die § 82 c besprochene Figur,
eine Zusammenziehung des Gleichnissatzes, auf griechischer Construction beruht.

Handelt es sich auf einem gewissen sprachwissenschaftlichen

Standpunkt wesentlich um gedankenmäszige Durchdringung und begriffliche Ableitung einer ganzen Reihe von Formen des lateinischen Sprachgeistes, handelt es sich insbesondere für den lernenden und übenden um freie Beherschung der höheren und immer noch zu wenig gewürdigten Wendungen und Strategeme, die beim auffallend starken rhetorischen Bildungstriebe der lateinischen Sprache ein und für allemal gegeben sind, so kann das Werk mit Bezug auf diesen höher berechtigten Standpunkt nur eine höchst charakteristische und ausgezeichnete Arbeit genannt werden, die mit gespanntester Erwartung auf den versprochenen zweiten Theil hinschauen läszt.

Rottweil.　　　　　　　　　　　　　　　　*W. Birkler.*

23.

Auf welche Weise wird der lernende den zum Verständnis der lat. Sprache nothwendigen Wortschatz erlangen?

In der 14n Versamml. der Phil. und Schulm. wurde über einen für die Schule sehr wichtigen Gegenstand gesprochen, über den selbständigen Gebrauch von Vocabularien. Der Behauptung des Hrn. Antragstellers, dasz das ʻVocabellernen ganz früh beginnen müsseʼ, wird gewis jeder zustimmen, wofern der Satz so gefaszt wird: Ganz frühe musz mit Aneignung eines Wortschatzes begonnen werden.

Wie dies geschehen solle, darin gehen nun freilich die Ansichten auseinander. Diejenigen, welche sich unter Erlernung von Vocabeln blosz ein auswendiglernen denken, werden natürlich zunächst nach solchen Hülfsmitteln fragen, welche Vocabeln, nicht Sprachganze enthalten, also nach Vocabularien. Die Erfahrung D. Ecksteins, dasz das erlernen der Wörter aus einem Vocabularium, wie das von Wiggert ist, eine gute Anzahl Stunden gekostet und nicht viel Nutzen gebracht habe, können wol viele Schulmänner bestätigen. Aber Unrecht würde man thun, wollte man gerade nur diesem Buche die Schuld des geringen Erfolges beimessen. Zugegeben, dasz das Vocabularium von Döderlein wesentliche Vorzüge besitzt, so lassen sich doch gegen den selbständigen Gebrauch desselben, wenigstens in Sexta, dieselben Gründe geltend machen, wie gegen das von Wiggert. Gerade der Vorzug, dasz das Buch von D. Wörtergruppen enthält, fällt für die Sexta weg, wo nur einzelne Wörter gelernt werden sollen; denn für diese ist dem Gedächtnis des Schülers der Anhaltungspunkt entzogen *). Ferner ist bei jedem derartigen Vocabularium,

---

*) Mit paedag. Takte hatte Döderlein unterlassen, das Perfect, den Genetiv und das Genus beizusetzen; ich kann es als keine Verbes-

also auch bei dem von D., wie in jener Versammlung richtig bemerkt
wurde, die Gefahr zu fürchten, dasz die auswendig gelernten Vocabeln todter Schatz bleiben, und dasz die immerwährende Wiederholung einzelner Wörter, wodurch man dem vergessen vorbeugen musz,
die jungen Schüler ermüdet. Planmäszig erscheint zwar die Erlernung der Vocabeln, wenn ein Theil des Vocabulars z. B. A—E in der
I. Jahresklasse, F—L in der II., M—Q in der III., R—V in der IV.
durchgenommen wird, wie dies am Gymn. in Bruchsal geschieht (s.
Progr. v. 1854). Allein näher betrachtet zeigt sich ein solches Verfahren als unpraktisch, indem bei jedem der alphabetisch geordneten
Stammwörter eine Menge solcher Ableitungen, Zusammensetzungen
und Ausdrücke stehen, die dem Schüler in einer der 3 untern Klassen
noch völlig fremd sind, und welche daher entweder unzeitig gelernt
werden, oder übergangen werden müssen.

Die Anordnung nach Gegenständen erweckt allerdings
nicht nur gröszeres Interesse bei der lernenden Jugend, sondern bietet auch mehr Gelegenheit zur Verwendung dar, als die etymologische
Ordnung. Allein das erlernen selbst wird durch diese Anordnung
nicht erleichtert, und ein Schutz gegen das schnelle vergessen nicht
gewährt. Auch der Orbis pictus des Comenius würde sicherlich nicht
nur für den Zweck des Vocabellernens weniger angemessen, sondern
für den lernenden auch weniger ansprechend gewesen sein, wenn
Comenius den Abbildungen nur die Benennungen, und keinen zusammenhängenden Text beigefügt hätte.

Beide Anordnungen, die etymologische und die reale, haben
überdies den Nachtheil, dasz sie sich oft dem grammatischen Gang
des Unterrichts nicht fügen wollen. Dagegen ist die grammatische
Ordnung für das erlernen der Vocabeln schwerer und noch freudloser,
als die ebengenannten. Da es unbestritten ist, dasz die rein alphabetische Ordnung für den vorliegenden Zweck die schlechteste sei,
so brauchen wir hier nicht weiter darüber zu sprechen.

Demnach ist keines der selbständigen Vocabularien, nicht das
rein alphabetische, nicht das grammatische, nicht das reale, nicht das
etymologische, an und für sich geeignet, dasz der Schüler sich durch
auswendiglernen der darin enthaltenen Vocabeln den nöthigen Wortschatz verschaffe und bewahre. Ebenso wenig würde sich hierzu ein
Vocabularium eignen, welches die Vorzüge aller übrigen in sich schlösze,
wenn überhaupt ein solches denkbar oder ausführbar wäre, ein alpha-
betisch-grammatisch-etymologisch-reales. In dieser Hinsicht haben
also diejenigen Schulmänner Recht, welche behaupten, man dürfe dem
Schüler nur diejenigen Vocabeln]zum auswendiglernen zumuthen,
welche mit der Lectüre und dem Uebungstoffe in Verbindung stehen.

---

serung ansehen, dasz in der 3n Aufl. das Genus beigefügt wurde;
denn es sollte dem Schüler keine Veranlassung genommen werden,
selbst zu denken. Ich habe es daher in meiner Grammatik versucht,
andere, diesem Zweck entsprechendere Genusregeln aufzustellen.

Zu diesem Zwecke sind in einigen Elementarbüchern die betreffenden Vocabeln unter die einzelnen Lehrstücke, in andern über dieselben gesetzt. Man betrachte nun die in A u g u s t s praktischen Vorübungen (es ist uns nur die 2e Auflage zur Hand) vor der v i e r t e n Uebung stehenden Vocabeln oder in K ü h n e r s Elementargrammatik (10e Aufl. 1851) § 36 S. 45—47, und man wird sich überzeugen, welch quälende Zumuthung dem Knaben mit dem auswendiglernen der Vocabeln vor dem übersetzen gemacht werde, ebenso aber auch die häufige Wiederholung desselben Wortes mit beigefügtem Genetiv und Genus oder der Conjugation bemerken. Bei einem Schulbuche von solcher Einrichtung wird es der Lehrer selbst mit der äuszersten Strenge nie dahin bringen, dasz der Schüler die Bedeutung eines Wortes aus seinem Gedächtnisse schöpft oder durch nachdenken zu finden sucht, sondern derselbe wird das leichteste und gewöhnlichste Wort zum hundertsten Male wieder aufschlagen. Kürzlich beobachtete ich drei aus verschiedenen Anstalten hergekommene Schüler der zweiten Jahresklasse, denen aufgegeben war, einige lat. Sätze ins Deutsche zu übertragen. Ehe sie den Versuch zu übersetzen wagten, fiengen sie an mit groszer Eilfertigkeit die einzelnen Wörter der aufgegebenen Sätze, sogar die bekanntesten, wie *varius*, *advenire* usw. theils in dem Wörterverzeichnisse ihres seither gebrauchten Elementarbuches (v. Bröder u. Kühner), theils in den Reihen der voranstehenden Vocabeln, sie mit dem Zeigfinger durchlaufend, zu suchen. Man darf behaupten, d a s z z u r E r r e i c h u n g d e s o b e n g e n a n n t e n Z w e c k e s e i n d e m E l e m e n t a r b u c h e e i n g e s c h a l t e t e s o d e r a n g e h ä n g t e s V o c a b u l a r i u m n i c h t n u r n i c h t t a u g l i c h , s o n d e r n s o g a r h i n d e r l i c h s e i.

Welches Vocabular wird nun das geeignete sein? K e i n e s. Den zum Verständnis einer fremden Sprache nothwendigen Wortschatz wird der Schüler am sichersten nur aus der Lectüre und durch die Lectüre gewinnen. Wie nebenbei ein etymol. Vocabular beim Unterricht benützt werden könne, werden wir im folgenden sehen. Allein das vorhandensein von Vocabularien berechtigt noch nicht zu dem Schlusse, dasz es ohne ein solches Buch nicht möglich sei jenen Zweck zu erreichen. Es gibt ja auch eingebildete Bedürfnisse.

Soll der ganze Wortschatz aus der Lectüre gewonnen werden, so ist hierzu ein auf grammatischer und realer Grundlage angelegtes Elementarbuch erforderlich. Ein Lesebuch, das dem grammat. Gang des Unterrichtes gar keine Rechnung trägt auszer etwa, dasz es anfangs einfacheres und leichteres, später zusammengesetzte Sätze und längere und schwierigere Stücke bietet, zwingt den Lehrer die Formenlehre von der Lektüre ganz zu trennen, ja den Sprachunterricht mit auswendiglernen der Formen zu beginnen. Man kann auf das naturwidrige und unerquickliche eines solchen Verfahrens nicht oft genug aufmerksam machen; ich wiederhole daher, was ich schon anderwärts angeführt: sowol einzelne Wörter, als grammatische Formen lernt und behält man am sichersten, wenn man sie aus bestimmten Beispielen erschaut, welche die Bedeutung derselben aus den Satzverhältnissen erkennen lassen. Ein Elementarbuch dagegen, welches einzig den grammat. Unterrichtsgang zur Richtschnur nimmt, weckt und belebt nicht, sondern macht stumpfsinnig und schlaff durch das einerlei und reizlose seines Inhaltes, der oft von solcher Geschmacklosigkeit ist, dasz man billig die Jugend damit verschonen sollte. Mit Recht sagt Prof. Hartung in der Vorrede zu seinem vortrefflichen (realen) Elementarbuche: 'Ein Gemisch von Aeuszerungen, Lebensansichten, Aussprüchen berühmter Männer, wenn es auch genieszbar wäre für diejenigen, die noch nichts erlebt haben, bietet den Knaben kaum etwas zur Nahrung und zum Genusse für die Gegenwart dar; blosz die Aussicht auf die Zukunft soll sie stärken und beleben, und man hält es für einen groszen Gewinn, wenn sie sogleich mit der Muttermilch einige solche Notizen einsaugen und, so zu sagen, von den Windeln an gelehrte sind. Solche Sachen übersetzen dann die Schüler, ohne sich um den Inhalt zu bekümmern, und fast ohne zu wissen, was sie lesen. Und was kann verderblicher sein, als das gewöhnen an ein solches betreiben des klassischen Unterrichts? Werden sie nicht später den Livius mit der nemlichen Gedankenlosigkeit lesen?— Einheimisch musz sich der Schüler fühlen und Grund unter den Füszen spüren, wenn er aus freiem Antrieb thätig sein und nachdenken soll. Wenn daher Kinder ins Alterthum eingeführt werden sollen, so müssen sie zuerst in dasjenige Element versetzt werden, worin sich ihr Geist am besten und natürlichsten bewegt.' Müste ich wählen zwischen einem rein grammatischen und einem rein realen Elementarbuche, so würde ich unbedingt dem letztern den Vorzug geben.

Indes lassen sich beide Anforderungen vereinigen. In meinen Lehr- und Lesestücken habe ich diese Aufgabe zu lösen versucht. Dieselben zerfallen in 4 Abtheilungen; das 1e Buch gibt leichte Sätze, welche die Satztheile in ihren einfachsten Verhältnissen und zugleich die ihnen entsprechenden Formen darstellen: § 4. *Mola strepit. Molae strepunt* etc. (Nom.); § 17. *Homo terram arat. Terra gerit herbas* (Acc.); § 43. *Lingua gustamus. Digito monstramus. Salem sapore sentimus. Manu rem prehendimus* (Abl.). Dieselben Vokabeln kommen in den folgenden §§ wieder vor. Hier lernt der Knabe Namen von Gegenständen, die seinem Gesichtskreise nahe liegen, Wörter, die, wie Döderlein sich ausdrückte, gleichsam instinctartiges Interesse haben; schon nach 5—6 Lehrstunden weisz der Schüler einige Bäume zu benennen, mehrere Vögel, einige andere Thiere, Wörter, die etwas lebloses bezeichnen, Ausdrücke, die sich auf den Menschen beziehen usw. Das abfragen geschieht bei geschlossenen Büchern bald zu Ende, bald zu Anfang der Stunde. Sehr bald kann der Lehrer fragen: *quis volat? quis nat (natat)?* usw. Es versteht sich von selbst, dasz die Vokabeln zur Abwechslung auch nach einer bestimmten Declination oder Conjugation abgefragt werden. Schon frühe wird der Schüler auf Ableitung und Verwandtschaft der Wörter aufmerksam: *ferrum, ferreus; rarius, rarietas;*

firmus, infirmus; levis, levare; strepere, strepitus usw. Wie der
Schüler die Vocabeln im Gedächtnis behalte, ohne sie einzeln aus-
wendig zu lernen, wird sich aus dem folgenden ergeben. Im 2n
Buche meiner Lesestücke ist die Rücksicht auf das grammatische und
zwar auf die Satzlehre vorhersehend; daher finden sich darin mehr
Sätze abstracten als beschreibenden Inhalts. Doch ist der sprachliche
Stoff wo möglich so gewählt, dasz der mittelst des In B. erlangte
Wortvorrath dem lernenden als Grundlage für das Verständnis dient
und immer mehr an Umfang zunimmt. Ein Wörterverzeichnis ist auch
diesem 2n B. nicht beigegeben; der Unterricht musz es entbehrlich
machen. Dasz dieses möglich sei, hat mir eine vieljährige Erfahrung
gezeigt. Da es nach dem bisher gesagten scheinen könnte, als ob der
Schüler, um in den Besitz des nöthigen Wortvorraths zu gelangen,
sich ganz passiv verhalten dürfe, so erlaube man mir, dasz ich weiter
aushole, um darzuthun, auf welche Art ich d i e S e l b s t t h ä t i g k e i t
d e s l e r n e n d e n i n A n s p r u c h g e n o m m e n w i s s e n m ö c h t e.
Ehe man vom Schüler verlangen kann, dasz er l e r n e, musz der Lehrer vorher l e h r e n. Hat er Anfänger vor sich, die noch gar keine
Kenntnis des Lat. besitzen, so übersetzt er den ersten Satz von Wort
zu Wort; die Schüler sprechen nach. Dann liest er den folgenden
Satz; hier fragt er erst: 'welche Wörter nehmet ihr in diesem Satze
wahr, die schon im vorigen dagewesen?' Dann erst spricht er die
Uebersetzung usw. Die häusliche Aufgabe des Schülers ist es, sich
auf die nächste Lection v o r z u b e r e i t e n. Diese Vorbereitung besteht in der Wiederholung dessen, was in der letzten Lection vorgekommen. Auf die dritte Lection hat er das zu wiederholen, was in
der letzten und was in der vorletzten gelehrt worden usw., so dasz
die jedesmalige Aufgabe aus zwei Theilen besteht. Oft findet eine
allgemeine Wiederholung statt, später diese etwa nur von Woche zu
Woche. Bei denjenigen Wörtern, welche neu hinzukommen, ist es
verzeihlich, wenn der Schüler ein und das andere vergessen hat; hier
ist Nachsicht nothwendig, nicht aber bei denjenigen Wörtern, welche
schon mehrmals dagewesen oder öfters wiederholt worden; die meisten haften leicht im Gedächtnisse, selbst bei Schülern von mittel-
mäszigen Anlagen. Man fordere nicht, dasz der Schüler die Vocabeln,
die in einem neuen Lesestücke enthalten sind, aufschreibe und gestatte
dies auch nicht, wollte er es aus eigenem Antriebe thun. Noch weniger darf geduldet werden, dasz er die Uebersetzung aller Lesestücke
schreibe*). Dagegen läszt der Lehrer jede Woche 1—2mal ausgewählte Sätze aus verschiedenen §§ (nicht ganze §§) in ein Heft übersetzen, theils um sich zu überzeugen, wie die Sache verstanden worden, theils zur Uebung im schreiben, theils zum Behufe des regelmäszig vorzunehmenden mündlichen und schriftlichen rückübersetzens,
indem der Schüler mittelst der geschriebenen Uebersetzung die ausgewählten latein. Stellen leichter in das Gedächtnis aufnehmen und

---

*) Ruthardt hat die Gründe angegeben in d. o. gen. Buche.

wiedervorbringen kann.   Schriftliches übersetzen eines neuen Stoffes
sollte, wie die mündliche, nur unter der Aufsicht des Lehrers vorgenommen werden, dasz der Schüler, abgehalten von Benützung eines
Wörterbuches oder einer andern unerlaubten Beihülfe, gezwungen ist
nachzudenken und sich zu erinnern, in welchem der früheren Lesestücke dieses oder jenes Wort vorgekommen sei.   Wörter und Ausdrücke, die er nicht wissen kann, schreibe man an die Schultafel oder
lasse sie den Schüler auf seine Handtafel, aber nicht in ein Heft
schreiben, damit sie ablöschbar seien und nicht noch späterhin zur
Stütze dienen.

Das wachsen des Wortschatzes — und diese Wahrnehmung gewährt dem lernenden ermuthigendes Bewustsein — ersieht man auch
aus folgender Uebung.   Man lasse die Schüler aus ihrem erlangten
Wortschatze Wörterfamilien. bald mündlich angeben, bald an die
Schultafel ansetzen: *movere, motus, terrae m., mobilis*), immobilis,
mobilitas, admovere, removere* usw.   Bei *mittere* weisz er anzuführen:
amittere, promittere, aus § 16 *promissa sancte servare*, aus § 88
omittere, aus § 94 *remittere*, aus § 104 *remissio ; committere* in verschiedener Bedeutung, aus § 12 *salutem c. fluctibus*, aus § 87 *scelus c.*
Es mag nützlich sein, Wörtergruppen in einem etymologisch angeleg-
ten Vocabularium den Schülern vor Augen zu führen; aber nothwendig
ist ein solches Buch nicht, am allerwenigsten zum auswendiglernen.
Dagegen wird der Lehrer öfters in der Grammatik einige Theile der
Wortbildung, nie ganze §§, vornehmen und erleutern, z. B. § 167 bis
-alis; ein anderes mal etwas aus § 166.   Da, wo der Schüler die Bedeutung der dort angeführten Beispiele selbst finden oder aus der Lectüre wissen kann, ist sie in dem Buche nicht beigefügt: bei *facilis*
kommt er unschwer auf '*thunlich*'.   Auf diese Weise betrieben ist das
Capitel von der Wortbildung in der Grammatik durchaus nicht so unfruchtbar und nicht so ermüdend, als wenn man dasselbe ohne Zu-
grundelegung des bereits gewonnenen Wortschatzes durchnimmt, wie
das so häufig geschieht.   Da ich möglichst viele Beispielsätze aus dem
2n B. der Lesestücke in meine Grammatik übertragen habe, so findet
der Schüler auch in der Satzlehre bekanntes vor und wird sich in
diesem Theile der Grammatik bald heimisch fühlen.   Die vom Lehrer
bezeichneten Mustersätze lernt er auswendig und behält sie durch
häufiges citieren auch für die folgenden Jahre im Gedächtnis.   Doch
sollte man den Schüler in gewisse §§ der Satzlehre, wie überhaupt
in die Grammatik, nicht eher einführen, als bis er durch die Lectüre das
nöthige Material gewonnen hat, z. B. in die §§ 266 u. 267 nicht eher,
als bis die betreffenden Wörter in den Lesestücken vorgekommen
sind: *taurus cornu petit; hoc abs te peto; id te consulo; universo*

---

*) Es ist hier natürlich vorauszusetzen, dasz der vorausgegangene
Unterricht die deutsche Wortbildung und Wortbedeutung nicht versäumt habe; der Schüler musz zu unterscheiden wissen zwischen *ge-
bogen* u. *biegsam, bewegt* u. *beweglich, gebraucht* u. *brauchbar* usw.

generi hominum a deo consulitur, usw. Mehrere §§ des 2n B. der
Lesestücke bieten Gelegenheit zum lat. sprechen, wie D ö d e r l e i n
will: § 80. *O amice*, *salve: ut vales*? *Et tu salve; valeo et valui.*
§ 88. Micio: *quid tristis es?* Demea: *rogas me, quid tristis ego sim?*
M. *omitte tristitiam tuam* usw.   Vertheilt man die Rollen unter je
2—3 Schüler, so macht es den jungen Leuten Vergnügen und der Unterricht gewinnt dadurch an Lebendigkeit. Ich habe daher auch in
das 4e B. der Lesest. eine Anzahl dramatischer Bruchstücke, die je ein
kleines ganzes bilden, aufgenommen. Dem 1n u. 2n Büche der Lesest.
habe ich A u f g a b e n beigefügt, welche als Vorübung und Uebergang
zum componieren dienen sollen. Zahl und Umfang derselben ist für
das volle Bedürfnis der Schule nicht ausreichend; aber sie lassen sich
leicht vervielfältigen; man möge nur die darin liegende Andeutung
beachten, zu welch manigfachen Uebungen sich die Lesestücke benützen lassen. Zur Abwechslung kann man schon neben dem 2n B. in
gelegener Stunde einzelne Stücke aus dem 3n Buche der Lesestücke
übersetzen lassen. Dieses enthält blosz Beschreibungen der Auszen-
welt und insbesondere geographisches, und soll nicht, wie das 1e u.
2e B., dem grammatischen Unterrichte als Grundlage dienen, sondern
in mehr cursorischer Lectüre dem Schüler den Inhalt der Stücke als
ganzes vorführen. Dabei wird sich sein Begriffsumfang erweitern und
zugleich theils ihn zur Auffassung eines gröszeren ganzen befähigen,
theils ihm die nöthigen Vorkenntnisse z. B. zur Lectüre historischer
Schriften gewähren; so §§ 72—95. Auch diesem Buche ist kein Vocabularium angehängt, aber Anmerkungen, welche theils schwierigere
Ausdrücke erklären, theils den Inhalt erleutern oder berichtigen
(Diese Zugabe dürfte bei einer neuen Auflage zu erweitern sein.) Das
4e Buch der Lesestücke*) handelt '*vom Menschen*', und gibt Beschreibungen, Lebensbilder und Vorschriften in Erzählungen, Briefen, Gesprächen und Fabeln. Da überall der Schriftsteller genannt ist, so
kann der Lehrer, welcher aus Grundsatz nur ciceronisches will, die
betreffenden Stücke leicht herausfinden. Auch aus diesem Buche sind,
wie aus dem 2n Beispielsätze in die Grammatik aufgenommen; auszerdem wird diese Lectüre Veranlassung geben, diejenigen schwierigeren
Partien der Grammatik, welche in den zwei unteren Klassen übergangen werden musten, nachzuholen. Uebungsaufgaben zum übersetzen
ins Lat. habe ich diesem Theile der Lesestücke weder eingeschaltet
noch angefügt, weil sich solche Uebungen, da sie dem jeweiligen
Grade der Kenntnisse der Schüler angepasst und der vorausgegangenen Lectüre entnommen werden sollten, nicht wol im Vorrath in einem
Buche abfassen lassen, sondern am besten vom Lehrer selbst nach Bedürfnis entworfen werden**). Ein Vocabularium ist dem 4n B. ebenfalls nicht beigegeben, weil es nur ein mangelhaftes und darum schäd-

---

*) Dieses ist noch nicht im Drucke erschienen.
**) Man vgl. die beurtheilende Anzeige in den N. Jahrb. Bd. LVIII
S. 282.

liches und für den längern Gebrauch unzureichendes sein könnte *).
Glaubt man etwa im vierten Jahre ein solches Hülfsmittel durchaus
nicht länger entbehren zu können, so mag man den Schüler in den
Gebrauch eines gröszern Schulwörterbuches — sei es ein etymologi-
sches oder ein rein alphabetisches — einführen, denn auch darin hat
er eine Anweisung nothwendig. Doch sollte man ihn dann nicht zum
täglichen Gebrauche des Lexikons veranlassen; denn je häufiger er es
zu benutzen sich gewöhnt, desto mehr hindert dies die Zunahme seines Wortschatzes **).

Meine Erfahrungen berechtigen mich zu der Behauptung, d a s z
d e r W o r t s c h a t z d e s S c h ü l e r s schon im z w e i t e n J a h r e
e i n e n U m f a n g v o n 2 — 3 0 0 0 V o c a b e l n e r r e i c h e n und im
d r i t t e n J a h r e a u f d a s d o p p e l t e a n w a c h s e n k a n n. In welchem Grade derselbe in den folgenden Jahren zunehmen werde, das
hängt zum groszen Theile davon ab, inwieweit der lernende sich von
der Sklaverei des Lexikons frei erhält. Es ist von gröszter Wichtigkeit, dasz die geistige Thätigkeit des lernenden nicht blos von Anfang
an die rechte Richtung erhalte, sondern auch späterhin von Abwegen
abgehalten werde, wie jener mechanische Fleisz ist (bestehend im
Lexikonwälzen, wie R. D i e t s c h es bezeichnend nennt, und in Vielschreiberei, die sich in den verderblichen Praeparations- und Ueber-
setzungsheften bekundet), womit so viele Schüler ihrer Pflicht zu
genügen wähnen, ein Fleisz, ·der ihnen aber Zeit, Kraft und Lust
zum nachdenken entzieht, und späterhin, wenn derselbe zur Gewohnheit geworden, eine vernünftigere Vorbereitung kaum aufkommen
läszt. Die Sache des lehrenden ist es, dasz er den lernenden nicht
nur zur Aufnahme der sprachlichen Mittheilungen geneigt erhalte,
sondern zugleich bei allem neuen veranlasse, das Verständnis desselben soweit selbst zu versuchen, als ihm dies nach seinen bereits erlangten Kenntnissen zugemutet werden kann. Sache des lernenden ist
es, dasz er das, was er durch Unterricht empfangen, zu Hause durch
wiederholen, überdenken und zusammenfassen zu seinem Eigenthume
mache. Ob und wie er dieses jedesmal thut, davon hängt für die

---

*) So findet sich z. B. in dem Wörterbuche zu einem gröszeren
Lesebuche: 'Committere zus. gehen lassen, proelium beginnen oder liefern; 2) anvertrauen; 3) begehen, verschulden. Consulere sich berathen; 2) für etwas sorgen, Rath schaffen; in commune, in medium fürs
allgem. beste; 3) um Rath fragen. Consumere verzehren, durchbrin-
gen, hinbringen, verwenden. Petere angreifen; 2) nach einem Orte
hingehen; 3) verlangen, ersuchen, bitten; 4) nach etwas streben.'
**) 'Das aufsuchen von Wortbedeutungen, das nachschlagen über
sachliche Beziehungen mag die Ausdauer des Fleiszes und guten Willens, die Widerstandskraft gegen die vis inertiae in hohem Grade üben
und erproben; der Gewinn solcher doch immer mehr oder weniger mechanischen Arbeit für die sittliche, wie für die intellectuelle Kraft
steht gewis oft in allzu schwachem Verhältnis zur Arbeit selbst, und
die Wirkung dieser kann nicht selten anders als ermüdend, lähmend,
abstumpfend sein.' Progr. v. K. B a u m a n n, Mannheim 1854.

nächste Lection die Möglichkeit eines erfolgreichen weitergehens ab. Wo diese Art von Selbstthätigkeit und eine solche Vorbereitung von Anfang an verlangt und durch alle Klassen fortgesetzt wird, da erwächst sie zur Gewohnheit, die dem Schüler auch auf der Hochschule gut zu statten kommt. Wo hingegen die Vorbereitung des lernenden darin besteht, dasz er seinen Blick und seinen Fleisz hauptsächlich nur vorwärts auf das wenden soll, was in der nächsten Lection vorkommen wird, und durch unnützes abmühen und vages zerren an einem ihm noch unklaren Gegenstande Zeit und Kraft und Freudigkeit verliert, da ist es kein Wunder, wenn man über geringen Erfolg des Sprachunterrichtes in den Gymnasien zu klagen Ursache hat.

Ellwangen. *H. Hoegg.*

24.

Lehr- und Uebungsbuch der Elementar-Arithmetik mit fast 3000 *Aufgaben von Dr. Fr. H. Pollack, Rector und Professor am Lyceum zu Dillingen.* — Augsburg 1854, Matth. Riegersche Buchhandlung.

Von dem Vf. des angezeigten Werkes sind schon früher 4 Abtheilungen einer Sammlung mathematischer Aufgaben erschienen, und auch in diesen Jahrbüchern (Bd. LII S. 318) besprochen worden; ein näheres eingehen auf die jüngst erschienene Sammlung wird deshalb nicht ganz ungünstig aufgenommen werden, zumal da dasselbe uns Gelegenheit bieten wird, einzelne principielle Fragen näher zu erörtern. In der kurzen Vorrede sagt der Hr. Vf., dasz die in Rede stehenden Aufgaben schon in den Jahren 1837 und 1838 geschrieben und bald darauf von einem Freunde nachgerechnet seien; nach zwölfjähriger Pause sei das Manuscript wieder zur Hand genommen, die Aufgaben seien ergänzt und geordnet, und endlich die erforderlichen Regeln eingeschaltet, was ursprünglich nicht im Plane gelegen. Mit diesen Regeln wollen wir uns zunächst auseinander setzen, indem wir blosz beiläufig bemerken, dasz der gewählte Titel dem Inhalte keineswegs entspricht, da wir es nicht mit Regeln und Aufgaben der Elementar-Arithmetik, sondern mit eben solchen der gemeinen Rechenkunst, wie man sich wol auszudrücken pflegt, zu thun haben.

Wenn im § 1 gesagt ist: 'die Zahl bezeichnet eine Menge gleichartiger Dinge' und 'Einheit ist ein jedes von gleichartigen Dingen' und endlich 'unbenannt pflegt man die Zahlen dann zu nennen, wenn die Art der Einheit nicht näher bestimmt ist', so wird die einfache Zusammenstellung dieser Sätzchen das ungenügende derselben schon hinlänglich darthun. Dem Begriffe der Zahl musz sich der des zählens und des numerierens sofort anschlieszen. Ueber das z ä h l e n sagt der Vf.: 'durch hinzuthun einer neuen Einheit zur ersten Einheit entsteht

die Zahl zwei — usw. entstehen auf ähnliche Weise die übrigen
Zahlen der natürlichen Zahlenreihe in welcher sowol alle ungraden
als auch alle graden Zahlen enthalten sind'. Auszer der Weitschwei-
figkeit dieser Erklärung, die zudem nicht einmal umfangreich genug
ist (wie kann man beispielsweise $\frac{7}{8}$ durch zählen gewinnen?) sieht
man nicht ab, was an dieser Stelle die Rücksichtnahme auf grade
und ungrade Zahlen bezwecken soll, da eine nähere Erklärung für
dieselben nicht gegeben ist, und hier auch nicht gegeben werden
konnte. Der Begriff Ziffer ist nicht erklärt, auf die Bildung der
Zahlwörter ist nicht eingegangen. Das numerieren durch die
bekannte Eintheilung der Zahlen in Klassen mit je 6 Ordnungen, und
die dadurch bedingte Abtheilung zu je 6 Stellen, wodurch das deutsche zählen sich wesentlich, z. B. von dem französischen, unterscheidet, wird nicht weiter erleutert, endlich auch die Hinweisung auf
das zahlenschreiben mit römischen Ziffern nicht bis zu der für dieselbe
maszgebenden Regel fortgeschritten. Auch die Worte des Vf.: 'dekadisch werden die Zahlen angeschrieben, wenn man die einzelnen Ziffern ihren Localwerthen gemäsz anschreibt, so lautet z. B. 365 dekadisch geschrieben 300 und 60 und 5 Einheiten, welches auch durch
3 Hundert 6 Zehner und 5 Einheiten gegeben werden kann', sind unmöglich gutzuheiszen, denn abgesehen davon, dasz in dieser Stelle
das Wort Einheit in einer miszlichen Zweideutigkeit erscheint, ist
noch die ganze Auffassung eine falsche, da dekadisch nur im Gegensatze zu oktadisch oder protadisch usw. gebraucht werden kann,
so dasz man nur sagen kann: in dekadischer Schreibweise ist das Zeichen der Zahl dreihundertfünfundsechzig '365', in oktadischer
etwa '555'. Ebenso ungenau ist die Erklärung 10 des § 1, worin es
heiszt: 'Zahlen derselben Benennung heiszen gleichartig, auszerdem
ungleichartig', da hier der Hauptbegriff gleichnamig fehlt und
3 Thaler und 5 Gulden nicht, wie der Vf. meint, ungleichartig, sondern
grade gleichartig sind.

Der dritte § handelt von den vier Rechnungsarten in ganzen Zahlen. Ueber die Erklärungen des addierens und subtrahierens ist zu
bemerken, dasz dieselben zu enge sind, indem sie die Addition und
Subtraction der Brüche nicht enthalten. Ebenso steht es mit der Erklärung von Division, die nur den Begriff des messens, nicht den des
theilens berücksichtigt. Regeln wie: Man schreibe beim addieren
und subtrahieren die Ziffern derselben Ordnung untereinander; oder:
die Summanden oder die Factoren können miteinander vertauscht werden; oder: man multiplicire jeden Theil der einen Zahl mit jedem
Theile der andern; oder: wenn mehrere zu addierende und mehrere zu
subtrahierende Zahlen gegeben sind, so addiere man erst die zu addie-
renden, dann die subtrahierenden und subtrahiere schlieszlich die beiden Summen, und ähnliche andere hat Ref. sehr ungern vermiszt, da
sie nicht nur das mechanische rechnen erleichtern, ja sogar erst ermöglichen, sondern auch für das tiefere Verständnis von weiter grei-
fender Bedeutung sind.

Im § 6 heiszt es: 'Hat eine Zahl keine andere als sich selbst und die Einheit zum Masze, dann ist sie eine einfache oder eine Primzahl. Läszt sich eine Zahl durch mehrere andere Zahlen ohne Rest theilen, so ist sie eine zusammengesetzte Zahl'. Es ist durchaus nothwendig, dasz an dieser Stelle zwischen e i n f a c h e n und z u s a m m e n g e s e t z - t e n Zahlen einerseits, und zwischen P r i m - und c o m p l e x e n Zahlen andrerseits unterschieden werde. In gar vielen Lehrbüchern wird das auszer Acht gelassen, und es thut wahrlich Noth, einen festen Gebrauch der vier Begriffe einzuhalten. Allgemein angenommen ist der Begriff der Primzahl: daraus folgt aber, dasz der Gegensatz durch complexe Zahl bezeichnet werden musz, nicht durch den deutschen Ausdruck zusammengesetzt, der vielmehr als Gegensatz der einfachen Zahl festzuhalten ist, wenn anders alle vier Bezeichungen nicht entbehrt werden können. Demnach hat man folgende Erklärungen: 1) einfache Zahlen sind Producte und Quotienten; 2) zusammengesetzte Zahlen sind Summen und Differenzen; 3) Primzahlen sind Producte, die nur 1 und sich selbst zu Factoren haben; 4) complexe Zahlen sind Producte, die auszerdem noch andere Zahlen zu Factoren haben. — Die Theilbarkeit der Zahlen durch 2, 3, 4, 5, 6, 8, 9, 11, 12 hat der Vf. ebenfalls angeführt, nur sind die Regeln dafür viel zu weitläufig gefaszt und die so sehr leichten Beweise unterdrückt; Regeln und Beweise konnten sehr wol auf dem gewährten Raume zusammengedrängt werden. — Das Schema für die Auffindung des gröszten gemeinschaftlichen Factors ist unpraktisch, das für die Auffindung des kleinsten gemeinschaftlichen Dividendus zu weitläufig. — Bruch ist nach dem Vf. ein oder mehrere Theile eines in gleiche Theile getheilten ganzen: soll das richtig sein, so müssen auch die unechten Brüche zu den uneigentlichen gezählt werden, wenn man die Bezeichnung des Vf. annehmen will. Besser heiszt es offenbar: Bruch ist das ein- oder vielfache eines Einheitstheiles, oder wie schon Diesterweg sagt, eines Stammbruches. Dasz die Brüche an die Division angeschlossen worden, insofern als Dividendus und Zähler und Divisor und Nenner als gleichbedeutende Begriffe gesetzt werden, ist anzuerkennen, nur durfte der Nachweis dafür nicht fehlen. Unpassend ist der Ausdruck reducieren für heben, um so mehr, wenn der erstere schon in einer andern Bedeutung gebraucht worden ist. Die Divisionsregel für Brüche ist: Man dividiert Zähler in Zähler und Nenner in Nenner; dieselbe geht über in die andere: man dividiert Brüche, indem man den Dividendus mit dem reciproken Divisor multipliciert. Die erste Form der Regel hat der Vf. nicht oder nur für einen speciellen Fall gegeben, obgleich sie bei Decimalbrüchen unentbehrlich ist; die zweite Form hat statt des von uns gebrauchten Ausdruckes reciprok den Ausdruck umstürzen, was weder passend noch auch sachgemäsz ist.

Die §§ 10 und 11 'von den Decimalbrüchen' geben uns zu folgenden Bemerkungen Anlasz. Die Unterscheidung zwischen gleichnamigen und ungleichnamigen Decimalbrüchen ist zum mindesten überflüssig. Die Eintheilung in endliche und unendliche Decimalbrüche ist

richtig, nicht aber der weitere Zusatz, dasz die unendlichen Decimalbrüche auch periodische heiszen, und ebenso wenig, dasz Rechnungen
mit unendlichen Decimalbrüchen immer unrichtige Resultate geben.
Die Beweise für die Verwandlung der periodischen Brüche in gewöhnliche durften nicht unterdrückt werden. Die Regeln für die Division
der Decimalbrüche sind in zu viele Einzelfälle zersplittert, und nicht
zu éiner in allen Fällen anwendbaren zusammengedrängt. Gleiches
findet statt bei der Darstellung der Regeln für die sogenannte abgekürzte Multiplication und Division: die hierfür gegebene Anleitung
ist bei aller Breite in gar vielen Fällen ungenügend, zu geschweigen,
dasz sie von einem allzu engen Gesichtspunkte ausgeht. — Im § 14
gibt der Vf. als Anhang zur Bruchlehre einige Sätze über Doppel- und
über Kettenbrüche. Doppelbrüche müssen ihrer Form halber angeführt
werden, ihre fernere Behandlung bietet gar keine Schwierigkeit. Kettenbrüche dagegen gehören durchaus nicht in ein Werk wie das vorliegende, es kann sogar darüber gestritten werden, ob sie in der Elementar-Arithmetik überhaupt eine Stelle erhalten dürfen.

Das in den §§ 15 und 16 über Verhältnisse und Proportionen mitgetheilte ist in mancher Beziehung überflüssig, namentlich verdienen
arithmetische Verhältnisse und Proportionen weder ihrer theoretischen
noch praktischen Wichtigkeit halber eine Erwähnung. Wenn der Vf.
die Bestimmung des Mittelwerthes an die arithmetische Proportion angeschlossen, und eine Regel dafür zwar nicht deutlich in Worten, aber
doch in einem Beispiele erleutert hat, so möge er bedenken, dasz
wenngleich einzelne leichte Aufgaben der Art sich unmittelbar dem
arithmetischen Mittel als der halben Summe zweier Zahlen anreihen,
dennoch die meisten derartigen Aufgaben nur eine Combination mehrerer
Regeldetrie-Aufgaben sind, und sonach der geometrischen Proportion
angeschlossen werden müssen. Eine Aufgabe wie die folgende: jemand
leiht am 1n März 300 Thlr. Capital zu $4\frac{0}{0}$ aus, ferner am 1n Juli 400
Thlr. C. zu $5\frac{0}{0}$ und am 1n September 600 Thlr. C. zu $4\frac{1}{2}\frac{0}{0}$, auf welchen Tag kann er die Zinsen aller Capitalien vereint erhalten? erhält

allerdings die Auflösungsgleichung $x = \dfrac{300.4.2 + 400.5.6 + 600.4\frac{1}{2}.8}{300.4 + 400.5 + 600.4\frac{1}{2}}$

und ist somit nur eine Erweiterung der speciellen Formel $x = \dfrac{a+b}{2}$,

jedoch weit entfernt, einen einfachen Beweis zuzulassen, und der Vf.
würde wol gethan haben, mehrere Aufgaben der Art, nicht allein in der
Sammlung, wo wir sie vorzugsweise vermiszt haben, sondern auch
bei den allgemeinen Auflösungs-Methoden zu berücksichtigen. Die
Wichtigkeit, die man in ältern Lehrbüchern den geometrischen wie
den arithmetischen Proportionen beilegte, war einzig und allein darin
begründet, dasz die Progressionen aus ihnen hergeleitet wurden; seit
man jedoch die Progressionen einfach als Reihen mit constanten Differenzen oder mit constanten Quotienten ansieht und behandelt, fällt die
Wichtigkeit der Proportionen ganz dahin, und sie dürfen in dem Un-

terrichte nur eine historische Erwähnung finden, weil man die Ausdrücke: proportiónal, arithmetisches, geometrisches Mittel nicht wol umgehen kann. Auszerdem kann man auch im besondern, wenn wir $\frac{a}{b} = \frac{e}{d}$ zu Grunde legen, entwickeln und in Worten aussprechen lassen:

1) a. d = b. c

2) $\frac{a+b}{b} = \frac{c+d}{d}$ oder $\frac{a-b}{b} = \frac{e-d}{d}$.

Damit ist aber auch die ganze Theorie beendigt, denn alle andre Umformungen, die man etwa noch vornehmen könnte, haben an und für sich gar keine Bedeutung und sind nichts als mathematische Spielereien. Weiterhin musz Ref. auch an der in diesen Jahrbüchern sehon früher ausgesprochenen Behauptung festhalten, dasz die Form der Proportion am besten durch die Form zweier gleicher Brüche ausgedrückt wird, denn die Bruchform ist dem Schüler bis dahin so geläufig geworden, dasz ihm $\frac{a}{b} = \frac{c}{d}$ als etwas bekanntes, dagegen a : b = c : d als ein unbekanntes, das zudem noch mit neuen Namen überladen wird, erscheinen musz. Beide Schreibweisen müssen wenigstens nebeneinander gebraucht werden, zumal in dem vorliegenden Werke, da der Vf. schon p. 33 geschrieben hat:

'Dividend : Divisor = Quotient oder $\frac{\text{Dividend}}{\text{Divisor}}$ = Quotient.'

Was nun weiter die Anwendung der geometrischen Proportion in der einfachen und zusammengesetzten Regel von dreien betrifft, so weicht der Hr. Vf. von der bis jetzt beliebten, ziemlich mechanischen Darstellungsweise nicht ab; er setzt für die Lösung der Regel von sieben z. B. die folgende Form hin:

$$\left. \begin{array}{l} a : b \\ g : h \\ k : m \end{array} \right\} = p : x$$
$$\overline{a. g. k : b. h. m = p : x}$$

ohne die eigentliche Herleitung dieser Form nebst der näheren Entwicklung der in ihr verborgenen Operationen des weiteren auseinander zu setzen und dem Verständnisse näher zu treten. Diese Art der Auflösung ist nicht geistesbildender als die einfache Mechanik der Rees'-sehen Regel, die ebenfalls aufgenommen ist, aber ohne in bestimmte Worte gekleidet zu sein, sondern wiederum nur durch ein paar Beispiele erleutert: zudem ist dieselbe zuletzt noch mit dem Kettensatze verwechselt worden, was kaum begreiflich ist, da die ähnliche Form beider Sätze doch schwerlich irre führen konnte, und die Rees'sche Regel stets nur bei einer Aufgabe über die einfache oder zusammengesetzte Regel von dreien, der Kettensatz dagegen bei mehreren Aufgaben Anwendung findet, sobald dieselben zu einer einzigen combiniert sind. Um das gesagte zu verdeutlichen, sei a; c; e; h;

b; d; f; x. die Zeichendarstellung einer Aufgabe über die

Regel von 7, dann ist, wenn etwa $\dfrac{e}{f}$ ein ungrades Verhältnis, $\dfrac{a}{b}$ und

$\dfrac{c}{d}$ dagegen in Bezug auf x grade Verhältnisse sind,

$$\left.\begin{array}{l} a = h \\ b = y \\ \hline e = y \\ d = z \\ \hline e = z \\ f = x \end{array}\right| \text{ und hieraus }\ \begin{array}{l} \dfrac{a}{b} = \dfrac{h}{y} \ . \\[2mm] \dfrac{c}{d} = \dfrac{y}{z} \\[2mm] \dfrac{c}{f} = \dfrac{x}{z} \end{array}$$

also

$$\frac{a}{b} \cdot \frac{c}{d} : \frac{e}{f} = \frac{h}{y} \cdot \frac{y}{z} : \frac{x}{z} \ \text{oder}$$

$$\frac{a \cdot c \cdot f}{b \cdot d \cdot e} = \frac{h}{x}$$

Die Auflösungsgleichung ist $x = \dfrac{b \cdot d \cdot e \cdot h}{a \cdot c \cdot f}$ und hieraus kann dann

die Rees'sche Regel abstrahiert werden, also

$$\begin{array}{c|c} x & h \\ f & e \\ c & d \\ a & b \end{array}$$

$$x = \frac{h \cdot e \cdot d \cdot b}{f \cdot e \cdot a}$$

Die §§ 17 und 18 enthalten die Ausziehung der Quadrat- und Cubikwurzeln in rein mechanischer Art; die Quadrierung und Cubierung ist nicht vorhergeschickt, und somit auch hier nur ein mangelhaftes geboten, das niemals durch wenn auch geschickt gewählte Beispiele ergänzt werden kann.

Nach diesen Bemerkungen müssen wir zu dem allgemeinen Urtheile gelangen, dasz die gegebenen Regeln im vorliegenden Werke in Bezug auf Vollständigkeit, Praecision, sprachliche Darstellung und Beweisführung gar vieles mangelhafte darbieten, dasz sie ebenso wenig dem Lehrer genügen, als dem Schüler für die häusliche Repetition ausreichen werden. Es scheint uns, als habe der Vf. diesen Theil seiner Arbeit, den er selbst nur als eine spätere Beigabe betrachtet, mit zu geringem Fleisze bedacht, denn an der Einsicht, den Rechenunterricht in gehöriger Weise zu ertheilen, scheint es ihm in keiner Weise zu fehlen; einige Stellen des Werkes, auf die wir noch zurückkommen, liefern dafür den Nachweis.

Jeglicher Rechenunterricht musz vor allem die Beherschung der Zahl und der verschiedenen Zahlformen erzielen. Sogenannte Rechenfehler oder aber das stocken in der Ausführung complicierter Zahlen-

Verbindungen sollten nach einem zwei- bis dreijährigen Unterrichte
zu den Unmöglichkeiten gehören. Das scheint aber leider an vielen
Orten nicht der Fall zu sein, und mag daher kommen, dasz man
sich nicht die Mühe gibt, die technische Ausbildung im rechnen an und für sich zu erzielen, dasz man ferner dem, was
man gewöhnlich das kopfrechnen nennt, eine zu grosze Bedeutung beilegt, und endlich zu früh und zu direct auf das Ziel der
Verstandesbildung durch Bewältigung praktischer Aufgaben lossteuert.
— Die Theorie der Denkübungen hat nicht allein in der Mathematik
ihre bösen Früchte getragen. — Wie man beim Unterrichte in fremden Sprachen zunächst und ausschlieszlich die Formenlehre berücksichtigt und höchstens einfache syntaktische Verbindungen zur Abwechslung den Schülern vorlegt, so müssen auch beim Rechenunterrichte die 4 Species in unbenannten (ganzen und gebrochenen)
Zahlen mündlich und schriftlich (letzteres zuerst, ersteres nach
je mehr schriftlichen Uebungen desto häufiger, weil es reine Gedächt-
nissache ist) bis zur möglichsten Fertigkeit eingeübt werden. Nebenbei können und müssen für die häusliche Beschäftigung der Schüler
Aufgaben mit benannten Zahlen, einzelne derselben sogar in den
Lehrstunden als Anleitung gegeben werden, es darf das aber wenigstens im ersten Jahre niemals Hauptsache werden. Unser Vf. hat die
Nothwendigkeit und Bedeutung dieser Forderung wol gefühlt und derselben an einer Stelle seiner Sammlung auch Genüge geleistet, indem
er Seite 109 Aufgaben stellt wie: '$(13\frac{1}{4} - 2\frac{3}{8} + 8\frac{5}{24}) \cdot 2\frac{1}{2}$' und

S. 113: '$22\frac{1}{2} : (5\frac{3}{7} + 3\frac{2}{5} + 1\frac{3}{10} + 1\frac{7}{10})$' und S. 190: '$\dfrac{2\frac{3}{8} + 1\frac{4}{7}}{4\frac{1}{7} - 2\frac{3}{4}} = x$'.

In ganzen Zahlen hat er ähnliche Beispiele nicht gestellt, und doch
kann der Lehrer unserer Ansicht nach nicht genug Beispiele nach Art
der folgenden rechnen lassen:

1) $43279 + 867 + 956734 + 67 + 8 + 923 + 76345 = x$
2) $4327 - 83679 + 56 + 397628 - 44 - 2731 + 27 = x$
3) $(456 - 37 - 9683 + 46752) \cdot 697 = x$
4) $(5321 - 1234 + 56 + 67 - 317) \cdot 6793 : 967 = x$
5) $(43,271 - 0,0094 - 8,67 + 147 + 93,007) \cdot 67,345 : 9,763 = x$
6) $\dfrac{(467 + 896 - 532 - 21 + 8976) \cdot 321}{(1 + 2 + 3 - 5 + 6 - 21 + 721) \cdot 57} = x$
7) $(4\frac{3}{5} - 1\frac{7}{8} - 2\frac{4}{6} + 8\frac{4}{9}) \cdot 27\frac{4}{5} : \frac{19}{21} = x$ usw.

Solchen Uebungen setzen wir als vollkommen gleichberechtigt
das rechnen in verschiedenen Zahlensystemen an die Seite, und behaupten, dasz erst dadurch das rechnen bis zum nothwendigen Grade
der Vollkommenheit geführt werde. Wol wird sich gegen diese Behauptung von sachverständigen und Laien ein ernster Widerspruch
erheben, gerade deshalb aber müssen wir des nähern darauf eingehen,
obgleich unser Vf. keine einzige Andeutung darüber gemacht hat.
Historisch darf ich anführen, dasz als ich nach zwei Jahren prakti-
sehen Dienstes meinem Lehrer, dem jetzt verstorbenen Professor Gu-

dermann zu Münster, einen Besuch abstattete, und die Rede auf die Methode des Rechenunterrichtes kam, derselbe mir die Frage stellte, ob ich auch das rechnen in verschiedenen Zahlensystemen sofort auf der untersten Stufe vornehme, und als ich ihm darauf ein staunendes nein entgegenrief, mir von dem praktisch erfahrenen Manne die Bemerkung entgegengehalten wurde, dasz er als früherer Gymnasiallehrer das stets gethan habe, und mit den besten Erfolgen belohnt worden sei. Auf meine Erwiderung, unsere jetzigen Sextaner seien nicht so vorbereitet und nicht so gereiften Geistes, wie es wol früher gewesen sein möchte, erhielt ich die Antwort: das thut nichts zur Sache, versuchen sie es einmal, sie werden mir später Dank wissen. Und nun! ich habe es versucht, trotz des vielfachsten Widerspruches versucht, und glaube wohl daran gethan zu haben. Der Einwurf, dasz Knaben von 9—10 Jahren diese Art des rechnens nicht fassen könnten, ist so unbegründet als die Behauptung, dasz das rechnen für sehr viele Menschen überhaupt zu schwer sei; ja im oktadischen Zahlensysteme z. B. wie in jedem andern, dessen Grundzahl kleiner als 10, ist das rechnen sogar leichter als im dekadischen und die ganze Schwierigkeit besteht nur darin, dasz man dem Schüler auseinander setzt, weshalb man z. B. die Zahl zweiunddreiszig oktadisch durch 40 oder pentadisch durch 62 oder dekadisch durch 32 bezeichnet. Trotz der so geringen Schwierigkeit dieser Uebungen noch Widerspruch zu finden, wäre allerdings wunderbar genug, wenn nicht die süsze Gewohnheit des althergebrachten eine alte doch immer neu bleibende Geschichte wäre. Und doch ist der Nutzen eines solchen rechnens so mannigfaltig! Knaben, die in der Elementarschule geraume Zeit im zahlenschreiben und in den 4 Species nach dem zehntheiligen Systeme sich geübt haben, ergeben sich nicht selten einem gewissen Leichtsinne, der Fehler über Fehler hervorruft: da wird es dann nöthig, sie gewaltsam von der blosze Gedächtnisrechnerei zurückzurufen und an Besonnenheit zu gewöhnen; kein besseres Mittel dafür als einige Divisionsexempel im zwölftheiligen Zahlensysteme. Weiterhin ersetzt diese Art des rechnens eine grosze Masse von Beispielen sowol des mündlichen als auch des schriftlichen rechnens, und endlich musz die mehr als sonst in Anspruch genommene Aufmerksamkeit der Zerstreuungssucht entgegenwirken, einem Uebel, das gerade in den ersten Jahren des Schullebens die meisten Klagen von Seiten der Lehrer hervorruft. Dasz neben dieser möglichst groszen technischen Ausbildung im rechnen, und ohne dasz der Lehrer geradezu auf ein tieferes wissenschaftliches ergreifen hinwirkt, dennoch ein solches erzielt oder doch wenigstens vorbereitet wird, liegt in der Natur der Sache. Auch die Decimalbrüche können sofort in der Sexta in gleicher Weise eingeübt werden; denn wenn ein Schüler begriffen hat, dasz 23 zwei Zehner und drei Einer bedeutet, so kann er auch begreifen, dasz 2,3 bedeuten musz zwei Einer und drei Zehntel, sobald ihm gesagt worden ist, dasz links vom Komma die Einer beginnen sollen, und wenn er addieren kann:

$$\left.\begin{array}{r} 3\;4\;5\;7 \\ 2\;9 \\ 3\;1\;7 \\ 2 \end{array}\right\}\;\text{so musz er auch addieren können}\;\left\{\begin{array}{r} 3\;4,\;2\;7 \\ 0,\;4 \\ 6\;7\;3,\;0\;0\;2\;5 \end{array}\right.$$

Mit einer ähnlichen Bemerkung leitet auch der Verf. des angezeigten Werkes die Lehre von den Decimalbrüchen ein, und er wird uns zugeben, dasz solche Worte ebenso wol im Anfange des Buches hätten verstanden werden können als in der Mitte. Es sei mir erlaubt, diesen Punkt noch mit einer persönlichen Erfahrung abzuschlieszen. So lange ich das rechnen mit Decimalbrüchen und verschiedenen Zahlensystemen nur im letzten Halbjahre der Quarta, wohin es der preuszische Schulplan setzt, einübte, habe ich stets wahrgenommen, dasz auch die besten Schüler nach einer einjährigen oder zweijährigen Unterbrechung, wie sie der allgemeine Schulplan erfordert, nicht nur die Gewandtheit und Sicherheit des rechnens verloren hatten, sondern auch, dasz es ihnen häufig unmöglich war, selbst leichtere dahin gehörige Aufgaben ex tempore auszuführen: jetzt aber, da ich Sexta und Quinta ebenso wol als Vorbereitungsstufe für Quarta, wie es die Elementarschule für Sexta ist, betrachte, und demgemäsz das rechnen in Decimalbrüchen und verschiedenen Zahlensystemen in gleicher Weise einübe, wie die Elementarschule vorbereitend für Sexta die erste Fertigkeit im dekadischen Zahlensysteme hervorbringt, kommt bei meinen Schülern jene traurige Wahrnehmung nicht mehr vor. Es ist das auch ganz natürlich: Uebung macht den Meister; alles, was nicht in- und extensiv genug gelernt worden ist, geht bald verloren, wirft jedenfalls nur spärliche Früchte ab. Sollen wir vielleicht noch daran erinnern, wie unbeholfen nicht selten Mathematiker im numerischen rechnen werden, oder daran vielleicht, wie lästig und unbequem das aufschlagen der Logarithmen wird, wenn es nur selten vorkommt, um die Erscheinung zu erklären, dasz Abiturienten, die so häufig nur einen höchst mangelhaften Rechenunterricht erhalten, und dann 6 Jahre lang in anderer Weise unterrichtet und geübt wurden, oftmals nicht mehr rechnen können und wenig Gewandtheit in der Lösung von Aufgaben des bürgerlichen Lebens zeigen? Und hierin besteht doch wol der Hauptvorwurf, den man dem mathematischen Unterrichte an Gymnasien seit langer Zeit zu machen gewohnt ist! In der 11n Versammlung westfälischer Directoren hat man viel über das mangelhafte des mathematischen Unterrichts beigebracht, der von uns beregte Punkt ist indes nicht berührt worden; vielleicht deshalb nicht, weil viele der anwesenden Herrn Directoren recht wohl wusten, dasz an den ihnen untergebenen Anstalten der Rechenunterricht nur höchst spärliche Früchte bringen konnte? — Kehren wir jedoch zum angezeigten Werke zurück! In Bezug auf eine Aufgabensammlung wie die vorliegende kann man mit Recht drei Forderungen stellen. Erstens, es darf keine Art von Aufgaben des bürgerlichen Lebens unbeachtet bleiben. Die Aufgaben müssen nach festbestimmten Kategorieen eingetheilt sein, damit dem Schü-

ler die Bestimmung, nach welcher Weise eine Aufgabe gelöst werden
musz, nicht zu schwer fällt. Endlich drittens müssen die Aufgaben
klar und deutlich gefaszt, nicht in zu viele Worte gehüllt sein, damit
der Zusammenhang zwischen gegebenen und nicht gegebenen Zahlen
ohne allzu grosze Mühe erkannt werden könne, zum mindesten bei
gehöriger Aufmerksamkeit nicht zweifelhaft bleibe. Was das erste
betrifft, so ist schon oben angedeutet worden, dasz im vorliegenden
Werke ein Mangel an Aufgaben über das arithmetische Mittel sieh
vorfinde, ferner vermiszt man Aufgaben über Vervielfältigung des Capitals bei gegebenem Procentsatze oder bei gegebener Zeit, sowie
endlich Aufgaben über Münzrechnung und Wechselreductionen. Letztere Art von Aufgaben ist allerdings wegen der vielen positiven
Kenntnisse, die sie erfordern, nur in geringem Masze zu berücksichtigen, allein einzelne Musteraufgaben dürfen nicht fehlen, schon um den
eigentlichen Fachschulmännern (Lehrern an Handelsschulen etwa) das
Vorurtheil zu benehmen, als leisteten sie viel mehr als an den Gymnasien geleistet werde. — Die Kategorieen für die Eintheilung der Zahlen hat der Vf. nicht streng genug gefaszt, dagegen sind, so weit Ref.
es im einzelnen verfolgen konnte, die Aufgaben, auf die es hier vorzugsweise ankommt, zweckmäszig, klar und deutlich ausgesprochen,
und dem Alter der Schüler ganz angemessen. Zudem ist ihre Zahl
nicht ganz gering, wenn auch die Angabe von beinahe 3000 in mehrfacher Beziehung zu hoch gegriffen ist. Denn um Aufgaben wie die
81e: 'Wie grosz ist die Differenz zweier Zahlen von zwei unmittelbar
auf einander folgenden Zahlen der natürlichen Zahlenreihe' oder die
87e: 'Um wie viel übertrifft die Zahl 14 jede der ersten neun Zahlen der
natürlichen Zahlenreihe' oder wie die 1272e: 'Multiplicire folgende
Decimalbrüche: 0,854; 1,2164; 2,345; 7,5; 0,6 auf die kürzeste Art
a) mit 10 und b) mit 100' oder wie die 2279e: '$\sqrt[3]{637}$' oder wie die
2280e: '$\sqrt[3]{991}$' usw. wird kein Lehrer zu einer Sammlung seine Zuflucht nehmen. Im allgemeinen wird man wohl thun, zwischen Uebungs-
beispielen in unbenannten Zahlen und eigentlichen Aufgaben als Rechnungen, Zeitbestimmungen, Regeldetrie-Aufgaben, Theilungsaufgaben
usw. zu unterscheiden. Erstere setzt man blosz in Ziffern hin, kann
sie auch von den Schülern zur Uebung in Worte kleiden lassen; eine
mäszige Anzahl derselben wird aber genügen, da die Schüler bald
dahin gelangen müssen, selbst solche zu bilden: letztere haben natürlich gröszern Werth, und sachgemäsz gewählte, den verschiedensten
Verhältnissen des bürgerlichen Lebens angepaszte, wird man nicht
leicht zu viel erhalten können.

    Ref. kann diese Anzeige nicht schlieszen, ohne noch zwei allerdings
minder wichtige Punkte berührt zu haben. Wenn der Vf. in der Vorrede sagt: 'es wird sehr empfohlen, die der Mathematik eigenthümlichen Zeichen und Worte stets zu gebrauchen', so können wir über diesen
Ausspruch nur unsere vollste Zufriedenheit äuszern, sowie ferner auch
über den vom Vf. frühzeitig gemachten Gebrauch des Klammerzeichens.

Manche halten das Klammerzeichen, auf dem die ganze Lehre von den positiven und negativen Zahlen beruht, in dem Rechenunterrichte für entbehrlich, ja sogar als zu abstract für schädlich, ohne zu bedenken, dasz der Nichtgebrauch dieses Zeichens oftmals Schwierigkeiten im rechnen herbeiführt, und dasz auf der andern Seite das abstracte nicht sofort auf einmal, sondern nur allmählich und gehörig eingeleitet im Unterrichte auftreten darf. Kann ein Schüler auch das Uebungsbeispiel $86 - 34 + 37 - 46$ in der Weise ausrechnen, dasz er nach und nach bildet $86 - 34 = 52$, $52 + 37 = 89$, $89 - 46 = 43$, also überhaupt $86 - 34 + 37 - 46 = 43$, so wird er doch dasselbe Beispiel in anderer Form wie $37 - 46 - 34 + 86$ nicht anders fertig bringen als dadurch dasz er setzt $37 + 86 = 123$ und $46 + 34 = 80$ und $123 - 80 = 43$ oder in mathematischen Zeichen:
$$37 - 46 - 34 + 86 = (37 + 86) - (46 + 34) = 43.$$
Ebenso wird jedermann rechnen $27 . 48 = 27 . (50 - 2) = 27 . 50 - 27 . 2 = 1350 - 54 = 1296$ und in absichtlich erweiterter Form auch $27 . 48 = (30 - 3) . (50 - 2) = 30 . 50 - 3 . 50 - (30 . 2 - 2 . 3) = 30 . 50 - 3 . 50 - 30 . 2 + 2 . 3 = 1500 - 150 - 60 + 6 = 1296.$

Was heiszt das aber anders als: nach einem Subtractionszeichen kann man die Klammerzeichen setzen oder weglassen, wenn man nur innerhalb derselben die Zeichen verwandelt und: gleiche Zeichen geben '$+$' und ungleiche '$-$' d. h. bei der Multiplication also auch bei der Division. Solche Uebungen aus dem Rechenunterrichte fortlassen und erst etwa in der Tertia einführen, heiszt der Natur der Sache Gewalt anthun, wenn es nicht gar andeutet, dasz der so händelnde über die eigentliche Natur dieses Gegenstandes nicht mit sich selbst im klaren ist. Dasz aber die Begriffe p o s i t i v und n e g a t i v im Rechenunterrichte schon angewendet werden, halten wir gegen den Vf. für unzweckmäszig, denn um eine Erledigung der Theorie der positiven und negativen Gröszen handelt es sich im Rechenunterrichte nicht, sondern nur um Aufstellung der Anknüpfungspunkte zwischen ihm und dem eigentlichen mathematischen Unterrichte, damit dieser nicht als ein willkürliches, neues erscheine, sondern als eine nothwendige Fortsetzung des erstern.

Dasz der Vf. bei seinen Reductionstabellen die in Baiern zum Theil ausschlieszlich geltenden Münz-, Masz- und Gewichtsysteme zu Grunde gelegt hat, ist leider natürlich, schadet auch den Uebungen, worauf es hier ankommt, im wesentlichen nicht, wenngleich der Gebrauch der hierher gehörigen Aufgaben deshalb ein localer bleiben wird: etwas anderes aber ist es, dasz die Entwicklung des Quadrat-, Cubik- und Hohlmaszes, sowie der Gewicht- und Münzsysteme aus dem Längenmasze nicht zugegeben worden ist.

Und hiermit sei denn die gegenwärtige Anzeige des Pollackschen Lehr- und Uebungsbuches beschlossen. Hat Ref. auch vielseitigen Tadel erheben müssen, so ist doch das gute auch bereitwillig von ihm anerkannt worden, und hierin möge der Vf., sollten ihm diese Zeilen

der nähern Durchsicht werth erscheinen, den Beweis erblicken, dasz
wir nur die Sache im Auge behalten haben, und wie stets, so auch
hier einer systematischen Opposition abhold gewesen sind.

Attendorn.   *H. Fahle*).*

Auszüge aus Zeitschriften.

*Paedagogische Revue, begr. von Mager, herausgegeben von
Scheibert, Langbein und Kuhr.* Decbr. 1854 — April
1855 (s. oben S. 99—103).

Decemberheft. Curtius: griechische Schulgrammatik. Von
Ameis (S. 330—336: durchaus lobend, doch werden über Einzelheiten
viele Bemerkungen gemacht). — Lucas: Formenlehre des ion. Dialects im Homer. 3e Aufl. Von dems. (S. 336—340: als recht praktisch
belobt, wenn schon auszer einigen andern Bemerkungen, z. B. über
die aeolischen Formen des Optativ, die Nichtberücksichtigung der
neuern Forschungen sowol in der Texteskritik, als auch in der Sprachvergleichung getadelt wird). — Kühner: Elementargrammatik der lat.
Sprache. 13e Aufl. Von Straub (S. 340—342: zweckmäszige Verbesserungen in der neuen Aufl. werden hervorgehoben). — 1) Jung:
vollständige theoret.-prakt. Grammatik der englischen Sprache. 2)
Schmitz: englische Grammatik. 3) Feller: Handbuch der engl. Spr.
4) Schottky: englische Schulgrammatik. 2e Aufl. 5) ders.: engl. Uebungs-
und Lesebuch. 2e Aufl. 6) Frese: Ergänzungsband zu Shakespeare.
Von Dräger (S. 342—344: Nr. 1 nicht gelobt, Nr. 2 als auch für
Lehrer viel wissenschaftlich nützliches enthaltend bezeichnet, Nr. 3
als zu viele Phraseologie bietend getadelt, von den übrigen nur Notizen gegeben). — Callin: Elementarbuch d. engl. Spr. und engl. Lesebuch. 6e u. 4e Aufl. (S. 344: Notiz). — Herrig: Aufgaben zum
übersetzen aus dem deutschen ins englische. 3e Aufl. (S. 345: die Hinzufügung französischer Anmerkungen von de Castres wird zwar als
vortheilhaft für den Gebrauch, aber für die Erkenntnis des englischen
Lebens aus den Uebungen nachtheilig bezeichnet). — Anthologia lyrica. Ed. Th. Bergk (S. 345: Notiz). — Seyffert: Lesestücke aus
griech. und latein. Schriftstellern (S. 345 f.: lobende Inhaltsangabe).
— Duncker: Geschichte des Alterthums. 2r Bd. Von H. Schweizer (S. 346—357: die Bedeutung des Werkes wird in sehr anerkennender Weise herausgestellt, in Betreff der indischen Geschichte mehrere Wünsche und abweichende Ansichten, namentlich in Betreff der
chronologischen Annahmen vorgetragen). — Eyth: Ueberblick der
Weltgeschichte (S. 357: gelobt). — Lüders: Johann Hus (S. 357:

---

*) Berichtigung. Im 69n Bande d. Jahrb. S. 565 Z. 11 von
unten heiszt es: 'Wenn auch das weitere nicht hierher gehört, und
wenn sich auch die Vogtschen Deductionen abweisen lassen' usw. statt
des im Mscrpt. stehenden: 'Wenn auch das weitere nicht hierher gehört, und wenn sich auch die Vogtschen Deductionen nicht abweisen lassen' usw.; man bittet von dieser Berichtigung des Sinnes der
angeführten Stelle gefälligst Notiz nehmen zu wollen.

Schülerbibliotheken zum Privatstudium empfohlen). — F r e s e n i u s: die Raumlehre eine Grammatik der Natur. Von L g b (Langbein) (S. 357 f.: als zur rechten Methodik des mathematischen Unterrichts recht brauchbar empfohlen). — S i m e s e n: Grundrisz der elementaren Analysis. 2e Ausg. Von dems. (S. 358 f.: verworfen). — Quadrat- und Kubikwurzeln. Wiesbaden, Schellenberg. Von dems. (S. 359: nicht gerade empfohlen). — Z e h m e: elementare und analytische Behandlung der Cycloiden. Von dems. (S. 359: als ein wahres Bedürfnis befriedigend empfohlen). — C r ü g e r: die Physik in der Volksschule. 3e Aufl. u. die Schule der Physik. 2e u. 3e Lief. Von E m s m a n n (S. 359—363: unter Mittheilung einiger Berichtigungen und Ergänzungen recht lobende Anzeige). K o p p e: Anfangsgründe der Physik. 4e Aufl. Von dems. (S. 363 f.: die neue Aufl. als eine verbesserte anerkannt, aber noch einige Bemerkungen mitgetheilt). — v o n S c h u b e r t: Spiegel der Natur. 2e Aufl. Von L g b. (S. 366: dringend empfohlen).— T i m m: Liederbuch für Turner. Von dems. (S. 367: als zu viel bietend bezeichnet). — H a u s c h i l d: über den sogenannten rhythmischen Choral. Von dems. (S. 367: dringend zur Beachtung empfohlen). — Revision der Litteratur für den Religionsunterricht. Von S c h e i b e r t (S. 368—384: Fortsetzung früherer Artikel. Besprochen wird die obere Stufe und zwar die Religionslehre. Das Lehrbuch von P e t r i wird als dem Ideal am nächsten kommend bezeichnet, H a g e n b a c h's Leitfaden zwar gelobt, aber einmal des Stoffes so viel gefunden, dasz der Zusammenhang von den Schülern, wie sie jetzt sind, nicht behalten werden könne [d. Ref. hält Lectüre des Römerbriefs für das geeignetste], sodann eine abweichende Ansicht über die Eintheilung und die Definitionen aufgestellt, schlieszlich gegen die Aufstellung 'nach dem Bewustsein der Gegenwart' entschiedener Widerspruch eingelegt. P a l m e r: Lehrbuch. 2e Aufl. wird zwar als vielfach verbessert bezeichnet, aber als Grundlage für den Unterricht, schon weil es zu viel enthalte, ungeeignet befunden. K u r z: Lehrbuch der heiligen Geschichte enthält auf dem Grunde gemachter Erfahrung die dringendste Empfehlung; ebenso wird dess. Lehrbuch der Kirchengeschichte gelobt, aber der Ref. erklärt sich gegen einen solchen Unterricht in der Schule. B ö h m e r: System des christlichen Lebens wird den Religionslehrern zum Studium dringend empfohlen, obgleich Ref. gegen einige Punkte Einwände erhebt und eine christliche Ethik getrennt von der Glaubenslehre für in der Schule unzulässig hält). = Paedagogische Zeitung. Wiederabdruck des Berichts über die Altenburger Philologenversammlung aus der Augsb. A. Z. (S. 373—380).— Berichte über paedagogische Zustände in Frankreich (S. 380—389: nam. über das verwerfliche System der Belohnungen und Strafen).— Frankreich. Loi sur l'instruction publique. 14. Juin 1854. (S. 390—392).

J a h r g a n g 1855. J a n u a r h e f t. S c h e i b e r t: Beiträge zur Schulpaedagogik. 1r Art. Unterschied der Schul-Erziehungslehre (Schulpaedagogik) von der allgemeinen Paedagogik (S. 1—30: die Aufgaben und Fragen, welche die Schulpaedagogik zu lösen habe, werden angegeben und kurz erörtert, damit aber die Richtung bezeichnet, welche die Revue zu verfolgen habe und zu verfolgen gedenke, zugleich aber der von der Unmöglichkeit der Erreichung des Ziels hergenommene Einwand zurückgewiesen). — K. v. R a u m e r: Geschichte der Paedagogik. 2e Aufl. Von C r a m e r in Stralsund. 1r Art. (S. 31—55: wenn schon die hohe Verdienstlichkeit des Werkes im ganzen und einzelnen gerühmt wird, so erhält doch die einseitige Beschränkung auf die höhern Lehranstalten, so wie auf die Kirche und höchstens Philosophie unter Beiseitelassung des übrigen Lebens Hervorhebung. Zu dem Inhalt des ersten Bandes und dem Aufsatze von R. v. Raumer über das

deutsche im 3n werden in fortlaufender Darlegung viele Ergänzungen
und Berichtigungen gegeben). — Behn-Eschenburg: Schulgrammatik der englischen Sprache. Von Schweizer (S. 56—60: ausführliche Erörterung des eigenthümlichen Werthes).— Spiesz: griechische
Formenlehre. 2e Aufl. von Breiter. Von Ameis (S. 61—64: im
allgemeinen gelobt, zu einer 3n Auflage werden mehrfache Beiträge
geliefert). — Spiesz: Uebungsbuch zum übersetzen aus d. gr. i. d.
u. umgek. 2e Aufl. von Breiter. Von dems. (S. 64—66: gelobt, dabei aber der Rath gegeben, Sätze aus der Anabasis zu entlehnen und
nicht so viele moralische Sentenzen zu bringen; auch einige einzelne
Bemerkungen). — Göbel: griechische Schulgrammatik. Von dems.
(S. 66—70: durchaus nicht geeignet befunden). — Merleker: praktisch vergleichende Schulgrammatik der griech. und lat. Spr. Von
dems. (S. 70—74: zwar manches gelobt, aber als im ganzen und einzelnen in vieler Hinsicht unbrauchbar beurtheilt).

Februarheft. Klosz: in Sachen der Spieszschen Turnweise
(S. 104—119: obgleich sich der Vf. nicht für einen unbedingten Anhänger des Spiesz'schen turnens, vielmehr für einen Eklektiker erklärt,
sucht er doch die im Julihefte des vorigen Jahrgangs 'gegen dasselbe
erhobenen Einwände und Bedenken zu widerlegen). — Lothholz:
Fr. A. Wolf und Wolfg. Goethe (S. 120—132: Darstellung der Beziehungen und Verhältnisse, in welchen die beiden genannten groszen
Männer zu einander gestanden, zum Beweise, dasz sich die Blüte unserer Litteratur an dem Alterthume, besonders an dem griechischen
Geiste entwickelt und genährt habe). — H. Ritter: Versuch zur
Verständigung über die neueste deutsche Philosophie seit Kant (S. 133
—136: nicht empfohlen als mislungen). — Calinich: Seelenlehre (S.
137 f.: viel richtiges enthaltend, aber nicht aus einem Gusze gearbeitet und die verschiedenartigsten Denkprincipien vermengend). —
K. v. Raumer: Geschichte der Paedagogik. Von Cramer. 2r Art.
(S. 137—156, Fortsetzung von' dem im vorherg. Heft enthaltenen Artikel. In gleicher Weise wird der 2e Bd. des Werkes besprochen,
ebenso anerkennend, wie interessante Zusätze, Nachträge und Berichtigungen bietend). — Thaulow: Hegels Ansichten über Erziehung.
Von L(angbein) (S. 156—159: die Unersprieszlichkeit des Werkes,
früher schon am 1n Th. hervorgehoben, wird hier auch an den beiden
letzten nachgewiesen). — Grunholzer: das Erziehungswesen der
Schweiz. Von dems. (S. 159 f., der Fortsetzung wird mit Erwartung
entgegengesehn). — Schmidt: Homers Odyssee für die Jugend bearbeitet (S. 160: bestens empfohlen). = Paedagogische Zeitung. Bericht über die paedagogische Section der Altenburger Versammlung
(S. 41—49: aus den paedagogischen Blättern von Kern abgedruckt).
— Bericht über die Versammlung deutscher Realschulmänner in Eisenach 27—29. Sept. 1854 (S. 49—51). — Hannover (S. 63—66: die
Bemühungen für die Orthographie werden zwar anerkannt, aber die
gegenwärtige Aussprache zu wenig berücksichtigt befunden).— Württemberg (S. 69—74: Mittheilungen aus v. Klumpps Geschichte und
Statistik des würtemb. Realschulwesens).

Märzheft und Aprilheft. Scheibert: zur Schulpaedagogik.
2r Art. Wie bilden sich Lehrercollegien? (S. 161—195 und 214—288:
nachdem erörtert worin die Einheit bestehe, auf welche Gebiete sie
sich erstrecke und wie nothwendig sie in diesen sei, werden zur Beantwortung der vorliegenden Frage folgende Sätze ausgeführt und zu
ihrer Verwirklichung Rathschläge gegeben: 1 Einheit der Methode:
alle Besprechungen über Methodik seien gemeinschaftlich, das Lehrercollegium theile sich in Gruppen, welche die Berathungen für die allgemeine Conferenz vorbereiten; Anlasz zur Wiedervornahme bieten der

Eintritt eines neuen Lehrers, die Censur- und .Versetzungsberathungen, die Wahrnehmungen an den gebrauchten Schulbüchern, wobei der Vorschlag, die Lehrercollegien sollten solche aus sich hervorgehen lassen, ausführlich empfehlende Besprechung findet, der Director müsse der Litteraturentwicklung auf diesem Felde sorgfältig folgen, vor allem aber immer das Princip der Schule gewahrt werden, wobei die Geschichte der betreffenden Schulart und die Verordnungen der leitenden Behörden den Ausgangspunkt und die Basis zu bilden haben. II Die Einheit in der Regierung. Das positive Christenthum ist die einzig mögliche Basis, eine Einheit im Lehrercollegio zu geben und eine gedeihliche erzieherische Wirksamkeit·bei den Schülern. Dasz die Lehrer zu ihr und zu der daraus hervorgehenden seelsorgerischen Thätigkeit geleitet werden, sind die wöchentlichen Conferenzen und die gemeinsamen Andachten zu benützen und endlich ein wolorganisiertes Schulleben zu erstreben. III Einheit in der Zucht. Damit alle Lehrer auf gleiche Weise in ihrem Unterrichte und durch denselben Zucht üben, ist eine feste Schulordnung nothwendig, bei welcher namentlich auf eine gemeinsame Behütung der Schüler und Bewachung auszer den Stunden innerhalb und auszerhalb der Schule und darauf Bedacht zu nehmen, dasz der schwächere Lehrer eine Kraft finde, an die er sich anlehnen könne. Möge dieser kurze und dürre Auszug recht viele zur Lesung des im höchsten Grade beherzigenswerthen Aufsatzes veranlassen). — Feldbausch: über die historische Begründung der deutschen Rechtschreibung (S. 186—225 u. 289—306: der Vf. sucht zu beweisen, dasz die historischen Grammatiker sich Inconsequenzen zu Schulden kommen lieszen und deshalb keine festen Normen böten, an Möller in Herrigs Archiv XIV 3 u. 4, Ph. Wackernagel Programm. Wiesbaden 1848, Weinhold Ztschr. f. d. ö. G. 1852 2, Jac. Grimm Vorrede zum Wörterbuche, Ruprecht: die deutsche Rechtschreibung, indem er die Adelungsche Orthographie gegen die ihr gemachten Vorwürfe in Schutz nimmt). — Schmitthenner: kleines deutsches Wörterbuch, umgearbeitet von Weigand. 3e Aufl. Von Schweizer (S. 226−229: sehr gelobt als gründlich wissenschaftlich gearbeitet). — Jacob: Horaz und seine Freunde. Von Queck (S. 229—234: das Werk wird als weder von wissenschaftlichem noch von künstlerischem Werthe bezeichnet und manches einzelne nicht geschickt erdichtete hervorgehoben). — Ovidii Metamorphoses von Siebelis und Eclogae Ovidianae von Isler. Von dems. (S. 234 —238: beide Sammlungen seien nützlich und brauchbar, die Siebelissche für weniger geübte, die Islersche für bereits weiter vorgeschrittene Schüler). — Plinius Naturgeschichte, übersetzt von F. Strack, überarbeitet von M. Strack. (S. 238: Notiz). — Creuzeri opuscula selecta (S. 236 f.: kurze Inhaltsangabe). — Neue Ausgaben griechischer und römischer Klassiker aus dem Verlage von B. Tauchnitz (S. 239: kurze Notiz). — Tellkampf: physikalische Studien. Von Emsmann (S. 239 f.: als tief eingehend und besonnen sehr empfohlen). — Gramm: die Denklehre oder Logik. Von Allihn (S. 307: ganz verworfen). — Thürmer: eine Logik für Schule, Haus und Leben. Von dems. (S. 307—313: unter der ganz wunderlichen Einkleidung sei manches brauchbare enthalten). — Schökel: die Logik. Von dems. (S. 313—318: als eine sehr unklare Darstellung bezeichnet). — Hofmann: Sammlung von Aufgaben aus der Arithmetik und Algebra und Sammlung stereometrischer Aufgaben (S. 318—320: für eine wesentliche·Bereicherung der einschlägigen Litteratur erklärt). — Paedagogische Zeitung. Preuszen (S. 81 f.: Mittheilung einer Verfügung vom 11. Aug. 1854, die Prüfung der Schulamtscandidaten im französischen und englischen betreffend). — A. H. Frankes Anweisungen über Schuldisciplin (S. 85—87: aus Cramers Programm des Paedagog. zu Halle 1854 mitgetheilt). — Berichte aus der A. Z. über die definitive Organisation der Gymnasien in Oesterreich (S. 93—99). — Zur Turnerei (S. 99—102: Bericht über das Cantonalfest in Bern nebst Bemerkungen von Langbein). — Tholuck: das akademische Leben des 17n Jahrhunderts (S. 104—109: aus der allgem. Zeit.) — Arenz: über die Verhandlungen wegen einer Unterrichtsreform und ein Schulgesetz in Holland (S. 109—114). — Preuszen (S. 127: Mittheilung über eine Verfügung wegen des Urtheils der Consistorien und General-superintendenten rücksichtlich der Anstellung der Religionslehrer an Gymnasien). — Uebersicht der Gymnasien und höhern Bürgerschulen in Preuszen (S. 130—137: aus Mushackes Schulkalender). — Mittheilung über den Streit der Schulcommission und des katholischen Pfarrers wegen des Progymnasiums in Prüm (S. 137—141). — Revidierte Statuten des philologisch-historischen Seminars in Wien (S. 154—158).

Berichte über gelehrte Anstalten, Verordnungen, statistische Notizen, Anzeigen von Programmen.

AARAU.] Die dasige Kantonschule hatte in den Schuljahren Ost. 1853—1855 im Lehrerpersonal keine Veränderung erfahren, mit dem Schlusz des letztern aber schied unter Anerkennung seiner 10jährigen treuen Dienste der Prof. der franz. Sprache und Litteratur F. F. Dessoulavy. Die Schülerzahl war

	Gymnasium					Gewerbsch.					
	I.	II.	III.	VI.	Sa.	I.	II.	III.	IV.	Sa.	Ges.
1853—54	25	9	11	10	55	27	23	13	4	67	122.
1854—55	21	20	8	10	59	17	21	13	4	55	114.'

Die den Schulnachrichten beigegebenen Abhandlungen sind 1854 Theod. Zschokke: *Profile vom aargauischen Jura* (S. 17—24 4 nebst einer Steindrucktafel), 1855 R. Rauchenstein: *emendationes in Aeschyli Eumenides* (16 S. 4).

ARNSTADT.] Das dasige Gymnasium, an welchem der Lehrer des Gesangs Cantor Stade bei Gelegenheit seines 50j. Amtsjubilaeums den Titel Oberlehrer erhielt, zählte Ostern 1855 68 Sch. (I: 5, II: 10, III: 9, IV: 20, V: 24) und entliesz einen Abiturienten zur Universität. Die wissenschaftliche Abhandlung schrieb Oberl. Hallensleben: *zur Geschichte des patriotischen Lieds* (26 S. 4).

BRAUNSCHWEIG.] Die Frequenz des dasigen Obergymnasiums, in dessen Lehrercollegium keine Veränderung vorgegangen war, betrug Ostern 1855 74 (IV: 32, III: 21, II: 14, I: 7), zur Universität gieng nach bestandener Maturitätsprüfung einer. Das Programm enthält als Abhandlung vom Prof. Dr. Assmann: *Beitrag zur Methodik des Geschichtsunterrichts nebst einem Auszuge aus Jornandes de Gothorum origine et rebus gestis* (30 S. 4). Der Hr. Vf., welcher schon im J. 1847 durch die Programmabhandlung: *das Studium der Geschichte insbesondere auf Gymnasien*, seitdem durch ein Lehrbuch und einen Abrisz der Geschichte seine theoretische und praktische Befähigung in dem Streite eine Stimme abzugeben hinlänglich bewiesen hat, erwirbt sich hier gegründeten Anspruch auf Dankbarkeit, indem er die Ergebnisse der bedeutendsten Leistungen Löbell's, Peter's, und insbesondere Campe's zusammenordnet, das übereinstimmende und das noch streitige herausstellt und seine eigne auf nachdenken und Erfahrung gebaute Ansicht hinzufügt. Ref. musz bei Besprechung der Abhandlung eines Schriftchens gedenken, welches Hr. A. nicht gekannt hat, welches aber die allgemeinste Beachtung, der es auch Campe [Ztschr. f. d. G. W. IX S. 180—185] dringend empfiehlt, in vollstem Masze verdient: E i l e r s: *Ansichten über den Geschichtsunterricht in höheren Bildungsanstalten* (Jahresbericht der Erziehungsanstalt zu Freyimfelde. Halle Heynemann 1854. 18 S. 8). Rücksichtlich des Ziels für den Geschichtsunterricht hat Campe, mag auch manches in seinen Ansichten zu schroff, manches mindestens nicht für jeden Lehrer praktisch ausführbar erscheinen, das unbestreitbare Verdienst, eine dem Wesen und Zwecke des Gymnasiums vollkommen entsprechende Bestimmung mit überzeugender Kraft hingestellt zu haben, indem er zeigte, dasz nicht ein Masz von Kenntnissen, sondern historische Bildung der Zweck sei, worin diese bestehe, darlegte und die universalhistorische Behandlung gänzlich zurückwies. Eilers, dem die reichste Erfahrung und Beobachtung zu Gebote steht, stimmt damit überein, indem er Definitionen des Begriffs der Geschichte, alles reden über ursprüngliche Zustände und Entwicklungen, alle Völker, die nicht zu den Culturvölkern gehören, ausschlieszt (S. 9 f.) und den Universitäten die höhere, historisch-politische Bildung vermittelst der dort üblichen Vorträge überläszt (S. 17). Auch Hr. A. erkennt jene Zielbestimmung, welche schon Peter aber ohne so eingehende Erörterung gefordert hat, an, glaubt aber gleichwol die universalhistorische Behandlung mit eben demselben und Löbell nicht ganz aufgeben zu dürfen, indem er Einführung in den Zusammenhang der Begebenheiten innerhalb der einzelnen Nationalentwicklungen und ihre Beziehung zu dem ganzen, der Menschheit, für nothwendig erklärt. Ref. glaubt, dasz man wirklich in den Hauptsachen einig ist. Hrn. Campe trifft seiner Ansicht nach ebenso wenig der Vorwurf, dasz er lauter Historiker bilden wolle, als man Hrn. A. mit Recht vorwerfen würde, dasz er die ganze tiefere historische Behandlung in das Gymnasium herüberziehe und auf den Ueberblick einen zu groszen Werth lege. Dasz das Gymnasium seine Aufgabe zunächst in der sicheren und klaren Auffassung 'lebensvoller Wirklichkeiten' habe, darüber sind wol alle ebenso einverstanden, wie darüber dasz es eine Vorbereitung, eine Weckung des Interesses für eine höhere und tiefere Auffassung zu geben habe. Aus dem ersteren ergibt sich nothwendig der Besitz eines gewissen treuen wissens, ohne welches auf das zweite verzichtet werden müste, zugleich aber auch, da für die Gymnasialbildung nur das selbstthätig angeeignete Werth hat, dasz dies wissen nicht durch ein trockenes auswendiglernen von Namen, Zahlen und Sachen gewonnen werden darf, sondern aus der Beschäftigung von selbst hervorgehen musz, so dasz es nur der zusammenordnenden Thätigkeit bedarf, um einen Ueberblick zu erzeugen. In Betreff des zweiten aber musz festgehalten werden, einerseits dasz ein eingehenderes selbstthätiges Studium für den Schüler nur an einzelnen Abschnitten möglich ist, andererseits aber auch, dasz demselben der Nachweis geboten werde, wie sich durch die Betrachtung jeder Periode gewisse allgemeine Gesichtspunkte und Wahrheiten gewinnen lassen, und hinwiederum wie gewisse Ideen die Betrachtung und Anschauung aller Zeiträume durchdringen müssen. Das Interesse, die Lust zu finden und zu erarbeiten, ist ja ein doppeltes, Erwerbung und Wahrung, und wie man den Schüler anleiten musz sich selbst zu unbekanntem und ungeahntem hindurchzuarbeiten, so auch gegebenes zu prüfen, zu erweitern, festzuhalten oder zu verwerfen. Gewis wird ein solcher, dem bereits manches von tieferer Auffassung der Geschichte entgegengetreten ist, sich mehr angeregt fühlen, auf der Universität diesem Studium thätige Theilnahme zu schenken, ohne auch hier 'in verba magistri' zu schwören. Auf meine eigene Erfahrung will ich hierbei nichts geben, aber irre ich nicht, so hat Löbell dieselbe gemacht. Man hat gegen eine solche Behandlung der Geschichte auf dem Gymnasium, wie es scheint, deshalb so sehr geeifert, weil man öfters eine grosze Verkehrtheit wahrgenommen, eine schmähliche Vernachlässigung des positiven und objectiven über Räsonnement und Reflexion, ein aufblähen des Schülers zu Weisheitsdünkel, ja wol auch falsche durch den Lehrer gepflanzte Geistesrichtungen, aber musz man wegen solchen abusus, den man nicht nachdrücklich genug bekämpfen kann, die Sache selbst ganz über Bord werfen. Man hat auch wol hier und da eine zu grosze Scheu vor den Einwirkungen der Subjectivität; wenigstens scheinen darauf hin die öfters gehörten Aufforderungen zu deuten, der Lehrer solle den Schülern sagen, dasz dies s e i n e Auffassung der Geschichte sei. Eine rein objective Darstellung ist aber unmöglich und wenn die Schüler alles aus Quellenschriftstellern selbst lernten, sie würden doch subjectives in sich aufnehmen und subjectiv das objective anschauen. Dasz ein Lehrer eines Schülers sich ganz bemächtigte, dasz sein ganzes Wesen, denken und schauen für immer durch ihn bestimmt bliebe, würde gewis zu einer der seltensten Ausnahmen gehören, wol aber ist es allgemein anerkannt, dasz gerade ein Charakter erzieherisch wirkt. Mag also auch den Schülern eine einseitige Auffassung der Geschichte von Seiten des Lehrers entgegentreten — dasz diese immer auf redlichen Studien beruhe, setzen wir natürlich voraus — es ist nicht zu fürchten, dasz sie allen die Möglichkeit eine andere sich anzueignen abschneiden werde, aber wol zu erwarten, dasz sie dieselben vor leichtsinnigem verwerfen, wie aufnehmen anderer Ansichten bewahren und eben durch das spätere entgegentreten verschiedener sie in einen die Kraft stärkenden und ein festeres und sicheres Resultat bildenden Kampf versetzen werden. Und wer da weisz, wie viel mehr eine lebendige Persönlichkeit wirkt als eine nur durch Schrift erkennbare, wird gewis des Ref. Ueberzeugung nicht sofort verwerfen, dasz eine charaktervolle Anschauung der Geschichte — nur von dieser reden wir —, wenn sie dem Schüler im Lehrer entgegentritt, in gewisser Beziehung erziehender und bildender, mehr wahrend und behütend einwirke, als das selbstthätigste Studium historischer Schriftsteller, dasz wir also ebenso etwas aufgeben werden, wenn wir dies letztere ganz an die Stelle des ersteren setzen, wie wenn wir um jenes willen dies ganz vernachlässigen Die Subjectivität des Lehrers ist überdies durch das Wesen des Gymnasiums selbst auf einen festen und unveränderlichen Boden, von dem sie Masz und Ziel empfängt, gestellt. Hält er dies fest, so wird er nicht über die Grenzen des für den Gymnasiasten geeigneten hinausschweifen, andrerseits aber auch alle Elemente, welche die Geschichte für die dem Gymnasium zu erstrebende Bildung bietet, zur vollsten Wirksamkeit zu bringen suchen. Dies sind zwar zunächst die religiösen und sittlichen Wahrheiten, welche die Geschichte predigt, aber auch intellectuelle. Ref. gesteht offen, dasz er sich den Geschichtsunterricht als seinerseits christlich erziehend nicht denken kann, wenn nicht mindestens eine Ahnung, wie die christliche Weltanschauung durch die ganze Geschichte bestätigt werde, im Schüler erzeugt wird, wenn nicht an allen Zeiten ihm die Anschauung geworden von dem, was Luther sagt: 'die Historien sind Anzeigung, Gedächtnis und Merkmal göttlicher Werke und Urtheile, wie er die Welt, sonderlich die Menschen, erhält, regiert, hindert, fördert, strafet und ehret, nachdem ein jeglicher verdient, böses oder gutes.' Und wenn das Gymnasium den Blick für die Gegenwart zu schärfen hat, wie ist dies möglich, ohne dasz dem Schüler wenigstens an einigen der bedeutendsten und allgemeinsten Verhältnisse und Erscheinungen ein Bewustsein geworden, dasz sie in einem continuierlichen Zusammenhange geworden, nicht Werke der Willkür sind? Wenn endlich dem Schüler eine Vorbereitung für die Bildung der Gegenwart d. h. für alles das gute, schöne und wahre, was dieselbe als ein Resultat der vergangenen Zeiten und der eignen Arbeit besitzt, eine Erweckung zum Streben nach ihrer Aneignung werden soll, wie ist dies möglich, wenn ihm nicht in der Geschichte zu einiger Anschauung gebracht wird, wie die bedeutendsten Begebenheiten und Personen im Lichte dieser unserer Bildung erscheinen, wie z. B. Karl der Grosze uns jetzt als ein anderer erscheinen musz, denn wie seinem Zeitgenossen Einhart (vgl. Assm. S. 8)? Oder soll ihm nirgends eine Erkenntnis davon werden, wie die geistigen Schöpfungen eines Volkes auch für das politische und äuszere Leben vom bedeutendsten Einflusse sind? Wir geben also willig die universalhistorische Behandlung preis, wir beschränken den geschichtlichen Stoff auf das wichtigste und bedeutendste, auf die wirklichen Culturvölker, wir verzichten darauf in der Schule das ganze Leben mit allen seinen Richtungen zu begreifen, wir dringen auf lebendige Anschauung des wirklichen als erstes und höchstes Ziel, aber wir halten eine solche Behandlung der Geschichte, wie sie Peter für die höchste Stufe aufstellt, mit Assm. für nothwendig und nützlich und glauben dieselbe am besten zu bezeichnen, wenn wir sie eine propaedeutisch pragmatische nennen. Was die Vertheilung betrifft, so ist man schon längst in der Annahme dreier Stufen übereingekommen, aber schon über die erste gehen die Ansicht wieder auseinander, indem die einen, unter ihnen Eilers, sie nur eine propaedeutische sein, die andern, wie Hr A., auf ihr einen propaedeutischen und dann einen zusammenhängenden Unterricht stattfinden lassen wollen. Wir hören für die letztere Ansicht einen Grund anführen, dem wir leider so oft begegnen, die Rücksicht auf die, welche mit dem 14n Lebensjahr das Gymnasium verlassen, und doch eine gewisse abgeschlossene Bildung brauchen. Wollen wir auch den nun einmal für gebieterisch erachteten äuszern Umständen gegenüber die ganz gerechte Forderung, dasz das Gymnasium seine ganzen Verhältnisse nur nach denen zu regeln habe, welche seine Bildung ganz wollen, nicht geltend machen, so fragen wir doch, was man denn eigentlich den jungen Leuten mitgeben will, ob eine klare und treu bleibende Anschauung einzelner, bedeutenderer Persönlichkeiten und Ereignisse ihnen nützlicher sein werde, oder eine immer lücken- und skizzenhafte Uebersicht, die nothwendig zu einem trockenen Gedächtniswerk zusammenschrumpfen musz. Etwas anders ist es, wenn die Auswahl des hier zu gebenden nach gewissen Rücksichten geschieht, wenn man bestimmte Dinge und Personen um ihrer Bedeutung willen nicht übergehen zu müssen glaubt, der Zusammenhang und die Zeitfolge dürfen hier nie ein entscheidendes Moment werden. Hr. A. hat mit vollem Rechte (S. 7) auf die geographische Grundlage für diese Stufe hingewiesen, aber ein durch und durch zu billigendes Verfahren Hr. Eilers an dem Lehrer Nänny (S. 11—13) gezeichnet. Gehört dazu auch eine glücklich begabte Lehrerindividualität, so kann doch jeder die Grundzüge zu seiner Richtschnur nehmen und mag sich vieles einzelne dem eignen Wesen entsprechend anders gestalten, bei voller Hingabe an die Jugend ähnliches leisten. Dasz die biblische Geschichte zu dieser Propaedeutik gehöre, davon haben wir uns nicht überzeugen können, weisen sie vielmehr fort und fort dem Religionsunterrichte zu. Zur Besprechung der folgenden Stufen ist die Beantwortung der Frage nöthig: was kann das Gymnasium in der neuern Geschichte fordern? Die Ansichten geben darüber weit auseinander, indem die meisten (auch Assm. und Eil.) die mittlere und neuere Geschichte als Abschlusz, mehrere (Heydemann) aber nur bis zum J. 1815, einige (der österr.

O.-Entw.) mit Hinzufügung der Vaterlandskunde verlangen, dagegen andere (Campe und theilweise Peter) auf der obersten Stufe vorzugsweise die alte Geschichte behandelt wissen wollen. Hätte man immer fest gehalten, dasz die Aufgabe des Gymnasiums nicht eine wissenschaftliche, sondern eine erzieherische sei, dasz demnach die Wahrung und Behütung vor verkehrtem und entsittlichendem eine Hauptrücksicht sei, so würde man aus paedagogischen Gründen die Fortsetzung der Geschichte bis zu den neuesten Zeiten gewis nur allseitig befürwortet haben. Auch darf wol das Recht nicht verkannt werden, mit welchem man von dem gebildeten Jüngling Bekanntschaft mit den letztvergangenen Begebenheiten und mit den gegenwärtigen staatlichen Verhältnissen seines Vaterlandes fordert. Auf der anderen Seite aber ist unleugbar, dasz ein Anfang tieferer Behandlung an der neueren Geschichte am wenigsten leicht gemacht werden kann, weil die reiche Mannigfaltigkeit des Lebens und die grosze Ausdehnung des Gebietes der Geschichte von dem Schüler noch nicht begriffen werden kann, ferner dasz er mit der sichersten Aussicht auf Erfolg an dem Theile oder Gebiete der Geschichte gemacht werden wird, von dem der Schüler wenigstens gewisse Hauptsachen durch eigenes Studium bereits kennen gelernt hat und am leichtesten noch unbekanntes sich selbstthätig aneignen kann. Dies ist zugleich das dem Wesen des Gymnasiums am meisten entsprechende. Demnach tritt denn Ref. gegen Assmann und Eilers, obgleich dieselben, namentlich der letztere, die Bedeutsamkeit der alten Geschichte nicht verkennen, dem bei, was Peter, noch eingehender aber Campe fordert, dasz auf der obersten Stufe die Geschichte der Römer und Griechen den Haupt-, ja den alleinigen Stoff des Unterrichts bilde. Die 2e Stufe dürfte deshalb eine etwas weitere Ausdehnung zu erhalten haben, als sie gewöhnlich hat. Sie ist eigentlich die des lernens (Eil. S. 14), auf ihr gilt es eine klare und sichere Auffassung, ein lebensvolles Bild, das von selbst eine Uebersicht verschafft, zu erwerben. Da die neuere Geschichte auf dem Gymnasium nur von dieser Seite anzusehn ist, so möge sie auf ihr eine ausführlichere Behandlung finden, es möge auf ihr die Vaterlandskunde und die speciellere vaterländische Geschichte, wo man eine solche verlangt (Ref. stimmt Schäfer bei ob. S. 32—34) ihren Platz erhalten. Die Vertheilung des Stoffes musz, wie Hr E. (S. 18 a. E.) treffend bemerkt, den einzelnen Gymnasien nach ihren besondern Verhältnissen überlassen bleiben. Für die alte Geschichte bleibt Gelegenheit zur Auffrischung und Erweiterung genug, da ja die Schüler, während sie in der Geschichte durch das Mittelalter und die neuere Zeit geführt werden, fortwährend mit dem Alterthume beschäftigt sind, und wenn die obere Stufe vorzugsweise (gegen eine solche Repetition der übrigen Geschichte wie sie Peter vorgeschlagen hat, ist gewis nichts einzuwenden), ja allein der alten Geschichte gewidmet ist, so werden doch die übrigen Gebiete nicht dem Schüler entfallen, wenn nur, wornach das Gymnasium mit aller Energie zu streben hat, ein organisches zusammenwirken und ineinandergreifen aller Lehrer und aller Lehrfächer statt findet. Was nun die Methode des Unterrichts angeht, so ist so viel schönes und herliches darüber gesagt worden, dasz es nur der Bequemlichkeit und Indolenz zuzuschreiben ist, wenn der reine Kathederton der Akademie noch immer in dem Gymnasium spukt und höchstens die Repetitionen einen Unterschied von der Universität machen. Einen höchst fruchtbaren und tief einschneidenden Gedanken, von dem sich auch Hr A. als 'einem zündenden' angeregt und überzeugt bekennt, hat Peter aufgestellt, indem er Studium der Quellenschriftsteller als Basis des Geschichtsunterrichts gefordert hat. Wir haben bereits oben ausgesprochen, dasz wir des Vortrags von

Seiten des Lehrers nicht entrathen können, schon um deswillen nicht, weil durch ihn allein der erzieherische Einflusz zur Geltung gebracht werden kann, auch können wir, wenn der gesamte Unterricht auf Lesung aller Schüler beruhen sollte, kaum die nöthige Zeit hiezu finden; endlich wird dem Vorschlage selbst seine scheinbare schroffe Spitze abgebrochen, da ja in dem gröszten Theile nicht die Quellenschriftsteller selbst, sondern Bearbeitungen den Schülern in die Hände gegeben werden sollen; aber gleichwol bleiben folgende Grundsätze der Methodik für immer erobert: 1) dasz dem Schüler die Geschichte in der Gestalt gegenübertreten musz, in welcher sie den Zeitgenossen sich darstelle und entweder von ihnen selbst, oder von denen, welche aus ihnen schöpften, wieder gegeben ward, 2) dasz der Schüler durchaus nicht alles vom Lehrer zu empfangen, sondern einen wesentlichen Theil sich selbst zu erwerben hat. Es ist, wie Hr. Assm. ganz richtig bemerkt, dem Lehrer die Verpflichtung aufgelegt, die Quellen selbst zu studieren und in möglichst engem Anschlusse an sie seine eigene Darstellung zu gestalten; das lesen der Schüler möchten wir aber weniger subsidiarisch sein lassen, als Hr. A. zu wollen scheint. Auf der zweiten Stufe schon soll der Lehrer geradezu Aufgaben stellen, nicht allen Schülern auf einmal, sondern verschiedenen verschiedene, die doch ineinander greifen und ein ganzes geben und bilden, wie es Scheibert so oft und so überzeugend empfohlen hat. Am entschiedensten trete dies auf der obersten Stufe ein mit den Geschichtschreibern des Alterthums. Die Schwierigkeit, welche sich daraus ergibt, dasz der Geschichtsunterricht sich selten in den Händen desselben Lehrers findet, dem das philologische Fach zugefallen, wird je mehr und mehr verschwinden, je lebendiger in den Lehrercollegien das Streben, wahrhafte Einheiten darzustellen, wirksam wird. Hr. A. will an die Verwirklichung des Peterschen Plans selbstthätig Hand anlegen, eine Bearbeitung, d. h. wol hauptsächlich Auszüge aus den Quellenschriftstellern des Mittelalters herausgeben, als eine Probe wovon er (S. 14—30) einen Auszug aus *Jornandes de Getarum sive Gothorum origine et rebus gestis* mittheilt. Ref. hegt zwar die Ueberzeugung, dasz die Quellenschriftsteller des Mittelalters den Schülern nicht in die Hände gegeben werden sollen, aus dem paedagogischen Grunde, weil die nicht genug zu erstrebende Concentration eine neue Gefährdung dadurch erhalten wird, und aus dem realen, weil er die Geschichtschreiber jener Zeit wenig geeignet findet, das Interesse der Jugend zu wecken und zu fesseln. Es kann nicht verworfen werden, wenn einer und der andere Schüler Einharts Leben Karls d. Gr. liest, weil er aus ihm ein anschauliches Bild der Persönlichkeit gewinnen kann, aber finden sich wirklich so viele derartige Sachen und ist durch den Gewinn die Zumuthung gerechtfertigt, dasz der Schüler sich in eine ihm in vielen Dingen ganz unbekannte Sprache hineinarbeiten soll? Wir zollen der von Pertz usw unternommenen Sammlung aufrichtigst Beifall, aber bestätigt sie nicht unsere Ansicht? Würde man sich für Uebersetzungen statt der Originale entschieden haben, wenn man nicht die Ueberzeugung gehegt hätte, dasz dem gebildeten Theile des Volks, von dem doch die meisten die klassische Bildung genossen, ein durcharbeiten durch die Form kaum auferlegt werden könne? Doch es wäre ungerecht, wollten wir nicht unser Urtheil zurückhalten, bis wir sehen, welche Auswahl Hr A. bietet. Halten wir uns an die vorliegende Probe. Ref. gesteht, dasz er diese keinem seiner Schüler zur Lectüre empfehlen würde. Er findet durchaus nichts darin, was nicht dieser aus einer deutschen Bearbeitung oder aus dem Vortrage des Lehrers gleich gut, aber mit Gewinn an Zeit und Kraftaufwand gewinnen könnte, wol aber viele Namen und

Dinge erwähnt, die man füglich übergehen kann, ja musz. Wie soll der Schüler folgende durch den Druck hervorgehobene Worte ohne weiteres verstehen c. 6 (24): *Filimer, rex Gothorum, reperit in populo suo quasdam magas mulieres, quas patrio sermone is ipse* [Ablavius, auf den dies bezogen werden musz, ist nur in einer Anm. des Herausg. 3 genannt] *cognominat, casque habens suspectas de medio sui* [sollte wol *de medicatione sui* in der allerdings aus dem frühern Alterthume nicht nachweisbaren Bedeutung 'Bezauberung' zu lesen sein?] *longeque ab exercitu suo fugatas in solitudinem coëgit terrae.* c. 18 (36): [Attila] *ambitum suum brachio metitus superbia licentiam satiat, qui ius fasque contemnens hostem se exhibet naturae cunctorum* [beiläufig sei bemerkt, dasz zwischen diesem und dem folgenden Cap. der Zusammenhang gestört ist, da am Ende jenes das zusammentreffen auf den catalaunischen Gefilden, im Anfange des folgenden der Zug 'vor Orleans, aber nicht der Rückzug erwähnt ist]. c. 19: *Hoc tamen quantulum praedixere solatii, quod summus hostium ductor occumberet, relictaque victoria sua morte triumphum foedaret.* c. 22: *Non fallor eventu; hic campus est, quam* [Druckf. für *quem?*] *nobis tot prospera promiserant.* c. 22: *manu manibus congrediuntur.* c. 26 (50): *Nam filii Attilae, quorum per licentiam libidinis pene populus fuit, gentes sibi dividi acqua sorte poscebant.* Worauf soll er in demselben Cap. *Suevum pede,* worauf c. 16 (32): *Qua pacatur Attila* beziehen? Ref. ist von Hrn. Assm., von dem er ein freundliches Bild in der Seele trägt, überzeugt, dasz er in seinen Bemerkungen nur den Willen zu nützen sehen werde; vielleicht veranlassen sie ihn, den Auszug vor der Herausgabe einer nochmaligen Prüfung und Redaction zu unterwerfen.

R. D.

BUDISSIN]. Nachdem aus dem Lehrercollegium des dasigen Gymnasiums Ostern 1854 der 9e College Dr. Wil. Gottl. Schmidt [zuerst an die Thomasschule in Leipzig; übrigens s. Plauen ob. S. 271] ausgeschieden und an seine Stelle Dr. Gust. Mor. Klosz getreten war, trat durch das Ausscheiden des 4n Coll. Dr. Gebauer [s. ob. S. 158] eine neue Lücke ein, welche durch Ascension und neue Anstellung eines 9n Collegen ausgefüllt ward. Dasselbe bestand demnach aus dem Rect. Prof. Dr. Hoffmann, Conr. Müller, Subr. Dr. Jähne, Math. Koch, Cantor Schaarschmidt, Dr. Schottin, Dr. Röszler, Dr. Klosz und Burkhardt [s. ob. S. 157]. Die Schülerzahl betrug 131 (I: 17, II: 19. III: 19, IV: 24, V: 27, VI: 25), Abiturienten Ostern 1854 8, Mich. 7. Die wissenschaftliche Abhandlung schrieb der 7e Colleg. Dr. C. J. Röszler: über das Verhältnis der Schillerschen *'Braut von Messina'* zur antiken Tragoedie (26 S. 4).

COESFELD]. Das Gymnasium zählte im Wintersemester 181 Schüler. In die durch die Pensionierung des Oberlehrers Dr. Marx erledigte erste Oberlehrerstelle ist Professor Rump eingerückt, wodurch dann Oberlehrer Hüppe in die 2e und Oberlehrer Dr. th. u. phil. Teipel in die 3e Oberlehrerstelle eintreten konnten. An die Stelle des nach Münster versetzten Oberl. Dr. Grüter ist Oberlehrer Buerbaum vom Gymnasium zu Paderborn als erster ordentlicher Lehrer hierher berufen; die übrigen Mitglieder des Lehrercollegiums sind auszer dem Director Professor Dr. Schlüter noch Bachofen von Echt, Löbker, Esch, Dr. Werneke, Gesangl. Fölmer, Zeichenl. Marschall. Das Herbstprogramm enthält eine Abh. von Teipel: *Aphorismen über Geschichtschreibung.* Demselben übersandte die philosophische Facultät der Universität Würzburg im verflossenen Herbst wegen seiner philosophischen und historischen Bestrebungen und Leistungen das Diplom eines Doctors der Philosophie.

EMDEN]. Aus dem Lehrercollegium des das. Gymn. [s. Bd. LXIX
S. 701] schied Ost. 1854 der Cand. Müller. An seine Stelle trat der
Cand. theol. Hesse, dann aber ward um eine bleibendere Anstellung
herbeizuführen, der Lehrer Wicking aus Gildehaus angestellt. Die
provisorische Anstellung des Lehrers Warnke wurde in definitive
verwandelt. Die Schülerzahl betrug 126 (VI: 16, V: 32, IV: 32.
IIIG: 14, R: 12, IIG: 8, R: 5, I: 7), Abit. 3. Die Abhandlung schrieb
Collab. Dr. Wiarda: *Percy Bysche Stelley* (22 S. 4).

FRANKFURT AM MAIN]. Die dasige ein Progymnasium bildende
katholische Selectenschule, in deren Lehrercollegium während der
Jahre Ost. 1853—1854 auszer den bereits Bd. LXIX S. 230, 575 und
701 berichteten Veränderungen noch die provisorische Uebernahme der
Stelle des Lehrers Dr. Schütz durch den Cand. phil. Dillmann aus
dem Nassauischen und die Vereinigung der gesamten Religionsunterrichts in den Händen des Caplan, jetz. Prof. Nicolay zu erwähnen
ist, zählte im letzten Wintersem. 113 Sch. (I [Elementarcl.]: 30, II:
46, III: 24, IV: 13). Den Schulnachrichten vorausgestellt ist die Abhandlung vom Inspector Prof. H. Wedewer: *klassisches Alterthum
und Christenthum mit besonderer Beziehung auf die Gelehrtenschulen*
(39 S. 8). Dankbar erkennen wir es an, dasz hier ein tüchtiger Kämpfer für die so vielfach angefochtenen und bedrohten Humanitätsstudien auf das Feld tritt. Seiner Beweisführung, dasz das Alterthum
viel auch im Lichte des Christenthums als wirklich gut erscheinendes
geschaffen, dasz dies die christliche Kirche, so bald sie erstarkt war,
aufnahm und in sich ergänzte, berichtigte, verklärte, dasz wir von
diesem uns nicht trennen dürfen, wollen wir nicht mit unserer ganzen
Entwicklung und Bildung brechen, wohnt eine überzeugende Kraft
inne für die, welche sehen wollen und können. Indem auf die Form
als das bedeutendste in den Schöpfungen des Alterthums hingewiesen wird, bedarf es fast keiner weiteren Ausführung, dasz die Alten
selbst, nicht Uebersetzungen studiert werden müssen. Auch ist ein
Moment hervorgehoben, das freilich oft vernachlässigt und übersehen
worden ist, aber schon um der auch den Griechen und Römern gebührenden Gerechtigkeit willen, nicht übersehen werden darf, das im
Inhalte der Mythen liegende wahre und gute. Freilich sind hier die
rechten Grenzen gar leicht überschritten, man findet eben so oft
fälschlich tiefen Gehalt in den Mythen, wie man sie als leere Gebilde
irre geleiteter Phantasie verwirft, man ist noch immer von der klaren
Erkenntnis des historischen Entwicklungsganges im einzelnen wie im
ganzen der Mythologie weit entfernt, und oft fehlen zwischen den einzelnen Gestaltungen die verbindenden Glieder, aber zu verkennen ist
nicht, dasz sich in der Mythologie theils Reste einer Urüberlieferung,
theils Spuren einer höhern Erleuchtung finden, welche aber immer
wieder verdunkelt werden und keine bleibende Stätte gewinnen können. Der Hr. Vf. hat sich von den Uebertreibungen ziemlich fern gehalten, die unvermeidlich sind, wo eine neue tiefere Richtung Wurzel
schlägt; indes legen wir doch das Hauptgewicht auf das Verhalten
der Alten zu ihren Göttern, auf ihre Anerkennung und auf ihre Un-
terwerfung unter das ihnen so unbekannte und so verdunkelte göttliche,
auf das suchen und sehnen nach richtigerer Erkenntnis und Befriedung
mit ihren Göttern, mit einem Worte auf das erbauliche, weil das, was
die Alten den Götzen erwiesen, und die Folgen, die sie davon hatten,
am kräftigsten das Herz antreiben, das sich im Besitze der Offenbarung weisz. Wollten wir auf einzelnes eingehn, so würden wir die
Grenzen dieser Anzeige überschreiten. Unser Zweck ist nur auf die
mit Geist, Umsicht und Gelehrsamkeit geschriebene Schrift aufmerksam zu machen.   R. D.

FREIBERG]. Als Einladungsschrift zu dem Redeactus im Gymnasium am 13. Apr. erschien von dem Rect. Prof. Dr. K. H. Frotscher: *Anonymi Graeci oratio funebris nunc primum in Germania multoque accuratius quam usquam antehac factum est, edita* (80 S. 8).

Personalnachrichten.

Angestellt oder ernannt:

Beer, Ad., Supplent am Altstädter Gymn. zu Prag, ern. zum wirkl. Lehrer für das Gymnasium zu Eger unter einstweiliger Verwendung am zuerstgen. G.

Böhtlingk, Otto, in St. Petersburg ern. zum corresp. Mitglied der philos.-histor. Kl. der k. preuss. Akad. der Wissensch.

Bogler, Collaborator am Gelehrtengymn. zu Wiesbaden, in gleicher Eigenschaft an das Gymn. zu Hadamar versetzt.

Braun, Rector am Paedagog. zu Eszlingen, zum evang. Stadtpf. und Decan in Welzheim ernannt.

v. Corzan, Supplent am Gymn. zu Kaschau, zum wirkl. G-l. ern.

Culen, Mart., Suppl., zum Lehrer am neusystemisierten Gymn. zu Neusohlern.

Czermak, Joh., Assistent am physiolog. Institut zu Prag, zum ord. Prof. der Zoologie an der Univ. Gratz ernannt.

Danilo, Suppl. am Gymn. zu Zara, zum wirkl. G-l. ern.

Esmarch, Dr K., Privatdoc. an der Univ. zu Göttingen, zum ord. Prof. des röm. Rechts an der Univ. zu Krakau.

Gotschar, Joh., Lehrer, zum wirkl. Lehrer am Gymn. zu Neusohl ern.

Grion, Just., Suppl. des Obergymn. zu Triest, zum ord. Lehrer des Lycealgymn. zu Padua.

Hajnowski, Norb., Suppl., zum wirkl. Lehrer am Gymn. zu Neusohl.

Hamerling, Rupr., Lehrer am Gymn. zu Gratz, als Lehrer an das Gymn. zu Triest vers.

Iler, Gust., Suppl. in Gratz, zum Lehrer am Gymn. zu Triest ern.

Hohenwarter, Thom., vom Kaschauer Gymn. als Lehrer an das Gymn. zu Görz vers.

Huczynski, Mich., Suppl. am Gymn. zu Sandec, zum wirkl. Lehr. an ders. Anst. ernannt.

Kink, Rud., Landesrath des schles. Landesregierung, zum Ministerialsecretär im Ministerium für Cultus und Unterricht in Wien.

Kölie, E. W., in Sierra Leone, zum corr. Mitgl. der phil.-histor. Klasse der kön. preusz. Akad. der Wissensch.

Körnig, K., Lehrer der deutschen Sprache am Gymn. zu Ragusa, in gleicher Eigenschaft an das Gymn. zu Spalato vers.

Kotrbelec, Dr. theol. Ludw., Religionsl am Cymn. zu Jičin, zum wirkl. G-l. an ders. Anst. ern.

Kott, Frz., Lehrer am Gymn. zu Jičin, in gleicher Eigenschaft an das Gymn. zu Görz ernannt.

Kritz, Joh, Suppl., zum wirkl. Lehrer am Gymn. in Neusohl ern.

Lautkotsky, Vinc., Lehrer am Görzer Gymn., in gleicher Eigenschaft an das Gymn. zu Triest vers.

Lichtenauer, Ant., Rector des Gymn. zu Landshut in Niederbayern, zum Domcapitular in München ern.

Lindner, Gust., Lehrer am Gymn. zu Jičin, in gleicher Eigenschaft nach Cilli vers.

Lorenz, K. W., Lehrer an der Domschule zu Schleswig, als Ober-
lehrer an das Gymn. zu Soest berufen und bestätigt.
Ludwig, Dr., Physiolog, von Zürich nach Wien berufen.
Macht, K. Leonh., Studienlehrer zu Speier, zum Prof. am Gymn.
zu Hof ernannt.
Martin, Henri, in Rennes, zum corr. Mitgl. der philos.-hist. Kl. der
k. preusz. Akad. der Wissensch.
Megnin, Praeceptor in Backnang, erhielt die Lehrstelle der 2n Kl.
der lat. Sch. in Hall.
Meschutar, Andr., Bischof und Ministerialrath, zum Sectionschef
im Min. für Cult. u. Unt. zu Wien ern.
Mischler, Dr. Pet., ao. Prof., zum ordentl. Prof. der politischen
Oekonomie zu Prag ern.
Müller, Praeceptor in Pfullingen, erhielt die Lehrstelle an der untern
Kl. der lat. Sch. zu Reutlingen.
Nägeli, ord. Prof. und Director des botanischen Gartens zu Freiburg
im Br., zum Prof. am Polytechnicum in Zürich ern.
Nasemann, Dr., Hülfslehrer am Gymn. zu Königsb. in d. Neum.,
definitiv angestellt.
Orgler, Flav., Franciscaner Ordenspr., als Lehrer am Obergymn.
zum Botzen bestätigt.
Ott, Ed., Supplent am Gymn. zu Budweis, zum Lehrer am Gymn.
zu Triest ern.
Preller, Dr. Ludw., Hofr. und Oberbibliothekar zu Weimar, zum
corresp. Mitglied der philos.-histor. Kl. der kön. preusz. Ak. d.
W. ern.
Röpell, Dr., ao. Prof., zum ord. Prof. in der philos. Facultät der
Universität Breslau ern.
Ronzoni, Dr. Cyrill, Suppl. am Lycealgymn. zu Padua, zum ord.
G-l. an ders. Anstalt ern.
Rossignol, Mitglied der Akad. der Inschr., zum Prof. der griechi-
schen Sprache und Litt. am College de France zu Paris ern. [an
des pensionierten Boissonade Stelle].
Roulez, Jos., in Gent, zum corr. Mitgl. der philos.-hist. Kl. der k.
preusz. Ak. d. W.
Ruzička, Matth., Benedictiner Ordenspr., bisher zur Dienstleistung
dem Gymn. zu Neusohl überwiesen, zum Lehrer und provis. Di-
rector an derselben neu systemisierten Anstalt.
Schönermark, O. C. Fr. J., Lehrer, als ord. Lehrer an der Ritter-
akad. zu Liegnitz angestellt.
Schmidt, Dr Ambr., Suppl. am Josephstädter Gymn. in Wien, zum
Lehrer am Gymn. zu Triest ernannt.
Simor, Abt Joh., Sectionsrath, zum Ministerialrath im Minist. für
Cult. und Unterr. zu Wien ernannt.
Stocker, Weltpr. Jos., provis. Dir. des Gymn. zu Feldkirch, zum
wirkl. Dir. ders. Anstalt ernannt.
Thilo, Dr. Ge. Christi., Schulamtsc., als ord. Lehrer am Dom-
gymn. zu Naumburg a. d. S. angest.
Varecka, Wilh., Suppl., zum wirkl. Lehrer am Gymn. zu Neusohl ern.
Volckmann, Dr. Rich. Em., Schulamtsc., als Collabor. an der Fried-
rich-Wilhelmsschule zu Stettin bestätigt.
Wenck, Dr. Wold., Privatdoc. zum ao. Prof. der Philos. an der Univ.
zu Leipzig ern.
Wiedermann, K., Suppl., zum wirkl. Lehrer am Gymn. zu Kaschau ern.
Wildenhahn, Dr. K. Aug., Pastor prim., zum Kirchen- und Schul-
rathe bei der Kreisdirection zu Budissin ern.

Zenger, Wenz., Suppl., als Lehrer am Gymn. zu Neusohl angest.
Zimmermann, Jos. Andr., Ministerialsecr., zum Sectionsrathe im Minist. für Cult. u. Unterr. zu Wien ern.

Praediciert:

Altmann, Ministerial- und Praesidialsecretär im Minist. für Cultus und Unterricht zu Wien, als Sectionsrath.
Göppert, Prof. und Dir. des botan. Gartens zu Breslau als Geh. Med. R.

Pensioniert:

Fletzer, Dr. Joh., Prof. der italien. Spr. an der Universität zu Pesth.
Weber, Phil., Prof. am Gymn. zu Tauberbischofsheim.

Gestorben:

Am 5. Febr. zu Wien Dr. iur. **Karl Bernd**, geb. 5. Jul. 1819, seit 1850 als Supplent, seit 1852 als wirkl. G-l. an dem kk. akademischen Gymn. beschäftigt.
Am 13. Febr. auf seiner Villa bei Ponterico Baron **Camillo Ugoni**, verdient um die italienische Litteraturgeschichte.
Am 8. März zu Mailand Dr. **Bart. Catona**, Praefect der Ambrosian. Bibliothek und Mitglied des kk. lombardischen Instituts.
Am 28 März, **Pagani**, Professor an der Universität zu Löwen, seit 1825 Mitglied der belg. Akademie, 59 J. alt.
Im März Joh. **Repiczky**, 2r Secretär der ungar. Akademie, bekannt durch seine Sprachkenntnisse, im 38n Lebensjahre.
Am 7. April zu Agram **Georg Novosel**, Domherr, gewesener Gymnasialprofessor, zuletzt Gymnasialschuldirector, im 60n Lebensj.
Am 27. Apr. zu Pesth Dr. **Leand. Starke**, Benedictiner Ordenspr., suppl. Prof. der Philosophie an der Universität.
Am 2. Mai zu Wollin Dr. **Theod. Obbarius**, Lehrer an einem Privatgymn., bekannt durch seine Ausgaben des Boëthius, Prudentius, Horat. carm. und seine Uebersetzung des Horaz, 38 J. alt.
Am 11. Mai zu Eisleben der Dir. des dort. Gymn., Prof. Dr. **Friedr. Ellendt**, Herausgeber von Cic. Brut. und d. orat., des Lexicon Sophocl. und eines geschätzten Lehrbuchs der Geschichte, im 59n J.
Am 16. Mai in Pisa Prof. Ritter **Giov. Rosini**, Vf. der Geschichte der Malerei und and. Sehr.
Am 19. Mai in Augsburg Dr. **Joh. Gfr. Dingler**, 78 J. alt, Begründer des bekannten polytechn. Journals.
Am 29. Mai zu Kopenhagen der Prof. der Astronomie an der dasigen Universität, Dr. **Olufsen**.
Am 31. Mai im Bade Wittekind bei Halle der Rector der Schulpforta Prof. Dr. **K. Kirchner**.
An dems. Tage in Genf bei einem Besuche seines Schwiegersohns der Geh. Schulr. Prof. Dr. **K. Just. Blochmann**, geb. zu Reichstädt bei Dippoldiswalde 1786, ein Schüler Pestalozzi's, 1824 Gründer der später mit dem Vitzthumschen Geschlechtsgymn. vereinigten Erziehungsanstalt zu Dresden.
Am 21. Jun. zu München der Staatsr. im ord. Dienst und Ehrenmitglied der kön. Akad. der W. Dr. **Frdr. von Strausz**, im 68n Lebensj.
Am 24. Jun. in Leipzig der Consul der Verein. Staaten, Dr. **Joh. Gfr. Flügel**, im 67n Lebensj., bekannt durch seine Verdienste um das Studium der englischen Litteratur.

Zweite Abtheilung

herausgegeben von Rudolph Dietsch.

25.

Zum evangelischen Religionsunterricht auf Gymnasien.

In dem evangelischen Religionsunterricht auf Gymnasien müssen, ebenso wie in anderen Gymnasialdisciplinen, z. B. der Geschichte und den klassischen Sprachen zwei Lehrstufen, eine untere und eine obere, bestimmt von einander unterschieden werden. Von der klaren und sichern Erkenntnis des Wesens und Ziels, des Umfangs und Inhalts einer jeden dieser beiden Stufen, wie ihres Verhältnisses zu einander und zum ganzen hängt ein gedeihlicher Fortschritt des Religionsunterrichts zum groszen Theil mit ab. Aber während z. B. für die antiken Sprachen und die Weltgeschichte oder selbst für untergeordnetere Gymnasialfächer die Bedeutung der erwähnten zwei Hauptstufen, der drei unteren und der drei oberen Gymnasialklassen, allgemein anerkannt ist und sieh der gesamte Gang des Unterrichts darnach gestaltet, findet sich hinsichtlich des Religionsunterrichts trotz der unleugbaren Fortschritte, die derselbe im letztvergangenen Decennium im allgemeinen gemacht hat, doch noch immer gerade von dem eigenthümlichen Charakter jener Lehrstufen ein klares und festes Bewustsein im ganzen so selten und so vereinzelt, dasz es in der That nicht überflüssig erscheint, vorerst einmal wieder diese vergessenen oder übersehenen Punkte von neuem hervorzuheben.

Was dem antiken Sprachunterricht anerkanntermaszen im höchsten Grade förderlich ist, das ist die feste allgemeine auf unbestritteuer Tradition ruhende Ordnung und Stufenfolge, in welcher sich derselbe bewegt; und eben diese feste allgemeine Ordnung und Tradition ist es gerade, die dem evangelischen Religionsunterrichte zu dessen groszem Nachtheil vielfach noch abgeht; und nach deren allmählicher Begründung daher alle diejenigen, die dazu den Beruf haben, mit allen ihren Kräften streben müssen. Selbst da nemlieh, wo der evangelische Religionsunterricht der Zerstörung des Rationalismus entronnen ist und sich wieder auf positiven Grundlagen aufzuerbauen begonnen hat, also bei christlich gesinnten Lehrern — und

von denen kann hier begreiflicher Weise allein die Rede sein — tritt
sehr häufig das bestreben nach subjectiver Erregung und Erweckung,
steter Einwirkung auf Gefühl und Gemüth des einzelnen so überwiegend hervor, dasz auf eine feste, allgemein gültige, im wesentlichen
unveränderliche Ordnung und objective Stufenfolge eben nicht son-
derliches Gewicht gelegt wird.   Dagegen aber sollen in Zukunft die
christlich-gesinnten Religionslehrer, wenn sie mit des Herrn Hülfe in
der That und Wahrheit sein Reich bauen helfen wollen, mit den Waffen des Geistes auf das entschiedenste ankämpfen. Nicht als ob sie
von der erfahrenen Gnade des Herrn Jesu Christi in ihrem Unterricht
kein Zeugnis abzulegen hätten; — das sei ferne; wo der Heilige Geist
wahrhaftig und lebendig wirksam ist, wird das persönliche Zeugnis
von Christo dem gekreuzigten und auferstandenen, von der Vergebung
der Sünden und dem ewigen Leben nicht ausbleiben können. Aber
das sollen die evangelischen Religionslehrer an unseren Gymnasien
auch nicht vergessen, dasz sie zu Haushaltern über Gottes Geheimnisse
gesetzt sind, von denen Gott der Herr vor allen Dingen Treue fordert.
Treu aber kann der evangelische Religionslehrer nur dann sein und
bleiben, wenn er in der christlichen Unterweisung die ihm anvertraute
Jugend nicht auf seinen, wenn auch noch so christlichen Gedanken-
und Gefühlswegen, sondern auf den groszen, ewigen und gewaltigen Wegen des Herrn Herrn selber führt; mit anderen
Worten: der evangelische Religionsunterricht musz, dem allgemeinen
geschichtlichen Princip des gesamten Gymnasialunterrichts gemäsz,
geschichtlich-kirchlich sein, d. h. er musz sich an den groszen
Thaten Gottes, an dem Heilsgang der Verheiszung im Alten Bunde und
deren Erfüllung im Neuen Bunde, und an dem Kampfes- und Sieges-
gange der Kirche des Herrn, die auch die Pforten der Hölle nicht
überwinden sollen, von Anfang bis zu seinem Ziele fortbewegen.
Treu kann ferner der evangelische Religionslehrer nur dann sein und
bleiben, wenn er seines auf der ursprünglichen und wahrhaftigen Bestimmung der evangelischen Gymnasien ruhenden Berufes fort und
fort gedenkt, Kinder, die durch das Sacrament der heiligen Taufe in
die christliche Kirche aufgenommen sind, nun auch zu lebendigen
Kirchengliedern, insbesondere nach dem Wesen der Anstalt, der sie
angehören, zu dereinstigen Führern des christlichen Volks in Staat
und Kirche zu erziehen; mit anderen Worten: der evangelische Religionsunterricht musz miteinstimmen in das hochherliche Bekenntnis
unserer theueren evangelischen Kirche und in seiner Gesamtheit wieder nach den beiden Stufen für die Katechumenen und für die
dereinstigen Hegumenen gegliedert sein. Dabei ist, wie sich
von selbst versteht, der geschichtlich-kirchliche Unterrichtsgang das
objective, die beiden Stufen durchweg beherschende Gesetz, das auf
jeder dieser beiden Stufen seine besondere lebendige Gestaltung gewinnt. Nicht nur, dass dieser geschichtlich-kirchliche Charakter, wie
schon bemerkt, dem Wesen der Gymnasialbildung überhaupt allein in
Wahrheit angemessen ist, der Religionsunterricht erhält nur dadurch,

dasz er den groszen Thaten Gottes selbst in ihrer geschichtlichen Offenbarung nachfolgt, jene objective, in der göttlichen Oekonomie selbstbegründete, concret-lebendige Ordnung, die ihn über jede subjective, abstracte und selbsterdachte Systematisierung hoch und weit erhebt. Es ist die beste Ordnung des Lehrstoffs, die nur gedacht werden kann, denn es ist die höchste Ordnung selbst, die sich in dem geschichtlichen Gange des Reiches Gottes auf Erden von dessen ersten Stadien bis zu den letzten Dingen in wunderbarer Herlichkeit und Klarheit entfaltet. Wahrlich, wer einmal diese göttliche Ordnung und Stufenfolge, diese Sternenbahn des Herrn Himmels und der Erden geschaut hat, der wird nimmermehr wieder Verlangen tragen, im Religionsunterricht zu irgend welchem, menschlich-gestalteten System zurückzukehren und dessen Unvollkommenheiten mit dem organischen Zusammenhang des in sich vollkommenen göttlichen Offenbarungsgangs zu vertauschen. Vielmehr wird ein jeder, der ein Auge hat für die geordneten leuchtenden Bahnen der Barmherzigkeit und Gnade Gottes neben den dunkeln Todesschatten der menschlichen Sünde, an diesem geschichtlich-kirchlichen Unterrichtsgang um so fester halten, je innerlich lebendiger derselbe ist. Alles entfaltet sich in Gottgeleitetem Wachsthum, eine Knospe bricht nach der andern auf, eine Blüthe reiht sich an die andere, eine Frucht drängt die andere; — lauter lebensfrische Keime, lauter lebenskräftige Entwicklungen; — eine Klarheit nach der andern, eine lebendige Persönlichkeit nach der andern, eine Erfüllung nach der andern; alles kommende wird durch das vorausgehende verkündigt und getragen, alles vorausgehende durch das kommende bestätigt und in seinem innersten Leben bedingt. Das erweckt wieder Leben, während auf der Schule wenigstens das wissenschaftliche System der Dogmatik, mag es auch ein Muster von logischer Ordnung sein, die Herzen meist kalt läszt und auf die Dauer in der Regel Langeweile erregt. Es kommt mir diese systematische Darstellung im evangelischen Religionsunterricht auf Gymnasien im Vergleich mit dem groszen geschichtlichen Erziehungsgang Gottes fast wie ein eingeschachteltes Herbarium vertrockneter und verblaszter Pflanzen gegen den duftenden Frühlingsgarten in seiner Blüthenpracht vor. Zu dieser Lebensfülle und Frische gesellen sich aber auch noch Festigkeit und Beharrlichkeit. Es sind ja die unveränderlichen Thatsachen selbst in der einmal gegebenen Aufeinanderfolge, an denen sich der Unterricht stets und ständig fortbewegt; er hat überall die bestimmten Ziele, die in den Thatsachen selbst liegenden Stufen im Auge; die Heilslehre ist nirgends von den Thatsachen des Heils losgetrennt, sondern fest und unabänderlich wie innerlich mit ihnen verbunden, so auch im Unterricht zusammengehalten; die Lehrstücke sind in ihrer Stellung nirgends von dem subjectiven veränderlichen Lehrsystem abhängig, sondern behalten vielmehr, diesem fortwährenden Wechsel enthoben, ihren festen Sitz, den ihnen entweder das Wort Gottes oder das Bekenntnis der Kirche ein- und für allemal zuweist. Dasz auszerdem diese wirklichen und lebendi-

gen, festen und unverrückbaren τόποι neben anderen Vorzügen die
Behaltbarkeit des Lehrstoffes in hohem Grade fördern, liegt auf der
Hand, während die s. g. systematische Anordnung bei dem beständigen Wechsel, dem sie im einzelnen je nach der subjectiven, veränderlichen Anschauung ihres jedesmaligen Urhebers unterworfen ist, festes
und sicheres wissen erfahrungsmäszig in viel geringerem Grade zu
erzeugen vermag. Höher schlagen wir jedoch das an, dasz die geschichtliche Festigkeit und Beharrlichkeit des Unterrichts ohne Zweifel nicht nur der Festigkeit des wissens, sondern auch der Festigkeit
des Glaubens Vorschub leistet. Nur zu leicht wird begreiflicher
Weise durch das schwanken und die Beliebigkeit in der systemati-
sehen Anordnung ein schwanken und belieben in der Annahme der
Wahrheit selbst hervorgerufen und somit die schwere Krankheit des
Zweifels nur noch gesteigert, während die feste Stelle im Worte
Gottes und im Bekenntnis der Kirche an sich schon darauf hinweist,
dasz es sieh hier nicht um Menschensatzung und beliebige Annahme,
sondern um die ewige Wahrheit selbst handelt.

Also geschichtlich-kirchlicher Charakter des gesamten Religionsunterrichts: und daher zunächst auf der unteren Stufe, der Stufe
der Katechumenen in den beiden vorbereitenden Klassen (Sexta
und Quinta), biblische Geschichte des A. u. N. T. naeh dem geschieht-
lichen Gang der Verheiszung und Erfüllung, in der diese untere Stufe
abschlieszenden Klasse (Quarta) der Katechismus. Dazu bedarf es als
Lehrmittel nur einer biblischen Geschichte, die den Bibeltou treu wiedergibt, wie die von Zahn, und des kleinen Katechismus Luthers, der
bekanntlich gleichfalls den geschichtlichen Gang der Offenbarung ein-
hält und überhaupt ohne alle Widerrede vor allen andern derartigen
Lehrbüchern den unbedingten Vorzug behauptet. Hierüber findet im
allgemeinen jetzt schon die meiste Uebereinstimmung statt, und wir
brauchen uns daher um so weniger mit methodologischen Erörterungen über feste Einprägung des Haupttextes und der Erklärungen, über
memoriale Kenntnis der Kernsprüche der Heiligen Schrift und der
Kernlieder der evangelischen Kirche aufzuhalten. Nur éine Forderung möchten wir hier noch aussprechen, die meines wissens, so nahe
sie auch zu liegen scheint, noch nirgends erhoben ist, dasz nemlich
bei Gelegenheit des 3n Gebots der Sabbathsheiligung nicht nur eine
klare und bestimmte Kenntnis des christlichen Kirchenjahres in seinen
hohen Festen erreicht werde — darauf wird schon so ziemlich allgemein geachtet —, sondern zugleich auch bei den Katechumenen ein
einfaches Verständnis der liturgischen Ordnung des Gottesdienstes
wenigstens im allgemeinen angebahnt werde. Eigentlich zwar ist es
Pflicht des christlichen Hauses, dies zu leisten — aber wo geschieht's?
So musz die Schule vorläufig und bis auf bessere Zeiten auch in dieser
Beziehung, wie in so manchen anderen die Pflichten des Hauses mit-
übernehmen, und ihre unmündigen Kirchenglieder von der Bedeutung
und dem Wesen der kirchenordnungsmäszigen Haupttheile des Gottesdienstes zu unterrichten suchen. Wird diese Unterweisung richtig.

und mit dem nöthigen Takt ertheilt, so trägt sie in sehr heilsamer Weise dazu bei, mit dem Auge auch die Seele des Kindes auf Altar und Kanzel — auf die sonntägliche Feier unseres theueren evangelischen Gottesdienstes hinzulenken. Die höhere Stufe des Religionsunterrichts würde dann die hier nur kürzlich und mit Beschränkung auf das allerwesentlichste gegebene Darlegung an geeigneter Stelle weiter auszuführen haben.

Ueberhaupt zwischen den beiden Stufen musz eine lebendige Beziehung und genaue Symmetrie bestehen, wenn es anders zu einer so wünschenswerthen, sicheren Tradition kommen soll. Gerade in dieser Hinsicht hat es trotz der gewichtigsten Stimmen und überzeugendsten Ausführungen urtheilsfähiger Männer, wie wir bereits oben angedeutet, zu einem klaren Bewustsein noch nicht kommen wollen. Wer sich die Mühe nehmen will, die Programme unserer deutschen evangelischen Gymnasien von nur éinem, höchstens zwei Jahren nach der angegebenen Rücksicht durchzugehen, wird sich zur Genüge davon überzeugen können. Bald wird in der Tertia (als der untersten Klasse dieser höheren oder oberen Stufe) die Heilige Schrift, bald eine systematische Glaubens- und Sittenlehre vorgenommen, und wo jenes der Fall ist, bald mit dem A. T., bald mit dem N. T. der Anfang gemacht und in beiden nicht selten mit ganz beliebiger, herüber- und hinüberspringender Auswahl. Oder das N. T. wird für die Secunda und Prima aufbewahrt, dort nach Luthers Bibelübersetzung, hier nach dem Grundtext, an den man sich jedoch hin und wieder auch schon früher anschlieszt. Oder einmal kommt die Glaubens- und Sittenlehre erst in Prima, ein andermal schon in Secunda und Tertia vor. Oder in dem einen Cursus wird Kirchengeschichte in Prima, in dem andern schon in Secunda getrieben, anderer unzähliger Unregelmäszigkeiten und Schwankungen nicht zu gedenken. Gegenüber diesen offenbaren Uebelständen ist eine feste Ordnung und Stufenfolge doppelt wünschenswerth, insbesondere, dasz die obere Stufe der vorausgehenden unteren, die ihr wieder als nothwendiger Unterbau dient, in richtiger Symmetrie und innerer Gesetzmäszigkeit entspreche. Wie in der ersten Klasse der unteren Stufe (der Sexta) mit der biblischen Geschichte des A. T. von dem ersten Wort der Heiligen Schrift 'Im Anfang schuf Gott Himmel und Erde' an bis zu der letzten Verkündigung, von dem Elias (Johannes dem Täufer), der das Herz der Väter bekehren soll zu den Kindern und das Herz der Kinder zu den Vätern, der Anfang gemacht werden musz, so soll dem entsprechend in der ersten Klasse der oberen Stufe (der Tertia) das A. T. von der Schöpfung des lebendigen Gottes durch sein Wort bis zu dem letzten Propheten des A. B. den Gegenstand bilden; und weiter, gerade wie in der zweiten Klasse der unteren Stufe (Quinta) zur biblischen Geschichte des N. T. fortgeschritten wird, so musz in der zweiten Klasse der oberen Stufe (Secunda) dem geschichtlichen Gang des Reiches Gottes getreu von der Verheiszung zur Erfüllung in Christo Jesu übergegangen und nunmehr das N. T. unabläszig getrieben werden. In dieser Beziehung hat W.

Hoffmann in seinem Vortrage über den rechten Gebrauch der Bibel in Kirche, Schule und Haus, den er am siebenten evangelischen Kirchentage zu Frankfurt a. M. im September vorigen Jahres gehalten, vollkommen Recht, wenn er nach dem Vorgange anderer mit allem Ernst auf das lesen der Bibel auch in den Gymnasien dringt.

Nachdem nemlich auf der Stufe der Katechumenen durch die biblische Geschichte des A. und N. T. und auf Grund dieser durch den Katechismusunterricht — der in den 5 (6) Hauptstücken der christlichen Lehre Gesetz, (Glaube, Gebet, Busze (Beichte und Absolution) und Sacrament zusammenfaszt — nunmehr der Unterbau für die nächsthöhere Lehrstufe gelegt ist, so geziemt es sich darauf jetzt, wo die Katechumenen sich für ihren Beruf als Hegumenen weiter zu bilden beginnen, das Wort Gottes im Zusammenhange zu lesen und zwar in dem Umfange, dasz ohne alle Unterbrechung die zwei Jahre der Tertia für das A. T., die zwei Jahre der Secunda für das N. T. bestimmt bleiben. An dieser allgemeinen Ordnung, die dem geschichtlichen Princip des Gymnasiums abermals vollkommen entspricht und zugleich dem sonstigen fortschreiten der Gymnasialdisciplinen ganz conform ist, könnte man doch einmal zu Bildung einer festen Tradition, um des Segens willen, der unfehlbar damit verknüpft ist, im Religionsunterricht auf unseren evangelischen Gymnasien festhalten! Es liegt darin in der That doch so wenig eine Beschränkung persönlich-freier Bewegung, dasz vielmehr dieser selbst erst eben dadurch ihre rechte, gesunde Wirksamkeit gesichert wird. Die Einwürfe aber, die sonst gegen das zusammenhängende lesen des A. T. erhoben zu werden pflegten, haben sich doch allmälilich als unhaltbare Vorurtheile erwiesen und können von einsichtsvollen Männern gewis nicht mehr berücksichtigt werden. Gerade am A. T. zunächst soll der Schüler in der Klasse, wo ja auch in anderen Gymnasialdisciplinen die weiteren Grundlagen zu einem höheren, zusammenhängenderen Verständnis z. B. der klassischen Schriftsteller und der Weltgeschichte gelegt werden, das heilige Gesetz Gottes und die Führungen seines Volkes, die Zeugnisse des unmittelbaren zusammenlebens in und mit Gott uns die Stimme der Propheten des Herrn erkennen lernen. Es ist die Geschichte aller Geschichte, die hier zum erstenmale im Gymnasialcursus auftritt und nicht etwa in abstracter Lehre, sondern in voller Lebendigkeit und Unmittelbarkeit der Thatsachen des Reiches Gottes A. T. an diesem wahrhaften Volk der Zukunft in ihrem inneren Zusammenhange allmählich entfaltet. Die Grundlagen für die Erkenntnis Gottes des Herrn und seines heiligen Namens, seiner groszen Schöpfungs-, Erlösungs- und Heiligungsthaten werden hier gelegt. Das ursprüngliche Menschenleben, wie es aus Gottes Schöpferhand hervorgieng, die Entstehung der Sünde und ihre todbringenden Folgen, der helle Lichtstrahl in des barmherzigen Gottes erster Gnadenverheiszung, der erste Bund des lebendigen Gottes mit der sündigen Menschheit, die ewigen Ordnungen der Gerechtigkeit und Heiligkeit Gottes, an bestimmten lebendigen Persönlichkeiten und Ereignissen offenbar geworden, die reichhaltige Patriarchengeschichte mit ihrem vorbildlichen Charakter, die Prüfungszeit in Aegypten und die Verstockung der Weltmacht, die Gesetzgebung auf Sinai und der Zug durch die Wüste mit den erziehenden und leuternden Strafgerichten des Herrn, Josuas Führung und Kampf gegen die Völkerstämme, die aus dem Wohnsitz des Volkes Gottes vertilgt werden sollen, die Heldengestalten der Richterzeit, das Königthum in seinen verschiedenen Trägern in der Zeit der Einheit des Reichs, endlich die innere und äuszere Zerspaltung in zehn Stämme auf der einen und in zwei auf der anderen Seite; — dann weiterhin in der gewaltigen Zeit, wo die Gerichte Gottes über Israel und Juda hereinbrechen, die Zeugnisse der hohen Propheten des Herrn für das Gesetz, für die Verheiszung und für die Erfüllung, mit ihrem erleuchteten Seherblick bald in die nahe drohenden Gefahren, bald in die weitesten Fernen bis auf des Herrn Christi kommen ins Fleisch und sein stellvertretendes leiden als des Lamm Gottes, das der Welt Sünden trägt, bis auf die Ausgieszung des heiligen Geistes, ja bis auf die letzten Zeiten des Weltgerichts und das neue Jerusalem; — dazu die Psalmen, ‘wo du allen heiligen ins Herz siehst’ und der Lehrbücher unerschöpflicher Reichthum; — und das alles in der gewaltigen Gottessprache, die bald wie ein verzehrend Feuer einherfährt, bald wie ein Hammer schlägt, der Felsen zerschmeiszt, bald wie ein flammendes Schwert durchdringt bis auf Mark und Bein; — das ist doch wol eine Fülle des Lebens, wie sie anderswo für den Religionsunterricht nimmermehr zu finden ist. Allerdings ein unendlich reicher Lehrstoff; wenn indessen der Unterrichtsgang lebendig ist, ohne oberflächlich zu werden, wenn beim lesen namentlich jede archaeologische und exegetische Akribie sorgfältig vermieden und sich mit verständiger Auswahl darauf beschränkt wird, die Hauptpartieen gründlich durchzunehmen, so lassen sich die Hauptsachen im groszen und ganzen in den zwei Jahren der Tertia doch wol bewältigen, und so Gott Gnade gibt, zur Erkenntnis der e w i g e n Ordnungen Gottes, die auch den absoluten Maszstab für alle Ereignisse der Weltgeschichte abgeben, lebendige Keime legen, die tausendmal kräftiger sind, als alle abstracten Lehren der s. g. Dogmatik und Moral zusammengenommen.

Auf dieser Grundlage des A. T. erhebt sich dann der geschichtlich-kirchlichen Ordnung gemäsz die Lesung des N. T. während des zweijährigen Cursus der Secunda, der synoptischen Evangelien und der Apostelgeschichte in dem einen, des Evangeliums Johannis und der apostolischen Briefe, vor allen des Römerbriefs, in dem andern Jahr. Auch hier kommt es auf Erkenntnis der geschichtlichen Thatsache des in Christo erschienenen Heils und auf das lebendige Zeugnis der Apostel und Evangelisten von dem Wort, das Fleisch ward, und von der Rechtfertigung des Sünders vor Gott durch den Glauben an die Gnade Gottes in Christo an. Auf das Wort, das von Anfang war und bei Gott war und Gott war, Licht vom Licht, Jesus Christus, welcher ist das Ebenbild des unsichtbaren Gottes und der Abglanz seiner

Herlichkeit, der als die Zeit erfüllet war, erschienen ist im Fleisch, voller Gnade und Wahrheit, in dem alle Verheiszungen ja und amen sind, sollen die Schüler evangelischer Gymnasien in diesen Stunden der Erklärung des N. T. gewiesen werden. Sie sollen in den Evangelien den Herrn sehen, wie er ist, sollen stundenlang bei ihm verweilen, seine Thaten erfahren und seine Worte hören, dasz der Morgenstern aufgehe in ihren Herzen und Christus sie erleuchte, und vom ewigen Tod zu ewigem Leben rette. Sie werden in der Apostelgeschichte von der Sendung des Heiligen Geistes und der Gründung der christlichen Kirche hören, und die kirchengründenden Thaten der Apostel, besonders der Apostel Petrus und Paulus miterleben und im Römerbriefe die Thatsache aller Thatsachen erfahren, dasz wie durch eines Sünde die Verdammnis über alle Menschen gekommen ist, also ist auch durch eines Gerechtigkeit die Rechtfertigung des Lebens über alle Menschen gekommen; denn gleichwie durch eines Menschen Ungehorsam viele Sünder geworden sind, also auch durch eines Gehorsam werden viele gerecht. So findet sich auch auf dieser Stufe des N. T. überall wieder die schicklichste Gelegenheit, an unverrückbaren Stellen die christliche Heilslehre nach ihrem vollen Inhalt darzulegen und einzuprägen und damit zugleich — wie es bei jedem lebendig und organisch ineinandergreifenden Unterricht sein soll, nicht nur die früheren Stufen zu ergänzen und zu befestigen, sondern auch die folgende höhere in geeigneter Weise vorzubereiten. Besonderer Lehrmittel bedarf es auch für die Tertia und Secunda keiner anderen, als der Bibel und des kirchlichen Katechismus und Gesangbuchs; dem Schüler wenigstens braucht nichts anderes in die Hände gegeben zu werden.

Bis dahin können wir trotz verschiedener Widersprüche im einzelnen, an denen es sicherlich nicht fehlen wird, doch noch verhältnismäszig wol auf die meiste Beistimmung rechnen. Steigern wird sich jedenfalls der Widerspruch, nun, wo wir zur Angabe des Lehrstoffs und Lehrgangs für die Spitze der oberen Stufe, für die Prima, übergehen. Gerade für diese Klasse fehlt es an Sicherheit und Klarheit des Bewustseins von dem, was in Anschlusz an das vorausgehende und zu Vollendung und Abschlieszung desselben noth thut, noch gar sehr. Mit Verwerfung sowol der s. g. litterarhistorischen Einleitungen, als auch der systematischen Darstellung der christlichen Glaubens- und Sittenlehre, mit ihrem vorhersehend doctrinären Charakter, bleiben wir vielmehr auch hier bis zur höchsten Spitze hinauf dem geschichtlich-kirchlichen Charakter des evangelischen Religionsunterrichts aus vollster Ueberzeugung und auf Grund langjähriger Erfahrung treu. Wie die Spitze der unteren Stufe, der Katechismusunterricht, die Resultate der biblischen Geschichte A. u. N. T. gleichsam zu einer höheren Einheit, die sich aber wieder ganz an das geschichtliche Verhältnis von Gesetz und Evangelium anschlieszt, in den 5 (6) Hauptstücken zusammenfaszt, ebenso geschieht dies, wie wir gleich näher sehen werden, auf der höchsten Spitze der oberen Stufe, die zugleich den Abschlusz des gesamten Religionsunterrichts bildet, mit den Ergebnissen der beiden vorausgehenden Klassen. Diese Zusammenfassung geschieht hier in der Prima aber auf doppelte Weise, einmal durch die — auf Grundlage der biblischen Geschichte (Sexta und Quinta) und der Lectüre des A. u. N. T. (Tertia u. Secunda), nur von einem höheren Standpunkt für schon gereiftere Gymnasialschüler jetzt auftretende — Disciplin einer Geschichte des Reichs Gottes Alten und Neuen Bundes (und zwar wie sich von selbst versteht mit Einschlusz der Geschichte der christlichen Kirche); — sodann durch die — den Katechismusunterricht (in Quarta) von neuem befestigende und vollendende Darstellung des Bekenntnisstandes der evangelischen Kirche in ihren Symbolen nach deren Entstehung und geschichtlicher Aufeinanderfolge.

So stehen nicht nur die beiden Hauptstufen in innerlich lebendiger Beziehung zu einander, sondern auch die einzelnen Klassen innerhalb derselben; jede Stufe und jede Klasse hat ihre besondere, eigenthümliche Aufgabe und jede vorhergehende trägt dabei wieder die folgende, jede folgende ergänzt und erleuchtet die vorausgehende: die untere Stufe beginnt in ihrer Klasse mit der biblischen Geschichte des A. T., die obere in ihrer ersten Klasse mit dem lesen des A. T., die untere Stufe schreitet aufwärts fort in ihrer zweiten Klasse zur biblischen Geschichte des N. T., die obere in ihrer zweiten Klasse zum lesen des N. T.; die untere Stufe endlich schliesz in ihrer dritten Klasse mit dem Katechismus (Gesetz und Evangelium), mit dem Kirchenjahr und allgemeinen Erklärung des evangelischen Gottesdienstes, die obere in ihrer dritten Klasse mit der Geschichte des Reiches Gottes A. u. N. B. (Gesetz u. Evangelium), der Geschichte des Kampfes- und Siegesganges der christlichen Kirche und der Symbolik, auf der Grundlage des zweiten Hauptstücks oder der drei Artikel des christlichen Glaubens. Eine geordnetere, nicht künstlich gemachte, sondern in und mit der Geschichte des Reiches Gottes selbst gegebene Gliederung möchte sich nicht leicht wiederfinden.

Was nun aber die Gliederung des Religionsunterrichts in der Prima im einzelnen betrifft, so hat sich zuerst die Geschichte des Reiches Gottes A. B. eng und fest an die Heilige Schrift selbst anzuschlieszen, so dasz die Schüler also zunächst auch hier ein anderes Buch, als das Buch aller Bücher eigentlich nicht nöthig haben. Der eigenthümliche Charakter dieses Unterrichts in der Prima, im Unterschied von der alttestamentlichen Lectüre in der Tertia, besteht aber darin, dasz einerseits hier in der übersichtlichen Darstellung des geschichtlichen Ganges des Reiches Gottes so zu sagen mehr der universalhistorische Standpunkt eingehalten, andererseits an den bedeutsamsten Punkten der tiefe Unterschied zwischen dem, was Heidenthum heiszt, und der Offenbarung schärfer und vollständiger hervorgehoben wird. Es ist also hier der Ort gleich zu Anfang die Bedeutung und das Wesen der Geschichte des Reiches

Gottes A. B. festzustellen, dasz in der Geschichte des éinen Volks die
Geschichte aller Völker geschrieben und in den Geschicken des éinen
Volks, das überall einen vorbildlichen (typischen) Charakter trägt
(1 Cor. 10 6), die Geschicke aller Völker geweissagt, ja dasz die
ewigen Gesetze der göttlichen Weltregierung in dieser Geschichte
aller Geschichte offenbart worden sind. Und diese ewigen Gesetze
der göttlichen Weltregierung, die Strafgerichte und Gnadenheim-
suchungen durch den Stab Wehe und den Stab Sanft müssen in den
einzelnen Ereignissen lebendig und in ihrer typischen Geltung nachgewiesen werden. In der Schöpfungsgeschichte — (um einiges besondere zur näheren Verdeutlichung anzuführen) — geziemt es sich
hier, auf den durchgreifenden Gegensatz der antik-heidnischen Weltanschauung in ihren Kosmogonien und Theogonien und der christlichen Offenbarung hinzuweisen; wie mit dem ersten Wort der Heiligen Schrift bereits der feste Markstein gesetzt sei, an dem sich alles,
was Heidenthum ist, von der Gotteserkenntnis der Offenbarung scheidet. In der Prima kann schon viel tiefer auf diesen Gegensatz eingegangen werden, als es in der Tertia möglich ist, wo sich indes auch
schon sehr passende Anknüpfungspunkte an die in dieser Klasse gelesenen Metamorphosen Ovids zu recht lebendigen Vergleichen darbieten. Die *rudis indigestaque moles* ist den Heiden geblieben, aber
das: im Anfang schuf Gott Himmel und Erde und der Geist
Gottes schwebte auf dem Wasser, und Gott sprach — das haben
sie allesamt vergessen. Dem Einwurf, dasz dadurch 'das classische
Heidenthum in den Augen der Schüler herabgesetzt werde', glaube
ich ja wol in unserer Zeit nicht mehr besonders begegnen zu müssen.
Die rechte Erkenntnis der Offenbarung führt auch zur rechten und
wahrhaftigen Erkenntnis des Heidenthums. Wer vom Standpunkt der
Offenbarung das Heidenthum erkennt, der ist in der That im Stande,
ihm in jeder Beziehung die volle Gerechtigkeit widerfahren zu lassen,
nimmt das Heidenthum, wie es wirklich ist, und verschmäht es demnach,
christliche Gedanken in dasselbe hineinzutragen; er erkennt mit Freuden
an, was das Heidenthum groszes hat, verschliesst aber sein Auge vor
der auf allen Lebensgebieten der Heiden erschrecklich genug hervortre-
tenden Thatsache nicht, dasz sie Gottes Wahrheit haben verwandelt
in die Lügen und haben geehret und gedienet dem Geschöpf mehr,
denn dem Schöpfer hochgelobt in Ewigkeit (Röm. 1 18 ff.) — und
auch die bewundertsten Schöpfungen der grösten Geister des Alterthums können den Fluch nicht verdecken, der alle Adern des antiken
Lebens durchzieht und in tausend Erscheinungen, wie in den erschüt-
ternsten Darstellungen besonders der griechischen Tragoedie seinen
tiefergreifenden Ausdruck findet. Wir mögen uns der Gaben, die das
Heidenthum hat, als eines hohen Segens freuen, aber darum nicht vergessen, dasz das Leben aus Gott unendlich höher ist; wir sollen die
antike Geistesgrösze ehren, aber dabei den Muth haben, den wahrhaftigen Maszstab des göttlichen Wortes auch als den absolut-höchsten
in der That und Wahrheit zu bekennen. Und dieses geistesgewaltige

ausschauen nach der Zukunft, diese innerliche Selbstgewisheit, wie
beides dem Volke Gottes in seinen höchsten Trägern eigen ist, und
diese Hoffnung des ewigen Lebens und der unvergänglichen Herlichkeit, die ihren hellleuchtenden Morgenglanz in das tiefe Dunkel des
Erdenlebens sendet, — das hat natürlich das Heidenthum weder in
Griechenland noch in Rom in irgend einem seiner Stadien aufzuweisen,
so grosz ihre Zeugnisse von dem sind, was der menschliche Geist
sich selbst überlassen in der langanhaltenden Kraft des mitgetheilten
Lebens zu schaffen im Stande ist. Ich kann es übrigens aus öfterer
und gewisser Erfahrung versichern, dasz die Primaner, sei es die
Tragoedien des Sophokles oder die Reden des Demosthenes, nur mit
um so gröszerer Vertiefung in ihren Inhalt und um so lebendigerer
Theilnahme gelesen haben, wenn ihnen zuvor die Thatsachen der
Sünde und des Fluches der Sünde oder dem groszen griechischen Redner gegenüber die Abschiedsrede des Propheten Samuel von seinem
Richteramt vor dem Volke, in dessen Zukunft sein sicheres Auge sieht
(1 Sam. 12), lebendig vor die Seele getreten ist. Ungeschickte Hände
freilich, kalte, todte Herzen können mit diesen lebensvollen Dingen
nicht viel anfangen, und werden vielmehr manches verderben — aber
ist man davor etwa bei anderer Darstellungsweise sicher? — Es
würde mich zu weit führen, alle die Hauptmomente zu bezeichnen, die
in der Geschichte des Reiches Gottes A. B. hervorzuheben sind, obwol dies selbst nach dem trefflichen Lehrbuch der heiligen Geschichte
von Kurtz nicht überflüssig wäre. An ein paar Punkten jedoch darf
ich nicht vorübergehen. Eine wesentliche Aufgabe dieser Disciplin
ist, dasz auf Grund der Schrift von den Hauptperioden der heiligen
Geschichte und Trägern derselben anschauliche und treffende Charakteristiken gegeben werden; also z. B. von der Patriarchenzeit im allgemeinen und den Repraesentanten derselben in ihrem verschiedenen
Beruf bei dem gleichen festhalten an Gottes Verheiszungen; ferner
von der Gesetzgebung, dem alttestamentlichen Tempel und Opfer, wobei auch von dem verschiedenen Gebrauch des Gesetzes, den die Schüler den Grundzügen nach schon von dem Katechismus her kennen,
ausführlich zu handeln ist; in der Richterzeit von der Aufgabe der
Richter, das National- und Gottesbewustsein des Volkes wieder zu
wecken und der Ausführung dieses Berufes, von dem ringen mit Gott
in Gideon, dem gottüberwundenen Helden, bis zur trotzigen Selbstver-
nichtung Simsons; dann weiter in der Königszeit von dem ersten Könige, als einem Typus vieler einzelnen, die bei ungebrochenem Willen
zuletzt mit völliger Verzweiflung enden, von David als dem lebendigen Vorbild wahrhaftiger Busze und Bekehrung — und dies alles wieder in den concretesten Zügen ihres reichen Lebens, ebenso zur Zeit
der Trennung beider Reiche von dem tiefgehenden irrewerden an
Gottes Offenbarung, wie sich dies namentlich in der oft übersehenen,
für die damaligen Zustände äuszerst charakteristischen Geschichte der
beiden Propheten 1 Kön. 18 zeigt, von der Reihe der Propheten in
Israel und Juda, wieder nach den verschiedenen Stufen, den gewalti-

gen Verkündigern der Strafgerichte Gottes und seiner ewigen Bundes-
treue. Doch ich musz hier abbrechen, die wenigen Andeutungen möge ı genügen.

An diese übersichtliche Geschichte des Reiches Gottes A. B., auf
die Zeitdauer eines halben Jahres berechnet, reiht sich sodann für die
Dauer eines Jahres die Geschichte des Reiches Gottes N. B.
(samt der Geschichte der christlichen Kirche), theils als
bereits geschehene Erfüllung der Verheiszung in Christo, dem Fleisch
gewordenen Logos, theils als Kampfes- und Siegesgang der vom Herrn
Christus durch Berufung der Apostel und der Sendung des Heiligen
Geistes gegründeten Kirche, als seines Leibes, mit der Aussicht auf
die Wiederkunft Christi zum Gericht, die Auferstehung der Todten
und das ewige Leben. Es sind also auch hier die groszen Thaten Gottes, die von den Menschen entweder angenommen oder verworfen
werden. — Die Zeit ist zwar Gottlob vorbei, wo die Kirchengeschichte der Weisheit dieser Welt als nichts anders, denn eine ärger-
liche Geschichte menschlicher Thorheiten erschien; aber der kirchengeschichtliche Unterricht auf Gymnasien mag doch noch oft sehr viel
zu wünschen übrig lassen. Wol soll der Schüler hören von dem grösten Kampf, den auszer dem Kampf auf Golgatha die Menschheit je
gesehen, von dem Kampf des Heidenthums und Judenthums wider das
Kreuz, das den Juden ein Aergernis und den Griechen eine Thorheit
ist, von den blutigen Verfolgungen und der Welt Feindschaft wider
den Herrn und seine Kirche, aber auch von den Siegen des Weltüber-
winders, dem alle Gewalt gegeben ist im Himmel und auf Erden, und
den treuen Bekennern und Blutzeugen von dem heiligen Stephanus an
durch alle Jahrhunderte hindurch. Von dem Irthum, der in den munig-
fachsten Gestalten, in bald gröberen, bald feineren Formen gegen die
Wahrheit ankämpft, soll allerdings die Rede sein, aber auch von den
wunderbaren Siegen der Wahrheit durch die Macht des Geistes und
die Kraft der Verheiszung des lebendigen persönlich-gegenwärtigen
Herrn: siehe, ich bin bei euch bis an der Welt Ende. Darum soll der
kirchengeschichtliche Unterricht auf Gymnasien gerade das für eine
seiner Hauptaufgaben halten, das wunderbare Wachsthum der Kirche,
die im unterliegen siegt; nach dreihundertjährigem Kampfe auf einmal
dasteht, ein Wunder vor unseren Augen das der Herr gethan hat, als
Ueberwinderin der weltbeherschenden Roma, — dann das Volk der
Germanen und andere Völker im siegreichen Kreuzeszeichen für ihren
heiligen Dienst gewinnt und wie ein mächtiger Strom durch die Jahrhunderte hindurchgeht. Und nach innen sollen dargelegt werden die
gewaltigen Geisteskämpfe in immer bestimmteren Kreisen: erst
gegen die heidnische Vermengung Gottes und der Welt; dann nachdem in diesem Kampfe der Sieg im Glauben an Gott den Vater, all-
mächtigen Schöpfer Himmels und der Erden, errungen war —, gegen
die weitern gewaltigen Versuche des 4n Jahrhunderts der Arianer und
Pnemautomachen, durch die Leugnung der ewigen Gottheit des Sohnes und des Heiligen Geistes die ewigen Grundlagen des Heils anzu-

tasten; und als die Kirche auch diese feindlichen Angriffe durch das gute, feste Bekenntnis vom gleichen Wesen des Vaters und des Sohnes und des Heiligen Geistes siegreich zurückgeschlagen — drittens im 5n Jahrhundert gegen die erneuerten Anläufe der Nestorianer und Monophysiten und der späteren, schwächeren Monotheleten, die göttliche und menschliche Natur des Herrn voneinander zu reiszen oder miteinander zu vermischen; und endlich nachdem auch diese das innerste Leben der Kirche, wie des einzelnen Christenherzens anfassenden Gegensätze überwunden und die Resultate dieses Kampfes im Athanasianum festgestellt waren — viertens in demselben 5n Jahrhuundert gegen den Rationalismus der Pelagianer, die ohne innere Lebenserfahrung, von dem natürlichen, angeborenen Verderben des sündlichen Menschen und vom Tod als der Sünde Sold nichts wissen wollten, und demgemäsz auch nichts von dem alleinigen Heil durch die Ergreifung der Gnade Gottes in Jesu Christo, der um unserer Sünde willen dahingegeben und um unserer Gerechtigkeit willen auferwecket ist; ein Kampf, an dem über ein Jahrtausend ist gekämpft worden von Augustin bis auf Luther und das theure Bekenntnis der Väter zu Augsburg.   Auch hier kommt es, wie bei der Geschichte des Reiches Gottes A. B. auf lebendige, wahrheitsgetreue Charakteristik der verschiedenen Perioden und ihrer Träger an, von den Kirchenvätern und Zeugen der alten Kirche bis zu den gewaltigen Geistern und hohen Gestalten der Kirche des Mittelalters und der evangelischen Kirche. Dasz dabei der Beruf des deutschen Volks, das Gott erwählt hat, das Evangelium durch die Welt zu tragen, ins rechte Licht gestellt werde, sowol zu der Zeit, als die Völkerschaaren von Osten her der frohen Botschaft vom Heil in Christo zuströmten, als späterhin, wo der Apostel der Deutschen jetzt gerade vor 1100 Jahren das Wort vom Kreuze mit seinem Tode besiegelte, und endlich da, wo in deutschen Landen das Wort von der Gnade Gottes wieder weithinaus sein helles Licht verbreitete — wird ein christlicher Lehrer, der den Herrn Christus, der erhöht ist zur Rechten der Majestät, auch als Herrn der deutschen Lande bekennt, sicher nicht bestreiten wollen. Ueberhaupt ʻEhrfurcht, Bewunderung, Anbetung der Wege Gottes, das sind die Flügel, die den christlichen Kirchengeschichtsschreiber und -Erzähler emportragen, unter welchen seine Seele sich zur Ruhe hinsenkt. Das Prototyp aller christlichen Kirchengeschichtsschreibung und -Erzählung ist Röm. 9 — 11; die Summe aller Gedanken und Empfindungen bei Betrachtung dieses gottgewollten und gottdurchdrungenen Stoffs ist in dem apostolischen Wort enthalten Röm. 11 33.   So und nur so geht die Kirchengeschichte prophetisch in die Ewigkeit hinaus ʼ. Endlich ist (für ein halbes Jahr) noch die Disciplin übrig, die wir im evangelischen Religionsunterricht der Prima gleichfalls nicht entbehren können, ich meine die kirchliche Symbolik, die sich in der neuesten Zeit auch wirklich gebürender Weise Bahn gemacht hat.   Auch in dieser Disciplin ist der geschichtlich-kirchliche Gang unbedingt einzuhalten: also erstlich kommen vor die altkirchlichen Symbole, die

der allgemeinen christlichen Kirche angehören und demnach von der
ganzen occidentalen, unangesehen ob römisch-katholischen oder evangelischen, wie von der ganzen orientalen oder orthodoxen Kirche bekannt werden, das apostolische, nicaenische und athanasianische (das
bekanntlich die beiden, das ephesinische und das chalcedonensische,
in sich vereinigt); sodann die der evangelischen Kirche eigens angehörigen: die Augsburger Confession, die Apologie der Confession, die
beiden Katechismen, die Schmalkalder Artikel und die Concordienfor-
mel. Es ist dabei eine unerlaszliche Forderung, die sich schon aus der
Nothwendigkeit der einheitlichen Uebereinstimmung des Religionsunterrichts ergibt, dass nicht nur in dem geschichtlich-kirchlichen Gang
kein Widerspruch dieser Disciplin der Symbolik mit der Kirchengeschichte obwalten darf, sondern dasz in der Aufeinanderfolge der
Symbola wieder dasselbe Gesetz der organischen Entfaltung zum Vorschein kommt, das in der Kirchengeschichte dargelegt wird; dasz somit die Symbola als das, was sie wirklich sind, als Zeugnisse von
dem wirklichen haben des Wortes Gottes und dem lebendigen Eigen-
besitz seitens der Kirche, nicht als willkürliche und gefällige Mach-
werke von höchst untergeordnetem und bedingtem Werthe, sondern
der Wahrheit gemäsz als zum Leben der Kirche gehörige,
bleibende Thaten den Schülern vorgehalten werden, von denen
sich der Christ nicht lossagen kann, ohne sich damit nicht zugleich
von der christlichen (evangelischen) Kirche selbst loszusagen. Darum
sind nun die Bestimmungen dieser Bekenntnisse zu möglichst klarem
und festem Bewustsein zu bringen und zu dem Ende bis ins einzelne
durchzugeben, insonderheit aber — was mit das wesentlichste ist —
die innerliche Nothwendigkeit und der wahrhaftige Trost für Zeit
und Ewigkeit, den sie enthalten, genauer darzulegen und wie eine
Heilsthatsache auf der andern ruht und wie sie allesamt ein ganzes
bilden, und ein Zeugnis mit dem andern zu fester Ordnung zusammen-
stimmt. So z. B. — um gleich einen oft willkürlich bei Seite ge-
schobenen Punkt zu erwähnen — bei dem Glaubensartikel von der
Niederfahrt Christi ist daran zu erinnern, dasz damit der Christ wieder die volle Menschheit des Herrn bekennt, der nicht nur geboren,
gestorben und begraben ist, wie wir, sondern auch dieses letzte Stadium, den Scheidungszustand der Seele vom Leibe für uns miterlebt
hat, auf dasz er in allen Stücken als das rechte einige Opfer und als
der rechte einige Hohepriester sich darstelle. Dabei soll der Wahrheit gemäsz nicht verschwiegen werden, was noch zu erleben ist im
Kampfesgange der Kirche, sondern vielmehr die Augen des Lehrers
und des Schülers auf die Zukunft des Herrn Christi und das ewige
Leben gerichtet sein, damit das Licht aus der Höhe mit seinem Glanze
auch diese Stunden erleuchte. Den Mittel- und Höhepunkt dieses gesamten Unterrichts bildet aber für uns die Augsburgische Confession d. h. nicht blos, worauf sich leider öfters allein beschränkt
wird, eine litterargeschichtliche Einleitung in dieselbe, sondern die
Augustana selbst in ihrem vollen, kräftigen, wahrhaftigen Glaubens-

zeugnis. Hier ist der Ort, wo die evangelische Glaubenslehre genau
nach den Artikeln, wie sie die Confession aufstellt, gelehrt, ihre Reinheit und Schriftgemäszheit dargethan, die gegnerischen Irthümer bei
jedem Artikel abgewehrt und unter anderem auch gezeigt werden soll,
welche Grundlagen wir mit der katholischen Kirche gemein haben und
wo wir von ihr geschieden sind. — Dasz es auch hier, wie überall,
wesentlich auf die Persönlichkeit des Lehrers ankommt, ob er das
theure Bekenntnis seiner Kirche mitbekennen kann und von ganzem
Herzen und ganzer Seele, wenn auch mit dem innersten Gebetsruf:
ich glaube, Herr, hilf meinem Unglauben, das wissen wir recht wol;
aber daraus kann doch nur die Folgerung gezogen werden, dasz allein
solche Lehrer den evangelischen Religionsunterricht ertheilen mögen,
die im Worte Gottes und dem Bekenntnis der Kirche — beides ist
aber Anfang, Mitte und Ende des Religionsunterrichts auf evangelischen Gymnasien — durch Gottes Gnade festgegründet sind, und nur
die Aufforderung an alle, denen das zeitliche und ewige Heil unserer
Jugend wahrhaft am Herzen liegt, Herz und Hände zum Herrn der
Kirche zu erheben, dasz er selbst fort und fort tüchtige Arbeiter in
seinen Weinberg sendet.

(Schlusz im nächsten Hefte.)

26.

Geschichte der deutschen Kaiserzeit von **Wilhelm Giese-**
brecht. *1r Bd. Erste Abth. Buch I und II.* Braunschweig.
C. A. Schwetschke und Sohn (M. Bruhn). 1855. 319 S 8.

Es sind in neuester Zeit viele deutsche Geschichten erschienen
und angefangen, aber der Gegenstand ist unerschöpflich, und auch
nach dem gelungensten Werke darüber werden noch immer andere
Auffassungen von verschiedenem Standpunke berechtigt bleiben, es
wird der eine dieser, der andere jener Seite der Entwicklung vorzügliche Aufmerksamkeit zuwenden. Das wird auch dann der Fall
sein, wenn der thatsächliche Inhalt der Geschichte festgestellt ist, so
weit es überhaupt möglich ist, wenn es dem unermüdeten Fleisze der
Forscher gelungen sein wird, immer mehr Fragen endgültig zu entscheiden, über welche bis jetzt noch die verschiedensten Ansichten
sich gegenüberstehen. Gegenwärtig aber hat diese Thätigkeit noch
kaum begonnen; über die wichtigsten, einfluszreichsten Verhältnisse
fehlen die Untersuchungen entweder noch gänzlich, oder es stehen
widersprechende Meinungen unvermittelt sich gegenüber. Daher läszt
sich auch in der deutschen Geschichte die Darstellung nicht von der
selbständigen Forschung trennen; es liegt hier kein vorbereiteter
Stoff zur Hand, an dem sich die gewandte Feder eines Schriftstellers
versuchen könnte: wer nicht durch eigene tief eindringende Arbeit

sich den Stoff selbst schafft und zubereitet, der verfällt nicht nur
unvermeidlich in manigfaltige Irthümer, sondern ihm entgeht auch der
tiefere Zusammenhang der Dinge. Nicht häufig findet sich die Gabe
der Darstellung mit der Neigung und dem Geschick zur kritischen
Forschung vereinigt; aber wer die Geschichte' Kaiser Ottos II, den
Anhang zu den Annales Altahenses, die Abhandlung über die Vaganten
und ihre Lieder von Giesebrecht gelesen hat, dem wird eine glückliche Verbindung beider Richtungen in diesen Werken nicht entgangen
sein, und er wird den Wunsch vieler getheilt haben, dasz der Vf. derselben zu einer umfassenderen Arbeit Zeit und Musze finden möchte.
Deshalb ist auch die Ankündigung dieser Geschichte der deutschen
Kaiserzeit überall mit groszen Erwartungen aufgenommen worden,
und der vorliegende 1e Theil hat diese Erwartungen nicht getäuscht.
    'Die Geschichte der deutschen Kaiserzeit', heiszt es in dem
Prospecte des Buches, 'umfaszt die überaus wichtige Periode der
Weltgeschichte, in der die Könige des deutschen Volkes durch die
Erlangung der römischen Kaiserkrone an die Spitze aller Völker Europas gestellt wurden und diese Stellung durch ihren weltgebietenden
Einflusz würdig behaupteten; sie endet mit der Zeit, in der die kaiserliche Gewalt ihre wesentliche Bedeutung verlor und andere Staaten neben dem römischen Reiche sich als gleichberechtigt hinstellen
konnten. Die Geschichte dieser Periode ist für alle Nationen von der
gröszten Bedeutung, am ruhmvollsten und lehrreichsten aber für das
deutsche Volk. Denn nie hat der deutsche Name mehr in der Welt
gegolten als damals; nie ist unser Volk staatlich enger verbunden
gewesen und hat sich unsere Nationalität günstiger entwickeln können, als unter der Herschaft jener gewaltigen Fürsten; niemals ist
klarer zu Tage getreten, welche unwiderstehliche Kraft in der Einig-
keit Deutschlands liegt.' Es war ein glücklicher Gedanke, diese Periode zusammenzufassen und abgesondert zu behandeln. Wol hat es
auch später deutsche Kaiser gegeben, allein sie standen nicht mehr
an der Spitze ihres Volkes; nach dem Falle der Staufer musz die
deutsche Geschichte von anderem Standpunkte aus behandelt werden,
denn an die Person der Kaiser knüpft sich nur noch ein sehr geringer Theil derselben an. Jene alte Kaiserzeit aber bildet ein groszes
ganzes; die Idee der Weltherschaft, von den Römern überkommen,
eigenthümlich ausgebildet durch die Verbindung mit der Schirmvogtei
über die römische Kirche, erfüllt jene Periode, sie liegt den Anschauungen der Menschen zu Grunde, und die deutschen Könige bestimmen die Geschicke der abendländischen Christenheit, indem sie
das ihnen zufallende Amt handhaben, bald dem vorgesteckten Ziele
nahe, bald erliegend in dem Kampfe gegen die immer wachsende
Macht der Kirche, welche zuerst nach Freiheit, dann nach der eigenen Herschaft ringt. Die aufstrebenden Nachbarstaaten Deutschlands,
welche sich der Vormundschaft des Kaisers zu entziehen trachten,
verhelfen der Kirche zum Siege, und nach dem Sturze der Staufer
bleibt die Kaiseridee nur noch eine leere Vorstellung, diejenigen zu

Grunde richtend, welche sich in dem unmöglichen Streben nach ihrer Verwirklichung versuchen. Es war das Unglück der späteren römischen Könige, dasz selbst bei gänzlich unzureichenden Kräften die einmal hersehend gewordene Vorstellung und die ererbten Verpflichtungen ihnen nicht erlaubten, sich auf ihre Heimath zu beschränken; den älteren Kaisern konnte dieser Gedanke gar nicht kommen, wenn sie nicht ihrer heiligsten Pflichten vergessen wollten. Der mächtigste Monarch des Abendlandes konnte sich der Aufgabe nicht entziehen, die Kirche Petri zu schirmen, welche seit Bonifaz als das Haupt der Christenheit anerkannt war; er muszte sie aus ihrer immer neuen Bedrängnis und Versunkenheit erretten, und weder Pippin noch Karl noch Otto haben zu wählen gehabt, wenn sie nach Rom zogen: sie wurden hingerufen durch die Nothwendigkeit der Dinge, und von Otto erbte die Verpflichtung auf seine Nachfolger. In der ganzen Folgezeit bis zum Concil von Lyon sind die wechselvollen Beziehungen zwischen Papst und Kaiser überall im Vordergrunde der Ereignisse, nicht nur für Deutschland, sondern auch für die übrigen Lande; in der ganzen, noch sehr enge verbundenen Christenheit empfindet man überall die Rückwirkung dieser Kämpfe, bis die reichere Entwicklung der verschiedenen Nationalitäten zur Sonderung führt. Daher bezeichnet der Titel des vorliegenden Werkes eine scharf umgrenzte Periode und zugleich ihren wesentlichen Charakter, dasjenige was ihren Anspruch auf gesonderte Behandlung begründet.

Alle Grenzlinien in der Geschichte sind aber nur äuszerlich, da nach dem inneren Zusammenhange jede neue Erscheinung die Frucht der vorangehenden Entwicklung ist, und man kann keinen bedeutenden Abschnitt der Geschichte behandeln, ohne zugleich auf die in der Vergangenheit liegende Basis desselben zurückzugehen; die beiden ersten Bücher Giesebrechts führen uns nur bis an die Schwelle der Kaiserzeit. Es muszten die Grundlagen gezeigt werden, auf denen alles folgende beruht, die alte römische Welt in der Gestalt, welche sie unter der Einwirkung des Christenthums annahm, die uralten Sitten und Gewohnheiten der deutschen Stämme, welche mit jenen Elementen verbunden die Denkweise, Verfassung und alle Zustände des Mittelalters begründeten. Vorzüglich in der fränkischen Monarchie vollzog sich diese Mischung, und die Herschaft des groszen Karl gab der Welt den so unendlich fruchtbaren Gedanken des neuen christlich-germanischen Kaiserthums. Davon handelt im ersten Buche die Einleitung; das zweite zeigt uns die Gründung des deutschen Reiches, die langsam erwachsende Machtstellung der Ottonen bis zu dem Augenblicke, wo Otto der Grosze, wie einst Pippin, dem Rufe des Verhängnisses jenseit der Alpen folgte.

Eine fast übergrosze Aufgabe hat sich der Vf. in der Einleitung gestellt; die ganze Vergangenheit des deutschen Volkes bis zum Verfall des karolingischen Reiches wird uns in kühnen Umrissen vorgeführt. Es gehörte ein scharfer, klarer Blick dazu, um stets das wesentliche allein herauszugreifen, und in dem eng gemessenen Raum

doch ohne Lücke den ganzen Gang der Entwicklung darzustellen.
Wer sich an ähnlichen Aufgaben versucht hat, wird die Schwierigkeiten zu würdigen wissen, welche hier zu überwinden waren, und
überwunden worden sind. Die knappe Beschränkung auf die Hauptsachen machte es dem Vf. möglich, das was er mittheilt in angemessener Ausführlichkeit zu geben, so dasz die Erzählung nie durch
unerquickliche Hast ermüdet. Unbedenklich glauben wir versichern
zu können, dasz ein jeder diese Einleitung mit Vergnügen lesen wird,
und wir setzen dazu, mit Nutzen.

Gerade die Anfänge der deutschen Geschichte und die Einrichtungen des alten fränkischen Reiches sind in neuerer Zeit mit besonderer Sorgfalt immer von neuem untersucht worden, weil man wol
erkannte, dasz hier die Wurzeln aller späteren Entwicklung lagen.
Da sind denn alte, früher allgemein angenommene Ansichten erschüttert, ohne dasz doch bis jetzt ein ausgebildetes System zur Herschaft
gekommen wäre. Deshalb ist hier eine klare und anschauliche Darstellung doppelt willkommen, wenn sie, wie diese, auf sorgfältiger
Prüfung sowol der ursprünglichen Quellen als der neueren Forschungen beruht. An abweichenden Ansichten wird es natürlich nicht fehlen, aber zu hoffen ist, dasz gewisse festgestellte Resultate der Wissenschaft mit Hülfe dieses Buches mehr wie früher Gemeingut werden,
dasz solche haltlose Wahngebilde wie die Arimannie mit allem was
daran hängt, wie die Oktroyierung byzantinischer Verfassung durch
Karl, die kaukasische Abkunft der Magyaren, und so manches ähnliche, was sich noch vielfach breit macht, allmählich verschwinden
werden.

Unmöglich aber kann eine so kurzgefaszte Einleitung den Gegenstand erschöpfen: sie erscheint manchmal nur wie die skizzierte Anlage eines gröszeren Werkes, dessen Ausführung von derselben Hand
man mit der Zeit hoffen möchte. Dann würden auch solche Partieen
zu ihrem Rechte gelangen, welche hier ein wenig gar zu kurz behandelt erscheinen, wie die Gründung des fränkischen Reiches in Gallien.
Denn mehr wie andere Stämme, wie die Langobarden namentlich,
hatten die einst so unbezähmbar wilden Franken sich auszerhalb ihrer
Heimath bereits dem römischen Wesen eingefügt; den Salierkönig
Childerich kannte bereits ganz Gallien als seinen Vorkämpfer gegen
die heidnischen und ketzerischen Feinde, und diese Verhältnisse,
nebst der ganzen politischen Lage der Dinge, trugen wol mehr als
die Reden des heiligen Remigius dazu bei, dasz Chlodowich den katholischen Glauben annahm und dadurch für alle Zeiten die Zukunft
des Frankenreiches bestimmte.

Glänzend ist die Schilderung Karls des Groszen und seines Reiches; sie gehört gewis zu den gelungensten Abschnitten des Werkes
und führt auf würdige Weise die neue Idee des karolingischen Kaiserthums ein, welches dann, von Otto wieder aufgenommen, in den
Vordergrund der Geschichte tritt. Doch kann ich hier mit der Auf-

fassung des Kapitulars von 802 nicht übereinstimmen, indem ich mit
Roth (Beneficialwesen S. 414) nicht darin zu erkennen mag,
dasz Karl aus der Kaiserwürde einen erhöhten Anspruch auf die Treue
der ihm unterworfenen Völker abgeleitet hätte. Ungenau ist, was S.
111 über die Gründung des Erzbisthums Salzburg gesagt wird, denn
die Karantanen waren schon von Thassilo unterworfen, von Virgil
bekehrt, und bei der Erhebung Salzburgs zur Metropole wirkte wol
mehr als Arnos Verdienste um die Heidenbekehrung, die Absicht, hier
durch einen zuverlässigen mächtigen Kirchenfürsten ein starkes Gegengewicht gegen erneute Strebungen der Baiern nach Selbständigkeit
zu setzen: hatte doch bereits Thassilo sich mit den Avaren verbündet.
Zugleich wurde hier nun ein fruchtreicher Mittelpunkt für die geistige
Bildung dieser Lande, und für die Bekehrung der angrenzenden Heiden gewonnen, ganz in demselben Geiste wie Karl die Stiftung von
Hamburg beabsichtigte, wie Otto Magdeburg an der Grenze der Wenden errichtete. An einer späteren Stelle (S. 233) steht die Ansicht
Giesebrechts über das an Gerhard von Passau verliehene Pallium in
Widerspruch mit der seitdem von Dümmler aufgestellten Beweis-
führung für die Unechtheit aller jener Passauer Bullen, die in ihrem
festen Zusammenhange schwer zu erschüttern sein dürfte.

Allein es ist nicht die Absicht dieser Anzeige, einzelne Mängel
des vorliegenden Buches aufzusuchen; wer sich eine grosze, umfassende Aufgabe gestellt hat, der kann nicht jeder besonderen Frage
die Sorgfalt widmen, welche man von einer Monographie mit Recht
erwartet. Auch wird es nie an solchen fehlen, die im einzelnen nach-
zubessern fähig sind; die Zeichnung der gröszeren Umrisse aber, die
eigentlich historische schöpferische Thätigkeit, welche aus wenigen
gegebenen festen Punkten einen kühnen Bau mit sicherer Hand aufführt, die ist nicht jedermanns Sache. Sie ist werthlos, wenn die
Grundlagen nicht sicher, die Schlüsse falsch sind, ein bl_oszes Spiel
der Phantasie stiftet nur Schaden; aber ebenso wenig kann es der
Gelehrsamkeit allein gelingen, den wahren Grund der Dinge zu erfassen. Am wenigsten läszt sich mit den dürftigen Nachrichten aus
dem zehnten Jahrhundert etwas anfangen, wenn man nicht auch geringen Keimen reiche Frucht zu entlocken versteht. Auf diesem Felde
besonders hat Giesebrecht seine Meisterschaft bewährt. War in der
Einleitung aus reichem Stoff ein gedrängtes Bild zu entnehmen, so
galt es hier umgekehrt, auch den geringsten Stützpunkt nicht zu übersehen, und mit den schwachen vorhandenen Hülfsmitteln das Bild zu
entwerfen, welches uns bis jetzt noch fehlte, das Bild der Neugestal-
tung des deutschen Reiches nach dem Verfall der karolingischen Monarchie. Diese schwierige Aufgabe hat der Vf. auf das glücklichste
gelöst: mit der gewissenhaftesten Treue, ohne alle Willkürlichkeit, nicht
vorgefaszten Meinungen folgend, sondern geleitet von den bekannt
gewordenen Thatsachen, läszt er vor unsern Augen die einzelnen
Herzogthümer erstehen, und zeigt wie unter ihnen das sächsische
kräftiger erstarkte, und nun auf neuen Grundlagen das wesentlich

vom karolingischen verschiedene deutsche Königthum entstand. Auf
den Forschungen von Waitz fuszend, ist doch Giesebrecht nicht dabei stehen geblieben; er hat namentlich die Spuren der damaligen engen Verbindung der alten Sachsen mit ihren Brüdern jenseit des Meeres in fruchtbarer Weise verfolgt, und das ganze zu einem lebensvollen wol begründeten Bilde gestaltet.

Die Regierung des groszen Kaiser Otto liegt bis jetzt nur in
ihrer ersten Hälfte vor, bis zu der schicksalvollen Wendung, welche
seine Vermählung mit Adelheid, und der steigende Einflusz des Kanz-
lers Bruno herbeiführten: wir sehen der weiteren Entwicklung begierig entgegen. Mit der zweiten Hälfte des Bandes sind auch Bemerkungen versprochen, welche manche der Annahmen des Vf. zu begründen haben, und eine Vorrede, die den Standpunkt desselben näher
entwickeln wird. Dann wird es auch an der Zeit sein, auf die Besprechung des Werkes zurückzukommen.

Zu Ostern d. J. wie verheiszen, ist diese zweite Abtheilung
nicht versandt, doch steht ihr baldiges erscheinen in Aussicht. Die
folgenden zwei Bände sollen dann noch das Werk bis zum Ende des
hohenstaufischen Hauses fortführen; im letzten Buche wird der Vf.
'die Hauptmomente der späteren Perioden zusammenfassen, so dasz
die Kaiserzeit in ihrer Bedeutung für die allgemeine Entwicklung unseres Volkes klar hervortritt und auch dem weniger unterrichteten
Leser sich der vollständige Zusammenhang der Ereignisse erschlieszt.'

'Der Wunsch des Verfassers war, wie sein Standpunkt durchaus der nationale ist, auf weite Kreise des Volks durch sein Werk
einen belehrenden und belebenden Einflusz zu üben.' Mit diesen
Worten des Prospectes können wir nur unsern Wunsch vereinigen,
dasz dem Buche eine möglichst weite Verbreitung zu Theil werde;
jeder gebildete Leser wird sich durch die anmuthige und lebensvolle
Darstellung gefesselt fühlen, und durch keine Schlacken der überall
zu Grunde liegenden gelehrten Forschung zurückgestoszen werden;
vor allem aber bietet es dem Geschichtslehrer eine nicht hoch genug
zu schätzende Grundlage des Unterrichts, deren Nutzen bedeutend
gesteigert werden wird durch die 'Anleitung zum Studium der Quellen und Hülfsmittel', welche in den Anmerkungen zu jedem Bande
verheiszen wird.

Breslau.   W. Wattenbach.

Obgleich aus der vorhergehenden Darstellung des geehrten Hrn.
Ref. es sich von selbst ergibt, so halten wir es doch für Pflicht, das
Buch noch ausdrücklich zur Lectüre gereifterer Schüler zu empfehlen.
Ist der Inhalt durchaus fördernd, belehrend und interessierend, so
verdient nicht minder die allen hohlen Flitterstaat verschmähende,
aber gleichwol über alles die rechte Wärme, Lebendigkeit und Anschaulichkeit verbreitende, überall mit dem Gegenstande in Harmonie
stehende, oft den Quellen nachgebildete, den Charakter der Zeiten treu

wiederspiegelnde Form als mustergültig bezeichnet zu werden. Wir
haben lange kein Buch gelesen, welches wir mit gleich gutem Rechte
und Gewissen in dieser Hinsicht empfehlen könnten.

R. Dietsch.

27.

*Friedrich Jacob, Director des Catharineums in Lübeck in seinem
Leben und Wirken dargestellt von J. Classen, Dr., Director des Gymnasiums in Frankfurt a. M. Nebst Mittheilungen aus seinem ungedruckten poëtischen und prosaischen
Nachlasz und seinem Bildnis in Kupferstich.* Jena, Druck
und Verlag von Fr. Frommann 1855. VI u. 222 S. 8.

Das vorstehende 'Büchlein wendet sich zunächst und ausdrücklich an die Schüler und Freunde des verewigten Fr. Jacob'. Ref.,
der zu den ersteren mit Stolz und Freude sich rechnet, zu den anderen von ihm gerechnet wurde, glaubt die Bürgschaft übernehmen
zu können, dasz von den durch ganz Deutschland und weiterhin zerstreuten Schülern die zu zählen sein werden, die nicht nach dem
hier dargebotenen Bilde von dem 'äuszeren und inneren Leben' ihres
verehrten Lehrers mit lebhaftestem Verlangen griffen.

Aber gewis sollen auch die 'fernerstehenden von der Betrachtung dieses anspruchlosen Lebensbildes' nicht ausgeschlossen sein.
Ref. möchte sie vielmehr recht angelegentlich dazu einladen. 'Der
denkende Schulmann wird gern bei dem wirken und streben eines
Mannes verweilen, der sich über die wichtigsten Fragen der Erziehung und des Unterrichts aus tiefem Geist und Gemüth, wie aus reicher Erfahrung ausspricht, und den Glauben an die Grundlagen und
die Erfolge seines Berufes, ungeirrt durch die Anklagen und Forderungen vorübergehender Tagesinteressen, mit Begeisterung bis an
seinen Tod festgehalten hat.'

Friedrich Jacob ist unbestritten von dem edelsten und achtung-
werthesten Schlage deutscher Schulmänner der edelsten und verehr-
rungswürdigsten Repraesentanten einer; ich meine jene von der Welt
so oft miskannten und misachteten Männer an den deutschen Gelehrtenschulen, deren innerer und äuszerer Beruf völlig zusammenfällt, deren
Geist und Herz, ungetrübt von dem kargen äuszeren Lohne, in der
ebenso schweren wie unscheinbaren Arbeit des unterrichtens und er-
ziehens volle Genüge und wirkliche Befriedigung findet.
Derer sind aber, wie es mir scheinen will, in neuerer Zeit weniger
geworden. Damit soll keine Anklage gegen den ehrenwerthesten
Stand ausgesprochen sein; es möchte wol keinen zweiten geben, der
vermöge seiner eignen Natur in der in ihm selbst liegenden innern

Nöthigung so durchgängig würdige pflichttreue und gewissenhafte
Glieder aufzuweisen hätte; ob aber diese Vorzüge immer aus freier
Liebe hervorgehen oder das Ergebnis einer gewissen Resignation und
eines sittlichen Entschlusses sind, das ist die Frage. Es gehört in
der Gegenwart eine gewisse Stärke der Seele und ein wichtiger Antrieb von innen dazu, um sich für den bleibenden Werth seiner verborgenen Arbeit nicht durch den Schimmer der hersehenden Mächte
dieser Zeit blenden zu lassen. Dazu kommt ein zweiter Grund: die
Menge und Manigfaltigkeit der Unterrichtsgegenstände. Diese hat
mehr oder minder allgemein das Fachsystem zur Folge gehabt und an
die Stelle der éinen Classe, auf die der einzelne Lehrer ausschlieszlich alle seine Arbeit und mithin alle seine Liebe wandte, den Unter-
richtsgegenstand, heimatslos mitzutheilen in allen Classen, an die
Stelle der concreten Persönlichkeit traut und lieb durch täglichen
Umgang gewordener Schüler die abstracte Wissenschaft oder Kunst
gesetzt. Um so freudiger wird man d i e Männer begrüszen, die in
einem schweren aber für sie selbst beglückenden wirken, in einer
stillen und unscheinbaren, aber weitgreifenden und segensreichen
Thätigkeit die frei gewollte Aufgabe ihres Lebens gesehen und erreicht, ja selbst die Anerkennung der fremden oder feindseligen Welt
erzwungen haben. Zu diesen gehörte eben Friedrich Jacob; einer
jener Todten, die man nie genug betrauern könnte, wenn nicht der
Schmerz aufgienge in einem höheren, würdigeren Gefühl, in dem
Danke für ein langes, reiches, blüten- und früchtevolles Dasein, dessen
Träger seine Lebensaufgabe klar erkannt, treu erfüllt, zu eigner Beseligung und Beglückung anderer in erfreulichster Harmonie vollendet
hat und nun als reife volle Frucht in die Vollendung eingeht. Ein solches
Leben in einem Bilde von kundiger Hand sich vorzuhalten, dient zur
Spiegelung, zur Reinigung, zur Erquickung und Erbauung. Daher,
— denn welcher Lehrer bedürfte dieser Stärkung zuweilen nicht? —
weise ich alle meine Amtsgenossen mit gutem Vertrauen auf dieses
Büchlein hin. Aber auch die Philologen von Fach, die kein Schulamt
bekleiden, unter ihnen zumeist die, welche zur Aufsicht und Ober-
leitung des Schulwesens berufen sind, ja alle, die 'an der Entwicklung und der durch Prüfungen gewonnenen Reife einer edlen Menschennatur Antheil nehmen, werden sich durch den stillen, aber inhaltreichen Lebensgang unseres Freundes angezogen fühlen'. Und
sollte einem Manne der groszen Welt, einem von jenen, die oft mit
gar mächtigem Pomp und gespreiztem Schritt zum Staunen einer gaf-
fenden Menge über die Bühne des Tages gehen, dies Büchlein in die
Hände fallen, so möchte auch ihm von dem Reichthum und der Tiefe,
der Fülle und dem Segen eines solchen Lebens eine dunkle Ahnung
kommen.

Die Darstellung selbst nun, durch welche der Hr. Vf. des verklärten Bild Freunden zu erneuern, unbekannten zu gestalten versucht hat, vollendet sich in folgender Weise. Zuerst erhalten wir
eine einfache Skizze von dem äuszeren Lebensgange des verewigten,

unterbrochen durch eine ebenso treffende wie kurze Charakteristik seiner ganzen Geistesbildung und durch die eingehende und umfassende Schilderung seiner innersten paedagogischen Ueberzeugung so wie seines mit aller Consequenz einer durch und durch wahren Natur aus derselben hervorgehenden, nach den verschiedensten Seiten hin gleichmäszig und gleichsinnig gerichteten Wissens. Eingeschoben ist an den geeigneten Stellen die Erwähnung der litterarischen Arbeiten, durch die Jacob sich theils den Fachgenossen, theils auch einem gröszeren Kreise von gebildeten Freunden des Alterthums rühmlich bekannt gemacht hat. Die Erzählung der herben Schicksalsschläge, die das Leben des schwer geprüften in Lübeck erschütterten, so wie seines Todes bildet von diesem ersten Theile den zu stiller Wehmut und liebevoller Erneuerung des theuren Bildes stimmenden Schlusz.

Ist schon dieser Abrisz der Lebensschicksale des verewigten und seines Wirkens als Schulmann vielfach durch Züge seiner eignen Hand ausgeführt und belebt, so eröffnet sich darauf im zweiten Theile durch eine wol getroffene und geschickt geordnete Auswahl der bezeichnendsten Stellen seiner Schulreden ein unmittelbarer Einblick in die innersten Tiefen dieser reichen und reinen Persönlichkeit. Wir sehen um so klarer und ungetrübter in sie hinein, je mehr er — wie der Hr. Vf. mit voller Wahrheit hervorhebt (S. 69) — immer so schrieb — 'das schönste Zeugnis für seine edle und reine Natur' — 'wie er unter vertrauten Freunden sich zu geben und auszudrücken gewohnt war', und auch 'seine Schulreden diesen Charakter vertraulicher Mittheilung im Freundeskreise an sich hatten'.

Es sei mir erlaubt, durch Hervorhebung des wichtigsten und bedeutsamsten aus beiden Theilen eine Vorstellung von dem zu geben, was Schüler und Freunde, fernstehende und unbekannte in dem kleinen aber inhaltreichen Büchlein zu erwarten haben.

Johann Friedrich Jacob, geboren am 5. December 1792 in Halle, der früh verwaiste Sohn eines bemittelten Schuhmachermeisters, unter der schützenden Obhut der Liebe zu einer trefflichen Mutter, 'arm doch würdig erzogen' (Eleg. I, 3, 3 S. 158) empfieng seine erste Bildung in der gelehrten Schule des Hallischen Waisenhauses, wo er sich nach dem Zeugnis seines älteren Bruders, des geh. Regierungsrath a. D. August Jacob in Berlin, 'vor allen Schülern durch Fleisz und Fortschritte auszeichnete und wegen seiner freundlichen Offenheit von allen geliebt wurde'. Einen wie groszen und bleibenden Einflusz hier der würdige Rector, 'Diek, mit der Stoa im Kopf, mildeste Lieb in der Brust' — auf ihn gehabt hat, sieht man aus der seinem Andenken gewidmeten 5n Elegie des 2n Buches (s. Anhang S. 180), die Schüler und Freunde nicht werden lesen können, ohne zu erkennen, dasz Jacob das verehrte Vorbild nicht allein seit seiner Jugend treu im Herzen getragen, sondern noch als Lehrer und Leiter einer groszen Anstalt in seinem eignen Wesen und wirken wieder dargestellt hat. Kann man doch seine Worte über Diek zum Theil buchstäblich auf ihn selbst anwenden, wie z. B. die Verse 31 ff.; besonders aber zeich-

net er in V. 39—50 aufs treffendste den Grundzug in seinem Charakter als Mensch und Erzieher. Sinnige Naturbetrachtung und Gestaltung der eignen Gedanken im Wort, Neigungen, die den Mann auch
in seinem späteren Alter nicht verlassen haben, übte der Knabe schon
früh. Die Schmach und Noth des Vaterlandes machte zunächst in
Folge der Schlacht bei Jena auch seinem harmlosen Alter sich fühlbar
und das lange Krankenlager, dann der früh erfolgende Tod seiner
geliebten Mutter prägte den Zug des tiefen Ernstes neben und vor
seiner 'Schalkheit' im Gemüthe des Jünglings aus. Auf der Universität ergab er sich vom April 1810 an zwei und ein halbes Jahr lang
ohne von irgend einem akademischen Lehrer eine besondere und bleibende Einwirkung erfahren zu haben den philologischen Studien und
der selbständigen Erforschung und Erkenntnis der Denkmäler des
klassischen Alterthums mit der ganzen glühenden Begeisterung einer
kräftigen Jugend und eines wissensdurstigen und wahrheitsuchenden
Geistes. Von dieser 'goldigen' Zeit und der Seligkeit jenes ersten
schauens der Wahrheit, wenn sie allmählich ihre ersten Strahlen bald
langsam dämmernd bald urplötzlich erleuchtend den trunkenen Augen
aufschieszen läszt, spricht er in der 5n Elegie des dritten Buches noch
als Greis mit wahrhaft jugendlicher Wärme. Am 5. December 1812
begann Jacob am Kloster U. L. Fr. in Magdeburg seine Lehrerlaufbahn
in einer durch collegialische Verhältnisse und bunt zusammengesetzte
Lectionen wenig befriedigenden, durch Magdeburgs Einschliesung im
Winter 1813 auf 14 auch sonst getrübten Stellung; 'aber genug geklagt!' — schlieszt der Bericht an seinen Freund Löbell in Marburg
über diese Blokade — 'die wenigen Tage der Freude, aber der aller-
gröszesten meines Lebens, des Einzugs der Preuszen, haben alles vergessen gemacht!' Die Vaterlandsliebe, die aus diesen Worten spricht,
bethätigte sich in der freiwilligen Theilnahme an dem Feldzuge von
1815, wodurch seine amtliche Thätigkeit in Magdeburg unterbrochen
wurde. Nach neuen drittehalb Jahren fand er in Ernestine Mohr zu
Samwegn in der Nähe Magdeburgs die Gefährtin seines Lebens, bald
darauf im Januar 1818 eine genügende äuszere Lebensstellung als
Oberlehrer am Collegium Fridericianum in Königsberg, um die er-
wählte heimzuführen. Von der Fülle und Innigkeit seiner Beseligung
und Heiligung durch diese Liebe als Bräutigam, als Mann und besonders als Vater geben seine Briefe an Löbell (s. S. 21 u. 22) den numit-
telbarsten und frischesten Eindruck. Um so vernichtender traf ihn in
diesem blühenden Glücke schon nach zwei Jahren der Schlag, der
die geliebte Gattin von seiner Seite, den lallenden Kindern die Mutter
nahm; ein Schlag, der nach seinen eigenen Andeutungen für immer
die frischesten Blüthen seines Lebens abgestreift hat. Nur in der ent-
schlossenen Hingabe an seinen Unterricht, im Umgange mit werthen
Freunden, besonders seinem täglichen Hausgenossen Lachmann, und
endlich in der 1822 geschlossenen Verbindung mit der älteren Schwester seiner verstorbenen Gattin fand er allmählich Trost und den
schwer entbehrlichen Schmuck für sein verarmtes Leben wieder. In

der Liebe und Verehrung seiner Schüler, in der Hochachtung seiner
Amtsgenossen und vorgesetzten sah er je länger je mehr in seiner
siebenjährigen Wirksamkeit am Fridericianum den Lohn seiner treuen
und liebevollen Arbeit. In Anerkennung seiner Verdienste berief ihn
1825 die Regierung zum Professor und bald zum Studiendirector an
dem Marien-Gymnasium zu Posen, auf einen durch die Berührung
schroffer religiöser und nationaler Gegensätze höchst schwierigen und
um so ehrenvolleren Posten, den Jacob allein durch die Achtung er-
zwingende Ehrenhaftigkeit und Festigkeit seines Charakters selbst in
der gährenden und gefahrdrohenden Zeit von 1830, wenn auch ohne
volle innere Befriedigung, doch aufs rühmlichste zu versehen und zu
behaupten wuste. Endlich eröffnete ihm ein Ruf nach Lübeck als Director des Catharineum die Aussicht auf nicht nur höchst günstige
äuszere Bedingungen, sondern auch — und das bestimmte ihn wol
vorzüglich zum scheiden aus dem preuszischen Staatsdienst — auf
einen Wirkungskreis, den er ganz nach seinen eigensten Wünschen
und Ueberzeugungen in möglichst freier Bewegung ausfüllen zu dürfen hoffen konnte. Wie segensreich er hier durch mehr denn zwanzig
Jahre als Leiter und Erzieher einer zahlreichen Jugend gewirkt hat,
bezeugt die fortdauernd zunehmende Blüthe dieser Anstalt, deren Lehrercollegium er mit seinem liebereichen, milden Geiste und Sinne zu
durchdringen wuste; wie sehr zu eigner Befriedigung und Beglückung,
beweist die 'unverkennbar im Vorgefühle seines nicht mehr fernen
Endes geschriebene' erste Elegie des dritten Buches (s. Anhang S.
198), ein Gedicht von wunderbarer Milde und Weichheit, der Ausdruck eines tiefen, überquellenden Dankgefühls an seine zweite, so
theuer und werth gewordene Heimat. Seine erste vom besten Erfolge
gekrönte äuszere Veränderung an der Lübecker Schule war die
zweckmäszige Sonderung und daraus hervorgehende gleichmäszigere
Vertheilung der Schüler, bewirkt durch die Einrichtung dreier Paral-
lelklassen neben Quinta, Quarta und Tertia für die zu bürgerlichen
Berufen bestimmten; sodann die sorgfältige Leitung und Hebung der
vorbereitenden Elementarklassen, welche er bei aller dem zarten Alter zu wünschenden Abgeschiedenheit von den älteren Schülern doch,
so wie auch die sogenannten b-Klassen als integrierende Theile des
ganzen zu stellen und zu halten wuste; endlich die Einrichtung eines
jährlichen Schulfestes, seines 'liebsten Festtages im ganzen Jahre',
an dem das innerliche Verhältnis der Lehrer zu ihren Schülern in
dem zwanglosen zusammenleben der ganzen fröhlichen Familie auch
äuszerlich zur Erscheinung kommen sollte und kam — dürfen wir
aus eigner theurer Erinnerung hinzufügen. Dazu wurden in den späteren Jahren noch verschiedene zum Theil glücklich gelungene Versuche gemacht, auf das zusammenleben besonders der älteren und
auswärtigen, der Familie entbehrenden Schüler einen veredelnden Einflusz zu gewinnen und einem berechtigten Bedürfnis nicht mit bloszen
Verboten unerlaubter Arten der Befriedigung, sondern mit positiver
Anerkennung desselben in den richtigen Schranken entgegen zu kom-

men. Unscheinbar sind diese Veränderungen im äuszeren der Anstalt;
ihre Bedeutung gewinnen sie im Auge fernstehender erst, wenn ihnen
aus der eingehenden Schilderung der ganzen umfassenden Wirksamkeit Jacobs in Lübeck der hersehende Sinn und Geist in der ganzen
Leitung der Anstalt entgegengetreten sein wird.

Seine paedagogische Grundansicht, die er stets voranstellte,
das bewegende und all sein wirken beherschende Princip, aus dem
auch vollständig und ganz sowie einzig und allein sein thun und Wesen als Lehrer begriffen werden kann, war: 'die Schule ist die wesentliche Erweiterung der Familie und nothwendige Ergänzung derselben'
(S. 38). Die Schule war ihm daher eine rein sittliche, auf sittlichen
Grundlagen und Bedingungen ruhende Anstalt, in welcher mit väter-
lich mildem Ernste und selbstverleugnender Liebe die gottverliehenen
Anlagen und Begabungen in den Kinder- und Jünglingsseelen 'achtungsvoll' erkannt, hervorgezogen und jede ihrer eigenthümlichen
Reife und freier Selbstbestimmung zugeführt werden soll, 'mit Weg-
räumung' — so heiszt es unter anderem auch in einem Schreiben an
den Ref. — 'nur des Uebermaszes oder ausschreitens, das wir Fehler
oder Sünde nennen.' Wie mächtig dieser Geist einer nachgehenden,
tragenden Liebe die Anstalt in allen ihren Lehrern und Schülern
durchdrang und besonders auch von den letzteren, zumal den gereifteren empfunden und gewürdigt wurde, wie sehr Mosches Zeugnis von
dem eingehn der Schüler auf seinen Sinn und Willen 'ungeschminkte
Wahrheit' ist (S. 56), davon möge es mir verstattet sein, kurz die
folgende Thatsache als Beweis zu erwähnen. Es bestand, wenigstens
noch zu meiner Zeit, in Prima die Sitte, dasz die abgehenden in einem
sogenannten Album mit wenigen Worten ihr Gedächtnis der Klasse
zurückzulassen pflegten; nach einer kurzen vita folgte in diesen Aufzeichnungen in der Regel eine Darstellung der religiösen, sittlichen,
auch wol politischen Ueberzeugungen des schreibenden. Oft voll
phantastischer und unreifer Gedanken waren diese Selbstzeichnungen,
wie es bei dem Bildungsstande der betreffenden nicht anders sein
konnte, manigfaltig und bunt, wie eine Schule zusammengesetzt ist: in
éinem Stücke aber zeigte sich ohne alle Verabredung, ohne allen auch
nur indirecten Zwang — denn ungekannt und ungesehn von den Lehrern wurde das Heiligthum von dem Primus verwahrt— eine wunderbare, ausnahmslose Uebereinstimmung, nemlich in der dankerfüllten
oft kurzen aber kräftigen, oft beredten und lobenden Anerkennung,
dasz der 'alte' zum Lehrer und Director geboren und von der
Natur recht eigentlich geschaffen und bestimmt sei.
Und wie nachhaltig und dauernd dieses Gefühl der Verehrung und
Dankbarkeit gegen den geistigen Wolthäter gewesen sein musz, wie
es sich in manchen zur völligen Kindesliebe und zum kindlichen Vertrauen gegen den geistigen Vater und Zenger gesteigert hat, das beweist der Umstand, dasz viele ehemalige Schüler noch als Männer
und Beamte von ihren eigensten, freudigen oder schmerzlichen Erlebnissen und Schicksalen ihn unterrichteten (s. S. 80), ja einige in den

geheimsten Angelegenheiten ihres Herzens und Gewissens ihn als
einen Beichtvater mit der rücksichtslosesten Offenheit zu Rathe gezogen haben. 'Und das war grade das schönste und höchste, was er
sich wünschte'.

Die Art seines Unterrichts im engern Sinne hängt mit der
oben erwähnten paedagogischen Grundüberzeugung auf das innigste
zusammen; da blosze Mittheilung von Kenntnissen ihm stets nur in
zweiter Linie und als Mittel zum Zweck in Betracht kam, so suchte
er auch hier eine sittliche Wirkung jeder andern voraufgehen zu lassen. Was der Hr. Vf. von der Geistesbildung gewis mit voller Wahrheit sagt, dasz 'sie auf dem ganzen Menschen ruhte und alle Kräfte
des Geistes und Gemüthes in Anspruch nahm' (S. 8), ebendasselbe
möchte ich als das Hauptmerkmal seiner charakteristischen Weise zu
lehren bezeichnen. Er gab sich hier in der zwanglosesten und zugleich würdigsten Weise ganz wie er war, seine Kenntnisse, seine
Erfahrungen, seine Grundsätze und Ueberzeugungen, die heiligsten
seines Herzens nicht ausgeschlossen, und wuste so auch uns ganz in
Anspruch zu nehmen und durch seinen leise aber stetig flieszenden
Redestrom Kopf und Herz in dauernder Aufmerksamkeit zu spannen
und zu fesseln. Beim aufrufen zur Uebersetzung der Klassiker gieng
er mit sehr seltenen Ausnahmen durchaus nach der Reihe, wandte
sich auch bei der Erklärung in der Regel nur an den einen Uebersetzer, dergestalt aber, dasz eine solche Uebersetzung jedesmal einer
förmlichen Prüfung gleich zu achten war und den ganzen Standpunkt
der Kenntnisse des geprüften bloszlegte. Denn die Interpretation ergieng sich in freiester und interessantester Weise von dem gegebenen
Anhaltpunkt nach allen Richtungen hin 'oft auszerordentlich weit
von dem Gegenstande des Schriftstellers' ab (S. 61), so dasz er gar
häufig mit einem: 'Nun, wie kamen wir doch darauf?' zur Sache
zurücklenken muste. Diese Digressionen führten ihn nicht selten zu
kleinen Mittheilungen von Erlebnissen und Erfahrungen aller Art,
durch welche er, wie noch viele seiner Schüler mit mir sich erinnern
werden, den durch langstündige, ernste Aufmerksamkeit abgespannten
Sinn seiner Hörer, gewis nicht ohne Absicht und Bewustsein, auf das
anmuthigste zu erheitern und zu erfrischen wuste. Für die weitere
Charakteristik seiner Methode verweise ich auf die Schilderung im
Buche selbst (S. 59 ff.).

In seinem Verhältnis als Director zu den Collegen zeigte
sich wieder dieselbe bewegende Grundidee nur in andrer Anwendung.
Zunächst wuste er sie 'in Wahrheit unter den mit ihm verbundenen
Männern lebendig zu machen: auf ihr beruhte daher auch sein persönliches Verhältnis zu ihnen. Nicht die gesetzlich vorgeschriebene und
in bestimmte Vorrechte gefaszte Auctorität des Directors war es,
welche er wahren zu müssen glaubte; — und dennoch hat gewis selten ein Director in seinem Lehrercollegium eine uneingeschränktere
Auctorität genossen, als Jacob; — aber es war die Liebe zu seiner
gewinnenden Persönlichkeit, die Achtung vor seiner überlegenen

Einsicht und Erfahrung, das Vertrauen zu seiner stets der Sache zu-
gewandten Gesinnung, das Bewustsein mit ihm vereint an einer schönen
und ehrenvollen Aufgabe zu arbeiten, was das natürliehe, aber um so
festere Band unserer Hingebung und Unterordnung unter seiner Leitung
bildete.' Sodann erfüllte er wol in vollem Masze die von ihm selbst
als erste aufgestellte Bedingung eines wahrhaft collegialischen zusammenwirkens, nemlich ' die: dasz die Lehrer unter einander ihre individuelle Verschiedenheit achten und frei gewähren lassen' (S. 48 f.).
' Mit dem geübten Blicke des ebenso scharfen wie wolwollenden Men-
schenkenners hatte er schnell die Eigenthümlichkeiten seiner Collegen
durchschaut, und ihnen, so weit es die Umstände gestatteten, die
geeignetste Stelle angewiesen' (S. 44). Sein ' Vertrauen' zu ihnen
und die Scheu 'in ein rein sittliches Verhältnis etwas von der äuszern
Subordination eines Rechtsverhältnisses hineinzumischen', waren so
grosz, 'dasz er grundsätzlich niemals anders, als wenn bestimmte
Geschäfte ihn veranlaszten, den Unterricht anderer Lehrer in den verschiedenen Klassen besuchte, niemals seine Collegen in ihrer Amtsthätigkeit eigentlich inspicierte'. Dennoch, fährt der Hr. Vf. fort,
' war es bewundernswürdig, ja mir selbst oft räthselhaft, wie genau
und treffend er die paedagogische und didaktische Methode aller seiner Lehrer beurtheilte'. Uebrigens wuste er sich, abgesehen von seinem feinen Takte und glücklichen Beobachtungsgabe, durch ' manigfache Gelegenheiten, mit seinen Mitarbeitern in stetem und fruchtbar
anregendem Verkehr zu erhalten'. Dies waren besonders die amtlichen Conferenzen, die regelmäszigen, wenigstens monatlich einmal
wiederkehrenden, so wie die dreimal im Jahre zur Ertheilung der
Zeugnisse gehaltenen, und auszerdem die von ihm eingerichteten ge-
selligen Conferenzen des gesamten Lehrercollegiums. Grade in diesen letzteren, bezeugt der Freund, wurde 'das Gefühl der Zusammengehörigkeit zu einem ganzen, dessen Leitung jeder in Jacobs Händen
in freiester Hochachtung ehrte, ohne davon einen Druck zu empfinden,
zur Kräftigung jedes einzelnen und zur Belebung der Gesamtheit
gewahrt und gepflegt'. Möchte doch das Bild, das wir aus der Schilderung des Verfassers und den eignen Worten des verstorbenen (S.
48 ff.) von dem zusammenwirken des Lübecker Lehrercollegiums erhalten, als ein rechter Spiegel und ein wahres Muster und Vorbild
von vielen Schulmännern mit eingehender Prüfung und treuer Beherzigung betrachtet und festgehalten werden!

So sehr die Arbeiten des Lehrers und Directors für Jacob auch
der einzige Kern und Mittelpunkt alles seines sinnens und strebens,
thuns und handelns waren, so wuste er, freilich in unmittelbarstem Zusammenhange mit jenen und seinem ausgesprochenen Grundsatz gemäsz (s. S. 132 ff.), doch stets sowol eine fortgehende Bekanntschaft
mit den Fortschritten seiner Wissenschaft sich zu erhalten als auch
schriftstellerische Arbeiten zu vollenden. Wir erwähnen hier auszer
einer kritischen Ausgabe und Uebersetzung von Lucilius Aetna, die
schon in Königsberg vollendet wurde, und der seit dem Posener Auf-

enthalt zurückgelegten Partikellehre besonders die Recension des Pro-
pertius mit einer adnotatio, die in kurzen aber treffenden Winken
oft über Sinn und Meinung des Dichters mehr Licht verbreitet, als
manche bändereiche in wahrhaft barbarischem Latein geschriebene
Commentationen dieses Dichters; ferner die 1842 herausgegebene Bearbeitung des Manilius, ein Werk des mühsamsten und erfolgreichsten
Fleiszes, auf welches in den einzelnen Programmen abwechselnd kritische Beobachtungen zum Tacitus und Uebersetzungen aus dem Terenz und Plautus folgten; dann eine Ausgabe des Rutilius Lupus zu
Schulzwecken und endlich als 'die reifsten Früchte seiner späteren
Muszestunden seine Uebersetzung des Terenz (Berlin bei Reimer 1835)
und Horaz und seine Freunde (Berlin bei W. Hertz 1852 und 53), denen die noch im Druck zu erwartenden Uebersetzungen des Properz
und von fünf Komoedien des Plautus sich würdig anreihen werden'.
Auszerdem hat er auch mündlich und persönlich, sei es mit wenigen
gleichgesinnten Freunden, sei es in den späteren Lebensjahren in
einem gröszeren Verein studierter Beamten für Verbreitung der Kenntnis des klassischen Alterthums so wie zu eigener Förderung gewirkt
und 'eine dauernde Frucht seines Eifers für die Anregung und Verbreitung geistigen Lebens war endlich die Stiftung des Vereins
norddeutscher Schulmänner'.

Auf diesen 'Ueberblick der umfassenden Wirksamkeit Jacobs
naeh den verschiedenen Seiten hin', den wir mit wenigen Zeilen wiederzugeben versucht haben, werden wir zurückgeführt 'zu der Betrachtung des häuslichen Lebens, wie es sich in Lübeck gestaltete'.
'Stille Häuslichkeit war sein liebster Genusz'; seine Natur war, wie
er selbst wiederholt auch öffentlich aussprach, 'von Jugend auf der
Stille und Einsamkeit zugeneigt gewesen' und so beredt und belehrend seine Worte vor wenigen und vertrauten Personen den feinen
Lippen entströmten (vgl. s. Selbstcharakteristik in Eleg. I, 1), so war
er doch 'wo viele sind, wo es laut wird, still und beängstigt'. Sein
häusliches Glück erlitt aber in Lübeck die herbsten Schläge: seine
beiden blühenden Söhne wurden ihm in einer Zeit von drei Jahren
nach einander dureh den Tod entrissen und nach wieder noch nicht
zwei Jahren 1843 sank die treue, seit zwanzig Jahren Schmerz und Lust
mit ihm theilende Gattin in dem kaum bezogenen Gärtchen vom
Schlage getroffen nieder! Mit bewunderungswürdiger Kraft des Willens und schwer errungener Stärke der Seele, aber nicht ohne erschütternde Wirkungen auf seinen ganzen Organismus kämpfte der
geprüfte den herben Schmerz nieder nud in seiner Verarmung und
Verödung nur

'Desto zärtlicher wandt' er mit liebebedürftigem Herzen
Sich uns Jünglingen zu.'
Nicht ohne neu gesteigerte Hochachtung und wahrhafte Ehrfurcht
kehrten wir älteren Schüler von dem Begräbnis seiner Gattin zurück,
wo wir den theuren Mann so schwer und doch so würdig leiden gesehn. Und als er von Halle zurückkam, wo er seinen letzten blühen-

den Sohn ins Grab gelegt hatte, wie innige Theilnahme zeigte sich
ihm da in seiner Klasse, stumm aber beredt, in lautloser Stille, in
friedlichem Ernste, in gespanntestem horchen; wie aber auch 'klang
da oft schmerzhafte Bewegung Bei gleichgültigem Wort durch die
Beherschung hindurch!' (s. S. 181.) Nach einer glücklich geheilten
nervösen Augenschwäche nöthigte ihn sein durch krampfhafte Zufälle
und hartnäckige Erkältungen erschütterter Gesundheitszustand, auf
fast anderthalb Jahre sich von seinen Amtsgeschäften zurückzuziehen.
Seit dem Herbste 1850 arbeitete er dann wieder mit frischer Kraft
volle drei Jahre unterstützt von den gleichstrebenden Collegen an
dem gemeinsamen Werke. Da trat ein Ereignis ein, das schon an
sich durch die Trennung von einem langjährigen Mitarbeiter und einem durch gegenseitige Hochachtung und Liebe aufs engste verbundenen Freunde schmerzlich, 'durch betrübende Misverständnisse' bei
den Verhandlungen über die Wiederbesetzung der vacanten Stelle
noch besonders verbittert gewesen zu sein scheint: die Berufung des
Herrn Verfassers als Director nach Frankfurt. 'Als wir den 26. Sept.
1853 von einander schieden, fühlten wir beide, dasz das, was wir an
einander gehabt, uns so nicht wieder ersetzt werden würde'. Nach
'fünf Monaten — am 1. März 1854 — war seine irdische Laufbahn
vollendet'. — 'Und in den letzten Wochen und Tagen des Lebens'
— so schreibt 'sein treuer Arzt', an den Hrn. Vf. — 'wie mild emp-
fänglich war er da für jede fremde Anschauung, wie zart wuste er
sie zu berichtigen oder mit der eigenen abgeklärteren Ansicht zu vermitteln; wie verklärte sich sein Blick, je gewisser er sich dem Tode
nahe fühlte; wie waren noch die Worte, die er mit gelähmter Zunge
sterbend sprach, nur Worte herzlicher Liebe, und wie freundlich
winkte noch sein brechendes Auge, wie herzlich drückte noch die
erkaltende Hand, bis er endlich still und schmerzlos entschlief, sein
Töchterlein und mich allein an seinem Sterbelager in trostloser Einsamkeit zurücklassend'.

Im zweiten Theile wird das so in seinen Hauptzügen fertige Bild
des verklärten durch ein ganzes von Lichtpunkten aus seinen Schulreden weiter vertieft und ausgeführt, vorher noch die äuszere Gestalt
des Redners — die in Kleidung und würdiger Haltung oft sprechend
an eine gewisse Büste Goethes erinnerte — mit wenigen aber durchaus treffenden Strichen gezeichnet. Zur Belebung der hiedurch beim
Leser erweckten Vorstellung kann das beigefügte Portrait dienen.

Der Hr. Vf. hebt dann als den Grundzug seines religiösen
Lebens — gewis mit völligster Wahrheit und in vollkommener Uebereinstimmung mit dem Redner am Sarge — eine wahre und tiefe
Frömmigkeit hervor, die, ähnlich wie bei manchen tief religiösen Naturen, nicht eben sich vor andern auszusprechen liebte. 'Sein eigenes
innerstes Verhältnis zum Christenthum wurzelte in der zwiefachen
Ueberzeugung: dasz die Stiftung desselben den gröszten Beweis der
Liebe Gottes für die Menschheit enthalte, und dasz seine Vollendung
auf Erden von uns Menschen vor allem durch die Erfüllung des Ge-

botes der Liebe gefördert werden müsse.' Wie er diese Ueberzeugung an seinem Theile bethätigt hat, wie nach Lehre und Vorbild des
Erlösers seine Liebe alles glaubte, alles hoffte, alles duldete, nie das
ihre suchte, das wird denen, die ein Gegenstand dieser Liebe zu sein
das Glück hatten, als leuchtendes Beispiel stets vor Augen schweben.
— Im systematischen Zusammenhange und mit rückhaltsloser Offenheit pflegte Jacob übrigens seine religiösen Ueberzeugungen darzulegen in seinem Religionsunterricht, in dem er eine Darstellung der
natürlichen Religionen der bedeutendsten Völker sowie des Lebens
und der Lehre Christi frei dictierte und durch eingehende Repetitionen, verbunden nach seinem Wunsche mit eigenen Gegenbemerkungen
der Schüler, reproducieren liesz.

'An den Vorgängen im p o l i t i s c h e n Leben nahm Jacob einen
tiefen aber weniger unmittelbar, und am wenigsten durch eine Partei-
stellung angeregten Antheil. Er beobachtete am liebsten die sittlichen Ursachen der zu Tage tretenden Bewegungen in dem Leben der
Völker und suchte sich von dem Grundcharakter der Gegenwart, wie
vergangener Zeiten, eine klare Anschauung zu bilden. Seiner innersten Natur nach gesetzlich und monarchisch, und durch Heimat und
Erziehung protestantisch und preuszisch gesinnt, erkannte er früh die
Gefahren, die von einer frivolen und zersetzenden Richtung in unserer
Litteratur der staatlichen Ordnung drohten und warnte in mehreren
seiner früheren Reden vor ihren Einflüssen die zur Universität abgehenden Jünglinge'. Wie richtig er seine Zeit beurtheilte, beweisen
schon folgende wenigen Worte aus einer im Herbste 1847 gehaltenen Schulrede: 'kaum mag jemals die Welt schwerer erkrankt
sein, weil kaum jemals gröszere und tiefer greifende Umwälzun-
gen bevorgestanden haben'. Dieser lebhafte und durchaus wahre
aus tiefem Bedürfnis hervorgehende Antheil an den Gestaltungen und
Entwicklungen des Lebens der Völker, der ihn in der Osterrede von
1848 einmal ' über die Mauern unserer stillen Schule in der Welt hin-
auszublicken' trieb, entsprang jedoch immer aus dem bei ihm hersehenden sittlichen Hauptinteresse und wandte sich mehr oder minder
immer wieder als zu seinem letzten Ziele auf die e i n e Sache seines
Herzens, die Jugendbildung, zurück, wie es z. B. besonders durch die
Rede von Ostern 1849 veranschaulicht wird (S. 105 ff.). Von S. 111
an folgen dann eine Anzahl Reden, in denen besonders paedagogische
Ansichten ausgesprochen und einige Cardinalfragen der Erziehung mit
der ihm eigenthümlichen Tiefe und sittlichen Zartheit erörtert werden.
Wahrhaft bedeutend und für jeden Schulmann immer von neuem zu
beherzigen und verwirklichen sind hier die Erleuterungen zu Goethes
Ausspruch' im Wilhelm Meister, dasz der von der Erziehung hervor-
zubringende Grundzustand unserer Seele die E h r f u r c h t sei; von
tiefer Erkenntnis der menschlichen Natur im Kinde und Jüngling sowie
von reifster Erfahrung zeugen die Worte über den F l e i s z, die manchem Lehrer ganz neue Gesichtspunkte über diese wichtige Grundlage
der Jugendbildung eröffnen möchten; von einleuchtendster Wahrheit

sind und von schlagender Wirkung auf die angeredeten scheidenden müssen gewesen sein die Betrachtungen über die lieblichste Gabe der gütigen Gottheit, die Phantasie, und über die eben darum auch unseligsten Folgen ihres Misbrauchs. Aber von allen Reden am bezeichnendsten für die milde Reife dieser ursprünglich kräftigen und wol auch heftigen und ungezähmten, aber durch Prüfungen und Selbstbeherschung wunderbar gezeitigten und vollendeten Natur ist die, welche zur Erwerbung und Erhaltung 'des Gottesfriedens' 'der Sabbathsstille unserer Seele' auffordert und uns ganz in die stille, wehmüthige aber selige Ruhe dieses reinen Herzens nicht ohne eine Ahnung seines Friedens hineinsehen läszt. — Den Schlusz bilden drei Reden, in denen er 'die verschiedenen Seiten und Interessen des Lehrerberufs zum Hauptgegenstande seines Vortrags' macht. Aus allen leuchtet der hohe, reine und edle Sinn, in welchem Jacob seine Lebensaufgabe faszte, so wie auch die Beseligung, die er in der Erfüllung derselben fand, auf das unverkennbarste mit ungesuchter Wahrheit hervor, so dasz der lesende inne wird, hier sei eine Persönlichkeit, die als unmittelbare Folge einer vollendeten Erfüllung ihrer Bestimmung trotz aller Stürme und Schläge von auszen doch im innern ein, soweit es menschliche Unzulänglichkeit leidet, vollendetes Glück genossen habe.

Im Anhange erhalten wir vier höchst dankenswerthe Zugaben. Die 'Votivtafeln', eine nicht ganz kurze Reihe von Elegieen (S. 155 —202), geschrieben in jener oben erwähnten Zeit 'des Fiebers und der Schwachheit' 1849, führen in jener anmuthigen, feinen und zarten Weise der Erzählung und Schilderung, wie sie ihm in seinen Digressionen beim Unterricht eigen war, Scenen und Zustände aus allen Epochen seines Lebens in gar lieblichen, vom Geiste der Wehmut, der Milde und des Friedens angehauchten Bildern vor. Der Hang zum idealen und übersinnlichen, der in dem Knaben früh die Liebe zum forschen und suchen, und die Begeisterung für schönes und edles entflammte, jene Feinheit und Zartheit der geistigen Organisation Jacobs, die für ihn eine Quelle der reinsten Genüsse sowie auch mancher rauhen Verletzungen und Täuschungen von Jugend auf gewesen ist, zeigt sich aufs eigenthümlichste gleich in den ersten Elegieen, die dem Leser die ahnungsvolle Fülle seiner Kindheit — von der nach Goethe ja niemand würdig zu sprechen im Stande ist — in charakteristischer Weise zeigen werden. Ich hebe dann die 8 letzten Elegieen des In Buches hervor, als einen Beleg, mit wie eigenthümlichem Tiefblick und zugleich idealisierender Auffassung Jacob auch die kleinsten Dinge zu durchdringen und anscheinend unbedeutendem, wie dem Leben und Wesen der Raupen, die interessantesten Seiten abzugewinnen und die gespannteste Aufmerksamkeit des Hörers oder Lesers zu bewahren wuste. Aus dem zweiten Buch nehmen die fünfte, der warme Ausdruck der innigsten Dankbarkeit und Pietät gegen Dick, seinen Lehrer, Freund und Vorbild, sodann die 8e bis 18e, gröszentheils Zeichnungen aus den Kriegsjahren von 1806 an, reich an localen und individuellen Zügen von fesselnder Wahrheit und Anschaulichkeit eine besondere Aufmerksamkeit in Anspruch, der Grimm über die Schmach des Vaterlandes und der ganze Stolz dennoch des deutschen Bewustseins spricht aus jedem Striche. Erschütternd ist die Erzählung von der Promotion und Abreise seines älteren Bruders und dem damit in Verbindung stehenden Tode der geliebten Mutter. Das ganze dritte Buch ist durchweht von dem fühlbarsten Hauche der Todesahnung; der bewegte Dank an sein 'Lieb Eckchen' und der Preis ' des blühenden Lebens der Akademie' gehören zu den schönsten der ganzen Sammlung. Höchst bezeichnend ist endlich auch die Elegie aus Carlsbad 1850; sie zeigt uns den Mann in einem jener Augenblicke 'kranken verkommens', die ihn in späteren Jahren öfter daniederbeugten, wie er durch das gewahrwerden einer durch die natürlichen Felsen gebildeten Statue Goethes aufgerichtet wird.

Die dritte Beilage enthält an dem concreten Beispiel einer wirklich gehaltenen Unterrichtsstunde — Referent erinnert sich derselben noch mit wahrem Vergnügen — eine Darstellung der Art und Weise, wie Jacob die Uebersetzungen deutscher Klassiker ins Lateinische, hier die der Einleitung von Lessings Laokoon, zu leiten und in seltenem Masze fruchtbar zu machen wuste, eine kurze aber inhaltreiche für den Schulmann höchst beachtenswerthe Zugabe.

Die letzte Beilage bildet die von Prof. Decke gehaltene Rede an Jacobs Sarge, die 'auf alle anwesenden den tiefsten Eindruck machte.'

Zur Empfehlung der Darstellung des Verfassers glaube ich nichts hinzusetzen zu dürfen; wie geschickt das Bild erst nach seinen äuszeren Umrissen angelegt, dann ins einzelne immer tiefer hervorgehoben, immer reicher und voller ausgeführt, endlich noch durch die eigne Hand des dargestellten belebt und individualisiert wird, habe ich bemerkbar zu machen versucht. Der Name des Hrn. Verfassers, ein zwanzigjähriges zusammenwirken an éinem Werke in éinem Sinne, endlich die daraus nach dem beiderseitigen Sinn und Charakter fast mit Nothwendigkeit hervorgehende innige Hochachtung und Freundschaft bürgen dafür, dasz der rechte Zeichner zu dem Bilde gefunden worden ist.

Möchte es mir gelungen sein, zu zeigen, wie Schüler und Freunde in dem besprochenen Büchlein alle die Züge, die sie treu und unverwischbar in dankbarem Herzen tragen, verschärft, erfrischt und vervollständigt wieder finden, manches in der Erinnerung schlummernde geweckt sehen, manches besser und in rechtem Lichte verstehen lernen, in seinem anschauen überhaupt eine rechte, erquickende Gedächtnisfeier des ihrem Danke entnommenen Wolthäters begehen werden. Und möchte dann auch einer oder der andere von persönlich fernstehenden, besonders Schulmänner, sich einladen lassen, das Buch aufzuschlagen und nur hie und da einige Blätter daraus zu lesen; der Geist, der ihnen aus denselben entgegentreten wird, ist von der Kraft und Art, die an sich zieht, fesselt und durchdringt; so dasz sie müssen inne werden, dies Buch sei für den Schulmann ein rechtes Erquickungsbuch.

Mir aber, dessen Dank gegen den verklärten ewig ist, wie seine
Wolthaten, möge es verziehen werden, wenn ich demselben zum
Schlusse in seinen eigenen Worten (s. S. 184 und 205) einen Aus-
druck gebe: .
Ach viel Weh durchzitterte wol dein Leben, du edler,
   Das du verschämt in der Brust, ohne zu klagen, begrubst.
Denn für das feinere Ohr klang oft schmerzhafte Bewegung
   Bei gleichgiltigem Wort durch die Beherschung hindurch.
Desto zärtlicher wandt' er mit liebebedürftigem Herzen
   Sich uns Jünglingen zu, wenn er uns würdig erfand.
Mich auch hat er vor andern mit vaterlich warmer Behütung
   Liebend und achtungsvoll immer beschirmt und gehegt.
Achtungsvoll? Ja wol! In Kindern so gut, wie in Männern,
   Sah er, man fühlt' es ihm an, fromm zu dem göttlichen auf,
Ob aus kindlichen Augen es ahnungsreich und verwundert,
   Aufstrahlt', oder bewust handelt' im kräftigen Mann.
Nicht viel Worte gebraucht' er, im Lob sparsam und im Tadel;
   Aber ein freundlicher Blick, oder ein zärtliches Wort   .
Macht' uns glücklich, und wen er, den Arm um den Nacken ge-
                schlungen,
   An sich drückend, sein Kind nannte, beneidete man.
Wenn man es sah! Denn selten geschah's, und immer so heimlich,
   Wie es das zarte verlangt, wie es dem starken geziemt.
Denn stark war er und willensfest, trotz innerer Weich-
              heit;
   Und das fordert' er auch, da wo er liebte, zuerst.

——— ——— ——— ——— ——— ——— ——— ———

Ja, du guter, an dir, der soviel gute Gedanken,
   So viel menschlichen Sinn mir in der Seele genährt,
Dem ich so viel, viel mehr, als einem der Vor- und der Mitwelt
   Danke, bei dem ich mich stets besser und reiner gefühlt,
Ja, an dir soll kräftig der Geist aus krankem verkommen
   Sich aufrichten und gern tragen, was Gott ihm beschied.

                                    — x.

Auszüge aus Zeitschriften.

Zeitschrift für die österreichischen Gymnasien. **VI Jhrg. 1855.**

   1s Heft. R. v. Raumer: über deutsche Rechtschreibung (S.
1—37: nach Feststellung der Begriffe 'historische und phonetische
Schreibweise' wird durch eine historische Darlegung zuerst bewiesen,
dasz unter dem Einflusse des phonetischen Grundsatzes 'bring deine
Schrift und deine Aussprache in Uebereinstimmung' schon vor dem
groszartigen Aufschwunge der Litteratur seit der Mitte des 18n Jhrh.
sich eine feste, im ganzen nur auf einem wenig ausgedehnten Grenz-

gebiete noch schwankende Orthographie rechtliche Geltung erworben habe, ferner dasz das bestehen einer von den Mundarten verschiedenen Aussprache der gebildeten in Deutschland anerkannt werden müsse, wenn man nicht aus einzelnen Schwankungen, Verschiedenheiten im Ton und mangelhafter Erreichung des erstrebten Ziels falsche Schlüsse ziehe, dasz diese sich auf die Schriftsprache gründe und man in der Schreibung das vor sich habe, was die Grammatiker für richtige Aussprache erklärten. Nachdem sodann erörtert ist, dasz Neuerungen entweder nur Schriftzeichen ohne Aenderung des Lautes durch andere verdrängen, (z. B. Klopstocks Verlangen das anlautende *V* und *F* durch einen Buchstaben zu bezeichnen), oder mit Aenderung des Lautes (*Eräugnis* und *Ereignis*), und dasz Grimms wissenschaftliche historische Forschungen nicht mit der praktischen Anwendung von deren Resultaten auf die gegenwärtige Sprache zu verwechseln seien, wird gegen W e i n h o l d s Ansichten aufgestellt, dasz eine historische Schreibung, wie er einführen wolle, nirgends eingeführt, sondern nur stehen gelassen worden sei, Aenderungen der bestehenden sich aber nur an die anerkannte Aussprache der .Gegenwart anschlieszen dürfen, weshalb man etwas unrechtes thue, wenn man die dieser entsprechende Regel über den Gebrauch von *ss* und *sz* durch zurückgehen auf das gothische zu reformieren suche, dasz man nach jenes Grundsätzen nicht die Schreibung sondern die Schriftsprache umgestalte und keine Grenze finden würde, wollte man alles, was sich in dieser unrichtiges eingebürgert, wieder ausmerzen, vor allem aber dasz wir mit unserer Erkenntnis der geschichtlichen Fortentwicklung des neuhochdeutschen auf denselben schwankenden Boden zurückversetzt sind, auf Aussprache und Schreibart. Die Endergebnisse sind: obwol im meisten übereinstimmend und im Princip richtig, bedarf dennoch unsere Orthographie weiterer Feststellungen und zweckmäsziger Aenderungen, aber alle diese müssen sich an den Grundcharakter derselben, die jetzt gültige Aussprache, ganz anschlieszen. Auszer der Beibehaltung der groszen Anfangsbuchstaben für die Substantiva (weil die Schule sie nicht beseitigen könne) erklärt sich der Hr. Vf. für die Regel, die Bezeichnung des kurzen Vocals durch die Verdoppelung, des langen durch die Vereinfachung des folgenden Consonanten auszudrücken, das *th* zu beseitigen, wo Doppelformen (*betriegen* und *betrügen*, *Gebirge* und *Gebürge*) sich finden, die Sprachgeschichte entscheiden zu lassen). — C. S a l l u s t i C r i s p i d. coni. Cat. et de b. Jug. libri, orr. et. epp. erklärt von J a c o b s und Sallusts Catilinarische Verschwörung und Jugurthinischer Krieg, lat. mit deutscher Uebersetzung von A l. H a u s c h i l d. Von G. L i n k e r (S. 38—49: zu dem ersteren Buche, dessen praktische Ausführung gebührend anerkannt ist, werden mehrere kritische und exegetische Bemerkungen, letztere namentlich in Bezug auf den Chiasmus und die Anaphora gemacht, das zweite wird als ein ganz werthloses und unreifes Machwerk bezeichnet). — S c h e i n p f l u g: deutsches Lesebuch für die oberen Classen der Mittelschulen. Von S e i d l (S. 49—55: trotz mancher Ausstellungen als eine der bessern Erscheinungen auf diesem Gebiete bezeichnet. Als Hauptübelstände bei dieser Litteraturgattung erwähnt der Rec., dasz viele Herausgeber zweien Herren (Realschule und Gymnasium) zugleich dienen wollen, bei den Realschulen eine Ergänzung für alle Unterrichtsfächer bieten zu müssen glauben, endlich über das, was guter deutscher Stil sei, kein richtiges Urtheil besitzen). — H o f f m a n n v o n F a l l e r s l e b e n und S c h a d e: Weimarisches Jahrbuch für deutsche Sprache, Litteratur und Kunst. Von W e i n h o l d (S. 56—58: angelegentlich empfohlen). — P ü t z: Lehrbuch der vergleichenden Erdbeschreibung, und J o s. B e n d e r Lehrbuch der Geographie für Gymnasien. Von S t e i n h a u s e r (S. 58

—71: beide Werke werden nach eingehender Prüfung unter die guten
und brauchbaren Erzeugnisse des deutschen Fleiszes gezählt, beide in
vieler Hinsicht ähnlich gefunden, aber dem einen mehr die Schul-
form vindiciert). — Kambly: Elementarmathematik. Von Gernerth
(S. 71—73: der geometrische Theil sei gelungener, als der arithmetische; das Buch verdiene viel mehr Verbreitung, als zahlreiche andere).
— Berr: Anfangsgründe der Chemie und Duflos: Anfangsgr. d. Ch.
Von Hintenberger (S. 73—77: das erstere Buch wird den Bestimmungen über die österreichischen Realschulen nicht ganz entsprechend,
das 2e als Leitfaden bei akademischen Vorlesungen sehr gut gefunden).
— Hochstetter: Naturgeschichte des Pflanzenreiches in Bildern,
nach v. Schubert bearbeitet. Von H. M. Schmidt (S. 77 f.: durchaus günstig beurtheilt). = Verordnungen usw. (S. 79—85). — Bericht
über die Versammlung der Realschul-Directoren und Lehrer zu Eisenach 27—29. Sept. 1854. Von Wenzig (S. 86—89). — Heller:
Beiträge zur näheren Kenntnis von Mittelamerica, Yucatan; Programm
Gratz 1853. Von Fenzl (S. 89—91: der Gegenstand ebenso verständig gewählt, wie glücklich behandelt). — Litterarische Notizen
(S. 91 f.: über die historisch-politischen Studien und kritischen Fragmente aus den Jahren 1848—53, von einem Tiroler, und M. Büdinger: über die Reste der Vagantenpoësie in Oesterreich).

2s Heft. Die kaiserliche Sanction der gegenwärtigen Gymnasialeinrichtungen (S. 93—137: es werden von der Redaction die Unterschiede der nun definitiv gewordenen neuen Einrichtung und der
ältern, die bisher erzielten Leistungen und das noch zu erstrebende in
allseitig eingehender Besprechung erörtert). — Bibliotheca scriptorum
graecorum et romanorum Teubneriana. Non Linker (S. 138—143:
anerkennende und empfehlende Beurtheilung von Diodor. cd. Bekker
vol. IV, Plutarch. Vitt. ed. Sintenis vol. V, Pausanias cd. Schubart
vol. II, Rhetor. gr. ed. Spengel vol. II, Apollodor. cd. Bekker, Ar-
riani scripta minora cd. Hercher, Eurip. cd. Nauck, Theophrast. cd.
Wimmer, Cic. ed. Klotz III 2 und IV 1, Cic. epp. sell. ed. Dietsch,
Catull. cd. Roszbach, Florus ed. Halm und Ampelius ed. Wölfflin,
Persius und Juvenal. ed. Hermann, Plin. hist. nat. cd. Jan vol. I,
Quintilian. ed. Bonnell, Statius cd. Queck). — 1) Götzinger: deutsches Lesebuch für Gymnasien und Realschülen. 1r Th. 2) Braubach: stilistisches Lern- Lehr- und Lesebuch. 3) Oltrogge: deutsches Lesebuch. Neue Auswahl. Ir Th. 4) Graszmann und Langbein: deutsches Lesebuch, 2e Aufl. 5) Auras und Gnerlich:
deutsches Lesebuch. 2e Aufl. 6) Seltzsam: deutsches Lesebuch für
das mittlere Kindesalter. 7) Schulze nnd Steinmann: Kinder-
schatz. 1r Th. 2e Aufl. und 2r Th. 8) Stahr: deutsches Lesebuch.
Von Bratranek (S. 141—159: sämtliche Bücher seien encyclopaedisch.
1—5 stilistisch, 6—8 nach andern Gründen geordnet. An 8 wird zuerst das verschweigen der Namen der Autoren und das willkürliche
umspringen mit den Texten, an 1 der häufige Tadel gegen den Stil
von Notabilitäten gerügt. An 1 wird auszerdem die Aufnahme mehrerer
didaktisch nicht geeigneter Stücke und dramatischer Bruchstücke getadelt. In 2 sei eine natürliche und zweckmäszige Eintheilung nicht
befolgt, auch nicht eine bestimmte Stufe festgehalten. 3 erhält unter
einzelnen Bemerkungen volles Lob, nur wird gerügt dasz nicht alles
aus den Originalen selbst geschöpft sei. 4 wird, wenn schon über einzelnes Bedenken erhoben werden, doch im ganzen recht brauchbar befunden. 5 erregt in jeder Hinsicht volle Befriedigung, wie auch 6,
obgleich der Druck der Verse in fortlaufenden Zeilen für nicht ganz
zweckmäszig erklärt wird. 7 erhält das Lob, dasz es manches gute
enthalte, mit 8 aber kann sich der Ref. nach dem, was er vom deut-

schen Unterricht denke, ganz und gar nicht einverstanden erklären).
— Verordnungen usw. (S. 160—173). — Beduschi: Antwort auf
die Rec. seiner chiare omerica und Linker: Erwiderung darauf (S.
174—176).
    3s Heft. Just: auch einige Bemerkungen über das jetzige von
einigen Seiten angefochtene Studium des Lateins (S. 177—200: Wenn
auch die von einigen Seiten dem Organisationsentwurfe gemachten
Vorwürfe entschieden als unbegründet zurückgewiesen werden, so gibt
doch der Vf. zu, dasz die Kenntnis der lateinischen Sprache bei der
österreichischen studierenden Jugend geringer sei als sie sein könnte
und sollte, findet aber die Ursachen davon a) in der relativen Unreife
vieler Gymnasiasten, entstehend durch ein zu frühes Alter bei der Aufnahme, b) der Arbeitsunlust vieler Schüler, c) dem Mangel planmäszi-
gen zusammenwirkens und ineinandergreifens im Unterrichte. Wie zu
der Abstellung des letzten Uebelstandes einige Vorschläge gethan werden, so auch noch zur Erhöhung der Wirksamkeit des Unterrichts).
Bonitz: Anmerkung zu dem vorstehenden Aufsatze (S. 200—208: der
Vorschlag eine Grammatik für alle Gymnasien des Landes zu stande
zu bringen wird als unausführbar bezeichnet, die Variation, wenn sie
mehr als eine grammatische sein soll, für höchst gefährlich erklärt,
das memorieren nur in seiner Anwendung auf Stellen klassischer Originale zweckmäszig gefunden. Gegen die vom Vf. vorgeschlagene Auswahl der Lectüre werden Bedenken geäuszert, deren Ausführung und
Begründung aber auf andere Gelegenheit verschoben). — Vernaleken: das deutsche Sprachfach in einem kurzen Ueberblicke mit Rücksicht auf den schulmäszigen Unterricht (S. 208—218: Darstellung der
Leistungen auf diesem Gebiete unter vollständiger Angabe der einschlägigen Litteratur und Bezeichnung dessen, was vom Gymnasium
auszuscheiden, was aufzunehmen sei. Interessant ist die Ansicht, dasz
der deutsche Unterricht die deutsche Mythologie, deutsche Alterthums-
und Sittenkunde aufzunehmen habe). — Grailich: über eine zweckmäszige Modification des Wheatstone'schen Schwingungsapparats (S.
218—231: Beschreibung eines neuen an kk. physikalischen Institute
ausgeführten Apparats nebst Anweisung zum Gebrauch). — Xenophons Cyropaedie, erklärt von Hertlein, angez. von Kergel (S.
222—231: wenn schon manche Anmerkungen und Citate beseitigt,
einige andere aufgenommen gewünscht werden, so wird doch die Bearbeitung als eine treffliche anerkannt. Bemerkungen macht Ref. über
I 1 4, 2 7, 2 12, 2 13, 3 2, 3 7, 3 14, 3 15, 6 2, III 3 65, 3 69, IV
3 17). — Schnitzer: I. Chrestomathie aus Xenophon. 2e Aufl. 2.
Wörterbuch dazu, 3. Vorcursus, 4. chrestomathia Xenophontea, 5.
chrestomathiae Xenophonteae explicatio grammatica, ang. v. Schenkl
(S. 231—235: obgleich vieles als tactvoll und einsichtig anerkannt ist,
werden doch gegen die Auswahl, die Anmerkungen und die Textcon-
stituierung manche Bedenken und Forderungen aufgestellt, am wenigsten die explicatio grammatica für ein geeignetes Hülfsmittel erklärt).
— Pütz: Grundrisz der Geogr. u. Geschichte für die oberen Classen.
1r Bd. d. Alterthum. 8e Aufl., ang. von Linker (S. 235—240: ohne
dem Werke seinen Vorrang vor vielen andern schmälern zu wollen,
werden doch einzelne ganze Partien und ziemlich viele Einzelheiten
als einer Aenderung bedürftig bezeichnet). — Heider: die romanische
Kirche zu Schöngrabern in Niederösterreich, ang. von O. Lorenz
(S. 240—243: als für die christliche Kunstarchaeologie recht nützlich
und werthvoll empfohlen). — Gerding: Einführung in das Studium
der Chemie, angez. von Schabus (S. 243—249: eingehende Beurtheilung). — Verordnungen usw. (S. 250—261). — Bonitz: die 14e
Versammlung deutscher Philologen und Schulmänner (S. 262—269:

Auszug aus des Ref. Bericht Bd. LXX S. 524—550 *). — Wilhelm: zur Frage über die deutsche Rechtschreibung vom Standpunkte der Schule (S. 269—272: es wird der Grundsatz geltend gemacht, dasz wenn die Aussprache nicht hinlänglich entscheide, die Bedeutung und das innere Leben der Worte überall durch die Schrift erkennbar gemacht werden soll, wo die Abstammung dem Sprachbewustsein noch nicht gänzlich entschwunden ist; sodan gezeigt, wie weit die Acuderungen in der österreichischen Volksschule bereits durch- und cingeführt sind, dabei die Frage aufgeworfen, ob nicht bei Worten, wie ‘eräugnen’, der richtigen Vorstellung wegen eine geringe Aenderung der jetzigen Aussprache gestattlich wäre).

4s und 5s Heft. Lorenz: über das Consulartribunat (S. 273 —302: die Resultate sind: die Einführung der Consulartribunen kann nicht als Verfassung, sondern nur als eine provisorische Maszregel betrachtet werden; es wurden anfangs nur 3 gewählt, es konnten Plebejer darunter sein, musten aber nicht; sie hatten anfänglich nur das *imperium*, nicht die *potestas*, daher auch nur *auspicia minora* und giengen aus der damals bestehenden Heerverfassung hervor (3 tribuni bei der Legion). Im J. 328 trat eine weitere Entwicklung ein, indem die Zahl auf 4 erhöht, einer aus ihrer Mitte zum praefectus urbi bestellt, auch ihnen die Befugnis einen Dictator zu wählen durch die Angurn ertheilt wurde. Das Heer führten sie in Abtheilungen von einander unabhängig, erhielten das Recht *consulendi senatum* und die Leitung der Centuriatcomitien. Die Wahl von 6 im J. 349 hängt mit der Veränderung des Heerwesens zusammen und die Plebejer hielten auf diese Zahl fortan, weil sie auf Erlangung einiger Stellen mehr Aussicht bot, die Consulartribunen erhielten aber jetzt auch die *consularis potestas*. Wenn später 8 Kriegstribunen erwähnt werden, so ist nach den Verhältnissen der Censur und den alten Schriftstellern

---

*) Weil Hr. B. das Resultat der Abstimmung über die Berechtigung des freien lateinischen Aufsatzes in der Maturitätsprüfung durch die vorangegangene Discussion nicht vollständig erklärt findet, die Erwägung vermiszt, dasz man geradezu eine Skizze zu demselben als einer freien lateinischen Stilübung geben könne, und genaueres von dem vollständigen Abdruck der Verhandlungen erwartet, so findet sich Ref., da er die Nichterfüllung der letzten Erwartung in voraus zu versichern im Stande ist, zu folgender Bemerkung veranlaszt. Die ganze Discussion erhielt sich fortwährend in dem Charakter der Mittheilung von Erfahrungen und Ansichten, und es darf deshalb das Resultat nicht darnach beurtheilt werden, ob eine Ansicht ausführliche Erwiderung und Erörterung gefunden hat oder nicht. Der von Hrn. B. aufgestellte Gesichtspunkt war erörtert; auch der Vorschlag desselben findet sich, wenn auch nicht mit derselben Schärfe und Bestimmtheit, doch in dem enthalten, was rücksichtlich der Vorbereitung in Betracht des Stoffes z. B. von Gravenhorst angeführt wurde; denn ob die Skizze dictiert, oder mündlich erörtert oder schon vorher dem Schüler indirect gegeben wird, macht keinen wesentlichen Unterschied. Die Mehrzahl überzeugte sich durch die Erörterung, wie sich dem Aufsatze, den man aus paedagogischen Rücksichten für nothwendig hielt, eine solche Einrichtung geben lasse, dasz die erwähnten Uebelstände, so weit es in der Macht der Lehrer augenblicklich liege, beseitigt würden, und deshalb ergab sich bei der Abstimmung das bezeichnete Resultat. Die letztere liesz man allerdings nur eintreten, weil die Discussion nicht so weit ausgedehnt werden konnte, dasz jeder seine Ansicht für sich hätte aussprechen können.

nur die Annahme möglich dasz die Consulartribunen von 351 an unbeschadet ihres Charakters, wie die Consuln früher, den census übten. Demnach vereinigten die Consulartribunen zuletzt alle Geschäfte der Consuln in sich und wurden eben dadurch der plebes, der sie vorher angenehm waren, verhasst). — Büdinger: Umrisse der österreichischen Geschichte vom Ende des 8n bis gegen Ende des 10n Jahrhunderts nach den Ergebnissen der neuesten Forschungen (S. 303—336: statt einer Recension der wichtigsten historischen Forschungen, namentlich Dümmlers, stellt der Vf. die Ergebnisse in zusammenhaugender Uebersicht dar und zwar hier die beiden Perioden: Anfänge fränkischer Einrichtungen circ. 800—856 und Ausbildung fränkischer Einrichtungen und slawische Grenzreiche bis zum Untergange beider durch die Magyaren ca. 856—907). — Bonitz: über die beabsichtigte Aenderung des Gymnasial-Lehrplans für das lateinische und die philosophische Propaedeutik auf Grundlage der ah. Bestimmungen vom 6n Dec. 1854 (S. 337—369: es werden mit gründlich eingehender Motivierung folgende Anträge gestellt: eine Erhöhung der Stundenzahl für philosophische Propaedeutik möge nicht sofort gleichmäszig an allen Gymnasien eintreten, sondern nur da, wo der Unterricht in der Hand eines we ni g st e n s gesetzlich qualificierten Lehrers sich befindet, dagegen Lehranstalten, an welchen dies nicht der Fall, bis zur Erfülung jener Bedingung ausdrücklich versagt bleiben, 2) dasz die geforderte Erweiterung nicht durch Verdoppelung der Stundenzahl in der 8n, sondern durch Ausdehnung auf die 7e mit der bisherigen Zahl von je 2 wöchentlichen Stunden erreicht werde. 3) eine Erweiterung des Stoffes kann weder durch Aufnahme eines encyclopaedischen Unterrichts, noch eines Ueberblickes über die Geschichte der Philosophie erfolgen, sondern nur durch die schon im Organisationsentwurfe bezeichnete Einleitung in die Philosophie, aber auch erst nach Erfüllung der dort festgestellten Bedingung dasz sie in lehrmäsziger Fassung vorliege. 4) in die Maturitätsprüfung ist die ph. Prop. nur da aufzunehmen, wo die Stundenzahl Erweiterung erfahren hat, aber für dieselbe sind bestimmte Prüfungsnormen abzulehnen. Rücksichtlich des Latein wird, nachdem dargelegt ist, wie in der That jetzt nicht weniger, sondern mehr geleistet werde, als früher, nicht von einer Erweiterung der Stundenzahl, sondern von der Vorbildung zahlreicher tüchtiger Lehrer auf der Universität eine Erhöhung der Leistungen erwartet. Statt der sonst gemachten Vorschläge wird eine Verkürzung der Naturgeschichte in dem Obergymnasium vorgeschlagen, die eine Vermehrung der griechischen Stunden in V und VI und eine kleine Abminderung in VII und VIII, damit aber 2 St. philosophische Propaedeutik in VII möglich mache. Der lateinische Unterricht soll in III in beiden Semestern 6, in VII 6 Stunden erhalten und dadurch von 49½ auf 51 in Sa. wachsen). — Xenophons Anabasis erkl. von Hertlein. 2e Aufl. ang. von Schenkl (S. 370—375: die Textkritik habe zwar gewonnen, schliesze sich aber immer noch nicht genug an die besten Handschriften an; auch in der Erklärung sei noch nicht alles, was früher gerügt, berücksichigt oder vermieden worden; doch sei die Ausgabe recht brauchbar, und namentlich die Zugabe von Kiepert ihr eine Zierde). — Bopp: vergleichendes Accentuationssystem, angez. von Jos. Liszner in Eger (S. 365 f.: der Inhalt wird angegeben, in Betreff der Endung des Partie. perf. ώς die Ansicht von Curtius vertheidigt). — Pangkofer und Frommann: Deutschlands Mundarten, angez. von K. Weinhold (S. 377—379: zur Unterstützung empfohlen). — Lübben: Wörterbuch zu der Nibelungen Not, angez. von dems. (S. 379 f.: als recht nützlich bezeichnet). — Hoffmann: neuhochdeutsche Schulgrammatik, 2e Aufl., ang. von A. Hahn (S. 380—

3%6: sehr gelobt, aber einige eingehende Bemerkungen). — O. De-
litsch: Elementar-Atlas der allgemeinen Geographie, ang. von Stein-
hauser (S. 386–388: als der Anfang eines neuen Umschwungs im
Schulkartenwesen begrüszt). — E. von Sydow: orographischer Atlas
(S. 388 – 393: des Vf. einleitende Worte abgedruckt). — Lutter
Ferdinand: a természettan alaprajza, 2e Aufl. ang. von Grailich
(S. 394—404: sehr gelobt, aber möglichst enges anschlieszen an das
Original, Schödlers Buch der Natur, unter Vermeidung hier vorkom-
mender Unrichtigkeiten empfohlen). — Kutzner: 12 anatomische
Wandtafeln und ders.: die Lehre vom Menschen, angez. von Brücke
(S. 404—406: die Werke seien ganz schlecht und voll haarsträubenden
Unsinns; Physiologie gehöre nicht in das Gymnasium, geschweige denn
in die Volksschule). — Verordnungen usw. (S. 407—422). — Oester-
reichische Schulprogramme (S. 423—428: Mitteis: über meteorolo-
gische Linien, Gymn. zu Laibach, Axamil: über die Erregung der
sogenannten Extraströme, Prag akad. Gymn., Hain: Beiträge zur
Witterungskunde Siebenbürgens, Gymn. zu Schäszburg, und Reale:
Studj d' igrometria, Gymn. zu Como, angez. von K. Kreil. Pegger: parallelogrammo della forze, Gymn. zu Zara, Cavallieri: una
questione sulla natura degli atomi componenti i corpi, Milano, Bar-
nab., Contzin: kleine Rundschau im physikalischen Cabinet, Gymn.
zu Botzen, Adam: über die Anfangsgründe der Mechanik in Unter-
realschulen, Troppau, und Schivitz: Beiträge zur geognostischen
Kenntnis des Coglio bei Görz, Gymn. zu Triest, ang. von Schabus.
Schreinzer: über praktisches arbeiten in chemischen Laboratorien
und Clarks Methode der Härtebestimmung des Wassers angewendet auf
Linzer Trinkquellen, Linz Oberrealsch., ang. von Hinterberger).
— Litterarische Notizen (S. 428—432. Klopps deutsche Geschichts-
bibliothek wird als verfehlt bezeichnet, Arany: Toldi, übersetzt von
Kolbenheyer, als auch für die Schule wol benützbar empfohlen,
Erzählende Gedichte, Innsbruck Wagner, und Ernste Declamationen,
Lpz. Wengler, wie überhaupt die jetzt zahlreich auftauchende Litteratur nicht sehr ersprieszlich befunden, Spiesz: Goethes Leben und
Dichtungen als ein brauchbares Hülfsbuch den Lehrern am Obergymnasium dargestellt, auf Hertel: ausführliche Mittheilung über die
kürzlich in Zwickau aufgefundenen Handschriften von Hans Sachs aufmerksam gemacht).

Berichte über gelehrte Anstalten, Verordnungen, statistische Notizen, Anzeigen von Programmen.

GLOGAU]. Das Lehrercollegium des dasigen königl. evang. Gym-
nasiums bestand im verflossenen Schuljahre aus dem Dir. Dr. Klix
[s. Bd. LXIX S. 576, LXX S. 120], Pror. Dr. Petermann, Prof.
Dr. Röller, den Gymnasiallehrern Dr. Stridde, Lucas, Beissert,
Oberl. Dr. Rühle [Bd. LXX S. 117 u. 565], Scholtz, Frass, Dr.
Munk, Cand. Storch, Turnlehrer Haase. Die Schülerzahl betrug
258 (I: 33, II: 43, III: 52, IV: 58, V: 47, VI: 25), Abitur. Mich. 4,
Ostern 7. Den Schulnachrichten voraus geht die Abhandlung vom
Oberl. Dr. Rühle: *Beiträge zur elementaren Behandlung der Kegelschnitte* (9 S. 4 und eine Figurentafel) und die *Antrittsrede des Di-
rector* (S. 10—18). Die letztere entwickelt die Idee des Gymnasiums
und die Bedingungen zu ihrer Verwirklichung in einer Weise, dasz

man recht viel daraus lernen kann und jeder gewis sich angeregt, erfrischt, erbaut fühlt.

GOTHA]. In das Lehrercollegium des dasigen Gymnasium illustre waren Ostern 1854 der Hofdiaconus Herrmann (für Ertheilung französischen Unterrichts während des Sommersemesters) und der Cand. J. H. J. Möller (zunächst probemäszig auf ein Jahr) eingetreten. Die Schülerzahl betrug 200, zur Universität wurden 12 entlassen. Die Programmabhandlung schrieb Dr. Regel: *de syllabae a ad formanda adverbia substantivis vel adiectivis in lingua Anglica praefixae origine ac natura* (13 S. 4).

GUBEN]. Das Lehrercollegium des dasigen Gymnasiums bestand Ostern 1855 aus dem Dir. D. C. Th. Kock [s. Bd. LXIX S. 577], Pror. Dr. Sausze, Conr. Richter, den Oberlehrern Niemann und Michaelis, Subrect. Schwarze, Quartus Heydemann, Cant. Holtsch, Organ. Roch, Zeichenlehrer Wollmann. Die Schülerzahl betrug 173 (I: 14, II: 14, III: 45, IV: 27, V: 33. VI: 40), Abiturienten 6. Die wissenschaftliche Abhandlung schrieb der Director: *de Philonide et Callistrato* (30 S. 8).

GÜSTROW]. Das Gymnasium (s. Bd. LXIX S. 701), dessen Lehrercollegium auch im letztverflossenen Schuljahre keine Veränderung erlitt, zählte im Wintersemester 76 Sch. (I: 14, II: 17, III: 23, IV: 22) und entliesz Mich. 1854 1, Ostern 1855 2 Abit. Das Programm enthält die Abhandlung vom Lehr. Vermehren: *über die electromagnetische Kraft des in den Leuchtgasretorten sich bildenden Graphites* (16 S. 4).

HALBERSTADT]. In dem Lehrerpersonale des königl. Domgymnasiums traten im Laufe des Jahres Ostern 1854—55 folgende Veränderungen ein: der Musikdirector Wolff ging ab, einem Rufe nach Crefeld folgend, und an seine Stelle trat der Musiklehrer Held vom kön. Schullehrerseminar. Der Hülfslehrer Dr. Schulze fand am Gymnasium zu Torgau, der Schulamtscand. Dr. Linke an dem zu Wesel eine Anstellung. Der wissenschaftliche Hülfslehrer Dr. Wilhelm Wolterstorff II sah sich durch seine Gesundheit genöthigt, den Lehrerberuf aufzugeben und sich zum Studium der Jurisprudenz zu wenden. Seine Stelle erhielt der schon vorher am Gymnasium beschäftigte Dr. Willmann und der Schulamtscandidat Kalmus ward als Substitut des Musikdirector Geisz († 22. Dec. 1854, 82 J. alt) bestellt. Die Schülerzahl betrug im Winter 236, Abiturienten waren 7. Das Programm enthält die Abhandlung vom Oberl. Dr. C. C. Hense: *über personificierende Adjectiva und Epitheta bei griechischen Dichtern, namentlich bei Pindar, Aeschylus, Sophocles* (24 S. 4).

HANAU]. Der Personalbestand der Lehrer des dasigen Gymnasiums (s. Bd. LXIX S. 577) erlitt im verflossenen Schulj. nur die Veränderung, dasz als 5r. beauftragter Lehrer der Gymnasialpraktikant Nic. Schell eintrat. Die Schülerzahl betrug am Schlusse 85 (I: 10, II: 18, III: 13, IV: 19, V: 18, VI: 7). Abiturienten waren 0. Den Schulnachrichten vorgestellt ist die Abhandlung vom Conr. Dr. O. Vilmar: *Reste der Allitteration im Nibelungenliede* (36 S. 4).

HELMSTAEDT [s. Bd. LXIX S. 577]. Das Gymnasium verlor im verflossenen Schulj. durch den Tod den Conr. Dr. Elster [Bd. LXX S. 120], und am 16. Dec. 1854 den provisorisch in seinen Unterricht eingetretenen Schulamtscand. K. G. L. G. Leiste. In den Ruhestand trat im Sept. der Oberlehrer Meier und der Generalsuperintend. Stöter gab Ende 1854 den von ihm ertheilten Religions- und hebraeischen Unterricht auf, um in Gandersheim sein neues Amt anzutreten. Die Lücken wurden einigermaszen ausgefüllt, indem die Herren Verdens und Dr. Marx auszerordentliche Stunden übernahmen. Seit Oct.

vor. Jahres ertheilte der Schulamtscand. El st er provisorisch Unterricht, um zugleich die 2e Hälfte seines Probejahrs abzuhalten. Die Schülerzahl betrug 60 (I: 9, II: 12, III: 17, IV: 22), Abit. 1. Das Programm enthält die bei den Bestattungen der verstorbenen Lehrer von dem Oberl. Dr. Schütte und den Predigern Bräsz und Tappe gehaltenen Reden.

HILDBURGHAUSEN]. Die Bd. LXIX S. 577 f. berichteten Verhältnisse am dasigen Gymnasium dauerten auch im Schuljahre Ostern 1854 —55 fort. Der Schulamtscand. Schaubach ertheilte auch nach Ablauf seines Probejahrs Unterricht, das gesetzliche Probejahr hielt der Schulamtscandidat Keszler ab. Die Schülerzahl war 68 (I: 8, II: 8, III: 4, IV: 14, V: 19, VI: 15), Abitur. 6. Den Schulnachrichten voraus geht ein Brief des Prof. Dr. Reinhardt an den Reg. R. Seebode zu Wiesbaden über eine neue Bearbeitung des Terenz (19 S. 4).

HIRSCHBERG]. Das Lehrerpersonal des dasigen Gymnasiums bestand nach den Bd. LXIX S. 460 u. 702 angezeigten Veränderungen aus dem Dir. Prof. Dr. A. Dietrich, Pror. Ender, Oberl. Dr. Möszler, Conr. Krügermann, Dr. Exner, Scholz, Oberl. Dr. Haacke, auszerord. Lehr. Prof. Dr. Schubarth, den Pastoren Hesse und Werkenthin [nach Abgang des Pastor. Trepte und interistimischer Ausfüllung durch Pastor Dr. Peiper], katbol. Stadtpfarrer Tschuppick, Cantor Hoppe und Zeichenlehrer Maler Troll. Die Schülerzahl war im Winterhalbj. 128 (I: 17, II: 10, III: 30, IV: 38, V: 33), Abitur. 5. Die Errichtung einer 6n Classe ist in Aussicht gestellt. Den Schulnachrichten voraus geht die Abhandlung vom Dir. de vocalium quibusdam in lingua latina affectionibus (16 S. 4).

LÜNEBURG]. Das Johanneum, in dessen Lehrercollegium keine Veränderung vorgieng [Bd. LXIX S. 578], zählte am 12. Dec. 1854 im Gymnasium 296 Sch. (VII: 43, VI: 53, V: 59, IV: 34, III: 31, II: 28, I: 21), in der Realschule 104 (III: 49, II: 47, I: 8), in Sa. also 373. Zur Universität wurden entlassen 8. Die Programmabhandlung schrieb Dr. J. N. Möhring: zur Theorie der Musik (17 S. 4).

MAGDEBURG]. Das Lehrerpersonal des Paedagogiums zum Kloster U. L. F. [Bd. LXX S. 118] blieb im Jahre 1854—55 unverändert, auszer dasz im Oct. 1854 der Hülfslehrer Kalkow (Turnlehrer), um einen andern Beruf zu ergreifen, freiwillig ausschied und an seine Stelle der Lehrer Friedemann neu angestellt wurde, ferner die Collegen Michaelis und Kloppe das Praedicat 'Oberlehrer' erhielten [s. oben S. 158]. Zur Universität giengen Ost. 1854 4, Mich. 6, der Coetus zählte am Schlusse 439 Sch. (I: 26, II: 41, III^a: 31, III^b: 39, IV^a: 37, IV^b: 49, V^a: 60, V^b: 56, VI^a: 62, VI^b: 38). Den Schulnachrichten vorausgestellt ist die Abhandlung von Dr. Schmidt: de ubertate orationis Sophocleae. Pars prior (24 S. 4).

MELDORF]. Das Lehrercollegium der dortigen Gelehrtenschule [s. Bd. LXIX S. 703 f.] erfuhr im letzten Schuljahre grosze Umwandlung. Um das Conrectorat zu vertreten ward Ost. 1854 der Dr. Witt aus Horst constituiert, der Subrector Dr. Vechtmann übernahm das Ordinariat von Secunda. Doch am 29. Sept. ward der letzgenannte als Rector an dem Realgymnasium zu Rendsburg constituiert, der 6e Lehrer Jansen zum 5n Lehrer an der Gelehrtenschule in Kiel ernannt, Dr. Witt als 8r Lehrer in Glückstadt constituiert. Candid. Kürschner gieng nach Eutin [ob. S. 260]. Dagegen wurde zum Conrector der vorher als Conrector an der Rendsburger Gelehrtenschule constituierte H. Hagge, zum Subrector der vorherige 5e Lehrer in Kiel W. Th. Jungclaussen, zum 6n Lehrer der vorher in gleicher Stellung in Rendsburg constituierte Dr. O. Kalssen ernannt, endlich der Cand. P. N. A. Beckmann aus Schleswig als 8r Lehrer constituiert.

Die Schülerzahl betrug 82 (I: 14, II: 12, III: 21, IV: 21, V: 14), Mich. waren 3 Abit. Den Schulnachrichten voran geht eine Abhandlung des Rector Dr. W. H. Kolster: *Sophoclesne interdum ad sui temporis res gestas nos ableget, quaeritur* (17 S. 4).

MÜHLHAUSEN]. Ueber die Veränderungen im Lehrercollegium des dasigen Gymnasiums s. Bd. LXIX S. 579, Bd. LXX S. 567, oben S. 274. Die Schülerzahl betrug Ostern 1855 110 (I: 14, II: 18, III: 13, IV: 33, V: 32), Abiturienten Ostern 1854 6. Dem Programme beigegeben ist eine Abhandlung vom Subconrector Dr. Alb. Dilling: *die Progressionen, figurierten Zahlen, Polygonalzahlen, Pyramidalzahlen, höheren Differenzreihen, Faktoriellen und Fakultäten* (23 S. 4).

NEUSTRELITZ]. An dem Gymnasium Carolinum ward seit Ostern 1853 der Candid. Frdr. Latendorf nach Bestehung des Probejahrs auch ferner mit Lectionen beschäftigt. Seit Ostern 1854 wurden statt der einmaligen am Beginne jeder Schulwoche tägliche Morgenandachten, bestehend aus Gesang, Vorlesen eines an den Gang des Kirchenjahrs sich anschliessenden Bibelabschnittes und einem Gebete, eingeführt. Eine praktische Einrichtung ist die, dasz in den untersten Klassen Notizbücher vorhanden sind, in welchen die Bemerkungen über den Fleisz der Schüler von Zeit zu Zeit von dem Hauptlehrer der Klasse verzeichnet werden. Indem diese den Eltern oder Beaufsichtigern zur Unterschrift vorgelegt werden müssen, wird eine häufigere Verbindung zwischen Schule und Haus erreicht. Um das Ziel der ersten eigentlichen Gymnasialklasse, Quarta sicherer zu erreichen, werden den schwächeren Schülern in den fremden Sprachen und in der Mathematik leichtere Aufgaben zu den häuslichen Arbeiten gestellt, die letztern zum Theil auch ganz erlassen, bis sie im Stande sind, mit den übrigen Schülern gleichen Schritt zu halten.

Die Schülerzahl betrug	I.	II.	III.	IV.	V.	Sa.
Ost. — Mich. 1853 —	13	22	30	23	62	150
Mich. 1853 — Ost. 54 —	7	22	30	26	65	150
Ost. — Mich. 54 —	15	19	32	30	62	158
Mich. 54 — Ost. 55 —	10	19	30	30	65	154

Abit. Mich. 53 4, Mich. 54 3. Den Schulnachrichten voran geht die Schrift vom Lehrer C. Villatte: *La promenade. Poème de Schiller, traduit en français et précédé d'observations critiques sur plusieurs points de la versification française* (28 S. 4).

OESTERREICH]. Verordnungen des Ministers für Cultus und Unterricht: I) vom 21. Febr. 1855. Die in der Verordnung vom 18. Oct. 1850 gewährte Möglichkeit die Gymnasialstudien in kürzerer Zeit, als es an den öffentlichen Gymnasien geschehen kann, zu absolvieren ist in wiederholten Fällen theils durch Umgehung der in jener Verordnung enthaltenen Vorschriften, theils durch unverständige Benützung der darin gewährten Freiheit zu offenbarer Beeinträchtigung gründlicher Bildung gemisbraucht worden. Um diesem Uebelstande für die Zukunft vorzubeugen, wird folgendes angeordnet: 1) wer nicht als öffentlicher oder Privatschüler der 8n Kl. an einem öffentlichen Gymnasium eingeschrieben war, kann sich der Maturitätsprüfung nicht an jedem beliebigen Gymnasium ohne weiteres unterziehn, sondern hat bei der politischen Landesstelle des Kronlandes, in welchem er die Maturitätsprüfung abzulegen wünscht, wenigstens drei Monate vor Ablauf des Schuljahrs um Bestimmung des Gymnasiums nachzusuchen, an welches er sich zu wenden habe. In diesem Gesuche ist mit beglaubigten Zeugnissen nachzuweisen, wo und wie und binnen welcher Zeit der Bittsteller die Gymnasialbildung erlangt hat. 2) Die Landesstelle hat diese Nachweisungen zu prüfen, im Falle nähere Erhebung zu pflegen, und das Gymnasium zu bestimmen, an welchem die Candidaten und zwar mit besonders sorgfältiger Erprobung ihrer Bildung und geistigen Reife vorzunehmen ist. Ohne besonderen Auftrag der Landesstelle ist kein Gymnasium berechtigt, Maturitätsprüfungen mit Schülern der bezeichneten Art vorzunehmen, und sollte es dennoch geschehen, so wäre eine solche Prüfung ungiltig und wirkungslos. 3) Weisen die der Landesstelle vorgelegten Documente oder Erhebungen die gesetzlichen Bedingungen der Zulassung zur Maturitätsprüfung nicht nach, oder ist zu ersehen, dasz es dem Bittsteller offenbar an der erforderlichen Bildung fehlt, oder dasz es ihm an der Möglichkeit sich die erforderlichen Kenntnisse zu erwerben gebrach oder dasz gegen seine Zulassung zu höheren Studien sittliche Bedenken obwalten, so ist sein Gesuch abzuweisen. 4) Eine durch falsche Angaben oder was immer für Unterschleife erschlichene Zulassung zur Maturitätsprüfung hat deren Ungiltigkeit und die Ausschliesziung von jeder Wiederholung derselben zur Folge. Der Versuch solchen Unterschleifs ist ebenfalls mit unbedingter Ausschliesziung von jeder Maturitätsprüfung zu bestrafen. 5) Schüler, welche einem Gymnasium angehört haben und aus demselben ausgetreten sind, um die Gymnasialstudien auf dem Wege des häuslichen Unterrichts zu vollenden, ohne sich Semestralprüfungen zu unterziehen, sind in der Regel nicht früher als am Ende desjenigen Schuljahrs, in welchem sie bei regelmäsziger Fortsetzung ihrer Studien an einem öffentlichen Gymnasium die 8e Klasse absolviert hätten, zur Maturitätsprüfung zuzulassen. Ausnahmen hievon können jedoch bewilligt werden, wenn durch besondere Umstände die Wahrscheinlichkeit eines ungewöhnlich erfolgreichen Studiums nachgewiesen ist. — II. Verord. vom 7n März 1855, die Ueberbürdung der Gymnasialschüler mit häuslichen Aufgaben betr.: Mit dem Erlasse v. 29. Jun. 1851 sind die Gymnasialkörper angewiesen worden, in ihren Forderungen an die Schüler und namentlich in Betreff der Hausaufgaben jedes Uebermasz, wodurch die jugendlichen Kräfte überbürdet werden, zu vermeiden. Bei verschiedenen Anlässen ist ferner insbesondere vor dem überstürzen des Unterrichts und vor der ungebührlichen Ausdehnung des Lehrstoffs auf Kosten der Gründlichkeit gewarnt worden. Diese Weisungen scheinen jedoch von manchen Lehrern gar nicht, oder nicht in der Weise beachtet zu werden, als es nöthig ist, um den Erfolg des Unterrichts nach seiner erziehenden Seite zu verbürgen, indem vielfältig noch darüber geklagt wird, dasz an den häuslichen Fleisz der Schüler Forderungen gestellt werden, deren Erfüllung ohne Nachtheil für die körperliche und geistige Gesundheit der Jugend nicht möglich sei. Es kann den Lehrern, namentlich den jüngeren, die von ihrem bestgemeinten Eifer sich leicht zur Ueberschreitung des gehörigen Maszes verleiten lassen, nicht oft und nicht dringend genug gegenwärtig gehalten werden, dasz die Gymnasialpaedagogik ein ruhiges und sicheres fortschreiten des Unterrichts auf bereits befestigten Grundlagen, dasz sie Einheit und Ebenmasz im ganzen Lehrgange, dasz sie endlich von den Schülern nicht so sehr umfassende Kenntnisse als vielmehr vielseitige Uebung der Kräfte und gründliche Vertiefung in die für den Jugendunterricht geeigneten Stoffe verlangt. Die Gefahr der Ueberbürdung liegt nicht in einer anhaltenden pflichtgetreuen Beschäftigung, bei welcher nichts übereilt und welche so geleitet wird, dasz der Schüler immer mehr Zuversicht zu seiner Kraft gewinnt und mit zunehmender Lust zum lernen weiter fortschreitet, sondern darin, dasz die Schüler zu Leistungen verhalten werden, denen sie bei noch nicht gehörig geübter und gestärkter Kraft nicht gewachsen sind, oder welche, wenn auch ihrem Gehalte nach leicht überwindlich, vermöge ihrer Ausdehnung innerhalb der bemessenen Zeit, ohne Abbruch der nöthigen Ruhe und Erholung, sich nicht bewältigen lassen. Das ist ein Uebel, welches allemal verschuldet wird, sobald jeder der in einer Klasse beschäftigten Lehrer seinen eigenen Weg geht, ohne Rücksicht auf die bedingte Stellung, welche sein Fach als ein integrierender Theil der gesamten Aufgabe der Schule einzunehmen hat, — oder, wenn einzelne Lehrer die geistige Aneignung und Durchübung des Lehrstoffs seitens der Schüler nicht zur Aufgabe des eigentlichen Unterrichts machen, sondern irriger Weise den Erfolg dieses in einer Ueberfüllung mit Kenntnissen suchen, deren Erwerbung sie hauptsächlich dem mehr oder weniger mechanischen memorieren überlassen; — oder wenn in Bezug auf den Umfang oder die Zahl selbst solcher Aufgaben, welche vorschriftsmäszig von den Schülern zu Hause bearbeitet oder memoriert werden sollen, der Klassenlehrer sich nicht mit den ihm beigeordneten Lehrern regelmäszig ins einvernehmen setzt, um die periodische Vertheilung dieser Aufgaben festzustellen, die Förderungen der mitwirkenden Lehrer auszugleichen und so zu verhüten, dasz mühsame und zeitraubende Aufgaben aus mehreren Gegenständen zugleich auf einen Tag fallen. Oft wird auch gerügt, dasz manche Lehrer die eigene methodische Vorbereitung für jede Lection vernachlässigen, wodurch sie Gefahr laufen das wissenschaftliche Material, welches ihnen selbst zu Gebote steht, auch in die Schule zu übertragen, ohne mit Bedacht und Combination dasjenige auszuwählen, was zum eigentlichen S c h u l u n t e r r i c h t e gehört. Es liegt jedesmal für die Schule ein gerechter Vorwurf mangelhafter Pflichterfüllung darin, wenn, wie es noch häufig der Fall ist, die Mitwirkung der Hauslehrer als eine unerläszlicse Bedingung dessen bezeichnet wird, dasz die öffentlichen Schüler den Anforderungen der Schule nachkommen. Obgleich nun die gerügten Misgriffe keineswegs den Lehrern im allgemeinen zum Vorwurfe gemacht werden können, viele sich vielmehr von dem Verdachte derselben rein zu erhalten gewust haben, so sehe ich mich dennoch bei dem Umstande, dasz in den Zustandsberichten noch solche paedagogische Gebrechen an manchen Gymnasien als vorhanden nachgewiesen werden, welche die Klagen über Ueberbürdung der Schüler als nicht unbegründet erscheinen lassen, zu der Erinnerung veranlaszt, dasz die Inspectoren und die Directoren der Gymnasien dieser wichtigen Seite des Schullebens ihre unausgesetzte Aufmerksamkeit schenken, und auf die Abstellung der angedeuteten Misgriffe, wo solche vorkommen, dringen. Sie haben namentlich die auf diesen Gegenstand bezüglichen Weisungen des Organisationsentwurfs und die Verordnungen vom 29. Jun. 1851, 31. Aug. 1852 und 30. Mai 1853, mit Hinblick auf die unterm 1. Jan. dieses Jahres erlassene Verfügung den Lehrern mit Nachdruck in Erinnerung zu bringen und deren genaue Durchführung zu überwachen, indem ich in dem Falle, als die erwähnten Klagen sich wiederholen, und bei der näheren Untersuchung sich nicht etwa als unstatthafte Einwendungen gegen gerechte Anforderungen der Schule, die ihre Pflicht thut, sondern als gegründete Beschwerden gegen fortdauernde Misgriffe erweisen sollten, mich bemüszigt sehn würde gegen ein Verfahren einschreiten zu lassen, auf welchem erwiesenermaszen die Schuld der unverzeihlichen Unkenntnis oder der wissentlichen Auszerachtlassung bestehender Vorschriften lastet.

R a t i b o r]. Das dortige königl. evangelische Gymnasium hat vom 1. Jul. 1854 an eine Erhöhung seines Etats erhalten, indem das Lehrerpersonal auszer dem Director und den beiden Religionslehrern aus 8 ordentlichen und 2 wissenschaftlichen Hülfslehrern bestehen soll, die Gehalte aber von 925 ℛ (der Staatszuschusz um 700 auf 3800 ℛ) erhöht worden sind. Nach dem früher berichteten Abgang des Dir. S o m - m e r b r o d t [Bd. LXIX S. 573] und Prorector G u t t m a n n [Bd. LXX

S. 356] bestand das Lehrercollegium aus dem Directoratsverwalter Pror. Prof. Dr. Passow [Bd. LXX S. 350], dem Conr. Keller, den Oberlehrern König, Kelch, Fülle [Bd. LXIX S. 705], den ordentlichen Lehrern Reichardt, Kinzel [vorher wissenschaftl. Hülfslehrer, wornach Bd. LXX S. 569 zu berichtigen], Wolff [ebenfalls vom Hülfslehrern aufgerückt], den wissensch. Hülfslehrern Schneck und Zander [provisorisch vornehmlich für den evangel. Religionsunterricht in den oberen Klassen angestellt], dem katbol. Religionslehrer Lic. theol. Storch, evangel. Super. Redlich, Zeichenlehrer Lieut. Scheffer, Gesang- und Turnl. Lippelt. Die Schülerzahl betrug 385 [I: 32, II: 43, III^a: 50, III^b: 48, IV^a: 41, IV^b: 25, V: 74, VI: 72]. Ostern 1854 waren 14, Mich. 1 Abiturient. Dem Programme ist vorangestellt die Abhandlung vom ord. Lehr. M. Kinzel: *über Diamagnetismus* (22 S. u. eine Figurentafel).

·SONDERSHAUSEN]. Das dortige fürstl. Gymnasium hat im vergangenen Schulj. eine neue Lehrerverfassung erhalten, deren vielleichtige Veröffentlichung in Aussicht gestellt wird. Dieselbe gilt, wie nach dem dortigen Programme zu urtheilen, auch für das Gymnasium zu Arnstadt. Wir theilen hier nach dem Sondershauser Programme, das sonst nur eine äuszerliche Bestimmung zur Kenntnis der angehörigen der Schüler bringt, den Lectionsplan mit:

	Lat.	Griech.	Deutsch.	Franz.	Engl.	Hebr.	Relig.	Gesch. •	Geogr.	Math. und Rechn.	Naturwiss. und Gesch.	Ges.	Kalligr.	Zeichn.
I. 9	5	5	3	2	} 2	} 2	3	—	3	1 (Chem.)	} 1	—	}
II. 8	5	5	3	—			2	1 (math.)	4	—		—	} 1
III. 9	6	3	2	—	—	3	2	2	4	2	} 1	—	} 2
IV. 8	3	3	3	—	—	2	2	2	5	2	1	2	
V. 10	—	3	—	—	—	3	1	2	3	1	1	3	

Die gröszte Ausdehnung ist hier dem deutschen Unterrichte gegeben, wie wir uns kaum von einem andern Gymnasium erinnern. In Prima wird Grammatik gelehrt, wie es scheint, Syntax Becker § 264—280, 205—230), nachdem in Secunda die Wortbildungs- und Flexionslehre mit Berücksichtigung des alt- und mittelhochdeutschen vorausgegangen. In jeder der beiden Klassen wird übrigens deutsche Lectüre getrieben, combiniert haben sie freie Vorträge und Litteraturgeschichte in 2 St. Auch in III und IV wird die Grammatik, jedoch in Verbindung mit Lectüre getrieben, während in V Aufsätze und Lectüre nach Oltrogge allein angeführt stehen. Die Schülerzahl betrug 75 [I: 9, II: 8, III: 12, IV: 28, V: 18]. Abit. 1. — Den Schulnachrichten voran geht *Probe einer neuen beabsichtigten Ausgabe von Arrians Anabasis, vorgelegt vom Oberlehrer* Dr. Hartmann (17 S. 4). Die Ausgabe ist für die Altersstufe bestimmt, auf welcher jetzt Arrians Anabasis gelesen zu werden pflegt; sie soll dem Schüler das zur öffentlichen Lectüre, wie besonders beim Privatstudium nöthige Material bieten, zunächst die grammatische Seite berücksichtigend, aber auch die Sacherklärung nicht vernachlässigend. Als Probe mitgetheilt wird die Einleitung, der Commentar zu den fünf ersten Capiteln des ersten Buchs und auf S. 17 einige kritische Bemerkungen. Wir erkennen daraus, dasz der Hr. Vf. nicht nur richtigen Takt und ausgebreitete Kenntnisse besitzt, sondern auch gründliche Studien an dem Schriftsteller gemacht hat und können ihn deshalb nur ermuntern, die Arbeit zu vollenden und zu veröffentlichen. So trefflich auch die Ausgaben von Krüger und Sintenis sind, so wird man dennoch eine den Bedarf des Schülers an der Hand der Erfahrung zur hauptsächlichsten Richtschnur nehmende neue Bearbeitung deshalb nicht für überflüssig erklären, zumal wenn dieselbe, wie Hr. Hartmann beabsichtigt, einen recht fruchtbaren Gedanken, die vergleichende Herbeiziehung des lateinischen Sprachgebrauchs, verfolgt. Dürfen wir einige Bemerkungen aussprechen, so glauben wir zuerst nicht, dasz die vorliegende Probe völlig der beabsichtigten Ausgabe entspreche, vielmehr scheint dieselbe uns nur zeigen zu sollen, wie der Hr. Vf. zu verfahren gedenkt und wie er zu dieser oder jener Behauptung gelangt sei. So finden wir in der Einleitung, so viel gutes und zweckmäsziges sie enthält, die Citate aus Photius und andern, die Bezugnahmen auf Creuzer, die Bekämpfung abweichender Ansichten für den Stand der Schüler, für welche die Ausgabe uns berechnet scheint, nicht ganz geeignet, vielmehr sind wir der Ansicht, dasz man denselben nur mit den Resultaten entgegentreten, sie nicht in die Untersuchung selbst einführen soll. Auch möchten wir den Hrn. Vf. darauf aufmerksam machen, dasz nicht überall Arrian später als Xenophon gelesen wird — ob mit Recht, wollen wir hier nicht untersuchen —, was doch vielleicht auf die Fassung dieser oder jener Bemerkung einen Einflusz ausüben dürfte, namentlich auf die in der Einleitung angestellte Vergleichung beider Schriftsteller rücksichtlich ihres Stiles. Was den Commentar betrifft, so müssen wir über die kritischen Bemerkungen (so zum 1. Cap. § 4: ʻVielleicht richtiger mit Krüger καὶ ἐς, um dadurch der falschen Annahme, als rechne Arrian das Gebiet der Triballer zu Thracien, aus dem Wege zu gehen' vgl. § 7) dasselbe sagen, was wir oben wegen der Einleitung bemerkten. Dahin rechnen wir denn auch die Bemerkungen über Inconsequenz im Gebrauche der Formen, und in der Ansicht, dasz diese nicht auf die Schüler berechnet seien, bestärkt uns die zu 1, 7 über das Augment des plsqpf. pass. gemachte Bemerkung. Uebrigens würden wir in einer für die Schule bestimmten Ausgabe nicht das geringste Bedenken hegen, das ionische ἐκδιδοῖ in das attische ἐκδίδωσι zu verwandeln. Sehen wir aber auf die Anmerkungen, die offenbar nur da stehn, um dem Schüler das Verständnis zu erleichtern, so kann Ref. nicht umhin eine Praxis zu besprechen, die ihm in vielen Schulausgaben der neuesten Zeit zu weit ausgedehnt erscheint. Ein Hauptaugenmerk wie bei der Lectüre der alten Schriftsteller so in den für den Schüler bestimmten erklärenden Anmerkungen bleibt eine gewandte und gute deutsche Uebersetzung, weil dadurch die Verschiedenheiten und Eigenthümlichkeiten der Sprachen zur Anschauung kommen. Es ist auch nicht zu verkennen, dasz die Mühe, die Bedeutungen vieler Worte zu suchen, nicht selten dem Schüler die Sache verleidet und ihn nicht zum Genusse, zur Freude an der Lectüre kommen läszt. Xenophons Anabasis erscheint nach des Ref. Erfahrung den jungen Leuten erst dann als das, was sie in so hohem Grade ist, eine höchst ansprechende Jugendlectüre, wenn sie nach einiger Bekanntschaft nicht mehr so viele Worte aufzuschlagen haben, und es wäre demnach gar nicht unzweckmäszig, eine alle seltenere oder doch wenigstens den Schülern noch nicht vorgekommene und nicht leicht wieder vorkommende Worte erklärende Ausgabe in ihre Hände zu legen. Wäre die Aufgabe bei der Lectüre keine andere, als die Schüler zur Kenntnis des realen Inhalts zu bringen, oder eine Parlierfertigkeit in den alten Sprachen zu erzeugen, so würde man nichts dagegen einzuwenden haben, wenn in Schulausgaben jeder nur einigermaszen dem Deutschen nicht ganz entsprechende Ausdruck erklärt wäre. Fertigkeit ist zwar

viel mehr ein Ziel des Unterrichts, als man lange Zeit dafür hielt, aber
der Weg, auf dem sie im Gymnasium erreicht werden musz, ist der
durch Uebung der geistigen Kräfte, die Fertigkeit musz hier zugleich
Verständnis und Einsicht in die Gründe sein. Beim Unterrichte nun
kann und musz es oft vorkommen, dasz der Lehrer, weil er gerade anderes
beachtet wissen will, dem Schüler einfach die Bedeutung eines Wortes
vorsagt, und in den Elementarbüchern musz das gleiche geschehen,
ein anderer Standpunkt aber scheint dem Ref. bei Schulausgaben von
Schriftstellern einzunehmen, zumal wenn sie zum Privatstudium bestimmt sind. Denn dies letztere sollte, wenigstens unserer Ansicht
nach, nicht eher beginnen, als bis der Schüler im Stande ist, auch
bei schwierigerem höchstens in Folge eines Fingerzeigs und unter Benützung allgemeiner Hülfsmittel, des Lexicons und der Grammatik, das
richtige selbst zu finden; gewis wenigstens wird es erst dann wirklich
fruchtbar sein, wenn der Schüler Schwierigkeiten zu überwinden hat.
Neben dem Material, welches derselbe zum Verständnis nöthig hat,
ohne es selbst finden zu können, wird demnach in Ausgaben der bezeichneten Art nicht allein Anleitung, sondern auch Veranlassung, ja
Zwang selbst zu denken und zu suchen ein Augenmerk sein müssen.
Die Praxis ist freilich eine sehr mannigfaltige, aber es sind hier nur
zwei entgegengesetzte Maximen zu betrachten, man kann zur Auffindung des richtigen den Weg zeigen und man kann das richtige hinstellen, aber die Aufsuchung der Gründe dafür fordern. Von beidem
wird der Lehrer im Unterrichte vielfach Gebrauch machen und sollen
für das Privatstudium bestimmte Schulausgaben die Stelle desselben
vertreten, so werden die Anmerkungen sowol den einen, als den ändern Weg einschlagen können, ja müssen. Die Verfasser beabsichtigen
gewis, wenn sie einfach die Uebersetzung eines Ausdrucks oder Wortes geben, entweder dem Schüler eine Erleichterung zu bieten, damit
er auf anderes seine ganze Aufmerksamkeit richten könne, oder ihm
das für den speciellen Fall richtige vorzulegen und die Aufsuchung
der Gründe oder der Herleitung anheimzustellen. Im erstern Falle
kann man leicht in den Fehler verfallen, bei dem Schüler zu wenig
vorauszusetzen oder ihm zu wenig zuzumuthen. Freilich ist hier jedes
einzelne für sich zu beurtheilen, aber im allgemeinen dürfte wol die
Frage gerechtfertigt erscheinen, ob nicht, wenn wirklich viele tüchtige
Lehrer bei den Schülern, für welche sie schreiben, sehr geringen Wortvorrath oder sehr geringe Uebung in der Ableitung der für die jedesmalige Stelle angemessenen Bedeutung aus der eigentlichen voraussetzen zu müssen glauben, entweder die Lectüre von Schriftstellern
zu zeitig begonnen werde oder im Elementarunterrichte eine unzweckmäszige Methode hersehend sei, und ob nicht im allgemeinen die Paedagogik sich dazu neige den Schülern alles so bequem wie möglich zu
machen (dasz äuszere Verhältnisse, namentlich die Ueberfüllung mit
Lehrgegenständen, dahin drängen; fügen wir zur Vermeidung des Mis-
verständnisses bei). Im zweiten Falle dürfte wol die Natur der Jugend
überhaupt, namentlich aber der gegenwärtigen eine aufmerksame Berücksichtigung finden müssen. Ref. hat selbst die Erfahrung gemacht
und sie von vielen Seiten bestätigt erhalten, dasz mit seltenen Ausnahmen unsere Jugend sich begnügt gegebenes hinzunehmen, ohne
dasselbe selbstthätig weiter zu verfolgen. Betrachte man nur einmal
die Schüler, wenn sie sich z. B. mit dem Crusius'schen Wörterbuche
auf Homer praepariren, die Mehrzahl sucht gewis, ohne sich um die
Grundbedeutung zu kümmern unter dem Worte zunächst darnach, ob
die betreffende Stelle angeführt wird, und adoptiert dann ohne weiteres die angegebene Bedeutung. Wir wollen Fälle, welche die gröszte
Gedankenlosigkeit bei Hinnahme der in einer Anmerkung gegebenen

Uebersetzung beweisen, indem nicht einmal die Einfügung in die Construction beachtet wird, als einzelne gelten lassen, es ist aber in dem Wesen der Jugend begründet, was ihr fertig geboten wird, als solches hinzunehmen. Deshalb möchte Ref. den Herausgebern von Schulausgaben dringend zur Erwägung anheim gehen, ob sie nicht der Jugendbildung einen viel gröszeren Dienst leisten würden, wenn sie statt Schweisz zu ersparen, die Jugend nöthigten sich recht anzu strengen um selbst das geeignete zu finden und mit den Hülfsmitteln dazu vertraut zu werden. So weit ist es doch wol noch nicht gekommen, dasz man die grosze Mehrzahl für dessen unfähig halten müste. Wir sind weit davon entfernt, Hrn. Dr. H. das von uns bezeichnete schuld zu geben, wir wünschen vielmehr, dasz er dies alles als nicht um seinetwillen ausgesprochen ansehe und erkennen gern an, dasz er sich von vielem, was wir an andern bedenklich finden, frei erhalten hat, indes wird er doch vielleicht einigen Bemerkungen, welche wir zu der Probe des Commentars machen, nicht jede Beachtung versagen. Dasz zu 1, 1 der Beginn der Olympiadenrechnung fälschlich auf 780 v. Chr. gesetzt ist, würde er wol auch ohne uns wahrgenommen haben. Etwas unklar ist die Bemerkung: ‘ἐπὶ ἄρχοντος unter dem Archonten, dem höchsten Staatsbeamten in Athen, nach welchem das Jahr benannt wurde. Es gab ihrer immer neun’. Wäre nicht, vorausgesetzt dasz der Schüler die Kenntnis davon nicht schon anderswoher besitzt, zweckmäsziger: Jährlich wurden in Athen 9 Archonten als die höchste Staatsbehörde gewählt. Der Name des ersten von ihnen diente zur Bezeichnung des Jahres, und er selbst hiesz deshalb vorzugsweise ἄρχων? Ist es wirklich für Schüler, mit welchen man den Arrian zu lesen beginnt, nöthig bei den Worten τῆς ἐπὶ τοὺς Πέρσας στρατιᾶς die Bedeutung ‘Heereszug’ anzugeben? Will man ihnen die Aufsuchung im Lexikon nicht zumuthen, so gebe man eine allgemeine Bemerkung. Die Uebersetzung werden sie schnell vergessen, eine Bemerkung, von der sie sehen, dasz sie dieselbe gebrauchen können, beachten. Hat man z. B. bei 2, 7 τὴν ἀκρίβειαν τῆς διώξεως die allgemeine Bemerkung gemacht, dasz die Eigenschaft, welche wir durch ein Adjectiv ausdrücken, von den Griechen zum Hauptbegriff gemacht und die Sache im Genetiv davon abhängig gesetzt werde, so wird es in anderen ähnlichen Fällen nur der Verweisung bedürfen, um den Schüler die richtige Uebersetzung selbst finden zu lassen, zugleich wird es nicht zu hoch sein, darauf hinzuweisen, dasz eben nicht jede Verfolgung, sondern nur die Beobachtung der Genauigkeit benommen war. Dasselbe gilt von den Anmerkungen: 6 ‘παρεσκευασμένοι schlagfertig, entschlossen. 7 περικαταλαμβ. ringsum eingeschlossen werden. 4, 6: ἧκει gekommen sei’ u. a. Wenn es zu § 7 heiszt: ‘γνώμ. πεποίηντο: hatten die Ansicht gefaszt’, so war viel wichtiger auf die mediale Bedeutung des Pf. u. Plsqpf. pass. aufmerksam zu machen.. Sollten dann die Schüler nicht selbst darauf kommen: sie hatten sich die Meinung gemacht, gebildet? Ueberhaupt halten wir es für methodischer in solchen Fällen allemal die eigentliche Bedeutung hinzuzusetzen, und man wird finden, wie man sich oft, ohne dem Deutschen Gewalt anzuthun, ganz eng dem Originale anschlieszen kann. Was soll die nun folgende Bemerkung: ‘ohne Artikel in dieser Bedeutung öfters bei Arrian?’ Könnte sie nicht zu dem Glauben verleiten, als wäre dies eine Eigenthümlichkeit Arrians? Wäre es nicht zweckmäsziger, auf die grammatische Regel hinzuweisen, nach welcher der Artikel fehlt? Doch wir würden zu weit geführt werden, wollten wir an noch mehr Einzelheiten Bemerkungen anknüpfen. Wir hatten nur die Absicht eine Frage anzuregen, die zwar schon oft behandelt, aber von einer abschlieszenden Beantwortung noch weit

entfernt ist. Wenn wir gegen die frühere Interpretiermethode einen
heilsamen Umschwung eingetreten, wenn wir Umfänglichkeit der Lectüre und Fertigkeit erstrebt sehen, so scheint es doch nicht unangemessen sich zu besinnen und sich darüber einmal Rechenschaft zu
geben, ob man denn doch nicht den Schülern den Weg gar zu bequem
mache, ob man nicht die Ausdehnung der Lectüre mit Verlust an
Gründlichkeit erreiche, ob Fertigkeit, wenn sie sich auf die Anwendung grammatischen Wissens und allgemeiner Bemerkungen gründet,
nicht mehr werth sei, als ein unbewuztes aneignen der Sprache, ob
ein vom Schüler mit Hülfe des Lexikons und eignen nachdenkens er-
worbenes, wenn auch vielleicht an vielen Stellen zu berichtigendes
Verständnis nicht einen bleibenderen Gewinn gewähre, als ein rasches,
durch passives hinnehmen gebotener Ausdrücke bewirktes übersetzen,
ob wir nicht bei der Lectüre in höhern Klassen manches jetzt für nöthig
geltenden Hülfsmittels entrathen könnten, wenn der Unterricht von
vornherein auf den sicheren Besitz eines umfangreichern Wortschatzes
und die Gewöhnung von dem eigentlichen aus das entsprechende zu
finden hinarbeitete, ob wir endlich alles das, was Sache des Unterrichts, der lebendigen Mittheilung des Lehrers ist, in Büchern nieder-
legen können und dürfen. Hrn. Dr. H. aber versichern wir aufrichtigst, dasz unsere Bemerkungen keinen Tadel für ihn enthalten
sollen, sondern nur Anregung auf Grund eigener Erfahrung, welcher
wir keine gröszere Berechtigung, als der seinigen zugestehn.

R. D.

Sorau]. Die 6e Klasse [s. Bd. LXX S. 119] wurde in dem vergangenen Jahre am Gymnasium errichtet und dem Cand. Th. Reuscher, welcher zugleich sein Probejahr abhielt, anvertraut. Zu den
Lehrern trat auszerdem der Zeichenlehrer Berchner hinzu. Die Schülerzahl betrug im letzten Winter 180 (I: 10, II: 23, III: 35, IV: 44,
V: 39, VI: 29], Abiturienten 4. Den Schulnachrichten ist vorausgeschickt, jedenfalls von dem Dir. Dr. Schrader verfaszt: *Anleitung
zum Privatstudium für die beiden oberen Klassen des Gymnasiums*
(22 S. 4). Es ist eine wahre Herzensfreude, wenn man die energische
praktische Durchführung fruchtbarer Ideen wahrnimmt. Seyffert hat
das grosze Verdienst auf ein zwar in einigen Anstalten immer in Gebrauch gebliebenes, aber im allgemeinen in Vergessenheit gerathenes
Mittel dem Gymnasium seine wesentlichste Wirksamkeit zu geben und
zu sichern hingewiesen und zu seiner Benützung durch seine Lesestücke Material und Anweisung gegeben zu haben. Wenn wir nun
wissen, dasz viele Gymnasien sich dasselbe zu Nutzen zu machen begonnen haben, so ist es höchst dankenswerth, dasz in dem vorliegenden Programme uns eine Methode der Durchführung mitgetheilt wird.
Ist die Anleitung auch zunächst für die Schüler und die speciellen
Verhältnisse des Sorauer Gymnasiums berechnet, so enthält sie doch
des anregenden und belehrenden auch für Lehrer genug. Möchten wir
auch den ersten Theil 'die Nothwendigkeit des Privatstudiums' für
Schüler etwas zu doctrinär gehalten nennen, so findet sich doch in
demselben das eindringlich dargelegt, was die Ueberzeugung der Schüler
für die ihnen bisher fremde Sache gewinnen kann und wenn wir den
leider in viele junge Leute gedrungenen Wahn, dasz die klassischen
Studien für die künftige Berufsthätigkeit keinen praktischen Nutzen
gewähre — praktisch nennt ja unsere Zeit nur das handgreifliche und
materielle — noch entschiedener bekämpft sehen möchten, so können
wir daraus keinen Vorwurf machen wollen, weil ja vielleicht für die
dortigen Verhältnisse keine Veranlassung dazu vorlag. Im zweiten
Theile 'Wahl der Schriftsteller' wird folgendes festgesetzt: I Secunda. Griechisch: a) für alle Homer. Odyss. und Xenoph. Anab.,

so weit beide nicht in der Klasse gelesen sind, b) zur Auswahl: einige Reden des Lysias (Rauchensteins Auswahl), Abschnitte aus Xenoph. Memor. (Ausg. v. Seyffert) und einige Lebensbeschreibungen des Plutarch (Timoleon, Pericles). Latein: a) für alle Salust. Cat. und Cic. orr. in Cat., desgleichen Livius (I, V—VII, XXI—XXIV, XXX) zur Ergänzung der Klassenlectüre. b) zur Auswahl: Cic. pr. Rosc. Am., pr. Sull., d. am., de sen., Caes. d. b. c., Abschnitte aus Ovid. Fast., Trist., epp. ex Pont. (Ausw. von Seyffert). Nach dem vorhergehenden scheinen Verg. Aen. die nicht in der Kl. gelesenen Bücher von den ersten 6 hinzuzufügen. II. Prima. Griechisch: a) für alle: Hom. Il. und Herod. VII—IX zur Ergänzung des Klassenunterrichts. b) zur Auswahl: Isocr. Paneg., Areop., Plat. Apol. und einige leichtere Dialoge, Abschnitte aus Thucyd., Eurip. Medea, Hecuba, Phoenissae, Alcestis, Auswahl aus den Lyrikern (nach Burchard, Stoll oder Seyffert). Latein.: a) für alle: Horat., Tac. Germ. und Ann. I—III, so weit diese nicht in der Schule erklärt sind. b) zur Auswahl: Cic. pr. Sest., in Verr., philos. und rhetor. Schriften, Plin. epp. mit Auswahl, Quint. X, Vellei., Tacit. de orator. und Agric., Tibull., Terent. Neulateiner zur Auswahl: Muret (Ausw. von Krafft), Ruhnk. vit. Hemst., Wyttenb. vit. Ruhnk., Ernesti narr. de Gessn., Schömanni narrat. de Bogislao und einige Reden von Eichstädt. Liesze sich auch gegen einzelnes mancherlei einwenden, könnten wir namentlich gegen die Empfehlung der Neulateiner Einspruch erheben, und anderes an die Stelle von mehrerem vorschlagen, so bescheiden wir uns doch dessen, da ja allemal individuellen Verhältnissen Rechnung zu tragen ist. Wir haben übrigens die Uebersicht nur mitgetheilt, um die Forderungen welche an den·Privatfleisz an éinem Gymnasium gestellt werden, zur Nachahmung zu bezeichnen. Recht trefflich ist im 3n Theile der Rath einer zweimaligen Lectüre, so wie denn auch die Winke über die Anknüpfung schriftlicher Arbeit alle Beachtung verdienen. *R. D.*

STARGARD]. Nachdem das Prorectorat besetzt (Bd. LXIX S. 581), Dr. Rollmann an das Stralsunder Gymnasium übergegangen war und eine Ascension stattgefunden hatte, bestand das Lehrercollegium des dasigen kön. Gymnasiums aus dem Dir. Freese, Prof. Scheele, Dr. Schirlitz, Dr. Engel, Dr. Schmidt, Essen, Runge, Dr. Kopp [vorher Hülfslehrer], Dr. Ziemssen [vom wissensch. Hülfslehrer in die neu fundirte 9e Lehrerstelle aufgerückt], Zeichen- und Schreibl. Keck, Musikdir. Bischoff. Die Schülerzahl betrug 245 [I: 11, II: 29, III: 40, IV: 52, V: 63, VI: 50], Abitur. 4. Den Schulnachrichten voraus geht die Abhandlung von E. Essen: *perspectivische Verwandtschaft der Figuren* (16 S. 8).

STENDAL]. Nachdem der Director des dasigen Gymnasiums Dr. Haacke (46 Jahre lang Director) am 30. Sept. 1854 von seinem Amte abgetreten war, wurde, wie schon Bd. LXX S. 570 berichtet ist, der Dir. Dr. Heiland aus Oels berufen. Auszer ihm bestand das Lehrercollegium aus dem Conr. Prof. Eichler, Subr. Prof. Dr. Schrader, Oberl. Prediger Beelitz, Oberl. Dr. Eitze, den Gymnasiallehrern Schötensack, Schäffer, Berthold und Backe [darnach Bd. LXIX S. 234 zu berichtigen]. Die Errichtung einer Hülfslehrerstelle stund bevor. Die Schülerzahl betrug Ostern 1855 232 [I: 15, II^a: 21, II^b: 22, III^a: 17, III^b: 22, IV^a: 19, IV^b: 15, V^a: 25, V^b: 22, VI^a: 33, VI^b: 21], Abiturienten Mich. 1854 7. Den Schulnachrichten vorausgestellt ist 1) *Rede des Dir. Dr. Heiland bei Antritte des Amts* (S. 1—8), sehr lesens- und beherzigenswerth darüber, dasz erziehende Thätigkeit eine Hauptaufgabe des Gymnasiums, Charakterbildung aber in der Gewöhnung an Arbeit und Anstrengung, an Entbehrung und Selbstbeherschung, sowie in Erziehung zur Ehrerbietung und Pietät, zur Gottesfurcht und Frömmigkeit zu suchen sei *), 2) von dems. *metrische Beobachtungen* (S. 9—17).

Personalnachrichten.

Angestellt oder befördert:

Bachmann, W., Schulamtscand., als ordentl. Lehrer am Gymn. zu Herford.

Hertz, Dr. Mart., Privatdocent in Berlin, als ordentl. Prof. der klass. Philologie an der Universität zu Greifswald.

Jarisch, Ant., Weltpriester, Lehrer am Taubstummeninstitut zu Wien, als Schulrath für Steiermark.

Javurek, Joh., Supplent am kk. Gymn. zu Leutschau, als wirklicher Lehrer an der Anstalt.

Keil, Dr. Heinr., Oberlehrer und Privatdoc. zu Halle, als Oberlehrer am Friedr.-Werderschen Gymn. zu Berlin.

Klostermann, Ferd. Friedr. Glieb, Schulamtscand., als ordentl. Lehrer am Gymnasium zu Burgsteinfurt.

Morassi, Frz.) als wirkl. Lehrer an dem neu regulierten Gymna-
Rubessa, And.) sium zu Fiume.

Praediciert

Döderlein, Dr. Ludw., Professor und Studienrector zu Erlangen, als Hofrath.

Pensioniert:

Hribar, Lor., Gymnasiallehrer zu Marburg in Kärnthen.

Gestorben:

Am 28. Febr. der Oberlehrer Presber zu Kreuznach.

Am 28. April der Prof. am kk. Gymn. zu Leutschau, Jos. Alois Jehlicka.

Am 29. April der Subrector Bielefeld am Gymn. zu Salzwedel.

Am 7. Mai zu Gieszen der Prof. der hebr. Litteratur an das Universität Dr. Mich. Löhnis.

Am 18. Mai zu Oltakring nächst Wien der Capitularpriester des Benedictinerstifts, P. Gotthard Springer, Prof. der griech. und deutschen Spr. am Gymn. zu den Schotten in Wien.

Am 18. Mai zu Lucca der berühmte Anatom Ritter Ludw. von Pacini.

Am 2. Juni zu Oxford der berühmte Philolog, Dr. Thom. Gaisford, Dechant von Christ-Church.

Am 27. Juni zu Prag der Prof. der Physik an der das. Universität, Dr. Petrina.

---

*) Von demselben ist auch die am 27. Sept. 1854 zur Entlassung der Abiturienten und zugleich Abschiednahme in Oels gehaltene Rede, Oels Ludwig (15 S. 8), erschienen, welche in gleich tüchtiger Weise von dem Berufe zum studieren handelt.

Zweite Abtheilung

herausgegeben von Rudolph Dietsch.

(25.)
Zum evangelischen Religionsunterricht auf Gymnasien.
(Schlusz vom vorigen Heft.)

Soviel musten wir im allgemeinen vorausschicken, um für die Beurtheilung einiger Lehrbücher zum christlichen Religionsunterricht eine wenigstens einigermaszen feste Grundlage und sicheren Maszstab zu gewinnen. Wie schon oben bemerkt ist, für die Klassen bis Secunda einschlieszlich bedarf es für den Schüler nur einer brauchbaren biblischen Geschichte, des Katechismus und der Bibel; und selbst in der Prima hat der Schüler nach unserem Plane streng genommen nichts weiter nöthig, als den lateinischen und deutschen Text der altkirchlichen Symbole und der Augsburgischen Confession, höchstens noch einen Abrisz der Geschichte des Reiches Gottes im A. und N. B., einer christlichen Kirchengeschichte.

Diesem Bedürfnisse haben denn auch schon mehrere der älteren, bekannten Lehrbücher zu entsprechen gesucht. So vor allen hierfür fast die Bahn brechend Thomasins, der in seinen zuerst 1842 erschienenen Grundlinien zum Religionsunterricht in den mittleren Klassen gelehrter Schulen im ersten Cursus die Geschichte des Reiches Gottes unter dem A. u. N. B. (jedoch mit Ausschlusz der Kirchengeschichte im engeren Sinn) in kurzen, treffenden Charakteristiken darlegt, und den zweiten Cursus seines Lehrbuchs so eingerichtet hat, dasz die zweite Hälfte desselben das kirchliche Bekenntnis mit passenden Erklärungen und Einleitungen enthält. In derselben Weise sind neben der Geschichte des Reiches Gottes im A. B. und einem Abrisz der Kirchengeschichte in den neuen Auflagen des trefflichen Lehrbuchs der Religion für die oberen Klassen protestantischer höherer Schulen von Petri die drei ökumenischen Bekenntnisse und die Augsburger Confession zu nicht geringer Erhöhung der Brauchbarkeit dieses Buches aufgenommen. Ausführlicher sind die bewährten besonderen Lehrbücher von Kurtz, sowol das schon erwähnte Lehrbuch der heiligen Geschichte, als auch dessen Lehrbuch der Kirchengeschichte, das ursprünglich Seitenstück und Ergänzung zu dem obengenannten Lehrbuch der heiligen Geschichte bilden soll, und das evangelische Lehrbuch für Schüler der oberen Klassen auf Gelehrtenschulen von Schmieder, besonders der zweite Theil, der bekanntlich die Einleitung in die kirchliche Symbolik nebst dem deutschen und lateinischen Text der Augsburgischen Confession enthält. Ebendemselben Bedürfnis will denn auch das neueste:

Hülfsbuch für den evangelischen Religionsunterricht in Gymnasien von Dr. W. A. Hollenberg, Lehrer am Königl. Joachimsthalschen Gymnasium (Berlin 1854. XII u. 292 S. 8)

entgegenkommen.

Das Buch greift freilich noch etwas weiter, indem es auszerdem noch 52 Kernlieder der evangelischen Kirche (nach dem Text des deutschen evangelischen Kirchengesangbuchs) und den kleinen Lutherschen Katechismus nach der Ausgabe von K. F. Th. Schneider umfaszt. So lange freilich noch die durch rationalistischen Unverstand und Unglauben entstellten Gesangbücher im Gebrauch sind, wird sich die Schule genöthigt sehen, sich durch besondere Abdrücke zu helfen. Jetzt indes, wo wir in den 150 Kernliedern des deutschen evangelischen Kirchengesangbuchs einen ordentlichen Text wiedererhalten haben, wird unstreitig am zweckmäszigsten dieses Gesangbuch auch das Schulbuch sein müssen, das wie zu den Religionsübungen, so zu dem Religionsunterricht anzuwenden ist. Ebenso ist auch die Aufnahme des Katechismus in das Hülfsbuch unnöthig, es ist vielmehr bei weitem besser, dasz jeder Schüler als stetes Lernbüchlein seinen besonderen Katechismus habe. Im übrigen aber ist das Hollenbergsche Hülfsbuch in mehrfacher Beziehung zu empfehlen. Sein Standpunkt ist durchweg der positive gläubige, auf dem Worte Gottes. Dabei schlieszt es sich, was das A. T. betrifft, meist an Kurtz, im N. T. besonders in der Darstellung des Lebens des Herrn Christi an die Harmonie der vier Evangelien nach Lange an, und folgt also mit richtigem Takte dem geschichtlichen Gang der Offenbarung, indem es die christliche Lehre an den entscheidenden geschichtlichen Stellen behandelt. Nur zur Uebersicht sind als Anhang auf 3 Seiten Ueberschriften und Andeutungen zur Glaubenslehre gegeben. Dasz jedoch der Verfasser gerade hierbei der individuellen Anordnung Hülsmanns in dessen sonst allerdings geistreichen und anregenden Grundzügen der christlichen Religionslehre für den Unterricht in den obersten Klassen gelehrter Schulen mit den 10 Nummern gefolgt ist (1. die Religion, 2. die christliche Lehre von Gott, 3. die Dreieinigkeit, 4. das Reich Gottes, 5. der Mensch in seiner Bestimmung zum Reiche Gottes, 6. der Mensch in seiner Abkehr vom Reiche Gottes, 7. die Gemeinschaft und ihre Entwicklung auszer dem wesentlichen Heilsleben, 8. das von Gott gestiftete Heil in seiner Vorbereitung, 9. das Heil in seiner Verwirklichung in Christo und 10. die Aneignung des Heils), damit ist dem Bedürfnis einer klaren systematischen

Uebersicht, dessen Befriedigung beabsichtigt wird, sicherlich kein· Genüge gethan.

Im einzelnen ferner hätten wir etwa folgende Ausstellungen zu machen: S. 53 wird 'Gott schuf die Welt durch sein Wort' ohne weiteres erklärt 'durch seinen liebevollen Willen'. Der innerste Grund der Weltschöpfung in Gott, also der freie Liebeswille Gottes, soll aber durch das Wort 'Gott sprach' zunächst nicht bezeichnet werden, sondern vielmehr das schöpferische Wort Gottes (der Logos Joh. 1: δι' οὗ πάντα ἐγένετο, worauf auch der Verf. ganz richtig hinweist). S. 54 wird behauptet 'alle Verwirrung in der Welt ist nur scheinbar'. Das kann doch angesichts der thatsächlichen Zerstörungen, welche die Sünde· anrichtet, gewis nicht gesagt werden; oder wollte der Verf. damit nur darauf hindeuten, dasz trotz aller Verwirrung durch die Sünde Gott doch alles herlich hinausführe? Sehr unzulänglich ist ferner S. 56 die schwache Erklärung der freilich sehr oft verkannten oder nicht verstandenen *justitia originalis* im *status integritatis* des Menschen: 'sie war eine kindliche Hinneigung zu Gott und allem guten'. Damit ist doch wahrhaftig weder die schöpferische Erkenntnis und Geistestiefe bezeichnet, die dem ersten Menschen eigen sein muste, wenn sie z. B. nur der zwiefachen an sie gestellten Aufgabe entsprechen sollten, den Thieren ihre Namen zu geben und über die Creatur zu hersehen, noch auch die weitere Fülle des Lebens, die sich in der Einheit mit Gottes schöpferischen Gedanken und Gottes heiligem Willen bewegte! — Der Abschnitt über das A. T. schliesst S. 91 mit einem 2 Seiten umfassenden Anhang: von den Heiden, der aber freilich, wie schon der beschränkte Raum, der ihm zugewiesen, zur Genüge zeigt, etwas dürftig ausgefallen ist. Je berechtigter eine solche ganz unentbehrliche Besprechung des Heidenthums in einem Lehrbuche für Gymnasien ist, desto mehr musz an sie die Forderung gestellt werden, die Hauptsachen wenigstens in gründlicher, bestimmter und klarer Weise darzulegen. Die Materialien dazu sind verschiedentlich gesammelt, es fehlt aber allerdings noch an einer erschöpfenden tüchtigen Bearbeitung, die freilich nur auf Grund vieler und genauer Einzeluntersuchungen gegeben werden kann. Indes es wäre schon für das nächste Bedürfnis genug gewesen, wenn Hollenberg nur das in den üblichen Religionsbüchern bei Thomasius, Hülsmann, Kurtz, oder Kirchengeschichten, z. B. bei Thiersch: die Geschichte der christlichen Kirche im Alterthum 1 Th. S. 1 — 20 euthaltene zusammengestellt hätte. Die Haupt- und Grundstelle für das richtige Verständnis des Heidenthums (Röm. 1 19 20) ist zwar angeführt, ob aber die nach dem griechischen Text wörtlich gegebene Uebersetzung 'denn das von Gott bekannte liegt als offenbare Kenntnis in ihnen, denn Gott hat es ihnen offenbart, indem sein unsichtbares Wesen, seine ewige Kraft sowol als Göttlichkeit von der Schöpfung der Welt her an den Werken verständlich ersehen wird, so dasz sie keine Entschuldigung haben' mehr zur Verdeutlichung beitragen wird, als die Luthersche, möchten wir doch sehr bezweifeln. Zweckmäszi-

ger, als eine solche oft äuszerst ungeschickte Abweichung von dem
kirchlichen Text, ist dann noch unter Umständen eine gute Umschreibung, wie der Verf. auch S. 94 in der Anmerkung besser gethan hätte,
Philipp. 2 6 ff. insonderheit die Worte 'er hielt das Gott gleich sein
nicht für einen Raub' kurz zu erklären, als wörtlich nach dem Grundtext zu übersetzen. Dasselbe gilt S. 101 von den Worten im letzten
Zeugnis Johannes des Täufers über Christus Joh. 3 34: οὐ γὰρ ἐκ μέ-
τρου δίδωσιν ὁ θεὸς τὸ πνεῦμα. Mit der beigefügten Uebersetzung
'Gott gibt den Geist nicht nach dem Gleichmasz' ist doch eigentlich
nichts anzufangen, während die einfache Explication 'Gott hat in Christus die ganze (absolute), nicht blosz theilweise (relative) Fülle seines Geistes ausgegossen, darum redet Christus Gottes Wort' die
Sache vorerst zur Genüge verdeutlicht hätte. — Ferner die S. 102 ff.
gegebene Disposition der Bergpredigt: 'I die selige Armut im Geiste;
II die Unseligkeit des pharisaeischen Wesens, a. die Entstellung des
Gesetzes; b. die Werke ohne den Geist; III die rechte Bahn' ist doch
ein wenig zu abstract und umfaszt die Fülle des Inhalts bei weitem
nicht. Im Gegensatz gegen diese verhältnismäszig zu weitläufige Auseinandersetzung der Bergpredigt sind hinwiederum die Gleichnisse
S. 110 viel zu kurz behandelt. Gerade da ists sehr am Ort, die charakteristischen Momente, die allgemeine so zu sagen universalhistorische und die besondere individuelle Bedeutung mit wenigen treffenden Worten hervorzuheben. Dasselbe gilt S. 116 von den weiteren
Gleichnissen Luc. 15, wo auszerdem recht eigentlich die Stelle ist,
nicht nur den Gegensatz von Heidenthum und Judenthum, sondern
auch den ganzen Heilsweg in der concretesten Gestalt zu festem un-
verlierbarem Eigenthum einzuprägen. — Die schwächste Partie des
Buches scheint mir aber der als Anhang zum N. T. gegebene Abschnitt:
'die Aneignung des Heils' zu sein. Der Verf. hätte sich auch hier
lieber an seinen sonstigen Gewährsmann Kurtz halten sollen, der
bekanntlich für den Neuen Bund die 4 Abschnitte hat: die Darstellung
des Heils in der Person des Erlösers, die Verkündigung des Heils
durch die Apostel, die Aneignung des Heils in der Kirche und die
schlieszliche Vollendung des Heils. Statt dessen schlägt Hollenberg
einen andern Weg ein, auf dem sich der Schüler schwerlich zurecht
finden wird. 'Die von Gott gestiftete, in dem Sohn vollendete Erlösung' beginnt der Verf. S. 136 'soll von den Menschen angeeignet
werden; darauf beruht das Leben des einzelnen, wie der christlichen
Gemeinschaft von Anfang an', und fährt dann fort: 'Wie das Heil
allein durch göttliche Thaten objectiv zu Stande gekommen ist, so
geschieht auch die Aneignung desselben so, dasz auf allen Stufen
Gottes wirken das erste ist. Es ruft aber eine entsprechende Bewegung im Menschen hervor, die sich im Elemente der Freiheit mit Gottes wirken einiget. Daher ist die Aneignung des Heils eine gottmenschliche Thätigkeit, nirgend blos göttlich und nirgend blos mensch-
lich. Die göttliche Thätigkeit in der Zueignung der Erlösung ist die
Thätigkeit des heiligen Geistes'. Das ist doch zum wenigsten sehr

unbestimmt und unklar ausgedrückt. 'Wie das Heil allein durch göttliche Thaten, so bei der Aneignung Gottes wirken das erste, wie die Aneignung des Heils eine gottmenschliche Thätigkeit, so die Zueignung des Heils allein die Thätigkeit des heiligen Geistes'! Ohne nähere Exposition ist dies, selbst abgesehen von der bedenklichen synergistischen Färbung, für den Schüler unbrauchbar. 'Sie (nemlich die Thätigkeit des heiligen Geistes) — so fährt der Verf. fort — ist nach Joh. 16 14 als Verklärung Christi zu bezeichnen' [muste wenigstens hinzugefügt werden: in den gläubigen]. 'Es wird aber Christus in der Gnadenwirksamkeit des heiligen Geistes verklärt I in dem einzelnen Menschen (Heilsweg), II in der menschlichen Gemeinschaft (Heilsanstalt, Kirche), III in der gesamten Welt (Heilsvollendung)'. Wenn nun auch der Verf. sich dagegen verwahrt, als wolle er diese drei Kreise, die in der Wirklichkeit ineinander liegen — auseinander reiszen: dem Vorwurf, mit dieser subjectiv-beliebigen Anordnung die Dinge durcheinander geworfen zu haben wird er nicht entgehen können. Die Gaben und Wirkungen des heiligen Geistes, als da sind: Berufung, Erleuchtung, Bekehrung und Busze, Rechtfertigung, Heiligung, Glückseligkeit des Gnadenstandes, können dem Abschnitt von der Kirche, in deren Bereich sie fallen, unmöglich als von dieser unabhängig selbständig vorausgestellt werden. Wollte der Verf. den Weg der alten Kirchendogmatiker gehen, dann muste er auch die ganze volle, fest zusammenhängende Ordnung derselben befolgen, also die gesamte Soterologie mit ihren einzelnen Titeln behandeln als: 1) von Gottes Rathschlusz der Versöhnung (*de paterna erga homines lapsos voluntate*), 2) von dessen Ausführung durch Christus (*de fraterna Jesu Christi reconciliatione*), 3) von der Aneignung des Heils durch den heiligen Geist (*de gratia spiritus sancti applicatrice*), insbesondere von den Gnadenmitteln — und dieser Soterologie dann die Eschatologie als selbständigen Theil nachfolgen lassen. So aber beginnt die Darstellung mit der Praedestination, geht dann gleich — als ständen diese Dinge mit jener auf einer und derselben Stufe — zur Berufung, Erleuchtung, Erweckung, Bekehrung, Reue, Busze, Rechtfertigung, zum 'seligmachenden Glauben, zur Wiedergeburt und Verherlichung' über, setzt mit allen diesen Wirkungen des heiligen Geistes erst den Abschnitt von der Kirche, dann den von der Weltverklärung und den letzten Dingen auf gleiche Linie. Soll einmal systematisch geordnet werden, dann musz es auch streng wissenschaftlich geschehen; subjectives doctrinäres belieben ist hier wie überall vom Uebel. Wir brauchen aber, wie wir oben dargethan, für das Gymnasium keine besondere systematische Ordnung, weil wir die beste Ordnung einestheils im kirchlichen Katechismus, anderntheils in dem kirchlichen Bekenntnis, der Augustana, haben. Beiden gebührt auch in dieser Beziehung der unbedingte Vorzug vor doctrinären Versuchen, die mit den genannten Hauptstücken des christlichen Religionsunterrichts nicht in Einklang stehen und schon darum zu verwerfen sind, anderer Nachtheile, als da sind Verwirrung,

Unbestimmtheit, Veränderlichkeit usw. nicht zu gedenken. Mit richtigem Takt hat daher auch K u r t z in seinem vortrefflichen, schon in vielen Auflagen erschienenen Büchlein: 'Christliche Religionslehre. Nach dem Lehrbegriff der evangelischen Kirche. Zunächst für den Gebrauch in höheren Lehranstalten' diese 'den Wegen Gottes mit dem Menschengeschlecht im ganzen und mit jedem Menschenherzen insbesondere abgelernte' Anordnung des Lutherschen Katechismus beibehalten. — An diesen neben Katechismus und Augustana überflüssigen und auch im einzelnen am wenigsten gelungenen Zusatz über die Aneignung des Heils reiht der Verf. dann die K i r c h e n g e s c h i c h t e (S. 150—264), nicht eine zusammenhängende Darstellung, sondern der Absicht gemäsz meist nur Materialien, die im ganzen recht brauchbar sind. — Unrichtig wird S. 166 als die Zeit, aus welcher das symbolum Athanasianum stamme, das Ende des 4n Jahrhunderts angegeben, während doch die unzweideutigen Beziehungen dieses Symbols auf Fragen, die erst auf den beiden oekumenischen Concilien zu Ephesus und Chalcedon, also im 5n Jahrhundert entschieden wurden, deutlich beweisen, dasz es in seiner jetzigen Gestalt frühestens in der zweiten Hälfte des 5n Jahrhunderts entstanden sein kann. S. 169 wird nach Kurtz *Morgan* als Vorname des Pelagius angegeben, während eigentlich Pelagius ($\pi \varepsilon \lambda \acute{\alpha} \gamma \iota o \varsigma$) nur die griechische Uebersetzung von dem altbritischen Morgan sein soll. Wenn der Verf. S. 170 von den Donatisten sagt, 'sie wurden leider verfolgt', so soll darin doch wol keine Billigung dieser Richtung liegen, sondern nur das bedauern ausgesprochen werden, dasz man Gewaltmaszregeln gegen sie anwandte. S. 203 sind von Luthers Thesen die 71e, 52e u. 36e abgedruckt; warum nicht auch die beiden Cardinalthesen: 1. 'Wenn der Herr Christus sagt, thut Busze, so meint er damit, die Busze solle lebenslänglich sein' und 62 'der wahre rechte Schatz ist das Evangelium von der wahren Herlichkeit Christi'? S. 216 hätten statt der Angabe, das reformierte Bekenntnis habe in Hessen-Kassel seit Moritz 1604 Eingang gefunden, lieber die 4 Verbesserungspunkte dieses Landgrafen aufgeführt werden sollen; es könnte sonst scheinen, als meine der Verf., die kurhessische Kirche sei reformiert, was doch bekanntlich keineswegs der Fall ist. — Sonst sind in der Darstellung der Kirchengeschichte seit der Reformation hin und wieder recht gute culturhistorische Notizen zusammengestellt. —

Auf einem andern Standpunkt, als das Hollenbergsche Hülfsbuch steht der etwas ältere:

Leitfaden zum christlichen Religionsunterricht an höhern Gymnasien und Bildungsanstalten von Dr. K. R. H a g e n b a c h , Professor der Theologie in Basel. Zweite mit einem Abrisz der Kirchengeschichte vermehrte Auflage. Leipzig 1853 (kl. 8. VI u. 255 S.).

Hagenbachs Standpunkt ist aus dessen theologischer Encyclopaedie und kirchenhistorischen Arbeiten bekannt. Er will positives

Christenthum und ist insofern Gegner der negativen Richtung; der Maszstab aber für die Beurtheilung der Thatsachen der Offenbarung liegt am Ende auch für ihn nur in seiner gegenwärtigen wissenschaftlichen Erkenntnis, weshalb der Verf. in vielen Stücken doch über einen etwas verfeinerten Rationalismus nicht hinauskommt. Die 'christliche Glaubens- und Sittenlehre', die den dritten didaktischen Theil des Buches ausmacht (der erste enthält die Einleitung und der zweite den Abrisz der Kirchengeschichte), soll daher ausdrücklich nach den drei coordinierten Factoren, nach Schrift, Kirche und dem Bewustsein der Gegenwart dargestellt werden, und in dubio wird der letztgenannte Hauptfactor den Ausschlag geben. Das Princip des Fortschritts, welches das Princip des Protestantismus ist, soll zwar nicht so verstanden werden, als dürfe man ' den lebendigen Zusammenhang mit den geschichtlichen Grundlagen desselben' aufgeben, berechtigt aber soll dabei doch alles sein, 'was nicht die Gesinnungsweise der Reformatoren verleugnet und ihr wesentliches wollen und streben in ein anderes, entgegengesetztes verkehrt'. Eine solche Fassung ist immerhin noch weit genug, um mittelst derselben die Fundamentallehren der evangelischen Kirche als unwesentlich von der Hand zu weisen!

Was wir daher zuerst und vor allem an diesem Hagenbachschen Leitfaden auszusetzen haben, wäre das, dasz er weder schriftgetreu noch bekenntnistreu ist; und zwar erscheint dies um so gefährlicher, je mehr in der Regel, besonders im Text (weniger in den Noten, also ganz ähnlich, wie bei Schleiermacher) der Schein christlich-kirchlicher Lehre gewahrt wird, je feiner nicht selten der tiefe Unterschied der wahren Schrift- und Kirchenlehre von des Verf. Darstellung im Ausdruck verdeckt ist. Für einen, der nur einigermaszen geübte Augen hat, freilich verräth sich die Differenz auf den ersten Blick, oder sie bleibt wenigstens bei genauerem nachsehen nicht lange verborgen. Es möge genügen, diese unsere Behauptung zunächst an die Lehre von der Person Christi (§ 75) nachzuweisen. Auf den ersten Anblick sollte man nach dem Texte fast glauben, der Verf. bekenne die Gottheit Christi d. h. die Wesenseinheit Gottes des Vaters und des Sohnes. 'Jesus Christus — so heiszt es daselbst — ist der Erlöser aus der Sünde und dem Verderben aus der Sünde. Der Zwiespalt zwischen Gott und dem Menschen erscheint in ihm von Anfang an gehoben, denn er ist der Mensch ohne Sünde. Göttliches und menschliches Leben sind in ihm zu einer wahren und ungetheilten Persönlichkeit verbunden, dem Gottes- und dem Menschensohne. Er ist der Gottmensch d. h. er ist Gott, geoffenbaret im menschlichen Wesen, der reine Abglanz und das Ebenbild des Vaters, mit dem er sich eins weisz als der Sohn von Ewigkeit her, eingetreten in die Form der Zeit und der Endlichkeit, in die Form eines bestimmten, durch die Geschichte selbst bedingten, geschichtlichen Lebens. Mit ihm, in dem die Weissagungen der Vorzeit erfüllt sind, schlieszt sich die alte Geschichte ab; mit ihm, dem Gründer des Reiches Gottes, be-

ginnt die neue Zeit, die Zeit des Heils'. Wie dies gemeint sei, ergibt
sich dann weiter aus den Anmerkungen. Ueber die Sündlosigkeit des
Herrn wird sein eigenes Zeugnis und das der Apostel angeführt, dann
aber hinzugefügt: 'die einzelnen Aussprüche würden nicht hinreichen,
die Sündlosigkeit Jesu zu erweisen, wenn nicht der ganze Eindruck
seiner Persönlickeit hinzukäme'. Also das Zeugnis des Herrn, der
die Wahrheit selbst ist, sollte nicht absolute Geltung haben? Ferner:
'der Ausdruck 'Sohn Gottes' ist als der angemessenste Ausdruck des
Selbsibewustseins Jesu zu fassen'. Drittens: 'Christus ist eben so
sehr der göttliche, von Gott erfüllte, von Gott begeisterte [sic]
Mensch, als der Fleisch und Mensch gewordene, an Geberden als ein
Mensch erfundene Gott'; und viertens (damit alle Illusion verschwinde)
'in dem vollkommenen Gehorsam besteht seine religiöse Grösze,
seine eigenthümliche Würde, wodurch er eins ist mit
dem Vater und wodurch er als der einzige über alle seines Geschlechtes emporragt'. Wenn dergleichen Phrasen (denn anders können wir sie hier nicht nennen) in dem Vortrag eines alten Hegelianers
vorkämen, dann wüste man doch, woran man wäre, aber hier werden
diese Irthümer wirklich als positiv-christliche Wahrheit geboten und
zwar in einem Schulbuche — das ist uns doch ein wenig zu stark!
Der Verf. hätte nach dieser Exposition weder nöthig gehabt, ausdrücklich zu warnen: 'die Stellen, in welchen Christus absolut Gott
genannt wird, sind entweder kritisch oder exegetisch unsicher, oder
sie haben mehr einen doxologischen, als streng dogmatischen Charakter' (welche letztere Phrase barer Unsinn ist), noch auch Schelling
als Gewährsmann anzuführen. 'Christus verendlicht in sich das göttliche, aber er zieht nicht die Menschheit in ihrer Hoheit, sondern in
ihrer Niedrigkeit an und steht als eine von Ewigkeit beschlossene,
aber in der Zeit vergängliche [?] Erscheinung da, als Grenze beider
Welten . . Mit ihm schliesst sich die Welt der Endlichkeit und öffnet
sich die Unendlichkeit oder Herschaft des Geistes'. Wenn es aber
mit diesem Cardinalpunkt des christlichen Glaubens also aussieht, so
musz auch alles andere von diesen kräftigen Irthümern durchzogen
sein; und so ist es in der That. Ein paar Beweise werden ausreichen:
S. 197 wird die protestantische Kirchenlehre von der *justitia originalis* als zu weit gehend verworfen; S. 202 in der Lehre vom Lügner
und Menschenmörder von Anfang an 'dem Teufel' gesagt: 'wie weit
wir uns diese Macht als eine persönliche denken, d. h. sie uns zu
einer wirklichen Persönlichkeit construieren, kommt hier nicht in Betracht. Die Bibel redet von ihr allerdings wie von einem persönlichen
Wesen; so aber auch vom Tode'! Das konnte der Verf. wirklich
Angesichts des Wortes des Herrn Jesu Christi Joh. 8 44, wo allerdings 'das antithetische der Rede wol zu beachten ist', in Ernst vorbringen? S. 216 wird der heilige Geist mit dem *afflatus divinus* hei
Cic. de nat. deor. II 66 zusammengestellt, zum Beweis, dasz auch die
alte Welt eine Ahnung von ihm und seinem wirken gehabt habe.
S. 220 wird es als zulässig erklärt, 'die Sündenvergebung in einen

Causalnéxus mit dem Tode Jesu als mit dem Glauben an diesen Versöhnungstod zu bringen, indem eben hier die sündenvergebende Gnade Gottes uns am augenscheinlichsten vor die Seele tritt'. Das ist, verglichen mit S. 213, noch mehr als Verflüchtigung des stellvertretenden Opfers Christi. S. 223 'die christliche Geisteskraft offenbart sich in der Treue und Standhaftigkeit des Bekenntnisses [welches denn?] und der sittlichen Grundsätze des Christenthums, in rücksichtsloser Handhabung der Gerechtigkeit, in Behauptung der Geistesfreiheit und der echten Christenwürde' Hisce versiculis speras tibi posse dolores atque aestus curasque graves de pectore tolli! Darunter steht das schöne Verslein von Gellert: 'Wahr ists, die Tugend kostet Müh, Bezwingung böser Lüste; allein mein Gott! was wäre sie, wenn sie nicht kämpfen müste'. Sonderbar, dasz gerade diejenigen, die immer vom Bewustsein der Gegenwart und der Höhe der Zeitbildung reden, in der Regel am weitesten zurück sind; sonst würden sie doch wahrlich jetzt nicht mehr solches vorbringen! S. 235 'Unter Sacrament verstehen wir eine von Christo selbst eingesetzte, religiös bedeutsame, auf das gläubige Gemüth thatsächlich wirkende, im Glauben vollzogene kirchliche Handlung, wodurch uns das Bewustsein der Gnade Gottes in Christo unter einem äuszeren, in die Sinne fallenden Zeichen zugesichert und besiegelt wird'. Da sollte der gelehrte doch lieber bei dem kleinen Katechismus in die Schule gehen und erst wieder lernen, was Sacrament sei. S. 240 'das heilige Abendmal schlieszt sonach die Blüte, ja das eigentliche Mysterium der christlichen Andacht in sich, weshalb auch die Feier desselben eine aus gewissenhafter Selbstprüfung hervorgegangene bewährte Stimmung voraussetzt'! Eine bewährte Stimmung? Vielleicht soll dieser mystische Ausdruck durch die Anmerkung erleutert werden: 'Wir erheben uns im Abendmal ebensosehr zu Christo, als er sich zu uns gnadenvoll herabläszt'. S. 242 'die Bedeutung des Cultus ruht auf dem Bedürfnis der gläubigen, sich in Gemeinschaft mit den Brüdern zu erbauen auf dem Grunde des Glaubens, sich mit ihnen in diesem Glauben zu stärken, sich geistlich zu erfrischen usw.' und daneben S. 245 'Auch eine anständige Erholung ist nicht ausgeschlossen, vielmehr in der Idee des Tages (Sonntages) gegründet'. Endlich aus der Eschatologie S. 252 'Fürs erste läszt sich nicht verkennen, dasz die bildlichen Vorstellungen von einem allgemeinen Weltgerichte, der Todtenauferstehung usw. sich nicht in unserem Geiste factisch vollziehen lassen; und doch dürfen wir sie nicht in abstracte, ihres Inhalts entleerte Sätze auflösen. Sie bleiben uns groszartige Typen, deren schauerliche und erhebende Wahrheit unserer Ahnung am nächsten gerückt werden kann auf dem Wege der Kunst, während sie auf dem Wege der dogmatischen Reflexion entweder versteift und verdichtet, oder verdünnt und verschroben' — im Sinn des Verf. aber — setzen wir hinzu — gänzlich verflüchtigt werden. Wo freilich der hochmüthige natürliche Menschenverstand zu Gericht sitzt über die Offenbarung, da ist auch nichts anderes, als solch nichtiges Räsonnement zu erwarten.

Damit könnten wir eigentlich abbrechen, denn der Beweis, dasz der Hagenbachsche Leitfaden für christliche Schulen nicht zu brauchen sei, ist für einsichtsvolle und sachverständige hoffentlich zur Genüge geliefert. Dennoch müssen wir zu noch weiterer Begründung auch noch die anderen Ausstellungen, die wir an dem Buche zu machen haben, der Hauptsache nach hinzufügen. Das Buch enthält trotz des Widerspruchs des Verf. in der Vorrede zur 1n Auflage, in seinem Haupttheil, dem biblisch-isagogischen, zu viel theologisch-wissenschaftlichen Stoff. Soll doch nach des Verf. eigener Angabe der Leitfaden in gewisser Beziehung 'einen Vorbau zu seiner theologischen Encyklopaedie' bilden. Wir haben aber auf unseren Gymnasien ebenso wenig philologische, als theologische Wissenschaft als solche zu lehren. Dem Lehrer dürfen allerdings die Fragen der Wissenschaft und der Stand der Kritik nicht unbekannt sein, der Schüler aber soll mit diesen Dingen, die ihm nicht nur nichts helfen, sondern meist noch sehr bedenkliche Folgen für ihn haben, schlechterdings nicht behelligt werden. Gründlich und erschöpfend können diese Fragen bei dem Standpunkte des Schülers doch nicht erörtert werden, oberflächliche Andeutungen aber schaden um so mehr, je mehr sie den eigentlichen, lebensvollen Inhalt beschränken oder gar verdrängen. Oder gehört es wirklich in den Religionsunterricht auf Gymnasien — um nur einiges wenige zu erwähnen — dasz der Schüler gleich von vorn herein (§ 8) von zweifelhaften Lesarten, die aus Undeutlichkeit der Schriftzeichen entstehen, von dem Streit über ὅς und θεός aus ΟΣ und ΘΣ in 1 Tim. 3 16, von Glossemen im Text und erweislichen Einschiebseln wie 1 Joh. 5 7; oder weiter von 'dem rhapsodischen der Abfassung des Pentateuchs', den kritischen Bedenken hinsichtlich des s. g. zweiten Theils des Jesajah usw., der späteren Entstehung des 21n Cap. des Ev. Joh. und den Hypothesen über die Entstehung der Evangelien höre? An positivem Wissen erhalten die Schüler damit so gut wie nichts, denn das meiste ist noch unentschiedene, schwebende Frage; zum Verständnis der Schrift selbst wird ihnen die Zeit geraubt, und was noch viel schlimmer ist, statt demüthiger Unterordnung unter Gottes Wort wird der Hochmuth des Knaben, der sich auf einmal trotz seiner Unreife zum Richter über die Echtheit oder Unechtheit einzelner biblischer Abschnitte und Stellen erhoben sieht, auf sehr bedauerliche Weise befördert. Denn wie könnte es anders kommen, wenn ihm fast überall von der Genesis bis zur Offenbarung Johannis so oft nur der relative Werth der Schrift entgegengehalten wird, — von der Offenbarung heiszt es § 44, 7 'Noch immer bedeutend für unsere Zeiten sind namentlich die 7 Sendschreiben usw.', also das andere hat blosz für die damaligen Zeiten Werth? — oder wenn in der Masse von Detail die Hauptsachen erstickt werden, oder endlich wenn seine Aufmerksamkeit vorzugsweise auf die Auszenseite gerichtet ist und von dem eigentlichen geistlichen Inhalt der einzelnen Schriften des

A. u. N. B., von dem inneren Zusammenhang der ganzen Schrift in ihrer wunderbaren Ordnung, wie der einzelnen unter sich und wieder mit dem ganzen wenig zum Vorschein kommt? Da ist doch das Buch von Schmieder mit bei weitem gröszerem Geschick abgefaszt. Noch mehr zu empfehlen ist in dieser Beziehung besonders für das A. T. das Buch von

Staudt (Pfarrer in Kornthal): Fingerzeige in den Inhalt und Zusammenhang der heiligen Schrift. 1854. Stuttgart bei Steinkopf (VIII u. 352 S. 8.).

Das Buch beruht auf einer tüchtigen Bibelkenntnis und ist reich an trefflichen 'Fingerzeigen' in den Inhalt und organischen Zusammenhang der heiligen Schrift, die vom ersten Buch Mosis an bis zur Offenbarung Johannis ein ganzes bildet. 'Dasz dem erwachten Bedürfnisse, das Wort Gottes in seiner Zusammengehörigkeit und im Unterschiede von jedem Menschenworte recht kennen zu lernen und etwas ganzes vom Reichsleben Gottes ins Herz zu bekommen, einige Befriedigung gewährt und mancher Leser näher zu der freimachenden Wahrheit und seligmachenden Gerechtigkeit hingewiesen und mit der wahren Heilsquelle für die schwere Noth unserer Zeit gemacht werden möchte', das ist sein Zweck, und dafür will der Verf. und wir mit ihm betende Hände zu dem Herrn unserem Gott erheben.

Wir schlieszen unsere fast fürcht' ich schon etwas zu lange Auseinandersetzung mit der Anzeige von noch zwei kleineren hierher gehörigen Schriften, und zwar erstens dem:

Grundrisz der Kirchengeschichte für evangelische höhere Schulen von Dr. A. Wippermann, Hauptlehrer an dem freiherrlich von Fletscherschen Schullehrer-Seminar zu Dresden. Plauen 1854 (VII u. 92 S. gr. 8.).

Der Verf. geht von richtiger Würdigung des kirchengeschichtlichen Unterrichts aus: 'die Kirchengeschichte ist ein überaus herlicher und einfluszreicher Lehrgegenstand. Anknüpfend an die biblische Geschichte schildert sie die Kämpfe und Siege des Reiches Gottes auf Erden. Aber eben darum musz sie in theokratischem Sinne gelehrt werden. Sie hat überall auf das wunderbare walten des Geistes Gottes hinzuweisen, wie es sich in Ereignissen und Menschen offenbart. Sie hat die Treue zu zeigen, mit welcher der Herr seine Verheiszung erfüllt und seine Kirche nie verlassen hat. Menschlicher Thorheit werde gedacht zur Warnung und zum Zeugnis, wie Gottes Weisheit alles zum Heile wendet. So entzünde und kräftige die Kirchengeschichte die Liebe zur Kirche und das Vertrauen auf ihren himmlischen König, der bei ihr ist bis an der Welt Ende'. Damit erhebt sich schon dem Princip nach dieser Grundrisz weit über das allzu dürftige Gerippe in Hagenbachs Lehrbuch, und liefert auch in der Ausführung eine wirklich viel brauchbarere Skizze in zusammenhängender Darstellung, die nur hin und wieder einen allzu rhetori-

schen Ton anschlägt. Die **Einleitung** handelt in 2 §§ von der Kirche
und Kirchengeschichte, darauf folgt in 6 §§ die **Urgeschichte**
(die Menschheit vor Christo, das Heidenthum, Israels Bestimmung, die
Weltlage zur Zeit Christi und das Leben des Herrn), und dann die
weitere **Geschichte der Kirche** in 5 Zeiträumen 1) von 33—100;
2) von 100—323; 3) von 323—800; 4) von 800—1517 und 5) von
1517—1850. Vielleicht bietet sich später noch einmal Gelegenheit,
auf die Methode des kirchengeschichtlichen Unterrichts in Gymnasien
näher einzugehen und dann auch den Gang dieses Büchleins genauer
zu verfolgen.

Das zweite Schriftchen, das uns noch vorliegt, ist:

Die christliche Lehre zum Schul- und Hausgebrauche für junge
evangelische Christen, dargestellt von Dr. Ernst Giese,
Lehrer am Gymnasium illustr. in Gotha. Erfurt 1855
(125 S. 8.).

Die **Einleitung** handelt 1) von der Religion, gibt dann 2) geschichtliches von der christlichen Religion und spricht 3) von der
heiligen Schrift. Dann folgt die **christliche Lehre** nach den 3
Artikeln des christlichen Glaubens, und als Anhang der Text des kleinen Lutherschen Katechismus. In guter Absicht ist das Buch gewis
geschrieben; der innere Drang, für den Herrn und sein Evangelium
öffentlich ein Zeugnis abzulegen, versichert der Verf., hätte ihn nächst
dem Schulbedürfnis zur Herausgabe veranlaszt, und Bekenntnistreue,
zu welcher der christliche Religionslehrer die ihm anvertrauten jungen Christen zu erziehen verpflichtet sei, werde in seinem Buche wol
nicht vermiszt werden. Wenn es aber zur Bekenntnistreue wesentlich
gehört, nicht Unglauben neben Glauben, Rationalismus neben Kirchenlehre gelten zu lassen, überhaupt nicht heterogene, sich gegenseitig
widersprechende Dinge miteinander zu verbinden, sondern ohne Men-
schenfurcht und im Gehorsam unter Gottes Wort nur die eine ewige
Wahrheit unablässig im Auge zu haben, so kann dem Verf. diese Anerkennung, bekenntnistreu gewesen zu sein, unmöglich zu Theil werden. Wie sich der Verf. schon in formeller Beziehung den Fehler
hat zu Schulden kommen lassen, heterogenes mit einander zu verbinden, indem er um sein Büchlein auch für den häuslichen Gebrauch
brauchbar zu machen, mit dem belehrenden Elemente das erbauliche
zu vereinigen versucht hat — die unausbleibliche Folge davon ist
eine unerträgliche Breite und höchst unpraktische Weitläufigkeit gewesen —: so ist ihm dies in materieller Beziehung gleichfalls begegnet und hat da begreiflicher Weise einen noch viel empfindlicheren
Schaden mit sich gebracht. Im groszen und ganzen zeigt sich diese
traurige Vermengung zuerst hauptsächlich darin, dasz überall in den
Text die Liederverse eines ganz rationalistischen Gesangbuchs (unter
denen, wenn ich recht gesehen, höchstens zwei bis drei evangelische
Kernlieder zu finden —) in nur allzu reicher Anzahl aufgenommen
sind. Belege hiezu sind auf jeder Seite zu finden, z. B. zum In Artikel

In Abschnitt: Von Gott: 'Laszt uns sein (Gottes) Reich der Tugend gern durch Wort und Beispiel mehren! Laszt uns des Vorzugs würdig sein, dasz wir auf dieser Erd' allein ihn durch Vernunft erkennen'. 2r Abschnitt: Von der Welt: 'In solcher Geister (der Engel) Chören dich ewig zu verehren, welch' eine Seligkeit! Wer wird sie einst empfinden? Der, der entwöhnt von Sünden, sich ihnen gleich zu werden freut'. Zum IIn Artikel: 'Schon die Vernunft kann wissen, was gut und höse sei. Sie richtet durchs Gewissen, bestraft und spricht uns frei, verheiszt uns Ruh und Freuden, wenn wir das höse meiden und das, was recht ist, thun'. Zum IIIn Artikel: O hilf uns Gott zu jeder Zeit nach Licht und Wahrheit streben; dann werden wir zur Aehnlichkeit mit dir uns stets erheben; dann sehn wir einst im hellen Licht, was Wahrheit ist und Recht und Pflicht, und lieben nur die Tugend'. Diese Proben, zu denen wir leicht noch eine reichliche Anzahl anderer besonders aus 'der Pflichtenlehre' hinzufügen könnten, werden ausreichen, unsere Behauptung zu bekräftigen. Und daneben nun die köstlichsten Aussprüche Luthers, die aus einem ganz anderen Geist entsprungen und unstreitig das beste sind im ganzen Buch! Wie sollen die sich mit jenen vertragen! Freilich so ganz isoliert stehen die Lieder nicht; sie haben leider auch an vielen Stellen im Text ihre Stütz- und Haltpunkte. Dazu gehört der durchgehende Gebrauch des abstractums Tugend als des Inbegriffs der christlichen Sittlichkeit, bekanntlich eine charakteristische Eigenthümlichkeit des Rationalismus. So heiszt es gleich S. 4 'Christus kündigte sich als den erwarteten Messias an, der ein Himmelreich stiften werde, d. h. ein Reich, worin Gott als Vater verehrt, wo Wahrheit und Tugend gesucht und geübt werde' und weiter unten in demselben §: 'Sein (Christi) Leben war den Grundsätzen der Tugend vollkommen gemäsz', was eine völlig rationalistische Phrase ist. S. 28 im Abschnitt: Von der Erlösung, lautet § 56: 'Demnach soll der Mensch die Kräfte seines Körpers üben und anwenden, unter Leitung der Vernunft seine Triebe befriedigen und durch weisen Genusz irdischer Freuden sich seines Daseins erfreun', ebenfalls in den Compendien der Moral zu den Zeiten des blühenden Rationalismus fast wörtlich so zu lesen. S. 54 heiszt es im Abschnitt über das Gebet einmal: wir sollten 'leibliche Güter nur als Folge unserer Würdigkeit von Gott erwarten'. Am stärksten aber tritt dieser Charakter einer gänzlich veralteten Form der christlichen Moral in dem dritten, fast die Hälfte des Buchs umfassenden Abschnitt des dritten Artikels 'Vom christlichen Sinn und Wandel' hervor. Wir finden hier ganz die alte, man sollte meinen, doch nunmehr endlich abgethane Eintheilung der Pflichten wieder: die Pflichten gegen Gott, gegen uns selbst und gegen andere, und darunter dann die Pflichten, uns selbst achten zu lernen, unsern Verstand auszubilden und unser Herz zu veredeln und unablässig bemüht zu sein, Ruhe des Gemüths zu erlangen; unser Leben und unsere Gesundheit zu erhalten; für unser Eigenthum, für Ehre und guten Namen und für frohen Lebensgenusz zu sorgen.

Und in derselben Scala von Geist, Leib und 'äuszerlichem Zustand' folgen dann die Pflichten gegen andere. Ja zu den drei Hauptkategorieen tritt, um ja keine Pflicht zu übergeben, noch eine vierte mit den Pflichten in besondern Verhältnissen, d. h. 1) Pflichten des häuslichen Lebens, 2) Pflichten des bürgerlichen Lebens, 3) Pflichten in Bezug auf die Kirche, sowie 4) Pflichten gegen Thiere und leblose Dinge. — Dasz denn auch schlieszlich der letzte Abschnitt von der Vollendung der Heiligung in einem anderen Leben oder von den letzten Dingen diesen Ton wiedergeben werde, läszt sich leicht denken. Daher denn die alten Beweise von der 'Unsterblichkeit', und zum tröstlichen Schlusz § 198: 'die Frage, ob wir nach dem Tode mit den von der Erde abgeschiedenen wieder vereinigt werden, wird von der Vernunft bejaht'; und 'sichere Gewähr für die Wiedervereinigung mit unsern vorangegangenen lieben und denen, die schon auf Erden durch Tugend und Gottesfurcht geistig mit uns verbunden waren, sowie für das wiedererkennen derselben haben wir in der Güte Gottes'.

Statt sich bei solcher vermeintlichen Vernunft-Erkenntnis zu beruhigen, wäre es für den Verf., der sich doch zu dem Herrn Christus und seinem heiligen Evangelium bekennt, doppelt ernste 'Pflicht' gewesen, mit Fleisz und Treue in der S c h r i f t zu forschen und da zu lernen, was c h r i s t l i c h e Lehre überhaupt und die von den letzten Dingen insbesondere ist und darnach mit aufrichtigem Herzen zu prüfen und zu scheiden, was die Weisheit des natürlichen Menschen und die Weisheit aus dem Worte Gottes ist; denn w i r h a b e n e i n f e s t e s p r o p h e t i s c h e s W o r t, und ihr t h u t w o l, d a s z i h r d a r a u f a c h t e t, a l s a u f e i n L i c h t, d a s d a s c h e i n e t i n e i n e m d u n - k e l n O r t, b i s d e r T a g a n b r e c h e u n d d e r M o r g e n s t e r n a u f g e h e i n e u r e n H e r z e n.
Hanau.   *Dr. K. W. Piderit.*

28.

Zur Kritik der Nibelunge. Von M a x R i e g e r. Gieszen 1855. J. Rickersche Buchhandlung. 114 S. 8.

Von den Vertheidigern der Handschrift C als des ursprünglichen Textes ist als ein Hauptargument geltend gemacht worden der gröszere poëtische Werth, der C dem prosaischern unzusammenhängendern Text von A gegenüber beizulegen sei, ja Zarncke hat den Dichter von C als einen groszen Dichter nicht undeutlich bezeichnet. Auch die, welche jene Ansicht über den Werth der Handschrift C nicht theilen, konnte die Geschicklichkeit, mit der hier und da unzusammenhängendes verbunden, widersprechendes ausgeglichen ist, bestechen, dem Text von C gröszern Werth beizulegen, wenigstens in Hinsicht auf die Darstellung, als ihm wirklich gebührt. Das Hauptverdienst des

vorliegenden Büchleins besteht nun darin, dasz an vielen Stellen nachgewiesen wird, dasz die Aenderungen in C nicht immer poëtischer,
lebendiger, concreter, sondern sehr häufig matter und allgemeiner
sind, als das in A gebotene. Dies wird zunächst von den in C zugesetzten Strophen bewiesen (S. 6—15), dann in Bezug auf die der Hs.
C eigenthümlichen Lesarten (S. 45—64). Diese beiden Partieen sind
die wichtigsten in der ganzen Schrift. Derselbe Nachweis wird geliefert in Bezug auf den gemeinen Text (die Hss., welche zwischen A
und C stehen) S. 24—30 (die Strophen) und S. 77—86 (die Lesarten).
Die Unparteilichkeit der Darstellung aber werden selbst die Gegner
zugestehen müssen: denn jener Auseinandersetzung geht eine andere
voraus, worin nachgewiesen wird, dasz C an einzelnen Stellen gegen
A im Vortheil ist und ebenso der gemeine Text. Vielleicht beschränken sich aber diese Fälle auf eine noch geringere Zahl, als der Verf.
angeführt hat. So, was die Auslassungen betrifft, möchte Ref. in der
Auslassung von Str. 25 nicht einen Vortheil von C sehen. Die Darstellung von A läszt Sigfrid erst nicht am Hofe erzogen werden
(Str. 24) und dann am Hofe seine Erziehung namentlich im Waffen-
handwerk vollenden (Str. 27); dasz dies richtig ist und vielleicht auf
alte Sitte hinweist, sehen wir aus Gudrun Str. 3. In C wird beides
vermengt; die Strophe ist allerdings schwach, aber das ist die ganze
Darstellung der Erziehung; wie schwach ist z. B. Str. 27, die erste
Zeile ausgenommen. — 497 ist es allerdings ein Vortheil, dasz die Entschuldigung Hagens wegfällt — aber die Strophe welche C bietet ist
doch sehr matt gegen 498 und der Vortheil, den C hat, ist eben nur
dem gemeinen Texte, nicht aber A gegenüber vorhanden. Ebenso ist
es 499, wo mit allen minen vriunden, was C hineinbringt, kein Vortheil ist. — Den Vortheil bei der Weglassung von 546 hebt der Verf.
selbst auf: es könnte auch gesagt werden: C vermeidet den Schaden
nur, weil sie den lästigen Inhalt in 545 4 schon angebracht hat. —
1825 scheint doch nothwendig, um zu motivieren, weshalb Volker auf
die Abmahnung des Königs keine Rücksicht nimmt. — Str. 2137 möchte
Ref. nicht aufgeben: Hagen hat eben den Wunsch ausgesprochen sô
sol daz got gebieten, daz iwer tugende immer lebe, da bricht sich
das Leid der gegenwärtigen Lage mit Macht Bahn durch die freundliche Rede: sô wê mich dirre maere — ganz der Situation angemessen, ebenso wie der kurze Seufzer Rüdigers: daz ist mir inneclîche
leit, mit dem er nicht auf Hagens Rede antwortet, sondern sie unterbricht, getroffen von den Worten Hagens, die gerade auch sein Leid
treffend bezeichnen.

Ebenso läszt sich gegen einzelne der Strophen, welche in C,
wie der Verf. angibt, zum Vortheile des Textes zugesetzt sind, manches einwenden. Was Str. 22 5—8 betrifft, so hat ja auch A in 22 u. 23
eine Hinweisung auf die Thaten Sigfrids in seiner Jugend, von seiner
Reise zu Kriemhild. Die speciellere Hindeutung in C kommt etwas
seltsam vor 27 1, worin gesagt ist, dasz er erst jetzt die Stärke erlangt habe, um Waffen zu tragen. — Es ist allerdings gewöhnlich,

dasz die Mannen dem König rathen, sieh zu vermählen, aber deshalb
gerade passt der Ausdruck Iteniwe maere, den C 324 beibehält, trotz
der Correctur umben Rin schlecht. Der Zusammenhang mit 325 wird
durch die zugesetzte Strophe nicht hergestellt, vielmehr ist er in A
noch eher zu finden. — Der Zusatz bei 601 ist allerdings motiviert,
die geschwollenen Hände aber ist ein etwas grober Zug, der der
Sache nicht zum Vortheil gereicht. — Ob 1654 der Uebelstand, dasz
Kriemhild die Helden am Fenster stehend sieht, ein so groszer ist,
dasz wir die matte Correctur in C den lebendigen Strophen 1654 und
1655 vorziehen müsten, läszt sich noch bezweifeln: denken wir
uns das Feld auf dem die Burgunden lagern, unterhalb der Burg
Etzels, was dem Zusammenhang nach recht gut möglich ist, so hat
es nichts störendes, wenn es heiszt: von ir vaterlande sach si manegen man, da mit diesen Worten eben nur gesagt ist, dasz sie die ganze
Schaar sah, wie es eben bei gröszerer Entfernung möglich ist. — Die
Strophe 1817 5—8 unterbricht die Aufzählung der hunnischen Helden,
welche zu dem Buhurt reiten. Auch bei Str. 1936 scheint der Zusatz
in C zu stören: nach dem Text in A spottet Volker gar nicht des Königs, sondern nur der Mannen, Hagens Trotz aber versteigt sich bis
zu Hohn wider den König. Diesen, wie mir scheint für beide Helden
charakteristischen Zug (Volker ermahnt ja auch zum aufstehn vor
Kriemhild, was Hagen nicht will) verwischt die Fassung in C. — Auf
2094 5—8 passt die Antwort Etzels mit ihren Anfangsworten nicht so
gut, als wenn der Entschlusz Rüdigers ganz kurz angegeben ist. —
130 5—8 unterbricht den Gang der Erzählung doch sehr merklich;
zwischen 130 8 und 131 1 ist gar kein Zusammenhang. — 271 5—8
wird doch wol wenigstens was die letzte Zeile betrifft zu dem 'wegen
Schwäche des Inhalts unbestreitbar verwerflichen' gehören, ebenso
die sehr prosaische Strophe 327 5—8. — Str. 372 5—8 stört wieder
das Ebenmasz zwischen Frage und Antwort, die sich im Text von A
einfac¹ und schön ineinander schlieszen. Ebenso drängt sich der Zusatz zwischen 423 und 424. — 1228 5—8 kommt der Abschied seltsam nach der Abreise, die schon 1225 2 erwähnt war. — 1939 5—12
führen uns von dem eigentlichen Schauplatz der Handlung, dem Saale,
ganz ab, der in dem Text von A unverrückt fest gehalten wird. So
würden also auch manche von den Strophen, welche der Verf. nicht
unbedingt unter die schlechten zählt, mehrfachen Bedenken unterliegen und unter die auf S. 11 und 12 aufgezählten gehören. — Bei der
Versetzung von Str. 1080 (S. 15), die der Verf. 'ziemlich gleichgültig'
nennt, könnte erwähnt werden, dasz diese Strophe zwar zwischen 1079
und 1081 nicht passt, ebenso wenig aber zwischen 1076 und 1077, die
beide von der Abwesenheit der Könige reden. — Auf S. 15 geht der
Verf. zu den Hss. C I d H und ihrem Verhältnis zu A über. Die beiden Strophen 1052 5—12 findet der Verf. sehr schön — doch gilt
dies eigentlich nur von Zeile 8, während die erste und letzte Kurzzeile
der zweiten Strophe sehr prosaisch sind und das übrige sich auch
nicht sehr auszeichnet. Dann ist aber doch hervorzuheben, dasz das

kurze, unwillige: Ich wil den cünec grüezen, das A allein hat ohne
jene Strophen, der Situation ganz angemessen ist und eine längere Exposition überflüssig macht. — Bei 1835 5 — 12 könnte doch anstoszen
die vierte Kurzzeile der ersten Strophe, die nur um des Reimes willen
gesetzt scheint und auch in I und h geändert ist, und die Wiederholung des schon in 1834 1 enthaltenen Verbotes. — Str. 1775 5 — 8
unterbricht die Erzählung: dasz Volker sofort seine Bemerkung mittheilt, wie es natürlich und der ganzen Sachlage angemessen ist, wird
durch diese Strophe verwischt. — Von S. 21 — 30 behandelt der Verf.
das Verhältnis des s. g. gemeinen Textes (St. Galler Hs.) zu A und
beginnt wieder mit den Strophen, die in D ausgefallen sind, sodann
geht er über zu denen, welche in B zugesetzt sind und zwar zuerst
nach der Ansicht des Verf. zum Vortheile des Textes. Auch hier aber
lassen sich gegen manche von diesen Strophen Bedenken erheben; so
sagt 383 8 und 16 ganz dasselbe und Zeile 13 steht zwischen den
zusammengehörenden 12 und 14 und 15. Die Dienstbarkeit scheint
auszerdem hier doch mit etwas zu starken Farben ausgemalt und Brunhild würde, wenn das die Frauen alle sahen, schwerlich zuerst Sigfrid
angeredet haben. — 385 8 bringt zum drittenmal, dasz Brunhild das
alles gesehen habe (s. S. 30). — 394 5 — 20 unterbricht den Zusammenhang der Rede dessen, der von Sigfrid spricht, und der Antwort
der Königin. Auch die allgemeine Bemerkung 486 8 unterbricht den
Zusammenhang zwischen den Worten Brunhilds und der Antwort Hagens, der in A nicht unterbrochen ist. Die Ankündigung in 540 1 — 3
bezieht sich auf das ganze Lied, macht also die unmittelbar folgenden
Strophen des gemeinen Textes nicht nothwendig. — In 640 5 — 8
stört die achte ganz allgemeine und nicht zur Sache gehörende Zeile.
— 1598 würde der Verf. Recht haben, wenn Rüdiger weiter nichts
antwortete, als ir sult haben guote naht, aber die Hauptsache der Antwort sind die Anordnungen, die er sofort trifft, um die Burgunden
unterzubringen und die das in 1598 4 — 8 enthaltene Versprechen
überflüssig machen. Auszerdem wiederholt nach dem gem. Text 1599
2 das, was 1598 7 und 8 specieller angegeben war. Hier möchte Ref.
dem Text von A unbedingt den Vorzug geben. — 1614 5 — 8 ist doch
neben 1617 1 unpassend — warum kommt das Bedenken Rüdigers
nicht hier erst, wo wirklich ein König um seine Tochter anhält, oder
warum wiederholt es sich nicht? Von den Strophen (S. 23), welche
einen anschaulichen Zug hinzubringen, möchte Ref. 583 ausnehmen:
dasz die Leute weggehen und die Kammer zugethan wird, versteht
sich doch zu sehr von selbst und wird auch in der Strophe eben nur
gesagt, nicht etwa lebendig geschildert. Auch passt vrôwen unde
man schlecht, da in Str. 581 nur von den Kämmerern die Rede war.
Auch einzelnen von den S. 24 und 25 aufgezählten Strophen läszt sich
doch mehr böses nachsagen, als der Verf. gethan hat. So steht 359
5 — 8 zwischen den beiden zusammengehörenden Ausdrücken des seiten si den frouwen danc und vil michel danken wart dâ niht verdeit,
deren Tautologie nur durch ihre unmittelbare Aufeinanderfolge er-

träglich wird. — 421 5—8 ist eine rohe Uebertreibung, indem sich
Dankwarts Trotzrede auch gegen die Königin wendet, die er tödten
will und wenn er ihr tausend Eide geschworen hätte! Dasz von den
Mannen der Brunhild etwas zu befürchten gewesen wäre, wenn die
Burgunden sie persönlich angegriffen hätten, scheint kein Grund, der,
diesen Zusatz vertheidigen könnte: ehe der König kämpft, kämpfen
meist erst die Mannen: so ist es z B. in dem letzten Kampf Gunthers
und Hagens mit Dietrich. Jedenfalls kämpfen die Mannen miteinander
und es ist deshalb ganz angemessen, wenn Dankwart als Gunthers
Mann den Mannen der Brunhild droht und nicht mit seinen Trotzreden
die Königin selbst angreift. — 429 5—8 wird von dem ersten Theil
der Rede Sigfrids durch die vierte Zeile getrennt. — 529 7 steht
schon 528 4, wie dies der Verf. auf S. 30 selbst angibt. — 554 5—8
scheint wieder zwei in dem Text von A auseinander gehaltene Dinge
zu vermengen. Der Ausdruck kuehte 557 1 läszt darauf schlieszen,
es sei das Abendturnier von jüngern Kämpfern gehalten worden, als
Nachspiel des eigentlichen Turniers — der Nachbesserer vermengte
beides. — 589 5—8 stört das Gespräch zwischen Gunther und Brunhild. — 886 5—8 macht das Wort Sigfrids nu rûmen wir den tan,
das in A sich unmittelbar anschlieszt, matt.

S. 26 geht der Verf. zu den im gem. Text zugesetzten Strophen
über, welche entschiedener durch Fadheit des Inhalts stören, und faszt
dann S. 30 das Resultat in kurzen Worten zusammen 'dasz jeder
andere Text schlechter ist als A und C der schlechteste
von allen.'

Von S. 33 an handelt es sich um die Lesarten, in denen der gemeine Text und C von A abweichen. Mit der Unparteilichkeit, welche
das Büchlein auszeichnet, werden auch hier zuerst die Lesarten aufgezählt, welche in C sich finden und besser sind als die in A. Auch hier
läszt sich doch noch manches gegen den angeblichen Vorzug der Lesarten von C sagen: so scheint in der Warnung 1068 das stärkere dasz
ez in leide müeste ergân angemessener als die schwächere Lesart in
C. Str. 155 (die Zahl fehlt) scheint die Antwort Sigfrids ich han in
niht verseit auf die Rede Gunthers, die einen Vorwurf enthalten kann,
doch recht gut zu passen: wenn man stäten Freunden sein Herzeleid
klagen soll und Gunther sein Herzeleid Sigfrid nicht klagt, so hält er
ihn also nicht für einen stäten Freund, und diesen Vorwurf weisen Sigfrids Worte zurück; dasz er ihn empfunden hat, beweist 154 4. —
Auch 117 3 und 4 zu verbinden, ist nicht gerade nöthig; Zeile 3
schlieszt sich besser an das vorausgehende an; es wäre deshalb nach
man ein Punctum zu setzen und so hat die Lesart in A nichts anstöszi-
ges, ja sie ist mit ihrem kräftigen Trotz besser, als der allgemeine
Ausdruck in C. — In 158 4 scheint die Lesart von C nicht nur nicht
den bedeutenderen Gedanken, sondern einen geradezu verkehrten Sinn
zu geben. Lât mich iu erwerben êre unde vrumen sagt Sigfrid — das
war aber doch erst möglich, wenn die Feinde in das Land kamen,
nicht vorher. Die Lesart von A an dieser Stelle hat nichts auffallen-

des, da hier Gunther bitten soll, dasz sie ihm zu Hülfe kommen sollen,
160 1 dagegen Sigfrid direct um Hülfe für sich bittet. 162 ist die
Lesart gezweiet doch allzu dunkel und wird zu wenig durch die vierte
Zeile erklärt, als dasz man sie der Lesart in A vorziehn sollte. — In
270 4 ist in der Lesart von C die Beziehung in der unklar: welches
Lob? Doch wol nur der schönen Kleider, die eben nur beiläufig erwähnt werden. — 43 3 ist die Correctur von C unnöthig, da die Wiederholung des Wortes Herr gerade um so mehr hervorhebt, dasz sie
den jungen Sigfrid zum Herren haben wollen. — 173·4 ist wol das
einfachere behüeten der Lesart beherten, die eben, wie der Verf. richtig angibt, eine Correctur ist, vorzuziehn. Ebenso 592 4, wo die
Wiederholung der Worte, die Gunther gesagt hat, hervorheben soll,
wie genau er sein Versprechen hielt. — 573 ist es doch noch fraglich,
ob nicht die Lesart von A, die gar nicht auf das vorausgehende Rücksicht nimmt, im Gegentheil Gunther davon ablenken läszt, der Situation angemessener und kräftiger ist. — 1880 3 ist die Drohung, die
C zusetzt, schon kräftiger in Zeile 2 enthalten. — Die Aenderung,
welche C in 2113 2 hat, stört den Zusammenhang mit der folgenden •
Zeile. Auch ist die Lesart in A nicht gar so ohne Inhalt: an allen
andern Kämpfen hatten sie Freude, an diesem aber nicht. — 729 4
greift nach der Lesart von A der Erzählung nicht gerade vor, denn
unmittelbar darauf folgen ja Ausführungen über den Empfang. — 167
1 scheint die Correctur man übel angebracht, da dies nur die Boten
selbst sagen können. — 348 4 ist die Verbindung mit der vorhergehenden Zeile auch bei der Lesart von C eine sehr lose und es dürften sich in dieser Hinsicht beide Lesarten gleich stehn. — 2256 4
hat die Lesart von C einen fast komischen Anstrich, den A nicht hat.
— 2087 ist eine einleitende Partikel zu der letzten Zeile überflüssig,
ja sogar störend — unverbunden macht die einfache Angabe des Thatbestandes weit gröszern Eindruck. — 79 3 4 läszt der Versschlusz
die Verbindung der beiden Sätze leicht vermissen. — 92 4 ist herre
besser, da es gleich wieder 93 1 kommt. — 2061 1 stört der Zwischensatz die geste waeren tot, der zwischen den beiden Subjecten
steht. — 1665 4 scheint die Correctur von C doch ebensowenig unmittelbar verständlich als die Lesart in A: zu dem aller triuwen ge-
mant musz doch der Umstand, dasz sie um der Treue, die sie als Mage
der Schwester beweisen müssen, die Reise nicht ausschlagen konnten,
ebenso gut hinzugedacht werden, als zu dem Ausdruck manic maere
der Inhalt dieser maere, der überdies aus dem Zusammenhang deutlich
hervorgeht. — 1966 steht die zweite Zeile zwar mit der ersten in keiner Verbindung, mit der folgenden dritten aber hängt sie um so enger
zusammen; die Correctur von C gibt einen ganz allgemeinen der Handlung nicht so unmittelbar entsprechenden Satz. — 818 4 ist für unsere
Zeit 'wol allzu kühn' auf die Bekanntheit der Sage gebaut, für die
Zeit der Entstehung des Nibelungenliedes nicht. — 1620 1 ist die
Correctur mîn ellendes solt doch eben nicht besser, als das durch sie
weggeschaffte, das klar genug ist: seine Hülfe will er ihnen als Ver-

wandten leisten, das ist das eine und eine Mitgift geben das ist das andere, was er thun kann. — 1822 3 mag es wol etwas nüchtern aussehn, wenn Ref. darauf aufmerksam macht, dasz der Plural in den vénstern zu dem Singular herzen trût nicht passt — aber auch auszerdem ist in den zîten bezeichnend genug: gerade zu der Zeit, in der er so glänzend auftritt und seinen Tod findet. — 1302 (die Strophen-zahl fehlt) ist zwar der Ausdruck gên dem schalle in A unklar, aber die Correctur leidet an einer etwas harten Verbindung des Singulars mit dem Plural. — 2165 2 passt das si sprâchent alze lange nicht dazu, dasz inzwischen Kampf gewesen ist. — Wenn 1821 nicht als Befehl, sondern als übermüthige Trotzrede Volkers aufgefaszt wird, so passt sie ganz gut: wir wollen weggehn, weil sie nicht wagen uns zu bestehn. — Ob die Fassung von 2040 und 2041 wie sie A hat, zum lachen reizt, kann doch bezweifelt werden; es scheint ganz natürlich, dasz Kriemhild in unbändiger Rachsucht anfangs ausbricht: Ihr müst es alle entgelten, und dann sich plötzlich besinnend hinzusetzt: welt ir mir Hagenen einen usw. Das fehlen einer jeden Verbindung zwischen den beiden Strophen bezeichnet diesen raschen Uebergang in der Stimmung der Kriemhield recht gut. Gleiches möchte gelten von 2088, wo die kurze Antwort das befremdliche verliert, wenn wir sie (vgl. 2087 und 2137) denken ausgepreszt von dem im tiefen Seelen-kampf dastehenden Rüdiger. —

Ueber die Lesarten von C, welche der Verf. als Verschlech-terungen bezeichnet, etwas zu sagen, scheint überflüssig: die Geg-ner Lachmanns mögen sehn, ob sie diese Phalanx durchbrechen können. — Was die Lesarten von a (der wallersteiner Handschrift) betrifft, so möchte Ref. doch 1462 3 die Lesart in A vorziehn: bei-denthalb der berge bezeichnet recht gut die Trauer des ganzen Lan-des, auch der entfernteren Gegenden. Und warum fällt es dem Verf. auf, dasz Hagen (1499) trauert, nachdem er von dem Meerweibe gehört hat, dasz seine Herren umkommen werden, denen er treu ist bis in den Tod? Der Schade war geschehen (1558) scheint im allge-meinen zu bezeichnen, dasz Blut geflossen ist und Leute todt geblieben sind; Hagen weisz ja auch noch nicht, ob von den Burgunden einige gefallen sind und sie haben auszerdem wirklich vier verloren, also einen Schaden gelitten. — Ebenso möchte Ref. einige Lesarten von A den in C I d sich findenden gegenüber vertheidigen: dasz 1288 2 Rü-diger sagt: ich will den König empfangen, passt ganz dazu, dasz er der Wirth ist und Kriemhilden als solcher Anweisungen über den Em-pfang gibt. — 1680 passt doch der Ausdruck waetliche, und wenn man ihn auch ironisch nehmen wollte, schlecht, da von dem Schatze die Rede ist. — Auch gegen einige Lesarten des gemeinen Textes, welche der Verf. vorzieht, lassen sich Bedenken erheben; so scheint 938 4 frouwen Glossem, da unmittelbar vorher von Sigfrid selbst, nicht von Kriemhild die Rede war. — 1165 1 ist nur eine halbe Cor-rectur, C corrigiert auch das erste Beiwort und stellt dadurch die Gleichmäszigkeit her. — 86 wird die Rede Gunthers, die indirect schon angegeben ist, noch einmal wiederholt: da es dieselbe Rede ist, so ist die Wiederholung desselben Ausdrucks nicht auffallend. — 253 scheint die Correctur groezlichen so mislungen, dasz die Wiederholung dagegen erträglich ist, namentlich da in der dritten Zeile von einer besondern Fürsorge Etzels für die verwundeten die Rede ist. — 408 4 liesze sich die Wiederholung dadurch, dasz es eben derselbe Speer ist, rechtfertigen. — 591 ist oben besprochen worden — 843 passt leide nicht recht, ist wenigstens sehr allgemein, der plötzliche Ausruf mag hier die Wiederholung desselben Wortes entschuldigen und macht dasz sie weniger auffällt. — 837 3 ist die Zurückbeziehung auf Brunhild (nach der Lesart des gem. Textes) doch etwas künstlich, da namentlich sie nicht in derselben Strophe genannt und dazwischen von Sigfrid die Rede ist. — 1620 ist den helden doch schwerlich misverständlich. — 51 3 wäre ohne ez wol zu ertragen, wenn kein Nebensatz folgte, der auszerdem wolde gleich nach wille bringt. — 423 3 ist der Conjunctiv nicht recht motiviert. Den Tod ungetreu zu nennen (929 4) ist doch für den einfachen Stil des Liedes etwas zu künstlich.

Zu dem nun folgenden nur die éine Bemerkung, dasz das S. 86 über Str. 1313 gesagte dem Ref. unklar geblieben ist. Verbindet der Verf. etwa von silber mit leitschrîn statt mit laere machen?

Nachdem der Verf. S. 91 bis 100 noch über die Unterschiede in Grundsätzen der Verskunst, die zwischen den einzelnen Handschriften obwalten, gesprochen hat, bringt er S. 101 noch einen Anhang: zur Emendation von A. In 2 1 ist schoene nothwendig wegen des gleich folgenden Comparativs schoeners, von 253 ist oben gesprochen worden, auch von 938 4 und 837. Hier läszt sieh die Lesart von A wol ebenso halten, wie sie der Verf. 337 2 gegen Lachmann halten will. Die Entscheidung ist aber schwer, wo nicht unmöglich, so lange nur die eine nachlässig geschriebene Handschrift A Quelle des ältesten Textes ist.

Den wolthuenden Eindruck, den das Büchlein durch den ruhigen gemessenen Gang der Untersuchungen macht, unterstützt eine glänzende äuszere Ausstattung. Nur fürchtet Ref., dasz der durch dieselbe entstandene hohe Preis die Verbreitung, die das Werkchen verdient, hindern könnte.

Hanau. *Otto Vilmar.*

29.

Wie die Beschäftigung mit dem klassischen Alterthum der religiösen Jugendbildung förderlich sein könne. Ein Vortrag am Ende des Schuljahrs (27. Sept. 1853) zur Feier des Geburtstags des Königs von Württemberg im Gymn. zu Stutt-

*gart gehalten von Dr. C. L. Roth. Aus dem 'Corresp.-Blatt
für die Gelehrten- und Realschulen Württembergs.' Stuttg.
b. Ferd. Steinkopf. 18 S. 8.*

Eine kleine, aber sehr wichtige Schrift, die darum eine besondere Anzeige gar sehr verdient hat. Es ist von Werth, wenn Männer
von Roths Einsicht, Erfahrung und Gesinnung den in der Ueberschrift
bezeichneten Gegenstand in besonderen Ausführungen praktisch anzuwenden versuchen. Der Vf. weist dem lesen der Alten seinen vollen
und unverkümmerten Platz in den Gymnasien an und zeigt, wie gerade
auch die unvollkommen religiöse Bildung des Alterthums die Jugend
auf die tiefen Schätze der christichen Offenbarung aufmerksam zu
machen geeignet ist. Er verlangt mit Recht, dasz die Jugend mit dem
Geiste des heidnischen Alterthums bis auf einen gewissen Grad vertraut gemacht werde. Darum aber dürfe auch die darauf zu verwendende Zeit nicht noch mehr beschränkt werden als sie seit Anfang
unseres Jahrhunderts beschränkt worden sei, und es wäre daher für
christliche Griechen und Lateiner nicht wol Platz, wenn nicht etwa
eine Homilie des Joh. Chrysostomus oder eine Schrift des groszen
Basilius, wie die schöne und anregende Anweisung für die Jugend,
aus dem lesen heidnischer Schriftsteller Nutzen zu ziehen, in wenigen Lehrstunden cursorisch durchgenommen würde, um zu zeigen,
wie sich der Geist der griechischen Nationalität unter dem Einflusse
des Christenthums gestaltet und aus seiner lange dauernden Verkümmerung wieder erhoben habe. Ref. möchte meinen, dasz es auch für
diesen negativen Zweck weniger gehören dürfte; wol aber könnte es
in sachlicher Beziehung dazu dienen, innerhalb des Religionsunterrichts der obersten Gymnasialstufen ein lebendigeres Gemälde von
den ersten Zeiten der christlichen Kirche entwerfen zu helfen und
der Jugend darzuthun, wie auf den wilden Baum des antiken Lebens
das edle Pfropfreis des Christenthums gebracht worden sei. Hierzu
möchte eine behutsam und sorgfältig angelegte Chrestomathie immerhin von wahrhaftem Nutzen sein. Im übrigen wollen wir mit Freuden
von einem so vielerfahrenen Meister, wie der Vf. ist, lernen, wie
man heidnisches und christliches vor der Jugend nicht zusammen
mengen, sondern im Gegentheil die Verwandtschaft und die Verschiedenheit der altklassischen und der christlichen Vorstellungen dazu
anwenden müsse, um die einen durch die andern anschaulich zu machen. Als Beispiele werden vom Vf. diesmal die Ansichten der Alten
über das S c h i c k s a l und über den Z w e c k d e s L e b e n s gewählt.
Die Lehre von der Einheit Gottes und von Gottes Eigenschaften, sagt
der Vf. sehr richtig, spricht in der Regel das jugendliche Gemüth nicht
in dem Grade an, wie sie als Fundamental-Lehre unseres Glaubens
dasselbe ansprechen sollte, wenn dieser Lehre nicht die sittlichen
Verirrungen des Polytheismus und zwar gerade die der alten Welt
gegenübergestellt werden, und so gezeigt wird, wie die schon lange
vor Homer begonnene Theilung und Spaltung des göttlichen Wesens

durch die menschliche Phantasie in ihrem Fortgang bis zur Erscheinung Christi in der Welt allen wirklich religiösen Gehalt aus den
alten Religionen ausgetrieben habe, so dasz die menschliche Gesetzgebung das Geschäft der sittlichen Bildung in Griechenland und Rom
übernehmen muste. Die Aussonderung des religiösen Gehalts aus den
alten Religionen ist aber besonders dadurch erfolgt, dasz in der nach-
homerischen Zeit, welche die Personificationen übermenschlicher,
unsichtbarer Mächte und Kräfte noch immer fortsetzte und mehrte,
eine solche Macht aufkam, die allmählich alle anderen olympischen
Gottheiten überwand. Das ist die $\tau \acute{v} \chi \eta$, die Macht der in den menschlichen Dingen waltenden Zufälligkeit. Und von dieser gibt nun der
Vf. auf den nächsten Blättern eine kurze Geschichte, wodurch der
Entwicklungsverlauf dieses Begriffs und seine Unterscheidung von
den verwandten, wie $\alpha \tilde{i} \sigma \alpha$ und $\mu o \tilde{i} \rho \alpha$, klar gemacht wird. Allerdings
vertragen und verdienen, ja verlangen zum Theil diese kurzen Züge
eine weitere und genauere Ausführung, als der Vf. sie für den Augenblick und in den engen Grenzen eines Schulvortrags hat geben
können. Es wäre zu wünschen, dasz der Vf. sich die Zeit nähme,
diese und andere religiös-ethische Seiten des Alterthums in einer für
die Jugend faszlichen Darstellung zu verfolgen, wozu niemand bern-
fener ist als der Vf. des 'historischen Lesebuchs'. Hier wollen wir
nur, um die treffliche Art seiner Behandlung kenntlich zu machen, auf
die S. 10 gegebene Vergleichung des Ganges hinweisen, den die alt-
testamentliche Offenbarung im Gegensatze zum heidnischen Polytheismus genommen hat: 'Hier der Grundirthum durch Theilung des göttlichen Wesens, dort das strenge anhalten an der Einheit Gottes; im
Polytheismus das vergessen der Heiligkeit Gottes und eben darum in
der Religion kein Element sittlicher Heiligung für die Menschen, in
der Offenbarung des A. B. die Heiligkeit des éinen Gottes das erste
unwandelbare Princip und die sittliche Heiligung des Menschen der
erste und einzige Zweck; bei den Griechen die Zügel der Weltregierung dem obersten Gott immermehr aus den Händen genommen, beim
Volke Israel das göttliche Regiment bis ins einzelne und kleine durch-
wirkend; die Verwirrung der religiösen Vorstellungen auf jener Seite
im steten Wachsthum begriffen, auf dieser die Verfinsterungen des
Gottesbewustseins, die allerdings auch eintraten, jederzeit nur dunkle
Durchgänge und Pforten zu hellerer Erleuchtung; und zuletzt, als
vom alten Glauben nur die Meinung von der Macht des Zufalls noch
übrig war, und in dieser Beschränkung der Vorstellungen auf eine
einzige übersinnliche Macht das Verlangen der heidnischen Welt nach
einem Gotte sich kundgab, der Aufgang des Lichtes, das von da an
allen Menschen aller Zeiten leuchten sollte.' — Nicht minder anzieh-
hend ist der Ueberblick, den der Vf. uns in die Geschichte der Vorstellung vom höchsten Gut eröffnet. Wol mag es eine Zeit gegeben haben, wo das sitzen beim reichlichen Mahle und bei vollen
Bechern unter lauter fröhlichen Gesellen und beim herzerhebenden
Liede des Sängers als höchster Lebensgenusz erschien. Auch der ma-

terielle Besitz wurde als wirkliches Glück gepriesen. Aber man blieb bei den sinnlichen und greifbaren Gütern stehen: die Ehre und der Ruhm erscheint als das gröszte Gut, die Schande als das gröszte Uebel. Dies zieht sich bis in die römische Welt hinüber; der Mensch wünscht nur im Nachruhme fortzuleben; die römische Staatsreligion erkennt ohnedies keine persönliche Unsterblichkeit an, wo sie nicht dem einzelnen durch Senatsbeschlusz zugetheilt wird. Hier bietet sich ein reicher Stoff zu unterscheidenden Zusammenstellungen; der Vf. hat Recht, es gibt kein Capitel in der geoffenbarten Religion, dem nicht ein entsprechender Complex von Meinungen des Alterthums in der Weise gegenübergestellt werden könnte, dasz in diesen das Verlangen der Menschennatur nach göttlicher Erleuchtung, und in den entsprechenden Lehren der Offenbarung die Erfüllung dieses Verlangens für jedes die Wahrheit suchende Gemüth klar gemacht werden könnte. Zum Belege dafür entwickelt der Vf. noch die Vorstellung der Alten von der Tugend von jener Auffassung als natürlicher Kraft an bis zu der eigenthümlichen römischen virtus hin, wie sie uns z. B. in den gnomischen Gedichten des Horaz entgegentritt. — Genug, die kleine gehaltreiche Schrift des Hrn. Oberstudienraths Dr. Roth verdient in weiten Kreisen bekannt zu werden.

Parchim. *Dr. Lübker.*

30.
Bemerkungen zu der lateinischen Schulgrammatik von Siberti und Meiring.

Die lateinische Schulgrammatik von Siberti ist von dem Hrn. Director Meiring zu Düren nach Zumpt neu bearbeitet und für die mittleren Gymnasialklassen erweitert worden, und hat in dieser neuen Gestalt in kurzer Frist viele Anflagen erlebt. Im J. 1841 erschien die zweite Auflage, a. 47 die sechste, a. 52 die neunte, a. 54 die zehnte. Bei der weiten Verbreitung dieses Schulbuches erscheinen einige Bemerkungen über dasselbe gerechtfertigt. Die folgenden Bemerkungen beziehen sich nur auf die Punkte, die mir bei dem Gebrauch dieses Buches in Quarta und Sexta aufgestoszen sind.

§ 3 und § 6 handeln von der Aussprache. *Spēs, mūs* seien spehs, mohs, *ce, ci* und *ti* wie *ze* und *zi* zu sprechen. Heutzutage dehnt fast jedermann im Lateinischen alle langen Silben ohne Unterschied. Es sei so. Jedenfalls erscheint es aber als eine Inconsequenz, das *c* wie *z* zu sprechen, ohne der Aussprache des *u* und *m* am Schlusz eines Wortes und anderer Fälle (*in* immer gedehnt in der Zusammensetzung vor *s* und *f* nach Cic. orat. c. 48) zu gedenken, und es ist nicht abzusehen, warum Hr. Meiring in § 3 gegen Zumpt (und Schneiders Elementarlehre) die falsche Aussprache ausdrücklich lehrt.

§ 4 behandelt die Trennung der Silben. Hr. M. legt, wie viele Grammatiker, hiebei die griechische Sprache zu Grunde. Es ist unerhört, bei der Silbenabtheilung der einen Sprache auf eine fremde Sprache provocieren zu wollen, und halte ich für einzig richtig *om-nes*, *fac-tus*, *scrip-tus*.

In einer besondern Beilage finden sich die gereimten Genusregeln nach der Zumptschen Grammatik vollständig. Gereimte Genusregeln erwartet man also bei den Declinationen § 9 cet. nicht weiter. Gleichwol finden wir § 9, 10 und 15, nachdem über das Geschlecht im allgemeinen prosaische Regeln aufgestellt sind, auch dieselben drei allgemeinen Genusregeln in Versen, die in der Beilage stehen. Doch die allgemeine Genusregel: 'Commune heiszt, was einen Mann und eine Frau bezeichnen kann', fehlt in § 12. Befremdender ist es, dasz namentlich bei der dritten Declination § 109 usw. einzelne gereimte Genusregeln stehen, und zwar in andern Reimen, als in der Beilage. Wozu einzelne Regeln in verschiedenen Versen? Ganz unstatthaft erscheint es, für einen Sextaner (denn für diesen ist die Regel zunächst berechnet) die Wörter, die in der vierten Declination *ubus* statt *ibus* haben, § 126 in Hexametern anzuführen, und wäre es praktischer, die betreffende Versregel aus der Grammatik von Otto Schulz zu entlehnen. Wünschenswerth wäre die Hinzufügung der Versregeln über die Wörter, die den acc. sing. auf *im* bilden, und derer, die im gen. plur. *um* statt *ium* haben, so wie die Aufstellung der Praepositionen (§ 356 usw.) in Versen, da Versregeln sich dem Schüler am leichtesten einprägen.

§ 51 lehrt, welche Wörter der dritten Declination im acc. sing. sich auf *im* endigen. In § 89 ist dieselbe Regel fast wörtlich wiederholt. In diesen §§ heiszt es unter N. 3: 'Folgende fünf lateinische Wörter: *amussis*, *ravis*, *sitis*, *tussis*, *vis*.' Wozu der Zusatz 'lateinische'? Sind denn die unter N. 4 angeführten Wörter *febris*, *pelvis*, *puppis*, *restis*, *turris*, *securis* keine lateinischen? Leidige, blosz Raum füllende Wiederholungen finden wir öfter. Was § 52 lehrt von den Substantiven, die im abl. sing. *i* haben, eben dasselbe lehrt fast wörtlich § 90 N. 1. Ebenso enthalten die §§ 53 und 94 dasselbe über den gen. plur. auf *um* und *ium*. Dasz in der 3n Declin. die einsilbigen Wörter auf s mit vorhergehendem Consonanten im gen. plur *ium* haben, lehren drei §§, nemlich § 64, 69 und 95. Aehnliche Wiederholungen bieten auch die §§ 64 und 96. Noch später werden wir Gelegenheit haben zu sehen, wie dieser Grammatik Kürze und Bündigkeit abgeht. In der Beilage S. 3 ist zu $\breve{o}s$ der Genetiv angegeben, doch fehlt die Angabe des Genetivs von $\bar{o}s$.

Die Quantitätzeichen finden wir in dieser Grammatik öfter, aber ohne allen Grundsatz. Will man sie hinzufügen (wie es in einer Grammatik nothwendig ist), so sind sie z. B. erforderlich in § 402 *n$\breve{e}$* und § 588 *n$\bar{e}$*; ferner § 209 im Imperativ von *sum* ($\breve{e}s$), wie ja im Praesens geschehen ist. Ebenso ist § 280 im Praesens $\bar{e}s$ (von *edere*, *esse*) die Quantität bezeichnet, aber nicht im Imperativ. Auch in der

Beilage S. 7 würde man bei den Nominativen *iuventus*, *virtus*, *servitus* usw. das Quantitätzeichen erwarten. In § 162* findet sich zwar *suprēmus*, *postrēmus*, aber daneben *extremus* ohne Zeichen der Quantität. Die Endungen der fünf Declinationen in § 18 entbehren jeder Quantitätsbezeichnung, obgleich diese bei den einzelnen Paradigmatis sich häufig findet. In § 127, wo *domu*s vollständig decliniert steht, ist die Länge der Silbe blosz im gen. sing. bezeichnet, nicht im Plural. Was nun die Declination des Wortes *domus* belangt, so wird die bekannte Regel angeführt: '*Tolle me, mu, mi, mis, si declinare domus vis*', nach welcher sich der Schüler richten solle. Den aufmerksamen Schüler aber, wenn er diese Regel zu Grunde legt, musz es befremden, dasz der dat. sing. nach dem Paradigma nur *domui* heiszt, und hätte auch wol die seltnere Form *domo* daneben stehen können.

In § 257 ist von *lambo* das eingeschaltete Supinum lambitum zu streichen nach Ruddimanni institutt. Gramm. Lat. ed. Stallbaum p. I p. 227, und ebenso das Supinum von *bibo*. Auch von *fruor* § 277 möchte wol kein Perfectum nachzuweisen sein.

§ 181 extr. scheint die Erwähnung der Verdoppelungen *meme*, *tete* selbst für einen Tertianer überflüssig, da diese Formen nur in der ältesten Latinität und auch da nur selten vorkommen. Für den Anfänger ist es aber nothwendig, nach der dritten Conjugation ein Paradigma auf *io* vollständig hinzusetzen. Die blosze Regel § 224, nach welcher diese Verba flectiert werden, macht dem lernenden die Sache zu wenig anschaulich. Ist doch *domus* § 127 vollständig decliniert, obschon die Regel *Tolle* usw. angegeben ist.

§ 425 lautet: 'Die Verba fordern: *posco, reposco, flagito*, oder bitten: *oro, rogo*, haben einen doppelten Accusativus bei sich, der Person und der Sache, oder blosz die Sache im Accus., die Person mit *a* im Abl.' (Die Construction der Verba fragen: *rogo, interrogo, percontor* findet sich § 427.) Nicht blosz im Zumpt, sondern in vielen andern Grammatiken lautet diese Regel ebenso, doch wol mit Unrecht. Für die Construction *orare, rogare* (bitten) *aliquam rem ab aliquo* kenne ich nur folgende Beispiele: Plaut. Amph. prol. 64: *Hoc me orare a vobis iussit Juppiter, ut* etc. und aus dem Sempronius Asellio bei Gellius, der 13 21 extr. also schreibt: *Sempronius Asellio in libro rerum gestarum quarto decimo: Crepidarium, inquit, cultellum rogavit a crepidario sutore.* Hat man nicht bessere Auctorität für diese Construction anzuführen, so musz diese Regel in einer Schulgrammatik geändert werden, wie bereits Madvig in der lateinischen Sprachlehre für Schulen § 228 Anm. 1 richtiger geurtheilt hat. Betrachten wir nun die von Hrn. Meiring angeführten Beispiele, so finden wir deren vier von *posco* und *reposco*, von denen in dreien der doppelte Accusativ steht; von *flagitare* 2 Beispiele, von *orare* 3, von *rogare* keines. Statt der drei Beispiele von *posco* und *reposco* mit dem doppelten Accusativ genügte am Ende eines, doch hätte er wol auch von *rogare* ein Beispiel geben können und namentlich seine Regel von der Construction *orare (rogare) rem ab aliquo* durch eine aus einem guten Classiker entnommene Stelle begründen müssen. Indes damit nimmt es Hr. M. nicht so genau. So führt er zu dieser § 425 an die Worte: *Jugurtha Metellum per legatos pacem oravit*, ein Beispiel, welches sich auch in andern Schulbüchern findet und bona fide aus dem nächsten Buche entlehnt wird. Ohne Zweifel liegt zu Grunde Sallust. Jug. c. 47: *Inter haec negotia Jugurtha impensius modo legatos supplices mittere, pacem orare, praeter suam liberorumque vitam, omnia Metello dedere.* Wozu die Stellen der Classiker verstümmeln? Gibt es nicht zahlreiche und schöne Beispiele bei den Alten, die zu einer Regel gleichsam gemacht scheinen? Bei dieser Gelegenheit erwähne ich eines Beispiels zu § 386, wo als Muster voranstehen die Worte: *Romulus et Remus Romam urbem condiderunt*, vermuthlich eigene Arbeit des Hrn. Meiring. Dasz es *urbs Roma* heiszen müsse, ist allbekannt, und erinnert daran ja auch der Anfang der Annalen des Tacitus. Meines Wissens gibt es nur éine Stelle bei den Alten, in welcher *Roma urbs* steht, Vellej. I 8 4. In § 400 ist das Beispiel *Erubescunt pudici etiam impudica loqui* nichts als eine wunderliche Conjectur von Görenz. Cf. Cic. de legg. I 19 § 50: *Erubescunt pudici etiam loqui de pudicitia*, und dort die Interpreten. Man sieht, wie vorsichtig der Lehrer bei der Auswahl der dargebotenen Beispiele sein musz.

§ 652: 'Memini pflegt, abweichend vom Deutschen, den Inf. Praesentis bei sich zu haben: z. B. *memini Catonem mecum disserere* ich erinnere mich, dasz Cato sich mit mir unterhalten hat (eigentlich ich habe es damals in mein Gedächtnis aufgenommen).' Soll durch die Parenthese etwa der inf. praesentis erklärt werden? Schwerlich. Soll aber die Perfectform *memini* erleutert werden, so gehört die Parenthese nicht hierher, sondern zu § 289, wo die Perfectform *novi* erleutert wird. Die Uebersetzung: 'dasz Cato sich mit mir unterhalten hat', ist sicher ganz falsch. Das Beispiel ist entlehnt aus Cic. Lael. c. 3 § 11, und verweise ich auf Seyffert und Nauck zu Lael. c. 1 § 2. *Disserere* aber steht hier nothwendig im inf. praes. oder vielmehr im inf. *rei infectae*, weil der Sinn ist: *narrabat Cato, ut memini*. Ebenso Lael. c. 1 § 2: *memini, in eum sermonem illum incidere*, gleich *incidebat in eum sermonem, ut memini*. Tac. Ann. III 16: *audire me memini ex senioribus* gleich *audiebam ex senioribus, ut memini*. Cic. pro Rosc. Amer. c. 42: *meministis, me ita distribuisse caussam* ist gleich *distribui caussam, ut meministis*, und kann ich nicht Madvig beitreten, welcher § 408 Anm. 2 behauptet, es könne auch *distribuere* heiszen.

§ 443: 'Bei obigen und überhaupt bei allen Interjectionen kann natürlich auch der Vocativus stehen, wenn der Gegenstand angerufen wird.' Diesen Worten fehlt Praecision; sie können gar leicht den Schüler verleiten zu glauben, dasz, wenn der Gegenstand angerufen wird, bei den Interjectionen sowol der Accus. als auch der Vocativ stehen könne, und der Lehrer ist genöthigt, den Sinn der

Regel zu interpretieren. Man streiche das auch, und ändere das kann in musz, also: 'musz natürlich der Vocat.'

§ 171: 'milia aber bezeichnet mehrere 'Tausende'. Wie viel Tausende sind also milia hominum?

§ 529: 'Auf die Frage wie lange vorher? oder nachher? steht die Zeitbestimmung im Ablativus, wobei ante und post gewöhnlich nachgesetzt werden, entweder als Adverbia, vorher, nachher, oder als Praepositionen mit dem Accusativus, vor, nach: z. B. tribus annis ante drei Jahre vorher, tribus diebus ante mortem drei Tage vor dem Tode.' Sind hier entweder — oder scharfe Gegensätze? Steht der Ablativ, so sind ante und post Adverbia; folgt der Accusativ, so sind sie Praepositionen. § 530 Anm. 1: 'Ante und post können, statt als Adverbia mit dem Ablativus verbunden zu werden, auch als Praepositionen den Accus. zu sich nehmen' — ist leerer Wortschwall, da diese Regel schon in der vorhergehenden Paragraphe ausgesprochen ist.

§ 440. In Betreff der Apposition zu einem Städtenamen der ersten und zweiten Declination folgt Hr. M. einer älteren Auflage der Zumptschen Grammatik. Es heiszt doch wahrlich aller grammatischen ratio Hohn sprechen, wenn man lehrt zu den Genetiven Romae, Corinthi, die Wörter urbs, oppidum, locus als Apposition in den Ablativ zu stellen. Billigerweise konnte man von Hrn. M. verlangen wenigstens doch eine neuere Auflage der Zumptschen Grammatik (da sie der seinigen zu Grunde liegt) zu vergleichen und danach die Regel zu ändern oder zu erleutern. Vgl. Zumpt (ich citiere die 9e Aufl.) § 298 Anm. gegen Ende, Madvig § 296 Anm. 3.

§ 498: Zu den Ausdrücken: 'es ist die Sache, die Pflicht, das Geschäft, das Eigenthum jemandes' ist es wünschenswerth noch hinzuzufügen: 'es ist das Zeichen', denn diese Wendung kommt häufig genug vor, und man sagt auch lateinisch: est signum oder indicium alicuius.

§ 499: 'Die Sache, woran einem etwas liegt, wird nie durch ein Substantivum ausgedrückt, sondern theils durch den Infinitivus (oder Accus. cum Infinitivo), theils durch einen Satz mit dasz oder mit Fragewörtern.' Hier hätte sich Hr. M. genauer an seinen Vorgänger halten sollen, statt dasz gleich ut schreiben, und durch die Parenthese nicht den Schein verbreiten müssen, als sei der Accus. c. inf. das seltnere, während er doch häufiger ist als der Infinitiv. Die Darstellung der Regel von interest ist für diese Grammatik charakteristisch. Hätte der Verfasser ut statt dasz geschrieben, so gewönne die Regel an Praecision. Es folgt nun aber eine Explication, wie der Schüler verfahren musz, wenn er den Accus. c. inf. setzen will. Mit demselben Rechte hätte er auch ausführlich zeigen müssen, wie ein Fragewort nach interest folgen könne, und der abhängige Satz dann als indirecte Frage in den Conjunctiv trete. Die auf diese Regel folgenden Beispiele sind bunt durcheinander gewürfelt. Zwei mit dem Infinitiv stehen an der Spitze, und prägen sich also dem Schüler unwillkürlich am meisten ein. Uebersichtlicher stünden die Beispiele mit gleicher Construction beisammen. Leider citiert Hr. M. in den Beispielen nie seinen Gewährsmann, und wissen wir daher nicht immer, ob wir die Stelle eines alten Classikers lesen oder ein von Hrn. M. gearbeitetes Muster. Die Worte: *Caesar dicere solebat, non tam sua, quam rei publicae interesse, uti salvus esset*, finden sich fast ebenso im Sueton. Caes. c. 86. Die ebenfalls hier stehenden Worte: *Rei publicae intererat, ut salvus esset Caesar* sind vermuthlich danach von Hrn. M. gebildet; was sie aber neben den ungleich bessern Worten des Sueton bezwecken, ist nicht zu begreifen. In Betreff der Genetive, die zu *interest* und *refert* treten können § 500 (cf. § 492), müste der Schüler wol vor *multi* und *maioris* gewarnt werden, da er die Worte: 'es liegt viel daran', gar leicht *multi interest* übersetzt.

Nach § 387 b wird es unrichtig sein, zu sagen *leges moresque constituti sunt*. Nach § 662 scheint es fast, als könne nach *sperare* kein infinit. praesentis. oder perf. folgen. In § 674 und 675 wird zweimal gelehrt, dasz nach *nolo* (natürlich im guten Latein) auch *ut* folgen könne, während doch sein Vorgänger Zumpt § 614 Anm. es leugnet. So hat Hr. M. es auch hier verschmäht, bei seinen verbesserten Auflagen die neueren Auflagen seines Vorgängers zu Rathe zu ziehen.

Die §§ 623, 631 und 629 (*qui cum* conj. = *ut is* oder *quum is*) bilden eigentlich nur éine Regel, und namentlich die §§ 623 und 631, und es ist gar kein Grund abzusehen, warum § 626 (*sunt, inveniuntur, qui*) diesen Paragraphen eingeschaltet ist, während die Regel von *dignus, qui* dieses Kapitel schlieszt. Freilich beobachtet Zumpt dieselbe Reihenfolge. Während diese Regeln, wie viele andere, mit groszer Breite behandelt sind, vermiszt man ungern manches, was ein Quartaner oder Tertianer wissen musz, z. B. den Unterschied zwischen *si* und *quum*.

§ 533 müste gesagt sein, dasz bei *abhinc* die Zeitbestimmung gewöhnlich im Accusativ, seltener im Ablativ stehe. Auch hier hat Hr. M. verabsäumt, eine spätere Auflage der Zumptschen Grammatik zu vergleichen. Bekannt ist, dasz Madvig hierüber ausführlich gehandelt hat.

§ 657. Wenn es heiszt: — 'wenn *est* mit einem Adj. oder Subst. das Praedicat ist, als *apertum est*' usw., so hätte auch wol eine Phrase mit einem Substantiv angegeben werden können, und wäre es auch nur das aus dem letzten Beispiel entnommene *facinus est* gewesen.

§ 497. Hr. M. lehrt, die Strafe, wozu jemand verurtheilt werde, stehe ebenfalls im Genetivus z. B. *mortis, capitis* zum Tode, *multae* zu einer Geldbusze; jedoch auch im Ablativus *morte, capite* usw. Er folgt hierin (wie § 425) der Zumptschen Grammatik, aber mit Unrecht. Madvig § 293 Anm. 3 führt den Genetiv *mortis* nicht an, nennt aber den Ablativ *morte*, von dem ich nur zwei Beispiele kenne: Sen.

Ep. 71: *Omne humanum genus, quodque est, quodque erit, morte damnatum est* und Sen. Here. Oet. 888. In der lateinischen Grammatik von J. von Gruber wird S. 55 der Genetiv *mortis* genannt, doch habe ich dafür keine Auctorität, da mir nur spärliche Hülfsmittel zu Gebot stehen. In einer Schulgrammatik folge man Krebs, der in seiner Anleitung zum Lateinischschreiben § 166 *damnare mortis* oder *morte* verwirft, wiewol man richtig sagt *morte multare*.

Ein Uebelstand ist es, dasz dem Buche kein Inhaltsverzeichnis. beigefügt ist. Oder soll der Schüler mit seiner Grammatik so vertraut sein, dasz er dessen nicht bedarf? Eine schwierige Aufgabe, zumal wenn man erwägt, dasz alle andern Schulbücher dasselbe mit gleichem Recht fordern können. Für denjenigen Schüler, der zeither nach einem andern Lehrbuche unterrichtet worden ist, ist ein Index ein wesentliches Mittel, ihn in dieser Grammatik zu orientieren. Manche Regel kann ebenso wol in diesem als in jenem Abschnitt behandelt sein; ein irres umhersuchen ist zeitraubend. Dazu kommt endlich, dasz in der vorliegenden Grammatik eine und dieselbe Sache an verschiedenen Stellen gelehrt wird, zum Theil da, wo sie niemand sucht. Von *oportet* und *necesse est* handeln § 657 und § 695. Wie der Schüler zu verfahren hat, wenn er den accus. c. inf. setzen will, wird nicht nur *suo loco* § 650 auseinander gesetzt, sondern auch *tanquam in transitu*, wo es niemand sucht, bei der Regel von *interest* § 499.

Neustettin. *August Krause.*

Auszüge aus Zeitschriften.

Zeitschrift für die Alterthumswissenschaft, herausg. v. J. Caesar. 13r Jhrg. 1855.

Is Heft. Osann: zur Künstlergeschichte des Alterthums (S. 1 —18: gröstentheils Nachträge zu Brunns Werk, zum Theil auch Bekämpfung aufgestellter Ansichten. Am ausführlichsten wird vom Zeuxis gehandelt). — Walz: de nemesi Graecorum (S. 16: kurze Inhaltsangabe). — A. Nauck: Ion und Iohannes Damascenus (S. 19— 22: nachdem der Vf. nachgewiesen, dasz Ion fragm. 55 dem Menander, fr. 65 dem Iohannes Damascenus angebören, gibt er veranlaszt durch das von Bergk Anthol. lyr. dem Callimachus fälschlich beigelegte fr. 159 (p. 108), nach der Ausg. von le Quien ein Verzeichnis der aus des letzten Hymnen vorkommenden Citate). — Ders.: zu den Briefen des Alkiphron (S. 22—28: Emendationen zu einigen Stellen und mehreren Namen in den Ueberschriften, beiläufig auch von Phrynich. Bekk. p. 4, 22. Dem Alkiphron werden muthmaszlich zwei prosaische Fragmente aus dem Etym. M. beigelegt). — Walz: über die Polychromie der antiken Sculptur (S. 24: kurze Inhaltsangabe). — Lentz: de comparatione periphrastica (S. 28—40: die Umschreibungsformen werden aufgezählt und die Veranlassungen zu ihrem Gebrauche nachgewiesen, unter den letztern besonders die Wortstellung hervorgehoben). — Kayser: de versibus aliquot Homeri Odysseae dissertatio critica (S. 40: kurze Anzeige). — Scholia in Sophoclis tragoedias. Ed. G. Dindorf, angez. von G. Wolff (S. 41—71: durch sehr zahlreiche Nachträge und Berichtigungen, sowie eigene Emendationen wird bewiesen, dasz D. weder die Arbeiten neuerer Gelehrter, noch die handschriftlichen Quellen hinlänglich ausgebeutet habe). — Enger: Observv. in locos quosd. Aesch. Agam. und Held: Obss. in difficiliores quosdam Sophoclis Antigonae locos (S. 47 f. Anzeigen des Inhalts). — Tiesler: über die Reden des Thukydides und Fickert: Thucydides consulto ambiguus, Rabe: comm. de vita Hyperidis (S. 48: Inhaltsangaben). — Brix: Emendd. Plautinae und Balsam: Uebersetzung des Briefs an die Pisonen (S. 71—72: vom ersteren Inhaltsangabe, gegen das zweite tadelnde Bemerkungen). — Petersen: die neueste Litteratur der Mythologie und Religion der Griechen. 1r Artikel (S. 73—90: an Stolls Handbuch vermiszt Rec. in Bezug auf die Religion manches, erkennt aber an dasz es als Handbuch der Mythologie alle früheren Leistungen der Art bei weitem übertrifft. Bei Rincks Religion der Hellenen I Thl. u. II Thl. 1e Abth. kann der Rec. sich mit der mythologischen Ansicht nicht befreunden und macht gegen die Anordnung und Ausführung des 2n Theils viele Bedenken geltend, erkennt aber doch des Vf. religiösen Sinn, Scharfsinn und Phantasie und manches für die Wissenschaft förderliche an. Lauers System wird zwar in vielen Behauptungen bekämpft, aber doch trotz seiner fragmentarischen Form zunächst Forschern und solchen, die ein specielles Studium aus der Mythologie machen, empfohlen). —. Osann: quaestionum Homericarum p. IV (S. 88: kurze Inhaltsangabe). — Auszüge aus Zeitschriften und bibliographische Uebersicht (S. 90—96 d).

2s Heft. Schubart: über den Gebrauch von μάλιστα bei Zahlen (S. 97—107: Unter Bezugnahme auf Vömels Programm [Frkf. a. M. 1852] wird durch Zusammenstellung aller bei Pausanias vorkommenden Stellen nachgewiesen', dasz μάλιστα nur die Bedeutung 'ohngefähr' habe. Ausführlich wird die Stelle VIII 10 2 besprochen und Arn. Schäfers Conjectur zurückgewiesen. Ebenso findet IV 27 11 eine ausführliche Erörterung). — Bergk: Nachträge zu den Fragmenten des Sophokles (S. 107—110: es werden einige neue Fragmente nachgewiesen, andre vervollständigt und emendiert). — A. Nauck: kritische Miscellen (S. 110—120: Emendationen zu Archiloch. bei Herod. π. σχημ. p. 57, 3. Aesch. Choëph. 490, Prom. 203, Eur. Med. 913, Soph. Ai. 269, O. C. 309, bei Stob. 8 2 u. 45 11, Hesych. vol. 2 p. 751. Eur. Antiop. fr. 201 u. 193 werden vervollständigt, und auf die lateinische Uebersetzung des armenischen Philo vol. 7 p. 188 Richt. aufmerksam gemacht. Emendiert werden ferner Eur. fr. 788, Ion. 6. Athen. XI p. 468 C, Sosiphan. bei Stob. 20 18, Diogen. Laërt. VI 95, Hesych. 2 p. 281, Theophyl. Simoe. Ep. 33 p. 51 u. 29 p. 48, Pseudo-Callisth. 2 16 p. 736, 1 27 p. 29 n. u. andere Stellen, Philem. bei Stob. 108 39 und 38 24, Menand. cheud. 62, 27 und monost. 363, Callim. fr. CXI, Nic. Auth. Pal. 9 315 und Man. Phil. Phys. et Med. gr. min. ed. Ideler 1 p. 292, Diod. Sic. exc. Vat. p. 12, mehrere Orakel bei Porphyr. περὶ τῆς ἐκ λογίων φιλοσοφίας aus Augustins lateinischer Uebersetzung). — Eberz: Zug des Labienus von Agedicum nach Lutetia und zurück. Caes. b. g. VII 57—62, (S. 121—128: Agedicum sei Sens, Labienus gehe zuerst auf dem linken Ufer der Seine, dann setze er auf das rechte bei Melodunum über, weshalb die Feinde den oberhalb Lutetias gelegenen Sumpf verlaszen, Lutetia verbrennen und sich auf dem linken lagern. Eingehende Erörterung). — Petersen: die neueste Litteratur der Mythologie und Religion der Griechen. 2r Artikel (S. 129—147: Brauns griechische Götterlehre erfährt zwar

manchen Widerspruch rücksichtlich der Auffassung, erhält aber auch
hohes Lob. Ausführlicher wird Gerhards griechische Mythologie
unter Darlegung der hohen wissenschaftlichen Bedeutsamkeit, aber auch
der abweichenden Ansichten des Ref. besprochen). — ·Jakowicki:
observationes in sex prima III libri Horatii carmina, Platen: de fide
et auctoritate Caesaris de bello Gallico commentariorum, Lucas: de
ratione qua Livius in libris historiarum conscribendis usus est opere
Polybiano, Matern: de ratione ea qua Cicero in oratione pro L.
Murena habita cum Stoicos tum M. Catonem tractarit, Stinner: de
eo quo Cicero in epistolis usus est sermone et dé verborum consecu-
tione, Troska: über den Ausdruck des Affects in den metrischen
Rhythmen der Griechen und Römer, u. Weclewski: de rebus Epi-
dauriorum (S. 136 f. u. 143 f.: kurze Inhaltsanzeigen). — M. H. E.
Meieri commentatio epigraphica secunda. Angez. von Bergk (S.
147—167: sehr eingehende und scharfsinnige Erörterungen zu vielen
Inschriften). — C. Fr. Hermann: vindiciae Iuvenalianae, de So-
cratis accusatoribus und de Philone Larissaeo (S. 152: kurze Inhaltsangaben). — Bäumlein: zu Odyss. III 205 (S. 167: Rechtfertigung
der aufgenommenen Lesart περιθεῖεν). — Finckh: zu Liv. V 40 3 und
XXII 2 8 (S. 168: Wiederholung zweier schon früher gemachter Emendationen, an ersterer Stelle si quid humani superesset mali, an ·letz-
terer cumulatis in aqua sarcinis). — Braun: Vorschule der Kunst-
mythologie, angez. von H. A. Müller in Bremen (S. 169—178: unter
vielen eingehenden Bemerkungen wird ebenso das überschwängliche,
hochtrabende und allzu phantasiereiche, wie das scharfsinnige und verdienstliche des Werkes hervorgehoben). — Rieckher: über das Par-
ticipium des griechischen Aorists und Finckh: de incerti auctoris
artis rhetoricae post Seguierium a Leon. Spengelio editae locis aliquot emendandis (S. 176: kurze Anzeigen). — Beckers Charikles,
2e Aufl. von K. F. Hermann, angez. von — s — (S. 178—181: Bezeichnung ·der in der neuen Ausgabe vorgenommenen Veränderungen,
Bereicherungen und Verbesserungen). — Hartmann: Probe einer
beabsichtigten neuen Ausgabe von Arrians Anabasis, angez. von
Theiss (S. 181—183: unter Mittheilung einiger Bemerkungen und
Winke im ganzen recht anerkennende Anzeige *). — Auszüge aus Zeitschriften. — Thiel: de zoologicorum Aristotelis librorum ordine ac
distributione, inprimis de librorum περὶ ζῴων μορίων primo, und
Schneck: commentarii περὶ ὕψους argumentum (S. 191 f.: Inhaltsanzeigen).

Rheinisches Museum. X Jhrg. (vgl. oben S. 147 f.)

2s Heft. Brunn: über die Grundverschiedenheit im Bildungsprincip der griechischen und aegyptischen Kunst (S. 153—166: es wird
dargethan, dasz eine Ableitung der griechischen Kunst von der aegyptischen unmöglich anzunehmen sei und dasz selbst Analogien in ·Ein-
zelheiten nichts beweisen würden als die Möglichkeit äuszerer Beziehungen und Wechselwirkungen). — H. A. Koch: coniectanea Non-
niana (S. 167—194: Verbesserungsvorschläge, aber auch Rechtferti-
gungen handschriftlicher Lesarten an zahlreichen Stellen). — Frei:

---

*) Dieselbe war mir noch unbekannt, als ich die meinige schrieb.
R. D.

über das Pervigilium Veneris pristino nitori restitutum. Lips. 1852
(S. 195—213: durch eingehende Erörterungen wird dargethan, dasz der
Vf. des genannten Buchs den Text an vielen Stellen recht gründlich
verdorben habe). — Teuffel: über die sechste Hypothesis zu den
Wolken des Aristophanes (S. 214—234: nachdem gegen Enger dargelegt ist, dasz Eratosthenes die erste Bearbeitung der Wolken gekannt
habe, wird in ausführlicher und eingehender Erörterung gezeigt, dasz
unter dem, was die genannte Hypothesis enthält, nichts sei, was gegründete Bedenken gegen sich habe, vielmehr vieles durch eine Reihe
anderweitiger Zeugnisse unterstützt und fast zur Gewisheit erhoben
werde, und dasz der Vf. die Νεφέλαι πρότεραι selbst in Händen gehabt und gewissenhaft benützt habe). — F. G. Welcker: Danae,
ein Vasengemälde (S. 235—241: der Kunstwerth der von Gerhard
im Programme zum Winckelmannsfeste bekannt gemachten, 1844 in
Cacre gefundenen Vasengemälde wird dargelegt und zu weit gehende
Deutung des einzelnen abgewiesen, auch über die Gestaltung des Mythus bei den Dichtern und Schriftstellern Nachweisung gegeben). —
Dees. Alcmanis fragmenta de Tantalo et de sacris in summis mon-
tibus peractis (S. 242—264: das Fragment bei Schol. Pind. Ol. I 97
sei nicht zu emendieren, sondern nur mit veränderter Interpunction
zu schreiben: ὅπως δ᾽ ἀνὴρ ἐν ἀσμένοις ἀλιτρὸς ἠστ᾽ ἐπὶ θάκας
κάτα, πέτρας ὀρέων μὲν οὐδέν, δοκέων δέ, es gehe aber auf die von
Agias in den Νόστοις nach Athen. VII p. 281 b besungene Sage, dasz
dem Tantalus, als er auf seinen Wunsch zum Gastmahl der Götter
erhoben war, vom Zeus das Schreckblid eines über dem Haupte han-
genden Felsens vorgestellt worden. Wie sich die Verlegung dieser
Strafe in die Unterwelt und überhaupt die Sage entwi·kelt, wird ausführlich dargelegt. In Bezug auf das zweite Fragment Athen. XI·p.
498 werden die Gründe angeführt, warum die von Fiorillo herrüh-
rende, bis jetzt von allen gelehrten gebilligte Conjectur λεόντεον γάλα
zu verwerfen scheine und nur an einen die Form eines Löwen habenden Käse gedacht werden könne. Für das Partic. wird σπαθαλεῖσα
vermuthet). — O. Ribbeck: Bemerkungen zu Ennius (S. 265—292:
nicht nur werden zu vielen einzelnen Fragmenten ·der Annalen Emendationen vorgeschlagen, sondern auch über den Platz vieler und die
Gestaltung des Gedichts von Vahlen, dem hohes Lob gespendet wird,
abweichende Ansichten aufgestellt. Interessant sind die Zusammenstellungen über das, was Vergil aus Ennius entlehnt habe. Ueber das
Gedicht Scipio, dem trochaeisches Metrum vindiciert wird, und die
innere Beschaffenheit der Satiren wird gehandelt und am Schlusz ein
Versuch mitgetheilt das ganze Capitel des Gellius II 29 in Verse zu-
rückzuübertragen). — Bernays: ein Schreiben über Trogusfrag-
mente (S. 293—298: es wird nachgewiesen dasz das fragm. 30 p. 27
bei Bielowski, das Osann in diesen Jhrbb. LXX S. 1 für ein echtes erklärt, wie auch 31, aus Aretinus de bello Italico adversus Gothos
entlehnt seien). — K. Schwenck: lateinische Etymologien (S. 298
—300: vitricus wird auf ein Substantiv viter = ἔτης, vesci auf ἀσκεῖν,
viscera auf ἀσκός, luridus auf gluridus χλωρός χλοερός, ponere (posno)
auf ποιεῖν zurückgeführt). — Enger: zur Kritik und Erklärung des
Aeschylus (S. 300—303: Aesch. Agam. 201 wird ξυμμαχίας θ᾽ ἁμαρ-
τῶν, 261 ἄπτερος φάσις, 641 ἐξέκλεψε κἀξηγήσατο. 653 γήμεῖς γ᾽ ἐκεί-
νους conjiciert). — K. Schwenck: zu verschiedenen Schriftstellern
(S. 303—310: Eurip. Dan. Stob. 64: ἐν τοῖς δ᾽ ἔχουσιν ἠλίκος πέφυχ᾽
ὅδε. Theocr. Idyll. VIII werden der 16e u. 20e Vers für eingeschoben
erklärt, Stob. Florileg. 64 1 emendiert: ἢ τοῖς ἀναγκαίοις γένει πε-
φυκόσι; sodann eine Reihe Verbesserungsvorschläge zu Hesychius mitgetheilt, endlich Horat. Sat. I 1 108 vorgeschlageu: Unde abii redeo.

Nemo qui fit ut auarus se probet). — Aebi: zu Tacitus Ann. IV 29
extr. (S. 310—312: es wird vorgeschlagen: *neque ii mobiles quamvis
diversi sententiis).* — R. D.

Berichte über gelehrte Anstalten, Verordnungen, statistische Notizen, Anzeigen von Programmen.

BAMBERG [s. Bd. LXX S. 345]. Am königl. Lyceum war im vergangenen Schuljahre keine Veränderung vorgegangen. Die Zahl der
Candidaten betrug in den drei theologischen Cursen 33, im philosophischen 19. Aus dem Lehrercollegium des Gymnasiums wurde der Studienlehrer Mayring nach Amberg, der Studienl. Hannwacker naeh
Dillingen versetzt. Es starb der Musiklehrer Jungengel und ward
der Zeichenlehrer Krug wegen seiner Anstellung an der Landwirth-
schafts- und Gewerbschule seines Unterrichts enthoben. Das Lehrerpersonal bestand demnach aus dem Studienrector Prof. Dr. Jos. Gutenäcker, den Gymnasialprofessoren Dr. Habersack, Leitschuh,
Schaad und Rorich (Priester und kathol. Religionslehrer), den Studienlehrern Kober, Romeis [Priester, von der Lateinschule zu Ham-
melburg hierher versetzt], Weippert [aufgerückt], Pröpst und
Schrepfer [aufgerückt], Priester Wagner [kath. Religionslehrer für
die Lateinschule], den protest. Religionslehrern Decan Bauer und Vicar Böhner, dem Gymnasialassistenten Cand. Zeiss, dem Lehrer der
franz. Sprache Franz Gendre [aus Freiburg in der Schweiz, vor-
mals Advocat], dem Lehrer der hebr. Sprache geistl. Rath und Prof.
Dr. Martinet, Religionslehrer für die Israëliten Rosenfeld, Ge-
sang- und Musiklehrern Dietz und Ludwig [beide neu angestellt],
Zeichenlehrer Deininger, den Schwimm- und Turnlehrern Oberl.
Galimberti und Leut. E. Burger, dem Cand. der Philol. Jos.
Stenger (für Stenographie). Die Schülerzahl betrug 354 (G. 137,
IV: 35, III: 32, II: 31, I: 38, Lat. Sch. 217, IV: 44, III A: 30, III B:
31, II: 54 [in 2 Coetus], I: 58). Den Schulnachrichten ist beigegeben
vom Studienrect. Prof. Dr. Gutenäcker: *geschichtlicher Bericht
über die Kasse für erkrankte Gymnasiasten und Lateinschüler* (18 S. 4).
Ist es schon an und für sich erfreulich das allmähliche entstehen und
gedeihen einer wohlthätigen Anstalt zu beobachten, so gewinnt der
vorliegende Bericht noch an Interesse durch die vielfachen Winke,
welche er für die Verwaltung und Bildung ähnlicher Institute enthält.
BLANKENBURG]. Der Lehrplan des dasigen herzogl. Gymnasiums
erlitt Mich. 1854 insofern eine Veränderung, als eine Stunde in I dem
geschichtlichen, in III dem mathematischen Unterrichte entzogen und
beide dem lateinischen zugelegt wurden. Das Lehrercollegium bestand
Ostern 1855 aus dem Direct. Prof. Dr. Müller, Conr. Wiedemann,
den Oberlehrern Dr. Lange, Volkmar, Berkhan, Dr. Hans-
dörffer [Collaborator, 6. Decbr. 1854 zum Oberlehrer ernannt], Pastor
Dr. Hoffmeister [schied Ostern 1855 aus, um das Pfarramt in Wienrode anzutreten] und Organist Sattler. Die Schülerzahl betrug 80
(I: 11, darunter 4 Schulpraeparanden, II: 14, III: 26, IV: 29), Abiturienten waren 4. Den Schulnachrichten voraus geht die Abhandlung
des Oberlehrers Volkmar: *über die Stellung, welche dem Unterricht
in den neueren Sprachen im Gymnasium gebührt* (16 S. 4). Wenn
auch der Hr. Verf. hauptsächlich die Stellung der neueren [auf dem

Haupttitel ist dies Wort nur durch ein Versehen ausgefallen] Sprachen zum Gegenstande seiner Erörterung nimmt, so hat er doch auch selbstverständlich wie den Zweck und das Wesen des Gymnasiums im allgemeinen, so besonders die alten Sprachen in den Bereich seiner Untersuchung gezogen und man kann der Einsicht und Besonnenheit, mit welcher dies geschehen, Lob und Beifall nicht versagen, vielmehr begrüszen wir die Entwicklung, dasz und warum die alten Sprachen den einheitlichen Mittelpunkt bilden müssen, mit lebhaftem Danke. Nur mit der einen Behauptung, dasz das Griechische eine verkehrte Stellung einnehme, dem Lateinischen vorangehn und immer vor ihm den Vorrang behaupten solle, vermag Ref. nicht sich einverstanden zu erklären. Zwar ist sie eine Consequenz des von dem Hrn. Verf. aufgestellten historischen Princips, zwar wünschen auch wir dem Studium des Griechischen einen weiteren Raum gegeben, als in den Lehrplänen der meisten Länder der Fall ist, aber wenn auch die historische Stellung der alten Völker einen wesentlichen Factor für den Beweis des Vorzugs der alten Sprachen vor den neueren bildet, so hat dies Princip doch nicht die zwingende Kraft, die paedagogischen Gründe gänzlich zu beseitigen. Ihm geschieht Genüge, wenn eben die bei aller Verschiedenheit im einzelnen doch im ganzen eine Einheit darstellende Bildung der alten Völker den Ausgangspunkt bildet; wenn aber die Paedagogik den Weg sucht, auf welchem am besten und sichersten in dieses Gebiet eingedrungen wird, so erfährt es nicht nur keine Verletzung, sondern wirksame Durchführung. Wie man sich um des historischen Princips willen nicht so leicht entschlieszen wird, entschieden richtigen und gewichtigen paedagogischen Grundsätzen entgegen den griechischen Unterricht mit dem Homer zu beginnen und von dem schwankenden und mannigfaltiger gestalteten erst zu dem fest geregelten und vereinfachten im attischen Dialekt fortzuschreiten, so wird man auch nicht ohne weiteres den wenn auch ursprünglich aus anderen Gründen eingeschlagenen, doch durch die Paedagogik und die Erfahrung gerechtfertigten Weg verlassen, vielmehr auch ferner mit dem einfacheren Latein beginnen und auch ferner an ihm diejenigen Geistesübungen vorzüglich vornehmen, für die es seiner inneren Natur nach geeigneter ist, als das Griechische. Bei der Frage nach der Stellung des Unterrichts in der Muttersprache kommt es vor allem darauf an, den Zweck desselben scharf zu bestimmen. Betrachtet man als solchen den richtigen und gewandten Gebrauch in der Form, welche historisch geworden jetzt die in der Schrift und unter den gebildeten allgemein hersehende ist, so wird man ihn allerdings nicht in zweite Linie stellen dürfen, vielmehr anerkennen müssen, dasz er allen andern formellen voransteht; aber ganz andere Fragen sind, wie dieser Zweck am besten erreicht wird, ob durch den gesamten Unterricht und schriftliche und mündliche Uebung nebst mustergiltiger Lectüre oder durch Einführung in den historischen Entwicklungsgang der Sprache, durch eine philosophisch-systematische Grammatik, durch Theorie der Stilistik, Rhetorik, Poëtik, ob die Muttersprache sich eignet, an ihr den Geist zu üben, wie an den alten Sprachen, und wie weit die Einführung in die heimische Litteratur vom Bildungszwecke des Gymnasiums gefordert wird. In diesen Beziehungen allein wird man mit Recht die Muttersprache in zweite Linie stellen können. Nicht ganz einverstanden ist Ref. mit dem, was der Hr. Verf. über die Stellung der neueren Sprachen sagt. Will man dieselben nur als etwas von der Zeitrichtung den Gymnasien aufgedrängtes, was nur deshalb beizubehalten sei, damit man nicht mit jener in zu schroffen Widerspruch gerathe, betrachten, so wird man in ein kaum entwirrbares Dilemma gerathen, entweder der Forderung der Zeit auch vollständig Rechnung tragen zu müssen,

35 *

oder vom besten und edelsten hinzugeben, ohne doch etwas werthvolles und anerkanntes dafür zu erkaufen, ein Verhältnis, welches dem Lehrer nie Ruhe und Befriedigung lassen kann. Es ist vielmehr die Frage aufzuwerfen, ob die Bildungsaufgabe des Gymnasiums bei gänzlicher Ausschliesung der neueren Sprachen gelöst werden kann, und von der Beantwortung derselben das weitere abhängig zu machen. Wird sie verneint, — und wir denken es lassen sich gewichtige Gründe dafür anführen, vor allem der sachliche, dasz nachdem die neueren Sprachen sich zur Classicität emporgearbeitet und ein bestimmtes Culturmoment in ihnen zur sinnlichen Erscheinung getreten, die Anschauung davon dem gebildeten nicht fehlen dürfe, und der paedagogische, dasz die Gewinnung dieser Anschauung der Jugend vor dem Beginn des eigentlichen wissenschaftlichen Studium zufalle, an der Muttersprache aber weniger gut, als an einer fremden erreicht werde, — wird also die Aufnahme auf das Wesen des Gymnasiums selbst begründet, so ergibt sich daraus von selbst 1) dasz die dem Leben dienende Sprechfertigkeit nicht Ziel sein kann, — ein Punkt den der Hr. Verf., freilich in einigem Widerspruch mit seiner Voraussetzung, recht gut erörtert, — vielmehr nur die Erkenntnis des der Sprache inwohnenden Geistes, hauptsächlich in Vergleichung mit den alten Sprachen, es wird dann aber auch 2) die von der nothwendigen Rücksicht auf Einheit und Concentration unabweisbar aufgedrängte Frage der Entscheidung näher geführt, ob zwei neuere Sprachen aufzunehmen seien oder éine zu dem im Wesen des Gymnasiums gegebenen, nicht von der Zeitrichtung aufgenöthigten Zwecke genüge und welche von den beiden wichtigsten modernen Cultursprachen, die französische oder englische, dazu gebraucht werden müsse. Ref. entscheidet sich unschwer für éine und zwar für die französische, die vor der englischen eine geringere Anzahl von verschiedenen ineinander vermischten Elementen und eine gröszere Verschiedenheit von der deutschen Muttersprache voraus hat. Ueber die Methode des Unterrichts sagt der Hr. Verf. viel gutes und beachtungswerthes. Wir sind besonders fest überzeugt, dasz man über die geringen Erfolge des Unterrichts, über das verhalten der Schüler und übrigen Lehrer zu ihm nicht so viele Klagen hören würde, wenn man immer denselben als organischen Bestandtheil betrachtete, und nicht die Beibringung aller Feinheiten, die Einführung in die Litteratur und in Folge davon eine fortwährend chrestomathische Lectüre zum Zielpunkte nähme statt grammatisch-strenge Sicherheit ünd gröszere Vertrautheit mit wenigen, aber recht charakteristischen Schriftstellern zu erstreben. Wenn der Hr. Verf. seinen Principien gemäsz über den Unterricht den Grundsatz aufstellt: 'möglichst spät und möglichst wenig', so geben uns manche Bedenken bei. Wie viel unter 'möglichst wenig' zu verstehn sei, das hat er freilich erklärt, und das 'möglichst spät' jedenfalls von den obern Klassen verstanden wissen wollen. Allein gerade in diesen, wo die ganze Bildung ihrer Vollendung zuzuführen ist, die Wirksamkeit des Unterrichts die intensiveste, der selbständige Fleisz der anhaltendste und auf immer nur éins gerichtet sein musz, bietet der Hinzutritt eines neuen Gegenstandes manche Besorgnis, zumal wenn man bedenkt, dasz der in anderem schon vorgeschrittene Jüngling weniger Neigung besitzt noch einmal mit Elementen sich abzumühen. Demnach würden wir vielmehr dafür sein, den Unterricht in der neueren Sprache nicht zu spät zu beginnen. Da Ref. sich gegen die Aufnahme des Englischen in die Zahl der Unterrichtsgegenstände erklärt hat, so läszt er die Ansicht des Hrn. Verf., dasz in der obersten Klasse Shakespeare gelesen werden soll, unerörtert, und nur noch éins fügen wir hinzu: zur Beruhigung des Hrn. Verf., dasz die Klosterschulen wenigstens in unserem Lande, wie die Frequenz bezeugt, sich noch immer des Vertrauens der verständigen erfreuen, aber dagegen dasz unserem ermessen nach das Gymnasium, wenn es an idealer Reinheit verliert, sich nicht damit trösten könne, wie das gedeihen der Menschheit auch dadurch wesentlich gefördert werde, wenn viele an wahrhaft humaner Bildung Theil haben und eine gleiche Art des denkens und empfindens in verschiedenen Ständen ihre Vertreter finde. Ja wenn diejenigen, welche zu andern Berufsarten, als den wissenschaftlichen, übergeben, die volle Gymnasialbildung sich aneigneten, würde man diesen Trost fassen können; wenn bei allen Ständen die rechte Schätzung dieser Bildung vorhanden wäre, würde es besser stehn, jetzt ist vielmehr halbe oberflächliche Bildung zu besorgen und diese hat nie gutes gebracht. Wir scheiden von dem Hrn. Verf. mit voller Anerkennung seines strebens und seiner Leistung. *R. D.*

BRANDENBURG]. Dem Osterprogramm des dasigen Gymnasiums ist beigegeben die Abhandlung vom Pror. Dr. Rich. Bergmann: *de Asiae Romanorum provinciae civitatibus liberis* partie. I (8 S. 4).

ERFURT]. Das königliche Gymnasium zählte Ostern 1855 215 Schüler [I: 20, II: 28, III: 40, IV: 48, V: 53, VI: 26] und entliesz 8 Abiturienten zur Universität. Im Lehrerpersonal war keine Veränderung eingetreten. Den Schulnachrichten beigegeben ist die Abhandlung des Prof. Dr. J. D. W. Richter: *letzte Unterhandlungen des Königs Jacob von England mit dem Könige Philipp III von Spanien über die Zurückgabe des Pfälzer Kurthumes an den Kurfürsten Friedrich* (20 S. 4). Abgesehen davon, dasz auf dem Titel *Philipp III* statt *IV*, und in der Abhandlung selbst mehrmals die Schwester mit der Tochter Philipps IV vertauscht ist, enthält die Abhandlung eine genaue und actenkundige Darstellung des Thatbestandes, bei der man nur eine Berücksichtigung der Ansichten und Darstellungen anderer vermiszt. Die von vielen Geschichtschreibern aufgestellte Behauptung, dasz Frankreichs Einflusz der Verschwägerung zwischen dem spanischen und englischen Hofe entgegengewirkt habe und zwar mit bestem Erfolge, hätte wol in der Kürze wenigstens entweder als wolbegründet, oder als unbegründet, je nachdem die Forschungen des Verf. das Resultat herausgestellt, bezeichnet werden sollen. Am meisten Anstosz nehmen wir an dem Stile des Hrn. Verf., von dem wir nicht wissen, ob er eine Nachahmung des steifen Curialstiles oder der Ueberschwänglichkeit und Unbeholfenheit der Chroniken sein soll. Auf jenes scheinen uns die immer wiederkehrenden vollständigen Titel zu führen. *R. D.*

ERLANGEN]. Die Festrede, mit welcher der Hofr. Prof. Dr. L. Döderlein im Namen der Universität Se. Majestät den König begrüszte, ist im Drucke erschienen (Erlangen Druck v. Junge u. Sohn 15 S. Fol.). Auszer den Tugenden, welche, wie allgemein bekannt, alle Döderleinsche Reden schmücken, tritt hier die Herzlichkeit und Gemüthlichkeit, natürlich der Gelegenheit entsprechend, noch lebendiger hervor. Die Rede hat zum Thema: den deutschen Sinn beim Studium der Wissenschaften und setzt diesen gemäsz den Worten des Dichters: Was ihr auch treibt, das treibet mit Ernst und mit Liebe! die beiden stehen dem Deutschen so schön, den ach! so manches entstellt, in den Ernst und die Liebe. Der Ernst erzeugt die Wahrheitsliebe mit ihrer Tochter der Gründlichkeit, und die Gerechtigkeit mit ihrem Kinde der Treue, die Liebe durchdringt alles dies und fügt die Heiterkeit und Gemüthlichkeit hinzu. Indem wir die Lectüre dieser Rede als recht erquicklich jedem anrathen, machen wir auch auf die von demselben gedichtete Festode aufmerksam, welche ganz und gar den vertrauten des Horaz zeigt. *R. D.*

FRANKFURT a. M.]. Zu dem, was wir oben S. 262 über das dasige Gymnasium berichtet haben, tragen wir auf den Wunsch des betreffenden Lehrers nach, dasz das Turnen zwar für die drei oberen Klassen vorerst nicht obligatorisch ist, doch bei weitem die gröszere Zahl der Schüler sich dabei betheiligt hat.

FREISING]. Das Programm des k. Lyceum, Gymnasium und der lateinischen Schule zum Schlusse des Studienjahrs 1854/55 enthält vom Rector des Lyceums Geistl. Rath und Prof. Schast. Freudensprung: *die im I Tomus der Meichelbeckschen Historia Frisingensis aufgeführten im Königreich Bayern gelegenen Oertlichkeiten.* Erste Hälfte (48 S. 4). Wer nur einigermaszen eingehend sich mit der Geschichte des Mittelalters beschäftigt hat, wird die grosze Schwierigkeit kennen, welche die Ortsnamen bereiten, und doch ist ohne genaue Ermittelung der Orte weder die klare Erkenntnis einzelner Facta, noch die Bestimmung der Territorien, noch die Anschauung von der Beschaffenheit der Länder möglich. Die Ermittelung aber hat darum ihre groszen Schwierigkeiten, weil nach einer ziemlich einfachen, correcten und verläszlichen Ueberlieferung seit dem Anfang des 11n Jahrhunderts eine ausartende, willkürliche, verunstaltende folgt und dann seit dem 14n Jahrhundert an deren Stelle eine durch amtliche und doctrinelle Einflüsse bestimmte tritt, aus der allmählich die jetzige Schreibung entstanden [vgl. den Hrn. Verf. S. 4]. Dazu treten noch andere erschwerende Umstände. Dasz nur genaue Untersuchungen, auf engere Kreise beschränkt, allmählich den Boden ebnen können, um darauf ein tüchtiges Gebäude der mittelalterlichen Topographie und Statistik aufzuführen, erkennt jeder und wird daher dem Hrn. Verf. der vorliegenden Schrift von Herzen dankbar sein, dasz er mit wahrhaft staunenswerther Gelehrsamkeit und eifrigem Fleisz, mit der gröszten Umsicht und Besonnenheit alle Ortsnamen aus einem der mit Recht geschätztesten Urkundenwerke zu untersuchen begonnen hat. Wen die Geschichte weniger als die Entwicklung der deutschen Sprache interessiert, wird hier ebenfalls ein reiches Material finden. Die Einrichtung ist folgende: In dem tabellarischen Verzeichnisse enthält die erste Columne die alten Namen, zuerst die ältesten Formen, dann durch den Druck unterschieden die späteren. Beigefügt ist, wo es thunlich war, aber in den allermeisten Fällen die etymologische Deutung. In der zweiten Columne werden die heutigen Namen, in drei folgenden die Eigenschaft, die Pfarrei und das Landgericht angegeben, die beiden letzten endlich bieten das Jahr des frühesten vorkommens und die Stellen der Urkundensammlung. Anmerkungen unter dem Texte erläutern einzelne Punkte und eine Einleitung gibt von den befolgten Grundsätzen und benützten Werken Rechenschaft. Dieselbe enthält auch ein Verzeichnis der Bischöfe von 730—1226. Möge die höchst werthvolle Arbeit, deren Vollendung bald erfolgen wird, die verdiente Beachtung finden und für viele ein Antrieb und Muster zu ähnlichen werden.   R. D.

GERA]. Das Lehrercollegium des dasigen Gymnasiums [eines Theiles der fürstlichen Landesschule] hat im letztverflossenen Schuljahre mehrfache Veränderungen erlitten. Nachdem der Hauptlehrer der IIn Progymnasialklasse Adjunct Züger in die IIIe Bürgerschulklasse übergegangen war, erhielt seine Stelle der vorher an der höheren Erziehungsanstalt zu Fellin in Livland wirkende Candidat Dr. Heinr. Herm. Göll. An die Stelle des Schreiblehrers Funger trat dessen jüngerer Bruder, und als der Hauptlehrer der Jn Progymnasialklasse Subconrector Beatus in ein Pfarramt getreten war, wurde seine Stelle mit dem Praedicat Adiunctus dem Katecheten Berends übertragen. Die Schülerzahl betrug Ostern 1855 [das Programm ist zum 1n Juli als Einladung zum Heinrichstage ausgegeben]: 189 (I: 11, II: 10, III: 23, IV: 37. Prog. I: 57, II: 51), Abiturienten waren Mich. 1854 5,

Ostern 1855 2. Den Schulnachrichten voraus geht die Abhandlung vom Conr. Bretschneider: *die drei Systeme der deutschen Grammatik und ihr Verhältnis zu einander und zum Schulunterricht* (20 S. 4). Dieselbe stellt die drei Systeme: das empirische oder praktische (Adelung), das philosophische (logische) oder rationelle (Becker), und das historische (J. Grimm) in ihren Principien und Durchführungen nebeneinander und entscheidet sich unter gänzlicher Verwerfung des ersten für eine Verbindung der beiden letzten, welche Verbindung aber weniger eine gänzliche Durchdringung als eine Nebeneinanderstellung ist, indem, nachdem die Sprache in ihrem logischen Organismus kennen gelernt ist, auf einer dritten Stufe dieselbe in ihrer historischen Entwicklung dargestellt werden soll. Sie ist eigentlich eine Vertheidigung des Beckerschen Systems gegen die vielen Angriffe, aber auch vielfachen Verunstaltungen und misbräuchlichen Anwendungen, welche es erfahren hat. Je häufiger viele blindlings in verwerfende Urtheile einstimmen, statt selbst prüfend ein eigenes sich zu gewinnen, um so verdienstlicher ist die hier gegebene klare und bündige Darstellung von der inneren Berechtigung der Beckerschen Betrachtungsweise und von dem guten, was durch dieselbe der Wissenschaft bleibend gewonnen ist. Auch rücksichtlich der paedagogischen Frage hat die Abhandlung das Verdienst, die Discussion von neuem angeregt und durch die Prüfung der Gründe für und wider einer allseitig begründeten und befriedigenden Lösung näher geführt zu haben. Erkennen wir dies vollständig an, so fürchten wir um so weniger von dem Hrn. Verf. verkannt zu werden, wenn wir uns für die Ueberzeugung, dasz ein nach seinen Grundsätzen ertheilter grammatischer Unterricht in der Muttersprache wirklich ein Bedürfnis und wirklich so fruchtbar sei, nicht gewonnen erklären, nicht als ob wir der Ansicht wären, es könne der deutsche Unterricht jedes grammatischen Elements entbehren, als müsse nicht manche Regel für den Gebrauch gegeben, und manche Erscheinung in ihrer Bedeutung und Entstehung aufgezeigt werden (wir fordern auf das entschiedenste von dem Lehrer der deutschen Sprache ein sorgfältiges und gründliches Studium auch der Beckerschen Grammatik und erkennen den Vortheil, den es ihm für seinen Unterricht gewähren wird, vollkommen an), sondern weil uns eine solche systematische Behandlung weder der Natur der Jugend, noch dem Zwecke des Unterrichts zu entsprechen scheint. Wol beruft sich in Bezug auf das erstere der Hr. Verf. auf Erfahrungen, namentlich die von Becker selbst gemachten, allein es liegt solchen Erfahrungen doch häufig Täuschung zu Grunde, indem man einmal den von dem Lehrer ausgeübten Zwang, der gar nicht in Anwendung von Zuchtmitteln besteht, sondern auf der Persönlichkeit und dem natürlich gegebenen Verhältnisse, sowie der reflexionslosen Hingebung des Schülers beruht, zu gering, andererseits den unmittelbar sichtbaren Erfolg, die Sicherheit in der Beantwortung von Fragen, das anwenden und finden aus dem gegebenen zu hoch anschlägt. Dasz die Jugend über das, was sie schon kann, nicht gern reflectiert, ist tief in ihrem Wesen begründet, und wenn trotzdem einzelnen Lehrern gelungen ist, dasselbe zu überwinden, so ist damit weder die Erfahrung anderer über die natürliche Abneigung widerlegt, noch die Nothwendigkeit jener Ueberwindung zu Erzeugung eines wirklich gesunden geistigen Wesens erwiesen. 'Eine tiefere Erkenntnis des inneren Wesens und Lebens der Muttersprache' scheint uns — wir sprechen es aus selbst auf die Gefahr hin für einen trockenen und noch weit rückwärts stehenden Schulmann gehalten zu werden — bei der Jugend unmöglich, und selbst wenn wir eine der Jugendkraft angemessene Erkenntnis darunter verstehen wollen, immer können wir keine rechte Vorstellung von der

Möglichkeit gewinnen. Und was am Schlusse der Hr. Verf. mit Lehmanns Worten sagt: 'damit ist die Sprache zu neuem Leben wiedergeboren, die Pforten zum innersten Heiligthum aufgethan, der Sprachgeist ist entfesselt, die Sprachwelt liegt in sonniger Klarheit vor dem erstaunten Blicke, das geheimste walten des Geistes ist der Erkenntnis blosz gelegt, seine leisesten Schwingungen sind dem lauschenden Ohre vernehmbar und verständlich, es offenbart sich éin Geist in den verschiedenen Zungen, éin Gesetz in allen Formen, dasselbe in allen Gestaltungen', das glauben wir selten bei Männern voraussetzen zu dürfen, bei der Jugend nie. Auch können wir die Leichtigkeit, welche der Hr. Vf. in vielem sieht, nicht anerkennen und haben selbst von begeisterten Anhängern und gründlichen Kennern der Beckerschen Methode das Geständnis gehört, wie schwer es sei einzelnes, z. B. den Begriff 'Satzverhältnis', klar zu machen. Sehen wir aber auf den Zweck, wie ihn der Hr. Vf. gröstentheils in Uebereinstimmung mit Müllenhof bestimmt: 'zunächst den Schüler zu einem richtigen und würdigen Gebrauch seiner Muttersprache anzuleiten und seinen Sinn und seine Fähigkeit dafür in einem seiner übrigen Ausbildung entsprechenden Verhältnisse naturgemäsz zu entwickeln, dann den scheuen Trieb nach individueller Gestaltung seines geistigen Eigenthums in ihm zu stärken und herauszubilden, endlich mit der immer weiteren und tieferen Erkenntnis des eigenthümlichen Wesens und Genius seiner Muttersprache an eignen, an das Studium der Klassiker und der Litteratur derselben sich anschlieszenden Abstractionen Liebe und Freudigkeit in ihrem Gebrauche zu begründen', so finden wir darin geradezu gar nichts, was einen systematischen Unterricht forderte. Denn Anleitung zum richtigen und würdigen Gebrauche, zumal in dem der übrigen Ausbildung entsprechenden Verhältnisse — hat man doch stets die Logik selbst erst in der obersten Klasse gelehrt — erscheint uns nicht eine philosophische Zergliederung des Sprachorganismus, sondern Uebung durch Lectüre, Wort und Schrift unter Entwöhnung des unrichtigen und Nachbildung des mustergiltigen zu fordern; das Studium der Litteratur wird doch gewis nicht in einem zergliedern naeh der philosophischen Grammatik bestehn sollen und den eigenthümlichen Genius der Muttersprache lernt der Schüler durch die Vergleichung mit fremden Sprachen ohne bis in logische Abstractionen sich verlierende Zersetzungen kennen. Ref., dem es nur um eine gedeihliche Förderung des Gymnasialunterrichts zu thun ist, möchte namentlich éine Frage durch die Erfahrung beantwortet sehen: Hat sich herausgestellt, dasz, wo die deutsche Grammatik nach Beckerschem Systeme gelehrt wurde, die Schüler wirklich leichter, richtiger, und mit deutlicherer Darlegung eines individuell charakteristischen Stils die deutsche Sprache schrieben und sprachen? Seine eigenen Erfahrungen haben ihn das Gegentheil gelehrt, dasz gerade Schüler, welche in Zergliederung und Bildung von Sätzen und in der Unterscheidung der Formen geübt waren und beim antworten sehr gut bestanden, gleichwol, als ihnen eine vorgetragene einfache und kurze Erzählung niederzuschreiben aufgegeben ward, wenige Sätze richtig bildeten, woraus er sich die Lehre entnahm, wie schwer es doch der Jugend werde, die auf Reflexion gegründete Einsicht praktisch anzuwenden. Damit stimmt eine andere Erfahrung. Wenn man über die Abnahme der Fertigkeit im schreiben und einer sichern, leichten und gewandten Uebersetzung des Lateinischen klagt, so führt man zwar mit vollem Rechte die Ueberhäufung mit Unterrichtsgegenständen an, aber wenn man tiefer eingeht und namentlich die Frage, ob denn die erreichte Fertigkeit mit der noch immer aufgewandten Zeit und Kraft in Verhältnis stehe, verneinen musz, so wird man auf das gewiesen, was schon viele ausgesprochen haben, dasz gerade die systematische Grammatik, die auf Reflexion sieh gründende und hinarbeitende Lehrmethode davon einen groszen Theil der Schuld trage. Aufrichtig danken wir dem Hrn. Vf. für die vielfache Anregung, die uns seine Schrift gegeben hat, und für vieles, was wir aus derselben, wenn wir auch mit einigem nicht einverstanden sein konnten, gewonnen.

R. D.

HAMBURG]. Das im J. 1833 nach längeren Verhandlungen, welche die Existenz der Anstalt eine Zeit lang in Frage zu stellen schienen, neu organisierte akademische Gymnasium hat im J. 1854 eine neue, erweiterte Einrichtung bekommen, von welcher das ausnahmsweise Michaelis v. J. ausgegebene Programm des Prof. und d. z. Rectors C. F. Wurm, dem als wissenschaftliche Abhandlung der Vortrag von Prof. Chr. Petersen über die Bedeutung mythologischer Darstellungen an Geschenken bei den Griechen (28 S. 4) beigegeben ist, nähere Mittheilung macht. Es ist bekannt, dasz die Lehrer dieser Zwischenanstalt zwischen Gymnasium und Universität, die nunmehr den officiellen Namen 'hamburgisches akademisches und Real-Gymnasium' führt, die Wirksamkeit derselben jederzeit so gemeinnützig wie möglich zu machen bemüht gewesen sind. Insbesondere haben sie auch durch öffentliche Vorträge in weiteren Kreisen des gebildeten Publicums zu wirken gesucht; und da zwei in der Stadt vorhandene Vereine, die Gesellschaft zur Beförderung des vaterländischen Schul- und Erziehungswesens und der schulwissenschaftliche Bildungsverein, die mancherlei Bildungs- und Unterrichts-Interessen der groszen Stadt zum Gegenstande ihrer Fürsorge gemacht haben, so ist aus allem diesem eine Reihe der schätzbarsten Privatbestrebungen erwachsen, die es wol verdient haben, sich an einen festeren Mittelpunkt anzulehnen, bis einmal die Keime zu gröszeren Kräften, die darin schlummern, zu einer mehr vollständigen und organischen Entwickelung gediehen sind. Denn allerdings können wir, wie das Programm des Hrn. Prof. Wurm solches auch anzudeuten scheint, die gegenwärtige Gestaltung nur für einen Uebergangsmoment halten, bei dem es nicht sein verbleiben haben wird. Wenn es auch fraglich erscheinen kann, ob der Plan einer Universität in Hamburg, der vor Jahren von manchen Seiten her und nicht ohne Grund mit Lebhaftigkeit aufgefaszt und verhandelt wurde, und für den in gegenwärtiger Zeit die absichtliche Verkümmerung der benachbarten Kieler Universität einen neuen Anknüpfungspunkt schiene bieten zu können, doch mit den übrigen Interessen und Lebensverhältnissen einer groszartigen Handelsrepublik in rechtem Einklange stehen möchte: so kann man doch, auch nach der gegenwärtigen Gestaltung der in Rede stehenden Mittelanstalt mit Bestimmtheit das Bedürfnis namentlich einer höheren Gewerbschule, eines Schullehrerseminars u. s. f. nachweisen und deren frühere oder spätere Ausführung vorherverkündigen. Die bis jetzt gemachten Versuche, die einem entschieden vorhandenen Bedürfnisse entgegenkommen und das Bewustsein desselben nur noch mehr zu wecken geeignet sind, werden gerade die Fürsorge des Staats auf alle diese Gegenstände hinleiten, denselben zu einer zusammenfassenden, einheitlichen und organischen Gestaltung seines ganzen, für die Zukunft desselben so unbeschreiblich wichtigen, Schul- und Bildungswesens und zur Anordnung einer technischen Aufsicht und Leitung desselben treiben. In diesem Sinne und mit dieser Aussicht dürfen wir gewis dasjenige, was nunmehr geschehen ist, d. h. was eigentlich schon längere Zeit freiwillig gethan, jetzt aber von der Staatsregierung gut geheiszen worden ist, mit Freuden begrüszen. In Folge dieser neuen Einrichtung, die lediglich auf die Hülfe und Unterstützung freiwilliger Kräfte, ohne jegliche Vermehrung des Lehrerpersonals, basiert ist, sind einige statutarische Bestimmungen erlassen worden, aus denen die Tendenz des ganzen Instituts nach manchen Seiten hin klarer wird. Was bis jetzt übrigens an freiwilligen Kräften hiebei wirksam geworden ist, hat dem gröszeren Theile nach die Ausbildung künftiger Lehrer vorzugsweise ins Auge gefaszt und dient also dazu den Mangel eines eigenen, öffentlichen Lehrerseminars für Stadtschulen zu ersetzen. — § 6 der Gesetze, der die Aufnahme und Verpflichtungen der Gymnasiasten betrifft, hat eine neue Fassung erhalten. 'Jeder, der, um sich zum Gelehrtenstaude vorzubereiten, als Gymnasiast aufgenommen zu werden wünscht, musz zuvörderst dem Rector über sein bisheriges lernen und betragen durch die erforderlichen Zeugnisse genügende Auskunft geben, und entweder ein vollgiltiges Zeugnis seiner Reife beibringen, oder sich durch eine Prüfung in den alten Sprachen, in Geschichte, Mathematik, ein angebender Theologe auch im Hebraeischen als hinreichend vorbereitet ausweisen. Diese Prüfung wird, in Gegenwart von Mitgliedern der Gymnasial-Deputation und des Rectors, von einigen Professoren gehalten. Diejenigen, welche vom Johanneum zum Gymnasium übergehen wollen, werden nur, wenn sie wenigstens ein Jahr in Prima gesessen haben, zum Examen admittirt. Die Gymnasial-Deputation kann in besonderen Fällen davon dispensieren. Der Cursus dieser Gymnasiasten wird auf ein Jahr bestimmt; sie sind verpflichtet, sich besonders bei ihrem Eintritt in das Gymnasium mit einem der Professoren über ihre Studien zu berathen.— Andere Jünglinge, die auch an nicht öffentlichen Vorlesungen der Professoren Theil zu nehmen wünschen, um sich etwa für den Besuch einer polytechnischen Schule oder einer ähnlichen höheren Lehranstalt oder unmittelbar für das praktische Leben vorzubereiten, sind ebenfalls verpflichtet, sich bei dem Rector zu melden, sich über ihre bisherigen Studien und über ihr betragen auszuweisen, und sich als Gymnasiasten einschreiben zu lassen.' — Auszerdem ist ein Regulativ für die von Nicht-Professoren des Gymnasiums in den Localen desselben zu haltenden Vorlesungen erschienen, woraus wir folgende Bestimmungen hervorheben: '1) Mitglieder E. Ehrwürdigen Ministeriums, Professoren und ordentliche Lehrer der Schulen des Johanneums, Secretäre der Stadtbibliothek und andere Gelehrte, die ein öffentliches Amt bekleiden, bedürfen, um Vorlesung in den Hörsälen des Gymnasiums halten zu können, lediglich der Befugung des Herrn Protoscholarchen, welcher sich mit dem jedesmaligen Rector des Gymnasiums über die Zeit verständigen wird, damit keine Collisionen mit den Vorlesungen der Professoren entstehen. Im Fall der Herr Protoscholarch auch in solchen Fällen bedenken trägt, auf das Gesuch einzugehen, bringt er die Sache an die Gymnasial-Deputation. 2) Andere hiesige und fremde Gelehrte wenden sich, wenn sie solche Vorlesungen zu halten wünschen, an den Rector des Gymnasiums. Dieser holt ein Gutachten sämtlicher Professoren ein, die, wenn sie es für nöthig erachten, andere Fachgelehrte zu Rathe ziehen können, und legt sodann den Antrag dem Herrn Protoscholarchen vor, welcher eine Entscheidung der Gymnasial-Deputation herbeiführt. Bei dem Gutachten der Professoren und bei der Entscheidung der Deputation ist vornemlich auf die Befähigung des Aspiranten Rücksicht zu nehmen, ohne dasz jedoch andere Gründe zur Versagung des Gesuchs ausgeschlossen wären. Ueber die Gründe einer solchen abschlägigen Entscheidung kann keine Erklärung der Deputation gefordert werden. 3) Die Befähigung zu Vorlesungen für die unter 2) erwähnten gelehrten wird nachgewiesen: a) dadurch, dasz dieselben bereits an Universitäten oder polytechnischen Schulen gelesen zu haben darthun, b) durch Schriften über den zu behandelnden Gegenstand, c) durch genügende Zeugnisse von bekannten Gelehrten in Beziehung auf den zu behandelnden Gegenstand, d) dadurch, dasz sie bereits hier oder anderswo Vorlesungen gehalten zu haben darthun, deren Gediegenheit durch vollgiltige Zengnisse oder anerkannten Ruf beglaubigt wird. e) In wie weit auch ein Ausweis über den sittlichen Charakter und das sonstige Verhalten zu fordern ist, bleibe dem ermessen der Gymnasial-Deputation anheimgestellt.' — Endlich sind auch Gesetze für diejenigen Gymnasiasten, die sich nicht einer Facultätswissenschaft widmen wollen, entworfen worden, aus denen wir folgendes hervorheben: ' § 1. Solche Jünglinge, die sich zwar nicht einer Facultätswissenschaft widmen, aber zum Zweck ihrer Vorbereitung für den Besuch einer polytechnischen, oder einer ähnlichen höheren Lehranstalt, oder zum Zweck ihrer allgemeinen Ausbildung, an den Gymnasial-Vorlesungen, auch sofern dieselben nicht öffentlich sind, Antheil zu nehmen wünschen, haben sich deshalb zuvörderst bei dem jedesmaligen Rector anzumelden, demselben über ihre bisherigen Studien, so wie über ihr betragen, genügende Nachweisungen zu geben und sich als Gymnasiasten einschreiben zu lassen. § 3. Die aufgenommenen werden mit dem Rector und, je nach Maszgabe der Richtung ihrer Studien, mit den die einzelnen Fächer vertretenden Professoren Rücksprache nehmen über diejenigen Vorlesungen, deren Besuch für sie am zweckmäszigsten sein wird. Sie haben durch Einzeichnung in ein dazu bestimmtes Buch sich zum regelmäszigen Besuch der von ihnen demgemäsz belegten Vorlesungen zu verpflichten. § 4. An den mit einzelnen Vorträgen verbundenen praktischen Uebungen werden sie in derselben Weise Theil nehmen, wie die übrigen Gymnasiasten. Es wird ihnen gleichfalls dringend empfohlen, einen Theil ihrer Muszestunden auf schriftliche Ausarbeitungen über geeignete Gegenstände aus dem Kreise ihrer Studien zu verwenden. Die Professoren der einschlagenden Fächer werden jederzeit bereit sein, zu solchen Arbeiten die erforderliche Anleitung zu ertheilen, und dieselben mit den Verfassern sorgfältig durchzugehen. Auch werden solche Arbeiten bei der Ertheilung eines Abgangszeugnisses, falls ein solches gewünscht wird, als Beweise des häuslichen Fleizes und der Fortschritte besonders berücksichtigt werden.' Die im letzten Winter von den Professoren gehaltenen Vorlesungen sind folgende: Prof. Wurm, Neuere Geschichte der Deutschen, Geschichte der Befreiungskriege und des Wiener Congresses, wiederholende Uebersicht der alten Geschichte (für künftige Lehrer); Prof. Lehmann, Naturgeschichte der Säugethiere und Vögel, Taxonomie und Glossologie der Pflanzenkunde, Anleitung zur Pflanzenanalyse; Prof. Chr. Petersen, Lykurg gegen Leokrates, Juvenal, Archaeologie der Kunst, Mythologie, über die Bauwerke auf der Akropolis von Athen (öffentl.), Geschichte der Paedagogik (für künft. Lehrer); Prof. Wiebel, theoret. Chemie (öff.), theoret. und Experimental-Physik, die Hauptlehren der Chemie (öff.), analyt. Chemie, Physik (für künft. Lehrer); Prof. Redslob, über das Evang. Johannis, arab. Gramm., philosoph. Erkenntnislehre oder Rechtslehre. Auszerdem von anderen gelehrten: Dr. Küchenmeister, populäre Astronomie, ebene und sphaerische Trigonometrie; Cand. Brauer, vergleichende Länder- und Völkerkunde (öff.), allg. Geographie (für künft. Lehrer) Lic. Löwe, über die wichtigsten Religionen der Erde; Dr. Steetz, Organologie der Pflanzen. Endlich speciell für künftige Lehrer, Hauptpastor Dr. Alt, Bibelkunde; Dr. Bahnson, Stereometrie; Harms, deutsche Sprache und Litteratur; Dr. Redlich, franz. Sprache und Litteratur; Rost, Mineralogie; Dr. Sievers, englische Sprache und Litteratur. [Eingsdt.]

WEILBURG]. Im Lehrercollegium des dasigen herzoglichen Gymnasiums war auch im Schulj. 1854—55 keine Veränderung eingetreten [s,

Bd. LXVIII S. 221, LXIX S. 579; die Praedicierung des Dir. oben S. 209]. Die Schülerzahl betrug im Laufe des Schuljahrs 135, am Schlusse 126 [I: 10, II: 12, III: 20, IV: 21, V: 14, VI: 12, VII: 23, VIII: 14]. Die Programmabhandlung s. oben S. 273.

WOLFENBÜTTEL]. Im Lehrerpersonal [Bd. LXIX S. 581] des herz. Gymnasiums erfolgte im letztverflossenen Schuljahre keine andere Veränderung, als der Tod des Zeichenlehrers Meyer (13. Oct. 1854). Die Schülerzahl betrug Weihn. 1854: 123 [I: 16, II: 15, III: 28, IV: 38, V: 26], Abitur. Mich. 1854 und Ost. 1855 je 1. Den Schulnachrichten vorausgestellt ist die Abhandlung des Dir. Prof. J. Jeep: *de emendandis Justini Historiis Philippicis* (30 S. 4).

WORMS]. Aus dem Lehrercollegium des Gymnasiums [s. Bd. LXX S. 119] schied der Gymnasiallehrer Dr. Friedr. Schödler, um das Directorat an der Realschule zu Mainz zu übernehmen. An seine Stelle trat provisorisch Dr. O. Buchner, vorher Reallehrer in Michelstadt. Die Schülerzahl betrug am Ende des Schulj. 158 [Gymn. I: 10, II: 9, III: 20, IV: 33. Sa. 72, Real. I: 14, II: 34, III: 38, Sa. 86], Abiturienten in jedem Sem. 2. In den Schulnachrichten werden, wie immer, über die ältere Vergangenheit Mittheilung gemacht, diesmal über die Fonds und das Rechnungswesen der Anstalt und von der im Jahre 1610 von dem Pfarrer Andr. Wilek dem verstorbenen Rector Mag. Friedr. Zorn gehaltenen Leichenpredigt. Als wissenschaftliche Abhandlung geht voraus vom Dir. Dr. W. Wiegand: *über die Naturwissenschaft*, weiteres Bruchstück von dem *Wegweiser zur Wissenschaft und zum Studium der Hochschule* (60 S. 8). Der Hr. Vf. gibt nach einer Einleitung über die Idee und die Gliederung der Naturwissenschaft eine Geschichte ihrer Entwicklung nach A. v. Humboldts Kosmos, einen recht brauchbaren, die Orientierung erleichternden Auszug.

Personalnachrichten.

Anstellungen, Versetzungen, Beförderungen.

Beccard, Dr. K. Ph. Th., Schulamtscandidat, als ordenti. Lehrer am französ. Gymnasium in Berlin angestellt.

Beckmann, Dr. Frz., auszerord. Prof. in der philos. Facult. des Lycei Hosiani zu Braunsberg, zum ord. Professor in ders. Fac. ernannt.

Beer, Dr. Aug., Privatdocent zu Bonn, zum ao. Prof. in der philosophischen Facultät daselbst ernannt.

Bekker, Dr. E. J., Privatdoc., zum ao. Prof. in der jurist. Facultät der Universität Halle ernannt.

Bisping, Dr. Aug., ao. Prof. in der theolog. Facultät der Akademie zu Münster, zum o. Prof. in ders. Fac. ernannt.

Clemens, Dr. F. J., Privatdocent zu Bonn, als ord. Prof. in der philos. Facult. an die Akademie zu Münster versetzt.

Cséry, Jos. v., vorher erster Official, zum zweiten Custos an der kk. Universitätsbibliothek zu Pesth befördert.

Delius, Dr. Nicol., Privatdocent, zum ao. Prof. in der philos. Facult. der Universität Bonn ernannt.

Drzymalik, Sylv., Supplent am kk. Gymn. zu Rzeszow, zum wirkl. Gymnasiallehrer an ders. Lehranstalt befördert.

Erbkam, Lic. theol., ao. Prof., zum ord. Prof. in der theologischen Facultät der Univ. zu Königsberg ernannt.

Föhr, Rector der lateinischen Schule in Reutlingen, als Rector und 1r Lehrer an die lateinische Schule in Eszlingen versetzt.

Föll, Lehramtscand., Vicar am Gymn. zu Stuttgart, als Praeceptor in Backnang angestellt.

Friede, Aug., Predigt- und Schulamtscandidat, als College an das Magdalenengymn. in Breslau berufen und bestätigt.

Gorup-Besanez, Dr. E. Frh. von, ao. Prof., zum ord. Prof. der Chemie an der Universität in Erlangen ernannt.

Graffunder, A., Regierungs- und Schulrath zu Erfurt, als Geh. Reg.-R. und vortragender Rath beim statistischen Bureau nach Berlin versetzt.

Hagen, Dr., Prof. an der Universität zu Heidelberg, als ord. Prof. der Geschichte und Statistik an die Universität zu Bern berufen.

Helmolt, Dr., Privatdocent, zum ao. Prof. in der jurist. Facultät der Universität zu Gieszen befördert.

Henne, Dr., ord. Prof. der Geschichte an der Universität zu Bern, als Oberbibliothekar und Schulvorstand nach St. Gallen berufen.

Hermes, Dr. Osw., Schulamtscand., als ord. Lehrer am cölnischen Realgymnasium in Berlin angestellt.

Herrmann, Frz. Xav., Lehramtspraktikant, als Lehrer am Gymnasium zu Bruchsal angestellt.

Hetzel, Praeceptor in Spaichingen, als Oberpraeceptor an die lateinische Schule in Mergentheim versetzt.

Junkmann, Dr., ao. Prof. am Lyceum Hosianum in Brannsberg, als ord. Prof. in der philos. Facultät an die Universität Breslau versetzt.

Köstlin, Dr. ph. und Lic. theol., Repetent am theol. Seminar in Tübingen, als ao. Prof. in der theol. Facultät und zweiter Universitätsprediger naeh Göttingen berufen.

Kummer, Dr., ord. Prof. der Mathematik an der Univers. zu Breslau, in gleicher Eigenschaft an die Universität zu Berlin versetzt.

Liebner, Dr., Consistorialrath, ord. Prof. in der theolog. Facultät und Universitätsprediger zu Leipzig, zum Oberhofprediger in Dresden ernannt.

Märkel, Dr. Aug. Jul., erster Lehrer am Cadettencorps in Culm, als Prorector an das Gymnasium zu Königsberg in der Neumark versetzt.

Oxé, K. E. Ludw., wissenschaftl. Hülfslehrer am Gymn. zu Crenznach, zum ordentl. Lehrer an ders. Anstalt befördert.

Passow, Dr. Wilh. Arth., Prof. und Prorector am Gymn. zu Ratibor, zum Director dieser Anstalt ernannt.

Racheli, Dr. Ant., provisor. Lehrer am kk. Gymn. zu Triest, zum wirkl. Lehrer an ders. Anstalt ernannt.

Rassow, Dr. Herm., ord. Lehrer am Gymnasium zu Stettin, als Prorector an das Gymn. zu Greifswald berufen.

Redepenning, Dr. Prof. in Göttingen, zum Superintendenten in Ulfeld ernannt.

Reguli, Ant. von, als erster Custos an der kk. Universitätsbibliothek in Pesth definitiv angestellt.

Rheinhard, Praeceptor in Heidenheim, erhielt die Lehrstelle am mittleren Gymn. zu Stuttgart mit dem Titel eines Prof. der 8n Rangstufe.

Sandhaas, Dr., Privatdocent, zum ao. Prof. in der juristischen Facultät der Universität zu Gieszen ernannt.

Schillbach, Dr. K. R. M., Schulamtscand., als ordentl. Lehrer am Gymn. zu Neu-Ruppin angestellt.

Schnatter, Jul., Schulamtscand., als ordentl. Lehrer am franz. Gymn. zu Berlin angestellt.

Schöberlein, Dr. theol., Prof. zu Heidelberg, als ordentl. Prof. in der theol. Facultät an die Universität zu Göttingen berufen.

Szymański, interimist. Lehrer am Gymn. zu Trzemeszno, als ord. Lehrer an ders. Anstalt definitiv angestellt.

Thiel, Lic. Dr., Privatdocent, als ao. Prof. der Kirchengeschichte und des Kirchenrechts am Lyceum Hosianum in Braunsberg angestellt.

Vilmar, Dr. Consistorialr. und Ref. im Ministerium des Innern zu Kassel, zum Generalsuperintendenten ernannt.

Vierordt, Hofrath und Prof. am Lyceum in Karlsruhe, zum Director an ders. Anstalt ernannt.

Wappäus. Dr., ao. Prof. an der Universität zu Göttingen, zum ordentl. Prof. in der philos. Facultät daselbst ernannt.

Wasmuth, Oberlehrer am Gymn. zu Saarbrück, in gleicher Eigenschaft an das zu Creuznach versetzt.

Wulffert, Dr. H. A. G., Lehrer am Gymn. zu Minden, als ordentl. Lehrer an das Gymn. zu Saarbrück versetzt.

Zipp, Ernst, Lehramtspraktikant, zum Lehrer am Lyceum zu Freiburg im Breisg. ernannt.

Praedicierungen und Ehrenbezeugungen:

Barth, Dr. Heinr., der berühmte Reisende in Africa, ward von der königl. Akademie der Wissenschaften zu Berlin zum correspondierenden Mitglied der philosophisch-historischen Klasse gewählt.

Deak, Frz. von, zum Directionsmitglied der ungarischen Akademie der Wissenschaften ernannt.

Desseöffy, Graf. Em., zum Praesidenten ders.

Ehrenfeuchter, Prof. Dr. in Göttingen, als Consistorialrath charakterisiert.

Emsmann, Dr. Aug. Hugo, Oberlehrer an der Fr.-W.schule zu Stettin, als Professor praediciert.

Eötvös, Baron, Jos., zum Vicepraesidenten der ungarischen Akademie der Wissenschaften ernannt.

Freese, Dr. W. L., Gymnasiallehrer zu Stralsund, erhielt den Oberlehrertitel.

Hertlein, Prof. und Dir. am Lyceum zu Wertheim, erhielt den Charakter als Hofrath.

Kübler, Otto, ordentl. Lehrer am Gymn. zu Krotoschin, als Oberlehrer praediciert.

Lejeune-Dirichlet, Dr., Prof. der höhern Mathematik an der Univ. zu Göttingen, erhielt den k. prensz. Ord. p. le mérite.

Lobeck, Dr. C. A., Geh.-Reg.-R. und ord. Prof. an der Universität zu Königsberg, erhielt dens. Orden.

Oelker, Collaborator am Gymnasium zu Lingen, erhielt den Titel Conrector.

Reibstein, Conrector ebenda, erhielt den Titel Rector.

Ritter, Dr. Heinr.ⁱ, Hofr. und Prof. an der Univers. zu Göttingen, ward zum Geh. Hofr. ernannt.

Schnitker, Collaborator am Gymn. zu Lingen, ward als Oberlehrer charakterisiert.

Spörer, Dr. Gust., Gymnasiallehrer zu Anclam, erhielt den Ober_lehrertitel.

Szögenyi, Ladisl. v., kk. Geh.-R., ward zum Directionsmitglied der ungarischen Akademie der Wissenschaften ernannt.

Teleky, Graf. Dom., desgl.

Varges, Dr., Collaborator am Gymnas. zu Lingen, erhielt den Titel Conrector.

Pensionierungen:

Heffter, Dr., Pror. und Prof. am Gymn. zu Brandenburg, ward mit Pension in Ruhestand versetzt.

Gestorben:

Am 22. Mai † in Mannheim G. Fr. Gräff, vormaliger alternierender Director des dortigen Lyceums, wenige Monate, nachdem er in Pensionsstand getreten.

Am 24. Mai in Heidelberg Dr. C. H. L. Brinckmann, Privatdocent in der juristischen Facultät der dortigen Universität, gebürtig aus Hamburg.

In der Nacht vom 2—3 Jun. zu Zürich Prof. Dr. J. J. Honegger, Rector des dasigen Gymnasiums und Mitglied des Erziehungsrathes, geboren am 12. Febr. 1811 zu Uetikon am Zürichersee. Nachdem sich ders., von armen Eltern geboren, unter groszen Schwierigkeiten zum Lehrer ausgebildet und sogar ein Jahr in Siena zur Aneignung der italienischen Sprache zugebracht hatte, war er 5 Jahre als Lehrer am Pfenninger'schen Institut zu Stäfa thätig, studierte hierauf von 1834 an 3 Jahre Philologie in Zürich, dann in Göttingen und Berlin, war sodann einige Jahre an einem Institute und als Hauslehrer in Paris thätig, bis er 1843 eine Stelle an der Kantonsschule in Chur erhielt, von wo er 1846 nach Aarau, 1848 nach Zürich berufen ward. Seine Tüchtigkeit als Lehrer und Schulmann, so wie sein Charakter verschafften ihm allgemeine Anerkennung. Von litterarischen Arbeiten besorgte er in Paris eine französische Schulausgabe des Aeschylos [Siehe Nekrolog in der neuen Züricher Zeitung Nr. 157 u. 158].

Am 3. Jun. zu Wien der Ministerialconcipist Alb. Rimmer, geb. zu Olmütz 13· Jan. 1818, als kritischer Schriftsteller auf den Gebieten der Aesthetik, Culturgeschichte und Nationaloekonomie rühmliehst bekannt.

Am dems. Tage zu Danzig der Prediger Mongrovius, einer der ausgezeichnetsten Kenner der polnischen und litthauischen Sprache und Litteratur.

Am 10. Jun. zu Brünn der Hofsecretär J. J. H. Czikann (geb. 10. Jul. 1789), verdient um die Kenntnis der Geschichte und Geographic Mährens.

Am 15. Jun. in Mannheim der Lehrer des dortigen Lyceums Wilh. Heckmann, 36 J. alt.

Am 20. Jun. in Bonn der Privatdoc. in der philos. Facultät, Dr. Phil. Wessel.

Am 27. Jun. in Stendal Dr. Chrph. Frdr. Haacke, emerit. Director des dasigen Gymnasiums, bekannt besonders durch seine Ausgabe des Thucydides, geb. 1781.

Am 28. Jun. zu Schulpforta der Prof. Dr. K. Frdr. Andr. Jacobi, geb. am 2. Dec. 1795, seit 1819 in Schulpforta, als gelehrter (besonders durch seine Arbeiten zu dem von Swindtenschen Lehrbuche) gleich ausgezeichnet, wie als Schulmann und durch seinen Charakter bei jedermann beliebt und geachtet.

In der Nacht vom 29—29. Jun. in Darmstadt Dr. Joh. Wilh. Wolf, Vf. der ʻdeutschen Götterlehreʼʼ und Herausgeber der ʻZeitschrift für deutsche Mythologie und Sittenkundeʼ, 36 J. alt.

Im Juni zu Gratz der Stiftskapitular zu St. Peter P. Joh. Gries, thätiger Geschichts- und Naturforscher.

Am 13. Jul. zu Jena der Prof. Bergrath Schuler, bekannt durch seine bedeutenden auf Reisen zusammengebrachten Sammlungen.

Am 17. Jul. in Karlsbad Dr. Ferd. Bamberger, Oberlehrer am Obergymnasium zu Braunschweig, bekannt durch seine Verdienste um Aeschylos und andere griechische Dichter.

An dems. Tage in Loschwitz der Consistorialrath und emer. Hofprediger in Dresden Dr. Aug. Franke.

An dems. Tage zu Appersdorf bei Wien der kk. Bergrath und Chefgeolog. Joh. Bapt. Czizek im 50n Lebensjahre, einer der ausgezeichnetsten Kenner und thätigsten Förderer der Geognosie und Geologie.

Am 21. Jul. in Stockholm Pet. Dan. Amad. Atterbom, Prof. der Philosophie, Aesthetik und modernen Litteratur an der Univ. zu Upsala, Mitglied der schwedischen Akademie und berühmter schwedischer Dichter, geb. 19. Jun. 1790 in Ostgothland.

Am 14. Aug. zu Leipzig der emer. Universitätsprediger, Domkapitular Prof. Dr. Krehl im 72n Lebensjahre, den Philologen durch seine Ausgabe des Priscian bekannt.

Am 20. Aug. zu Breslau an der Cholera der Consistorial- und Provinzialschulrath Karl Adolf Menzel, bekannt durch seine Geschichte der Deutschen und historischen Lesestücke.

Auszerdem wird der Tod gemeldet von dem ehem. Prof. der Mathematik zu Palermo und geachteten Schriftsteller Giambattista Castiglia († in Turin) und von dem berühmten walliser Dichter (Prince of Song) Richard Roberts.

Zweite Abtheilung

herausgegeben von Rudolph Dietsch.

31.

1) *Essai historique sur la société civile dans le monde Romain et sur sa transformation par le Christianisme par C. Schmidt, professeur à la faculté de théologie et au Seminaire protestant de Strasbourg. Ouvrage couronné par l'institut (académie française).* - Strasbourg, Paris, Leipzig (Fr. Fleischer). 1853. IV u. 508 S. 8.

2) *Der Untergang des Hellenismus und die Einziehung seiner Tempelgüter durch die christlichen Kaiser. Ein Beitrag zur Philosophie der Geschichte von Ernst von Lasaulx.* München 1854. Lit.-artist. Anstalt der J. G. Cotta'schen Buchhdlg. 150 S. gr. 8.

Das absterben der alten Welt, die wir in dem griechisch-römischen Alterthum vor uns haben, vor dem allmählich sich ausbreitenden Lebensgeiste des Christenthums ist eine der groszartigsten und bedeutungsvollsten Partien der Weltgeschichte, und hat eben darum nicht blosz seine grosze Wichtigkeit für die historische Erkenntnis überhaupt, sondern insbesondere auch für die rechte Erfassung des Verhältnisses, in welchem das classische Alterthum zum Christenthum steht. Seit dem erscheinen des leider unvollendet gebliebenen Buches von H. G. Tzschirner: der Fall des Heidenthums, im J. 1829 hat sich weder der Fleisz der Theologen noch der Philologen, die sich hier ja auf einem gemeinsamen Gebiete begegnen, diesem Gegenstande wieder zugewendet. Mit um so dankbarerer Freude müssen wir daher die beiden in der Ueberschrift genannten Werke begrüszen, die, wenn sie auch unter sich nach Plan und Richtung sehr verschieden sind, doch jedenfalls einen bedeutenden Beitrag zur Lösung der vielen auf diesem Felde liegenden Fragen und Probleme gewähren. Ehe wir jedoch auf die Eigenthümlichkeiten und die Ergebnisse beider Leistungen näher eingehen wollen, müssen wir zuvor die Aufgabe selbst nach ihrem ganzen Umfange prüfen und uns insbesondere

vergegenwärtigen, was alles, vorbereitend und ausführend, zu erforschen und darzulegen sein wird, ehe ein genügendes Resultat in der
rechten Auffassung und Behandlung des ebenso wichtigen und lehrreichen als den Interessen der Zeit und der Wissenschaft entsprechenden Themas erzielt werden kann.

Der wesentlichste Theil dieser Aufgabe wird nun allerdings innerhalb der Geschichte der ersten fünf christlichen Jahrhunderte sich
erfüllen, in welchen sich der Process des absterbenden Heidenthums
und des siegreich sich verbreitenden Christenthums vollendet. Aber
beschränken darf sich darauf die ganze Arbeit durchaus nicht. Das
ganze Griechen- und Römerthum stirbt demselben gewissermaszen
entgegen, trägt längst den Todeskeim in sich, ehe jener neue welt-
beherschende Factor, der zwar auch seines Theiles längst vorbereitet
ist, in die Erscheinung eintritt, und lebt nur noch künstlich und durch
gewaltige innere Anstrengung sich verjüngend fort, bis es mit den
Ueberbleibseln seiner besten Besitzthümer dem Sieger in die Arme
sinkt. Soll also dieser Sieg des Christenthums in seiner ganzen Tiefe
und Grösze erkannt werden, so musz der allmähliche Verfall der
antiken Staatsreligion, des Götterglaubens, der ethischen Vorstellung
und volksthümlichen Sitte zuvor in einen Ueberblick gefaszt werden,
damit klar erhelle, wie weit bereits jenes antike Leben entschwunden, wie weit die Sehnsucht und Empfänglichkeit für das neue, dessen auch jene Welt geharret, erweckt und wie weit endlich noch
die Keime eines widerstrebenden, feindseligen Charakters vorhanden seien.

Zu unterscheiden ist hiebei wiederum ein zwiefaches. Es darf
keineswegs als zufällig erscheinen, dasz die Arbeit von Schmidt von
der bürgerlichen Gesellschaft in der römischen Welt, die von v.
Lasaulx vom Untergange des Hellenismus redet. Es musz gewis
das hellenische noch von dem römischen geschieden werden, wenn
es auch unter sich eine verbindende Einheit wieder hatte. Das politische Leben des hellenischen Volkes war längst erloschen, es lebte
die Kraft und der Geist desselben wesentlich in der Sprache und Litteratur fort und concentrierte sich eigenthümlich in jener geistigen
Erkenntnis und wissenschaftlichen Bestrebung, die wir in der Philosophie und Gnosis der späteren Periode entdecken und die unverkennbar ein Bildungselement in einer bestimmten Periode und Richtung der christlichen Kirche geworden ist. Einige der letzten Systeme
dieser Philosophie, die epikureische und stoische haben, insofern sie
eine praktische Richtung gewannen und ins Leben eingedrungen sind,
eine wesentlich römische Färbung erhalten. Dessenungeachtet hat
das römische Volk in etwas anderem sein Wesen und seine rechte
Eigenheit gefunden, nemlich in der Ausbildung des Rechts- und
Staatswesens mit allen seinen festen Formen und bis in das kleinste
Detail hinein, und es ist auch hier wieder nicht zu verkennen, wie
sehr die Kirche, namentlich der römische Theil derselben, dadurch
zu der festgeschlossenen Gliederung und der bestimmten Ausprägung

von Gesetzen und Formen ihrer äuszeren Gestaltung getrieben worden
ist, und so unbewust und unwillkürlich auch an diesem Theile etwas
von dem Lebenselemente der von ihr überwundenen Macht angenommen hat. Gewis sind also beide Seiten zu verfolgen, aber es ist ein-
seitig und verkehrt, wenn sie von einander getrennt werden; sie stehen unter einander in einer gewissen Wechselwirkung und nur in der
Vereinigung beider ergibt sich ein vollständiges und abgerundetes
Gemälde, das der Wahrheit entsprechen kann. Oder, sollen wir den
Gang einer demgcmäszen Untersuchung noch genauer vorzeichnen, so
würde er folgender sein: von der Ursprünglichkeit und Unbefangen-
heit der religiösen Anschauung und des Götterglaubens der ältesten
Periode der Griechenwelt an musz die allmähliche Entwicklung derselben, die bald als eine Bewahrung bald als eine Abminderung der
eigenthümlichen von den Vorfahren überkommenen Frische und Lebendigkeit erscheint, fortgeführt werden. Es werden dabei die beiden, oft eng verbundenen, Seiten der K n u s t und des C u l t u s nicht
auszer acht gelassen werden dürfen, gerade weil in beiden die griechische Religion ihre eigenthümliche Kraft und Stärke hat; von beiden
musz die ursprüngliche Wahrheit und Berechtigung, so wie die spätere Entartung bis zum umschlagen in das Gegentheil des ursprünglichen Zwecks aufgewiesen werden. Die K u n s t, welche anfangs
dazu diente, die ideale Anschauung der Gottheit, die das Gemüt in
sich bewegte, auch äuszerlich zu verkörpern, muste am Ende zu
einem Reize und Beförderungsmittel des Sinnendienstes herabsinken;
der C u l t u s, welcher das abstracte Gedankending göttlicher Vorstellung fixieren und der übergroszen Manigfaltigkeit religiöser Ideen
durch numerische und locale Beschränkung wehren half, muste zuletzt
wieder in der immer gesteigerten Fülle concreter Gestalten, in der
maszlosen Häufung vereinzelter Ceremonien seine Schranke oder selbst
seinen Untergang fiuden. Es wird nachgewiesen werden können, dasz
der von diesen beiden mehr oder weniger abhängige Volksglaube an
Innigkeit und Festigkeit mit dem Verfalle in gleichem Masze abgenommen; aber auch, dasz, nachdem mit psychologischer Nothwendigkeit die natürliebe Unmittelbarkeit des religiösen Lebens der be-
wusten Reflexion, welche eine neue Erkenntnis von göttlichen Dingen
zu schaffen sich bemühte, gewichen war, der allmähliche Verfall desselben ebenso unausbleiblich folgen muste. So wie also der Volksglaube nach und nach immer mehr abstirbt, so tritt in entsprechender
Stärke das ringen der philosophischen Speculation, die sieh abmüht
das zu ersetzen, was jener an natürlicher Kraft gebricht, hervor. Das
Bewustsein aber, dasz der Gehalt des religiösen glaubens und erken-
nens sieh in die ethische Praxis umzusetzen und darin zu verwirklichen habe, war bereits in der hellenischen Welt aufgegangen, wenn
auch die wirkliche und völlige Lösung dieser Fragen ihr nicht be-
schieden war. Nur war die Sphaere der sittlichen Bethätigung für das
hellenische Bewustsein noch wesentlich die des Staats, innerhalb dessen die Individuen nur unvollkommen zu ihrer berechtigten Geltung

kamen. Platons Lehre vom Staate war eben der umfassende, von
tiefer Liebe zu dieser Aufgabe entworfene Plan und Versuch die
menschliche Sittlichkeit nach ihrem ganzen Umfange zur Erfüllung zu
bringen. Wenn er dabei den Boden der Wirklichkeit verliesz, weil
in den ihm vorliegenden Verhältnissen das Recht der freien sittlichen
Persönlichkeit noch in keiner Weise zur Anerkennung und Verwirklichung gekommen war, und wenn Aristoteles deshalb mit völlem
Rechte auf den Boden der ihm vorliegenden geschichtlichen Wirklichkeit hinabstieg, obwol damit die nationale Beschränktheit, die dem
allgemein und wahrhaft menschlichen in den Weg tritt, nicht beseitigt war, so ist mit allem diesem nur vorwärts gewiesen worden auf
ein anderes Gebiet, wo die hierin verborgene Macht zum Ausbruche
kommen sollte. Das war aber die römische Welt, hauptsächlich der letzten vor- und ersten nachchristlichen Jahrhunderte. Hier ist, nicht ohne
Wechselbeziehung mit dem Christenthume, das Staatswesen nach der
Seite des persönlichen und privaten Rechts der Individuen zu seiner
vollkommenen Ausbildung gelangt. Der Begriff der Persönlichkeit
war ein Postulat für das antike Denken und Leben, aber vielleicht
das stärkste und gesuchteste, wornach die alten strebten. Durch das
Christenthum trat ihnen die Macht derselben schon äuszerlich entgegen, und wäre es auch nur in der persönlich freien Geduld und Auf-
opferung gewesen, mit welcher die ersten treuen Zeugen alle Verfolgungen und Qualen ertrugen, die ihnen ihre Feinde bereiteten. — Wer
aber wollte dann weiter verkennen, von wie eingreifender Bedeutung
diese Ausprägung der sittlichen Idee in Recht und Staat, natürlich nicht
— ich brauche das wol nur einmal überhaupt zu sagen — für den
substantiellen Gehalt des Christenthums, aber für die Entfaltung seines
Bewustseins in den Gemütern der gläubigen und in der Kirche selber
geworden ist! Was damals die Kirche aus den ihrem Geiste verwandten
Bewegungen jener rechtlichen und staatlichen Institutionen schöpfen
konnte, das hat die evangelische Wissenschaft in unserer Zeit wiederum
an die aus einer entchristlichten Zeit und Anschauungsweise stammenden Rechts- und Staatsideen in festem Kampfe hinanzusetzen.

In dieser Weise glauben wir den Weg andeuten zu dürfen, wie
eine in tieferer Einheit verbundene Lösung der in Rede stehenden
Fragen zu gewinnen sein würde. Allerdings huden wir nach dem
gesagten in beiden in der Ueberschrift genannten Arbeiten eine gewisse, wenn auch bewuste und frei gewollte, darum nicht vorzuwer-
fende Einseitigkeit. Die erste hat mehr die praktische und daher
auch wesentlich die römische, aber noch dazu unter den ethischen
Beziehungen vorzugsweise die sociale berücksichtigt; die letzte hält
sich mehr an den griechischen Götterglauben und seine zum Theil bis
ins 4e Jahrhundert n. Ch. fortwirkenden Institutionen und Organe.
Aber auch das darf als charakteristisch bezeichnet werden, dasz die
eine Schrift von der Umbildung oder Umgestaltung (transformation)
des römischen durch das christliche, die andere dagegen geradezu
von dem Untergange des Hellenismus redet. Es wird unsere Auf-

gabe sein, der eigenthümlichen Leistung beider Arbeiten näher nach-
zugehen.

Das Werk des Hrn. Prof. Schmidt ist veranlaszt durch eine
Preisaufgabe der französischen Akademie zu Paris, die eine Darstellung des Einflusses verlangte, welchen die christliche Liebe während
der ersten Jahrhunderte in der römischen Welt ausgeübt und kraft
dessen sie mit einem neuen Geiste die burgerliche Gesellschaft durchdrungen habe. Die Frage, wie sie dem Hrn. Vf. vorlag, war also
schon eine mehrfach umgrenzte, und wir können es ihm nur Dank
wissen, dasz er im Sinne der Akademie zu handeln geglaubt hat, wenn
er sie etwas weiter faszte und mit einer Schilderung des antiken Geistes, der Lehren und bürgerlichen Sitten des Alterthums die Einleitung zu seiner weiteren Darstellung nahm. Wenn in der Preisaufgabe
auch vorzugsweise unter den socialen Interessen das Recht und das
Eigenthum hervorgehoben waren, so durfte doch der Vf. unbedingt
die ganze bürgerliche Gesellschaft, also nicht blosz die Verhältnisse
von reich und arm, sondern auch von Mann und Weib, von Eltern
und Kindern, von Herren und dienenden hineinziehen. Die Arbeit zerfiel daher von selbst in drei Theile: der erste sucht in raschen Zügen
die sociale Ethik des Alterthums zu schildern, die auf ihre Quellen,
den Despotismus des Staats und den Egoismus der Bürger, zurückgeführt wird; der zweite gibt einen Ueberblick über die ethisch-so-
cialen Zustände des Christenthums als Anwendung der Liebe auf die
verschiedenen Beziehungen des Lebens, verbunden mit einem Gemälde
des Lebens und der Einrichtungen der Christen in den ersten Jahrhunderten der Kirche; der dritte soll dann in vergleichender Betrachtung beider die Umgestaltung zeigen, welche die antiken Sitten und
römischen Gesetze, die das bürgerliche Leben bestimmen, durch das
christliche Princip der Liebe erfahren haben. — Es war dies wol eine
naturgemäsze Vertheilung des Stoffs, wenn auch leicht daraus die
Nothwendigkeit sich ergeben wird, manches in den beiden ersten
Theilen gesagte bei der vergleichenden Zusammenstellung zu wiederholen.

Das erste Buch, die bürgerliche Gesellschaft des heidnischen
Römerthums, zerfällt in fünf Abschnitte: Princip und Endzweck der
socialen Ethik des Alterthums; die Familie; die arbeitenden Classen;
Folgerungen und Ausnahmen; Beziehungen der antiken Moral zum
Heidenthume. Es wird also nicht zurückgegangen bis auf das dem
Alterthume selbst wissenschaftlich bewust gewordene Princip der Moral, die ethische Idee, die ihre Erkenntnis durchdrungen hat, sondern
es werden wesentlich die Erscheinungen des Lebens festgehalten, die
einen treueren Reflex auf die gesamte nationale Auffassung zu werfen
scheinen, als die vorgeschrittenen, gereifteren, aber auch dem Leben
und der Wirklichkeit vorausgeeilten Ideen der Denker und Weisen.
Indessen wird doch beides nicht so ganz von einander getrennt werden
können, und das nicht blosz darum, weil jene Philosophen im Alterthume dem Leben weniger fremd waren und ferne standen als bei uns,

sondern auch, weil die Grundbedingungen für alles bewuste und spe-
culative denken doch in der That eben in den Lebenszuständen, in
der politischen und socialen Substanz des gesamten Volkes gegeben
sind. Diesen Zusammenhang hätten wir mehr berücksichtigt, näher
angedeutet und tiefer entwickelt zu sehen gewünscht, als es hier gesehen ist. Man kann dies Verlangen nicht abweisen mit der Beschränkung auf die rein praktischen Gesichtspunkte, die ohne jenes so
wenig verständlich werden, dasz auch in der That der Hr. Vf. darauf
einzugehen genöthigt gewesen ist. Aber die summarischen Angaben
über Platon, Aristoteles, Cicero usw. genügen nicht; hier musz schärfer abgewogen und insbesondere darnach zugesehen werden, in welcher Auffassung gerade das volksthümlichste Princip enthalten ist.
Auch darf man dafür die nicht-philosophischen Schriftsteller, insbesondere die auf das Leben und die bewegenden Triebkräfte aller
menschlichen Thaten hingewiesenen Historiker keineswegs hintan-
setzen oder auszer acht lassen. Wenn nun der Vf. den Egoismus,
näher den Egoismus des Staats, als die Seele der antiken Moral —
wir dürfen vielleicht beschränkend sagen: der römischen — bezeichnen will, so fürchten wir, dasz bei aller Wahrheit der Behauptung
doch damit der Sache nicht genügt sei. Dieser Begriff hat das aller-
weiteste Gewand, unter welches sich vollkommen alles bringen läszt;
er hat dem Alterthume nicht gefehlt, aber er fehlt überhaupt nirgend,
so weit das Gebiet des natürlichen Lebens reicht, und es ist daher zu
wenig charakteristisches damit beigebracht worden. Hier gilt nur
die strengste historische Erwägung, die es nicht verschmäht in das
Detail der Individuen und Thatsachen hinabzusteigen, aber auch mit
unbefangener Lauterkeit der Anschauung alles zu würdigen vermag,
dessen die menschliche Natur auf ihrem eigenen, von Gott gewiese-
nen, aber nicht erleuchteten Wege zu finden und zu gewinnen im
Stande ist. In dieser Beziehung können wir dem über Platon und
Aristoteles S. 9 f. bemerkten nicht unsere volle Zustimmung ertheilen; man darf sich nicht damit begnügen, jenen als einen abstracten
Idealisten zu schildern, der mit seinem 'utopischen' Staate nur dazu
beigetragen habe, der griech. Civilisation eine Richtung zu geben,
die sich mehr und mehr von den patriotischeren alten Sitten entfernt
habe, und vielleicht zum Belege dafür sich auf Niebuhrs bekannte
Bemerkung ohne weitere Beweise zu berufen. Es war wol ein groszes, dasz Pl. darauf hinwies, es werde um die Staaten nur dann gut
stehen, wenn sie durch Philosophen regiert würden, eben weil er,
wie Stahl treffend bemerkt, darunter nach antiker Anschauung Weise
verstand, die das ewige über dem vergänglichen im Auge haben. Und
wenn die Verwirklichung seines Staats auf einer Voraussetzung beruht, die freilich erst durch das Christenthum hat möglich werden
können, so zeigt das eben die tiefere Bedeutung seiner vorauswei-
senden Natur. Mögen Plutarch und Athenaeus immerhin sich darum
streiten, ob aus den Reihen der Platoniker mehr Freunde oder Unter-
drücker der Freiheit hervorgegangen sind, in Wahrheit kann ein sol-

cher Maszstab an den Meister selbst nicht angelegt, noch derselbe für alle und jede Folgen menschlicher Geistesrichtungen verantwortlich gemacht werden. Aristoteles nennt d. Vf. noch formeller, und das ist in gewissem Sinne richtig, beweist aber für seine Anschauung gegebener Zustände und seine Entdeckung verborgener Wahrheiten und sittlicher Ideen in den einfachsten Thatsachen gar nichts. Keiner der alten Philosophen hat in dem Masze, wie er, die Brücke geschlagen zwischen der Geister- und Sinnenwelt und dadurch der Zuversicht auf die Erkennbarkeit des nicht-sinnlichen, der Grundwurzel alles Glaubens, den Weg gebahnt. Wir fürchten überhaupt, der Vf. nähere sich doch in etwas jener, auch neuerdings wieder vertretenen Ansicht, welche das Alterthum glaubt in allen Stücken bekämpfen, seinen gänzlichen Mangel an Wahrheit und Richtigkeit der Erkenntnis darthun und daher seine Mangelhaftigkeit und Verwerflichkeit in allem, was nicht zu dem formell schönen gehört, nachweisen zu müssen. Gewis ist diese Auffassung ebenso falsch, wie jene andere, die christliche Ideen und Anklänge, Prophezeiungen oder gar typische Vorbilder bald hier bald dort im Alterthume entdecken will und damit demselben wiederum zu viel thut. Hätte nicht auf dem unvertilgbaren Grunde edel-menschlichen Wesens, dem in der Ebenbildlichkeit Gottes das Siegel seiner Weihe und die letzte Schutzwehr gegen alle die ungeheuren Verwüstungen des bösen gegeben ist, manche Blüte wachsen und gedeihen können, die der himmlische Gärtner in sein Gebiet zu verpflanzen und dort durch das echte Pfropfreis zu veveredeln nicht verschmäht hat: dann hätte nimmermehr die Reformation unserer evangelischen Kirche einen wichtigen und kräftigen Factor daran nehmen können, dann würden wir auszerhalb aller Berechtigung uns befinden daraus eine Geistesnahrung für das schönste Lebensalter der besten Kräfte unserer Nation zu ziehen. Aber eine sittliche Befriedigung und eine Erlösung von dem Fluche des bösen fiudet sich auch hier nicht, vielmehr je mehr Streben darnach vorwaltet, desto gröszer wird das Gefühl des ungeheuren Mangels und die Sehnsucht, ihn zu stillen.

Es ist möglich, dasz wir dem Vf. in solcher Annahme unrecht thun; aber wir bergen es nicht, dasz wir bei dem lesen auch der weiteren Abschnitte seines Buchs stets wieder von neuem auf diese Besorgnis gekommen sind. Indessen haben wir mit entschieden gröszerer Befriedigung die Abschnitte des zweiten Capitels (die Familie): die Frauen und die Ehe; die Liebe, die Hetaeren und das Concubinat; der Ehebruch und die Scheidung; die Kinder und die väterliebe Gewalt; die Erziehung, als die des ersten (das Glück; der Staat; die Bürger, die fremden, die reichen; die Freundschaft, die Rache) gelesen. Indessen hat uns namentlich das letzte, sowol das von der Freundschaft als das von der Rache beigebrachte, sachlich nicht genügen können; ein vergleichendes Studium des Cicero und Aristoteles, unter Berücksichtigung der treffenden Erörterungen Seyfferts, würde die Freundschaft, ein tieferes Studium der griechischen Tragiker die

Rache in ihrer Eigenthümlichkeit wie in ihrer Beschränkung und in
ihrem engen Zusammenhange mit dem erwachenden sittlichen Rechts-
bewustsein in ein helleres Licht gestellt haben. Hinsichtlich der Stei-
lung der Frauen im Alterthume verwirft d. Vf. die Ansichten von Fr.
Jacobs (S. 25), obgleich er keine neuen Beweise beigebracht hat, die
dies Urtheil erhärten könnten. Nicht minder fürchten wir, dasz sein
Urtheil über die platonische Liebe (S. 41) jenen schönen und tiefen Drang des Seelenlebens nach wechselseitigem Austausch in
Rede und Gedanken übersieht, der im wesentlichen auch im Sympo-
sion zu Grunde liegt, das nach des Vf.s Meinung weit mehr ironi-
sches als sentimentales haben soll. Der letzte Abschnitt aber, von der
Erziehung, hätte nach den dafür vorliegenden schätzbaren Forschungen und Darstellungen eindringender und reichhaltiger gegeben werden können und müssen. Wir dürfen indessen hiebei und bei dem
dritten Cap. (die arbeitenden Classen), welches in fünf Abschnitten
von der Arbeit, von der Armut und den armen, von den Sclaven und
der Sclaverei im allgemeinen (beide Abschnitte enthalten unter Benutzung des Werks von W a l l o n : histoire de l'esclavage dans l'anti-
quité, 3 Bde., Paris 1847 manche treffende und beachtenswerthe Züge),
von der Behandlungsart der Sclaven, von den Beschäftigungen der
Histrionen und Gladiatoren, handelt, nicht länger verweilen, um uns
mit dem vierten (Folgerungen und Ausnahmen) und fünften (Beziehungen der antiken Moral zum Heidenthume) etwas eingehender beschäftigen zu können. Beide zerfallen in je zwei Abschnitte: Sturz der bürgerlichen Gesellschaft bei den alten und die reineren Ansichten; sittliche
Ohnmacht des Heidenthums und Abnahme der religiösen Vorstellungen.
Wir wollen den Hrn. Vf. in diesem Theile etwas mehr selbst reden hören.

Das Princip, heiszt es hier in einer Zusammenfassung des vor-
aufgegangenen, welches das Alterthum beherschte, war der stärkste
Egoismus, sowol der des Staats als der des Individuums. Die Persönlichkeit des Menschen, seine Freiheit, seine natürlichen Rechte
wurden verkannt; der Staat kannte nur den Bürger, dessen physische
und geistige Kräfte er ganz verzehrt; man vergasz, dasz der Mensch
als solcher, dadurch dasz er ein Mensch ist, einen Werth hat, man
schätzte ihn nur nach seiner äuszeren Stellung, seine bürgerliche
Stellung war der Maszstab seines individuellen Werthes. Die Familie
und die Ehe waren nur politische Institutionen, ohne sittlichen Endzweck für die einzelnen; das Weib war ihres natürlichen Ranges in
der Gesellschaft beraubt; das Kind war nur ein künftiger Bürger und,
bis es in den Genusz seiner Rechte eintrat, Eigenthum des Vaters; der
arme und der Arbeiter waren verachtet, weil der Bürger reich war
und nicht arbeitete; der besiegte wurde Sclave des Siegers und verlor, wie der Sclave, seine ganze Persönlichkeit, um zu einer Sache
herabzusinken: der Egoismus herschte mit einem Worte überall gebieterisch *). — Die politische Moral des Alterthums war nur die

---

*) Der Vf. bezieht sich namentlich auf die Stelle Cic. de off. III 17.

Frucht und der Ausdruck des Geistes ihrer jedesmaligen Gesetzgeber. Der einzelne hatte die Gesellschaft nach dem in ihm lebenden Bilde geschaffen, er hatte kein Ideal, das ihm als Grundrisz dienen konnte. Unsichere Erinnerungen von einem besseren Zustande, von einem verlorenen goldenen Zeitalter hatte man in die Mythenwelt verbannt (Liegt nicht aber in dieser so allgemeinen Vorstellung der alten Welt vielmehr ein Zeichen von der Ahnung einer ehemaligen besseren Lebensgestaltung und einer innigeren Gemeinschaft mit dem göttlichen, von dem allmählichen Verluste eines früher besessenen Gutes?). Der freie Mann gehörte dem Staate, weil der Staat sein Werk war; hatte er aber Pflichten gegen den Staat, so hatte er keine gegen die Menschheit; diese kannte das Alterthum nicht, über das Vaterland hinaus gab es nur Barbaren oder Feinde, und auszer den politischen Beziehungen nur Personen, denen man nichts schuldig war; in diesen war also jeder Bürger freier Herr seines handelns und seinem persönlichen Egoismus hingegeben. Je mehr man den Gehorsam gegen die Gesetze, die Unterwürfigkeit und Hingebung an den Staat ehrte, desto mehr fühlte man sich frei, seinen Leidenschaften und Lüsten zu folgen, so weit man nicht durch politische Rücksichten davon abgehalten war. — So lange nun die bürgerlichen Tugenden stark waren, legten sie dem Egoismus Zügel an; mit ihrem Verfalle wurde dieser maszlos. Griechenland erlebte dieses herabsinken von der Höhe schon beträchtlich eher; während aber die Römer noch über die Leichtfertigkeit, die Treulosigkeit, die Weichlichkeit und die Lüste der Griechen spotteten (eine natürliche Folge, meinen wir, von dem grundwesentlich verschiedenen Charakter dieses poëtischen und jenes praktischen Volks) folgten sie schon selbst ihren Fuszstapfen und eilten jählings in den Verfall der Sitten und die Auflösung der Gesellschaft hinunter. Die staatsbürgerlichen Tugenden, erschüttert durch die Bürgerkriege, verschwanden vollständig unter der Kaiserherschaft; die reichen nahmen kein Interesse mehr an den Staatsgeschäften, der Despotismus der Kaiser zerstörte alle Energie; die, welche noch einen Rest von Patriotismus bewahrten, suchten eine Zuflucht in der Resignation der stoischen Philosophie, bei der Masse dagegen trat eine absolute Gleichgiltigkeit und Kälte an die Stelle der alten Hingebung: der Nutzen und die augenblicklichen Vergnügungen verdrängten alles andere.

Diesem kurzen, in raschen, aber düsteren Zügen den Verfall einer geistig starken Welt uns zeichnenden Umrisse setzt der Hr. Vf. demnächst nun einige Lichtseiten, einige hellere Momente gegenüber. Wir möchten schon in der Form die Angemessenheit eines solchen Dualismus der Darstellung bezweifeln; aber auch für die Sache hatten gewis die Licht- und die Schattenseiten der alterthümlichen Menschheit eine und dieselbe Wurzel und Quelle. Statt auf diese näher einzugehen, werden hier nur die geläuterten Ansichten einiger ' weiser und hervorragender' Männer hervorgehoben, die damit sich über den allgemeinen Höhepunkt ihrer Zeit und Nation weit erhoben. So habe es Ideen über das weibliche Geschlecht und die Ehe gegeben,

die denjenigen sich näherten, denen das Christenthum später zum
Siege verholfen hat. Sokrates erklärt, dasz das Weib seiner Natur
nach nicht hinter dem Manne zurückstehe und dasz, wenn es des denkens und der Stärke ermangele, es die Pflicht des Mannes sei, es
durch Unterweisung zu sich emporzuheben. Auch Platon selbst erkannte für die Ehe ein höheres als das politische Ziel: sie diene ja
auch dazu, die Diener der Götter hervorzubringen; Aristoteles redet
sogar schon von der Pflicht der Ehegatten einander zu helfen, sich
gegenseitig durch das geliehene Masz der Gaben zu ergänzen, und
die Kinder sind bestimmt das Band zwischen den Eltern noch fester
zu schlieszen. Derselbe Gedanke finde sich auch bei einigen (gnomischen) Dichtern 'w i e d e r', lebte vielmehr schon viel f r ü h e r auch in
dem Bewustsein des edleren Theils der Nation: er erinnert an den Ausspruch des Theognis, dasz das reinste Glück in einem schönen Fami-
lienleben bestehe. Wollte aber der Hr. Vf. eine Reihe edler Frauen-
bilder uns vergegenwärtigen, so konnte er noch manche andere mit
ebenso vollkommenem Rechte vorführen, wie die Gattin des Ischoma-
chos bei Xenophon (Oecon. 7 5) und Helvia, die Mutter des Seneca
(Cons. ad Helv. 14 ff.). Auch die Unnatur der Sclaverei wurde vielfach von den alten empfunden, und nicht etwa blosz in der Theorie
des Stoicismus, sondern auch in einzelnen helleren Blicken, die durch
Leben und Denken hindurchdrangen. Es gibt ja aber eben vorüber-
gehende, von Gott gewollte oder zugelassene Zustände, gegen welche das tiefere Bewustsein der Wahrheit dann und wann reagiert und
damit über sich selbst und die gegebenen Verhältnisse hinausgreift.
Wenn Sokrates vom Weltbürgerthum sprach oder Cicero das Vaterland finden wollte, wo es dem Menschen wol gehe, wenn Aristoteles
einen Satz aussprach, dem ähnlich, dasz geben seliger ist denn nehmen, wenn er das Glück der Liebe nicht in dem Besitze des geliebten
Gegenstandes, sondern in der That der Liebe selber fand, weil sie die
Energie der Seele sei, und an eine uneingeschränktere Liebe glaubte,
als die Freundschaft ist, eine Liebe, die sich auch auf den unbekannten erstreckt, so dürfen doch diese vereinzelten Aeuszerungen nur in
dem Lichte der gesamten Auffassung und Weltanschauung nicht blosz
dieser Männer, sondern des ganzen Alterthums überhaupt betrachtet
werden. Und wenn d. Vf. die düstere Stimmung des T a c i t u s und die
erbitterte des J u v e n a l gegen die ungeheure Verderbtheit ihrer Zeit
als Zeugnisse eines edleren sittlichen Geistes betrachtet, so würden
wir zwar unseres Theils das gelten zu lassen geneigt sein, müssen
jedoch denselben darauf hinweisen, dasz noch neuerdings wieder
auch der sittliche Standpunkt des Tacitus angegriffen (Evang. Kir-
chenzeitung 1853. Nr. 14—19), dasz überhaupt die in ihm sich reprae-
sentierende Cultur als eine vollkommen abgeschlossene, auf ihren
Grundlagen eines Fortschritts nicht mehr fähige bezeichnet worden
ist, die mit der durch das Evangelium vermittelten im d i a g o n a l e n
und u n v e r e i n b a r e n Gegensatze stehe, und zwar sowol im ganzen als in j e d e m e i n z e l n e n. Es wäre die Frage, ob vor einer

solchen Auffassung die Zeugnisse gelten würden, auf welche der Hr.
Vf. doch einiges Gewicht legt, und ob nicht jedenfalls die Sache tiefer
zu erfassen und zu begründen erforderlich sein dürfte. Wir glauben
allerdings, dasz wir dann eher mit ihm zusammenstimmen würden,
da wir in den Grundanschauungen (s. jedoch oben) ihm vielleicht folgen können. Die alten heidnischen Religionen sind ihm keine Erfin-
dungen des Teufels, um den Menschen in Irthum und Sünde zu ver-
stricken und festzuhalten. Bei aller Unvollkommenheit (S. 128) geben
sie dennoch einen blassen Wiederschein der ewigen Wahrheit und
offenbaren das dem menschlichen Herzen angeborene religiöse Bedürfnis. Aber in der weiteren Ausführung, wie sie nun in seinem Buche
dasteht, vermissen wir den sicheren Gang einer genauen Forschung
und die fortschreitende, den Wechsel und die Abnahme der Zeiten
berücksichtigende Entwicklung, ohne welche das mythologische System der Griechen und die im Bunde mit der Götterverehrung von
ihnen gepflegte Kunst nicht richtig gewürdigt werden kann. Es ist
nicht bloszer Polytheismus, am wenigsten der von den Dichtern, die
deshalb Platon mit Recht angriff, zum Theil maszlos ausgeschmückte,
den wir durch das ganze Alterthum hindurch entdecken, sondern bald
mit Pantheismus bald mit Deismus wechselnd oder versetzt. Allerdings stand der Polytheismus mit der schaffenden Kunst, insbesondere
der Plastik, im engsten Zusammenhange und in einer bestimmten
Wechselwirkung; aber dessenungeachtet sind beide selbständig ihre
Wege gegangen und haben nicht an sich, sondern nur durch ihre
mit dem übrigen Leben und Treiben des Volks zusammenhängende
Entartung dem religiös-sittlichen Geiste geschadet. Was die Götter-
gestalten in dem ältesten Bewustsein des Volkes hervorrief und die
ursprüngliche Gemeinschaft der Menschen mit den Göttern festzuhalten bewog, war eben die Macht der göttlichen Idee selber, die durch
ihre selbsteigene Kraft in allen Wesen 'göttlicher Abkunft' oder,
wie wir evangelisch sagen, in dem nach den Ebenbilde Gottes er-
schaffenen Creaturen Wurzel schlug und sich entfaltete, bis das unaufhaltsam fortschreitende Verderben der menschlichen Natur auch hierin
den ursprünglichen edleren Keim überwucherte oder gar erstickte.
Keinen hiervon verschiedenen Gang hat die religiöse Kunst genommen. Die herlichen Gestalten ihrer blühendsten Periode waren nichts
anderes als ein Erzeugnis jenes tiefen und frommen Götterglaubens,
den wir, bei aller Mangelhaftigkeit seiner materiellen Substanz, dennoch an dem ältesten Griechenthume ehren und anerkennen müssen.
Erst als die Kunst die Basis dieses ihres edelsten Ursprungs und damit zugleich die Wahrheit und Tiefe der Natur verliesz, erzeugte sie
umgekehrt ihrerseits wiederum Vorstellungen und Bilder religiösen
Inhalts, welche nicht auf dem Boden des religiösen Bewustseins selbst
gewachsen waren und daher demselben auch nur Abbruch thun konnten, ohne irgend eine neue Kraft und Frische in dasselbe hineinzutragen. Nur auf die dadurch hervorgerufenen Entartungen beziehen
sich die Aeuszerungen von Dichtern wie Ovid und Properz (S. 134);

und wenn Varro (Augustin. de civ. dei IV 31 2) bemerkt, dasz der
Cultus und das Leben reiner sind, so lange man noch unsichtbare Götter verehrt, und dasz diejenigen, welche zuerst Bilder geschaffen, die
Ehrfurcht vor der Gottheit zerstört haben, so liegt darin noch nicht
unmittelbar das Gefühl eines Gottes, der nicht wohnet in Tempeln, von
Menschenhänden gemacht, sondern es ist die natürliche Reaction eines
Römers gegen das poëtische und plastische streben des von ihm in
dieser Beziehung nicht gehörig erkannten, noch gewürdigten Griechen-
volks. Sonst ist im ganzen auch die römische Welt an dem falschen
streben untergegangen die Creatur über den Schöpfer zu stellen und
vermöge seines überwiegend praktischen Hanges die Verehrung gegen
die allmächtige Gottheit in den Dienst der buntesten und contrastie-
rendsten Ceremonien zu ziehen.

    Wir geben zu, dasz dieser erste Theil der Darstellung des Hrn.
Vfs. der entschieden schwierigere gewesen sein mag; aber wir müssen doch auch die grosze Wichtigkeit desselben betonen und können
uns nicht verhehlen, dasz ein längeres und eindringenderes Studium,
zumal unter Benutzung der deutschen Litteratur, die hiefür, so sehr
die Behandlung der ganzen Aufgabe auch noch in den ersten Anfängen
steht, doch schon manchen erheblichen Beitrag bietet, ein anderes Re-
suitat würde gebracht und manche Partie in ein richtigeres und helleres Licht würde gesetzt haben. Wir können durch den zweiten Theil,
welcher die Zustände der christlichen Kirche bespricht, dem Hrn. Vf.
nicht mit gleicher Ausführlichkeit folgen; er gehört ja auch nur mittelbar zu der Aufgabe, und wenn sie auch begreiflicherweise weniger
in theologischer als in historischer Richtung behandelt wird, so ist
doch auf diesem Gebiete auch schon mehr vorgearbeitet, sowol früher
durch den tiefen Fleisz eines Neander, als auch zuletzt wieder durch
die besonderen Darstellungen der ersten Jahrhunderte der christlichen
Kirche in den Arbeiten von Hagenbach, J. P. Lange *) u. a. Es unterscheidet sich freilich davon das Werk unseres Hrn. Vfs. besonders
dadurch, dasz es nicht dem geschichtlichen Fortschritte, sondern vielmehr in ähnlicher Weise gewissen allgemeinen Gesichtspunkten, wie
im ersten Theile, folgt, da eben durch eine möglichst entsprechende
Gegenüberstellung die klare Vergleichung beider ermöglicht werden
soll. Da es uns aber eben um diese wesentlich zu thun ist, so wenden wir uns sofort dazu; wir haben dann nur noch zum Schlusse die
mit diesem Theile der Arbeit mehr zusammenfallende Abhandlung von
Hrn. Prof. v. Lasaulx in unsere Beurtheilung hineinzuziehen, wobei
uns sofort der wesentliche Unterschied beider Arbeiten entgegentritt,
dasz die erste mehr nach allgemeinen Gesichtspunkten und Kategorien
schildert, die zweite mit strengerer Beachtung der zeitlichen Anfein-

----

*) Besonders hervorzuheben ist freilich, was der letztere in s.
Geschichte der Kirche, Ir. Bd. das apostolische Zeitalter, S. 224 ff.
und namentlich S. 245 ff. darüber in einer ebenso eingehenden als
geistvollen Weise darbietet.

anderfolge die wichtigsten und folgenreichsten Erscheinungen und Begebenheiten bespricht.

Es soll also nunmehr die Umgestaltung der bürgerlichen Gesellschaft durch den Einflusz des christlichen Geistes behandelt werden.
Die Darstellung zerfällt in sechs Abschnitte: Kampf des christlichen
mit dem heidnischen Geiste; Mittel, durch welche der christliche Einflusz sich wirksam erwiesen hat; Milderung der Ansichten und Vorstellungen bei heidnischen Philosophen; Milderung der Gesetzgebung
während der heidnischen Periode der röm. Kaiserherschaft; Fortgang
in dieser Milderung der Gesetze während der christlichen Zeit der
römischen Kaiserherschaft und die Gegenwirkung des heidnischen Geistes auf die Sitten der christlichen Gesellschaft.

In dem ersten der bezeichneten Abschnitte schildert d. Vf. zuerst
den allgemeinen Charakter des christlichen Einflusses auf die heidnische Gesellschaft (freilich in gar zu allgemeinen und unsicheren
Umrissen) und die Hindernisse, die dem christlichen Einflusse im Wege
standen. In dem zweiten werden namentlich die apologetischen Bestrebungen der Litteratur gewürdigt, denen immerhin sich verwandte
im kirchlichen Leben angeschlossen haben mögen, von denen jedoch
auch der Hr. Vf. wenig zu berichten weisz; kurz und minder bedeutend ist das, was von dem Beispiele der Christen und der Liebe derselben gegen die Heiden gesagt ist, namentlich in der ersten Hälfte;
dann aber bahnt der Vf. sich mittelst einer Darstellung des Antheils,
den der Stoicismus an dem Einflusse der christlichen Liebe gehabt
hat, den Uebergang zum nächstfolgenden Abschnitte. Er bezieht sich
dabei auf die Wahrnehmung, dasz die Ursache des mächtiger werdenden waltens der Liebe in der heidnischen Welt bald ebenso ausschlieszlich dem Christenthume, bald lediglich dem Stoicismus zugeschrieben worden ist. Der Vf. ist geneigt, beidem seinen gebührenden Antheil zuzugestehen, obwol er im Verfolge seiner Darstellung
das zu Gunsten des Stoicismus gewonnene wieder aufzuheben im Begriff ist, wenn es ihm nicht noch gelänge, solches durch den Unterschied der früheren und späteren Periode jenes Systems wieder gut
zu machen. Allerdings ist die Herbigkeit und Strenge der älteren Stoa
einem milderen Hauche im ersten und zweiten christl. Jahrhunderte
gewichen; aber dennoch kann sie mit ihrer abstracten Selbstvernich-
tung nichts anderes als den Boden bereiten, die Stätte rein und frei
machen, worauf ein ganz anderes Element erwachsen soll, 'der Jugend
nur negative Dienste thun', wie Jean Paul sagt, denn 'die stoische
Erkältung treibt keinen Frühling heraus, aber sie richtet die Insekten
hin, die ihn zernagen.' Von solchem Standpunkte aus schildert denn
nun auch der Vf. die philosophischen Schriftsteller des allerdings
schon in einer gewissen inneren Umwandlung begriffenen Alterthums,
den Seneca, Plinius, Plutarch, Epiktet und Marc Aurel. Unter diesen
Schilderungen ist die des Seneca die eingehendste und lebendigste,
obwol auch für ihn nach den vorbereitenden Arbeiten von Werner,
Volquardsen u. a. durch eine sorgsame Zusammenfassung, die er so

sehr verdient, noch viel gewonnen werden könnle; die des Plinius und
Plutarch (die Schriften über den letzteren von Schreiber und Eichhoff
scheinen dem Vf. unbekannt geblieben zu sein) befriedigen am wenigsten. Von den Schriftstellern, unter welchen er die Historiker einer
ausdrücklicheren Berücksichtigung hätte würdigen sollen, geht er auf
die öffentlichen Gesetze und Institutionen über, schildert den Einflusz
des christlichen Geistes auf die Kaiser und Rechtsgelehrten, die Frauen
und die Ehe, die Kinder überhaupt und die armen Kinder insbesondere, endlich den Zustand der Sklaverei. Hier ist denn nun freilich
die mächtige Wirkung des immer mehr zur Herschaft gelangenden
Christenthums schon mächtig zu spüren; es bricht sich siegreich Bahn
und setzt seinen alles durchdringenden, welterobernden Einflusz durch
die nachfolgenden Jahrhunderte fort. Der Erörterung dieser, mit besonderer Beziehung auf die auch schon früher durchgenommenen sittlichen Zustände, hat der Vf. die letzten Blätter gewidmet und dann
mit einem kurzen Hinblick auf die Rückwirkung des heidnischen Geistes auf die Sitten der christlichen Gesellschaft das ganze geschlossen.
Allerdings treten hiebei die schwarzen Schatten des im Todeskampfe
liegenden Heidenthums stark hervor, und nicht blosz darum, weil ihnen
gegenüber das Licht immer heller und heller wird, sondern auch, weil
gerade bei solchem zusammentreffen zweier auf das äuszerste feindseligen Mächte selbst auch die Kräfte des Abgrunds in die gewaltigste
Bewegung kommen müssen. Ohnehin kann solches Doppelgemälde
niemanden befremden, der es beherzigt, dasz das Evangelium ja mitten
in die natürliche Welt hinein immerfort gepflanzt werden musz und
daher, je weiter es dringt, desto gröszer der Abstand werden musz,
in welchem die siegende Macht des geistlichen Lebens dem versinken
des weltlichen Wesens gegenüber sich befindet.

Auf diesen Boden versetzt uns denn vorzugsweise die zweite der
in der Ueberschrift bezeichneten Arbeiten, die neben dem historischen
Charakter unverkennbar eine, im einzelnen allerdings nicht ganz klare
prophetische Tendenz an sich trägt. Der Vf. meint, dasz 'wir heutige
Menschen des neunzehnten Jahrhunderts, am Vorabende einer ähnlichen
Katastrophe des europaeischen Lebens wie jene des vierten Jahrhunderts war, uns trotz der Erkenntnis seiner inneren Nothwendigkeit
schwerlich einer mitfühlenden Theilnahme an dem Untergange des
Hellenismus werden erwehren können.' In welcher ganz besonderen
Beziehung dieses zu den Bewegungen und Kämpfen der Gegenwart
gedacht worden sein mag, können wir vielleicht entfernt aus einem
andern Satze ahnen, den er am Schlusse eines interessanten Abschnittes über das Palladium in Konstantinopel S. 50 hinzufügt: 'Wenn dies
Palladium, welches Troja mit Rom, Rom mit Konstantinopel verknüpft
hat, und dieses mit einer andern Stadt auf slavischer Erde verknüpfen
wird, aus seiner engen Behausung befreit zum drittenmal aufsteigt an
das Licht der Sonne: dann erst wird der gegenwärtige Welttag unter
— und unsern Enkeln vielleicht ein neuer aufgehen.' Wir haben in-

dessen unsererseits hier natürlich nur das historische ins Auge zu
lassen.

Für die ganze Stellung des Römerthums zu den Christen ist allerdings der Standpunkt eines Mannes wie Tacitus von besonderer Wichtigkeit; der Vf. findet denselben, als einen allgemein und objectiv
römischen angesehen, berechtigt, und man darf ihm darin im allgemeinen schwerlich widersprechen. Wenn T. das unter dem Schirme
des geduldeten Judenthums mitgehende Christenthum einen verderblichen Aberglauben nennt und seinen Bekennern allgemeinen Menschen-
hasz (odium humani generis), d. h. eine allen übrigen entgegengesetzte
Glaubens- und Lebensweise, vorwirft, wenn Plinius der jüngere und
Sueton fast mit denselben Worten die christliche Religion als einen
Wahnsinn, einen verkehrten, unmäszigen, neuen und ruchlosen Aberglauben bezeichnen und den Christen selbst Trotz und unbeugsame
Halsstarrigkeit schuld geben, so kann man mit dem Vf. diese Vorwürfe
vom römischen Standpunkte aus theils wirklich begründet finden, theils
unvermeidliche Misverständnisse darin erkennen. Ich weisz zwar
nicht, ob der Vf. darin Recht hat, dasz die Widerlegung den christlichen Apologeten darum so leicht geworden sei, weil sie den Hellenismus aus ihrem Herzen ausgerottet (ich würde vielmehr sagen:
durch den Glauben und die Kraft des Evangeliums die Einseitigkeit
desselben überwunden) hatten, und dasz die Römer die Widerlegung
nicht einmal verstehen, geschweige denn anerkennen konnten, ohne
aufzuhören Römer zu sein. Die Sache dürfte vielleicht ihren tieferen
Grund eben darin haben, dasz die edleren Geister, die denn doch
wahrlich nicht blind waren gegen die Versunkenheit ihrer Zeit und
nicht ohne Hoffnung auf ein noch so äuszerlich und weltlich gefasz-
tes Heil, dieses doch nicht anders zu fassen vermochten als in dem
äuszerlichen national-politischen Rahmen eines mit junger, frischer
Kraft in die Geschichte eintretenden Volks. Das Christenthum sollte
gerade zuerst alle nationale Beschränktheit zu Boden werfen und durch
die Möglichkeit einer rein individuellen, an keine volksthümliche Bestimmtheit gebundenen Aneignung des Heils den Universalismus seines
Charakters zeigen. Hätte ein Tacitus schon damals an den germanischen Volkstämmen, in deren nationaler Eigenthümlichkeit nachmals
das Christenthum eine Stätte gesunder und kräftiger Entwicklung fand,
das Bild dieses neuen Lebens gewahren können: er würde unfehlbar
ganz anders zu der Sache gestanden haben, wie sein tiefer Blick in
die sittlichen Vorzüge des von ihm geschilderten Volkes beweist.
Wir dürfen also den Eindruck, den die römischen Christen auf die
römische Welt machten, nicht so ohne weiteres nach dem Reflex beurtheilen, dessen sie sich selber bewust geworden sind; und selbst die
Verdienste der Märtyrer und der Heldenmut so vieler treuer Seelen
unter den wüthenden Verfolgungen verschiedener Kaiser können nach
dieser Seite hin leicht überschätzt werden. Bestimmteres Zeugnis
geben allerdings die verschiedenen Toleranzedicte, die von mehreren
Kaisern ausgiengen. Das einfluszreichste derselben ist das vom J. 312

gewesen, welches zugleich alle jene Schritte vorbereitete, wodurch
die christliche Religion Staatskirche geworden ist. Diese entscheidende Thatsache unterliegt einer abweichenden Beurtheilung; des Vf.
confessioneller Standpunkt läszt sich in seinen Aeuszerungen darüber
nicht verkennen, wenn auch hier am wenigsten der Ort ist darüber weiter mit demselben zu rechten. Was uns vielmehr hier von Constantins
Wirksamkeit vorzugsweise anziehen musz, das sind seine Maszregeln
gegen das Heidenthum und die absichtliche endliche Zerstörung desselben, während wiederum in vielfacher Beziehung in seinem denken
und thun heidnisches und christliches sich mit einander vermischte.
Wol noch mehr gilt dies freilich vom Constantius, wenn wir auch das
harte Urtheil des Ammian über ihn nicht in allen Theilen unterschreiben dürfen. Mehr aber noch interessiert uns Kaiser Iulianus, 'eine
jener tragischen Persönlichkeiten, die auf die Grenze zweier Weltalter
gestellt, statt die Zukunft kühn zu erfassen und in deren Sinne zu
handeln, rückwärts gewendet sich stärker von der Vergangenheit angezogen fühlen, und indem sie der fortschreitenden Bewegung der
Geschichte sich widersetzen, statt des Hammers Ambosz, und dann
von einem stärkeren Arme zerschlagen werden'. Die Schilderung
dieses sehr interessanten Charakters mit der eingreifenden Wirkung
seines strebens auf die ihn umgebende Zeit ist unserem Vf. vorzüglich
gelungen (S. 59—82), und wir werden ihm in dem Ergebnisse seiner
Forschung hinsichtlich der Einwirkung auf das Christenthum gewis
beizustimmen haben. Es ist bezeichnend für manche Auffassungen
auch in unserer Zeit noch, dasz Julian den christlichen Rhetoren und
Grammatikern, wenn sie nicht zu dem Göttercultus übergehen wollten,
das lehren der freien Künste verbot, weil jene Lehrer nicht blosz
Worterklärer, sondern auch sittliche Erzieher sein sollten und daher
unmöglich die heidnischen Klassiker, deren religiösen Glauben sie
verachteten, erklären könnten. Man sieht also, er erkannte in diesen
von ihm so hochverehrten Schätzen doch keine dem Evangelium irgend
gewachsene Macht, die von dort zu sich herüberzuziehen im Stande
gewesen wäre, aber andererseits rechnete er auch nicht auf die Gefahr, die aus der Beschäftigung mit den alten dem Christenthum selbst
erwachsen könnte, weil er sonst ja nur allzu gern das Studium derselben befördert haben würde.
    Es wäre des anziehenden noch sehr viel mitzutheilen aus dieser
Schrift, sowol über einzelnes aus dem hinsterbenden Leben des Alterthums, als auch über die fortschreitende Macht der Wahrheit, wenn
wir uns nicht dem Zwecke dieser Blätter gemäsz kürzer darüber fassen müsten. Wir erinnern daher nur an den Nachweis der Entstehung
des Namens *pagani*, der zuerst in einem Gesetze Valentinians vom J.
368 sich findet (S. 87); wir verweisen auf die gemischte religiöse
Stimmung der Hauptstadt, wo der Senat getheilt, der Adel heidnisch
war (S. 90 f.), auf die Bemerkung von den Genien des Völkerlebens
naeh einer antikes mit christlichem mischenden Vorstellung jener Zeit
(ebd.), auf den letzten Widerstand der Heiden zu Alexandrien im Se-

rapeum (S. 103 ff.), auf die Darstellung des Mailänder Edicts von 391
mit seiner nachmaligen Schärfung und darauf wieder eingetretener
Beschränkung (S. 107 ff. 115) und die vollständige Saecularisation der
heidnischen Tempelschätze durch die Befehle des Arcadius und Hono-
rius aus den JJ. 407 u. 408. Nicht minder gern liest man (S. 128 f.)
von dem Kampfe des Bischofs Cyrillus und der heidnischen Philosophin
Hypatia, die als die Ursache galt, 'dasz der Statthalter nicht des Bi-
schofes Freund sei; und um dies Hindernis wegzuräumen, passen ihr
an einem unheilvollen Tage in der Fastenzeit des J. 415 die Fanatiker
unter-Anführung des Lectors Petrus den Weg ab, reiszen sie aus ihrem
Wagen, schleppen sie in die grosze Kirche, zerstückeln dort mit
Austerschalen gliederweise die nackte Leiche der ermordeten, und
verbrennen sie dann', wobei der Vf. unbefangenen Sinnes die Bemerkung hinzufügt, dasz sie, wenn sie Christin gewesen und von Heiden
ermordet worden wäre, als Märtyrerin im Andenken der Nachwelt fort-
leben würde; 'doch auch als Heidin für eine untergehende Religion
gestorben zu sein, sichert ihr die Theilnahme aller, welche die subjective Hoheit des menschlichen Gemüts auch an Gegnern zu ehren
verstehen.' Die Mittheilung aus Salvians Darstellung der Christenheit
(S. 134 f.) eröffnet uns zugleich einen Blick in die Wichtigkeit seiner
trefflichen Schrift *de gubernatione dei*; wir sehen auch ernste und bisweilen erschütternde Züge aus jenen Zeiten uns entgegentreten, und
die Schicksale eines Proklos, Hierokles u. a. sind nicht blosz die letzten Zuckungen eines hinsterbenden Lebens, sondern auch Beweise,
dasz das Verhalten der Christen den Heiden gegenüber nicht immer
von evangelischem Geiste geleitet war, wie solches denn auch noch in
den gewaltsamen Bekehrungen Justinians, dem Verbote gegen das
lehren der Philosophie und des Rechts, und in manchen andern Zügen
zu erkennen war. Aber noch andere Zeugnisse bekundeten das völlige
Ende jener alten, mit ihrem tiefsten Gehalte und schönsten Kleinode
lebensvoll und verklärt in die neue Entwicklung der Menschheit aufgenommenen Welt, wie die letzte Feier der eleusinischen Geheimnisse,
die Zerstörung des letzten Apollotempels im J. 529, die Verwandlung
des römischen Reinigungsfestes der Lupercalien in das christliche Fest
der Reinigung Mariae, die Confiscation des Stiftungsvermögens der platonischen Akademie und das aufhören derselben nach einem neunhun-
dertjährigen Bestande. — In allen diesen Mittheilungen liegen schätz-
bare Beiträge zu einer wünschenswürdigen umfassenden Fortsetzung
von Tzschirners 'Fall des Heidenthums', da es diesem gelehrten Theologen ja nur vergönnt gewesen ist, seine Darstellung durch die beiden
ersten von ihm abgesteckten Perioden bis zur Diocletianischen Verfolgung oder bis zum J. 303, aber nicht durch die anderen beiden bis
auf das Zeitalter Justinians hinunterzuführen.

Friedr. Lübker.

32.

Gedichte von Alfred Tennyson. *Uebersetzt von* **W. Hertzberg.**
Dessau 1853.

Zu den bedeutendsten Erscheinungen auf dem Gebiete der Ueber-
setzungslitteratur gehört Hertzbergs Tennyson. Von den lyrischen Ge-
dichtenTennysons waren einige in Deutschland schon früher durch Freiligraths Uebersetzung bekannt; der neueste Uebersetzer dieser Gedichte
hat sich schon dadurch ein Verdienst erworben, dasz er die sämtlichen
lyrischen Gedichte Tennysons mit Ausnahme nur weniger, die· aber
leicht entbehrt werden können, ins Deutsche übertragen hat. Den
deutschen Lesern ist dadurch Gelegenheit gegeben, sich mit Leichtigkeit mit einem Dichter bekannt zu machen, der alle Aufmerksamkeit
verdient und eine erhebliche Fülle poëtischen Genusses bietet.

Die 'Gedichte' Tennysons ihrem Inhalte nach betrachtet erinnern
sehr lebhaft an die deutsche Romantik. Wie diese liebt es Tennyson
sich in das Mittelalter zu versetzen und dessen Sagen und Märchen poëtisch wieder zu beleben; die bretonische Sage, ursprünglich auf bri-
tischem Boden erwachsen, mit ihrem Arthur, mit Lanzelot und der
Königin Ginover, mit Sir Galahad, der wie der deutsche Parcival nach
dem heiligen Grale trachtet, — der König Kophetua und das Bettlermäd-
chen, ein aus Percy bekannter Stoff, auf welchen schon Shakespeare wie
in 'Romeo und Julie' und in ' Verlorner Liebesmühe' anspielt, erscheinen auch in Tennysons Gedichten. Die in Deutschland bekannte Sage
vom Dornröschen, welche Tennyson in dem ' Tagestraum' behandelt
hat, das eigenthümliche Gedicht 'Die Dame von Shalott' u. a. geben
den Beweis, dasz Tennyson eine tiefe und romantische Neigung zu dem
geheimnisvollen und wunderbaren des Mittelalters besitzt, wie wir
sie unter den deutschen Dichtern z. B. bei E. Mörike finden. Diese
romantische Neigung Tennysons glauben wir auch in den Gedichten
wahrzunehmen, in welchen er seine Stoffe aus dem klassischen Alterthum entlehnt hat. Zu den eigenthümlichsten und interessantesten
Dichtungen dieser Gattung gehören die 'Lotosesser', 'Ulysses', 'Oenone',
die 'Seenixen'. In den 'Lotosessern' nimmt der Dichter die Erzählung
von den Lotophagen, die wir in der Odyssee IX 82 f. finden, zum
Thema und variiert dasselbe in romantischer Weise. Tennyson schildert das Land, in welchem es ewig Nachmittag zu sein schien, in
welchem die Luft vom Ufer matt aus- und einzieht und wie vom
schweren Traum bedrückt haucht. Die Genossen des Odysseus, welche
vom Zauberbaum, der immer Blüte und Frucht zugleich trägt, genossen haben, wollen das Land nicht wieder verlassen; in einem Chorge-
sange schildern sie die bezaubernde, sinnberückende Beschaffenheit
des Landes.

In diesem Lande thront die Ruhe und 'Ruh allein ist Glück', so
tönt der Gesang, der aus der Seele der ermüdeten, der unruhigen Meer-
fahrt überdrüssigen Genossen des Odysseus strömt. Dieser Ruhe sich
hinzugeben ist ihre höchste Sehnsucht.

Wenn der Dichter in den 'Lotosessern' die einfache Situation Homers zu einem Gemälde voll romantischer Sentimentalität erweitert, so verläszt er in ähnlicher Weise den einfachen Homer in dem Gedichte 'Ulysses'. Hier ist der göttliche Dulder nicht zufrieden, Herd und Heimat, Weib und Kind wiedererlangt zu haben; vielmehr ist die Ruhe ihm verhaszt und wie Parcival, der im Besitze einer geliebten Gattin und eines Reiches vom unruhigen Thatendrange gefoltert und zu neuen Abenteuern fortgetrieben wird, will Ulysses 'jenseits des Unterganges segeln, wo des Westens Sterne baden', um die Inseln der seligen aufzusuchen. Tennyson liebt es aus dem Alterthum solche Stoffe zu wählen, die ihm Raum geben eine gebrochene Gemütsstimmung darzustellen, wie 'Oenone', des Paris verlassene Geliebte, beweist; dieselbe Situation kehrt in noch tieferer Weise in den Gediehten 'Mariana' und 'Mariana im Süden' wieder. Dagegen behandelt er die Sage vom Amphion komisch. Mit besonderer Neigung mußte sein dem wunderbaren und phantastischen zugewendeter Sinn die homerische Sage von den Sirenen ergreifen; denn der phantasiebegabte Inselbewohner hatte die Stimme des Meeres vernommen nicht allein in seiner Erhabenheit, wenn es wie ein Raubthier brüllend ans Ufer schosz; auch die anmutige, sirenengleich verlockende Stimme des Elements hatte zu ihm gesprochen. Tennyson hat im Geiste der germanischen Auffassung die homerischen Sirenen dargestellt in den 'Seenixen', welche den müden Schiffern ihr seliges, genuszreiches Inselleben anpreisen. Mit diesem Gedichte sind der 'Meermann' und das 'Meerfräulein' zusammenzustellen, in welchen Tennyson das geheimnisvolle, eigensinnige, ton- und klangreiche Element des Meeres in reicher poëtischer Schönheit darstellt. Wer den englischen Dichter in seiner ganzen Eigenthümlichkeit kennen lernen will, möge diese Gedichte mit Goethes 'Fischer' oder mit Mörikes 'die Geister am Mummelsee' vergleichen. Eine sinnige und liebevolle Anschauung der Natur, deren Erscheinungen für den Dichter ein persönliches Leben haben, befähigt unsern Tennyson insbesondere zu idyllischen Darstellungen. In diesem Gebiete ist er überaus glücklich, bewegt er sich in ebenso klaren als anmutigen Formen, während er in manchen Gedichten insbesondere seiner Jugendperiode nicht frei von Dunkelheit und Schwulst bleibt. Hier kamen dem Dichter die Anschauungen recht zu statten, die sein Jugendleben erfüllten. Als der Sohn eines Landpredigers brachte er diese Jugend nicht in dem Gewühl der Stadt, sondern in einem Dorfe (in Lincolnshire, vgl. A. Fischer ausgewählte Gedichte von A. Tennyson, Berl. 1854 p. 1) zu und welchen Eindruck die friedliche und anmutige Umgebung auf sein Gemüt gemacht hatte, schildert er uns selbst in der 'Ode an die Erinnerung'.

Süsze Erinnerungen an die Heimat waren es, die sich zu klaren und anmutigen Gestalten verkörperten in den schönen Gedichten ' des Müllers Tochter', 'die Gärtnertochter'. Aus der Quelle dieser Bekanntschaft mit dem Landleben entsprangen solche Gedichte, welche die Freuden und Leiden der Dorfbewohner und die tragischen Geschicke

ihres Lebens schildern, wie die 'Maikönigin', 'Neujahrsabend', 'Dora'.
Mit klarer Sicherheit zeichnet und erzählt hier der Dichter; man fühlt
es den Gedichten an, dasz hier alles aus lebenswarmer unmittelbarer
Anschauung stammt; der Knabe hatte von der Brücke dem 'Donner-
falle des rauschenden Mühldamms gehorcht', hatte das Spiel der Gründ-
linge im Wasser gesehen und an dem Blütenmeer der Kastanien sich
erfreut; in Londons 'heiszem, staubigem Gewühl' mochte sich der
Mann wehmütig des Sees erinnern, wo die erste Schwalbe ihren
Fittig netzte, an dessen Ufer die goldne Lilie blühte; damals hatte er
den Mai gesehen, der dreimal muntrer war als die jetzigen und von
welchem er singt:

> 'Der Stier vergasz zu grasen, und am Pfad,
> Der durch die Hecke schneidet, stand er still,
> Die Hörner lehnend in des Nachbars Feld,
> Und brüllte Grusz den Brüdern. Aus dem Wald
> Scholl der zufried'nen Tauben girr'nder Ruf;
> Der Lerche Triller stockte fast vor Lust
> Und ward verworren, als der Furche sie,
> Dem lieben Nest genaht. Links rief und rechts
> Kuckuk den Bergen seinen Namen zu.
> Vom Ulmbaum quoll der Amsel Flötenton;
> Rothkehlchen pfiff, laut sang die Nachtigall,
> Als wäre sie der Tagesvogel heut.'

In den Gedichten dieser Gattung hat Tennyson eine grosze Plasticität
und Einfachheit der Darstellung erreicht, während er in manchen anderen besonders seiner Jugendperiode, wie bemerkt, der Dunkelheit
verfällt. Trefflich finden wir ihn auch, wo seine Empfindung in den
musikalischen Klängen des Volksliedes tönt; wir erinnern hier an die
in des 'Müllers Tochter' eingelegten Lieder und führen noch die reizende Melodie 'Claribella' nach Hertzbergs trefflicher Uebersetzung an:

> Um Claribellas Gruft
>   Ist still die Luft und rein;
>   Der Ros' ihr Blatt entschwebt,
> Wenn aus Eichenschatten-Duft
>   Ernst flüsternd, süsz es bebt
> Wie von alten Melodei'n
>   Von des Herzens tiefster Pein;
> An Claribellas Gruft.
>
> Der Käfer summt verirret
>   Im Busch beim Dämmerschein,
> Die wilde Biene schwirret
>   Bei Tag am moos'gen Stein,
> Den Nachts der Mond umflirret,
>   Der schaut so still darein.

Des Hänflings Lieder schwellen
Zum Drosselschlag dem hellen;
  Es zirpt die flügge Meise,
Des Baches Schlummerwellen
  Verrinnen plätschernd, leise;
Der Grotte Echo ruft
An Claribellas Gruft.

Aus dem angeführten mag man schon ersehen, dasz Tennyson über einen groszen Reichthum poëtischer Anschauungen gebietet. In das tiefe und schöne Gemüt des Dichters und. nicht minder in seine poëtische Gestaltungsfähigkeit thun wir einen Blick, wenn wir sein Werk 'In memoriam' betrachten, das nun gleichfalls in der deutschen Uebersetzung einer ungenannten Verfasserin vorhanden ist. Die Gedichte, welche dieses Werk umfaszt, klagen um den Freund, den der Dichter im Jahre 1833 verlor, und verherlichen sein Andenken. Dieser Freund war Arthur Hallam, der Sohn des berühmten englischen Geschichtschreibers, dem Dichter von Jugend an vertraut und als verlobter seiner Schwester noch enger verbunden. Es ist begreiflich, dasz durch die sämtlichen Gedichte der Ton der Klage geht; dadurch können sie etwas ermüdendes haben; aber die elegischen Töne erklingen doch in manigfaltigen und verschiedenen Accorden, und mit unermüdeter Rührung lauschen wir der Stimme dieser thränenreichen Muse. Der Dichter gibt uns gleichsam eine Geschichte seines Schmerzes; eine Reihe individueller Züge und Situationen tritt auf und der ganze Cyclus bekommt dadurch einen epischen Charakter. Während die ersten Gedichte (1—8) den heftigen Schmerz aussprechen, offenbart sich in den nächstfolgenden die Sorgfalt um den Leichnam des Freundes, der auszerhalb des Vaterlandes, in Wien, gestorben war. Der Dichter gewinnt in seinem tiefen Leid die Ueberzeugung: ' Viel besser ists geliebet und die Liebe verloren haben, als gar nie geliebt.' Das Bild des entrissenen, theuren Freundes begleitet nun den Dichter durch alle Verhältnisse. Die Verknüpfung der Klage um den dahingeschiedenen mit den vorkommenden Ereignissen des Lebens bringt die schönsten und individuellsten Darstellungen hervor. So musz er das schöne Weihnachtsfest ohne den Freund feiern; er hört die Glockenstimmen aus vier Dörfern schallen, welche für alle Menschenkinder Fried' und Heil läuten. Er dachte, sein Leben würde zu Ende gegangen sein, eh' er diese Glocken noch einmal hörte:

Doch stärken sie den Geist in seinem Leid,
Denn sie geleiteten mich schon als Knaben,
Die, trotz des Kummers, mich mit Freuden laben,
Die frohen Glocken froher Weihnachtszeit.

So wird Faust bei Goethe durch die ahnungsvollen Glockentöne vom letzten, ernsten Schritt zurückgerufen. Die schöne Weihnachtsfeier erwähnt Tennyson noch öfter, (z. B. No. 103 der Uebersetzung);

mit denselben Worten spricht er noch einmal von der Stille der
Nächte, dem Schleier bedeckter Monde; mit schöner Vorliebe spricht
er von der Zeit, welche bei Shakespeare im Hamlet gepriesen wird
(I 1):

> Sie sagen, immer wenn die Jahrzeit naht,
> Wo man des Heilands Ankunft feiert, singe
> Die ganze Nacht durch dieser frühe Vogel (der Hahn);
> Dann darf kein Geist umhergehn, sagen sie,
> Die Nächte sind gesund, dann trifft kein Stern,
> Kein Elfe faht, noch mögen Hexen zaubern
> So gnadenvoll und heilig ist die Zeit.

Bei der Weihnachtszeit erinnert sich Tennyson der Geschichte
des auferweckten Lazarus und der Glaube an die Unsterblichkeit beschäftigt seine Gedanken. Er lebt der Ueberzeugung, dasz der Freund
in seiner höhern Sphaere liebend des Freundes gedenke, wie ein groszer
Mann, der auf dem Gipfel des Glückes angelangt ist und im Staate
eine hohe Stelle einnimmt, ein leises Sehnen nach dem Flusse fühlt
und in dem Hügel geheimen Liebreiz findet, welche seine Kindheit um-
grenzten. Von groszer Schönheit sind die Gedichte, in denen die Erinnerungen ausgesprochen sind an Orte, an Zeiten, die durch den Freund
eine heilige Weihe erhalten haben. Der Dichter geht an den ehrwürdigen
Mauern wieder vorüber, wo er früher das Studentenkleid getragen, er
sieht die Stuben wieder, die einst der Freund bewohnte, und erinnert
sich der Gespräche, die in diesen Räumen geführt wurden über Geist
und Kunst und Studien, Handel und Bildungsweise des Landes; in
diesen Gesprächen war der Freund der Meisterschütze und traf ins
schwarze. Oder er versetzt uns unter die Ulmen, in deren Schatten
der Freund so gern wandelte, oder in den Wald, wo sie die Nachmittage mit ernstem Gespräch, mit Gesang und Heiterkeit zubrachten.
Mit inniger Liebe und Gründlichkeit entwirft der Dichter das schöne
Charakterbild des Freundes.

In den letzten Gedichten athmet eine ruhigere Stimmung; der
Dichter schöpft Trost aus der Ueberzeugung, dasz drohen 'alles gut
steht.' Dieser Wächterruf, dasz es gut steht, beruhigt seinen Blick
über die Wirren der Zeit. Das zuletzt im J. 1849 hinzugekommene
Gedicht, welches den ganzen Cyclus einleitet, ist ein Gebet zu Christus, in welchem der Dichter um Vergebung fleht wegen des blinden
Schreies seiner Schmerzen und in Christi Weisheit die eigne zu finden sucht. — So hat der Dichter eine Fülle schöner und tiefer Empfindungen dargestellt und seiner Dichtung die Theilnahme aller derer
zugesichert, die einen Freund oder eine geliebte Person überhaupt
verloren haben. Der aesthetische Werth der Gedichte aber wird noch
bedeutend erhöbt durch die Beziehungen des Dichters zur Natur. Man
rühmt es an Tennyson in England, dasz er die landschaftlichen Schönheiten seines Vaterlandes mit sinnigem Auge und kundiger Hand zu
zu zeichnen verstehe. In memoriam gibt von dieser Meisterschaft des

Dichters treffliche Beweise. Viele Stellen der heimatlichen Landschaft haben eine erhöhte Bedeutung durch die Liebe, welche der
Freund zu ihnen hegte. Sie sind für den Dichter Zeichen und Rufe
der Erinnerung an ihn. Da ist kein alter Pachthof, keine ferne Hürde,
kein tiefer Sumpf, kein leise flüsternd Rohr, kein niedrer Querzaun
am Thor der Wiesen, kein weiszbereifter Dorn und Eschenhügel, kein
Büchlein, das den Felsen hinabrinnet, nichts ist, das des Freundes
Liebe nicht erworben hätte und dem Dichter die schönere Zeit nicht
wiederspiegelte. Die Stille des Abends, in der kein Heimchen zirpt,
nur das ferne quellen des Bächleins gehört wird und die Fledermäuse
die würz'ge Luft durchziehen, ruft in des Dichters Seele das Bild des
Freundes wach und in den gefallenen Blättern, die noch ihr Grün bewahren, liest er die edeln Züge des gestorbenen. Mit Meisterhand
zeichnet er die Stille des Herbstmorgens, wie sie auf dem Raine, auf
dem Thaue ruht, die Stille des Lichtes, das die Ebene deckt, die Stille
und den Frieden in der Luft und in den Blättern, die zum Fall sich
röthen, und diese Stille vergleicht er mit der Stille der Gruft, die
durch den Tod des Freundes in seinem eignen Herzen eingetreten ist.
So wird die Natur überall eine Mahnerin, Begleiterin oder ein Symbol
für die Seelenstimmung des Dichters. Der bejahrte Taxusbaum, dem
der Lenz nicht Blüte und Pracht bringt, der bei jedem Winde ohne
Wandel bleibt, dem kein Sonnenschein etwas nimmt von seiner tau-
sendjährigen Nacht, dieser Baum in seiner finstern Starrheit ist für den
Dichter ein Bild des eignen finstern, schmerzerstarrten Herzens. Er
ruft der süszen Frühlingszeit zu, mit ihrer Ankunft nicht mehr zu zögern, ihre Blumen zu bringen und die erstarrte Blüte des Gesanges
im Gemüte wieder zu beleben. Er bittet die ambrosisch süsze Luft,
die nach dem Regen aus dem Abenddunkel sich ergieszt, ihm Stirne
und Wangen zu fächeln, ihres neuen Lebens Hauch in sein Gebein zu
strömen, damit seine Phantasie zu dem fernen Ufer gelange,

wo dem Liede
Sich Welten aufthun, die im Purpur flimmern,
Wo hell und hoch die Morgensterne schimmern,
Und Geisterschaaren leise sprechen: 'Friede'.

   Und so wird denn auch durch den Lenz, durch seine Blüten-
und Farbenpracht in der Seele des Dichters die trostreiche Zuversicht
erweckt zu dem, der diese Welt so schön gestaltet.
   Und dieser reiche Schatz tiefer Empfindungen und schöner Anschauungen, welchen In memoriam darbietet, wird dem Leser in der
edelsten Form gereicht, in einer schönen, warmen, flieszenden und bil-
derreichen Sprache. Auffallend musz es daher erscheinen, dasz ein
Dichter wie Tennyson, der das Naturleben in seinen zartesten Tönen
zu vernehmen weisz, der der Natur so oft eine mitfühlende Seele ein-
haucht, der ferner eine solche Fähigkeit zu plastischer Darstellung
besitzt, sich in kalten oder dunkeln moralisierenden Allegorien, wie
der 'Kunstpalast', das 'Gesicht von der Sünde', 'die beiden Stimmen'

gefallen oder zu einer Geschmacklosigkeit sich verirren konnte, wie
sie in 'den Schwestern' auftritt.

Was nun zuerst Hertzbergs Uebersetzung betrifft, so wird der
Leser schon durch die wenigen von uns mitgetheilten Proben hoffentlich eine günstige Meinung erhalten haben. Diese Uebersetzung verdient die angelegentlichste Empfehlung. Das Unternehmen, gerade
Tennysons Gedichte zu übersetzen, war ein sehr schwieriges; denn
diese Gedichte bieten im Originale viele sehr schwere Stellen und
Hertzberg hatte weder einen Erklärer noch einen Uebersetzer zu Vorgängern, an die er sich hätte anschlieszen können. Während Freiligrath in den wenigen Gedichten Tennysons, die er übersetzt hat, zu
grosze Freiheiten, ja Willkür sich erlaubt hat, ist dagegen Hertzberg
seinem Dichter mit groszer Treue gefolgt, ohne der Treue die poëtische Schönheit aufzuopfern. Viele von Hertzbergs Uebersetzungen
sind so gelungen, dasz sie gar nicht den Eindruck von Uebersetzungen machen. Man lese auszer vielen andern das Gedicht 'Lady Clara
Vere de Veri', und man wird sich diesem Eindrucke nicht entziehen
können. Tennyson gebietet über eine grosze Fülle der poëtischen
Sprache, er liebt die Häufung desselben Reimes, er spielt gern mit
den Klängen der Sprache. Diese Eigenthümlichkeit Tennysons in der
Uebersetzung nachzubilden ist Hertzberg eifrig bestrebt gewesen;
und da er seinen Dichter mit poëtischem Auge anschaute und die
Melodie der Sprache mit feinem musikalischem Ohre vernahm, ist es
ihm vortrefflich gelungen, gerade das echt dichterische in seiner
Uebersetzung mit bewundernswürdigem Talente wiederzugeben. Wir
erinnern an die Gedichte 'die Seenixen', 'der Meermann', 'das Meerfräulein', in denen das musikalische tönen, das geheimnisvolle flü-
stern, das üppige und wilde ·jauchzen der Meereswoge hörbar ist.
Hertzberg hat dies alles mit feinem Sinne und auszerordentlicher Geschicklichkeit nachgebildet. Das Gedicht 'die Dame von Shalott',
reim- und klangvoll wie es ist, erreicht den Eindruck des geheimnisvollen und magischen, den es hervorbringt, noch durch den Umstand,
dasz in jeder der neunzehn neunzeiligen Strophen im fünften und
neunten Verse der Reim 'Camelot' und 'Shalott' wiederkehrt. In
welche engen Schranken der Uebersetzer hier gebannt ist, bedarf keiner Erwähnung. Hertzberg hat die Schwierigkeit in bewundernswür-
diger Weise gelöst, er bewegt sich in den Fesseln der Reime, die
ihm aufgelegt waren, mit solcher Leichtigkeit, als ob die Uebernahme
dieser Fesseln eigne Wahl wäre. Durch die Uebersetzung dieses Gedichtes und vieler anderen erlangt Hertzberg eine ebenbürtige Stelle
neben den Meistern der deutschen Uebersetzungskunst, einem Schlegel
und Rückert, und unser Urtheil wird wol keinen Widerspruch erfahren, wenn wir dem Leser ein paar Strophen vorlegen:

> Lose links und rechts umwallt
> Von schnee'gem Kleid lag die Gestalt;
> Blätter streut auf sie der Wald;
> Dumpf von Nachtgeräusch umhallt

Flosz sie hinab nach Camelot.
Und als das Boot sieh schlang entlang
Durch Feld und Weidenbusch-Behang,
Da laut erklang der letzte Sang
    Der Dame von Shalott.

Das Lied kam heilig, ernst geflossen,
Hat sich laut und tief ergossen,
Bis ihr Blut nicht mehr geflossen,
Nacht die Augen dicht umschlossen,
    Noch gewandt nach Camelot.
Denn eh' sie auf der Woge Braus
Am Strom erreicht das erste Haus,
Haucht singend sie die Seele aus,
    Die Dame von Shalott.

Wenn wir nun bei so vielem meisterhaften und gelungenen, das
uns Hertzbergs Uebersetzung bietet, doch einige Wünsche nicht un-
terdrücken können, möge uns der Uebersetzer nicht gerade Unge-
nügsamkeit vorwerfen. Mit Recht macht Hertzberg in Bezug auf die
Uebersetzungsthätigkeit die Bemerkung, 'in keiner Art litterarischer
Arbeiten sei die Forderung billiger, dasz der Kritiker da, wo er etwas ungenügend fiude, in jedem einzelnen Falle nachweise, dasz es
besser gemacht werden könne — dadurch dasz er es besser mache.'
Vielleicht läszt sich vieles von dem, was wir verbessert wünschen,
wirklich nicht verbessern; aber gerade an einen so begabten und
gewandten Uebersetzer wie Hertzberg richten wir unsere Wünsche,
ob er sie bei einer zweiten Auflage seiner Arbeit vielleicht in Erwägung ziehe. Manche Schönheit, welche das Original bietet, wird die
Uebersetzung nie erreichen können, weil der Sprachgenius der einen
wie der andern Sprache es verbietet. Hierher gehören manche Epitheta, welche ein Bild oder eine Anschauung hervorrufen, wie sie.
bei Tennyson häufig vorkommen: wir meinen *the gray-eyed morn*
(Poems, Lond. 1851, p. 10), ein Ausdruck, der genau in derselben
Weise bei Shakspeare (Romeo and Juliet II 3) vorkommt: *The gray
-ey'd morn smiles on the frowning night.* Schlegel hat wenigstens
in der Uebersetzung von 1833 das Epitheton *gray-ey'd* ganz unübersetzt gelassen, Hertzberg übersetzt S. 8. 'des grauen Morgens'; beides entspricht der naturtreuen Personification des Dichters nicht, aber
hätten sie 'grauäugig' übersetzen sollen? Aehnliche Epitheta sind in
den Stellen *the gold-eyed kingkups fine* (Poems p. 49), *the low-
tongued Orient* (p. 35), *from crimson-threaded lips* (p. 6), *by
the margin, willow-veil'd,* (p. 64), *beautiful-brow'd Oenone*
(p. 99); das letztere hat Hertzberg dureh 'schöngestirnte' (S. 100)
wiedergegeben, die übrigen, wie er nicht anders konnte, durch ad-
verbiale Bezeichnungen, nur dasz in der Uebersetzung von *willow-
veild* das schöne Bild des Schleiers verloren gegangen ist. Von
dem feinen poetischen Sinne Hertzbergs musz man erwarten, dasz es

ihm Kampf kostete, ein Bild des Dichters in der Uebersetzung aufzugeben oder nur zu verändern; wie wir es S. 1 finden:

> Um Claribellas Gruft
> Ist s t i l l die Luft und r e i n;

für die der Situation tiefer entsprechenden Worte: *the breezes p a u s e
and d i e.* Auch in der schönen Stelle in der Dame von Shalott (S.
63): *And the silent isle i m b o w e r s The Lady of Shalott,* ist das
Bild in der Uebersetzung aufgegeben; ebenso in der Stelle der ʿLo-
tosesserʾ: *And some throʾ wavering lights and shadows broke, rol-
ling a slumbrous s h e e t of foam below,* was wir in aesthetischer Hinsicht nicht beklagen; aber die bildliche Anmut, welche in ʿdes Müllers Tochterʾ in den Worten liegt:

> *Jor look, the sunset, south and north,*
> *Winds all the vale in rosy folds*   (Poems p. 93),

wird durch die Worte der Uebersetzung (S. 93) nicht erreicht:

> ʿDas Thal d u r c h s c h l i n g t von Süd nach Nord
> Der Abendsonne rosʾger Schein.ʾ

Tennyson scheint dieses Bild zu lieben; hier stellt er dar, wie der
Sonnenuntergang das ganze Thal mit rosigen Falten umwindet, an
einer andern Stelle spricht er von Nebelfalten *(four currents streamʾd
below in m i s t y f o l d s,* Poems p. 111), eine Anschauung, welche die
Uebersetzung nicht wiedergibt. Sehr reich ist Tennyson an Personificationen, und mit groszer Anmut weisz er Naturgegenständen die
Seele eines persönlichen empfindens einzuhauchen. In dieser Kunst
hat er, wenn auch die eigne Phantasie diese specifisch-poëtische Eigenthümlichkeit verlieh, offenbar von seinem groszen Landsmanne,
von Shakespeare, gelernt, den er im ʿKunstpalastʾ charakteristisch
genug sanft und mild nennt, aus dem er das Motiv zu seiner ʿMarianaʾ
entlehnte, an dessen Schluszlied in ʿVerlorner Liebesmüheʾ sich seine
Lieder ʿdie Euleʾ anlehnen. Dasz Shakspeare, unter allen Dichtern an
Personificationen bei weitem der reichste, unter anderm dem Winde
und der Luft ein persönliches thun leiht, ist nichts eigenthümliches;
solche Vorstellungen waren ihm schon durch seine Bekanntschaft mit
lateinischen Dichtern geläufig, und man denke statt vieler andern Beispiele an des Cephalus anmutiges Spiel mit ʿAuraʾ in Ovids Metamorphosen (VII 813 sq.); aber die Zartheit und Anmut, die Kraft und
Anschaulichkeit seiner Darstellung ist bewundernswürdig. Ich erinnere an ein paar Stellen; Was ihr wollt I 1:

> O sie (die Weise der Musik) beschlich mein Ohr,
>   d e m W e s t e gleich,
> Der auf ein Veilchenbette lieblich haucht,
> Und Düfte stiehlt und gibt.

Cymbeline IV 2, wo freilich die Uebersetzung das Original verschönert:

> Sie sind sanft
> Wie Zephyr, dessen Hauch das Veilchen küszt,
> Sein süszes Haupt nicht schaukelnd; doch so rauh,

Wird heisz ihr Königsblut, wie grauser Sturm,
Der an dem Wipfel faszt die Bergestanne
Und sie ins Thal beugt.

In Bezug auf Tennyson ist uns die Stelle im Makbeth I 6 wichtig,
wo die Anmut der Luft in der Gegend von Makbeths Schlosz geschildert wird:

Dunkan.　Dies Schlosz hat eine angenehme Lage;✿
　　　　Gastlich umfängt die leichte milde Luft
　　　　Die heitern Sinne.

Banquo.　　　　　　　　　　Dieser Sommergast,
　　　　Die Schwalbe, die an Tempeln nistet, zeigt
　　-　Durch ihren fleisz'gen Bau, dasz Himmelsathem
　　　　Hier lieblich haucht.

Bereits Dunkans Worte entsprechen nicht vollständig der anmutigen
Personification des Originals, *the air nimbly and sweetly recom-
mends itself, unto our gentle senses;* in derselben Anschauung, dasz
die Luft sich selbst empfiehlt, bleibt Banquo mit den Worten: *that
the heaven's breath Smells wooingly here;* er bezeichnet die Luft
hier als eine Persönlichkeit, welche sich förmlich um die Gunst der
Menschen bewirbt; diese schöne Vorstellung aber wird in den Worten der Uebersetzung 'lieblich haucht' bei weitem nicht erreicht.
Diese Vorstellung der 'Bewerbung' finden wir auch häufig bei Tennyson; er überträgt sie auf die Luft, auf das Veilchen; sie gehört zu
den Gegenständen seiner Vorliebe, wie die Stellen beweisen: *the so-
lemn palms were ranged above, unwoo'd of summer wind* (Poems
p. 34); *the folded leaf is woo'd from out the bud with winds upon
the branch* (p. 142), womit man die ähnliche Vorstellung vergleichen
mag: *the happy winds upon her play'd blowing the ringlet from
the braid* (p. 359); zuletzt noch die Stellen *with what voice the vio-
let woos to his heart the silves dews* (p. 34), und *the sound which
to the wooing wind aloof the poplar made* (p. 12). Leider gehen
in Hertzbergs Uebersetzung diese reizenden Vorstellungen in der zuletzt angeführten Stelle ganz verloren, theilweise in der zweiten, die
er (S. 140) mit den Worten übersetzt:

　　　　Sieh, wie dort mitten in dem Wald
　　　　Die laue Luft um Blätterknospen wallt
　　　　Dasz, dem Gezweig entlockt, usw.

Hier ist wenigstens die Persönlichkeit des Windes beibehalten, während in der schönen Stelle: *In sleep she seem'd to walk forlorn, Till
cold winds woke the gray-ey'd morn* die Uebersetzung in
den Worten 'Bis kalt des grauen Morgens Weh'n blies um die öde
Meierei' dem Dichter die echt Shakspeare'sche Anschauung entzieht,
dasz 'die kalten Winde den grauäugigen Morgen wecken'. So ist
auch eine der Odyssee entlehnte Anschauung von den Winden in der
Uebersetzung 'Und ist der Winde Wuth gestillt' (*And wild winds
bound within their cell* p. 11) untergegangen. Die Anschauung der
'Bewerbung', des 'spielens' der Luft hat Hertzberg durch die ver-

wandten Vorstellungen 'buhlen, umbuhlen, buhlerisch' wiedergegeben, Vorstellungen, die uns die reine Anmut des Orginals zu beein-
trächtigen scheinen. Wie Tennyson den Morgen persönlich darstellt,
so auch, wiederum in Shakspeare'scher Weise, den Tag in der Stelle:

> *but most she loathed the hour*
> *When the thick-moted sunbeam lay*
> *Athwart the chambers, and the day*
> *Was sloping toward his western bower,*

eine Personification, welcher wir die ähnliche Shakspeares vergleichen Romeo and Juliet III 5: *jocund day stand tiptoe on the misty
mountain tops,* die in ihrer scharf gezeichneten Individualität von der
Schlegelschen Uebersetzung bei weitem nicht erreicht wird. In der
Stelle Tennysons hat Hertzberg, was von dem Tage gesagt wird,
theilweise dem Sonnenstrahle beigelegt. Tennyson spricht ferner von
dem Hirne der Purpurberge (p. 42), in den 'Seenixen' von dem
'lebensgrünen Herzen der Schluchten'; wir dürfen mit dem Uebersetzer nicht rechten, dasz er diese Bilder entweder aufgibt oder verändert, aber eine schöne Personification Tennysons müssen wir gegen
seine Uebersetzung in Schutz nehmen. Wir meinen die Stelle, für
welche auch schon H. Fischer in seiner Erklärung 'ausgewählter Gedichte Tennysons' S. 111 gegen Hertzberg aufgetreten ist:

> *Her constant beauty doth inform*
> *Stillness with love and day with light*   (p. 314).

Hertzberg hält *light* für einen Druckfehler, ändert das Wort in *night*
(vgl. S. 362) und übersetzt (S. 292):

> In ihrer Schönheit thut sich kund
> Liebe und Ruhe, Tag und Nacht.

Der Sinn der Stelle ist jedoch: 'Ihre beharrliche (in ihrem Zauber-
schlafe noch fortdauernde) Schönheit unterrichtet die Stille im lieben
und den Tag im leuchten.' In diesen zwei Versen sind drei Vorstellungen, Schönheit, Stille und Tag persönlich gedacht; und anschau-
licher und in ihren Wirkungen ausdrucksvoller konnte diese Schönheit nicht geschildert werden, als durch den Umstand, dasz die Stille
sich in diese Schönheit verliebt und von ihrem Glanze der Tag erst
sein wahres Licht empfängt. Diese letzte Vorstellung entspricht genau dem leidenschaftlich-schönen Ausdrucke Romeos, wenn er von
Julien sagt (I 5): *O she doth teach the torches to burn bright.* Wie
geläufig aber Tennyson die Personification z. B. des Tages ist, haben
wir so eben gesehen.

Wenn wir den Wunsch äuszern, dasz die eben besprochenen
Stellen in der Eigenthümlichkeit der Bilder oder der Personificationen
in der Uebersetzung überhaupt oder stärker hervortreten möchten, so
sind wir doch weit entfernt, Hertzbergs Uebersetzung im ganzen nur
einen Augenblick zu unterschätzen, oder von dem oben ausgesprochen Lobe etwas zurückzunehmen. Vielmehr müssen wir glauben,
dasz eine solche Treue, wie wir sie wünschen, zu erreichen für den
Uebersetzer vielleicht eine Unmöglichkeit ist. Auch bei der Lectüre

Shakspeares ist es uns oft begegnet, dasz in der Schlegelschen Ue_
bersetzung viele, namentlich Ausdrücke der Personification, die das
Original bietet, verschwunden sind. Das Original kann durch eine
Uebersetzung nie erreicht werden; Hertzbergs Uebersetzung aber
bietet des gelungenen und echt poëtischen so viel und trägt zum tie_
feren Verständnis des Dichters so wesentliches bei, dasz man das
Verdienst des Verfassers mit ganzer Freudigkeit anzuerkennen hat.

Dieses Verdienst ist nicht anerkannt worden von H. Fischer in
der schon erwähnten 'Ausgabe ausgewählter Gedichte von A. Tenny_
son. Mit Erläuterungen. Berlin 1854.' Von der Uebersetzung im all_
gemeinen weisz Fischer nichts weiter zu sagen als die Worte (p. 12):
'Auch Herrn Hertzbergs jüngst erschienene Uebersetzung der Tenny_
sonschen Gedichte muste, da sie in manches Lesers Händen sein
dürfte, an Orten, wo er allzu grob gefehlt hatte, berücksichtigt wer_
den.' Da Fischer in der Uebersetzung Tennysonscher Gedichte selbst
Versuche gemacht, welche seinem Aufsatze über Tennyson im Her_
rigschen Archiv für neuere Sprachen und Litteraturen (Bd. 15 S. 1)
einverleibt sind, Versuche, deren Concurrenz namentlich in dem poë_
tischen Tone und der Farbe des ganzen Hertzberg nicht zu fürchten
hat, kannte er die groszen Schwierigkeiten und man hätte von ihm
eine Anerkennung des von Hertzberg geleisteten erwarten sollen.
Sieht man in Fischers Ausgabe die Stellen nach, wo Hertzberg 'allzu
grob gefehlt hat', so beschränken sich diese Fehler auf ein sehr
geringes Masz und Hertzberg kann stolz sein, dasz ein so bitterer
Tadler wie H. Fischer nicht mehr aufzutreiben gewust hat. Recht hat
Fischer gegen Hertzberg auf S. 76 seiner Ausgabe in der Auffassung
der Stelle *the pool beneath it never still'*, wie in der von uns be_
sprochenen Stelle, in welcher er Hertzbergs Aenderung von *light* in
night abweist. Auch in der Auffassung der Stellen *what comfort is
in me'* (S. 62) und *sail'd a summer fann'd with spice* (S. 123) hat
Fischer das richtige vorgebracht. Dagegen ist die Richtigkeit seiner
gegen Hertzberg vorgebrachten Erklärung S. 20, 4 mindestens sehr
zweifelhaft. An manchen Stellen, wo Fischer die Uebersetzung Hertz_
bergs angreift (S. 82 u. 89), vergiszt er, dasz Hertzberg nur aus poë_
tischen Gründen oder um der Anschaulichkeit willen vom Originale
abweicht, wie wenn er für 'Butterblume' Ringelblume setzt und für
den wenig bekannten 'Galgant' Baldrian. Zu den Ausstellungen, wel_
che er an Hertzbergs Uebersetzungen einiger Stellen in dem Gedichte
'der Kunstpalast' (Fischer S. 129, Hertzberg S. 123) macht, finden wir
keinen Grund, da Hertzberg den Sinn der Worte trifft, Freiheiten
aber, wie er sie sich nimmt, jedem Uebersetzer erlaubt sein müssen.
Vollkommen unberechtigt aber ist die Art, wie Fischer eine Anmer_
kung Hertzbergs in Bezug auf Iphigenie (S. 360) nur halb anführt,
um dem Uebersetzer einen Fehler zuzuschieben.

Wir heben zuletzt noch einige Stellen hervor, in deren Auffas_
sung wir mit Hertzberg nicht übereinstimmen. In der Uebersetzung
der Worte:

I loved the brimming wove, that swam
Thro' quiet meadows round the mill;
Die volle Woge liebt' ich sehr,
Die um der Mühle Wiese schwamm;
ist die Situation verändert. Er liebt vielmehr die volle Woge, die
durch ruhige Wiesen schwamm, welche die Mühle umgaben. Dieselbe Bemerkung gilt von der Uebersetzung der Stelle in der Dame
von Shalott:

Only reapers, reaping early
In among the bearded barley
Hear a song, that echoes cheerly
From the river winding clearly,
Down to lower'd Camelot.

Die Uebersetzung hat die Worte (S. 66):
Schnitter nur in frühen Stunden,
Die bärt'ge Gerste dort gebunden,
Können heitern Sang bekunden,
Der sich hell stromab gewunden
Zum bethürmten Camelot?

Wie kann der Gesang sich stromab winden? Der Dichter stellt die
Sache anders dar, indem er sagt: Nur Schnitter usw. hören einen
Gesang, der heiter wieder töut vom Flusse her, welcher sich klar zum
bethürmten Camelot hinabwindet.

Ebenso verändert die Uebersetzung den Sinn einer Stelle in 'den
Lotosessern'. Wir meinen die Worte:

How sweet it were, hearing the downward stream,
With half-shut eges ever to seem
Falling asleep in a half-dream

Hertzberg übersetzt:
Wie süsz, läg ich umsprüht von Strómes Schaum,
Halbwach, versenkt im ew'gen Baum .
Im halben Schlaf und halbem Traum!

Der Sinn ist: 'wie süsz ist es, wenn man den niederwärts flieszenden
Strom hört und dabei mit halbgeschlossenen Augen im halben Traume
in den Schlaf zu sinken glaubt.' Abgesehen von der dem Originale
fremdartigen Vorstellung 'in ewigen Raum' verändert Hertzbergs Uebersetzung die Situation in den Worten, 'läg' ich umsprüht von Stromes Schaum'. Die Worte '*hearing the downward stream*' deuten
nicht darauf, dasz die Lotosesser dem Flusse so nahe liegen möchten,
um von seinem Schaume 'umsprüht' werden zu können, sondern in
einiger Entfernung möchten sie das zum Schlummer einladende Ge-
murmel des Stromes hören. Auch in den Worten des Dichters (S. 13):

Nor martyr-flames, nor trenchant swords
Con do away that ancient lie;
A gentler death shall Falschood die,
Shat thro' and thro' with cunning words.

liegt ein anderer Sinn, als in denen der Uebersetzung. Diese lautet:

Nicht Schwert, nicht Scheiterhaufen hält
Der alten Lüge Machtgebot; usw.

Der Dichter will aber sagen: auch diese alte L ü g e kann nicht durch
Feuer und Schwert vernichtet werden, nur durch die Wahrheit wird
sie vernichtet. Beiläufig bemerken wir noch, dasz in dem Gedichte
'das Meerfräulein' die beiden Verse

'They would sue me, and woo me, and flatter me
In the purple twilights under the sea,'

unübersetzt geblieben sind. Wir bemerken nur noch ausdrücklich,
dasz wir weit entfernt sind zu glauben, der Uebersetzer, von dessen
feiner und tiefer Kenntnis der englischen Sprache gerade diese Uebersetzung ein glänzendes Zeugnis ablegt, hätte den Sinn der zuletzt
besprochenen Stellen misverstanden; vielmehr müssen wir annehmen,
dasz nur die Noth des Verses den Uebersetzer vermochte, von dem
Sinne des Originals abzuweichen.

Halberstadt. *C. C. Hense.*

33.

Programme über deutsche Litteraturgeschichte.

---

*a) Programm der aargauischen Kantonsschule. Als Einleitung
zu den am 13. 14. u. 15. April abzuhaltenden Schulprüfun-
gen und der öffentlichen Jahres-Censur am 16. April 1853.
Ausgegeben von dem gegenwärtigen Rector der Kantonsschule Dr. R. Rauchenstein, Professor. Enthält unter 3,
Niklasens von Wyle zehnte Translation, mit einleitenden Bemerkungen über dessen Leben und Schriften, herausgegeben
von Dr. Heinrich Kurz* (Aarau, Sauerl. Officin, Schulnachr.
8 S., Abhandlung 32 S.).

*b) Programm des fürstlich schwarzburg-sondershäusischen Gym-
nasiums zu Arnstadt; Abhandlung des Oberlehrers Hallensleben 'zur Geschichte des patriotischen Liedes'* (Arnstadt
1855, 34 S.).

*c) Programm des Cölnischen Realgymnasiums; Abhandlung des
ord. Lehrer Dr. Kuhlmey: 'Schillers Eintritt in Weimar.'*
Berlin, 1855, 38 S.).

*d) Programm des Gymnasiums zu Budissin; Abhandlung des sie-
benten Collegen, Dr. phil. C. J. Röszler: 'über das Verhältnis der Schillerschen 'Braut von Messina' zur antiken
Tragoedie'* (Budissin 1855, 26 S. Abhdlg. 15 S. Schuln.).

Die dem erstgenannten Programme beigegebene Abhandlung von
Heinrich Kurz, dem durch seine im Teubnerschen Verlage erschei-

nende Litteraturgeschichte in neuerer Zeit auch in weitern Kreisen
bekannt gewordenen Litterarhistoriker, ist als eine dankenswerthe
Gabe zu begrüszen. Denn es erscheint bei dem in erfreulicher Zunahme begriffenen Interesse an deutscher Sprache und Litteratur ganz
besonders angemessen und förderlich, wenn sich die Forschung und
Darstellung einzelnen Zeitabschnitten und Erscheinungen zuwendet.
Wie vieles hier noch zu untersuchen, zu lichten, ordnen, zugänglich
zu machen ist, das weisz jeder, der sich nur einigermaszen mit die-
sem Gebiete beschäftigt hat und demselben unterrichtend eine äuszere
Gestalt zu geben bemüht gewesen ist. — Die Persönlichkeit, welche
H. Kurz hier einführt, gehört einer Zeit an, welche in dieser Be-
ziehung noch auszerordentlich reiches Material darbietet, dem 15n
Jahrhundert: es ist der Stadtschreiber von Eszlingen Niclas von
Wyle.

Niclas von Wyle, den Gervinus in seiner Litteraturgeschichte
Bd. II 259 und Koberstein Bd. I 437, 460 erwähnt (so ist das Citat
bei Kurz S. 13 Anmerkung 13 nach der 4n Auflage von Kobersteins
Grundrisz zu berichtigen), wurde wahrscheinlich im ersten Viertel
des 15n Jahrhunderts zu Bremgarten im Aargau geboren. Er sagt
selbst in der 18n Translation: ich bin bürtig von Bremgarten vsz dem
Ergöw. Er stammte aus dem Geschlechte derer von Wyle, die schon
im 12n Jahrhunderte in Urkunden erschienen; der Name wird auch de
Wile geschrieben; Koberstein schreibt Niclas von Weyl. Seine weitere Ausbildung mag er in Zürich gesucht haben, wo er angesehene
verwandte hatte, denen er später seine Anstellung als Schulmeister,
d. h. Rector der obern Schulen verdanken mochte. Hier erwarb er
sich die Freundschaft des Prohstes von Solothurn, Felix Hemmerlin
(Malleolus), den er in der Vorrede zur neunten Translation so schön
charakterisiert. Der gewöhnlichen Annahme, Niclas sei von Zürich
sogleich nach Nürnberg gezogen, wo er später Rathsschreiber war,
widerspricht der Vf. und bezieht sich dabei auf Stellen in den Schriften Wyles, aus denen allerdings hervorgeht, dasz er sich eine Zeit-
lang in Schwaben aufhielt. ('Als ich herusz im Schwaben kam' 18
Transl.) So scheint es, dasz er sich ums Jahr 1444 in Salmansweiler
aufgehalten hat und von da 1445 naeh Nürnberg gezogen ist; dort soll
er von 1445—1447 Rathsschreiber gewesen sein, sich verheirathet
und das Bürgerrecht erlangt haben. Von 1447—1450 fehlen bestimmte
Nachrichten über seine Lebensstellung. Kurz nimmt an, dasz in diesen Zeitraum einige Botschaften fallen, die er übernommen und die
ihn, wie er selbst erwähnt, nach Italien zweimal führten. In der 16n
Translation berichtet Wyle, dasz er zweimal als Botschafter bei der
Markgräfin Barbara von Mantua, gebornen Fürstin von Brandenburg,
gewesen sei: auch erwähnt er einen Aufenthalt an dem Hofe des
römischen Kaisers als Kanzler der Markgräfin Katharina von Baden,
geborenen Herzogin von Oesterreich. Bei dieser Gelegenheit gedenkt
der Vf. zugleich anderer ausgezeichneter Personen, mit welchen Niclas von Wyle in Berührung kam: wir nennen den Rechtsgelehrten

Gregor Heimburg, welcher des Aeneas Sylvius Secretär beim Concilium zu Basel war und später von seinem Herrn, als dieser Papst geworden, in den Bann gethan wurde, die Erzherzogin Mechtild zu Oesterreich, die Gräfin Margaretha von Württemberg, die Markgrafen Karl von Baden und Eberhard von Württemberg, den Ritter Jörg von Asperg, der ihn zur Veröffentlichung seiner Schriften ermunterte, den württembergischen Kanzler Johann Fünster, den Kämmerer der Pfalzgräfin Mechtild Jörg Rat (Wyles Schwiegersohn?) usw. Im Jahre 1450, vielleicht schon 1449 wurde Niclas Rathschreiber von Eszlingen, in welcher Stellung er, doch wie es scheint nicht ohne Unterbrechung, (ein Revers vom 22. März 1465 meldet seine Ernennung zum Rathschreiber auf Lebenszeit mit einem Gehalte von 50 Gulden), bis zum Jahre 1469 verblieb. In Eszlingen machte er sich auch als Lehrer verdient, indem er junge Leute in der deutschen Sprache, in der Rechtschreibung und Stilistik unterrichtete. Koberstein bemerkt in Bezug auf seine Stellung zur deutschen Sprache ausdrücklich (S. 460), dasz schon vor dem bekannten Valentin Ickelsamer (um 1522) Niclas von Weyl über deutsche Rechtschreibung nachgedacht und einige Bemerkungen darüber (achtzehnte Geschrift) mitgetheilt habe. Zu seinen Eszlinger Schülern gehörte insbesondere Hans Harscher, Bürger und Mitglied des Rathes zu Ulm. Im Jahre 1469 gerieth er mit dem Rath in Streit und flüchtete sich nach Kloster Weil, wo ihn Württemberger erwarteten und eilig nach Stuttgart brachten. Veranlassung zum Zwist und zu der Flucht war der Verdacht, den man in Eszlingen gegen ihn hegte, er wolle das schutzpflichtige Kloster Weyl an Württemberg bringen, mit welchem Lande die Reichsstadt Eszlingen damals in Streit lag. Der Rath war nicht wenig erschrocken über des Schreibers Flucht und wandte sich an den Schirmvoigt, den Markgrafen von Baden; durch dessen Vermittlung kam es denn auch dahin, dasz sich Niclas mit Eszlingen gütlich verglich. In diese Zeit fällt eine Reise in die Heimat, wie ein Brief vom 30. Sptbr. 1469 von Zürich aus datiert beweist: im Jahre 1470 trat er als Kanzler in die Dienste des Grafen Ulrich von Württemberg. In dieser Stellung ist er, vielfach geschäftlich in Anspruch genommen, wahrscheinlich bis zu seinem Tode verblieben; doch ist über das Jahr 1478 hinaus keine Nachricht vorhanden. Vielleicht, dasz das Stuttgarter Archiv darüber weitere Auskunft zu geben vermöchte.

Was zunächst den Charakter Wyles betrifft, so ist wol nicht anzunehmen, dasz der von den Eszlingern gegen ihn gehegte Verdacht einen thatsächlichen Grund hatte. Vielmehr weisen nicht blosz die mehrfachen Versicherungen seiner Unschuld, welche seine Schriften enthalten, sondern auch und mehr noch die allgemeine Achtung und Anerkennung, deren er sich erfreute, darauf hin, dasz die Anklage des Eszlinger Rathes eines ausreichenden Grundes entbehrte. Freilich wirft der Umstand, dasz gerade der Fürst, mit dem er in verrätherischer Verbindung gestanden haben sollte, ihm eine hervorragende Stellung einräumte, ein zweifelhaftes Licht auf Niclas, indes

bedarf es doch bestimmterer Nachweise um einen Mann als Verräther
zu bezeichnen, an dem sonst ein Makel durchaus nicht haftet.
Hr. Dr. Kurz weist in seiner Abhandlung (S. 8) darauf hin, dasz
unser Niclas von Wyle wahrscheinlich auch als Künstler, und zwar
nicht ohne Auszeichnung, thätig war. Der 119. Brief nemlich der von
Niclas herausgegebenen Sammlung der Briefe des Aeneas Sylvius ist an
Nicolaus von Ulm, Rathschreiber von Eszlingen gerichtet; in diesem
wird des Nicolaus Malertalent rühmend erwähnt. Nun läszt sich in
jener Zeit kein Nicolaus von Ulm in Eszlingen nachweisen, wol aber
fällt die Zeit, in welcher der Brief geschrieben sein musz (1449—
1452), mit unsers Rathschreibers Dienstzeit in Eszlingen zusammen.
Ferner beweist eine Stelle aus Wyles deutschen Schriften (Vorrede
zur 13. Translation), dasz er mit dem in jenem Briefe genannten Michael von Pfullendorf, kaiserlichem Kammerschreiber, in Verbindung
stand, und endlich finden sich in den Eszlinger Missivenbüchern manche Zeichnungen von des Rathschreibers Hand. Deshalb scheint die
von B. J. Docen in dem Kunstblatte (Jahrg. 1827 Nr. 100) aufgestellte
Vermutung, der Name Nicolaus von Ulm sei als Druckfehler zu betrachten und in Nicolaus von Wyle zu verbessern, die übrigens durch
eine Handschrift der Briefe vom Jahre 1476, welche Nicolao de Wile
hat, bestätigt wird, viel für sich zu haben. Hr. Dr. Kurz hält es für
unzweifelhaft, dasz Niclas auch Maler war, und wir werden ihm beistimmen müssen. Jedenfalls gewinnt die ohnehin schon bedeutende
vielseitige Persönlichkeit Wyles noch an Interesse, und wir wünschen
mit dem Verfasser, dasz man sich zu weiteren Forschungen über sein
Leben und wirken veranlaszt sehen möge.

Als Schriftsteller ist Niclas von Wyle von besonderer Bedeutung
dadurch, dasz er sich der Muttersprache zuwandte und einer der ersten ist, welche die deutsche Prosa förderten (Steinhöwel, Niclas
v. Wyle, Albrecht v. Eyb; vgl. Gervinus II 260 fg.). In diesem Sinne
sagt Lessing (XIV 178): 'Von diesen beiden (Steinhöwel und Niclas
von Wyle) fängt sich unsere gedruckte Litteratur, so zu reden, an,
und beide haben sich um unsere Sprache im 15n Jahrhundert so verdient gemacht, dasz ihr Andenken wol erneuert zu werden verdient.'
Uebrigens war er vorzugsweise als Uebersetzer thätig, und seine
eignen Productionen stehen an Werth zurück, obwol auch dort Unge-
lenkigkeit und festhalten an lateinischen Wendungen häufig stört.
Am bekanntesten ist seine Uebertragung (Tütschung oder Translation
nennt er sie) der Erzählung des Aeneas Sylvins: Euriolus und Lucretia, und der des Boccaccio: Guiscardus und Sigismunda. Mitgetheilt
wird von Hrn. Dr. Kurz die 10. Translation, die Uebersetzung des
Schreibens, welches Aeneas Sylvius an den Herzog Sigmund von Oesterreich über den Werth und Nutzen der klassischen Studien richtete (S. 18—32). Ueber die Sprache des Niclas von Wyle hat Hr.
Dr. Niemeyer in Crefeld (Progr. 1852) eine beachtenswerthe Schrift
veröffentlicht; da aber der Vf. der vorliegenden Abhandlung diese
Seite nur vorübergehend berührt (beiläufig vindiciert er das Wort

'holdselíg' gegen Mundt 'deutsche Prosa', welcher dasselbe Luther
zuschreibt, dem älteren Wyle), so übergehen auch wir hier diesen
Punkt, und schlieszen mit der Versicherung der vollen Anerkennung
für die verdienstliche Arbeit des Hrn. Dr. Kurz.

___

Einen Beitrag zur Geschichte des patriotischen Liedes liefert das
zweite der oben erwähnten Programme, das des Gymnasiums zu Arnstadt
vom Oberlehrer Hrn. Hallensleben. Der Vf. beginnt mit der Bemerkung,
dasz die deutsche Litteratur nicht arm an patriotischen Liedern sei,
dagegen scheine es den Dichtern an einem patriotischen Publicum zu
fehlen, indem selten das, was sie für das Vaterland empfunden und
in begeisternden Worten ausgesprochen haben, in das Leben ausgegangen und vom Volke nachempfunden worden sei. Auf diese
Weise erscheint dem Vf. der Patriotismus, wie er sich in deutschen
Liedern ausspricht, mehr oder weniger als ein unfruchtbarer, der es
nur zu Worten bringen kann, das Resultat einer Geschichte des patriotischen Liedes im ganzen als ein betrübendes: trotzdem ist diesen
Liedern keine geringe Bedeutung beizulegen, indem sie in gedrängter
Kürze einen Commentar zur Geschichte des Vaterlandes bieten. Deshalb glaubt der Vf. bei den Freunden der vaterländischen Geschichte
und Litteratur keiner Rechtfertigung zu bedürfen, wenn er es versucht, einen Beitrag zur Geschichte des patriotischen Gedichtes und
zwar vorzugsweise des lyrischen, zu liefern. Ref. ist dem Vf. für den
vorliegenden Beitrag zu Danke verpflichtet und hofft, dasz eine Fortsetzung nicht ausbleiben wird, welche zugleich hie und da über das
andeuten hinausgehen dürfte. Der Klage aber, dasz das patriotische
Lied in Deutschland keinen Anklang gefunden habe, möchte er nicht
so ohne weiteres beistimmen. Der Vf. bringt selbst bald darauf einen
Grund dieser Unfruchtbarkeit, der jene Klage zum Theil aufhebt, indem er ganz richtig bemerkt, dasz unsere patriotischen Lieder den
gemeinsamen Mangel haben, nicht von einem lebendigen Volksbe-
wustsein getragen zu sein, sondern mehr dem persönlichen Gefühle
genüge zu thun. Es ist dieser Mangel aber nicht blosz Fehler der
Dichter, sondern er liegt in dem Wesen der patriotisch-lyrischen
Dichtung, des politischen Gedichtes, um uns anders auszudrücken: sie
steht, wenn nicht grosze politische Ereignisse zu Hülfe kommen,
zu sehr auf dem Boden des eigenthümlichen Verhältnisses des einzelnen zu den Ereignissen und Zuständen und entfernt sich nur zu
leicht von dem eigentlichen Geist und Wesen der Poësie. Anders ist
es mit dem patriotisch-epischen Gedichte, und hier werden wir auch
wol nicht über Theilnahmlosigkeit des Publicums zu klagen haben.
Doch halten wir uns an die Abhandlung des Hrn. Hallensleben. Diese
geht von der Betrachtung aus, dasz die patriotischen Lieder der Deutschen mehr Klage- als Freuden-, mehr Straf- und Rüge- als Loblieder
seien. Die Thatsache ist nicht zu leugnen, aber gewis nicht blosz aus
der geschichtlichen Entwicklung des deutschen Volkes zu erklären:

denn mag man auch zugeben, dasz Mangel an nationalem Sinne und nationaler That oft zu beklagen ist, so wird doch auf der andern Seite auch zugestanden werden müssen, dasz es an Ereignissen, Persönlichkeiten, Thaten nicht mangelt, die einen Ausdruck der Freude und des Lobes für die Dichtung gestattet hätten. Aber das besingen des groszen und erfreulichen in der Geschichte unseres Volkes ist nicht die Sache des patriotisch-lyrischen Gedichtes: dieses hat es, wie alle Lyrik, mit der Sehnsucht nach dem nicht vorhandenen und dem schmerzlichen Rückblick auf das entschwundene zu thun, weit mehr als mit der stolzen Freude über das vorhandene und erreichte. So mag denn freilich ein inniger Zusammenhang zwischen dieser Dichtung und der politischen Geschichte Deutschlands stattfinden, und es dünkt uns, als sei der lyrische Charakter des patriotischen Gedichtes eine Consequenz dieser Geschichte, damit aber auch eine weitere Erklärung des Umstandes gegeben, dasz die Dichtung nur selten auch die That in ihrem Gefolge hatte.

Der Vf. geht nach einem flüchtigen Blick auf die älteren Zeiten auf Walther von der Vogelweide über, der ihm als Muster und Vorbild patriotischer Dichtung gilt: von diesem besitzen wir eine ziemliche Anzahl politischer Lieder, welche in sinniger Weise das Lob und die Ehre des Vaterlandes besingen, öfters aber über Noth und Zerrüttung klagen und zur Abhülfe dringend mahnen. Simrock hat diese Gedichte unter der Ueberschrift: 'Herrendienst' zusammengestellt, die zugleich darauf hinweist, dasz dem vaterländischen Interesse ein persönliches für den Beherscher desselben zur Seite steht. Die mit zahlreichen Beispielen ausgestattete Charakteristik Walthers ist lebendig und anziehend geschrieben: unangenehm berührt die Inconsequenz, mit welcher der Minnesänger von dem Hohenstaufen Philipp zu dem Welfen Otto IV und von diesem wiederum zu Friedrich II überspringt. Indes verliert der Dichter dabei die allgemeinen Interessen des Vaterlandes nicht aus dem Auge und namentlich bekämpft er standhaft und eifrig die Uebergriffe der Hierarchie; darin erblickt Hr. H. den Schwerpunkt von Walthers politischem und patriotischem Interesse. Aus der Zeit von dem Interregnum bis zur Reformation, einer Periode, welche überhaupt der Poësie nicht besonders günstig war, wenn auch das Urtheil des Hrn. H. hier im verwerfen zu weit zu gehen und den Werth des Meistersangs ('die öde Steppe des Meistersangs') zu gering anzuschlagen scheint, führt der Vf. uns nur einige Bruchstücke von Liedern (aus Kochs Compendium) vor, die allerdings nur ein provinzielles Interesse haben. Dagegen erfährt das 16e Jahrhundert in der Person Ulrichs von Hutten eine eingehendere Behandlung, und dieser verdient auch den Namen eines patriotischen Schriftstellers: er ist der nationale Vertreter der Reformation. Uebrigens macht Hr. H. mit Recht darauf aufmerksam, dasz Huttens Wirksamkeit wesentlich negativ war, auf die Zerstörung der römischen Herschaft in Deutschland gerichtet, und dasz er mit seinen Reorganisationsideen nicht zu einer positiven Wirkung auf den nationalen Sinn gelangte,

weil er über seine Zeit hinausgriff. Mit Hutten vergleicht der Vf. den
ebenfalls patriotisch gesinnten, aber gemäszigteren, mehr reflectie-
renden und moralisierenden Hans Sachs. Die Dichter der späteren
Zeit werden nur flüchtig beleuchtet, im ganzen aber bis zu den Freiheitskriegen eine Theilnahme am patriotischen Gedichte geleugnet.
Endlich erscheint auch der Einklang der Poësie und Volksstimmung
während der Freiheitskriege nur als ein Anfang, der sich nicht nachhaltig genug erwiesen, um ein deutsches Nationallied hervorzubringen: ein solches — sagt der Vf. am Schlusz — werden wir erst dann
haben können, wenn das deutsche Volk sich zu einem kräftigen Na-
tionalgefühl aufgeschwungen haben wird. — Wir haben den Inhalt
der interessanten Abhandlung in der Kürze angegeben und müssen ein
näheres eingehen versparen, bis der Hr. Vf., was wir wünschen und
hoffen, die Geschichte der patriotischen Dichtung in weniger aphori-
stischer Weise uns vorführt. Leicht möglich, dasz dann Ref. weniger
zustimmend sich äuszern würde, als jetzt, wo gewisse Differenzpunkte
mehr durchschimmern, als offen daliegen. Die vorliegende Abhandlung aber berechtigt jedenfalls zu dem Wunsche, selbst auf die Gefahr einer Differenz hin, die litterarhistorischen Studien des Vf. um-
fäuglicher hervortreten zu sehen.

Einen ansprechenden Beitrag zur Schiller-Litteratur liefert Hr. D.
Kuhlmey in seiner dem Programme des cölnischen Realgymnasiums zu
Berlin vorgedruckten Abhandlung: Schillers Eintritt in Weimar. Derartige Bemühungen werden stets willkommen sein und sind an Werth den
beliebten aesthetischen Commentaren, welche den subjectiven Gedan-
kenkreis des Auslegers in den Dichter hineintransportieren, bei weitem überlegen. Durch eine sorgfältige Erörterung des äuszern Lebens
unserer Dichter wird die Litteraturgeschichte nicht wenig gewinnen;
darum begrüszen wir jeden Beitrag auf dem historisch-biographischen
Gebiete mit Freuden, um so mehr, wenn er auf so gründlicher Forschung ruht, wie der vorliegende und in so durchsichtiger Gestalt
auftritt. Der Vf., um über den Inhalt der lesenswerthen Schrift kurz
zu referieren, stellt sich die Aufgabe, Schillers Eintritt in Weimar
in seinen Ursachen und Wirkungen darzustellen und beginnt damit,
die Momente zu bezeichnen, durch welche Schiller nach Weimar geführt wurde: die Gunst eines edlen Fürsten (Karl August), die Freundschaft zu einer reichbegabten Frau (Frau v. Kalb) und die Vervollkommnung im Kunsthandwerk. Daran schliesz sich die Erörterung
seines Verhältnisses zum Hofe, zu Wieland und Herder und seiner
Stellung zu Frau von Kalb und zu der übrigen Gesellschaft. Die Abhandlung ist reich an Notizen, welche selbst denen, die sich mit
Schiller länger beschäftigt haben, neu sein werden, und die fortwährende Hinweisung auf die Quellen, nach denen Hr. D. K. gearbeitet,
erhöht den Werth. Kommt nun, wie schon bemerkt, eine flieszende
und ansprechende Form der Darstellung hinzu, so läszt sich wol diese

kleine Skizze als ein von Schillers Freunden mit bestem Danke zu
acceptierendes Geschenk bezeichnen.

Die Abhandlung, welche Hr. Dr. Röszler dem Programme des
Gymnasiums zu Budissin (Ostern 1855) beigegeben hat, behandelt ein
Thema, das bereits mehrfach und von verschiedenen Gesichtspunkten
aus bearbeitet worden ist: es ist die Frage, inwieweit Schiller seine
ausdrücklich ausgesprochene Absicht, in der Braut von Messina die
antike griechische Tragoedie nachzubilden, erreicht habe. Der Vf. ist
sich dessen sehr wol bewust, dasz diese Frage nicht als eine noch zu
erledigende betrachtet werden kann, und nimmt für seine Arbeit nur
das Verdienst einer Nachlese oder auch nur Wiederanregung in Anspruch. Als Ergebnis seiner Untersuchung stellt sich das Urtheil heraus, dasz die Braut von Messina trotz mancher Aehnlichkeiten nicht
als eine adaequate Reproduction der alten Tragoedie betrachtet werden kann, weil sowol der ihr zu Grunde liegende Schicksalsbegriff,
als der in ihr angebrachte Chor wesentlich von der antiken Idee abweicht; jener, da ihm das Merkmal der sittlichen Erhabenheit, dieser,
da ihm die Einstimmigkeit, Freiheit und Leidenschaftlosigkeit mangelt. Die Zurückführung der antiken Tragoedie aber erscheint dem
Vf. als unzulässig, weil ihr alle Anknüpfungspunkte im Gesammtbe-
wustsein der modernen Zeit mangeln. Wir sehen, es ist nichts neues,
was uns die Abhandlung bietet, und namentlich im ersten Theile, der
von dem Inhalte des Stückes handelt, schlieszt sich der Vf. fast in zu
enge Grenzen ein. Die von ihm angeführten Worte Schillers, er wolle
einen Versuch machen, ʻeinen romantischen Stoff antik zu behandeln',
weisen darauf hin, dasz es sich von Anfang an nicht blosz um eine
Reproduction des antiken Dramas handelt, welche jedenfalls auch einen
antiken Stoff verlangt hätte, sondern um eine Vermischung des antiken
und modernen. Diese leicht zu erkennenden modernen Bestandtheile
des Stückes sind es, die überall das antike Element auf die Einführung des übrigens vom Vf. glücklich charakterisierten Schicksals und
den Chor beschränken und aus der Tragoedie eine unentschiedene
heidnisch-christliche Zwitterdichtung machen. Aber hätten wir auch
gewünscht, dasz der Vf. hier der Aufgabe noch näher auf den Leib
gerückt wäre, so ist darum das erfreuliche seiner Leistung nicht zu
verkennen; dieselbe zeichnet sich namentlich dadurch aus, dasz er
der bei dergleichen Vorwürfen leicht eintretenden Gefahr, in aesthe-
tisierende Phrasen hineinzugerathen, mit Geschick und Glück aus dem
Wege gegangen ist. Er hat gründliche Vorarbeiten gemacht und zeigt
eine nicht geringe Kenntnis der griechischen Tragoedie und der neueren litterarhistorischen Schriften und beweist in zahlreichen erläuternden Anmerkungen zur Genüge, dasz seine Arbeit auf einer tüchtigen
philosophischen Basis ruht.

Dresden.   Dr. *F. Paldamus.*

Auszüge aus Zeitschriften.

Philologus. **IXr Jhrg. (s. oben S. 144 ff.)**

3s Heft. Henkel: Studien zu einer Geschichte der Lehre vom griechischen Staat (S. 401—411: unter Ausschlusz der historisch-politischen Schriften, auszer wenn sie theorethisch-politischen ihrer Verfasser zur Seite stehn, so wie der Bücher über das Hauswesen und über die Erziehung, werden die politischen Schriften der Griechen, chronologisch und nach Systemen geordnet zusammengestellt, in Anmerkungen einiges ausführlicher besprochen). — Kärcher: Catos carmen de moribus ist in Versen geschrieben. Zweiter Beweis (S. 412 —425: dieser Beweis wird von den Lemmatis hergenommen, die sich zum allergröszten Theile als Theile trochaeischer Tetrameter darstellen und dem Cato nothwendig angehören. Sie werden zusammengestellt, um daraus das Gedicht kenntlich zu machen. Am Schlusse erklärt der Vf., wie er nicht mit Fleckeisen einverstanden sein könne, dasz Cato ein ganzes Gedicht oder auch nur einen Theil desselben in Sotadeen geschrieben habe). — Mor. Schmidt: Aristarch-homerische Excurse (S. 426—434: der Beweis wird versucht, dasz Aristarch weder ein geschworner Feind des Augments war, noch sich von Rücksicht auf Euphonie und Rhythmus leiten liesz, sondern theils die Handschriften, theils die Interpunction berücksichtigte. Am Schlusse wird ausgeführt, dasz Didymus gewis überall, wo er konnte, die Aristarchische Lesart verzeichnet habe). — L. v. Jan: über die Vorrede des ältern Plinius (S. 435—445: theils Rechtfertigung, theils Erklärung der aufgenommenen Lesarten; § 20 aber wird *servatur* für *sancitur* vermutet. Mit Heraeus Urtheil über die Prager Handschrift erklärt sich der Vf. im ganzen einverstanden). — M. Schmidt: zu Stobaeos (S. 445: 5 Conjecturen, auch eine zu Laur. Lyd. de mens. p. 101 Schow). — K. Keil: griechische Inschriften (S. 446—461: Emendationen folgender Inschriften: C. J. G. vol. III p. 1054a n. 3827, p. 1014 n. 6705, p. 1058 a n. 3827, vol. II p. 455 n. 2659 nach den von Bailie und Lebas gegebenen Ergänzungen, beiläufig auch über die von Lebas n. 502 und n. 507 mitgetheilten Inschriften, v. II p. 456 n. 2662 und einige andere halikarnassische Titel, vol. I p. 677 n. 1420 nach der von Vischer gegebenen vollständigern Abschrift, die von Preller Oropos und das Amphiaraeion n. 2—4 veröffentlichten, Ἐφημερ. ἀρχαιολ. n. 534, Intellig.-bl. der allg. Litt.-zeit. 1844 n. 60 S. 492). — F. W. S.: Inschrift von Aegosthena (S. 461: es wird ἐπὶ δέκα ἔτη emendiert). — Stiehle: zu den Fragmenten der griechischen Historiker (S 462—514: zahlreiche Nachträge und Verbesserungen zu den Scriptores rerum Alexandri Magni und zu den Fragmm. historic. Graecor. vol. IV cd. C. Müller). — Campe: historisch-philologische Studien (S. 515—542: in I. ʻder Krieg des Hiero wider die Mamertinerʼ wird durch eingehende Prüfung des Polybius und kritische Behandlung von Diod. Exc. XXII 24 Bk., so wie den Notizen bei Zonaras als Resultat gewonnen, dasz Hiero im J. 270 König wurde, in dasselbe Jahr also die Schlacht am Longanus fiel, dasz er aber die Absicht Messina zu erobern damals noch nicht hatte, auch von den Karthagern gehindert ward, demnach zwischen diesem ersten Kriege und dem ersten punischen eine Zeit des Friedens eintrat. Aus der Unterstützung der Römer während der Belagerung Rhegiums und der eingegangenen Verbindung mit Pyrrhus wird die Staatsweisheit des Hiero deutlich gemacht. II: über die Anfänge des ersten punischen Kriegs. Durch Prüfung der drei Relationen bei Dio (Zonaras),

Diodor und Polybius wird dargethan, dasz jede ein in sich übereinstimmendes ganze bilde, dasz man aber sehr unrecht thue, einzelnes aus denselben ineinander hinein zu combinieren, sondern nur zu fragen habe, welche die glaubwürdigere sei, welche Frage hier ganz und gar zu Gunsten des Polybius entschieden werden müsse). — G. Röper: die thrasyllischen Tetralogien der platonischen Dialoge (S. 542: im Gegensatze gegen die VII S. 623 ausgesprochene Behauptung wird jetzt zugegeben, dasz Hippolyt. I 19 oder sein Gewährsmann einen Irthum im citieren begangen). — Osann: über die Eintheilung des Geschichtswerks des Thucydides in einzelne Bücher (S. 543—549: die Principien für die beiden Eintheilungen in 13 und in 8 Bücher werden aufgesucht und die erstere als die ältere, die letztere aber als die bequemere und zu allgemeiner Geltung gelangte bezeichnet). — W. Tell: zu Aristophanes Vögeln (S. 550 f.: μάντεσι Μούσαις vs. 729 wird als eine durch Beispiele zu belegende Trennung für μουσομάντεσι erklärt). — M. Schmidt: zu Arat. (S. 551—555, Fortsetzung von II S. 400: Emendationen zu vielen Stellen; ausführlichere Besprechungen über ἀλλ' ἄρα, über die Elision der passiven Verbalendungen, über die Etymologien, über den Gebrauch des Artikels, am Schlusz Nachweisung von Bemerkungen gelehrter, welche zu Arat zu benützen). — P. R. Müller: zu Antiphon und Lysias (S. 555 f.: Antiph. 5 § 12 ἡγεῖ f. εἶγε, Lys. 6 4 θυσίας θύσει mit Cobet, 20 25 ὁπλιτεύειν ὡπλίτευον καί, 26 30 ἆρ' οὐκ ἂν — διακεῖσθαι — ἡγήσασθαι). — Hirschig: Platonica (S. 556—563: Men. 78 D M. Οὐ δήπου, ὦ Σώκρατες. Σ. Ἀλλὰ κακίαν; M. Πάντως δήπου. Σ. Δεῖ ἄρα —, Alcib. I 126 C φιλία μὲν αὐτοῖς ἐγγίγνηται, Phileb. 63 D αἵ γ' ἐμποδίσματά τε μυρία ἡμῖν παρέχουσι, Theag. 128 B προσποιοῦμαι δεινὸς εἶναι, Phaedo. 71 E ἦ ἀνάγκη ἀνταποδοῦναι und 72 D τὰ δὲ ζῶντα ἀποθνήσκοι, Soph. 262 D διὸ λέγειν τε καὶ ὀνομάζειν αὐτὸν ἀλλ' οὐ μόνον — τῷ πλέγματι τούτῳ τοὔνομα ἐπεφθεγξάμεθα λόγον, Lys. 207 B: ἦ μὴ ᾤετό ἐ κατόψεσθαι τὸν Λύσιν, Sympos. 212 D κελεύοντός ἐ ἄγειν, Protag. 318 D τί δὴ φῇς με βελτίω ἔσεσθαι, Menexen. 244 wird die von Stephanus vorgeschlagene Weglassung von αὐτούς gut geheiszen. Am Schlusz Aufzählung einer Menge Stellen, wo entweder die Vernachlässigung oder die falsche Voraussetzung von Elision oder Crasis zu Corruptelen Veranlassung geboten). — Osann: epigraphisches (S. 564—566: Emendationen und Bemerkungen zu den von Baumeister IX S. 179 flg. veröffentlichten griechischen Inschriften I, IV, V, VI). — Röper: Epimetrum Varronianorum (S. 567—573: Retractation einer Anzahl Stellen in Bezug auf die erst später kennen gelernte Abhandlung Lachmanns im Berl. ind. lectt. bibern. 1849.) — Spengel: Horat. ep. ad Pis. v. 24—30 (S. 573—575: nach Erläuterung des Zusammenhangs wird die Emendation erwiesen: *sectantem lenia nervi* und *qui variare cupit rem, prodigialiter una delphinum silvis appingit, fluctibus aprum*). — M. Crain: zu Horatius (S. 575—577: die so viel besprochenen Worte Sat. I 10 66 werden auf das saturnische Versmasz gedeutet und *auctor* einfach als Gewährsmann, d. h. der das Versmasz angewendet hat, gefaszt). — Müldener: zu Ovid. (S. 577—579: Mittheilung einer Einleitung zu dem genannten Dichter aus einer Wolfenbüttler Handschrift). — Döderlein: zu Sallust. Cat. 51: die Worte *Graeciae morem imitati* werden umgestellt und zwar so: *fieri coepere. Tum Graeciae morem imitati, lex Porcia aliaeque leges paratae sunt*). — Osann: Epigraphica (S. 581 fg.: Bemerkungen zu den IX S. 388 flg. mitgetheilten Inschriften). — Verzeichnis der Handschriften in der Bibliothek des Sultans (S. 582—584: von Dr. Mordtmann mitgetheilt mit der Bemerkung dasz die palaeologische Bibliothek sich im kaiserlichen Schatz nicht finde).— E. ten Brink:

monitum (S. 584 f.: nachträgliche Bemerkungen zu den früher gegebenen Praetermissis). — K. Fr. Hermann: zu Soph. O. C. 523 (S. 586: unter Gutheiszung von Schmidts ἄκων μὲν ἐνεγκών, ϑεὸς ἵστω wird dann conjiciert τούτων δ᾽ ἀνάγρετον οὐδέν, dagegen wegen der Responsion 511 ἔραμαί τι πυϑέσϑαι). — Volckmar: Varia (S. 586 —588: der Vers des Philemon bei Meineke fragm. comicor. p. 857 ὅστις πένης ὢν κτὲ. wird mit einem des Menander p. 947 identificiert. Etymologien von· αἰζηός und ἤϊϑεος, ὄζος Ἄρηος, σκύλαξ νεογιλή und Aufforderung an Döderlein eine griechische Synonymik herauszugeben). — Schneidewin: griechische Inschrift aus Smyrna (S. 588— 591: Erklärung der von Le Bas in der Revue archéologique von 1855 10 S. 577 ff. veröffentlichten Inschrift). — Hercher: Varia (S. 591 flg.: der Vf. emendiert Eudocia p. 14, Apollon. Lex. Hom. p. 156 18, S. Empir. p. 20 2 Bkk., Chariton I 1 p. 5, V 8 p. 123 u. VIII 7 p. 189 Beck. und führt zur Charakteristik der Briefe des Brutus an, dasz die Antwortschreiben der Völker und Einzelpersonen an Brutus möglichst genau die Reihenzahl seiner Briefe wiedergeben und dasz Damas den Worten des Brutus eine gleiche Anzahl Worte entgegenstellt). — 4s Heft. C. F. W. Müller in Magdeburg: zur lateinischen Grammatik (S. 593 — 630: aus zahlreichen Belegstellen geschöpfte Erörterung über den Gebrauch des pronom. reflexivum, über die Form *re* in der 2n pers. sing. praes. indicat. pass., deren Gebrauch auf das deponens hauptsächlich beschränkt, aber keineswegs in der 3n Conjugation ausgeschlossen erklärt wird, über *ni*, über den Gebrauch der Participia ohne Relation auf genus und numerus, namentlich des Gerundivs, über die Stellung von *non*, über die Adverbia bei *esse*, über den persönlichen Gebrauch im Passiv solcher Verba, welche im Activ einen Genetiv, Dativ oder Ablativ regieren). — Schneidewin: zum Thessalischen Dialect (S. 630: zu der Inschrift bei Leake nr. 150 wird wegen Ahrens dial. Dor. p. 534 aus Ussing inscript. gr. inedit. Havniae 1847 p. 33 nr. 24 Ἑρμάου χϑονίου beigebracht, Φιλόφειρος in der Inschr. nr. 25 als Φιλόϑηρος erklärt und nr. 52 Ἀμινίαο hergestellt). — Bursian: die athenische Pnyx (S. 631—645: der in Athen sich aufhaltende Vf. gibt in dem bekannten Streite zwischen Welcker, Göttling und Rosz seine Meinung dahin ab: 1) in der Oertlichkeit und Bauanlage der bisher angenommenen Pnyx widerspricht nichts der Annahme eines Versammlungsortes und begünstigt nichts die einer Cultusstätte oder Befestigung. 2) die Stellen der alten lassen sich alle recht wol damit vereinen, 3) es gab nur éin Pelasgikon in Athen, das von der für die Pnyx gehaltenen Anlage durchaus verschieden war). — Schneidewin: Lucretius II 672 (S. 645: es wird vorgeschlagen: *in corpore cobent*). — Mor. Crain: Beiträge zur Kritik des Plautus (S. 646—678: es wird zu zeigen versucht, dasz man nicht überall im Plautus mit Ritschl Absicht und bewuste Kunst des Dichters, sondern auch die Möglichkeit einer naturwüchsigen im Material und in der Form, d. h. der Sprache und dem Metrum gegründeten Erklärung zu suchen habe. Zuerst wird in dieser Hinsicht die Synizese besprochen, ferner Stellen, in welchen die Kritik an den Wollaut anknüpft, namentlich die Accentuation der Endsilben, der Einflusz der Caesur, die Verlängerung der kurzen Endsilben durch die Arsis, endlich das Bentleysche Gesetz, dasz bedeutungsvolle Wörter nicht in der Thesis verschwinden dürfen). — Brandstäter: kritische Bemerkungen (S. 678: Antholog. Gr. II p. 825. (App. n. 218) wird ἄρχοντα σαόπτολιν gelesen, Plut. vit. Antiph. 7 Θουκυδίδην τὸν συγγραφέα). — Wölfflin: sententiae Catonis (S. 679—683: es werden Sprüche des Cato mitgetheilt, 8 von Quicherat schon bekannt gemachte aus cod. Paris. lat. 8069 und 68 aus 4841 sec. X., am Schlusse das Urtheil des

Vincent. Bellovacens. spec. bist. 5 107). — Brandstäter: Lysias
(S. 685: d.. bon. Aristoph. §. 4 wird entweder die Beibehaltung der
Lesart ὑπὲρ πάντων τῶν πεπραγμένων μισηθέντες ἀπελθεῖν oder die
Tilgung von ὑπό vorgeschlagen). — Volckmar: zu Aeschylos Per-
sern (S. 686—693: erklärende Bemerkungen zu vs 379 Mein., 525, 613,
781, 870, 886 flg., 900—1040, 951, kritische zu 428, 611, 624, 655, 661,
763, 816, 868, 902, 904, 919, 950, 955, 957, 968, 975, 1035, 1037). —
Rauchenstein: zur Anthologie (S. 693: Auth. Pal.. VI 53 wird λαμ-
προτάτῳ Ζεφύρῳ vermutet). — K. Fr. Hermann: ein Bürgereid
des griechischen Alterthums (S. 694—710: vollständige und allseitige
Erläuterung, so wie kritische Behandlung der wichtigen in der Athe-
nischen Zeitschrift Minerva n. 2234 veröffentlichten kretensischen Inschrift). — Brandstäter: zu Livius (S. 710: XXI 27 wird Postero
die profecti ex edicto fumo significant conjiciert). — Wieseler: über
Haaropfer (S. 711—715: der Ursprung und die Bedeutung der Sitte
werden erörtert). — Brandstäter: zu Caesar (S. 715: B. G. III 21
extr. wird iussi imperata faciant zu lesen vorgeschlagen). — Wieseler: zu Aeschylos (S. 716—723: Prometh. 420 wird emendiert Ἀβαρίας
τ᾽ ἄρειον ἄνθος — Καυκάσου λέπας νέμονται, 796 unter Widerlegung
von Panofkas Ansichten über die Graeen κυκνόκορσοι oder κυκνοκό-
ρυφοι, Sept. adv. Theb. 517 ταρφὺς οὐ τέλλουσα θρίξ, 766 τέκνοις δ᾽
ἀρείας uud in der Antistrophe ἐπεὶ δ᾽ ἄρ᾽ ἔμφρων nach cod. Par. B,
Pers. 619 θαλλούσης βρύον). — R. B. Hirschig: Platonica (S. 723
—728: Lys. 203 B wird οὐ παραβαλεῖς emendiert und ebenso das Futur.
Protagor. 333 D, Georg. 447 D hergestellt, 208 B πόθεν; ἦ δ᾽ ὅς unter Weglassung von ἔφεν, wie auch ἔχω Crat. 398 E und εὕρομεν
Euthyd. 291 B getilgt wird, ebenso 208 D διακωλύει, wobei Euthyphr.
6 C die Interpunction und περὶ τῶν θεῶν für θείων corrigiert wird.
Auszerdem werden Emendationen vorgeschlagen zu Phileb. 53 A u. E,
Phaedo 63 E, Phaedr. 263 A, Alcibiad. I 123 A, C, 124 A, 108 E). .
G. A. Hirschig: selectae emendationes et observationes in Antiphonte
(S. 728—739: eine Menge Stellen aus allen Reden des Antiphon werden behandelt, beiläufig auch auf Stellen anderer Redner Blicke gethan). — Rauchenstein: zu Demosthenes (S. 739 f.: or. 54 1 wird
περὶ ὧν ἐπεπόνθειν für die einzige Möglichkeit erklärt, die Stelle zu
entwirren). — C. W. Müller in Stendal: zu Plautus (S. 740—742:
Verbesserungsvorschläge zu Plaut. Rud. Amphitr. und Asinar., auch
zu Terent. Andr. I 43, II 5 18. Eun. I 2 21, so wie über den Genet.
der ersten Declination ai für ae). — Kramarczik: zu Horaz und
Cicero (S. 721 2—748: Hor. Od. I 3 22 wird dissociabili erklärt: welcher nicht überbrückt werden kann, II 12 7—9 unde mit contremuit
verbunden, 28 occupet vertheidigt, über den L. Licinius Murena, an
den Od. II 10 gerichtet, einiges beigebracht. Cic. Ep. ad fam. XII
2 2 wird als der alter item adfinis L. Aemilius Paulus cos. 50 gefunden, XI 21 2 recentem nouam erklärt. In Cat. IV 2 3 deutet der Vf.
die Worte a quibus me circumsessum videtis auf die Magistratsperso-
nen, welche um den Consul ihre Sitze gehabt hätten). — Hercher:
zu Aelians Thiergeschichte (S. 748—752: eine Reihe leichterer und
gewaltsamerer Verbesserungsvorschläge). — M. Schmidt: nachträgliche Bemerkungen (S. 752—756: es werden aus den venetianischen
Scholien noch eine Anzahl Stellen nachgetragen, in denen Aristarch
das Augment behandelt, zu dem früher S. 426—35 gegebenen Aufsatze). — Hercher: zu Aelians Briefen (S. 756—758: zum Beweise
dasz die Briefe denselben Verfasser haben, wie die Thiergeschichte,
werden mehrere Lieblingsausdrücke als in ihnen vorkommend nachgewiesen). — Kolster: zu Horaz Od. I 29 5 flg. (S. 758: barbara
wird als von quae virginum zu trennen und mit serviet zu verbinden

erklärt). — Osann: pharmaceutische Aufschriften (S. 759—763: Nachträge zu dem Aufsatze Jhrg. VIII S. 762 fgg.). —

Mélanges greco - romains tirés du bulletin historico - philologique de l'académie impériale de St. Petersbourg. T. I. Livraison 5 (S. Bd. LXVIII S. 325).

Stephani: parerga archaeologica (S. 411—415: Beschreibung eines Grabsteins in der kaiserlichen Eremitage, richtiger mitgetheilt als von Rossignol Rev. archéol. T. X S. 560 flg. geschehen. Die Inschrift lautet: Ζητεῖς ὠ᾽ παροδεῖτα τίς ἡ στήλλη, τίς ὁ τύμβος, τίς δὴ ἐν τῇ στήλλῃ εἰκὼν νεότευκτος ὑπάρχει; Τίὸς Τρύφωνος τοὔνομα τάτὸν [ganz scharf und unverkennbar] ἔχων, τεσσερακαίδεκ᾽ ἔτη δόλιχον βίοτου σταδιεύσας, τοῦθ᾽ ὑποτεῶν γέγονα· στήλλη, τύμβος, λίθος, εἰκών. Ferner einer von Peterson in Paros copierten Grabinschrift: Τύμβῳ τῷδε Βόηθον Ἀριστόνικος κτερέϊξε παῖδα φίλον τροφέων δ᾽ ὤλετο πᾶσα χαρή, endlich einer von demselben ebenda gefundenen Inschrift, die also ergänzt und gelesen wird: Ἡ βουλὴ καὶ ὁ δῆμος Διονυσόδωρον Ἀπολλοδώρου ἀγορανομήσαντα καλῶς καὶ δικαίως καὶ κατὰ τὸ συμφέρον τῆς πόλεως). — Paul Becker in Odessa: über die im südlichen Ruszland gefundenen Henkelinschriften auf griechischen Thongefäszen (S. 416—521: Im ersten Theile werden die aufgeführt, deren Ursprung theils bekannt, theils unsicher ist, im zweiten aber alle diejenigen, auf welchen das Wort ἀστυνόμου oder ἀστυνομοῦντος vorkommt. Dadurch wird das vorhandene Material ungemein bereichert und vervollständigt und wenn auch keine neue Ansicht gewonnen, vielmehr die von Stephani aufgestellte bestätigt wird, so springt doch im einzelnen manches nicht uninteressante Resultat heraus. So bestimmt der Vf. die Rhodischen Monate also: Θεσμοφόριος 23. Sept., Βαδράμιος 23. Oct., Θευδαίσιος 21. Nov., Διόσθυος 21. Dec., Πεδαγείτνυος 20. Jan., Ἀγριάνιος 18. Febr., Ἀρταμίτιος 19. März, Δάλιος 18. Apr., Σμίνθιος 17. Mai, Ὑακίνθιος 16. Jun., Καρνεῖος 15. Jul., Πάναμος 14. Aug., dann Πάναμος δεύτερος als Schaltmonat. Die im zweiten Theile aufgezählten Henkel werden einer ionischen Stadt und zwar Olbia vindiciert, von der wir also einen Magistrat ἀστύνομος als Eponymos und eine Reihe Namen der denselben bekleidenden Personen, welche am Schlusse noch übersichtlich zusammengestellt ist, gewinnen würden). — **R. D.**

Berichte über gelehrte Anstalten, Verordnungen, statistische Notizen, Anzeigen von Programmen.

CREFELD]. Als Programm zum Herbstexamen erschien die *29e Fortsetzung jährlicher Nachrichten von der höheren Stadtschule* — von dem Rector Dr. A. Rein. 8 S. gr. 4. Das Lehrercollegium besteht auszer dem Rector aus den beiden Oberlehr. Dr. Niemeyer und Mink, den Lehr. Kopstadt, Römer, Dr. Schellens und Kirchhof, dem Religionslehrer Dr. Basse nebst dem Schreiblehr. Jores und dem Gesanglehrer Wolff. Die wissenschaftliche Beilage enthält *Haus Bürgel das römische Burungum nach Lage, Namen und Alterthümern.* Nebst Excursen über die Veränderungen des dortigen Rheinlaufs und der Lage von Zons an diesem, die röm. Inschriften zu Dormagen, Woringen und Bürgel, und die Matronenverehrung. Von dem Rector. 52 S. (excl. Titel) 8. Das im itinerarium Antonini auf dem linken Rheinufer genannte Römercastell Burungum ist bereits von mehrern in dem Ritter-

gut Bürgel am rechten Rheinufer dem Städtchen Zous gegenüber vermutet worden, während andre (vor kurzem nach Oligschläger) das
auf der linken Rheinseite befindliche Worringen dafür hielten. Der
Vf. weist zuerst überzeugend nach, dasz Burungum und Bürgel identisch sind und dasz die Lage nicht widerspreche, indem der genannte
Ort von dem linken auf das rechte Rheinufer versetzt worden sei, so
wie der niedere Rheinlauf überhaupt grosze Veränderungen erlitten
habe, was auch Dederich in der vor kurzem erschienenen Geschichte
der Römer und Deutschen am Niederrhein für die Strecke von Xanten
bis zur holländischen Grenze gezeigt hat. Das alte Fluszbett bei Bürgel erscheint noch deutlich mit seinem scharfhervorspringenden Ufer-
rand (der alte Rhein gen.), an welchen sich ein Theil des alten linken
sehr niedrigen Ufers mit dem Orte Bürgel angeschlossen hat. Zu den
sorgfältig erörterten Zeugnissen des Bodens treten auch geschichtliche
Zeugnisse, welche diese Katastrophe auszer allem Zweifel setzen und
wahrscheinlich machen, dasz dieselbe etwa in der 2n Hälfte des XIV
Jahrhunderts vollendet gewesen. Hr. R. bringt urkundliche Nachrichten bei, dasz Bürgel vorher auf der linken Seite gelegen haben musz;
namentlich geht aus kirchlichen Urkunden und Verhältnissen überhaupt
der Zusammenhang Bürgels mit den Orten des linken Ufers klar hervor. Mit dem groszen elementaren Ereignis, welches Bürgel an das rechte
Ufer brachte, hängt die Verlegung des erzbischöflichen Zolls von Neusz
nach Zons 1372 u. 1378 zusammen, welche Data für die Zeitbestimmung der Katastrophe scharfsinnig benutzt sind. Nachdem die Gründe
vorgetragen worden sind, welche verhindern, Burungum in Worringen zu suchen (bei welcher Annahme auch die Orte im Itinerarium
umgestellt werden müsten), folgen noch andere Zeugnisse für Bürgel,
namentlich die Ueberreste des alten Römercastells in dem heutigen Bürgel p. 29 ff. Das interessanteste sind die Matronensteine, welche Hr.
R. nach genauer Abklatschung zum erstenmal vollständig veröffentlicht
und bei dieser Gelegenheit einen dankenswerthen Beitrag zur Erkenntnis des noch nicht hinlänglich aufgeklärten Matronencultus gibt. Hervorzuheben sind die Bemerkungen über die Junones Pagi, die Alaga-
biae (nach Hrn. R. Gaugöttinnen), die Aufaniae, die räthselhaften
Aviaitinchae, über die in der Umgebung der Nymphensteine gefundenen Gegenstände und die epigraphischen Noten überhaupt. Nicht zu
übersehen sind die Excurse über die in Dormagen gefundenen Nymphensteine S. 18—22, über die zahlreichen Orte, welche den Namen
Bürgel führen S. 27 f. und die Beschreibung der alten Capelle in Bürgel mit dem merkwürdigen Taufstein S. 10 f. — Die ganze Schrift
zeichnet sich, wie die frühern historischen und antiquarischen Arbeiten
Hrn. R.s durch schöne, klare Darstellung, sowie durch Gelehrsamkeit
und Scharfsinn aus.   —n.

ERLANGEN [s. Bd. LXX S. 561]. Das Lehrercollegium der dasigen
königl. Studienanstalt erfuhr insofern Veränderungen, als nach dem
Abgang des Prof. Dr. Luthardt der Stadtvikar G. E. Summa [frü-
her am Blochmann-Bezzenbergerschen Institut in Dresden] den hebraeischen Unterricht übernahm und die Lehrstelle der französischen Sprache
von dem Sprachlehrer Hupfeld auf den Privatlehrer Büchler über-
gieng. Den auf dem Landtage abwesenden Studienlehrer Dr. Bayer
vertraten die Candidaten Schornbaum, Stadelmann und Dorn.
Die Frequenz betrug 121 (G. IV: 7 u. 2 Hosp., III: 11 u. 1 Hosp.,
II: 8, I: 15, Lat. Schule IV: 22, III: 20, II: 17, I: 28). Den Schulnachrichten vorausgeht vom Studienlehrer Dr. Ludw. Schiller:
*Stämme und Staaten Griechenlands nach ihren Territorialverhältnis-
sen bis auf Alexander.* Ir Abschn. *Elis, Arkadien, Achaia* (30 S. 4).
Ref. hatte oben S. 141 gegen den geehrten Hrn. Vf. den Wunsch aus-

gesprochen, er möchte seinem Buche 'Europa und die Nachbarländer' eine Uebersicht über die hellenischen Landschaften vorausgehen lassen. Da derselbe schon vorher das Studium der in jenem Buche nicht ausführlicher behandelten Partien sich vorgenommen hatte, so theilt er hier eine Probe der Arbeiten mit, durch welche er jenem Wunsche nachzukommen gedenkt. Ref. ist überzeugt, dasz ihm viele Lehrer dafür dankbar sein und die Fortsetzung und Vollendung lebhaft wünschen werden. Eine Darstellung des so vielfach wechselnden Territorialbesitzes in Griechenland — man könnte sie wol eine Territorialgeographie nennen — ist um so mehr ein Bedürfnis, als die trefflichen Leistungen auf diesem Gebiete doch in vielen Werken zerstreut sind und zu dem eignen nachschlagen, vergleichen und prüfen, wozu so viele Stellen in den Klassikern Veranlassung bieten, dem viel beschäftigten Lehrer nicht immer die Zeit bleibt; diesem Bedürfnisse aber verspricht der Hr. Vf. nach der vorliegenden Probe in vollkommen befriedigender Weise abzuhelfen, da er nicht nur die Quellen sorgfältig benützt, sondern auch die Ansichten der Forscher, K. O. Müller, K. Fr. Hermann, Niebuhr, Sievers, Lachmann und besonders E. Curtius, mit groszer Klarheit in ihrem Verhältnisse zueinander und zu den Zeugnissen der alten vorgelegt hat. Zwar wird man nicht überall ein entscheidendes Urtheil abgegeben finden, aber mit welcher Gründlichkeit der Hr. Vf. geprüft hat, ersieht man auszer mehreren andern Stellen besonders aus der Art und Weise, mit welcher er Curtius' Ansicht von einer Einwanderung in Arkadien bekämpft. **R. D.**

GOETTINGEN]. Zu dem Prorectoratswechsel erschien an der Georgia Augusta das Programm vom Prof. Dr. F. W. Schneidewin: *Progymnasmata ad Anthologiam Graecam* (31 S. 4). — An dem seit Ostern 1854 durch drei Realklassen erweiterten Gymnasium wurde der Cand. Stüve (s. S. 328) als Collaborator angestellt, desgl. der Cand. Schlepper, vorher interimistischer Verwalter der 2n Lehrstelle am Progymnasium zu Quackenbrück, als Hauptlehrer der Septima. Nachdem Cand. Gerke einem Rufe an das Progymnasium zu Northeim entsprochen hatte, trat Cand. Dr. Hoffmann aus Celle wieder ein, und ebenso wurde Cand. Berkenbusch als ordentliches Mitglied in das paedagogische Seminar aufgenommen. Die Gesamtzahl der Schüler war vor Ostern 1855 278 [Gymn. I: 20, II: 18, III: 28, IV: 30, R. I: 13, II: 19, III: 21, V: 43, VI: 55, VII: 30], Abiturienten Ostern 1854 5, Mich. gleichfalls 5. Die Programmabhandlung vom Gymnasiallehrer Dr. Muhlert: *die Banda-Eilande* (32 S. 4) ist eine sehr werthvolle Bereicherung unserer geographischen Litteratur, da sie nicht nur auf fleisziger und sorgfältiger Benützung der Quellenschriftsteller, sondern auch auf schriftlichen und mündlichen Mittheilungen eines Augenzeugen, der 6 Jahre — 1852 auf den Inseln zugebracht hat, beruht und durch Einfachheit, Klarheit und Uebersichtlichkeit sich auszeichnet. **R. D.**

GRIMMA]. Die königliche Landesschule, in deren Lehrercollegium keine Aenderung vorkam, zählte im verflossenen Sommerhalbjahre 134 Schüler [I: 29, II: 37, III: 35, IVª: 18, IVᵇ: 15] und entliesz Mich. 1854 10, Ostern 1855 7 Abiturienten. Das Programm enthält die Abhandlung vom Oberlehrer Herm. Löwe: *de adverbiis Francogallorum negantibus* (25 S. 4).

HERSFELD]. An dem kurfürstlichen Gymnasium wurde, wie in den übrigen Lehranstalten Kurhessens, durch Rescript vom 9. Jan. 1855 der Turnunterricht als verpflichtender Lehrgegenstand lediglich auf die drei untern Klassen erstreckt, den Schülern der drei obern Klassen aber die Theilnahme einstweilen gestattet. Im Lehrercollegium [s. Bd. LXIX S. 702] gieng keine Veränderung vor. Die Schülerzahl

betrug Ostern 1855 121 (I: 19, II: 26, III: 24, IV: 22, V: 12, VI: 18),
Abiturienten waren Mich. 1854 5, Ostern 1855 4. Das Programm enthält
auszer einer Abhandlung des Dir. Dr. W. Münscher: *über die Zeitbestimmungen in Platos Gorgias* (17 S. 4) auf S. 19—44: *Uebersicht
der Forderungen, welche an die in die 6 Klassen des Gymnasiums
neu aufzunehmenden Schüler besonders im Lateinischen, im Griechischen und in der Mathematik gemacht werden.* erstere vom Director,
letztere vom Gymnasiallehrer L i c h t e n b e r g verfaszt, die als couse-
quente Durchführung der Principien und lichtvolle Auseinandersetzung
nicht nur für die unmittelbar bei dem dortigen Gymnasium interes-
sierten sehr brauchbar ist, sondern auch, obgleich manches noch einer
Discussion unterliegen kann, eine Menge sehr beachtenswerther Winke,
namentlich über die Wahl und Behandlung der alten Schriftsteller bietet.

R. D.

H o l z m i n d e n]. An dem dasigen Gymnasium bestand nach der Pensionierung des Directors Schulrath und Prof. Dr. J. Chr. K o k e n und
der Beförderung des Collaborator W. B r ö c k e l m a n n zum Oberlehrer
am Gymnasium zu Blankenburg das Lehrercollegium aus dem Dir.
L u d w. D a u b e r (vorher Oberlehrer), den Oberlehrern K. H e i n e -
m a n n, Dr. A. P ä t z, Dr. K. S c h a u m a n n, Pastor K. R ä g e n e r,
den mit den Geschäften der Collaboratoren beauftragten Schulamtscandidaten Dr. P e t r i und L e i d l o f f, dem Musikdirektor M e r c k e l,
Schreiblehrer Rendant B o s s e, Zeichenlehrer A l e r s. Die Schülerzahl
betrug 1855 62. Den Schulnachrichten voraus gehen 1) die bei der Einführung des neuen Directors (17. Oct. 1854) vom Ephorus General-
superintendenten M ö h l e gehaltene Rede, eine ernste und warme Ermah-
nung zur Festhaltung am christlichen Charakter des Gymnasiums und
eine lebendige Hinweisung auf die Liebe als die Quelle alles Segens
und als die Bedingung alles wirkens. 2) die bei derselben Gelegenheit von dem Director D a u b e r gehaltene Rede. Diese enthält über
den Zweck und die Mittel der Gymnasialbildung viele kräftige und
klare gewis allgemeine Beistimmung findende Gedanken und macht im
ganzen einen recht wolthuenden Eindruck. Nur folgendes gibt uns
zu einer Bemerkung Veranlassung. S. 23: 'Ueber die Naturkunde
bitte ich eine kurze Bemerkung machen zu dürfen, nicht um dieselbe
gegen diejenigen zu vertheidigen, welche sie aus dem Gymnasium werfen möchten — wer die Klagen mancher gelehrten über das in ihrer
Jugend versäumte gehört hat und dann bedenkt, dasz verbesserte Unterrichtsmethode und noch mehr verbesserte Lehrmittel dann doch zur
das nöthigste Platz beschafft haben, wird die Stockphilologen reden
lassen — ich möchte nur darauf aufmerksam machen, wie sie zur
zweckmäszigsten edelsten Erholung von den Arbeiten in der Schule und
am Studierpulte — denn arbeiten werden unsere Zöglinge — dienen
könne. Ich spreche vorzugsweise von der faszbarsten Seite der Naturkunde, von der Botanik, der scientia amabilis. Ich habe etwas davon
zu lernen versucht, um beurtheilen zu können, wie sie für den Gymnasialunterricht zu verwerthen sein möchte, und habe gefunden, dasz sie
ein ganz vorzügliches Bildungsmittel abgibt, insbesondere wegen der
Schärfe im auffassen und unterscheiden, woran sie gewöhnt, und wegen
der Naturempfindungen, die sie vermittelt, zumal in unsrer so schönen,
herzerquickenden Landschaft.' Es thut uns jedesmal leid, wenn wir
einen solchen Ausdruck, wie 'Stockphilologen' lesen, am meisten von
einem Manne, der, wie doch sonst der Inhalt seiner Rede beweist, für
den Werth der klassischen Bildung einen richtigen Blick hat. Durch
einen solchen Ausdruck wird eine ganze Klasse von Leuten der Verachtung preisgegeben und damit gewis ein Unrecht begangen. Sind
denn nicht sehr viele, welche sich gegen die Aufnahme der Naturwis-

senschaften ins Gymnasium gewehrt oder deren Wiederentfernung gewünscht haben, dabei von einer andern Ansicht geleitet gewesen, als von der, welche der Hr. Vf. der Rede S. 25 ausspricht: 'Wir haben nicht auf Vermehrung der Lehrgegenstände und Lehrstunden, sondern eher auf Beschränkung Bedacht zu nehmen, denn wir sind weder an dilettantisches flattern zu gewöhnen noch Lorinsersche Anklagen zu begründen gemeint'? und sind es denn allein Philologen gewesen, welche sich gegen die Aufnahme der Naturwissenschaften ausgesprochen haben? Wir verweisen nur auf Liebig: das Studium der Naturwissenschaften S. 44, der doch ganz entschieden die humanistische Bildung als dem Studium der Naturwissenschaften vorausgehende Vorbereitung fordert (vgl. auch Ztschr. f. d. G. W. I S. 140) und damit die Möglichkeit eines sich vertiefenden und fruchtbaren Studiums im früheren Alter zurückweist. Auch darf man wol die Frage aufwerfen, ob denn die Art der Betreibung, wie sie der Hr. Vf. wünscht, bei vielen jungen Leuten über einen beschränkten Dilettantismus hinausführe und endlich wie viele Klagen über versäumtes nicht auf eigne Schuld zurückzuführen sein werden. Wir sind keineswegs gewillt, hier als Gegner der Naturwissenschaften aufzutreten, halten aber dafür, dasz die Frage nach dem Masze und der Methode in der Mittheilung naturhistorischen Stoffes ohne nach der éinen Seite von Stockphilologie oder nach der andern von Materialismus zu reden erörtert werden könne und müsse. *R. D.*

KIEL]. Der index scholarum für das nächste Wintersemester ent-hält vom Prof. Dr. G. Curtius: *de quibusdam Antigonae Sophocleae locis* (VIII S. 4).

KIS-UJ-SZALLAS]. Das in der Organisation begriffene dasige reformierte Gymnasium hat von der reformierten Kirchengemeinde Mezötur ein Capital von 4000 fl. als Geschenk erhalten.

KÖNIGSBERG IN PR.] Von dem dasigen kneiphöfischen Stadtgymnasium liegen uns die Programme über die Zeit von Ostern 1851—1855 vor. In dieser Zeit verlor dasselbe nur einen Lehrer durch den Tod, am 25. Nov. 1853 den Pr.-Lieut. Biels, welcher das Amt eines Schreib- und Zeichenlehrers verwaltet hatte. Durch Berufung schieden aus im Sommer 1853 der Prediger Biermann (zur Verwesung des Pfarramts in Pr.-Eylau gewählt) und Mich. 1853 der Hülfslehrer Ebert (an das Progymnasium in Spandau berufen). Vorübergehend wirkten an der Anstalt die Schulamtscandidaten Weisz (Ostern 1841 —1852), Waas (Ostern — Mich. 1851), Lehnerdt (Mich. 1851— 1853), Wutzdorf (Ostern 1852—1853), Dr. Lau (Mich. 1853—1854). Auszerdem übernahm der Ostern 1851 ausgeschiedene Dr. Levinson vom Nov. 1853 — Mich. 1854 den Schreibunterricht interimistisch. Das Lehrercollegium bestand nun Ostern 1855 aus dem Director Dr. Rud. Ferd. Leop. Skrzecka, dem Prof. Dr. König, den Oberlehrern Witt, Dr. Schwidop, Dr. Wichert, Dr. Lentz, Cholevius, den Gymnasiallehrern Weyl und Dr. Knobbe, dem Hülfslehrer Dr. Kraffert (seit Mich. 1853), dem auszerord. Lehrer Dr. Seemann (für das Englische), dem katholischen Religionslehrer Dekan Dr. Wunder, dem Musikdirector Pabst, dem Zeichenlehrer Maler Stobbe (seit Nov. 1853) und dem Schreiblehrer Maler Glum (seit Mich. 1854). Die Schülerzahl war

	I.	II.	IIIa.	IIIα.	IV.	V.	VI.	Sa.	Abiturienten während des Jahres.
Mich. 1851:	37	53	47	37	70	44	37	325	—
Ost. 1853:	34	53	48	35	62	43	37	312	24
,, 1854:	34	51	49	33	55	45	41	307	15
,, 1855:	35	51	49	28	49	49	46	307	5

Die wissenschaftlichen Abhandlungen in den Programmen sind folgende: Ostern 1852 vom Oberl. Dr. F. L. Lentz: *de verbis latinae linguae auxiliaribus* P. II und *Variae lectiones* (26 S. 4). Ostern 1853 vom Dir. Dr. Skrzecka: *des Apollonius Lehre von den Redetheilen und kritische Bemerkungen zu Apollon. de adverbio* (28 S. 4). Ostern 1854 vom Oberl. Dr. G. H. R. Wichert: *de transitionibus patheticis latinis.* P. I (22 S. 4). Ostern 1855 vom Direct. Dr. Skrzecka: *die Lehre des Apollonius Dyscolus vom Verbum* 1r Theil (16 S. 4). Meiszen]. An der königlichen Landesschule wurde vom 1. April 1855 an der als provisorischer Hülfslehrer angestellte Dr. Glo. Bernh. Dinter definitiv zum 9n Oberlehrer ernannt. Die Schülerzahl betrug im verflossenen Sommer 145 (I: 23, II: 43, III: 36, IV^a: 21, IV^b: 22). Abiturienten waren Mich. 1854 9, Ostern 1855 11. Den Schulnachrichten vorangestellt ist die Abhandlung vom Prof. Lic. Dr. Carl Heinr. Graf: *de templo Silonensi ad illustrandum locum Jud. XVIII* 30 sq. (36 S. 4).

Meran]. Der Lehrkörper des dasigen kk. Gymnasiums erfuhr im Schuljahr 1854—55 keine Veränderung. Doch übernahm am Anfange desselben der Dr. med. Jos. Theiner unentgeltlich den Unterricht im Italienischen. Die Maturitätsprüfung hatten im Schuljahre 1854 11 bestanden, die Schülerzahl betrug im letztverflossenen Jahre 156 (I: 26, II: 33, III: 22, IV: 24, V: 11, VI: 23, VII: 15, VIII: 12). Voraus geht dem Programm die Abhandlung vom Lehrer Coelestin Stampfer: *Entwicklungsgang der Mollusken* (14 S. 4).

München]. Am königlichen Maximiliansgymnasium bestand das Lehrerpersonal im verflossenen Schuljahre aus dem Rector Prof. Dr. Halm [Ritter des Verdienstordens vom h. Michaël], den Professoren Dr. Beilhack (Conrector), Steininger, Dausend, Dr. Minsinger (Mathem.), Dr. Fischer (Lehrer der Religion und Geschichte für die Katholiken), Preger (Stadtvicar, Lehrer der Religion und Geschichte für die Protestanten aller drei Gymnasien Münchens), dem Lehrer des Französischen Karl Boisot (nachdem Prof. Häring seiner bisherigen Functionen entbunden war, allein mit diesem Unterrichte beauftragt), den Studienlehrern Rott, Wolf (s. unter den Personalnotizen), Linsmayer, Praefect Mall (Lehrer der Religion und Geschichte für die Katholiken an der Lateinschule), den Lehramtscandidaten Dr. Christ (wegen der fortdauernden Beurlaubung des Studienlehrers Dr. Schöppner als Verweser der 2n Klasse angestellt), Schreiblehrer Ludw. Uhlmann (nachdem der vorige Schreiblehrer Jacob Uhlmann zum Ministerial-Registrator befördert war), den auszerordentlichen Lehrern, Beneficiums-Vicar Richter (Hebr.), Everill (Engl., nach dem am 18. Decbr. 1854 erfolgten Tode des Lehrers Richelle angestellt), Carrara (Italien.), Kahl, Schönchen und Pacher (Musik- und Gesanglehrer), Weishaupt (Zeichnen) und Gerber (Stenographie für alle 3 Gymnasien zu facultativem Unterricht). Die Frequenz belief sich auf 329 (Gymn. IV: 28, III: 32, II: 35, I: 28, Lat. Sch. IV: 45, III: 50, II: 55, I: 56). Beigegeben ist dem Programm die Abhandlung vom Dr. W. Christ: *quaestiones Lucretianae* (17 S. 4).

Neuburg a. d. Donau]. An der dasigen königlichen Studienanstalt lehrten im Schulj. 1854—55 auszer dem Studienlector und Lehrer der Religion für die katholischen Schüler Thum, die Professoren Mang (am 12. Mai beurlaubt und am 28. gestorben, worauf Studienlehrer Kemmer seine Functionen übernahm), Cleska (wegen Krankheit, die ihn auch an Abfassung der Programmabhandlung hinderte, im 2n Sem. beurlaubt und durch den Seminarpraefecten Daisenberger vertreten), Kaiser, Ratzinger und Scheidler und der Religionslehrer für die Protestanten Pfarrer S a u b e r t, ferner die Studienlehrer Z o l l - n e r, G e r l i n g e r, K e m m e r (nach Uebernahme der Functionen des verstorbenen Prof. M a n g durch den Lehramtscand. G e b h a r d t ver- treten), Klassverweser B l a t n e r (zu Vertretung des beurlaubten Stu- dienlehrers W e n c. L i n s m a y e r) und die katholischen Religionslehrer Praefecte W a l d v o g e l und S c h e i d l. Die Frequenz betrug 190 (G. IV: 25, III: 15, II: 23, I : 28, Lat. Sch. IV: 23, III : 23, II : 25. I : 28). NÜRNBERG]. In den dem Programme des k. Gymnasiums beigege- benen *Quaestiones Herodoteae* P. II hat Hr. Prof. G. H e r o l d einen neuen Beweis seines Scharfsinns und seiner eindringenden Studien ge- geben und sich um den Vater der Geschichte ein groszes Verdienst erworben. Wir können seinen klaren Gründen nur beistimmen, wenn er II 32 sich gegen die von Herm. ad Viger. p. 784 aufgestellte An- sicht ausspricht, und den Zeitsatz nothwendig in den Worten bis ἐξηρ- τυμένους enthalten behauptet; aber wenn er keinen andern Ausweg sieht, als entweder ἀποπέμπεσθαι für ἀποπεμπομένους zu schreiben, oder nach ἐξηρτυμένους den Inf. εἶναι einzuschieben, so möchten wir keines von beiden für das richtige halten, jenes nicht, weil die Ab- sendung schon so im vorhergehenden erwähnt ist, dasz sie nach der längeren Parenthese wol als Nebenbestimmung wiederholt, nicht aber füglich als Anfangspunkt der Reise erwähnt werden kann, dieses des- halb nicht, weil das Plusquamperfectum entweder ein dauerndes be- harren in einem Zustande, I 159, VII 145, I 63 (ihre Aufmerksamkeit war auf das Frühmahl gerichtet), oder ein nach längerer Bemühung zu Stande gekommenes bezeichnet, wie I 186, die Ausrüstung ge- wis aber weder als ein mit vieler Mühe vollbrachtes Werk, noch als dauernder Zustand vielmehr nur als das beim Beginn der Reise vor- handen angesehen werden kann. Allerdings aber ist der Hr. Vf. der Wahrheit und dem einfachsten und nach dem Urtheile aller mit dem Zustande der alten Handschriften vertrauter leichtesten Herstellungs- mittel ganz nahe gekommen; denn es scheint ganz zuverlässig, dasz ein oder mehrere Worte, wie z. B. ὁρμηθῆναι oder ἐς ὁδοιπορίαν ὁρμηθῆναι, ausgefallen sei. Das erstere ist das wahrscheinlichere bei dem zusammenkommen zweier Infinitive gleicher Endung und ähnlicher Bedeutung. Beiläufig wird VII 145 ἐγκεχειρημένοι vom Hrn. Vf. emen- diert. Sehr treffend sind die Herstellungen III 102: κατάπερ οἱ ἐν τοῖσι Ἕλλησι μύρμηκες κατὰ τὸν αὐτὸν τρόπον und IV 8: καλεομένην. καὶ καταλαβεῖν γὰρ αὐτὸν χειμῶνά τε καὶ κρυμόν, ἐπειρυσάμενον τὴν λεοντῆν κτὲ., allein wenn I 65 unter Einschiebung von καί gelesen wird: κακονομώτατοι ἦσαν σχεδὸν πάντων Ἑλλήνων καὶ κατά τε σφέας αὐτοὺς καὶ ξείνοισι ἀπρόσμικτοι 'et pessimis legibus usos et nullum neque inter se nec cum peregrinis habuisse commercium', so können wir nicht beistimmen. Dasz Herodot nichts weiter folgen läszt, als μετέβαλον δὲ ὧδε ἐς εὐνομίην, scheint hinlänglich zu beweisen, dasz er in ἀπρόσμικτοι nicht einen selbständigen Begriff, sondern nur einen zu κακονομώτατοι in das Verhältnis der Adhaerenz tretenden gesehen habe; sonst hätte er gewis hinzugefügt, dasz durch Lykurg auch der Verkehr ein geordneter geworden sei, und will man dagegen aufstellen εὐνομίη begreife beides, so wird man dann mit noch viel gröszerem Rechte behaupten, dasz ἀπρόσμικτοι in κακονομώτατοι enthalten sein könne. Was soll aber heiszen, dasz die Lacedaemonier unter sich kein commercium gehabt? Ist es wol denkbar, dasz aller Verkehr zwischen den Gliedern des éinen Staates aufgehoben gewesen? Und hat nicht Lykurg die ξενηλασία eingeführt und den Verkehr mit fremden in engste Grenzen eingeschlossen, so dasz man eher früher eine verderb- liche Freiheit in demselben annehmen müste, oder vielleicht auch eine gesetzliche Regelung schon bestehenden Gebrauchs? Der mangelnde

Verkehr mit fremden endlich könnte hier nur deshalb erwähnt werden, weil die Lacedaemonier so von andern Völkern nichts lernen konnten; denn sonst trägt er zur Erhaltung des einheimischen Gesetzes und der Verfassung bei. Durch ἀπρόσμικτοι scheint demnach nicht ein Verhältnis, sondern eine Eigenschaft des Volkes bezeichnet zu werden, welche entweder der Grund oder die Folge der κακονομία war. Diese aber ist ein trotziger, unfriedfertiger, selbstsüchtiger Sinn, der zur Empörung und Gewaltthat im innern, zu Raub und Krieg gegen fremde führt, der kein Gesetz im Staate und kein Recht fremden gegenüber anerkennt, also nothwendig zum Verderben des Staates führt. Dasz dies ἀπρόσμικτοι ausdrücken könne, unterliegt keinem Zweifel; es entspricht dem lateinischen asperi. Beziehen wir nun καί in der Bedeutung von 'adeo, vel' auf den Superlativ, so erhalten wir den untadeligen Sinn: 'antea Lacedaemonii vel pessima civitatis disciplina paene omnium Graecorum usi sunt, cum et inter se et adversus peregrinos discordiosi essent.' In Betreff der Stelle I 134 ist dem Hrn. Vf. die gründliche Behandlung durch Könighoff: Exeget. et crit. (Programm Trier 1854) unbekannt geblieben, der καί, wie er selbst, erklärt, aber δέ nach αὐτόν gestrichen wissen will. III 147 stellt Hr. Herold die richtige Satzform her, indem er τὰς ἐντολὰς μὲν τὰς κτέ. schreibt, auch gibt III 98 φλοίνην τοιήνδε· ἐπεὰν κτέ. Herodots Hand wieder. Dasz IV 18 ἄνθρωποι nicht haltbar sei, wird jeder zugeben, der nicht blind alles, was die Handschriften bieten, hinnimmt; wenn aber Hr. Herold weiter gehend als Valckenaer daraus ἄνω ἰόντι macht, so wird zwar von Seiten des Sprachgebrauchs dies empfohlen, von Seiten der diplomatischen Kritik aber findet sich kein Grund dafür, vielmehr möchte man behaupten, dasz wenn Herodot ἄνω ἰόντι geschrieben hätte, viel schwieriger die Corruptel in ἄνθρωποι entstehen konnte, als wenn blosz ἄνω im Texte stand. II 176 ist τοῦ μεγάρου bis jetzt unerklärlich und schwerlich wird eine die Schwierigkeiten hinwegräumende Aufklärung gewonnen werden; ob aber dasselbe mit Schäfer nach Valla in das mindestens entbehrliche τοῦ μεγάλου zu ändern oder für eine an die unrechte Stelle des Textes gerathene, zu τοῦ Ἡφαιστείου ἔμπροσθε gehörige Randglosse zu halten sei, lassen wir dahin gestellt, ebenso ob nicht III 136 in den zu Städtenamen abgeirrten Zügen der Handschriften etwas versteckteres liege als das einfache, übrigens einen ganz guten Sinn bietende ἐκ χρησμοσύνης. Der Emendation IV 28 πᾶσι τῶν ἐν ἄλλῃσι χώρῃσι γινομένων χειμώνων zollen wir unbedenklich Beifall und die III 93 τῇσι ἐν τῇ Ἐρυθρῇ θαλάσσῃ und I 180 τῆς πόλιος ἐόντων δύο φαρσέων empfehlen sich von selbst.   R. D.

Olmütz]. Die dasige 1570 vom Bischof Prusinowski gestiftete Universität ist aufgehoben worden.

Personalnachrichten.

Anstellungen, Ernennungen, Beförderungen:

Arndts, Dr. Ludw., Prof. des röm. Rechts an der Universität zu München, mit dem Charakter eines Regierungsrathes zu dem gleichen Lehrstuhl an die Universität zu Wien berufen.

Arnold, Karl, Priester, Subrector und Studienlehrer an der isolierten lateinischen Schule zu Kitzingen, an die lateinische Schule des Maximiliansgymnasium zu München versetzt.

B a u e r, Wolfg., Studienlehrer am Ludwigs-Gymnasium zu München, in gleicher Eigenschaft an das Wilhelms-Gymnasium daselbst versetzt.

E c k h a r d t, Dr. E., Prosector, zum ao. Prof. an der Universität zu Gieszen ernannt.

F e r t i g, Dr. Mich., Gymnasialprofessor zu Passau, zum Rector des Gymnasiums und Director des Erziehungsinstituts zu Landshut in Niederbayern befördert.

F i s c h e r, Dr., Sanitätsrath in Köln, als ord. Prof. der Chirurgie an die Universität in Bonn berufen.

G ö b e l, Ludw., Priester, Studienlehrer und Subrector der isolierten lateinischen Schule zu Lohr, als Studienlehrer der 3n Kl. an die latein. Schule zu Landshut in Niederbayern versetzt.

G r e i l, Franz Xaver, Priester, Studienlehrer zu Passau, zum Professor der 1n Gymnasialklasse ebendaselbst befördert.

H e g m a n n, Jacob, Gymnasialprofessor in Bamberg, als Rector an das Gymnasium zu Münnerstadt versetzt.

L a R o c h e, Paul, Studienlehrer an der lat. Sch. zu Dilingen, an das Ludwigs-Gymnasium zu München versetzt.

L e i k e r t, Ant., Studienlehrer an der isolierten lat. Sch. zu Kitzingen, an die lat. Sch. zu Neuburg an der Donau versetzt.

L e i t l, Jac., Priester und Lehramtscandidat, zum Studienlehrer an der lateinischen Schule zu Passau ernannt.

L e u c k a r t, Dr. Rud., ao. Prof. an der Universität zu Gieszen, zum ord. Prof. der Zoologie und Director des zoologischen Kabinets ebendas. ernannt.

M i l l e r, Anton, Lehramtscand., zum Studienlehrer der 1n Kl. an der lat. Schule zu Dilingen ernannt.

M ö r t i, Dr. Theod., Rector und Prof. am Gymnasium zu Kempten, als Prof. der Oberklasse an das Gymnasium zu Neuburg an d. Donau berufen.

P ö s c h l, Jac., Lehrer an der Oberrealschule zu Brünn, zum Prof. der Physik am Johanneum zu Graz ernannt.

R o t t, Jos., Studienlehrer an der lat. Schule des Maximiliansgymnasiums zu München, als Prof. an das Gymnasium zu Kempten versetzt.

R u i t h, K. Jos., Rector des Gymnasiums zu Münnerstadt, als Rector an das Gymnasium zu Aschaffenburg (s. unter Pensionierungen) versetzt.

S c h m i d t, Dr., Privatdocent, z. ao. Prof. für Botanik an der Universität zu Heidelberg ernannt.

S c h ö b e r t, Joh. Mich., Studienlehrer am Wilhelmsgymnasium zu München, in gleicher Eigenschaft an das Maximiliansgymnasium ebenda versetzt.

S c h w a l b e, Dr., Prof. am Paedagogium zum Kloster uns. l. Fr. zu Magdeburg, dem Vernehmen nach, zum Director des Gymnasiums in Eisleben berufen.

S t a r k, Dr. Bernh., ao. Prof. zu Jena, als ord. Prof. der Archaeologie an die Universität zu Heidelberg berufen.

V o n b a n k, Joh:, Supplent am kk. Gymn. zu Feldkirch, zum wirklichen Lehrer an ders. Anstalt befördert.

W e i d m a n n, Dr. Joh G., Prof. am Gymnasium zu Würzburg, zum Rector dess. Gymnasiums ernannt (s. Todesfälle Eisenhofer).

W e i g e l, Dr. Ferd., Conceptspraktikant, zum Secretär und Archivar an der kk. Universität zu Krakau ernannt.

W o l f, Jos., Studienlehrer am Maximiliansgymnasium zu München, zum Professor am Gymnasium zu Bamberg ernannt.

Auszeichnungen und Ehrenbezeugungen:

Bezzenberger, Dr. G., Director des Blochmann-Bezzenbergerschen
  Instituts und Vitzthumschen Geschlechtsgymnasiums zu Dresden,
  erhielt von dem Groszherz. von Mecklenburg-Schwerin den Titel
  Schulrath.

Pensionierungen:

Luber, Ignaz, Studienlehrer an der lat. Sch. zu Landshut in Nie-
  derbayern.
Mayer, Sim. Sigm., Prof. am Gymnasium zu Kempten.
Mittermayer, Dr. Jos., Rector und Prof. am Gymn. zu Aschaf-
  fenburg.
Schöppner, Dr. Alex., Studienlehrer am Maximiliansgymnasium in
  München, in zeitlichen Ruhestand versetzt.
Staudenmaier, Dr., Prof. zu Freiburg im Breisg.
Wolf, Theod., Lehrer am kk. akademischen Gymnasium zu Wien,
  unter Anerkennung seiner mehr als 30j. erprieszlichen Wirksamkeit.

Todesfälle:

Im Junius † im Tschernigoffschen Gouvernement Fr. v. Frolloff,
  Uebersetzer und Commentator des Humboldtschen Kosmos und Re-
  dacteur des geogr. und Reiseblattes.
Am 1. Jul. zu Stresa in Piemont Abbate Rosmini, bekannt durch
  seine philosophischen Schriften, namentl. durch die Bekanntma-
  chung fremder Systeme auf Italiens Boden, geb. zu Roveredo 25.
  März 1797.
Am 26. Jul. in Rostock der Consistorialrath und Prof. der Rechte Dr.
  Aug. Ludw. Diemer im 81n Lebensjahre.
Ende Juli auf einer Rheinreise der berühmte holländische Schriftstel-
  ler und Redner Prof. A. van der Hoeven.
Am 12. Aug. zu Xanten der ausgezeichnete Münzenkenner uud Samm-
  ler Justizr. a. D. Houben.
Am 28. Aug. der Primas der schwedischen lutherischen Kirche, Erz-
  bischof von Upsala Dr. Holmström.
Am 1. Sept. in Bonn der emeritierte Director des Gymnasiums zu
  Dortmund Dr. Bernh. Thiersch.
Anf. Sept. zu Göttingen der Prof. der französ. Sprache und Littera-
  tur, J. F. Cësar.
Am 13. Sept. in Erlangen der Kirchenrath und Prof. der histor. Theo-
  logie Dr. J. G. V. Engelhardt im 63n Lebensjahre.
An demselben Tage in Freiburg Hofrath A. Mayer, welcher an der
  das. Universität über Civilrecht und die einschlagenden Fächer las.
Ohne Angabe des Datums erfahren wir den Tod des Rectors und Prof.
  am Gymn. zu Würzburg Eisenhofer.
Unter den Todesfällen im vorigen Heft ist Mongrovius in Mron-
  goviusz zu berichtigen.

Zweite Abtheilung

herausgegeben von Rudolph Dietsch.

***

34.

Lesestücke aus griechischen und lateinischen Schriftstellern. Zum Privatstudium oder auch zum öffentlichen Gebrauch für die oberen Klassen der Gymnasien zusammengestellt von Dr. Moritz Seyffert, Professor am königl. Joachimsthal. Gymnasium. Leipzig, Verlag von Otto Holtze 1854. XIX u. 212 in 8.

Eine Schrift des Herrn Seyffert nimmt jeder mit hohem Interesse zur Hand, weil er weisz, dasz er von diesem gelehrten und geist-reichen Manne etwas gutes zu erwarten habe. Und diese Erwartung wird durch vorstehende Leistung von neuem befriedigt. Denn das Buch ist eine Sammlung der schönsten Stücke, welche uns die lyri-sche Poësie der Griechen und Römer hinterlassen hat. Ueberall zeigt sich, dasz ein sinniger Blick, eine tief gebildete Seele die elegischen Gärten der Alten durchwandelt habe, um die duftenden Blüten und lieblichen Früchte für unsere Schuljugend auszuwählen. Mit voller Berechtigung sagt der Verfasser S. VIII: 'Die Elegie — ich meine zunächst in der hier mitgetheilten Auswahl — ist nach Form und Inhalt, wie keine andere Dichtungsart, für die μελλέφηβοι unserer Gymnasien wie geschaffen. Die Form derselben, als das seelenvollste Gebilde des antiken Geistes in seiner Jugendblüte, der namentlich der geniale Verstand der Ovidischen Muse einen unwiderstehlichen Zauber künstlerischer Vollendung verliehen hat, so wie der Inhalt, der als Ausdruck der unveränszerlichsten Empfindungen, welche die menschliche Brust bewegen, in der unmittelbarsten und vernehmlich-sten Weise, aus dem Herzen zu dem Herzen spricht, beides gibt eine Musik, die wiederklingt, die forttönt im innern, die die jugendliche Welt erobert.'

Aber nicht blosz die Auswahl, welche Hr. S. getroffen, ist bei-fallswerth, auch die Anordnung und Commentierung des gegebenen Stoffes musz als zweckmäszig anerkannt werden. Denn drei wesent-liche Vorzüge sind darin wahrnehmbar: weise Beschränkung, körnige

Kürze, paedagogischer Ausdruck. In allen drei Punkten zeigt sich
die reife Erfahrung des taktvollen Schulmanns. Zum paedagogischen
Ausdruck darf man unter anderm einen doppelten Umstand rechnen,
erstens dasz manche Gedanken der alten Elegiker mit ähnlichen Aussprüchen unserer Dichter verglichen werden, zweitens dasz einzelne
Bemerkungen zu den römischen Dichtern in lateinischer Kürze
abgefaszt sind, beides zum Nutzen der Sache, weil in beidem vorsichtige Wahl und besonnenes Maszhalten stattfindet, wenn auch vielleicht im ersten Punkte eine kleine Erweiterung, im zweiten eine
kleine Verkürzung eintreten könnte. Auszer den commentierten Stücken der griechischen und römischen Dichter hat der Verfasser noch
zwei Abschnitte gegeben, in denen er aus griechischen Prosaikern (Herodot, Xenophon, Isokrates, Plutarch, Lucian) und aus
lateinischen (Livius, Sallustius, Cicero) entweder in längerer
Ausführung oder in kürzerer Andeutung diejenigen Theile bezeichnet,
welche zur Privatlectüre der Secunda und Prima besonders geeignet
sind. Könnte man auch mit Hrn. S. über einzelnes rechten, so ist
doch das ganze nach dem Vorbilde von Peters Buche 'der Geschichtsunterricht auf Gymnasien' so einsichtsvoll ausgewählt und so
umsichtig dargestellt, dasz man nur wünschen kann, es möchte die
Sache in bezüglichen Kreisen die nöthige Beachtung finden. Selbst
die Herausgeber der einzelnen Schriften könnten diese Uebersichten
zum Nutzen ihrer Ausgaben in Betrachtung ziehen. Am Schlusse ist
ein Sachregister hinzugefügt, das nicht blosz mit dem Inhalte des
Buches specieller bekannt macht, sondern auch zugleich das zusam-
mengehörige und also in der Lectüre zu verbindende übersichtlich
zusammenstellt.

Weiter in der allgemeinen Charakteristik des ganzen fortzufah-
ren, dürfte zu spät kommen, weil das Buch sicherlich hier und da
Eingang gefunden und so schon mit eigenen Mitteln sich Bekanntschaft
erworben hat. Es möge daher der verstattete Raum lieber dazu benutzt werden, hier und da einen Blick auf das einzelne zu werfen,
sei es dasz Text oder Note oder beides zusammen Bedenken erregt,
sei es dasz sich eine andere Ansicht dem Leser aufdrängt. Dadurch
könnte vielleicht nebenbei das späte erscheinen dieser Anzeige einige
Entschuldigung finden.

Die griechischen Dichter, bei denen wie es scheint die zweite
Ausgabe Bergks noch nicht hat benutzt werden können, beginnt
Tyrtaeus. Hier steht im bekannten τεϑνάμεναι γὰρ καλὸν κτλ. v.
16 αἰσχρᾶς, dagegen 10 ἀτιμίη, was im Dialekte nicht zusammen-
stimmt. In der Note zu v. 12 heiszt der Schlusz: 'dieser Erklärung stehen v. 5. 6 entgegen', verfehlter Ausdruck statt Ermah-
nung (ὑποϑήκη). Im Anfange von Nr. 2 Ἀλλ', Ἡρακλῆος γὰρ κτλ.
war doch nach ἀλλ' das Komma zu tilgen. Vgl. Krügers Sprachl. §
69 14 Anm. 4. In v. 9 gibt die beibehaltene Lesart καὶ μετὰ φευ-
γόντων τε διωκόντων τ' ἐγένεσϑε einen für den Zusammenhang un-
passenden Gedanken; vortrefflich dagegen ist Bergks παρὰ φ. — γέ-

γευσθε. Zu v. 17 ἀργαλέον γὰρ ὄπισθε μετάφρενόν ἐστι δαΐζειν besagt die Note: 'δαΐζειν, man erwartete eigentlich das Passivum'. Gewis nicht; denn es ist eigentlich Subjectsinfinitiv. Gleich weiter heiszt es: 'v. 21 εὖ διαβάς, ist seit Homer stehende Bezeichnung.' Aber bei diesem steht es nur Iliad. M 458 und zwar in einer etwas andern Beziehung: IIr. S. hat wol μακρὰ βιβάς im Sinne gehabt. 'V. 32 ἐν δέ, adverbialisch: dazu, überdies.' Das erste wäre ἐπὶ δέ, das zweite πρὸς δέ, daher genauer: darin, dabei. In Nr. 3 (12 bei Bergk *) v. 23 αὐτὸς δ᾽ ἐν προμάχοισι πεσὼν φίλον ὤλεσε θυμόν κτλ. [bei Bergk der Druckfehler ἄλεσε] hat Hr. S. das αὐτὸς δέ mühsam zu erklären versucht, was er selbst fühlt, da er den Zusatz gibt: 'vielleicht ist εἰ δέ τις zu schreiben'. Aber das hätte ich ohne Note mit Bergk in den Text gesetzt, wenn nicht der Dichter etwa αὖθι δ᾽ ὃς ἐν προμάχοισι geschrieben hat, nemlich deiktisch: da in Messenien. Im ἐμβατήριον liest man v. 4 δόρυ δ᾽ εὐτόλμως πάλλοντες folgendes: 'ein Zusatz von δεξιτερᾷ ist ebenso überflüssig, wie Nr. 2 v. 24 von λαιᾷ.' Aber das ist eine in Unordnung gerathene Bemerkung, die gar nicht zum Texte passt. Wahrscheinlich hat Bergks Conjectur δόρυ δεξιτερᾷ δ᾽ εὐτόλμως in den Text kommen sollen.

Der zweite Dichter ist Mimnermus, der natürlich zunächst sein empfindsames τίς δὲ βίος, τί δὲ τερπνὸν vorträgt. Da wird v. 4 für diese Sammlung nicht übel gelesen: δῶρα Διώνης εἰς ἥβης ἄνθεα γίγνεται ἀρπαλέα mit der Note: 'so lange die Jugendblüte dauert', wo noch Tyrt. 1 28 hinzukommen konnte, was schon Bach verglichen hat. Nach der Anmerkung 'v. 6 αἰσχρὸν ὁμῶς καὶ κακὸν ἄνδρα· τιθεῖ, häszlich und untauglich zugleich' wird der Schüler ὁμῶς mit ἅμα für synonym halten, was durch gleicherweise oder ebenso als zu vermeiden war. Nebenbei ist mir hier unklar, warum Bergk Hermanns κακόν (statt καλόν, das sich mit ὁμῶς schwerlich vereinigen läszt) verschmäht habe. Mimnermus scheint solche Zusammenstellung ähnlicher Begriffe geliebt zu haben, wie 3 3: τερπνὸν ὁμῶς καὶ καλόν. 3 7: ἐχθρὸν ὁμῶς καὶ ἄτιμον. Ob übrigens das obige κακόν mit Hrn. S. durch 'untauglich' zu deuten sei, dürfte fraglich sein. Wer die von Preller griech. Mythol. Bd. 1 S. 300 in der zweiten Note citierten Stellen nachliest, wird wol einen dem griechischen Geiste mehr entsprechenden Ausdruck wählen. Zu 3 4 ὀλιγοχρόνιον γίγνεται ... ἥβη τιμήεσσα konnte ein Wink erwartet werden, da selbst Bach das substantivierte Neutrum (οὐκ ἀγαθὸν πολυκοιρανίη) verkannt hat, und wenn es nur ein Citat der Grammatik war. Hr. S. hat die Grammatik nur in den lateinischen Abschnitten citiert, und zwar einmal (S. 63) Madvig, neunmal (S. 70. 90. 98. 110. 116. 117. 149. 184. 185) Zumpt: es wäre aber ein solches Citat auch bei den griechischen Dichtern an einigen Stellen rathsam

---

*) Hier und im folgenden soll das Stück oder die Verszahl stets nach Bergks Ausgabe der Poetae lyrici in Parenthese hinzugefügt werden.

gewesen. Was die Citate überhaupt betrifft, so ist lobend hervorzuheben, dasz Hr. S. die nöthige Sparsamkeit und sorgsamste Auswahl beobachtet habe. Nur an einigen Stellen dürfte eine Aenderung
zweckmäszig sein, wie S. 148 zu *nisi litora;* S. 159 zu *timidum ter-
rent,* und anderwärts wo zu demselben Begriffe jedesmal zwei Citate
nebeneinander stehen; oder wo auf eine Stelle verwiesen wird, an
welcher der Schüler wieder ein neues Citat findet, wie S. 122 zu
indocili; S. 188 zu *presserat lacus;* oder wo ein Citat nicht ganz
geeignet erscheint, wie S. 91 zu *Sidonis;* S. 117 zu *subit;* S. 174 zu
induit, wo wenigstens das Citat so viel Raum einnimmt, als die ci-
tierte Bemerkung selbst; S. 180 *albus dies,* das mit einer Stelle verglichen wird, in welcher *candida Aurora* vorkommt. Diese Kleinigkeiten im vorbeigehen!

Wir kommen zum dritten Dichter, zum S o l o n, der mit Beziehung auf Pisistratus Nr. 3 (10) v. 5. 6 nach der hier aufgenommenen
Lesart spricht:

$$\varLambda i\eta\nu \; \delta' \; \dot{\varepsilon}\xi\dot{\alpha}\varrho\alpha\nu\tau' \; o\dot{v} \; \dot{\varrho}\dot{\alpha}\delta\iota\dot{o}\nu \; \dot{\varepsilon}\sigma\tau\iota \; \varkappa\alpha\tau\alpha\sigma\chi\varepsilon\tilde{\iota}\nu$$
$$\text{\'}\upsilon\sigma\tau\varepsilon\varrho o\nu, \; \dot{\alpha}\lambda\lambda' \; \eta\delta\eta \; \chi\varrho\dot{\eta} \; \tau\dot{\alpha}\delta\varepsilon \; \pi\dot{\alpha}\nu\tau\alpha \; \nu o\varepsilon\tilde{\iota}\nu.$$

Das erste Wort λίην ist Conjectur Schneidewins und Bergks, letzterer hat dafür ein gelehrteres Wörtchen, λείως in den Text genommen: aber beides, ein *nimis* oder ein *valde,* bleibt ein matter und
nicht recht bestimmter Begriff, wo es sich wie hier um den Gegensatz
von δῆμος und μόναρχος handelt. Hierzu kommt, dasz ἐξαίρειν in
solcher Verbindung seine bestimmtere Beziehung 'woraus' wol
kaum entbehren kann. Da die Hs. λίης gibt, so dürfte mit Versetzung
der Buchstaben ἴλης, aus einer R o t t e, d. i. P a r t e i s c h a a r, das
richtige sein. Auch das folgende τάδε beruht auf Conjectur, die bei
der Erklärung keine deutliche Beziehung zuläszt. In der Hs. ist eine
Lücke, die Sintenis mit τινά, Dindorf und Bergk mit περί ausfüllen;
leichter konnte nach χρή wol ein χρέα ausfallen, so dasz der Sinn
ist: man musz jetzt alle B e d ü r f n i s s e erwägen, keinen einseitigen
P a r t e i m a n n erheben. Das scheint mir ein des Solon würdiger Gedanke zu sein. In dem prächtigen Stücke Nr. 9 (13), worin unter
anderm die verschiedenen Bestrebungen der Menschen besungen werden, wird v. 51. 52 gelesen:

$$\text{\'}\alpha\lambda\lambda o\varsigma \; '\text{O}\lambda\upsilon\mu\pi\iota\dot{\alpha}\delta\omega\nu \; \text{M}o\upsilon\sigma\dot{\varepsilon}\omega\nu \; \pi\dot{\alpha}\varrho\alpha \; \delta\tilde{\omega}\varrho\alpha \; \delta\iota\delta\alpha\chi\vartheta\varepsilon\dot{\iota}\varsigma,$$
$$\dot{\iota}\mu\varepsilon\varrho\tau\tilde{\eta}\varsigma \; \sigma o\varphi\dot{\iota}\eta\varsigma \; \mu\dot{\varepsilon}\tau\varrho o\nu \; \dot{\varepsilon}\pi\iota\sigma\tau\dot{\alpha}\mu\varepsilon\nu o\varsigma.$$

Hierzu wird bemerkt: ' διδαχθείς, als Praedicat ist wol das vorhergehende ξυλλέγεται βίοτον zu denken'; und ' ἱμερτή wird die σοφία
durch das poëtische Gewand'. Aber dann scheint erstens der antike
Zögling der Musen doch zu materialistisch gesinnt zu sein, wenn er
mit seinen höheren Gaben nur auf ξυλλέγεσθαι βίοτον hinarbeitet;
zweitens ist nicht ersichtlich, warum nicht auch eine prosaische σοφία das Attribut ἱμερτή erhalten könne; drittens endlich hat jeder
der vorhergehenden Gedanken sein eigenes Verbum, nur in diesem
Distichon wird es vermiszt. Daher kann dasselbe nicht richtig sein,
und es will mich bedünken, als wenn man mit ἔστ' ἐρατῆς statt ἱμερ-

τῆς am leichtesten aufhelfen könnte. Die Erklärung ʿv. 61. 62 Sinn: was der Kunst des Arztes nicht gelang, gelang öfters dem Zufallʾ bringt einen leicht misverständlichen Gegensatz in den Dichter, der doch beide Sätze vom Arzte aussagt und nur die Erfolglosigkeit trotz aller aufgewandten ἤπια φάρμακα und den leichten Erfolg durch blosze Handanlegung (ἀψάμενος χειροῖν αἶψα τίθησʾ ὑγιῆ) als Gegensätze hervorheben will.

Zu Xenophanes, dem vierten Dichter dieser Anthologie, wird Nr. 1 (2) v. 1 in der Note ποδῶν νίκην angeführt, wol nur durch einen Schreibfehler, weil der Genetiv ποδῶν von ταχυτῆτι abhängt, wie v. 17 beweist. In Nr. 2 (1) v. 6 musz nach κεράμοις Komma stehen, da Hr. S. dasselbe in ähnlichen Stellen gesetzt hat. V. 20 wird der Vf. statt ὥς οἱ μνημοσύνη künftig gewis von Bergk das μνημοσύνʾ ἦ annehmen. Fünftens hat Hr. S. das gröste Bruchstück des Simonides aufgenommen (85), wo der letzte Vers für Schüler einer kurzen Note bedurft hätte. Was überhaupt die Frage nach dem zuwenig betrifft, so hat dieselbe nur dann eine Bedeutung, wenn jemand nach dem Charakter einer Ausgabe Inconsequenz erweisen kann oder wenn jemand aus mehrfacher Erfahrung redet, die er bei wiederholter Lectüre der bezüglichen Schriftsteller mit Schülern gemacht habe. In beiderlei Hinsicht kommen nur höchst vereinzelte Stellen vor, die einen kleinen Zusatz erheischen; ich will sie gleich hier zusammenstellen: S. 4 Τιθωνοῖο φυήν, da sonst die Eigennamen überall kurz erklärt sind; S. 5 σπουδῇ, weil der Schüler die homerische Bedeutung im Kopfe hat; S. 8 die Form τεθνᾶναι, wie auch anderwärts schwierige Formen erleutert sind; S. 21 Μηλίου, S. 34 τοῦ τις ἐρᾷ, τὸ τυχεῖν, dieser Artikel beim Infin. in der Poësie, durch ein Citat der Grammatik; S. 43 ἄρσενι— κεκαλυμμένον, woran selbst Philologen Anstosz genommen haben; S. 65 Arcade; S. 74 credula turba; S. 91 praeter sua lumina, und vescuntur; S. 92 Cynthia; S. 94 Dimidium toto munere maius erit, wenigstens durch Beifügung des hesiodeischen ὅσῳ πλέον ἥμισυ παντός, S. 95 Pagasaeis; S. 102 Gye; S. 109 utraque turba; S. 131 cum bene sit clausae cavea; S. 164 sic venias hodierne (die Attraction) und Mopsopio melle. Das wären etwa die Kleinigkeiten; im zuviel dagegen wird man nicht leicht etwas objectiv gültiges anführen können. Ich kehre zur Hauptsache zurück.

Den reichlichsten Beitrag haben sechstens geeignete Stellen des Theognis geliefert, die hier unter 58 längere oder kürzere Stücke vertheilt sind. Bei Nr. 2 v. 5 (v. 675 nach Bekk. und Bergk) hat Hr. S. nach Bekkers Conjectur geschrieben: ἢ μάλα τις χαλεπῶς σώζεται, οἵʾ ἔρδουσι, mit der Bemerkung: ʿdas Relativum mit begründender Kraftʾ. Das wäre aber in solcher Verbindung eine auffällige Redeweise: mir hat sich hier immer οἱ δʾ ἔρρουσιʾ sie gehen zu Grunde, aufdrängen wollen. In Nr. 3 v. 1 (v. 53) wird bemerkt: ʿλαοί, in dem homerischen Sinne von Bürgern.ʾ Kann man diesen Sinn wirklich homerisch nennen? Die kriegerische Nation der Hellenen sah ja

schon im Homer unter λαός und λαοί vorzugsweise das Volk unter
Waffen, die Kriegerschaaren, daher späterhin στρατός oft vom Volke
gebraucht. Im folgenden Citate aus Ilias *N* 104 ist noch die alte
Lesart ἐπὶ χάρμῃ statt des richtigen ἔπι χάρμῃ befolgt. Auch unter
Nr. 10 wird aus Ilias *Z* 153 ὅς κέρδιστος statt ὃ citiert. In Nr. 6 v. 1
(v. 189) musz nach τιμῶσι Komma stehen. Bei Nr. 11 wären die beiden Schluszverse (v. 381. 382) besser wegzulassen; denn sie enthalten
offenbar einen ähnlichen eingeschobenen Gedanken. Als Nr. 12 erscheint der Abschnitt mit den Anfangsworten (v. 743 ff.):

> Καὶ τοῦτ᾽, ἀθανάτων βασιλεῦ, πῶς ἐστὶ δίκαιον,
> ἔργων ὅστις ἀνὴρ ἐκτὸς ἐὼν ἀδίκων,
> μή τιν᾽ ὑπερβασίην κατέχων μή θ᾽ ὅρκον ἀλιτρόν,
> ἀλλὰ δίκαιος ἐών, μὴ τὰ δίκαια πάθῃ;

wozu wegen ὅστις bemerkt wird: 'das Relativ vertritt eine hypothetische Gedankenform'. Aber dann hätte der Dichter bei solcher Verbindung wol εἴ τις gesagt. Wie die Worte hier stehen, scheint man
am natürlichsten ὥς τις lesen zu müssen. Sodann hätte das μήθ᾽ mit
Bekker und Bergk in μηδ᾽ verwandelt sein sollen. Denn μή . . . μήτε
ist doch so sehr dem Zweifel unterworfen (vgl. Krügers poët.-dialekt.
Syntax § 69 64 Anm. 2), dasz man es wenigstens aus einem Schulbuche entfernen musz. In Nr. 15 liest man hier (v. 1031 ff.):

> μηδὲ σύ γ᾽ ἀπρήκτοισιν ἐπ᾽ ἔργμασιν ἄλγος ἀέξων
> ἔχθεο, μηδ᾽ ἄχθου, μηδὲ φίλους ἀνία,
> μηδ᾽ ἐχθροὺς εὔφραινε.

Und dazu die Anmerkung: 'das Wortspiel: mache dich nicht verhaszt
und werde dir nicht selbst zur Last, erhält durch die folgenden para-
taktischen Sätze μηδ᾽ . . . ἀνία, μηδ᾽ εὔφραινε seine nähere Erklärung'. Aber wenn diese Sätze wirklich epexegetisch stehen sollten,
so würden sie asyndetisch angereiht sein; sodann würde das 'Wortspiel' durch den Gleichklang ἔχθου μηδ᾽ ἄχθου schärfer ins Ohr fallen. Es ist hier viel conjiciert worden, am besten wol ὄχθει, aber
immer bleibt der Gedanke mit Begriffen etwas überladen. Um dies
zu vermeiden, dürfte ein einfaches ἔρχευ ausreichen. Bei Nr. 16 v. 1
(v. 355) ist die Krasis κῆσθλοῖσιν mit der Form κἀσθλοῖσιν zu vertauschen. In Nr. 26 v. 7 (v. 563) wird überall gelesen:

> Κεκλῆσθαι δ᾽ ᾿ς δαῖτα, παρέξεσθαι δὲ παρ᾽ ἐσθλὸν
> ἄνδρα χρεὸν κτλ.

Aber da ausdrücklich die zweite Person διδαχθῇς und ἀπίῃς folgt
und die Rede ähnlich gestaltet ist wie Nr. 24 (v. 31 ff.), so scheint
man das δ᾽ in ein σ᾽ verändern zu müssen. Die Nr. 31 (v. 209) beginnt hier οὐδείς τοι, wo aus der besten Hs. mit Bergk οὐκ ἔστιν zu
schreiben ist. Ebenso in Nr. 32 (v. 87) das für ἄλλῃ in *A* gebotene
ἄλλας. In Nr. 36 (v. 325) wird gelesen:

> εἴ τις ἁμαρτωλῇσι φίλων ἐπὶ παντὶ χολῷτο,

und dazu bemerkt: 'ἐπὶ παντὶ verhält sich zu ἁμαρτωλῇσι, wie der
Theil zum ganzen, die ja öfter in der Form des καθ᾽ ὅλον καὶ μέρος
coordiniert erscheinen'. Aber das wäre eine seltsame Sprechart, die

vom erwähnten σχῆμα wesentlich abwiche, so dasz Hr. S. schwer_
lieh analoges.zur Begründung anführen könnte. Mit Recht hat Bergk
ἁμαρτωλοῖσι in den Text genommen, wodurch man zugleich bei χο-
λοῦσϑαι den regelmäszigen Dativ der Person gewinnt. Am Ende der
Nummer (v. 328) wird Hr. S. gewis zur handschriftlichen Lesart ϑεοὶ
δ᾽ οὐκ ἐϑέλουσι φέρειν zurückkehren, da der Sinn ist: Menschen
sind keine Götter, um über die Fehler der Freunde hart richten zu
können. In Nr. 39 lautet v. 5 (v. 1175) in dieser Sammlung:
   ἔστι κακὸν δὲ βροτοῖσι κόρος, τοῦγ᾽ οὔτι κάκιον.
wo ein solches τοῦγε in relativischem Sinne der Begründung bedarf. Bei Nr. 40 v. 2 (v. 632) gibt Hr. S. die Form ἀμηχανίης, ungeachtet ἄταις unmittelbar vorhergeht: eine unstatthafte Dialektsvermi-
schung! Uebrigens gibt hier die beste Hs. A (mehr oder minder
deutlich auch andere) die Lesart Κυρναῖ καί, das ist offenbar Κυρν᾽
ἄϊ καί, so dasz der ganze Vers heiszen würde: Κύρν᾽, ἄϊ καὶ με-
γάλαις κεῖται ἐν ἀμπλακίαις. Ob man das sonst aeolische ἄϊ dem
Theognis beilegen dürfe, mögen Dialektologen entscheiden. In Nr.
44 (v. 336) hat Hr. S. wie Orelli zu Anfange Κύρν᾽, ἕξεις ἀρετήν
aufgenommen statt des gewöhnlichen ἕξεις, Κύρν᾽, ἀρετήν, was zu
ändern kein Grund vorlag. In Nr. 53 v. 12 (v. 248) ist πόντον ἐπ᾽
ἀτρύγετον statt des richtigern ἐπ᾽ gesetzt. Und v. 16 (252) hätte das
passivisch gesetzte ἄσῃ einer Note bedurft: Bergk selbst hat diese
Conjectur aus dem Texte wieder entfernt und ist zur Lesart der Bücher ἔσσῃ zurückgekehrt, weil man dazu ohne Schwierigkeit das vorhergehende ἀοιδή mit verbinden kann.

 So viel über Theognis. Den letzten Abschnitt der Griechen bilden
42 gut ausgewählte Epigramme aus der Anthologia Graeca.
Es ist darunter mancher alte bekannte, den man in ähnlichen Sammlungen antrifft: auch Hr. S. selbst hatte vor zwei Jahrzehnten einen Theil
derselben in der Palaestra Musarum für andere Zwecke zusammengestellt. Zu einigen derselben mögen hier ein paar kleine Bemerkungen
folgen. Zum 2n über ‘Homer’ vom Leonidas, wo der bekannte Pentameter lautet ἄξονα δινήσας ἔμπυρος ἥλιος, findet man folgende Anmerkung: ‘δινήσας, ut currum in orbem torquere coepit; darnach
wird man nun auch den Aorist ἠμαύρωσε zu beurtheilen wissen’. Dafür würde eine Frage bestimmter und zweifelloser gewesen sein, oder
auch ein bloszes Citat der Grammatik, höchstens mit dem Zusatze
‘gnomischer Aorist’. Denn ein ‘coepit’ kann eigentlich in keinem
Aoristus liegen: wo dies der Fall zu sein scheint, ist Krügers Bemerkung Sprachl. § 53 5 am Platze. Im Epigramm auf Othryades
Nr. 19 v. 2 war statt Θυρέαν richtiger Θυρεᾶν zu setzen, und im
bekannten ὦ ξεῖν᾽, ἀγγέλλειν κτλ. des Simonides ist τῇδε mit τῆδε zu
vertauschen, wie die letztere Form 26 2 mit Recht unverändert blieb.
Auszerdem konnte angemerkt werden, dasz die lat. Uebersetzung der
berühmten Inschrift unten auf S. 185 aufgenommen sei. Desselben
Simonides Epigramm auf den ‘Doppelsieg des Cimon am Eurymedon’
unter Nr. 31, hat zu Φοινίκων ἑκατὸν ναῦς ἕλον ἐν πελάγει unter

anderm die Note erhalten: 'die Zahl ist historisch treu'. Aber das ist in dieser Bestimmtheit zu stark ausgedrückt, da Thucyd. I 100 bekanntlich 'sagt: καὶ εἶλον τριήρεις Φοινίκων καὶ διέφθειραν τὰς πάσας ἐς διακοσίας, worüber die Bemerkung Grotes in der Gesch. Griechenlands Bd. 3 S. 240 der Meisznerschen Uebersetzung zu vergleichen ist.

Bei den Uebersichten der griechischen Prosaiker haben die S. 54 erwähnten zwei Ausgaben des Xenophon eine unrichtige Jahreszahl, und bei den Memorabilien hat Hr. S. seine Bescheidenheit zu weit getrieben, indem er seine zweckmäszige Bearbeitung derselben im ersten Theile seines griech. Lesebuchs ganz unerwähnt läszt.

Wir kommen zum dritten Haupttheile des Buches, welcher lateinische Dichter enthält. Natürlich hat hier Ovidius die Hauptrolle übernehmen müssen (S. 62—151), weil er die wesentlichen Eigenschaften der römischen Elegie voll charakteristischer Schönheit darbietet.

'*Multisono fertur Nasonis Musa canore*
Innumeroque caput flore decora nitet.'

Und die Auswahl umfaszt gerade diejenigen Stücke, die jeder Schüler gelesen haben musz, wenn er wirklich eine Einsicht in diese Poësie besitzen will. Auch der Commentar hat einzelne Vorzüge, die bei den griechischen Abschnitten weniger sichtbar werden. Das liegt theils im Wesen der Sache, theils in dem Studienkreise des Verfassers. Davon darf man einem Seyffert gegenüber ohne Rückhalt reden. Denn Kopf und Herz stehen bei ihm in zu enger Harmonie, als dasz er das offene Bekenntnis übel nehmen könnte, er sei in den römischen Dichtern noch weit mehr zu Hause, als in den griechischen. Daher findet man nur sehr vereinzelte Stellen, die zu einer Erinnerung Veranlassung gehen. Einige mögen hier folgen.

Auf S. 62 wird zu Fast. I 200 *et dabat exiguum fluminis ulva torum*, die Note gegeben: 'das Kissen (*torus*), welches auf das Speisesopha (*lectus*) gelegt wurde, war mit Schilfgras statt des Flaumes gefüllt'. Aber in der alten Hütte des Romulus ist doch ebenso wenig an ein Speisesopha zu denken, als bei Philemon und Baucis Met. VIII 656, wo ausdrücklich folgt '*impositum lecto sponda pedibusque salignis*', und S. 70 in Fast. III 185, wo '*in stipula placidi carpebat munera somni*' vorhergeht. Es ist also *torus* ein einfaches Polster und *lectus* die Lagerstätte. — S. 24 v. 25 fehlt nach *arma* Fragezeichen. S. 67 zu Fast. II 397 *si genus arguitur vultu, nisi fallit imago* soll '*si* ... *nisi* anaphorisch stehen'. Aber dann müste es *si non*, nicht *nisi* heiszen! Wo es von der Wölfin v. 418 heiszt '*et fingit lingua corpora bina sua*', meint Hr. S.: '*fingit*, eigentlich wischen, hier *lambendo detergere*, wie es die Thiere mit ihren Jungen thun'. Das verwischt zugleich den poëtischen Duft, der durch Vergleichung von Met. XV 380 '*lambendo mater in artus fingit*' gewahrt sein würde. — Bei dem Raube der Sabinerinnen Fast. III 204 auf S. 71 wird *bella propinqua* durch 'Nachbarnkriege' erlentert,

wo doch richtiger **Kriege zwischen Verwandten** zu sagen
war, wie 210 beweist: '*hinc coniunx, hinc pater arma tenet*'. Im
folgenden Stücke S. 72 zu Fast. II 649 '*dum sicco primas irritat cor-
tice flammas*' wird angemerkt: '**die Rinde des Korkbaums** (*suber*)
diente **statt des Schwammes**', wofür an dieser Stelle keine passende Beziehung vorliegt. Auch am Schlusse wird zu v. 678 '*Cla-
mato, Tuus est hic ager, ille suus* die Bemerkung: '**er gehört sich,
er hat seinen eigenen Herrn**' für diese Stelle nicht genügen. Es
hätte vielmehr in der Kürze erwähnt sein sollen, dasz der epischen
und lyrischen Poësie die blosz logische Beziehung eines *eius* oder
eorum fremd sei, und dasz sie dafür das Pronomen *suus* gebrauche.
So hier und S. 97 *sua mater*, S. 141 *sua arbor* (auf *ramos* bezüglich, nicht im Gegensatz des pfropfens), wo ebenfalls unpassende
Bemerkungen stehen. — Wo von der Lucretia S. 78 in Fast. II 833
gesagt ist: '*iam moriens, ne non procumbat honeste, respicit*', wird
wie in den Commentaren bemerkt: '*honeste*, dem *decor matronalis*
angemessen'. Allein das ist eine zu enge Erklärung; denn sie passt
nicht auf Jungfrauen, bei deren Tode die alten mit ihrer sittlichen
Grazie denselben *decor* zu erwähnen pflegen: einige Beispiele gibt
Köchly zu Quint. Sm. A 624. Es hätte daher **allgemeiner** die
morientium εὐσχημοσύνη erwähnt sein sollen. — Die Bemerkung
über den *Laurens aper* S. 80 passt nicht genau zum Texte, in welchem man *silvis Laurentibus* liest, und die Schlusznote wäre besser
in eine Frage einzukleiden, was Hr. S. an anderen Stellen auf zweckmäszige Weise gethan hat. Nur eine einzige Fragstellung auf S. 93:
'*pretium vehendi* als Apposition zu fassen, verbietet was?' ist aus
der mündlichen Nonchalance in den schriftlichen Stil zu übersetzen.
Angaben wie S. 81 '*deos aliquos*, nicht **einige**, sondern gar nicht
übersetzt', sind gefährliche Brachylogien, die man besser vermeidet.
Was Ovid sagt: '*putant aliquos scilicet esse deos*', entspricht ganz
unserm '**dasz es irgendwelche (oder irgendwie) Götter gebe.**'
— Bei der Rettung des Palladium S. 83, wo in Fast. VI 450 Metellus
'*Ignoscite, dixit, sacra, vir intrabo non adeunda viro*', meint Hr.
S. '**Ob zu *adeunda* dieselben *sacra* zu denken, oder ob das Neutr.
Plur., wie oft, vom Orte steht, bleibt zweifelhaft.**' Wol nicht,
sondern *sacra* heiszt hier einfach: **das Heiligthum mit seinem
Inhalt**, was ganz zum Charakter des Dichters passt. Das specielle
folgt erst mit *dea rapta*. Bei der Reise der Göttermutter nach Rom
wird S. 84 aus Fast. IV 282 erwähnt: '*Quaque Carysteis frangitur
unda vadis*' blosz mit der Note: '*frangitur*, sich krümmt'. Kann
frangi in solcher Verbindung 'sich krümmen' bedeuten? Wie hängt
es grammatisch mit *Carysteis vadis* zusammen? Wer hat auszerdem
unter den alten *Carystea vada* erwähnt? Das sind Fragen, die einen
zweifelhaft machen; man erwartete wol naturgemäszer einen Begriff
wie *petris*, oder nach Ovidischer Spielerei *cadis* in Bezug auf den
vorzüglichen Wein. — Der Raub der Proserpina S. 96 beginnt Fast.
IV 420 mit '*Trinacris, a positu nomen adepta loci*', wozu man ange-

merkt findet: 'positu, in seltener Bedeutung: Gestalt'. Kennt Hr. S.
noch eine zweite Stelle, wo positus wirklich die Gestalt bedeutet?
Ich denke, dasz ein Römer überall nur an die natürliche Lage
gedacht habe. Für Gestalt hätte der Dichter an derselben Stelle
wol forma gesetzt. Die Benennung Nisaei canes von der Skylla S.
99 soll nach dem Vf. 'auf einem mythologischen Irthum Ovids' beruhen. Aber das ist eine kühne Annahme, wenn sie auch in den Commentaren allgemein sich findet. Man wolle doch die schöpferische
Freiheit der Sagenwelt unangetastet lassen! Bei Homer ist Skylla
Tochter der Κραταιίς, in der Heraklessage, wo sie ein Rind des Ge-
ryon entrafft, erscheint sie als Tochter des Phorkys und der Hekate;
Stesichoros nennt sie in dieser Dichtung Tochter der Lamia; Tochter
des Nisos endlich wird sie in der attisch-megarischen Pandionidensage genannt. Und bei so bewandten Umständen redet man von 'my-
thologischem Irthum' der Dichter, unter denen sich Leute wie Ovid
und Vergil befinden? Dieselben folgen vielmehr mit Bewustsein der
attisch-megarischen Pandionidensage, wahrscheinlich weil dieselbe im
römischen Volke der damaligen Zeit die bekannteste war. Von den
Wanderungen der Ceres in der Luftregion, um ihre Tochter zu suchen,
heiszt es S. 102 aus Fast. IV 569. 'Nam modo turileges Arabas,
modo despicit Indos'. Hier wäre ein Wink nicht überflüssig gewesen, da Lachmann zu Lucret. p. 236 behauptet, dasz despicere mit
dem Accus. nur in verächtlichem Sinne gesagt werde. Dasselbe Verbum hat auch v. Jan zu Macrob. Saturn. I 6 (§ 15) behandelt. — In
Trist. I 2 63 meint Hr. S. auf S. 110, dasz der Dichter mit 'non ut
zum Hauptgedanken v. 60 zurückkehre. Einfacher wird man wol non
peto ut (nicht strebe ich darnach, dasz) zu verbinden haben, zumal
da petunt gleich wieder nachfolgt. Im Abschiede von Rom Trist. I 3
33, wo 'Dique relinquendi, quos urbs tenet alta Quirini', deutet der
Vf. 'alta, wol bildlich für ampla'. Aber die Plastik wird mehr gewahrt, wenn man den hochgelegenen Stadttheil versteht, weil
man diesen bei der Entfernung am weitesten sieht. Diese Deutung
findet auszerdem in Trist. I 3 29 u. 30 auf S. 112 eine Stütze. Wo
Ovid S. 111 von sich selbst sagt: 'A culpa facinus scitis abesse
mea', war auf Nr. 19 38 zu verweisen, weil dort die beiden Worte
erklärt werden. — Was der kranke Dichter an seine Gattin schreibt
Trist. III 3 21 'Si iam deficiam suppressaque lingua palato' etc.,
wird S. 117 commentiert 'palato, nemlich defecto' und dies 'Kürze
der Ausdrucksweise' genannt. Aber die Sprechart 'res pro rei de-
fectu' wird wol richtiger ins Capitel der Praegnanz gebören, weil
dabei immer ein Wort in der dermalen vorhandenen Beschaffenheit
seines Begriffes, oder eine Sache in dem Zustande gedacht wird, wie
sie eben erscheint, wenn die im ganzen Satze erwähnte Handlung
oder Wirkung eintritt. Nach dieser formellen Seite hin sollte man
jedesmal eine kurze Note gestalten, aber nicht mit Ergänzungen dazwischen treten. In v. 49 hat der Text den Druckfehler frusta statt
frustra. — Unter den Frühlingsfreuden in Rom schweben der Phan-

tasie des verbannten Dichters Trist. III 12 20 vor: 'Nunc pila, nunc
celeri volvitur orbe trochus', was S. 122 folgende Note erhält: 'nunc
pila, macht einen Satz für sich, nemlich est, indem das Ballspiel
gemeint ist, wie die Instrumente des Spiels sehr häufig für das Spiel
selbst stehn'. Das scheint mir eine complicierte und zu wenig poëtische Erklärung zu sein. Viel natürlicher im Geiste der Poësie wird
man ein leichtes Zeugma annehmen, indem aus volvitur zum vorhergehenden pila ein iacitur oder luditur sich von selbst ergibt, wie
Ovid anderwärts aleă luditur sagt. Diese Deutung hat auch dadurch
eine Stütze, dasz 'levibus nunc luditur armis' unmittelbar vorhergeht, zu welchen Worten (nebenbei gesagt) die gegebene Erklärung
'levibus armis, rudibus' dem Schüler viel leichter misverständlich
ist, als der Text selbst. — Ovid sagt von sich selbst Trist. IV 10
19. 'At mihi iam puero caelestia sacra placebant', was S. 125 gedeutet wird: 'die heiligen Räume des Himmels (Hom. Il. II 484) im
Gegensatz zum geräuschvollen Forum'. In diesem Sinne hätte der
Dichter wol eher caelestia regna gesagt, wie Nr. 13 v. 15; cael.
sacra dagegen wird einfach sein: die himmlischen Opferdienste, d. i.
die göttliche Poësie, im Gegensatz zu den irdischen Brodstudien.
Warum v. 59 (v. 61) zu 'quae vitiosa putavi' blosz beigeschrieben
ist 'dictorum petulantia', ist mir nicht deutlich, da Ovid selbst Trist.
I 7 20 noch einen zweiten Grund angeführt hat. Auch Nr. 24 v. 1
steht vitiosa in allgemeinerem Sinne. — In Amorum lib. III 9 auf
den Tod des Tibull, S. 138 ff., scheint v. 7, 8 dem Ovid Bio epitaph.
Adonid. v. 82, 83 vorgeschwebt zu haben. In Remed. Amor. v. 192
heiszt es vom Landmann: 'Et tonsam raro pectine verrit humum',
wozu S. 141 bemerkt ist: 'tonsam, die durch jäten vom Unkraut ge-
reinigte Erde'. Kann dies in tondere liegen? Mir scheint tonsam
raro humum den selten gemähten, also üppig bewachsenen Wie-
sengrund anzudeuten. — In der ersten Heroide v. 2 hat Hr. S. die
Interpunction von Heinsius: 'Nil mihi rescribas attamen: ipse veni'
beibehalten und findet die Stellung des *attamen und das Asyndeton
ipse veni 'bezeichnend für das ernstliche und dringende des Wunsches'. Möchte wol zu gesucht sein und dem einfachen Gefühle wi-
derstreben, mit dem man schon nach dem Rhythmus hinter rescribas
die Interpunction erwartet. V. 10 wird von der Penelope ihre 'pen-
dula tela' erwähnt, was bedeuten soll: 'der Aufzug beim Gewebe,
der immer auf- und niedergeht'. Wie aber der Begriff einer
stetigen Bewegung oder eines thätigen Zustandes hineinkomme, ist
mir nicht klar: ich kann darin nur einen plastischen Ausdruck, die
nach Sitte der alten herabhängende oder perpendiculär auf-
gezogene Werfte erkennen. Bei v. 63 Neleïa Nestoris arva hätte
eine Erinnerung ans homerische Νηλήιος Πύλος ausgereicht. Was
Penelope v. 110 schreibt: 'Tu citius venias, portus et aura tuis',
bleibt bei aller poëtischen Erklärung des Hrn. S. doch ein auffälliges
Bild, weil sich Penelope mit den ihrigen nicht auf der Reise befindet.
Ansprechender scheint mir die bei Jahn erwähnte Variante ara, wo-

mit zu vergleichen ist Pont. II 8 68 ' *Vos eritis nostrae portus et ara fugae*'. — Heroid. X 15 schreibt Ariadne an Theseus: '*Protinus adductis sonuerunt pectora palmis*', was S. 147 erleutert wird: 'mit geballten Fäusten'. Heiszt denn *adducere* ballen? Es kann doch im wesentlichen nicht anders gesagt sein als v. 100 '*Fila per adductas saepe recepta manus*'. Was sie v. 50 meldet, wie sie aufs Meer hinschauend eiskalt auf dem Felsstein gesessen habe '*Quamque lapis sedes, tam lapis ipsa fui*', das hätte wol wegen des ungewöhnlichen Gebrauches von *quam... tam* statt *quemadmodum... ita* einen Wink verdient, zumal da die Handwörterbücher diesen Sinn der Partikeln nicht erwähnen. Aehnlich wie hier stehen dieselben bei Cic. ad Q. fratr. I 2 3. '*Atque ego haec tam esse, quam audio, non puto*'.

Nach den Abschnitten aus Ovidius folgen fünf Elegien des Tibullus (I 1, 3, 7, 10. II 1), ebenfalls mit zweckentsprechender Erklärung. Bei der Veränderung der Construction I 7 15. '*Quantus — frigidus. intonsos Taurus alat Cilicas?*' auf S. 162 konnte die oben berührte Stelle zu S. 110 erwähnt werden. Denn dort haben wir für *peto* dieselbe Verbindung wie hier für *canam*. Wenn sodann zur Erläuterung ganz allgemein ' das s o n s t u n c u l t i v i e r t e (*intonsus*) Bergvolk' beigefügt wird, so ist in das Wort wol etwas zu viel hineingelegt: es scheint vielmehr ähnlich gesagt zu sein wie II 1 34. '*Et magna intonsis gloria victor avis*'. Zu v. 26. '*Arida nec pluvio supplicat herba Iovi*' dürfte die Note '*Arida* gehört natürlich mit unter die Negation *nec*' mindestens unnöthig sein, da wir in demselben Sinne reden: 'Und nicht fleht d ü r r e s Kraut zum regnerischen Juppiter', sobald wir den bestimmten Artikel weglassen. Daher hätte ich für diese Note lieber zu *pluvio Iovi* den *Iuppiter uvidus* Verg. Georg. I 418 und (was auch L a d e w i g dort beischreiben könnte) Ζεὺς ἰκμαῖος Ap. Rh. II 522 verglichen. Denn von den Alexandrinischen Dichtern haben die Römer diese Vorstellung entlehnt. Der Ausgang des Verses I 10 15 lautet: '*aluistis et iidem*'. Ist diese Schreibweise Absicht oder Zufall? Ein Wink für Schüler möchte nicht ganz entbehrlich sein und wäre es auch nur ein Citat von Zumpt § 132 Anm.

Auf Tibullus folgt L u c a n u s P h a r s a l. Lib. I v. 121 ff. über die Ursachen des Bürgerkriegs zwischen Pompejus und Caesar. Da liest man S. 175 die Erklärung: '*dedidicit ducem*, a b s t r a c t für *ducis partem*', was wol richtiger mit dem Namen p r a e g n a n t zu bezeichnen war. Zur Charakteristik des Caesar gehören die Worte: '*Successus urgere suos, instare favori Numinis*' etc., denen folgendes zur Erläuterungen beigegeben ist: '*Numinis*, das Glück ist die Göttin Caesars'. Kann *Numen*, so absolut gesetzt, G l ü c k s g ö t t i n bedeuden? Müste nicht wenigstens *sui* oder ein ähnliches Attribut dabeistehen? Mich will bedünken als wenn hier *nominis* zu lesen wäre in dem Sinne: 'a u f s e i n e n populär gewordenen N a m e n sich s t ü t z e n, darauf weiter fortbauen'. Dies schiene mir für die abstractere Sprechweise Lucans nicht ungeeignet zu sein. Uebrigens hätte aus Lucanus noch das schöne Stück über Hercules und Antaeus hinzukommen können.

Der letzte gröszere Abschnitt ist aus C. Silius Italicus Punicorum lib. XV 1—132 entlehnt und hat zum Gegenstande Scipio am Scheidewege, vor seiner Wahl zum Feldherrn für Spanien. Zu v. 23 heiszt es: 'Achaemenium, eigentlich medisch,' wo richtiger persisch zu sagen war, wie die Fortsetzung der Note selbst beweist. V. 26. 'Fronte decor quaesitus acu' wird erleutert: 'acu, eine Haarnadel zum Scheiteln der Haare.' Nach dem Zusammenhang aber scheint nicht das Instrument, sondern der Schmuck der gröszern goldenen Haarnadel gemeint zu sein, wie bekanntlich schon die alten Athener diese Haartracht hatten. Zu v. 30 'laetiquepudoris' liest man folgendes: 'laetus pudor ist die gefällige, mit Freundlichkeit des Wesens verbundene Scham im Gegensatz der Prüderie, den (?) pudor subrusticus.' Ob aber die alten Römer Scham und Prüderie so fein distinguiert haben, läszt sich bezweifeln. Am einfachsten ist wol laetus in activem Sinne zu fassen. V. 57 wird dem Schüler das Verständnis erleichtert, wenn man nach idem und aevi Kommata setzt. Für den Gedanken v. 76—78 wäre aus Ernestis Commentare auf zweckmäszige Weise ' Cic. Tusc. I 30' zur Vergleichung beigeschrieben worden. V. 88 f. ist so interpungiert: 'Ad laudes genitum, capiat si munera divum, felix ad laudes hominum genitum', und also erklärt: 'Ad laudes genitum ist Attribut zu hominum genus, felix ad laudes dagegen Praedicat, wozu die Bedingung gehört: wenn er das Geschenk der Götter benutzen will; ad laudes in Beziehung auf die Ehre.' Das gibt aber eine so gekünstelte Construction und einen so auffälligen Gedanken, dasz man sicherlich zur früheren Interpunction nach felix zurückkehren wird: wenn es glücklich die Geschenke der Götter erfaszt. Der prächtige Gedanke v. 94 f. 'Quippe nec ira deum tantum nec tela nec hostes, Quantum sola noces animis illapsa, Voluptas' hat seinen besten Commentar, den ich hier zur Vergleichung beschreiben würde, in Livius XXX 14 'non est, non (mihi crede) tantum ab hostibus armatis aetati nostrae periculum quantum ab circumfusis undique voluptatibus.' Dies stimmt auch zugleich zu v. 125 ff.

Den Schlusz der Lesestücke bilden 24 Epigramme aus Martial und der Anthologia Latina, wozu folgende Kleinigkeiten bemerkt sein mögen. Zu No. 2 'Achilles' v. 10 'cum pressi hostilem — humum' ist bemerkt: 'Verwandt hiermit ist die homerische Phrase von fallenden Helden ὀδὰξ λάζεσθαι γαῖαν, wie Vergil übersetzt: humum ore mordere.' Aber die erwähnte 'Phrase von fallenden Helden' findet sich bei Homer nur B 418, dagegen fünfmal ὀδὰξ ἑλεῖν οὖδας, und dies hat Vergil übersetzt [welche Kleinigkeit auch Ladewig zu Aen. XI 418 beachten könnte]. Die Worte in No. 4 'De Xerxe' v. 3 'solem texere sagittae' werden also gedeutet: 'der Glanz des Himmels muste vor seinen Geschossen erbleichen; Erde und Himmel, will der Dichter sagen, waren ihm unterthan,' welche symbolische Deutung wol zu gelehrt sein dürfte. Einfacher ist die Annahme, dasz dem Petronius die bekannte Anekdote vom Leonidas vorgeschwebt habe bei Plut. T. II p. 225 B ἀπὸ τῶν ὀϊστευμάτων τῶν βαρβάρων οὐδὲ τὸν ἥλιον ἰδεῖν ἔστιν κτλ. Die letzten Worte des Epigramms 'Certe sub Iove mundus erat', die andeuten sollen 'dasz Xerxes Erscheinung als die des leibhaftigen Juppiter erklärt wird', habe ich immer so verstanden, dasz darin eine leise Andeutung von der Niederlage des Xerxes enthalten wäre in dem Sinne: 'Entschieden ist, dasz die Welt unter Juppiter stand, der nemlich die Hellenen beschützte'. Für diese Deutung scheint mir der ganze Ton zu sprechen. Ueber Mart. IV 44. 'De Vesuvio', wo v. 6 lautet 'Hic locus Herculeo numine clarus erat', gibt Hr. S. die Bemerkung, dasz sich dieser Pentameter 'auch auf das von dem Gotte benannte Herculanum, welches mit Pompeji und Stabiae verschüttet wurde, zugleich zu beziehen scheine'. Diese Beziehung liegt nahe; nur würde dieselbe durch die Lesart nomine schärfer hervortreten. Zu Nr. 15 (Mart. I 15): 'O mihi post nullos, Iuli, memorande sodales' konnte auf den gleichen Anfang S. 115 hingewiesen werden, auf jene 'Freundschaft im Unglück' Trist. I 5, für welche mit dem Eingange 'O mihi post ullos nunquam memorande sodales' bis zum achten Verse hin Töne erklingen, welche tief, tief in die Seele greifen, zumal da Hr. S. das Distichon 'Scis bene, cui dicam, positis pro nomine signis' etc. wegen seiner zarten Beziehung auf süszbittere Erinnerung mit gutem Grunde übergangen hat.

Hiermit genug. Das angeführte wird ausreichen, um dem geehrten Verfasser das gleich anfangs erwähnte Interesse zu beweisen, mit dem ich sein Buch gelesen habe. Noch hat das Vorwort neben vielen unbestreitbaren Wahrheiten einige Sätze gebracht, bei denen man stark versucht wird, dem gelehrten und poëtischen Vorredner als offener Gegner ins Auge zu blicken. Und diese Versuchung liegt um so näher, weil man einem Seyffert gegenüber frisch von der Leber weg sprechen darf, ohne seine Ueberzeugung mit den Fesseln diplomatischer Courtoisie zu umkleiden. Da indes manches von der Hauptsache, die eben besprochen wurde, zu weit abführen würde, so will ich mir nur ein paar einzelne Bemerkungen erlauben. Auf S. VIII lesen wir unter anderm folgenden Ausspruch: 'die technische Meisterschaft und die ethisch-nationale Tiefe des Vergil sind wol geeignet, die Kenner (die selbst unter den Lehrern zu zählen sind) mit Bewunderung zu erfüllen, für die Mehrzahl unserer Jünglinge aber bleiben sie ein fremdes und unempfundenes, an dem sie in der Regel nur die Fertigkeit des übersetzens üben'. Ob das Urtheil über die 'zählbaren Lehrer' wahr sei, wage ich nicht zu entscheiden: es kann sein, es kann auch nicht sein. Aber die 'Regel' dasz Vergil 'für die Mehrzahl unserer Jünglinge ein fremdes und unempfundenes bleibe', — das ist meiner Ansicht nach die Misère der gegenwärtigen Methodik. Freilich darf die 'technische Meisterschaft und ethisch-nationale Tiefe' beim unterrichten nicht weiter gehen, als die Capacität unserer Jugend. Denn das 'aliter pueri legunt Cornelium, aliter Hugo

Grotius' gilt ohne Ausnahme von sämtlichen Autoren. Auch die Elegiker erfordern zum vollen Verständnis gar manche Erfahrung,
die der Jüngling noch nicht besitzt. Und wenn wir die künstlerische
'Meisterschaft' des genialen Verstandes und die 'tiefe' Empfindung
psychologischer Situationen, wie beides nur vom eigentlichen Gelehrten erfaszt werden kann, in den Vordergrund des Schulzieles stellen:
so haben wir über Elegie in der Idealität dasselbe Urtheil zu fällen
wie über Vergil. In der Wirklichkeit dagegen haben Epiker, wie
Homer und Vergil, für die jugendliche Seele eine fesselnde Kraft,
wenn der Lehrer in den Schulstunden — was die Hauptsache ist —
nicht nach alter Väter Weise interpretiert oder 'nur die Fertigkeit
des übersetzens übt', sondern die zum paedagogischen Ziele führenden Uebungen vornimmt. Es möchte daher für die Praxis der Schule
gerechten Bedenken unterliegen, das Vergilische Epos den Elegikern
nachzusetzen. Man musz das eine thun und das andere nicht lassen,
wird auch hier die alte Wahrheit heiszen.

Eine zweite Bemerkung beziehe sich auf S. IX, wo folgende
Sätze stehen: 'Man hat den Schülern den *Gradus ad Parnassum* genommen und ihnen die Grammatik gelassen, das heiszt, man hat den
Morgenduft verscheucht, um eine Sonnenklarheit zu erzeugen, deren
trockne Gluth das jugendliche Naturell nicht vertragen kann. Unser
Feind hat unsere empfindlichste Stelle zu treffen gewust: es ist ihm
gelungen, uns *de Gradu deiicere*'. Das ist eine prächtige Sprache
poëtischer Anschauung voll prosaischer Wahrheit! Aber einige Zusätze wird sie doch zulassen. Wer hat denn der Jugend den Gradus 'genommen'? Doch nur der Lehrer: ein Verbot der Behörden
ist mir nicht bekannt. Wer aus eigener Erfahrung weisz, dasz zum
gründlichen Dichterverständnis auch einige poëtische Uebungen als
Probe des Exempels und als praktischer Maszstab gebören, und dasz
dazu der Gradus ein untergeordnetes Hülfsmittel sei, dem ist er
belassen: wiewol ich offen gestehe, dasz ich den 'Morgenduft' desselben niemals gekannt habe, weil mein Lebensweg von einem anderen Klima umgeben war. Was sodann die 'Sonnenklarheit' der Grammatik betrifft, so hat dieselbe einerseits sehr starke Schatten und
düstere Stellen, indem niemand aus bloszer Grammatik eine Sprache
erlernt; andererseits aber wird die 'trockene Gluth' derselben zur
verderblichen Lohe, die jede Begeisterung der jugendlichen Seelen
versengt und verbrennt. Grammatische Lehre und grammatischer Tact
müssen durch vielfache Uebung und Anwendung gewonnen werden,
nicht durchs abstracte Regelwerk irgend eines grammatischen Systems. Denn dieses wirkt ebenso ertödtend, als die regellose Willkür
aesthetischer Phrasenmacher. Sollen die alten im ganzen und groszen
nur ein abgetödteter Stoff der Grammatik bleiben und sollen sie nicht
mehr zur Zucht des Geistes und Bildung des jugendlichen Charakters
das ihrige beitragen, so ist der Stab über dieselben für die Schule
gebrochen, und die Schutzreden der Paedagogen werden das so wenig ändern, dasz vielmehr durch dieselben die Sachlage nur um so

schärfer hervortritt. Denn 'unser Feind', den Hr. S. am Schlusse
erwähnt, hat es keineswegs auf paedagogische Hülfsmittel oder Maszregeln der Methodik abgesehen, wie aufs 'de Gradu deiicere' mit
Majuskel und Minuskel, sondern auf gänzliche Vernichtung. Und dieser Feind hat in allen Kreisen seine Kriegsknechte angeworben, die
jetzt als *Hastati*, *Principes* und *Triarii* mit glänzender Rüstung gegenüberstehen. Denn wie Lübker ('die christliche Erziehung in den
höheren Schulen' in Gelzers Protestant. Monatsblättern, April 1855
S. 226) mit Recht bemerkt 'in der heftigen Bekämpfung der classischen Studien reichen sich der Materialismus, die Demokratie
und der Pietismus von den entgegengesetztesten Standpunkten aus
die Hände, um ihrer unversöhnlichen Feindschaft wider jene geistige
Macht durch die gehoffte Vernichtung derselben eine Genugthuung zu
bereiten'. Daher dürfte im Angesicht solcher Gefahren ein ' *de Gradu
deiicere*' schwerlich ' die empfindlichste Stelle treffen'.

Der Vf. fährt an der letzteren Stelle also fort: 'Wollen und können wir die alte Position in der *palaestra Musarum* nicht wieder
erobern, so laszt uns wenigstens von dem Anhauch der fremden Muse
gekräftigt werden, laszt uns diese Lieder, diese Elegien zu einem
dauernden Eigenthum unserer Schüler machen'. Wird aber mit dem
bloszen 'Anhauch' ohne vielfache Uebung und Anwendung nimmermehr möglich sein. Man versuch's und sei so gütig den Ort zu nennen, an dem man die Früchte finden und prüfen könne. Allerdings
ist ' die alte Position in der *palaestra Musarum*', die doch auch ihre
sehr schwachen Seiten hatte, nicht 'wieder zu erobern', aber man
musz sich eine neue Position verschaffen, die die Vorzüge der alten
mit der Forderung der Neuzeit vereinigt. Doch darüber läszt sich auf
blosz theoretischem Wege keine volle Verständigung herbeiführen.
Der vielfach vernommene Einwand, unsere heutige Jugend könne sich
nicht mehr so in die alten vertiefen, dasz sie im Stande sei, etwas
prosaisch oder poëtisch zu reproducieren, — dieser Einwand heiszt,
in die Praxis übersetzt, nichts anderes als: unsere Gymnasialjugend
soll vom vollendeten Formsinn der alten nur so viel lernen, als etwa
eine Katze auf dem Schwanze davonträgt. Man ist in der That begierig, das wirkliche Textverständnis altclassischer Autoren, was natürlich die Hauptsache bleibt, auf solchen Gymnasien kennen zu lernen, deren Schüler bei der Abiturientenprüfung zu Lug und Trug ihre
Zuflucht zu nehmen gezwungen sind.

Hr. Seyffert sieht das Heilmittel der gegenwärtigen Gebrechen
in dem Privatstudium nach der von ihm trefflich entwickelten
Methode. Ich hab's vermeiden wollen, die scharfen Kanten der Opposition von neuem hervorzustellen, aber die Feder ist ganz ἀέκοντί
γε θυμῷ in diese Klippe gerathen, und so mag sie sich auf ihre Weise
heraushelfen. Das erste ist — der Schreck über die Massen der Privatlectüre, die Hr. S. in Vorschlag bringt, und das zweite — der
Trost, dasz diese Massen für jetzt nur papierne Existenz beanspruchen
können. Oder irre ich mich? Dann bitte ich um Belehrung durch

Thatsachen aus der Gegenwart. Glaubt Hr. S. wirklich, dasz
die Bewältigung dieser Massen von unserer heutigen Jugend 'in freier
Selbstbestimmung' zu ermöglichen sei? Um diesen Glauben kann ich
ihn aufrichtig beneiden: ich kann ihn aber nicht theilen. Meiner Ansicht nach gehörte dazu die alte Pforte mit dem alten Ilgen; oder
ein deutscher Fürst müste die Idee erfassen, ein neues Gymnasium zu
gründen, um auf ganz neuer Grundlage durch geeignete Lehrer und
Erzieher die gezeichnete Methode von neuem ins dasein zu rufen.
Nur müste die Anstalt vom Weltverkehre entfernt liegen. Wie dagegen die realen Verhältnisse einmal gestaltet sind, treten Mächte entgegen, die keines Menschen Gewalt zu verändern im Stande ist. Wir
wollen uns dieselben besehen: erstens den Materialismus. In einer
Gegenwart, wo Dampfwagen die Welt durchbrausen und das Räder-
werk der Maschinerien immer lauter ins Ohr fällt, hat die Jugend
keine Zeit mehr, Kreuz- und Quergänge zu machen auf eigene Faust,
so bildend dies auch immerhin sein kann, sondern der Lehrer musz
sie an die Hand nehmen und auf dem kürzesten und sichersten Wege
zum Ziele führen. Hauptsache ist, dasz der Lehrer keine Zwangsmit-
tel anwendet, sondern immer und immer Interesse erweckt, damit (um
Seyffertsche Worte S. XI zu gebrauchen) 'die Unmittelbarkeit des
Genusses und die Frische des Reizes bei der Lectüre' möglichst gewahrt bleibe. Weidmannsche Ausgaben sind dazu ein sehr untergeordnetes Hülfsmittel: der Enthusiasmus, den Hr. S. VI ff. dafür hegt,
wird niemals der meinige werden. Denn der Schüler, der einen Text
der Teubnerschen Sammlung mit 'der Unmittelbarkeit des Genusses'
zu lesen versteht, hat mehr gelernt, als wer noch der Hülfe eines
guten Commentars bedarf. Kurz heutzutage gilt's, nicht in sentimen-
talen Elegien zu klagen oder in Büchern das Heil zu suchen, sondern
dasz kräftige Männer die gegebenen Zustände rüstig ergreifen und
dem paedagogischen Zwecke dienstbar machen. Das heiszt für unsere
Zeit *res sibi subiicere, non se rebus.* Man beachte zweitens den
Charakter der Jugend. Es ist ein eigenes Ding das, nemlich mit dem
Urtheil über die Jugend: jeder hat seine eigene Ansichten. Was ur-
theilt Hr. S. darüber? Bei dem 'selbständigen Privatstudium' musz
er auf dieselbe ein groszes Vertrauen setzen und doch lesen wir S.
IX über die heutige Jugend folgende Worte: 'Wenn ich jetzt die
Räume der Schule durchwandle und das treiben unserer Gymnasialjugend betrachte, beschleicht mich stets ein Gefühl der tiefsten Wehmut. Statt des belebenden Hauches poëtischen webens und schaffens
geht ein Geist der Dumpfheit und des Misbehagens durch
die Säle, und statt der schallenden Flügelschläge des himmelwärts
steigenden Musenrosses hört man fast nur die bleiernen Schritte
des stolpernden Gaules, der in den engen Bahnen des prosaischen gyrus sich abarbeitet, bis ihm zur glücklichen Stunde ein
'*solve senescentem*' Erlösung bereitet'. Wenn ich die starken rhetorischen Hyperbeln abziehen darf, so mag darin ein Stück prosaischer
Wahrheit liegen; aber die volle Realität solcher Behauptungen kön-

nen — man verzeihe dem stürmischen Drange der Ueberzeugung —
können nur Leute kennen, welchen die Gymnasien ganzer Länder-
strecken aus eigener Einsicht bekannt sind. Was folgt aber aus der
von Hrn. S. behaupteten Wahrheit, selbst wenn sie in gröszerem Umfang begründet sein sollte? Meiner Ansicht nach nichts anderes als
die einfache Frage: eine solche Jugend soll durch selbständige Privatlectüre wie durch einen Zauberschlag sich umwandeln lassen?
Glaub's wer kann!

Behauptung ruft die Gegenbehauptung in die Schranken. Die
meinige heiszt: die heutige Jugend der Gymnasien kann im altclassischen mehr leisten, als in irgend einem Zeitraum der Vergangenheit
möglich war, wenn man sie richtig anfaszt. Ueberschätzung derselben und maszloses Vertrauen ist nicht der Weg, der zum Ziele führt.
Freilich heiszt ein weitverbreiteter Grundsatz der Paedagogik: ʻ *qui-*
vis praesumitur bonus ʼ, der meinige ist er niemals gewesen. Ich
habe eine Jugend für solchen Grundsatz weder als Schüler, noch als
Student, noch als Lehrer in der Mehrzahl kennen gelernt. Mensch-
lich mag der Grundsatz sein, aber er ist nimmermehr christlich:
das ist mein drittes Bedenken gegen das ʻselbständige Privatstu-
diumʼ der alten. Die Sünde wohnt tief in dem menschlichen Herzen
und macht sich bei der Jugend in allen Schattierungen geltend. Deutsche Lectüre und ähnliches Amüsement wird die jugendliche Seele
gefesselt halten: aber eine Sache, welche die Schönheit erst hinter der Schwierigkeit hat, werden aus eigenem Antrieb von hundert Schülern nicht zehn übernehmen. Da ist die Sünde des natürlichen Menschen zu mächtig. Man spricht viel vom christlichen Leben
und christlicher Wirksamkeit in den höheren Schulen, seitdem man
κατ' ἐξοχήν das ʻchristlicheʼ Gymnasium hat: wie sich aber Zucht
und Unterricht praktisch gestalten müssen, wie man insonderheit
alte Sprachen vom christlichen Standpunkte aus zu betreiben habe, in
diesem Capitel ist man kaum über die allerersten Anfänge hinaus-
gekommen. Denn ein paar gutgemeinte Vorschläge paedagogischer
Schwäche und einige Tiraden der Mode aus Liebedienerei können füglich ihrem Schicksal überlassen bleiben. Vieles trägt hier den Charakter der Zeit. Das christliche Bekenntnis des Mundes wird
stark pointiert und begegnet uns auf allen Wegen und in allen Schattierungen, sei es als einfache Sprache ehrlicher Herzen, sei es in
berechneten Formen diplomatischer Umsicht, sei es in den plumpen
Metaphern zelotischer Roheit: aber das Bekenntnis des Lebens,
die Anwendung und Probe des erstern, — darüber ist häufig — ʻdas
reden Silber, das schweigen Goldʼ.

Von den vorstehenden Bemerkungen, die mit dem besprochenen
Buche nur in entfernter Beziehung stehen, kehre ich schlieszlich zur
Hauptsache zurück. Hr. S. wird seiner Ueberzeugung folgen, ich der
meinigen. Aber trotz aller scharfen Kanten und Ecken der Opposition
bin ich dennoch sein inniger Verehrer. Unsere Differenz bei diesen
Lesestücken steht auf dem Titel: Hr. S. legt das Schwergewicht auf

seine Worte 'zum Privatstudium', ich auf den Zusatz 'oder auch zum öffentlichen Gebrauch'. Wie dem auch sein möge, ob das Wasser der Realität dem Feuer seiner Idealität eine Dämpfung bereiten werde oder nicht: den Hauptzweck des Buches, dasz der poëtische Theil 'um es kurz zu sagen die Lücke ausfüllen soll, welche die Weidmannsche Sammlung gelassen hat' (S. VII), — diesen Hauptzweck hat Hr. S. vollkommen erreicht. Und wer als Schulmann den Werth der lyrischen Poësie für die jügendliche Bildung zu würdigen weisz, der wird gewis nach genauerer Prüfung den Schlusz aus der prachtvollen Dedicationsepistel 'Ad librum' also modulieren können:

'Seyfferti ratis in cursu est: modulamine victa
Unda favens cedit. Grate libelle, veni!'

Mühlhausen. *K. F. Ameis.*

35.

Biblische Numismatik oder Erklärung der in der heil. Schrift erwähnten alten Münzen von Dr. Celestino Cavedoni. Aus dem Italienischen übersetzt und mit Zusätzen versehen von A. von Werlhof, königlich - hannoverschem Ober-Appellationsrathe. Mit einer Tafel Abbildungen. Hannover. Hahnsche Buchhandlung. 1855 (X u. 163 S.).

Hr. Ober-Appellationsrath von Werlhof, der Uebersetzer und Bereicherer des Cavedonischen Werkes, der in der gelehrten Welt einen wolbegründeten Ruf als Numismatiker geniesz, hat demselben auch durch die vorliegende Arbeit entsprochen und sich bei der verhältnismäszig geringen Verbreitung italienischer Sprachkenntnis in Deutschland, besonders im nördlichen, kein unbedeutendes Verdienst um das gelehrte wie um das gebildete Publicum seines Vaterlandes überhaupt erworben. Denn während sie für jenes eine Quelle der scharfsinnigsten Beobachtungen und Entscheidungen leichter zugänglich macht, welche die Acten über viele bisher zweifelhafte und dunkle Partien auf dem Gebiete der biblischen Münzenkunde abschlieszen (der Abbé Cavedoni, schon vorher als numismatischer Schriftsteller geschätzt, erregte durch dieses Buch so grosze Aufmerksamkeit, dasz er unter anderm von der Académie des inscriptions mit dem Preise Allier de Hauteroche gekrönt ward), wird sie jeden gebildeten durch ihre erklärenden Beziehungen zur h. Schrift, durch die zusammenbängende Einsicht, die sie in einen den bürgerlichen Verkehr und die Geschichte des heiligen Volkes vielfach aufhellenden Gegenstand gewährt und selbst durch orientierende Hinblicke auf das persische, aegyptische, griechische und römische Münzwesen lebhaft interessie-

ren. Das Verständnis macht keine Schwierigkeiten, da abgesehn von
der praecisen und flieszenden Uebersetzung auch die entlegenern und
verwickelteren Gegenstände in einer von gelehrten Voraussetzungen
durchaus entfernten Sprache gehalten sind und in dem münzenkun-
digen Abte selbst der Reiz einer liebenswürdigen Bekanntschaft dem
Leser entgegengebracht wird. Denn die Freude seines frommen Gemütes, in seinen scharfsinnigen Forschungen das Wort der h. Schrift
bestätigt zu sehen, selbst der fromme Eifer, womit er die Ansichten
besonders deutscher Rationalisten, jedoch ohne Bitterkeit, zurückweist, die Naivetät, die er in der Entwicklung der eignen an den Tag
legt und die Bescheidenheit, womit er fremde würdigt und bereitwillig anerkennt, bieten auch von Seiten der Form einen eigenthümlichen Genusz dar. Der Uebersetzer hat aber die wissenschaftliche
Vollständigkeit des ganzen sehr dankenswerth durch Nachweisungen
aus seiner eigenen reichhaltigen Sammlung und auf dieselbe gestützte
Beobachtungen, so wie durch die Heranziehung dessen vermehrt, was
deutsche Gelehrte, besonders Boeckh, und neuerdings auch der Franzose de Saulcy, dem Verfasser noch unbekannt, theils unmittelbar,
theils indirect für die biblische und für die alte Numismatik überhaupt
ergründet und festgestellt haben.

Die einleitenden Worte Cavedonis schildern mit Wärme den
Nutzen und die Freuden der biblischen Numismatik, die uns lebhaft in
die Vergangenheit versetze und Münzen in die Hände führe, welche
vielleicht durch die des Welterlösers gegangen seien, verschweigt
aber auch dabei die Schwierigkeiten und die bisherige Unvollkommenheit dieser Wissenschaft nicht. Eine kurze Anmerkung ist ihrer
Litteratur gewidmet, welche sich allerdings, besonders mit Rücksicht auf Deutschland, vielfach vervollständigen liesze. Im ersten
Abschnitte wird sodann von dem Ursprunge des Geldes bei den alten
Völkern überhaupt und von der Art des Verkehrs bei den Hebraeern,
bevor sie eignes Geld hatten, gesprochen. Es kann diese Darstellung
als eine Einleitung in die Geschichte des alten Münzwesens betrachtet
werden und sie ist daher reich an allgemeinen, wenn auch nicht
neuen Belehrungen, aber auch an gründlichen Nachweisungen über
Particularitäten, wie z. B. über die älteste Münzprägung, über die
Bedeutung der patriarchalischen Kesita und die statt der Münze circu-
lierenden Metallstücke, über die Ringe, deren sich die alten Aegypter
als Münze bedienten, über das Geldwägen im Verkehr und den dabei
stattfindenden Betrug, über den Werth des Seckels als Gewichts und
die Dauer des Geldwägens bis nach dem babylonischen Exil. Das
zweite Capitel, das von den den Hebraeern eigenthümlichen Münzen
aus der Zeit Simeons des Maccabaeers bis zur gänzlichen Zerstreuung
des Volks handelt, beginnt mit einer geschichtlichen Uebersicht der
Umstände, unter denen die Hasmonaeer an die Spitze des jüdischen
Staates gelangten und von dem Münzrechte Gebrauch machten. Interessant ist der Nachweis über die Zeit, wo der Name Zion auf den
Münzen erscheint und wo die Münzen bestimmter Zeitrechnung auf-

hören. Die Aufzählung der unter den Maccabaeern und später geprägten jüdischen Münzen stützt sich auf das Werk des gelehrten Spa-
niers Perez Bayer: de numis Hebraeo-Samaritanis, sowie Eckhel und
Mionnet und darf auf möglichste Vollständigkeit Anspruch machen. Es
schlieszen sich daran wichtige Beobachtungen über die Inschriften derselben und deren Schreibart, unter andern der Beweis, dasz neben dem
fortbestehenden Gebrauche der sog. samaritanischen Schrift im Verkehr die quadratische seit dem Exil und Esra für die heiligen Bücher
benutzt ward. Die Darstellung der Typen, deren sich die Hasmonaeer
auf ihren Münzen bedienten und welche nach 5 Mos. 4 16 — 18 nie
menschliche und thierische Gestalten, sondern Kelch, Blumen, Frucht-
körbe, Zweigbündel (den Lulab, der am Lauberhüttenfeste getragen
ward), Tempelthor (nicht Bundeslade, wie andere gemeint haben)
und musikalische Instrumente abbilden, enthält viele ansprechende
Erklärungen und kritische Berichtigungen. Besonders interessant aber
ist die folgende Auseinandersetzung über den Werth der maccabaei-
schen Münzen, welcher eine Hinweisung auf das Material und ihre
Bestimmung (vorzüglich zu dem heiligen Zwecke der jährlichen Tempelabgabe) vorausgeht. Der Vf. gleicht hier die Widersprüche zwischen dem Gewichte des Seckels und der Tetradrachme aus, womit er
in der h. Schrift verglichen zu werden pflegt, indem er statt der attischen die syrische zu verstehen fordert und die Gleichgeltung des
Seckels mit dieser von einem ursprünglich gleichmäszigen Gewichte
des Orients herleitet. Eine gelehrte Anmerkung des Uebersetzers
stellt die verschiedenen Meinungen, besonders deutscher Gelehrter,
über diesen Punkt zusammen und berichtigt, auf genaue Messungen
nach seiner und andern Sammlungen fuszend, die Irthümer, die sich
durch die Beziehung der Gherah (zwanzigster Theil des Seckels) auf
das Gewicht von Gerstenkörnern eingeschlichen haben, deren Form er
wahrscheinlich, den alten Obolen ähnlich, hatte. Die Bezeichnung:
Hälfte und Viertel auf den Kupfermünzen wird vom Seckel getrennt
und auf den Gherah gedeutet, wobei das Verhältnis des Silbers zur
Bronce (= 50 : 1) in jener Zeit nachgewiesen wird. Zu manigfachen
gelehrten Untersuchungen und Berichtigungen gibt die Deutung der
zum Theil symbolischen und historischen Embleme auf den von Hero-
des dem groszen und seinen Nachfolgern geprägten heiligen Münzen
Veranlassung. Auch knüpft der Vf. daran die bestätigende Bemerkung, dasz das Geburtsjahr Christi von 753 auf 749 Roms zurückzulegen sei. Ein besonderer Abschnitt ist den römischen Kaisermünzen
gewidmet, welche ihren Emblemen nach in jüdischen Münzstätten geprägt sind, und beschäftigt sich mit ihrer chronologischen Bestimmung,
der bei den augusteischen die actische Aera, bei den tiberianischen die
Regierungsjahre dieses Kaisers zu Grunde liegen, — unter Caligula
und nach dem fünften Regierungsjahre Neros geprägte scheinen nicht
vorhanden zu sein —, ferner mit der Auslegung der Typen, unter
denen neben den durch jüdischen Gebrauch geheiligten der römische
lituus und die capeduncula besonders auffallend sind, endlich mit der

Beurtheilung ihres Werthes, der dem Semis und Quadrans der Römer
nach der neuen Reduction unter Augustus entspricht und zu einem
ebenso gelehrten als frommen Excurs über den Heller der Wittwe
Gelegenheit gibt.

Viel lehrreiches für die Kenntnis der alten Münzen im allgemeinen enthält das folgende Capitel über die fremden Münzen, welche
den Erwähnungen der h. Schrift zufolge unter den Juden circulierten.
Die Beschreibung, Namenserklärung und Werthbestimmung der Da-
reiken gibt eine vollständige Uebersicht über die Untersuchungen,
welche diese interessante Münze hervorgerufen hat, zählt alle Stellen
auf, wo sie in der h. Schrift genannt wird, detailliert ihr Verhältnis
zu den griechischen und römischen Münzen, erklärt die Uebersetzung
ihres Namens in der LXX und Vulg. und knüpft daran kritische Bemerkungen gegen die Rationalisten über die Entstehungszeit der Bücher Esra, Nehemia und Chronica. Von griechischen Münzen ist nur
die als Tempelabgabe oft erwähnte Didrachme, ihr Werth, ihre Bezeichnung durch στατήρ und die Art ihrer Erhebung in Betracht gezogen. Desto umfassender sind die Untersuchungen über die hierher
gehörigen römischen Münzen. Sie beginnen mit einer Uebersicht über
die Reductionen des As und widerlegen die gangbare Ansicht, dasz
derselbe zur Zeit der Entstehung der Bücher des N. T. semiuncial gewesen, indem er durch Augustus, der römische Gewichte, Masze und
Münzen im ganzen römischen Reiche einführte, auf die Viertelunze,
den achtundvierzigsten Theil seines ursprünglichen Gewichtes, herabgesetzt worden sei; ebenso weisen sie gegen diejenigen, welche noch
den Denar zu 10 As annehmen, die Geltung desselben von 16 As seit
dem hannibalischen Kriege nach (nur in der militärischen Sprache
habe er als täglicher Soldatensold noch die Bedeutung von 10 As gehabt) und behandeln dann einige von den vielen Stellen des N. T., in
welchen des Denars, der gewöhnlichen Werthbestimmung von Waaren
und gröszeren Summen, seitdem man den Sesterz nur noch in Bronce
prägte, gedacht wird. Auch über die seltner erwähnten Kupfermünzen
wird gesprochen und dabei manche feine Bemerkung eingeflochten,
wie über den Kauf von zwei Sperlingen für ein As und von fünfen
für zwei, was durch Zugabe erklärt wird, über die adjectivische Bedeutung von ἀσσάριον, über den Betrag und die Entrichtungszeit des
Kopfgeldes usw. Hieran schliest sich, zugleich ein Beweis der Pietät
des Vf., ein längeres Schreiben des gelehrten Numismatikers, Grafen
B. Borghesi zu St. Marino, an ihn, worin seine Ansichten über die
römischen Münzverhältnisse zu Christi und der Apostel Zeit ausführliche Bestätigung finden. Diese von groszer Belesenheit und Münzen-
kenntnis zeugende Abhandlung, von deren tief in das einzelne ein-
gehendem Inhalte sich nicht leicht ein Auszug geben läszt, zerfällt
in zwei Theile, von denen der erste den Beweis der durch Augustus
eingeführten Münzveränderung theils aus alten Schriftstellern, theils
aus numismatischen Anschauungen führt, der andere die seitdem exi-
stierenden Kupfermünzen, den Sesterz, Tressis, den Dupondius, As,

Semis und Quadrans (Grosz-, Mittel- und Klein-Bronce) durchgeht und bei der Ungleichheit der einzelnen Exemplare auf die Thatsache zurückkommt, dasz die alten, damit zufrieden, eine gegebene Anzahl Münzen aus einem Quantum Metall zu ziehen, wenig um die Genauigkeit der Eintheilung, namentlich bei Kupfer, sich bekümmerten. Die Beschreibung dieser Münzen nach den zum Theil sehr seltenen Exemplaren, welche davon vorhanden sind, ihrer Embleme, ihres Gewichts und ihrer Prägungszeit zeugt von einer höchst ausgearbeiteten Detailkenntnis auf diesem Gebiete der Numismatik.

Das vierte Capitel über die Rechnungsmünzen der Bibel bei gröszeren Summenangaben berechnet das dem Talente parallele Kikkar der Hebraeer = 3000 Seckeln auf 125 Pfund, also das doppelte des griechischen Talentes, räumt aber ein, dasz die in der h. Schrift erwähnten Talente nicht immer als hebraeische aufzufassen seien, so wie die Mine (hebr. maneh) nach der Beziehung auf verschiedene Landesmünzen 25, 20 oder 15 Seckel betragen habe, eine durch falsche Auslegung von Ezech. 45 12 veranlaszte Bestimmung, welche der Uebersetzer mit Hinweisung auf Boeckhs metrologische Untersuchungen berichtigt. Zu manchen scharfsinnigen und interessanten Vergleichungen der Preise in verschiedenen Ländern und Zeiten gibt der letzte Abschnitt: über den Werth der biblischen Münzen in Rücksicht auf den Preis des Handelsgegenstände Veranlassung; wobei der Vf. Gelegenheit nimmt neue Beweise für die Richtigkeit seiner Werthbestimmung der Seckels zu sammeln und eine andere, welche von der wörtlichen Interpretation des Gherah als eines Kornes der Karobe ausgehend dem Seckel nur den Werth einer Drachme gibt, zu widerlegen. Es ist allerdings auffallend, dasz diese Abweisung entgegengesetzter Ansicht nicht schon im zweiten Capitel ihre Stelle bekommen hat, doch findet sie freilich in den Anführungen des vorliegenden ihre praktische Begründung. So würde unter anderm bei so geringer Geltung für die 30 Seckel des Judas schwerlich ein Acker haben gekauft werden können und der Preis eines Weinstockes bei Jesaias nicht einmal dem heutigen Werthe desselben in dem muselmännischen Palästina gleich kommen. Ferner entspricht bei der Annahme des Vf. der Geldwerth eines Sclaven (2 Mos. 21 32) ziemlich genau den im Alterthum überhaupt für diese Waare gangbaren Preisen. Im ganzen erweisen sich die Preise als sehr mäszig, variieren jedoch nach dem Charakter der Zeit und besonders unter augenblicklichen Einflüssen. Das Buch schlieszt mit einem Anbange, in welchem der Ueberselzer die den Darlegungen Cavedonis gröstentheils entsprechenden Resultate der Untersuchungen de Saulcys über die Chronologie derjenigen Münzen mittheilt, welcher unter römischer Herschaft in Judaea geprägt worden seien. Die hinzugefügte lithographierte Tafel, worauf Geldstücke jeder im Buche behandelten Gattung dargestellt sind, übertrifft die Cavedonische bedeutend an Correctheit und Münzenzahl, da sie unter der Leitung des Uebersetzers mit Hülfe seiner höchst vollständigen und vortrefflich geordneten Sammlung entworfen ist, und der Sauberkeit dieser Tafel entspricht die elegante äuszere Ausstattung des ganzen Buches.

Der Rückblick auf den reichen, für den gelehrten wie für jeden höher gebildeten gleich wichtigen und anziehenden Inhalt der Cavedonischen Schrift läszt es nicht bezweifeln, dasz der Uebersetzer einer glücklichen Idee gefolgt ist, indem er sie dem gröszern deutschen Publicum zugänglich machte. Zugleich ist aber diese Uebersetzung durch seine eigne Vertrautheit mit dem numismatischen Gebiete der Alterthumswissenschaft in vielfacher Hinsicht eine Berichtigung und Erweiterung geworden und unter seinen Hinweisungen auf die Resultate deutscher Forschung gelangen wir zu dem Gefühle der Sicherheit, das ohne sie selbst durch die evidenteste Gelehrsamkeit und Aufrichtigkeit des Auslandes nicht vollständig befriedigt wird. Je mehr übrigens der den Christen nicht minder als den Geschichtsfreund ansprechende Gegenstand zu weiterem eindringen in diese Partie der Münzkunde einladet, desto willkommener musz es sein, hier an der Hand des Schriftstellers selber gehen zu können und dazu findet man sich in den Stand gesetzt und aufgefordert durch die Hinweisung auf das gröszere Werk desselben: Handbuch der griechischen Numismatik (Hannover 1850), zu dessen umfassendem Inhalte die angezeigte Schrift als eine monograpische Ausführung betrachtet werden kann. Gewis würde sich Hr. von Werlhof den gegründetsten Dank des Publicums verdienen, wenn es ihm in der schönen Verbindung seines anspruchsvollen Geschäftslebens mit den gelehrten Studien noch oft gelänge, die Zeit zu ähnlichen litterarischen Arbeiten zu gewinnen. Um schlieszlich einen gerade an dieser Stelle naheliegenden Punkt in specie zu berühren, so musz sich für die vorliegende Schrift auch die Schule ihm verpflichtet fühlten, da sie bei der unschwierigen und angenehmen Darstellungsweise, überall die nothwendigen Vorkenntnisse unterbreitend, eine um so passendere Lectüre für Schüler höherer Classen zu werden verspricht, als sie einen an sich so ansprechenden Gegenstand des Alterthums in unmittelbarer, den Geist der Frömmigkeit nährender Beziehung zum Christenthume behandelt. Dasz sie für den gründlich forschenden Theologen als unentbehrlich zu betrachten sei, bedarf nach der Inhaltsangabe keiner Bemerkung.

Celle.   *Herrmann.*

36.

Reste der Allitteration im Nibelungenliede von Dr. O. Vilmar. Osterprogramm des Gymnasiums zu Hanau. Hanau, Druck der Waisenhaus-Buchdruckerei. 1855. 4 (Abh. 36 S. Schulnachr. 7 S.).

Die häufigen Allitterationen, welche das Nibelungenlied aufweist, können einem aufmerksamen Leser des Gedichtes nicht leicht entge-

hen. Es ist auch schon von verschiedenen Seiten auf diese Erscheinung hingewiesen worden, wie von Hrn. v. d. Hagen in seinen Anmerkungen zum Nibelungenliede und noch neuerdings von Holtzmann
(Untersuchungen über das Nibelungenlied S. 173). Der Vf. obiger
Abhandlung hat das Verdienst zuerst methodisch die ganze Erscheinung einer genauen und sorgfältigen Untersuchung und eingehenden
Besprechung unterworfen zu haben. Er gelangt dabei zu dem Resultate, dasz diese so häufigen Allitterationen im Nibelungenliede nicht dem bloszen Zufalle zugeschrieben werden können, sondern dasz sie vielmehr für Reste aus den
ältern noch durch den Stabreim gebundenen Gesängen
zu halten sind, den Gesängen, aus denen unser Nibelunglied —
wenn auch nicht unmittelbar, sondern erst durch gar manche Zwischenstufen — die Sage geschöpft hat. Der Vf. geht nemlich von der
Hypothese Lachmanns aus, die auch nach des Ref. Meinung durch die
neuesten Angriffe keineswegs erschüttert ist, dasz unser Epos entstanden ist aus einzelnen älteren, äuszerlich unverbundenen Liedern,
welche einzelne Theile der im ganzen in dem Gedächtnis des Volkes
lebenden Sage abgesondert für sich behandelten. Wie uns noch ein
solches Einzellied aus der Hildebrandsage erhalten ist, das bekannte
Lied, welches den Zweikampf zwischen Hildebrand und seinem Sohne
erzählt, ebenso werden ohne Zweifel auch von andern Helden gar
manche Lieder umgegangen sein, die einzelne Momente aus der Sage
besangen. Eine Anzahl solcher Lieder von Sigfrid, von den Burgun-
denkönigen und ihren Mannen, von Etzel und dem Vernichtungskampfe
zwischen Hunnen und Burgunden sind uns ihrem Inhalte nach im Nibelungenliede erhalten. Die ursprüngliche Form jener alten Lieder,
bemerkt der Vf. S. 2, war nun, bevor das Princip des Endreims in
der deutschen Poësie durchdrang, die allitterierende. 'Ist uns aber
der inhalt dieser allitterierenden lieder erhalten, so ligt die vermutung nahe, dasz auch von der form derselben uns manches, wenn
gleich nur trümmerweise, verborgen unter der später hinzugekom-
menen form des reims überliefert ist' (S. 2). Es ist natürlich, dasz
die Allitteration, die so lange die deutsche Poësie beherscht hat, auch
nachdem der Endreim ihre Stelle eingenommen, nicht mit einem Male
aufhörte; sie machte sich auch in Gedichten, die nach dem neuen
Principe des Reims abgefaszt waren, noch hin und wieder geltend,
sei es unbewust sei es in einzelnen alten überlieferten Formeln *).
Und wie lange mögen noch die Lieder von den alten Heldenkönigen
und ihren Mannen in ihrer allitterierenden Form unverändert vom
Volke gesungen worden sein **), bis auch sie einem neuen Geschlechte

---

*) So hat Ottfrid z. B. I 18 9 eine durch Allitteration gebundene
Langzeile, noch dazu ohne Reim, die in dem Muspilli sich wieder-
findet.
**) 'denn treue ist eine haupteigenschaft echter ungetrübter volks-
tradition wenn es noch in neuer zeit möglich ist, dasz ein märchen

von Liedern Platz machten, die nun gleichfalls sich der Form des End‑
reims bedienten, aber gewis noch manches in der alten Form der
Allitteration mit in sich aufnahmen. Denn gerade da es das eigenste
Wesen der Allitteration selbst mit sich brachte, dasz die bedeutsam‑
sten Wörter des Verses, die welche die Hauptmomente des Gedankens
enthielten, durch die gleichen Anfangsbuchstaben unter einander ge‑
bunden waren, konnte es leicht geschehen, dasz die treue Bewahrung
der überlieferten Erzählung mit dem möglichst genauen festhalten an
dem Worte der Tradition auch Reste der Allitteration in die neuent‑
standenen Lieder mit herübernahm *). Nach diesen Ausführungen,
die der Vf. in der Einleitung S. 1—3 gibt, ist trotz der 350 Jahre,
die zwischen dem aufkommen der Reimpoësie und der Sammlung der
Nibelungenlieder liegen, die Möglichkeit keineswegs ausgeschlossen,
dasz aus den allitterierenden Heldenliedern sich Reste der Allittera‑
tion noch bis in das jüngere Liedergeschlecht fortgepflanzt haben,
welches gegen den Schlusz des 12n Jahrh. in Oesterreich entstand und
dem Sammler und Ordner des Nibelungenliedes den Kern und Mittel‑
punkt für das ganze Epos abgab.

   Ist nun einerseits die M ö g l i c h k e i t nicht zu leugnen, dasz sich
auf die angegebene Weise Reste der Allitteration bis in unser Nibe‑
lungenlied fortgepflanzt haben, so begegnen wir andererseits in der
That der Allitteration so häufig in dem Gedichte, dasz an einen blo‑
szen Zufall nicht zu denken ist, und jene Möglichkeit für uns zur
W a h r s c h e i n l i c h k e i t , ja G e w i s h e i t wird.

   Die Absicht des Vf. ist nun (S. 4) die Reste der Allitteration
innerhalb des Nibelungenliedes nach bestimmten Rubriken zusammen‑
zustellen und näher zu besprechen, und zwar so dasz er zunächst alle
diejenigen Stellen betrachtet, wo die Allitteration sich an die N a ‑
m e n anschlieszt, die von alten Zeiten her dieselben geblieben sind,
oder wo sie in w i e d e r k e h r e n d e n a l l i t t e r i e r e n d e n F o r m e l n
erscheint; erst dann wenn er durch Betrachtung der sich an diese bei‑
den Haltpunkte anschlieszenden Allitteration einen Boden für die Un‑
tersuchung gewonnen, will er auch die von denselben unabhängige
Allitteration in den Kreis der Betrachtung ziehen. Im vorliegenden
Programme behandelt der Vf. den ersten Punkt, d i e N a m e n i m N i ‑
b e l u n g e n l i e d e i n B e z u g a u f d i e A l l i t t e r a t i o n .

---

in prosa auch den worten nach one einen zusatz von geschlecht zu
geschlecht sich erhält, wenn wir sehen, wie rechte märchenerzäler
noch in unserer zeit auf die getreue überliferung der worte ein gro‑
szes gewicht legen (wie die märchenfrau der brüder Grimm), wie vil
mer kraft der bewarung müszen wir einer zeit zuschreiben, in der das
volksleben noch frischer war, als jetzt, in der das gedächtnis noch
nicht durch vilerlei erlerntes abgeschwächt' (S. 2).
   *) Wie leicht muste sich z. B. ein Satz, wie der folgende
      wie liebe mit leide ze jungest lönen kan,
'der den grundton unseres gegenwärtigen Nibelungenliedes bildet' in
der alten Weise von Allitteration erhalten.

Namen von verwanten werden durch den Stabreim unter sich gebunden (S. 4). Diese Erscheinung, die sich durch das ganze deutsche Epos hindurchzieht, hat ihren Grund darin, dasz eben zur Zeit der Entstehung des Epos die Allitteration das einzig herschende Versbindemittel in der Poësie war. Daher in den Mythen und Epen die Sitte auf diese Weise die Namen von verwandten oder zusammengehörigen Personen untereinander zu binden, so dasz sie in dem Verse nebeneinander stehen und durch die gleichen Anfangsbuchstaben zugleich zur Construierung des Verses mit beitragen konnten. Dieselbe Sitte herschte übrigens auch, wie uns die beglaubigte historische Ueberlieferung zeigt, in den alten angesehenen Geschlechtern Deutschlands. Man nahm gleichsam gleich bei der Namengebung darauf Rücksicht, dasz die Glieder der Familie in Liedern verherlicht würden und passte darum die Namen derselben der herschenden Form der Poësie, der Allitteration, an (s. Müllenhoff in Zeitschr. f. deutsch. Alterth. VII S. 527 f.). So allitterieren z. B. aus dem cheruskischen Fürstengeschlechte S e g e s t e s und sein Sohn S e g i m u n d u s sowie des ersteren Bruder S e g i m e r u s mit seinem Sohne S e s i t h a c u s, ferner T h u s n e l d a und T h u m e l i c u s (Mutter und Sohn) und wenn man will auch I n g v i o m e r u s und A r m i n i u s (Oheim und Neffe). Man denke ferner an das burgundische Königshaus mit seinen G i b i c a G o d o m a r u s G i s l a h a r i u s G u n d a h a r i u s G u n d e v e c h u s, G u n d o b a d u s G o d e g i s i l u s und G i s l a b a d u s; oder an das Haus der Merowinger, wo wir C h i l d e r i c h finden mit seinem Sohne C h l o d w i g und seinen Enkeln C h l o d o m i r C h i l d e b e r t C h l o t h a r und den Söhnen des letzteren C h a r i b e r t und C h i l p e r i c h ff. oder T h e o d e r i c h T h e o d e b e r t T h e o d e b a l d (Vater Sohn und Enkel).

Nach diesem Gebrauche allitterieren im Nibelungenliede S i g - f r i d und sein Vater S i g m u n d; beide kommen so nebeneinander mehrmals im Gedichte vor, bisweilen noch mit einem dritten Stabe, so dasz ein vollständiges allitterierendes Gesetz entsteht z. B.

des antwurte Sivrit, Sigemundes sun.

Die Beispiele stellt der Vf. S. 5 zusammen. Wie S i g f r i d und S i g - m u n d, allitterieren auch (S. 6) S i g m u n d und S i g e l i n d (Gatte und Gattin).

Weiter allitterieren die Namen der drei Burgundenkönige G u n - t h e r G e r n o t G i s e l h e r. Sie finden sich bisweilen alle drei zusammen genannt, häufiger je zwei von ihnen, und nicht selten in Strophen, die auch sonst deutliche Spuren von Allitteration aufweisen. Die sämtlichen Stellen bespricht der Vf. genau (S. 8—14) und kommt dabei häufig auf Untersuchungen über das Alter einzelner Strophen. Hier dem Vf. in das einzelne zu folgen gestatten die Grenzen einer Anzeige nicht. Doch kann ich nicht umhin, wenigstens einige Punkte näher zu besprechen', in welchen ich der Ansicht des Vf. nicht beistimmen kann. Derselbe vertheidigt S. 10 das Alter der Str. 1049 gegen Lachmann, indem er die zwei mittleren Verse zwar preisgibt,

aber den ersten und letzten als alt betrachtet und zwei allitterierende
Gesetze daraus zu construieren sucht:

hin ze hove gên hiez er Ortwinen
si versuohtenz vriuntlichen an vroun Kriemhilde sint.

Der einzige Grund, den man gegen Lachmanns Athetesen anführen
kann, ist indes doch nur der, dasz der Uebergang von Str. 1046 auf
1055 in etwas auffallender Weise unvermittelt wäre. Dies gibt Lachmann selbst zu; allein er verweist ganz passend auf Str. 1075 4, wo
auch plötzlich in völlig unmotivierter Weise von einer Reise der Könige
die Rede ist, die vorher nicht im geringsten nur angedeutet·wurde und
deren Zweck man gar nicht einsieht. Der Grund von solchen Erscheinungen liegt wol, wie Müllenhoff (allgemeine Monatsschrift f. Wissensch. u. Litterat. 1854 S. 930) richtig vermutet, in der Unvollkommenheit der Ueberlieferung, indem gerade der Theil der Sage, welcher den Inhalt des zehnten Liedes bildet, durch den Volksgesang
nicht besonders entschieden ausgebildet und ausgeprägt war. So erklärt sich auch noch manche andere im zehnten Liede und den damit
verwandten, dem sechsten und neunten. Im übrigen wird der Uebergang von Str. 1046 auf 1055 weniger auffallen, wenn man in der
ersteren auf die Worte *vierdhalp jár* ein besonderes Gewicht legt.
Dauerte das Verhältnis des bitteren Haszes gegen Gunther und Hagen
vierthalb Jahre, wie uns 1046 meldet, so setzt diese Zeitbestimmung
eine Aenderung desselben nach Verlauf der angegebenen Zeit voraus,
also das eintreten einer Sühne. Von dieser Sühne erzählt nun 1055,
und es kann bei der Art des Volksgesanges nicht zu sehr auffallen,
wenn dieselbe nun gleich als schon geschehen vorausgesetzt und nur
noch gesagt wird:

Ez enwart nie suone mit sô vil trähen mê
gefüeget under friunden. ir tet ir schade vil wê ff.

Der Uebergang von Str. 1056 auf 1058 aber, den der Vf. S. 10 gleichfalls zu hart findet, scheint mir dem volksmäszigen epischen Gesange
recht entsprechend. Der Beschlusz den Nibelungenhort für Kriemhild
zu holen wird 1056 gefaszt. Die Vorbereitungen zur Realisierung
dieses Entschlusses, das hinziehen zum Orte wo er lag, alles dies ist
dem Volksgesang zu sehr Nebensache, er übergeht es ganz mit stillschweigen und führt uns gleich im raschen Fortschritt der Handlung
zu der Ausführung selbst: wir hören, wie Albrich die Burgunden kommen sieht und beschliesztihnen den Schatz auszuliefern. Ferner vertheidigt der Vf. Str. 1074 gegen Lachmann und möchte als Uebergang
wenigstens den letzten Vers der Strophe beibehalten haben, den er
mit 1073 4 zu folgenden zwei allitterierenden Gesetzen verbindet:

iteniwez weinen tet dô Sifrides wip
si gie vil klegeliche für Giselhêr ir bruoder stân

Seine Gründe sind folgende: 'dasz Giselhêr mit Kriemhilt spricht,
läszt sich aus seinen worten nicht schlieszen und auch die vierte zeile
vermittelt, wie mir scheint, nicht genug.' Sollte indes auch die Rede

Giselhers (1073 1—3) nicht an Kriemhild gerichtet sein, so geht aus
derselben wenigstens soviel für den Hörer oder Leser des Gedichtes
hervor, dasz Giselher für Kriemhild ist. Da nun nach der Lachmannschen Construierung des zehnten Liedes Gernot in demselben nicht
erscheint, so kann unter dem Bruder, an den sich Kriemhild 1075
1 wendet, niemand anders gemeint sein als Giselher. Denn nach
dem, was uns 1071 und 1072 erzählt ist, konnte sie sich doch an Gunther nicht wenden. Es kann also keine Schwierigkeit machen *lieber
bruoder* (1075 1) auf Giselher zu beziehen, von dem zuletzt (1073
1) die Rede war. Wenn der Vf. auszerdem nicht abgeneigt ist auch
die übrigen Verse der Str. für alt zu halten, so musz ich in Bezug
auf diese noch entschiedener für Lachmanns Meinung mich erklären.
Der Widerspruch zwischen dem Rathe Gernots (1074 1—3) den
Schatz in den Rhein zu senken (*ê wir immer sin gemüet mit dem
golde, wir solden in den Rin allez heizen senken, deiz wurde nie-
man*) und 1079 1. 2 (*dô sprâchen si — die fürsten — gemeine ʻer
hât vil übel getân ʼ erntweich der fürsten zorne alsô lange dan, unz
er gewan ir hulde*) läszt sich unmöglich auf die Weise heben, wie
der Vf. will, dasz nemlich Gernot den Vorschlag um des Friedens
willen habe machen wollen, während Hagen ihn dann benutzt um seinen Hasz an Kriemhild auszulassen. Für Kriemhild muste es gleich
sein, ob der Schatz in den Händen ihrer Brüder und Hagens war oder
von diesen in den Rhein versenkt wurde; ihr war er auf die eine
oder andere Weise jedenfalls mit Gewalt genommen worden, und zum
Frieden konnte sie weder das eine noch das andere stimmen. Auszer
diesem Grunde aber ist das ausscheiden Gernots aus dem zehnten
Liede nach dem, was Lachmann (Anmerkungen zu 1021. 1022 S. 135)
vorgebracht hat, nothwendig, so dasz schon deshalb Str. 1074 fallen
müste. — Str. 1159 möchte der Vf. nicht verwerfen, weil 1160 1
zu unmotiviert wäre, wenn nicht noch ein Versuch gemacht würde
Kriemhild umzustimmen. Solche Versuche musten allerdings nach
dem zurückweisen Geres noch gemacht sein, das geht aus 1160 1
hervor; wozu muste aber der Dichter sie gerade einzeln aufzählen?
genügte nicht, dasz er in 1160 1 sie alle als vergeblich bezeichnete?
Zudem erfahren wir in 1159 weiter nichts als die Namen derjenigen,
die den Versuch gemacht haben sollen; dies ist aber ein zu unbedeutender Umstand, als dasz er nicht ganz gut weggelassen werden
könnte.

Auszer den bisher genannten allitterieren im Nibelungenliede
(S. 15. 16) die Namen der Wölfinge Wolfwîn Wolfhart Wolf-
brant und Hildebrand Helfrich Helmnot, dann (S. 16. 17)
die der beiden Kampfesgenossen Liudger und Liudgast, ferner (S. 17) die Namen Îrink und Irnvrit (1968: *der degen Îrink
unde Irnvrit von Düringen*) und (S. 18) Gêre mit Gunther und
Giselher (688: *der wirt mit sime wibe. wol wart enpfangen ǁ Gêre
ûz Burgonden lant, Guntheres man*).

Nachdem dann der Vf. noch kurz einige nur selten erscheinende allitterierende Formeln besprochen hat, wie *Helche ûz der Hiunen lant* (Str. 1130) oder *von Roten zuo dem Rine* in Str. 1184, die voller Allitterationen steckt (der Vf. stellt folgende allitterierende Gesetze daraus her: *er mac dich wol ergetzen, sprach aber Giselher* || *von Roten zuo dem Rine sô [rîch] niht* || *ist künec deheiner. ob er dîn ze konen giht* || *du maht dich vreuwen balde. Si sprach lieber bruoder*) — ferner *ze Niblunges bürge ze Norwege in der marke* (Str. 682) — *Bechlâren* und *Beire lant* (Str. 1114) — geht derselbe S. 20 auf diejenigen Fälle über, wo der Name mit dem beigefügten Attribute allitteriert. Dahin gehört zunächst *Sifrit der snelle*, welches Beiwort indes nur dreimal im vierten Liede erscheint und überall ohne einen dritten Stab; viel häufiger findet sich das nicht allitterierende *stark* (S. 21—24). Dann allitteriert *Volker der videlaere*, so Str. 1697, wo der Vf. durch Umstellung der zweiten und dritten Halbzeile zwei allitterierende Gesetze erhält: '*dô sach er Volkêren den spaeher videlaere* |† *bi Giselhere stên. er bat in mit im gên*' (S. 25. 26). *Hagene von Tronje* allitteriert mit dem Beinamen, der ihm 1466 gegeben wird, *ein helflicher trôst* (aus 1465—67 stellt der Vf. eine ganze Reihe allitterierender Gesetze in recht ansprechender Weise zusammen); auch sonst findet sich eine solche Doppelallitteration häufig bei dem Namen Hagene v. Tr., vgl. 1709 '*waz mir hât getân Hagene von Tronje*' oder 1962: '*der von Tronje Hagen — houbet her für mich trüege*' (S. 26. 27). Es allitteriert weiter (S. 28. 29) *Hagene der helt* (vgl. 1898 *Hagen der helt guot, daz im gein der hende*) (und S. 30. 31) *her Hagene* (vgl. 1725 *nu saget her Hagene wer hât nach in gesant*), desgleichen (S. 31—33) *Dankwart der degen* und *der degen Dietrich*. Dasz zwischen *Rüedeger* und den Epitheta *recke* und *ritter* ein ursprüngliches allitterierendes Verhältnis obgewaltet habe, leugnet der Vf., und mit Recht; denn jenes hiesz ahd. *wrecke*, dies ist ein Beiname der wol für die ältere Zeit nicht anzunehmen ist (S. 33). *Kriemhilt* allitteriert mit *vroun Uoten Kint* und *Küniginne* (332: *die schoenen Kriemhilde ein Küniginne hêr*), *Bloedelin* mit *der Etzelen brouder* (letztere Allitteration findet sich indes nur in Strophen, die von Lachmann und wie mir scheint mit Recht ausgeschieden sind); Sigfrid wird von seinem Vater allitterierend angeredet *min sun* (Str. 698: *Sifrit min sune. man soldiuch dicker sehen*), von Gunther *geselle* (S. 34—36).

Als Beispiel einer längern Stelle, in der der Vf. allitterierende Gesetze herzustellen sucht, hebe ich Str. 1465—1467 aus:

an hêrlichen siten die helde lobesam
die vürsten und ir mage. ze aller vorderôst
reit Hagene von Tronje. ein helflicher trost
er was den Nibelungen. nider ûf den sant
erbeizte der degen küene. sin ros er harte balde
zuo einem boume gebant. diu schif [wâren] verborgen.
daz ergie den Nibelungen zen grôzen sorgen
der wâc was in ze breit daz wazzer was engozzen.

Zum Schlusse habe ich noch den Wunsch auszusprechen, dasz der Vf. recht bald seine Untersuchungen fortsetzen möge. Wenn sie vollständig vorliegen, können sie auch zur Entscheidung der Frage recht ersprieszlich mitwirken, welche in der neuern Zeit so vielfach besprochen ist, ich meine die Frage über die Entstehung unseres Nibelungenliedes. Es musz sich alsdann herausstellen, ob besonders die von Lachmann als alt ausgeschiedenen Lieder vorzugsweise Reste von Allitteration bewahrt haben und welche von ihnen am meisten aufweisen. Der Vf. wird gewis zum Schlusz auch diese Frage behandeln und dadurch vielleicht nicht unwichtige Beiträge zur Feststellung und Entscheidung des Urtheils darüber liefern.

Von bedeutendern Druckfehlern sind mir folgende in der Abhandlung aufgestoszen: S. 7 Z. 15 v. o. lies 1154 statt 454, S. 17 Z. 13 v. u. lies 827 st. 527, S. 17 Z. 7 v. u. lies 1285 st. 1215, S. 28 Z. 3 v. o. lies 554 st. 514, S. 31 Z. 4 v. u. lies 1864 st. 1846. Was die Orthographie anlangt, so hat der Vf. die auf der historischen Grundlage beruhende, die sich in der neuern Zeit immer mehr Bahn bricht, in ihrer strengsten Consequenz sich angeeignet. In éinem Punkte möchte indes Ref. Bedenken tragen die Schreibweise des Vf. zu adoptieren; es schreibt derselbe *ie ietzt ieder*, in allen diesen Fällen ist aber die gewöhnliche Schreibweise beizubehalten, da sich hier die Aussprache selbst geändert hat. Wollten wir auch da, wo sich die Aussprache verändert, auf die ursprüngliche Schreibweise zurückkehren, so müsten wir, wenn wir consequent verführen, am Ende überhaupt das neuhochdeutsche über Bord werfen und ganz zur älteren Sprache zurückkehren. Kleinere Unebenheiten wie k a n n neben k a n, nachgestellt neben a u f g e s t e l t, K r i e m h i l t neben K r i e m h i l d u. a. fallen ohne Zweifel dem Setzer zu Last.

Dresden. *Dr. W. Crecelius.*

37.

Schulprogramme mathematischen und physikalischen Inhalts.

1) *Das körperliche Dreieck*, *von Dr. Schlechter*, Beigabe zu dem Programm des Gymnasiums in Bruchsal. 1854.

Der Vf. findet an den meisten Lehrbüchern der Stereometrie den Mangel einer genaueren Untersuchung des körperlichen Dreiecks zu tadeln; er verlangt, dasz der sphaerischen Trigonometrie eine rein geometrische Betrachtung der dreiseitigen körperlichen Ecke vorausgehe und dasz namentlich die sechs Hauptaufgaben der sphaerischen Trigonometrie erst constructiv (ohne Rücksicht auf die Kugel) gelöst werden, wodurch einerseits die Analogie zwischen der ebenen und räumlichen Geometrie besser hervortrete, anderseits die spätere analytische Behandlung jener Aufgaben an Klarheit gewinne. Ref. ist mit diesen Bemerkungen vollkommen einverstanden und hat aus denselben Gründen in seiner Geometrie des Raumes (Eisenach 1854) der Lehre vom körperlichen Dreieck eine gröszere Aufmerksamkeit gewidmet, als es bisher geschehen ist. Mit noch mehr Ausführlichkeit geht der Vf. zu Werke, und gibt u. a. für diejenigen Probleme, bei denen mehr als ein Winkel unter den Datis vorkommt, jederzeit zwei Constructionen, deren eine das Polardreieck zu Hülfe nimmt (wie es auch Ref. a. a. O. gethan hat), während die andere die gegebenen Stücke unmittelbar ohne Rücksicht auf das Polardreieck zusammensetzt. Durch Anwendung der ebenen Trigonometrie auf die vorigen Constructionen gelangt der Vf. schlieszlich zu den Fundamentalformeln der sphaerischen Trigonometrie. — Wir empfehlen dieses brauchbare Schriftchen den Schulmännern, auch wenn letztere nicht bis zur sphaerischen Trigonometrie gehen wollen oder dürfen; die constructive Lösung der auf die körperliche Ecke bezüglichen Aufgaben bleibt immer eine vortreffliche Uebung der stereometrischen Anschauung.

2) *Aristarchos über die Gröszen und Entfernungen der Sonne und des Mondes; übersetzt und erläutert von A. Nokk.* Als Beilage zu dem Freiburger Lyceumsprogramme von 1854.

Die Schrift Aristarchs ist für die Geschichte der Astronomie in so fern eine sehr bedeutende Erscheinung, als sie den ersten Versuch enthält, die Entfernungen und Dimensionen zweier Weltkörper auf mathematischem Wege zu bestimmen, und wenn auch die Resultate, zu denen Aristarch gelangt, von der Wahrheit noch ziemlich viel differieren, so behält doch der Grundgedanke seinen Werth und immer bleibt der Scharfsinn bewunderungswürdig, welcher ein früher für unmöglich gehaltenes Problem theoretisch richtig aufzufassen wuste. Ref. hält daher die Wahl dieses Gegenstandes zu einem Schulprogramme nicht für unpassend; die nöthigen mathematischen und astronomischen Vorkenntnisse übersteigen nirgends die Grenzen des Gymnasialunterrichtes, auch hat der Vf. durch sachgemäsze philologische und geometrische Erläuterungen das Verständnis möglichst erleichtert.

3) *Die äuszeren Entfernungsörter geradliniger Dreiecke, von Dr. C. F. A. Jacobi.* Einladungsschrift zur Feier der 311jährigen Stiftung der k. Landesschule Pforta. 1854.

Unter dem Entfernungsort eines geradlinigen Dreiecks versteht der Vf. den geometrischen Ort desjenigen Punktes in der Dreiecksebene, für welchen die algebraische Summe seiner Entfernungen von den Dreiecksseiten eine constante Grösze ist; derartige Entfernungsörter existieren mehrere für jedes Dreieck und zwar bestehen dieselben aus geraden Linien. Schon in einer früheren Schrift (die Entfernungsörter geradliniger Dreiecke. Naumburg 1851) hatte der Vf. gezeigt, dasz man für das Dreieck ABC einen Entfernungsort erhält, wenn man die Seite AB erst von A aus auf AC, dann von B aus auf

BC abschneidet und die gefundenen Punkte geradlinig verbindet, und dasz zwei entsprechende Oerter entstehen, wenn man mit den übrigen Seiten ebenso wie mit AB verfährt; gegenwärtig führt nun der Vf. seine Untersuchung weiter, indem er den früheren Entfernungsörtern, welche man innere nennen kann, sogen. äuszere Entfernungsörter entgegensetzt, welche dadurch entstehen, dasz jede Dreiecksseite nach auszen zu auf den übrigen Seiten abgeschnitten wird (AB z. B. auf den Verlängerungen von CA u. CB). Diese neuen Entfernungsörter zeichnen sich vor den früheren durch eine gröszere Manigfaltigkeit von Eigenschaften aus; während z. B. die inneren Oerter jederzeit parallel sind, können es die äuszeren niemals sein, vielmehr liegen sie der Reihe nach parallel zu den Seiten desjenigen Dreiecks, welches die Fuszpunkte der inneren Winkelhalbierenden zu Ecken hat. Merkwürdig sind besonders die Vergleichungen zwischen dem ursprünglichen und dem aus den äuszeren Oertern gebildeten Dreiecke, in welcher Beziehung die Abhandlung überaus reich ist. — Was die Methode anbelangt, so bedient sich der Vf. überall rein geometrischer Betrachtungen und wo nöthig der ebenen Trigonometrie; Ref. hält dies für einen der manigfachen Vorzüge des Schriftchens, welches er hiermit den Freunden reiner Geometrie angelegentlichst empfehlen will.

4) *Beiträge zur elementaren Behandlung der Kegelschnitte, vom Oberlehrer Dr. Rühle.* Programm des Gymnasiums zu Grosz-Glogau, Ostern 1855.

Der Vf. definiert die Kegelschnitte als die geometrischen Oerter solcher Punkte, deren Abstände von einem gegebenen Punkte und einer gegebenen Geraden ein constantes Verhältnis haben, und zeigt dann, dasz diese Eigenschaft allen ebenen Schnitten eines Rotationskegels zukommt. In der That läszt sich im letzteren Falle sowol jeder Brennpunkt als jede Leitlinie stereometrisch nachweisen; construiert man nemlich diejenigen Kugeln, welche gleichzeitig den Kegel (in einem Kreise) und die Schnittebene berühren, so sind die Berührungspunkte mit der Schnittebene die Brennpunkte; erweitert man ferner die Ebene des Kreises, in welchem sich Kugel und Kegel berühren, bis zum Durchschnitte mit der schneidenden Ebene, so erhält man die Directrix. Aus der ersten von Dardelin und Quetelet herrührenden Bemerkung können die auf Vectoren bezüglichen Eigenschaften der Kegelschnitte leicht abgeleitet werden (s. z. B. des Ref. Geometrie des Raumes), die zweite Bemerkung führt zu dem Satze von dem constanten Verhältnisse des Leitstrahls zur Entfernung von der Directrix. Der Vf. hat seine Aufmerksamkeit hauptsächlich auf den letzten Punkt gerichtet und in einer kurzen und eleganten Darstellung die wichtigsten Eigenschaften der Kegelschnitte daraus entwickelt.

5) *Ueber Diamagnetismus, von dem ordentlichen Lehrer M. Kinzel.* Programm des Gymnasiums zu Ratibor. Ostern 1855.

Wenn auch das Schriftchen nichts wesentlich neues bringt, so

hat es doch in so fern einigen Werth, als es eine klare Darstellung
der bisherigen Experimente über den Diamagnetismus gibt und zugleich die Erklärungsversuche von Ampère, Faraday und Weber soweit durchgeht, als dies ohne Anwendung des Calcüls möglich ist.

6) *Ueber die elektromotorische Kraft des in den Leuchtgasretor-*
ten sich bildenden Graphites; vom Lehrer Vermehren.
Programm der Domschule zu Güstrow. Ostern. 1855.

In den eisernen Retorten der Leuchtgasfabriken bildet sich (bei
Anwendung von Steinkohlen) nach und nach eine 2—3 Zoll starke
Schicht einer graphitähnlichen Substanz, welche in 100 Theilen aus
$C = 95, 96$, $Fe = 1,78$, $S = 0,11$ und im übrigen aus beigemeng-
ten Erden besteht; die Aehnlichkeit, welche dieser Körper mit der
Bunsenschen Kohle zeigt, veranlaszte den Vf. zu mehrfachen Versuchen über die Verwendbarkeit jenes Graphits als elektronegativen
Bestandtheils einer galvanischen Säule. Von dieser Arbeit gibt das
Schriftchen ausführliche Rechenschaft; nach Voraussendung der nöthigen theoretischen Erörterungen werden die Resultate der Beobachtungen mitgetheilt und berechnet, wobei sich herausstellt, dasz die
Zink-Graphitkette, mit Salpetersäure geladen, sowol die Zinkkoh-
len- als die Zinkkupferkette an Intensität des Stromes besonders bei
groszem Leitungswiderstände bedeutend übertrifft. Dieses günstige
Ergebnis dürfte den Physikern um so willkommener sein als der Re-
tortengraphit ein fast werthloses und meistens leicht zu beschaffen-
des Material ist.
Dresden.   *Schlömilch.*

Auszüge aus Zeitschriften.

Gelehrte Anzeigen der k. bayerischen Akademie der Wissen-
schaften. 1855. April bis August.

a) *Bulletin der k. Akad.* Bd. 40 Nr. 22 u. 23. Vortrag des Prof.
Thomas a) über den Dogen Andreas Dandolo und die von ihm ange-
legten Sammlungen historischer Documente. b) über Thukydides I 2,
wo der Vf. schreibt: καὶ παράδειγμα τόδε τοῦ λόγου οὐκ ἐλάχιστόν
ἐστι διὰ τὸ τὰς μετοικίας ἐς τὰ ἄλλα μὴ ὁμοίως αὐξηθῆναι· 'und es
ist dies deshalb ein sehr starker Beleg, ein überaus treffendes Beispiel
für unsere Behauptung, weil sich die Ansiedlungen anderwärts nicht
in gleicher Weise mehrten.' Am Schlusse der ausführlichen Erörterung ist eine Uebersetzung des ganzen Capitels gegeben. In derselben Sitzung vom 3. Febr. 1855 theilte Prof. Spengel Bemerkungen
mit über das Glossarium Latinum bibliothecae Parisinae antiquissi-
mum ed. Hildebrand (nicht abgedruckt). — Nr. 33. Mittheilung des
Prof. Hofmann über Schmellers litterarischen Nachlasz und die beabsichtigte Herausgabe desselben. Der Nachlasz umfaszt 1) drei Exem-

plare des bayerischen Wörterbuchs mit des Verfassers Nachträgen von
dem Umfang von zwei Druckbänden und zwei nicht minder reich ergänzte Exemplare von Schmellers Mundarten von Bayern. 2) Althoch-
deutsche Glossensammlungen in 5 Bänden 4°, zum gröszten Theil aus
Handschriften der Münchener-Bibliothek mit Schmellers althochdeut-
schem Glossar in 15 Bänden fol. zu je ungefähr 200 Seiten, die beiläufig zur Hälfte beschrieben sind. Eine Anmerkung belehrt, dasz
Schmellers cimbrisches Wörterbuch an die Wiener Akademie, und die
druckfertige, genau von Schmeller selbst revidierte Abschrift des
Alexander von Jacob von Maerlant an die k. belgische Regierung
veräuszert worden ist. — Bd. 41 Nr. 1—7. Rede zur Feier des 96
Stiftungsfestes am 28. März 1855 von Friedr. von Thiersch. Die
reichen Anmerkungen enthalten Lebensnotizen über die verstorbenen
Mitglieder der Akademie, aus welchen wir Prof. Seidels Nekrolog
über K. Fr. Gausz am Schlusse dieser Auszüge nach gefälliger Er-
mächtigung des Vf. abdrucken lassen.

b) *Philosophisch-philologische Classe.* Bd. 40 Nr. 10—12. De
Aeschyli Eumenidibus commentatio critica et exegetica. Scr. Ed.
Wunderus. Grimae 1854. 4. Eingehende Beurtheilung von Kayser, der die Abhandlung als einen beachtenswerthen Beitrag zur Berichtigung der Hermannschen Ausgabe bezeichnet, aber doch in den
meisten Fällen die neuen Vermutungen und Erklärungen des Vf. ab-
lehnt und dabei eigne Conjecturen zu V. 489 ($\H{o}\varrho\varkappa o\nu \pi\varepsilon\varrho\tilde{\omega}\nu\tau\alpha\varsigma \mu\eta\delta\grave{\varepsilon}\nu$
$\dot{\varepsilon}\varkappa\delta\acute{\iota}\varkappa o\iota\varsigma \varphi\varrho\varepsilon\sigma\acute{\iota}\nu$), 429 ($\pi\varrho\tilde{\alpha}\xi\alpha\iota \delta\iota\varkappa\alpha\acute{\iota}\omega\varsigma \mu\varepsilon\tilde{\iota}o\nu \H{\eta} \varkappa\lambda\acute{\upsilon}\varepsilon\iota\nu \vartheta\acute{\varepsilon}\lambda\varepsilon\iota\varsigma$), 612
($\dot{\alpha}\lambda\lambda' \varepsilon\grave{\iota} \delta\acute{\iota}\varkappa\alpha\iota o\nu \varepsilon\grave{\iota}\tau\varepsilon \mu\grave{\eta} \tau\tilde{\eta} \sigma\tilde{\eta} \varphi\varrho\varepsilon\nu\grave{\iota} \delta o\varkappa\varepsilon\tilde{\iota} \tau\acute{o}\delta' \alpha\grave{\iota}\mu\alpha$), 910 ($\tau\tilde{\omega}\nu$
$\delta\upsilon\sigma\sigma\varepsilon\beta o\acute{\upsilon}\nu\tau\omega\nu \delta' \H{\varepsilon}\varkappa\varphi o\varrho o\varsigma \pi\iota\varkappa\varrho\grave{\alpha} \pi\acute{\varepsilon}\lambda o\iota\varsigma$), 163 ($\varphi o\nu o\lambda\iota\beta\varepsilon\tilde{\iota} \vartheta\varrho\acute{o}\mu\beta\omega$) mittheilt. In der Verwerfung des ʻversus perinutilisʼ 75 pflichtet der
Ref. dem Vf. bei und möchte auch V. 185 als Einschiebsel bezeichnen; die von W. am Schlusse zu Prom. v. 55 und Plat. Symp. 214 c
getroffenen Verbesserungen $\beta\alpha\lambda\acute{\omega}\nu$ und $\pi\alpha\varrho\alpha\lambda\alpha\beta\varepsilon\tilde{\iota}\nu$ erscheinen dem
Ref. evident. — Nr. 12—13. Metrik der griech. Dramatiker und Ly-
riker von A. Rossbach und R. Westphal. 1 Bd.: griech. Rhythmik von Aug. Rossbach. Leipz. 1854. 8. Sehr anerkennendes Referat von S. Pfaff, der die noch ungelöste Aufgabe, die antike Rhythmik nach den Lehren der alten darzustellen, in diesem Buche glücklich gelöst und so eine empfindliche Lücke in der Kenntnis der alten
Rhythmik ausgefüllt betrachtet. In nur wenig Punkten stellt der Rf.
von den Ergebnissen des Vf. abweichende Ansichten auf. — Nr. 14.
Forchhameri topographia Thebarum heptapylarum cum tabula geo-
graphica. Kiliae 1854. 4. Lobende Anzeige von Kayser, der die
wesentlichen Berichtigungen früherer Schriften über die Topographie
von Theben, die in dieser Abhandlung gegeben sind, in sorgfältigen
Auszuge mittheilt. — Nr. 15 u. 16. Specimen emendationum in Lon-
ginum, Apsinem, Menandrum, Aristidem aliosque artium scriptores,
scripsit Stephanus A. Cumanudes Hadrianopolitanus. Athenis
1854. Ausführliche Beurtheilung von L. Spengel, der den Beitrag
des Vf. willkommen heiszt. ʻEs zeugt von ernsten Studien, dasz er
sich diesem Gebiete zugewendet, und dasz ein Grieche seine Ansichten in lateinischer Sprache darbietet, ist eine singuläre Erscheinung,
die allein schon die Aufmerksamkeit erregen kann.ʼ ʻEs werden mehr
als 100 Stellen behandelt, und man musz anerkennen, dasz der Vf. mit
einer richtigen Kenntnis der Sprache auch ein richtiges und gesundes
Urtheil zu verbinden weisz.ʼ Die wichtigeren der von dem Rf. als
richtig befundenen Emendationen sind wegen der Seltenheit der Schrift
mitgetheilt und am Ende der Wunsch ausgesprochen, dasz der Vf. seine
unbestreitbare Fähigkeit mehr auf die besseren rhetorischen Schriften
beschränken möge, weil im Aristoteles, Anaximenes, Demetrius u. a.

noch genug zu thun ührig sei. — Bd. 41 Nr. 1—2. De incerti auctoris artis rhetoricae post Seguerium a Leonardo Spengelio editae locis'aliquot emendandis scripsit Christoph. Eberh. Finckh. Heilbronnae 1854. 4. Ausführliche Recension von C. L. Kayser. Nachdem der Rec. die Wichtigkeit der neuaufgefundenen τέχνη geschildert hat, deren wesentlicher Vorzug darin bestehe, dasz sie eine Uebersicht der Rhetorik des Ἀλέξανδρος ὁ Νουμηνίου, der den Hermogenes und seine übrigen Collegen weit an philosophischem Geist, Urtheil und Darstellungsgabe übertroffen, gewähre, zeigt er im einzelnen, welche sehr wesentliche Verbesserungen die ungemein verderbte Schrift durch den bekannten Scharfsinn des Herausg. gewonnen habe, und theilt selbst, nur an wenigen Stellen die Resultate des H. bestreitend, eine Reihe von neuen Emendationsversuchen mit. — Nr. 2 u. 3. Ausgewählte Reden des Demosthenes. 2. Abtheilung. Die philippischen Staatsreden, übersetzt von L. Döderlein. Stuttgart 1854. 12. Der Rec. L. von Jan bemerkt über die Uebersetzung: 'Ihre Vorzüge bestehen darin, dasz sich hier ein treues festhalten an dem Sinne des Urtextes mit einer Abrundung des Ausdrucks verbindet, die es nur selten wahrnehmen läszt, dasz man eine Uebersetzung vor sich hat, und dasz trotz dieser Abrundung die ursprüngliche Frische und Kraft der Rede nicht verloren gegangen ist.' Die von dem Herausg. in den Anmerkungen mitgetheilten Verbesserungsvorschläge und neuen Auffassungen einzelner Stellen werden von dem Rec. in eingehender Behandlung zum Theil bestritten und berichtigt.

Karl Friedrich Gausz geschildert von dem Professor und Akademiker Dr. Seidel in München.

Der Verlust, welchen die Pflege der exacten Wissenschaften durch den am 23. Februar d. J. erfolgten Tod von Karl Friedrich Gausz erlitten hat, ist ein so groszer, dasz es wenigen vergönnt [sein mag, ihn in seiner ganzen Bedeutung zu würdigen. Das weite Reich der reinen und der angewandten Mathematik hatte dieser königliche Geist sich zu eigen gemacht: in einer Zeit, in welcher die Wissenschaft dahin vorgeschritten ist, dasz ein weiterdringen in jedem ihrer speciellsten Theile die volle Manneskraft in Anspruch nimmt, haben seine tief eingehenden Untersuchungen jeden dieser Theile gefördert, jeden ihrer dunkeln Schachte erhellt. Sehr wenigen bevorzugten nur ist es gegeben, in dieser Vielseitigkeit auch nur seiner Führung zu folgen, — aber in keinem der Gebiete die er betreten, hat sein Jahrhundert einen höheren Namen gekannt. Wir vermessen uns nicht, von seinem gewaltigen schaffen ein Bild zu entrollen; dasz aber seinem Ruhme, der die Welt durchdrungen hat und die Zukunft durchdringen wird, auch an dieser Stelle gehuldigt werde, ist eine Pflicht, welche die Akademie sich selbst schuldet.

Die ersten Untersuchungen, durch welche sich Gausz bekannt machte, waren der abstracten Mathematik geweiht. In seiner im Jahre 1799 erschienenen Promotionsschrift gab er den ersten Beweis eines fundamentalen Satzes der Algebra, zu Folge dessen jeder durch Addition oder Subtraction der Producte positiver ganzer Potenzen einer unbekannten mit gegebenen Factoren gebildete Ausdruck jeden beliebigen Werth dadurch erhalten kann, dasz man der unbekannten einen passenden Werth beilegt. In der Geschichte der Mathematik kommen nicht ganz so selten, als man vielleicht gewöhnlich annimmt, Beispiele davon vor, dasz irgend ein Satz, dessen man zum weiteren fortschreiten bedurfte, als wahr anerkannt und benützt wurde, ehe man noch im Stande war, seine Giltigkeit über jeden Zweifel zu setzen;— doch hat man hier immer den Vortheil gehabt, die offen am Tage liegende Construction des Gebäudes in jedem Augenblick prüfen und sich über ihre Kraft genaue Rechenschaft geben zu können. Der Satz, von welchem die Sprache ist, bietet eines jener Beispiele dar: die Bedeutung desselben ist so weitgreifend, nicht nur für die Algebra, der er angehört, sondern auch für die höheren Theile der Mathematik und ganz besonders auch für die Anwendung derselben auf die Naturwissenschaften, dasz man schon seit geraumer Zeit ihn anzunehmen gedrungen war. Vor der scharfen Kritik, welche Gausz an die bis dahin versuchten Beweise des Satzes anlegte, bestanden dieselben nicht als völlig bindend; aber indem er den wunden Fleck in seiner Abhandlung darlegte, heilte er ihn zugleich, denn an die Stelle der ungenügenden Beweise setzte er einen völlig tadelfreien. Dieser Gegenstand scheint auch später für Gausz das specielle Interesse behalten zu haben, welches sich an seinen ersten bedeutenden Erfolg natürlicherweise anknüpfte: er hat später noch zwei auf verschiedenen Principien beruhende Beweise desselben Satzes gegeben, und ist im Jahre 1849 bei Gelegenheit des 50jährigen Jubilaeums seiner Doctorwürde, nochmals darauf zurückgekommen, um den ersten Beweis in einer noch eleganteren Gestalt und mit neuen Bereicherungen abermals mitzutheilen.

· Auf diese erste Publication folgten sehr bald die ‘*disquisitiones arithmeticae*’ (1801), bereits eines der Hauptwerke von G a u s z, einen starken Band bildend, und angefüllt mit den tiefsinnigsten Untersuchungen über die verborgenen Eigenschaften der Zahlen, die hier in ihrem eignen Wesen betrachtet werden, und nicht, wie in andern Theilen der Mathematik, nur als Masz allgemeiner Gröszen erscheinen. Wir versuchen nicht, von diesen ganz abstracten Forschungen einem weiteren Kreise eine Vorstellung zu geben; das Gebiet, welchem sie angehören, hat selbst von den Gelehrten des Faches viele durch eine Art heiliger Scheu entfernt gehalten, während es solche, die sich einmal tiefer hinein gewagt haben, mit einem eigenthümlichen Zauber umfängt. Der Grund jener Scheu wie dieses Reizes liegt in der abgeschlossenen Natur des Gegenstandes; zum Theil in seiner Abstractheit selbst, mehr noch, wie wir glauben, in der hier nöthigen Behandlungsweise. Denn während andere Disciplinen der Wissenschaft zum Theil aus der Abwicklung einer geringeren Zahl von Principien hervorgehen, so dasz sich hier vieles an einen gemeinsamen Faden anreihen läszt (wenigstens wenn man sich Mühe geben will, die Fuszstapfen des Genius zu verwischen, — das gewöhnliche Geschäft kleiner Geister in groszen Wissenschaften!), so duldet die ‘ diophantische Analysis’ kein solches Versteckenspielen mit den Gedanken der Meister: ernst und schroff, wie die Zahlen selbst, stehen die Sätze neben einander, jeder fordert seine eigne Behandlung, jeder neue Schritt neue Erfindung. Es wird in der Geschichte der exacten Wissenschaften unserer Zeit zum Ruhme gereichen, und keinen kleinen Beweis von der männlichen Kraft eines oft und mit Unrecht getadelten Geschlechtes abgeben, dasz gerade dieses Jahrhundert durch die Cultur mehr als einer Disciplin von dieser vorzugsweise strengen Art sich auszeichnet. Die auszerordentlichen Erfolge von G a u s z auf diesem Felde haben dazu vielleicht das meiste beigetragen, und wenn er, wie uns kürzlich einer seiner Collegen erzählt hat *), seiner Arbeiten in

---

*) Allgemeine Zeitung, Beilage vom 7. März.

dieser Richtung mit Vorliebe zu gedenken pflegte, so mag dies wol erklärlich erscheinen, da sie vielleicht die Frucht seines angespanntesten Nachdenkens gewesen sind.

Um die Zeit des erscheinens der ‘*disquisitiones arithmeticae*’ wurde die Thätigkeit von Gausz einem neuen Gebiete zugelenkt. Die astronomische Welt war damals in Aufregung: in der Nacht des ersten Januar 1801 hatte Piazzi in Palermo einen neuen Planeten (die Ceres) entdeckt, — den ersten von der jetzt so zahlreich gewordenen Gruppe der kleinen Planeten zwischen Mars und Jupiter: — seine Beobachtungen hatten denselben nur bis zum 11. Februar verfolgen können, dann war der lichtschwache Himmelskörper, wie die Sonne seiner Richtung näher rückte, in dem Glanze derselben verschwunden. In der Zeit, welche verflieszen muste bis er für irdische Beobachter wieder zum Vorschein kommen konnte, muste der Planet eine weite Strecke am Firmamente durchlaufen; es galt, in einer Himmelsgegend, ganz verschieden von derjenigen in welcher er zuerst gesehen worden war, die Stelle zu bezeichnen, wo man ihn wieder zu suchen hätte. Der Fall ereignete sich zum erstenmale in der Astronomie, dasz man besorgen muste, die bereits gemachte Entdeckung eines unzweifelhaft unserem Sonnensystem angehörigen Körpers der Wissenschaft wieder verloren gehen zu sehen. Die alten Planeten waren durch Jahrtausende lange Beobachtung verfolgt worden, ehe man in den Fall kam ihre Bahn zu bestimmen: die Fülle des Lichtes, durch welches sie unter den Sternen erster Grösze hervortreten, hatte sie allen Generationen kenntlich gemacht. Auch bei der Entdeckung des Uranus durch Wilhelm Herschel waltete der günstige Umstand, dasz dieser ferne aber grosze Planet nur sehr langsam am Himmel fortrückt und darum über die Stelle, wo er selbst nach Jahresfrist wieder zu suchen sei, kein Zweifel bestehen konnte. Wie aber sollte unter der unzählbaren Menge der wie Thautropfen über den Himmel ausgegossenen kleinen Sterne das Sternchen erkannt werden, welches man zuvor an ganz anderer Stelle beobachtet hatte? Selbst die Kometen unterwarfen sich der Rechnung viel leichter; denn diese Fremdlinge umwandeln in so lang gestreckten Bahnen die Sonne, dasz die Beobachtung einer einmaligen Erscheinung fast nie erlaubt, den Grenzstein ihres Ganges zu bezeichnen; man sieht ihren Weg als ins unendliche sich erstreckend, wodurch man für die Berechnung desselben einen wichtigen Vortheil gewinnt, weil an die Stelle der Ellipse eine einfachere Linie, die Parabel, tritt; — man begnügt sich also hier mit einer theilweisen Kenntnis der Bahn, und überläszt es späten Zeiten, wenn einst ein Körper auf ähnlichem Wege wiederkehrt, seine Identität mit dem früher gesehenen zu erheben. Es trat also zum erstenmal nach der Entdeckung der Ceres die Aufgabe unabweisbar hervor, aus einem kleinen Stücke der Planetenbahn auf das ganze zu schlieszen. Ja, die Kenntnis jenes kleinen Stückes ist nicht einmal vollständig; denn über die Entfernung, in welcher das gesehene Gestirn sich befand, weisz der Beobachter nichts. Mathematisch läszt sich die Aufgabe so aussprechen: nachdem der wandelnde Himmelskörper von unserer ebenfalls wandelnden Erde aus, an drei verschiedenen aber möglicher Weise sich sehr nahe liegenden Tagen in dreierlei Richtungen gesehen worden ist, aus der Kenntnis dieser drei Richtungen seine Entfernung, seine Umlaufzeit um die Sonne usw., kurz seine vollständige Bahn zu bestimmen. Gausz war im September desselben Jahres zufällig auf Ideen gekommen, welche zur Lösung dieser Aufgabe nützlich schienen; unter gewöhnlichen Umständen würden dieselben, wie er selbst sagt, vielleicht unausgebeutet-geblieben sein: die Entdeckung Piazzis und das dringende Bedürfnis der Astronomie veranlaszten ihn, sie zu verfolgen; im October noch vollendete er die Rechnungen darnach, und die Nacht des 7. Decembers, die erste heitere Nacht, in welcher Zach in Seeberg das Fernrohr auf den ihm bezeichneten Ort richten konnte, liesz den verlorenen Planeten wieder finden.

Seitdem ist die Methode von Gausz oft erprobt worden. Der Entdeckung der Ceres sind bald diejenigen von drei andern Planeten gefolgt, und dann, nach einem Stillstand einiger Jahrzehnte, in den letzten Jahren noch eine Menge kleinerer; und wenn unsere Kenntnis des Sonnensystemes gegenwärtig über 30 Planeten mehr umfaszt, als am Schlusse des letzten Jahrhunderts bekannt waren, so verdankt die Wissenschaft den dauernden Besitz dieser Bereicherung den strengen und schönen Methoden, welche Gausz für die Berechnung ihrer Bahnen gegeben hat.

Er hat dieselben niedergelegt in dem unsterblichen Werke *'theoria motus corporum coelestium* etc.', welches er erst von Göttingen aus erscheinen liesz, nachdem er allem bis ins einzelne die höchste Vollendung gegeben hatte.

Die Astronomie, welcher Gausz auf diese Weise zugeführt war, ist noch durch viele andere Früchte seines Geistes gefördert worden. Eine vorzügliche Stelle nimmt darunter die Anwendung der Wahrscheinlichkeitsrechnung auf Beobachtungsresultate ein, welche unter dem Namen 'Methode der kleinsten Quadrate' bekannt ist. — Eine Folge theils des vielfachen zusammenwirkens der Naturkräfte, die uns umgeben, theils auch der unvermeidlichen Mängel, welche allen Werken unserer Hände eigen sind, ist es, dasz Beobachtungen, mit den besten Mitteln und mit der äuszersten Umsicht angestellt, niemals das genau geben, was wir zu erfahren wünschen. Das Instrument, dessen wir uns bedienen, kann nie ganz nach der Idee hergestellt werden, welche bei seiner Construction vorschwebte: es befindet sich auch, durch die Wirkung der Schwere, durch Ungleichheiten der Temperatur usw., in geringem Grade verzogen, kurz in einem andern Zustande als worin wir es zu haben wünschten; unser Sinn ist Täuschungen ausgesetzt: der Lichtstrahl selbst den wir empfangen, erleidet aus manchen Ursachen von seiner geraden Bahn Ablenkungen, denen wir nicht in aller Schärfe Rechnung tragen können. Was wir also zuletzt wahrnehmen, ist das Resultat vieler zusammenwirkenden Ursachen; es ist nicht das einfache Phaenomen, welches zu beobachten wir ausgiengen, sondern entstellt durch sogenannte zufällige Fehler, d. i. durch den Einflusz uns unzugänglicher aber darum nicht minder gesetzmäszig wirkender Ursachen. Wenn wir ein zweites mal dieselbe Grösze beobachten wollen, so wirken diese Ursachen nicht gerade in derselben Weise; wir erhalten ein etwas anderes Resultat. Oder, wenn wir diesmal eine andere Erscheinung beobachten, die aber mit der ersten in einer nothwendigen Verbindung steht, so erhalten wir ein Resultat, welches nicht vollkommen so ist, wie wir es nach der ersten Beobachtung erwarten müsten. Das, was wir eigentlich suchen, haben wir offenbar in keinem von beiden Fällen genau erreicht, und so viele Beobachtungen wir auch machen mögen, können wir nie auf den günstigen Zufall hoffen, es völlig zu erreichen. Auch wenn wir ein Mittel aus unsern verschiedenen Zahlen nehmen, werden wir keine Aussicht haben, dasz dieses völlig genau wäre; ist es doch abgeleitet aus Beobachtungen, die, wenn man die unbekannten Ursachen der Fehler ignorieren wollte, einander widersprechen; der eigentliche Werth wird also auch von dem Mittel noch um etwas entfernt liegen, obwol der Wahrscheinlichkeit nach um weniger als sich die einzelnen Resultate von ihm entfernten. Wer hiegegen die Augen verschlieszen und das, was seine Beobachtungen ergeben haben, kurz-

weg für das gesuchte ansehen wollte, der würde sich offenbar einer
Teuschung hingeben, die bequem sein mag, aber absurd ist. Das letzte,
was wir erstreben, erreichen unsere Bemühungen nicht; wir kommen
dem Ziele nur näher und näher. Aber wenn wir uns hievon klare
Rechenschaft geben, und wenn wir im Stande sind zu beurtheilen, um
wie viel höchstens das von uns erlangte Resultat unsicher sein kann,
so besitzen wir auch hierin wieder die Wahrheit: wir wissen bestimmt,
dasz sehr starker Grund vorhanden ist anzunehmen, das gesuchte Resultat liege zwischen gewissen von uns aufgestellten engen Grenzen,
und wir wissen auch, wie viel Grund wir zu solcher Annahme haben.
Gerade dadurch also, dasz wir uns Rechenschaft von der Unvollkommenheit unserer Methoden geben, gerade indem wir das wahrscheinliche von dem wahren zu trennen wissen, dringen wir zu der Wahrheit selbst: nicht der schaut die Göttin, welcher kindisch mit einer
Puppe spielt, die er an ihre Stelle setzt, sondern wer männlich die
Augen öffnet und auch über den Abgrund zu blicken vermag, der ihn
noch von seinem letzten Ziele trennt.

　　Dies ist die Lehre, durch deren Annahme die beobachtende Wissenschaft zu Anfang dieses Jahrhunderts einen Riesenschritt vorwärts
gethan hat. Man verdankt ihre Durchführung hauptsächlich zwei
Männern, Gausz und dem in der Astronomie nicht minder groszen
Bessel. Beide sind die Reformatoren der Sternkunde geworden, und
ein sehr groszer Theil ihres Verdienstes und ihres eignen Erfolges beruht darauf, dasz sie das Beispiel davon gaben, wie man die Resultate
der Beobachtung von solchen störenden Einflüssen, deren Thätigkeit
uns verständlich ist, durch eine geeignete Combination von Beobachtungen und durch Rechnung befreien kann, während die nachtheilige
Wirkung der übrigen, die scheinbar regellos bald so und bald anders
sich äuszern, durch die Anwendung der Wahrscheinlichkeitsrechnung
auf die gewonnenen Resultate in möglichst enge Schranken gewiesen
wird. Es wäre mit einer groszer Mühe verbunden, wenn man in jedem
besondern Falle nach einer speciellen Untersuchung die Lehre von den
Probalitäten anzuwenden hätte. Glücklicherweise ist dies nicht nöthig,
denn Gausz hat gezeigt, dasz unter gewissen, sehr allgemein zutref-
fenden Voraussetzungen, (über deren Erfüllung allerdings eine genaue
Erwägung des einzelnen Falles urtheilen musz), ein und dasselbe Verfahren fast mechanisch zum Ziele führt, indem es sowol das wahr-
scheinlichste Resultat als die Grenzen seiner Zuverlässigkeit kennen
lehrt. Dieser Algorithmus der Berechnung führt den Namen der 'Methode der kleinsten Quadrate', weil gezeigt wird, dasz das wahrschein-
lichste Resultat dasjenige ist, für welches die Summe der Quadrate
der noch übrig bleibenden Abweichungen der einzelnen Beobachtungen
möglichst klein ausfällt.

　　So viel über einige der Arbeiten von Gausz, welche vorzüglich
beigetragen haben, seinen Ruhm zu begründen. Auch von denjenigen einzeln zu sprechen, welche dazu gedient haben, diesen Ruhm auf
dem früh erreichten Gipfel zu erhalten, ist nicht möglich. Viele dieser Gaben gehören denselben Gebieten an, welche seine frühern Arbeiten ihm lieb gemacht hatten; die andern verbreiten sich über alle
Theile der reinen und angewandten Mathematik. Dahin gehören berühmte Abhandlungen über die von ihm sogenannte hypergeometrische
Reihe und über die Eulerschen Integrale, — über mechanische Qua-
draturen, — allgemeine und schöne Sätze über Attraction, — Arbeiten
über die Planetenstörungen, — grosze geodaetische Untersuchungen,
eine Preisschrift über Landkarten-Projectionen; — über Hydrodyna-
mik; — seine 1841 erschienenen 'dioptrischen Untersuchungen', in
welchen er den Formeln zugleich allgemeinere Anwendbarkeit und

gröszere Eleganz gegeben hat, und sehr vieles einzelne. In weiteren Kreisen hat man von seiner Beschäftigung mit der galvanischen Telegraphie erfahren: G a u s z war bekanntlich der erste, welcher in der Entdeckung des Electromagnetismus das Mittel erkannte, um sicher und rasch auf grosze Entfernungen Zeichen zu geben, und der in Verbindung mit seinem Freunde W i l h e l m W e b e r den ersten Telegraphen dieser Art herstellte, — so wie es auch bekannt ist, dasz von ihnen ein Mitglied der hiesigen Akademie veranlaszt wurde, seine erfolgreiche Thätigkeit diesem Felde zuzuwenden, um die neue Erfindung der Technik leichter verwendbar zu machen. Eben so allgemein kennt man die Anregung, welche die Erforschung des Erdmagnetismus erlangte, als G a u s z sich an die Spitze eines Vereines für solche Untersuchung stellte, so wie die Resultate, welche hierdurch gewonnen und von ihm und Weber mitgetheilt worden sind, und welche zu einer viel groszartigeren Ansicht von der Thätigkeit dieser Naturkraft geführt haben, als man bis dahin besasz. Auch verschmähte er es nicht, in manches technische Detail einzugehen; so gaben ihm seine geodaetischen Arbeiten Veranlassung, die Meszkunst mit dem H e l i o t r o p zu bereichern, einem Instrumente, welches dient, um Sonnenlicht mit Hilfe eines kleinen Spiegels nach einem sehr entfernten Punkte als Signal mit Sicherheit zu werfen, und auf diese Weise Stationen in Verbindung zu setzen, welche auf anderem Wege nicht mehr communicieren könnten. Bekannt ist auch die von ihm gemachte Angabe eines Anhanges zu den logarithmischen Tafeln, durch welche die Anwendung derselben sehr viel bequemer geworden ist. Solche bis in das einzelne von ihm verfolgte Einrichtungen erscheinen klein neben den groszen Untersuchungen, deren Tiefsinn seine Zeit in Erstaunen setzte: jeden andern würden diese Brosamen reich gemacht haben. Ihm selbst aber scheint nichts klein gewesen zu sein: manche seiner kleineren Arbeiten, zum Theil noch den letztern Jahren angehörig, beweisen, wie sein ernstes denken, weit davon entfernt, sich in einen selbst gezognen Kreis zu bannen, vielmehr jeden Gegenstand zu ergreifen, auch dem scheinbar geringfügigen sein Interesse abzugewinnen wuste.

Damit steht in enger Verbindung eine Bemerkung die sich jedem anfdrängt, der irgend eine Schrift von G a u s z etwas genauer studiert. Die schöne Form, in welcher er alles darzustellen wuste, fällt auch einer sehr oberflächlichen Betrachtung auf; aber in dieser Form zeigt sich etwas mehr als die Feile der Ausführung. In der Harmonie aller einzelnen Theile, in dem gleichmäszigen Lichte, welches über das ganze verbreitet ist, in dem ruhigen Strome seiner Gedanken spiegelt sich die imposante Grösze eines Geistes, der bis zur Klarheit durchgedrungen ist. Manche im vorbeigehn hingestellte Bemerkung, deren tieferer Sinn erst demjenigen aufgeht, welcher sich mit dem Gegenstande anhaltend beschäftigt, beweist, dasz er immer den Gegenstand in einem noch viel weitern Gebiete beherrschte, als er ihn uns vorführte, — dasz nicht der laute Klang seines Namens, sondern das schweigende Bewustsein der Erkenntnis sein Ziel war. 'Pauca sed matura' ist die stolz-bescheidne Devise, welche sein Siegel als Umschrift um das Bild eines Fruchtbaumes zeigt, und obgleich dieser Baum, der an Schillers Gleichnis von der Breite und Tiefe erinnert, nicht wenige sondern reiche Früchte der Wissenschaft getragen, so hat doch G a u s z das 'Pauca' in einem charakteristischen Sinne wahr gemacht. Denn es ist gewis, dasz nur weniges von dem, was sein groszer Geist bewegte, zur Kenntnis der Welt gekommen ist. Er hat nicht vor den Augen seiner Zeitgenossen gelernt, sondern bot ihnen nur, was völlig gezeitigt und vollendet war.

In welch hohem Ansehen G a u s z schon bei seinem Leben gehalten wurde, davon geben viele einzelne Züge Beweis. In den vorhin schon erwähnten Worten der Erinnerung, welche wir von Göttingen aus kürzlich vernahmen, ist berichtet, wie Laplace, selbst der grösten einer, und schwerlich der Mann, sich etwas zu vergeben, Gausz nicht den ersten Mathematiker Deutschlands genannt wissen wollte, weil er der gröste der Welt sei. — Wir erinnern uns selbst, Zeuge davon gewesen zu sein, welch auszerordentlichen Werth Bessel auf das gewichtige Lob legte, mit welchem Gausz die Uebersendung seiner ' astronomischen Untersuchungen ' erwiederte; unter denen, die ihm näher standen, giengen die hochgehaltnen Zeilen von Hand zu Hand, und mit der milden Natürlichkeit, welche die Erinnerung an seine Person seinen Schülern für immer theuer macht, verschmähte es Bessel nicht, auch uns jüngere zu Theilnehmern seiner Freude zu machen. — Es wird auch manche Anekdote erzählt, wie dieser oder jener von den ersten seiner Fachgenossen zu Gausz gekommen sei, in heimlicher Hoffnung durch die Mittheilung einer noch zurückgehaltenen Entdeckung selbst den Meister zu überraschen, — und wie da Gausz ruhig aus einem Schubfach unter alten Papieren ein Blatt hervorgesucht habe, auf welchem in noch weiterem Umfange jene Resultate schon von ihm entwickelt standen. Wir wissen nicht, ob solche Erzählungen auf Thatsachen gegründet sind, aber sie beweisen, welche Meinung man von Gausz hatte.

Ein halbes Jahrhundert hindurch hat Gausz die seltne Ehre genossen, unbestritten der erste seines Zeitalters zu sein. Seinem Vorgange strebten die ältern seiner Zeitgenossen nach; die jüngeren befeuerte der Wunsch, einmal den Beifall des hohen Meisters zu gewinnen; denn viele haben seine Freundlichkeit erfahren. Allen leuchtete sein glänzender Name, unverrückt wie der Polarstern; die Gebrechen des Alters schienen diesem erhabenen Geiste nicht nahen zu dürfen; das höchste Ziel menschlichen Lebens schien ihm zu gebühren. Immer noch früher, als wir es fürchteten, hat ihn nun doch der Tod hinweggerafft; aber hoch über dem Grabe steht sein unsterblicher Nachruhm.

Berichte über gelehrte Anstalten, Verordnungen, statistische Notizen, Anzeigen von Programmen.

AUGSBURG]. Mit Ausnahme davon dasz das Lehramt der französischen Sprache dem provisorisch damit beauftragten Etienne Peg-Roussel definitiv übertragen wurde, für den Studienlehrer Mor. Mezger als Inspector des Collegiums der Predigtamtscand. Frdr. Mezger, und an die Stelle des als Studienlehrer nach Wunsiedel berufenen Inspectors Schalkhäuser der Gymnasiallehramtscand. Ludw. Müller eintraten, war der Lehrerbestand der vereinigten Erziehungs- und Unterrichtsanstalten bei St. Anna [S. Bd. LXX S. 345] im vergangenen Schuljahre unverändert geblieben. Den Unterricht in der Stenographie ertheilte der Institutsdirector und Lycealprofessor P. Gratzmüller. Die Schülerzahl betrug 154 (G. IV: 14, III: 11, II: 16, I: 20, Lat. Sch. IV: 21, III: 20, II: 24, I: 28), von denen 64 dem Collegium angehörten. Den Schulnachrichten voraus geht die Abhandlung vom Studienrector und Kreisscholarchen Dr. G. C. Mezger: *expositio epistolae Horatii ad Pisones* (28 S. 4).

BRESLAU]. Am 4. Oct. d. J. feierte der Director des Magdalenen-Gymnasiums Dr. C. G. Schönborn sein 25jähr. Amtsjubilaeum. Das Lehrercollegium der Anstalt brachte ihm seine Glückwünsche dar durch eine Druckschrift, welche enthält 1) vom Pror. und 2ten Prof. Dr. F. W. Lilie: *de Telluris deae natura ex veterum Graecorum fabulis descripta* (27 S. 4) und 2) vom Prof. Dr. Mor. Sadebeck: *Triangulation der Stadt Breslau* (30 S. 4).

DÜSSELDORF]. Am dasigen königl. Gymnasium wurde der Gymnasiallehrer Kirsch während seiner Wirksamkeit als Landtagsabgeordneter und noch einige Zeit später durch den Cand. Dr. Schmitz vertreten. Die schon 1855 erledigte Lehrstelle wurde nach einstweiliger Vertretung durch den Cand. Schieffer durch Ascension und die Anstellung des Dr. Krausz aus Hünfeld in Kurhessen besetzt, so dasz das Lehrercollegium bestand aus dem Dir. Dr. C. Kiesel, Consistorialr. Budde, Prof. Dr. Crome, den Oberlehrern Honigmann und Grashoff, dem Religionslehrer Krahe, dem Oberlehrer Marcowitz, den Gymnasiallehrern Holl, Kirsch, Oberl. Münch, Dr. Uppenkamp, Dr. Krausz, Stein und Inspector Wintergerst. Die Schülerzahl betrug am Schlusse des Schuljahrs 265 (I: 37, IIᵃ: 17, IIᵇ: 28, III: 37, IV: 49, V: 37, VI: 62), Abiturienten waren 10. Den Schulnachrichten voraus geht die Abhandlung des Prof. Dr. C. Crome: *Quid Graecis Cicero in philosophia, quid sibi debuerit, quaeritur* (20 S. 4). Dieselbe ist zur Lectüre für die Schüler bestimmt, um ihr Interesse für die philosophischen Schriften Ciceros zu wecken. Ref. hat nie denen beistimmen können, welche diese von dem Gymnasium ganz ausgeschlossen wünschen. Denn so gewis es ist, dasz dieselben nicht in die Tiefe der philosophischen Speculation einführen, in welcher Hinsicht die Lesung platonischer Schriften unendlich höhere Vortheile bietet, so viele Irthümer und Misverständnisse sie auch enthalten (es genügt auf Madvigs Commentar zu de finibus zu verweisen), dasz sie nicht geeignet seien das denken der Schüler auf eine gewinnreiche Weise zu üben und zu wecken, wird man eben so wenig beweisen können, wie dasz sie zur Einführung in die Geschichte der alten Philosophie nicht das beste uns erhaltene Hülfsmittel aus dem Alterthume selbst darbieten. Und nimmt man hinzu, dasz in ihnen die Sprache der Römer auf das Gebiet der reinsten und höchsten Wissenschaftlichkeit angewandt und auf demselben mit unübertroffener Meisterschaft gehandhabt ist, dasz man demnach durch sie am besten die Bildungsfähigkeit, die Dehnbarkeit und Durchsichtigkeit, auf der anderen Seite aber auch die Beschränktheit und Einengung derselben erkennen kann, so wird man schwerlich in Abrede stellen können, dasz da die Erlernung der lateinischen Sprache nicht zu dem nöthigen Abschlusse gelangt sei, wo man Ciceros philosophische Schriften ganz ausschlieszen müste oder wollte. Der Hr. Vf. hat nun in der vorliegenden Schrift das Verdienst Ciceros gebührend hervorgehoben, wenn schon man ausführlicher und tiefer den Einflusz behandelt zu sehen wünschte, welchen er durch seine Sprachschöpfung und Verpflanzung auf heimischen Boden nicht allein auf das Römervolk, sondern auch auf das wissenschaftliche Studium des Mittelalters und der neuern Zeit ausgeübt hat. Es ist überhaupt erfreulich, wenn man der Jugend gegenüber den wissenschaftlichen Ernst und die Stufe der Ausbildung, welche Cicero erreicht hatte, ins rechte Licht gestellt sieht, da diese nur zu leicht sich jetzt verführt sieht, über jenen Mann abzusprechen, von dem sie sich erst viel gutes aneignen sollte und müste, ehe sie sein historisches Bild in voller Wahrheit und Richtigkeit zu fassen und zu beurtheilen sich erkühnen dürfte. Das alphabetische Verzeichnis der wichtigsten griechischen Philosophen, aus denen Cicero geschöpft, mit den daran geknüpften Nachweisungen wird auch für viele Lehrer ein willkommnes Repertorium sein. **R. D.**

GRATZ]. Der Lehrkörper des dasigen kk. akademischen Gymnasiums erlitt während des Schuljahrs 1854—55 sehr wesentliche Veränderungen. Durch den Tod verlor er am (2. Oct. 1854) den Director Alex. Kaltenbrunner, durch Versetzung den Suppl. Krischek (als wirkl. Gymnasialprof. nach Hermannstadt ernannt), den Suppl. Gutscher (in das philologische Seminar zu Wien eingetreten), den Gymnasiall. Hamerling (zuerst für das Gymnasium zu Cilli ernannt, dann nach Triest berufen), den Suppl. Herr (als Gymnasiallehrer nach Triest versetzt), den Suppl. Ficker (als wirkl. Lehrer an das kk. Staatsgymn. zu Ofen berufen). Derselbe bestand nach Ersetzung der Lücken aus dem supplierenden Director Dr. theol. Kadm. Hieber, den ordentl. Lehrern Edm. Rieder (von der supplierenden Direction auf eignes Ansuchen wieder enthoben), E. Klampfl, Peinlich [diese vier Capitularen des Benedictinerstifts Admont], Heller (weltl.), Dr. theol. Trummer und Pack (Weltgeistliche), den Supplenten Čičigoi, Pracher, Worms (Weltpriester; die übrigen alle weltlich), Ullrich, La Roche, Maresch und Schwammel, den Nebenlehrern Vidovič (für sloven. Spr.), Quénot (für franz. und ital.), Kuglmayer (Zeichnen), Wolf (Stenogr.), Genser (Gesang) und Augustin (Gymnastik). Die Maturitätsprüfung hatten am Schlusse des Studienj. 1854 19, am Schlusse des 1n Sem. 1855 8 bestanden. Die Zahl der Schüler betrug im 2n Sem. 513, 464 öffentl. und 43 privat. [I 1e Sect. 72, I 2e Sect. 68, II: 90, III: 65, IV: 67, V: 45, VI: 39, VII: 31, VIII: 35]. Die den Schulnachrichten vorausgehende Abhandlung des Religionsl. Dr. Ed. Trummer: *über das Verhältnis der katholischen Religion zum wahren Fortschritt* (16 S. 4), können wir nur erwähnen.

HEILIGENSTADT]. Das dasige königl. Gymnasium hatte im Laufe des Schulj. Mich. 1854—55 nur die Veränderung erfahren, dasz im August die Errichtung einer Sexta genehmigt und zur Versehung ders. der Schulamtscand. Schneiderwirth aus Münster berufen wurde. Die Schülerzahl betrug 183 (1: 31, II: 24, III: 27, IV: 42, V: 59), Abit. Ostern 1855 1, Mich. 14. Vorausgestellt ist die Abhandlung vom Oberl. Kramarczik: *die Lehre von der consecutio temporum* (28 S. 4). Wir machen auf diese Arbeit aufmerksam, da sie sich ebenso durch klare Entwicklung und praecise Bestimmung, als auch durch sorgfältige Erforschung des Sprachgebrauchs zunächst einer Gattung und zwar der vollendetsten der lateinischen Litteratur, der ciceronianischen Reden als eben so nutzbar für den Unterricht, wie für wissenschaftliche Zwecke empfiehlt. Ueber einzelnes wird man freilich abweichender Meinung sein, wie z. B. bei der Stelle Cic. pro Quinct. 52 zur Erklärung des *defenderit* einfach die Hinweisung genügt, dasz sich der Satz auf *negare audes*, nicht auf *defensum esse* beziehe, bei anderen noch tieferes eingehen vermissen, wie z. B. auf die ursprüngliche Natur von *ut* und die daraus abzuleitenden Gebrauchsweisen, endlich würde man es vortheilhafter finden, wenn der Hr. Vf. die beiden Theile, den theoretischen und praktischen, ineinander gearbeitet und so den Ueberblick über die Darstellung und den Beweis erleichtert und die Bequemlichkeit des Gebrauchs erhöbt hätte, allein die Abhandlung enthält doch so viel gutes und beachtenswerthes, dasz man unser günstiges Urtheil nicht unbegründet finden wird. *R. D.*

MÜNSTEREIFEL]. Das dasige Gymnasium (vgl. Bd. LXX S. 568) erhielt durch königl. Cabinetsordre einen neuen Zuschusz von 475 Thlr. In Folge davon sind die Gehalte einschlieszlich der Emolumente also reguliert: Director 900, Ir Oberlehrer 700, 2r Oberl. 650, 3r 600, Religionslehrer 550, 1r ord. Lehrer 500, 2r 450, 3r 450, Hülfslehrer 200 Thlr.

Das Lehrercollegium erfuhr keine Veränderung, auszer dasz dem Cand. Christ die Abhaltung des Probejahrs gestattet wurde. Die Schülerzahl betrug im vergangenen Herbst 119 (I: 14, II: 34, III: 15, IV: 18, V: 17, VI: 21). Abiturienten 5. Den Schulnachrichten voranstehen vom Oberl. M. Mohr: *quaestiones philologae* (10 S. 4) In dieser im Druck sehr vernachlässigten Abhandlung wird zuerst Xen. Cyrop. II 4 20 erklärt, dasz die Perser den Jagdplatz nicht ganz umstellt, sondern nach Aufsuchung des Wildes die Reiter und schnellsten Fuszgänger einen Halbkreis zum auffangen desselben gebildet hätten. Der Begriff des Halbkreises ist aber in $\delta\iota\alpha\sigma\tau\acute{\alpha}\nu\tau\varepsilon\varsigma$ nicht enthalten, sondern nur der einer langen Postenkette, welcher das Wild zugetrieben wurde. Auf das durchbrechen der Kette scheint weniger angekommen zu sein, wie auf das rasche verfolgen und erlegen des in die Nähe getriebenen und aus dem Distrikt hervorbrechenden Thiers, wie IV 6 3 zu beweisen scheint. Die Reiter traten dann an die Stelle der Treiber ($\delta\iota\alpha\delta\varepsilon\chi\acute{o}\mu\varepsilon\nu o\iota$). Richtig dagegen weist der Hr. Vf. durch Darstellung von der Natur der Trappen Anab. I 5 3 die von Krüger in der kleinen Ausgabe vorgeschlagene Conjectur $\acute{\alpha}\nu\alpha\sigma\tau\tilde{\eta}$ für $\acute{\alpha}\nu\iota\sigma\tau\tilde{\eta}$ zurück. Nach Erwähnung einer Stelle des Arrian, die nur dazu dient des Schriftstellers Leichtgläubigkeit zu charakterisieren, geht derselbe zu Soph. Ai. 2 über, wo er durch Anführung einer Stelle des Oppian (warum nicht im griechischen Texte, sondern in der Rittershusischen Uebersetzung?) $\acute{\alpha}\varrho\pi\acute{\alpha}\zeta\varepsilon\iota\nu$ von den schnellen ergreifen und fortschleppen des Wildes durch den Hund erklärt. Die Ableitung des Verbs $\acute{\alpha}\varrho\pi\acute{\alpha}\zeta\varepsilon\iota\nu$ von dem Namen des Vogels $\acute{\alpha}\varrho\pi\eta$ scheint uns manchem Bedenken zu unterliegen. Auszerdem wird S. O. C. 147 etwas bedenklich durch: 'ich würde mich nicht, ein mächtiger dann ($\mu\acute{\varepsilon}\gamma\alpha\varsigma$ also $= \mu\acute{\varepsilon}\gamma\alpha\varsigma$ $\check{\omega}\nu = \check{o}\tau\iota$ $\mu\acute{\varepsilon}\gamma\alpha\varsigma$ $\tilde{\eta}\nu$), um geringe Gaben zu empfangen in Bewegung setzen'. Während wir der Verdächtigung der Worte Cic. in Cat. I 10 25: *vigilare non solum insidiantem somno maritorum, verum etiam bonis otiosorum* (denn so ist für *occisorum* zu schreiben, wie pr. Marc. § 18, welche Stelle Halm anführt, beweist) schon um der rhetorischen Gestaltung der Stelle willen nicht beistimmen können, werden wir durch des Hrn. Vf. Gründe überzeugt, dasz Phaedr. III 6 *tricandum* den Vorzug verdiene vor dem bis jetzt in den Texten festgehaltenen *strigandum*. **R. D.**

PARCHIM]. In dem Lehrercollegium des Friedrich-Franzgymnasiums [s. Bd. LXX S. 569] waren zwei Lücken entstanden durch die Berufung des Oberlehrers Girschner [oben S. 105] und den am 27. März d. J. erfolgten Tod des Collaborators Frdr. Wilh. H. Hast. Sie wurden ausgefüllt durch die Berufung des vorherigen Lehrers an der Handelsschule und am Gymnasium zu Dessau Dr. H. Gerlach als Collaborator und nach aufrücken des ersten Lehrers der Vorschule Dr. Pfitzner in eine Collaboratur, durch Anstellung des Cand. Voss als ersten Lehrers der Vorschule Der Schülerbestand war im Sommersem. 1835 209 [I: 21, II: 26, RII: 1, III: 24, RIII: 5, IV: 31, RIV: 19, V: 23, RV: 14, VIᵃ: 20, VIᵇ: 12, RVI: 13]. Abiturienten Ostern 2, Mich. 4. Den Schulnachrichten vorangestellt ist vom Dir. Dr. Friedr. Lübker: *die sophokleische Ethik* (76 S. 4), welche Abhandlung mit der früher veröffentlichten sophokleischen Theologie als ein ganzes im Buchhandel erschienen ist. Wir hoffen dasz von derselben eine ausführliche Beurtheilung in diesen Blättern werde gegeben werden können.

St. Petersburg.] Am 8n Sept. wurde die neuerrichtete Facultät für orientalische Sprachen feierlich eröffnet. Dieselbe hat Lehrstühle für arabisch, persisch, die türkisch-tartarischen, mongolisch-kalmückischen Sprachen, chinesisch, hebraeisch, armenisch, grusinisch und mandschurisch.

SAARBRÜCKEN]. In dem Lehrercollegium des dasigen Gymnasiums war seit den Bd. LXIX S. 233 u. 581 berichteten Anstellungen keine Veränderung im Lehrercollegium vorgekommen. Die Schülerzahl betrug am Schlusse des Schulj. Ende Aug. 1855 158 [I: 6, II: 12, III: 19, IV: 25, V: 41, VI: 35, RIII: 6, RIV: 9, Vorsch. 20], Abiturienten 3. Die von dem Dir. Dr. Ferd. Peter den Schulnachrichten vorausgeschickte Abhandlung: *einige Beiträge zu den griechischen Wörterbüchern mit besonderer Berücksichtigung des Passowschen Werkes* (16 S. 4), hätte der Entschuldigung, dasz sie wegen einer Stellvertretung plötzlich und in knappen Muszestunden gearbeitet worden sei, nicht bedurft. Sowol in der Einleitung, welche sich über die Geschichte der griechischen Lexikographie verbreitet, als auch in den Beiträgen selbst, namentlich in der Auseinandersetzung über den Unterschied von ἄγειν und φέρειν wird man den gelehrten, umsichtigen und scharfsinnigen Forscher erkennen und vielfache Anregung und Belehrung finden. *R. D.*

SCHWERIN]. Die in dem Lehrercollegium des Gymnasium Fridericianum [s. Bd. LXX S. 357] durch den Tod des Oberlehrers Dr. Heyer [s. oben S. 105. Dem verstorbenen wird im Programm ein sehr ehrendes Denkmal gesetzt] entstandene Lücke ward durch die Berufung des Dr. A. W. Ebeling, vorher Lehrer am Lyceum in Hannover, ausgefüllt. Eine neue Lücke entstand, indem der College Dr. Huther in das Pfarramt zu Wittenförden befördert 'wurde. Wegen der Frequenz wird von jetzt an nicht nur die bisherige letzte Klasse, Quarta, in zwei getheilt, sondern auch eine 7e, Quinta, errichtet. Die Bestimmung der letztern ist, die Knaben, welche den Gymnasialcursus beginnen, aufzunehmen, während vorher für die unterste Klasse schon Kenntnisse und Uebung im lateinischen vorausgesetzt wurde. Die Schülerzahl betrug 185 [I: 26, II: 30, III^a: 36, III^b: 41, IV: 52], Abiturienten 10. Den Schulnachrichten vorausgestellt ist die Abhandlung vom Oberlehrer Dr. Schiller: *Regeln aus der lateinischen Syntax für untere Klassen* [speciell für die Quarta des Fridericiani. 32 S. 4]. Wir empfehlen dieselben der Aufmerksamkeit und Benützung aller Lehrer, da sich die gegebenen Regeln durch Praecision und Klarheit, so wie durch tactvolle Auswahl des nothwendigen und wesentlichen auszeichnen und der Vf. in Anmerkungen den Beweis liefert, dasz dieselben auf gründlichen wissenschaftlichen und paedagogischen Studien beruhn. *R. D.*

WISMAR]. Das Lehrercollegium der dasigen groszen Stadtschule bestand im verflossenen Schuljahre, nachdem am Schlusse des vorhergehenden der Hülfslehrer Cand. Firnhaber in das Rectorat zu Ribnitz übergegangen war, aus dem Rector Prof. Dr. Crain, den ordentlichen Lehrern Dr. Frege, Dr. Haupt, Dr. Nölting, Dr. Walther, Dr. Schröring, Dr. Sonne, Herbing und Dr. Reuter, dem Cantor Anding [zur Stellvertretung während dessen Krankheit wurde der Cand. theol. Tarnow berufen, aber mit dem Schlusse des Schuljahrs in das Amt eines Hülfspredigers nach Güstrow versetzt], den Schreib- und Rechenmeistern Welterich und Mohr, dem Elementarlehrer Grobe und dem Zeichenlehrer Fangheim. Die Schülerzahl betrug 303 [Gymn. I: 19, II: 18, III: 32, IV: 37, Realsch. I: 9, II: 23, III: 39, Elementarkl. V: 41, VI: 40, VII: 45], Abiturienten 3. Den Schulnachrichten vorausgestellt ist eine Abhandlung von Dr. Frege: *Zur Verständigung über einige Schulverhältnisse* (16 S. 4), in welcher in klarer und überzeugender, allen Verhältnissen gebührend Rechnung tragender Weise der ungemeine Nachtheil, welcher der Realschule daraus erwächst, dasz bei weitem die gröste Mehrzahl der Schüler den vollen 2j. Cursus der In Realklasse nicht vollständig durchmachen, so wie der Schaden, den Privatstunden stiften, den Eltern ans Herz gelegt und sodann kurz der Zweck der Realschule, dasz sie nicht eine Vorbereitungsschule für specielle Berufsfächer sei, erörtert wird. **R. D.**

Personalnachrichten.

Anstellungen, Beförderungen, Versetzungen

Anton, Hugo, Schulamtscand., als Adj. am Paedagogium zu Puttbus angestellt.

Bergenroth, Dr. Jul. Ad., Schulamtscand., als ordentl. Lehrer am Gymn. und den damit verbundenen Realklassen zu Thorn angestellt.

Bertram, Dr. H. W. W., Oberlehrer an der königstädtischen Realschule zu Berlin, als ord. Lehrer an das Friedrichs-Werdersche Gymn. daselbst vers.

Brǎsz, Collegiat, zum Religionslehrer am Gymn. zu Blankenburg am Harz ernannt [s. unten **Hoffmeister**].

Buchmann, Gust., Schulamtscand. als ordentl. L. und

Busch, Joh. Ge., vorher Rector am Progymn. zu Prüm, als Rector am Prog. zu St. Wendel angestellt.

Eisenlohr, Hofrath Prof. W., zu Karlsruhe, ganz der polytechnischen Schule zugewiesen, unter Enthebung seiner bisherigen Functionen am Lyceum.

Elsperger, Dr. Christoph, Rector und Prof. der 3n Gymnasialkl. in Ansbach, in die Lehrstelle der 4n Gymnasialkl. befördert [s. unter Pensionierung].

Fasbender, Dr. Ed., Oberl., als ord. L. am Gymn. und den Realkl. zu Thorn angest.

Fritsche, Herm., Schulamtscand., desgl.

Frühe, Max, Lehramtspraktikant, als Lehrer am Gymn. zu Konstanz angest.

Gasz, Dr., ao. Prof. in der theol. Fac. der Univ. zu Greifswald, zum ord. Prof. befördert.

Grautoff, Dr. P. Ad., bisher Lehrer am Blochmann-Bezzenbergerschen Erziehungshause in Dresden, als Collab. am Gymn. zu Greiffenberg a. d. R. angest.

Grebe, Dr. E. W., Gymnasiallehrer zu Marburg, als erster Lehrer an die Realschule zu Kassel versetzt und mit dem Rectorat der Anstalt beauftragt.

Hausdörffer, Dr., Collabor. am Gymn. zu Blankenburg am Harz, als Oberlehrer an das Gymn. zu Helmstedt versetzt.

Heinemann, Thom., Gymnasiallehrer in Donaueschingen, in gleicher Eigenschaft nach Konstanz versetzt.

Heintz, Dr., ao. Prof., zum ord. Prof. der Chemie in der philos. Facultät der Universität Halle ernannt.

Helwig, Predigtamtsc., zum Lehrer am Gymn. in Helmstedt ernannt.

Henkel, Wilh., Gymnasiall. in Kassel, zum Secretär im Ministerium des kurf. Hauses und der ausw. Angel. provisorisch ernannt.

Hirsch, Dr. W. S., als ord. L. an dem Gymnasium zu Thorn und den damitverbundenen Realkl. angest.

Hoffmeister, Dr., Lehrer der Religion und Naturwissenschaften am Gymn. zu Blankenburg, zum Pastor in Wienrode befördert.

Hundert, Dr. K. J. A., Schulamtsc., als ordentl. Lehrer am Gymn. in Cleve angest.

Kamrad, Schulamtsc., als Collaborator am Gymn. zu Holzminden angestellt.

Kelbe, Pastor, Religionsl. am Obergymn. zu Braunschweig, zum Generalsuperint. und Religionsl. am Gymn. zu Helmstedt ern.

Kemmer, Frz., Prof. der 1n Gymnasialkl. in Landshut, an die 3e Gymnasialkl. zu Neuburg an der Donau versetzt.

Kern, Konst., Lehramtspraktikant, zum Lehrer am Gymn. zu Konstanz ern.

Kleinsorge, Wilh., Oberl., zum Dir. der Friedrich-Wilhelmsschule zu Stettin gewählt und bestätigt.

Kossak, Dr. K. Ad., ordentl. Lehrer am Gymn. zu Gumbinnen, zum Oberlehrer an ders. Anstalt befördert.

Lange, Dr. Alb., Hülfslehrer am Friedrich-Wilhelmsgymn. zu Köln, zum ord. Lehrer ebenda befördert.

Löher, Dr. Frz., seit 2 Jahren Privatdocent an der Univ. Göttingen, als Professor nach München berufen [als Schriftsteller über America bekannt].

Marmé, Karl Frdr., ord. Lehrer am Gymn. zu Lissa, zum Oberlehrer an ders. Anstalt ernannt.

Meiszner, Dr. med., Privatdoc. an der Univers. Göttingen, als ord. Prof. der Anatomie und Physiologie nach Basel berufen.

Müller, H. Ed., Lehrer, als ord. Lehrer ⎫ am Gymn. zu Thorn
Prowe, Dr. L. Fr., Schulamtscand., als Oberl. ⎬ und den damit verbundenen Realklassen angest.
Prowe, Dr. Ad. G., Schulamtscand., als ord. L. ⎭

Reger, Ge. Bapt, Prof. der 1n Gymnasialkl. zu Regensburg, an die 4e Gymnasialkl. zu Kempten versetzt und zugleich in widerruflicher Eigenschaft mit allen Functionen des Studienrectors beauftragt.

Reuter, Dr., ao. Prof. in Breslau, als ord. Prof. in der theol. Facultät nach Greifswald versetzt.

Schiller, Dr. Ludw., Studienlehrer in Erlangen, zum Prof. des 3n Gymnasialklasse in Ansbach ernannt [s. Elsperger].

Schmidt, Dr. Mich., Schulamtscand., als ord. Lehrer am Gymn. zu Cleve angest.

Schué, Stadtschulrector, als ord. Lehrer am Progymn. zu St. Wendel angestellt.

Schumann, Dr. E. Fr. A. H., Schulamtsc., als ord. L. am Gymn. zu Greifswald angest.

Seidemann, Oberl. an der Stadtschule zu Zittau, als ord. ständiger Lehrer am das. Gymn. und der damit verbundenen Realschule angestellt.

Semisch, Dr., ord. Prof. der Theol. in Greifswald, in gleicher Eigenschaft in die ev. theol. Facultät der Univ. zu Breslau versetzt.

Steinmeyer, Pastor, zum Religionslehrer am Obergymn. zu Braunschweig ernannt [s. oben Kelbe].

Tobias, Hülfsl., als ord. ständ. Lehrer am Gymn. zu Zittau und der damit verb. Realschule angest.

Weishaupt, Dr. Matth., Prof. an der höhern Lehranstalt zu Solothurn, zum Prof. der 1n Gymnasialkl. zu Regensburg provisor. ernannt.

Zander, Hülfsl. am evang. Gymn. zu Ratibor, zum ordentl. Lehrer befördert.

Praedicierungen und Ehrenbezeugungen:

Buttmann, Alex., Oberlehrer am Gymn. zu Potsdam, als Prof. praediciert.

Collmann, K. Fr., ord. L. am Gymn. zu Bielefeld, als Oberl. praed.

Diestel, ord. L. am Gymn. zu Lyck, als Oberl. praed.

Hooker, Sir Will., in Kew, zum Ehrenmitglied der k. preusz. Akademie der Wissenschaften gewählt und bestätigt.

Kirchhoff, Dr. Ado., Adjunct am Joachimsthalschen Gymn. zu Berlin, als Prof. praed.

von Liebig, Prof. Dr., in München, zum ausw. Mitgliede der k. preusz. Akademie der Wissensch. gewählt und best.

Polster, ord. Lehr. am Gymn. zu Ostrowo, als Oberl. praediciert.

Rammelsberg, Prof. Dr., in Berlin, zum ordentl. Mitgl. ⎱ der k. preusz. Akad. der
Sabine, Colonel in London, zum Ehrenmit-⎰ Wissensch. zu Berlin gew.
gliede. und best.

Schütz, Dr. K. Wilh., ord. L. am Gymn. zu Bielefeld, als Oberl. praedic.

Szostakowski, Dr. Jos., Oberl. am Gymn. zu Trzmeszno, als Prof. praed.

Thénard, Baron, Chemiker in Paris ⎱ zu ausw. Mitgliedern der k.
Wöhler, Prof. Dr., in Göttingen ⎰ preusz. Akad. der Wissensch. zu Berlin gew. u. bestätigt.

Pensionierungen:

Bomhard, Dr. Mart., Schulrath und Prof. der 4n Gymnasialkl. in Ansbach, seinem Ansuchen gemäsz in Ruhestand versetzt.

Verstorben:

Am 19. Aug. zu Badenwailer der Prof. der Staatswissenschaften an der Univ. zu Tübingen, **von Volz.**

Am 8. Sept. in Wolfenbüttel der in Ruhestand versetzte Bibliothekar Hofrath Dr. **C. P. C. Schönemann.**

Am 16. Sept. in Magdeburg der Regierungs- und Provinzialschulrath Dr. **Schaub.**

Am 17. Sept. in Jena der Geh. Hofr. und Prof. der Philosophie Dr. **Ernst Reinhold.**

An dems. in St. Petersburg der frühere Minister der Volksaufklärung, Praesident der kais. Akadem. Graf **Sergius Uwaroff.**

Am 20. Sept. in Kreuznach der Geh. Hofr. Dr. **Bachmann**, ord. Prof. der Moral und Politik, sowie Dir. der mineralogischen Gesellschaft und des mineralogischen Cabinets an der Universität Jena.

Am 21. Sept. in Breslau der Medicinalr. Prof. Dr. **Renner.**

Am 3. Oct. in München Oberconsistorialrath Dr. **Ch. E. N. von Kaiser**, 82 J. alt.

Ferner in Königsberg der Prof. Dr. **Büsch**, Director der Sternwarte.

Im Anf. Oct. zu Amsterdam der Prof. Dr. **J. Fallati** aus Tübingen.

In Paris **Magendie**, Prof. der Medic. am Collège de France, Mitgl. des Instituts, Haupt der modernen Schule der Experimentalphysiologie.

Zweite Abtheilung

herausgegeben von Rudolph Dietsch.

38.

Das Programmeninstitut.

In der paedagogischen Section der Philologenversammlung zu
Hamburg hatte Hr. Geh. Reg.-Rath Dr. Wiese die Frage gestellt, wie
das zu einer allgemeinen deutschen Angelegenheit gewordene Pro-
grammeninstitut am zweckmäszigsten und heilsamsten eingerichtet
werden könne. Die Zeit gestattete nicht mehr eine Besprechung und
man muste sich mit ganz wenigen Bemerkungen begnügen. Bei jeder
Einrichtung ist Prüfung nach einiger Zeit heilsam, weil ja erst die
Erfahrung das mangelhafte, was sich der Berechnung entzieht, herausstellt und selbst das zweckmäszigste durch die Handhabung verliert;
bei der vorliegenden aber ist die Aufwerfung einer solchen Frage um
so mehr gerechtfertigt, als man sich offenbar einen groszen Segen
davon verspricht, wie die Einführung des Instituts in Ländern, welche
es vorher nicht hatten, und die grosze Ausdehnung des Programmen-
tausches beweisen, und in Folge davon bedeutende Opfer dafür bringt
— der hochverehrte Fragsteller schätzte die jährlichen Kosten auf
20000 bis 25000 Thlr.*) —, also als Pflicht erscheint sich Rechenschaft
darüber zu geben, ob der beabsichtigte Nutzen wirklich erreicht
werde, ob das erreichte im Verhältnisse zu dem Aufwande stehe, ob
Hindernisse sich finden und wie sie beseitigt werden können. Auch
scheint der Umstand, dasz im Groszherzogthum Hessen das Institut
eine Zeit lang abgeschafft war und im Königreich Bayern neuerdings
die Beigabe der wissenschaftlichen Abhandlung freigestellt worden
ist, darauf hinzuweisen, dasz man es für ganz oder zum Theil entbehrlich hielt, so wie endlich die Verschiedenartigkeit der Praxis den
Mangel der Uebereinstimmung über das, was nothwendig sei, was

---

*) Nehmen wir die Zahl sämtlicher deutscher Gymnasien und
Realschulen, welche Programme veröffentlichen, nur auf 350, den Aufwand aber, den jede Anstalt für das Programm hat, im Durchschnitt
zu 50 Thlr. an, so ergibt sich schon eine Summe von 17500 Thlr.

überflüssig, beweist. Wenn der unterzeichnete eine Erörterung der
Sache unternimmt, so ist er weit von der Anmaszung entfernt, als sei
er dazu besonders befähigt und geeignet, vielmehr theilt er, was sich
ihm bei vielfacher Beschäftigung mit Programmen aufgedrängt hat,
mit, in der Hoffnung, dasz vielleicht andere dadurch sich zu einer Besprechung veranlaszt fühlen.

Der Gang der Erörterung ist durch die beiden Theile, in welche
die Programme zerfallen, die Schulnachrichten und die wissenschaftlichen Abhandlungen, so wie durch die drei Kreise, für welche sie
bestimmt sind, die vorgesetzten Behörden, das bei der Schule zunächst
interessierte Publicum — den Scheibert'schen Ausdruck 'Schulge-
meinde' können wir natürlich nicht gebrauchen —, die übrigen gleichen Anstalten, vorgezeichnet.

Schon in früherer Zeit wurden von den gelehrten Schulen Programme ausgegeben als Einladungen zu Schulfestlichkeiten oder An-
kündigungen der Lectionen.   Man hielt die Lehrer für verpflichtet,
oder glaubte es wenigstens in ihrem Interesse bei solchen Gelegenheiten *specimina doctrinae et eruditionis* vorzulegen. Zuweilen wurden einige kurze Nachrichten über die Schule mitgetheilt, zuweilen
sprach sich wol auch ein Lehrer über einen bemerkten Uebelstand und
die Bedeutung eines Lehrgegenstandes aus; wie wenig man aber darauf Werth legte, beweist schon der éine Umstand, dasz an den wenigsten Schulen auch nur einigermaszen vollständige Sammlungen dieser
Programme vorhanden sind.   Nur wenige gelehrte Schulmänner wahr-
ten die darin veröffentlichten Erzeugnisse ihres Geistes durch Vereinigung in 'Opuscula'.   Also die Ansicht, dasz eine gelehrte Schule von
Zeit zu Zeit Zeugnisse ihres Lebens in das Publicum zu senden habe,
ist nicht neu, aber von nicht sogar altem Datum ist die Forderung,
dasz sie jedes Jahr vollständige Nachrichten über ihre äuszeren und
inneren Verhältnisse bekannt zu machen habe. Dasz diese Einrichtung
zunächst im Interesse der vorgesetzten Behörden getroffen worden sei,
ist nicht anzunehmen, da diese ja die in den Programmen enthaltenen
Notizen auf andere Weise erhalten können und wirklich erhalten, obgleich wol die Zusammenstellung, sowie manche Beobachtungen über die
Art und Weise der Veröffentlichung auch für sie einigen Werth haben
können.   Man hat vielmehr wol die beiden anderen oben bezeichneten
Kreise dabei im Auge gehabt.

Mustern wir nun zuerst die Schulnachrichten in den Programmen,
so zeigt sich eine sehr verschiedene Praxis.   Während in manchen
Ländern und an manchen Schulen sie äuszerst spärlich, oft auf eine
einzige Seite — wenn auch vielleicht engen Druckes — zusammengedrängt, mitgetheilt werden, füllen sie anderwärts mehrere Bogen;
während hier tabellarische Form oder doch ein strenger Schematismus
und trockener annalistischer Stil beobachtet werden, erhalten anderwärts die Vorgänge und Ereignisse in der Schule, namentlich die
Festlichkeiten, oft unter Mittheilung der gehaltenen Reden, ja Abdruck
der gesungenen Lieder, ausführliche Schilderung; während in einigen

Kreisen vollständige Schülerverzeichnisse sich finden, liest man anderwärts nur die Summenzahlen, zuweilen nicht einmal die Vertheilung
auf die Klassen. Selbstverständlich wirken hierbei äuszere Verhältnisse ein, wie denn z. B. da wo man auf die Location einen solchen
Werth legt, wie in Bayern, die Verzeichnisse der Schüler mit den
Fortgangsplätzen einen Hauptgegenstand bilden müssen, allein die Erscheinung beweist doch deutlich, dasz man über das Masz des mitzu-
theilenden verschiedener Ansicht ist, dasz man hier und da von vollständigen Nachrichten keinen Nutzen erwartet. Und da wir nun
manche damit übereinstimmende Aeuszerungen vernommen haben, so
scheint es durchaus nicht unangemessen zu fragen, was denn mit der
Veröffentlichung von Schulnachrichten gewonnen werde, wobei wir
von dem näheren, engeren Lebenskreise ausgeben wollen.

Wir können uns hier nicht denen anschlieszen, welche auf die
frühere Zeit hinweisend aussprechen, dasz das Wesen und der Werth
einer Schule am besten aus ihren Früchten erkannt werde, diese aber
im stillen und verborgenen gepflegt am besten gedeihen, dasz durch
ein heraustreten an die Oeffentlichkeit sie sich manchem falschen Urtheile aussetze und namentlich das in unseren Tagen so allgemein gewordene bekritteln, messen und mäkeln gerade durch die unberufensten
selbst gegen sich aufzumuntern scheine. Die Schule kann sich ja der
Zeitströmung nie ganz entziehen, sie hat vielmehr die Pflicht, sich
das gute in derselben möglichst zu Nutzen und dienstbar zu machen
und auf sie einen gewissen Einflusz zu üben. Nun ist nicht zu verkennen, dasz sich im gesamten Staatsleben die Forderung in alles
möglichst Einsicht zu haben und das Bedürfnis diese möglichst allgemein zu gewähren Geltung verschafft haben, die Schule aber sich
diesem um so weniger entziehen kann, je mehr sie als ein nothwendiges Glied im gesamten Staatsorganismus anerkannt ist. Zu diesem
allgemeinen Interesse, ·welches die Schule erregt, tritt aber das noch
wichtigere specielle, welches sie denen einflöszt, welche ihr das
theuerste, was sie haben, ihre Kinder und Pfleglinge, anvertrauen.
Der Schule aber musz daran liegen, ein solches Interesse für sich zu
wecken, zu erhalten und zu leiten, da sie zur möglichst vollständigen
Erreichung ihres Zweckes der Mitwirkung des Hauses, der Familie, ja
des ganzen Lebenskreises, innerhalb dessen sie steht, bedarf. Es kann
ihr nicht gleichgiltig sein, ob mehrere oder wenigere einen Einblick
in ihren innern Organismus besitzen, ob man sie als im Einklang mit
den gleichen Anstalten des Landes kennt, ob man von der Fürsorge,
deren sie sich von oben erfreut, und von dem, was sie ihren Zöglingen erweist, weisz oder nicht, ob an allem, was sie betrifft und in ihr
vorgeht, eine herzlichere Theilnahme vorhanden ist, oder nicht. Damit beseitigt sich sogleich die öfters vernommene Hinweisung auf
andere Mittel der Veröffentlichung und der Gedanke, dasz eine seltenere, nach längeren Zeiträumen erfolgende genüge. Bei aller Stätigkeit ihres Wesens findet ja in der Schule eine fortwährende Veränderung schon durch den Wechsel der Persönlichkeiten statt und jeder.

begrenzte Zeitraum ihres bestehens, selbst der kürzeste hat seine
eigene Geschichte. Sie steht aber noch weit mehr, als alle anderen
Institute des Staats, in einem vertraulichen Verhältnisse zu ihrem
Lebenskreise und von dem Grade, in welchem dies entwickelt ist,
hängt nicht wenig ihr wirken ab. Mag nun auch dies Verhältnis
durch die Thätigkeit ihrer Glieder erhalten werden, mag auch zu einzelnen auszer ihr stehenden sie öfter als ganzes reden, mit dem gesamten Lebenskreise als ganzes verkehren wird sie auf andere Weise
nicht können, als in der jetzt so allgemein eingeführten. Wenn wir
aber also die Einrichtung an sich als zweckmäszig und heilsam anerkennen, so fällt auch der hier und da gemachte Einwand, dasz die
Programme vielfach in die Hände solcher kommen müssen, welche
daraus nichts zu gewinnen verstehen oder dazu nicht einmal Lust besitzen, ja wol geradezu die Sache misachten und misbrauchen. Es
trifft dies alle menschlichen Einrichtungen. Während vorsichtige Auswahl bei der Vertheilung und Verabfolgung manchen Misbrauch verhüten kann, wird mancher, der sonst sich nicht darum bekümmern
würde — denn menschliche Naturen befassen sich oft nur mit dem,
was ihnen gewissermaszen in die Hände läuft, und für manchen viel-
beschäftigten ist die Erleichterung nothwendige Bedingung — heran-
gezogen.

    Ehe wir nun erörtern, ob die Schulnachrichten, wie sie gewöhn-
lich veröffentlicht werden, dem Zwecke entsprechen und wie sie es
vollständiger können, müssen wir einen Blick auf den dritten Kreis,
für den die Programme bestimmt sind, die gleichen Schulanstalten des
Landes, werfen, um so mehr als wir wissen, dasz hier auf die Schulnachrichten oft ein äuszerst geringer Werth gelegt zu werden pflegt,
dasz man sie vielfach nur zur Befriedigung einer gewissen Neugierde,
nicht aber um daraus einen höhern und bleibenderen Gewinn zu
ziehen in die Hand nimmt. Wir sind freilich der Meinung, wenn die
Programme auch nichts als Schulnachrichten enthielten und man wirklich nichts daraus zu ziehen wüste, gleichwol die gegenseitige Mittheilung eine wichtige Folge hat, das Gefühl der Gemeinsamkeit und
Zusammengehörigkeit, das Bewustsein einem groszen Organismus, der
sich über eine ganze Bevölkerung erstreckt, anzugehören, welches
von selbst das streben die darin dem einzelnen angewiesene Stelle
nach besten Kräften auszufüllen, wecken und beleben musz. Dasz
aber an und für sich die Wahrnehmung davon, unter welchen Verhältnissen andere Anstalten wirken, wie sie den allgemeinen Vorschriften nachzukommen sich bemühen, welche Erfahrungen sie gemacht haben, belehrend und fördernd sei, wird niemand leicht in Abrede stellen. Nicht zu übersehen ist aber, dasz gerade die doppelte
Bestimmung, welche die Schulnachrichten haben, für das nähere Publicum und für die gleichen auswärtigen Anstalten, bei der Abfassung
gewisse Grenzen steckt und gewisse Rücksichten auferlegt, indes
scheinen sie doch nur von der Art, dasz sich leicht durch einen gewissen Takt die Schwierigkeiten überwinden lassen.

Der Hauptsache nach enthalten nun die Schulnachrichten statistische Notizen. Es musz zugegeben werden, dasz diese in der nächsten Nähe mehr interessieren, weil hier gewissermaszen die lebendige Anschauung hinzutritt, statt der Ziffern und Namen die Personen vor die Seele sich stellen, dasz sie in weiterer Ferne aber als etwas todtes und mindestens trockenes erscheinen. Dasz dieselben aber, wenn man aus ihnen Schlüsse zu ziehen versteht und die Mühe, welche dies kostet, nicht scheut, einen ungemeinen Nutzen gewähren, dies ist in unseren Tagen so deutlich erkannt worden, dasz wir darüber gar nicht sprechen sollten. Die Gymnasien sollten also nicht verkennen, ein wie brauchbares und schätzbares Material ihnen durch die Schulnachrichten aller übrigen unterbreitet wird. Findet sich auch nicht sogleich eine Veranlassung dasselbe zu benützen, die Gelegenheit wird um so weniger ausbleiben, je mehr man die Nothwendigkeit alles auf den Boden realer Erfahrung zu stellen begreift, und machen auch Zeitschriften und andere Organe aus ihnen belehrende Zusammenstellungen *), niemand kann in voraus alle Zwecke umfassen und die eigne Anschauung, das eigne nachsehen und prüfen ist doch oft zur Sicherheit nothwendig. Allein etwas könnte doch geschehen, um die statistischen Nachrichten fruchtbarer zu machen, Zusammenstellungen nach längeren Zeiträumen. Sie machen weniger Mühe da, wo unmittelbares sehen und nachsuchen möglich ist, sie wecken das nachdenken bei nicht unmittelbar betheiligten und können für die Anstalten selbst als Rückblicke in die eigne Vergangenheit gewis recht segensreich wirken **). Uebersieht man z. B. in einem längeren Zeitraum die Zahl der abgegangenen Schüler, die Klassen, aus denen, und die Berufsfächer, zu welchen der Abgang erfolgte, so hat man einen Anhalt für Beantwortung der Lebensfrage, ob auch solche, die nicht studieren wollen, auf dem Gymnasium einen Theil ihrer Vorbereitung suchen. Wenn man die jährlichen Nachrichten überhaupt, wie sie auch schon betitelt worden sind, als Materialien zur Geschichte der Schule betrachtet, warum soll nicht eine Zusammenstellung und Verarbeitung von Zeit zu Zeit eintreten? Diejenigen, welche den Zeitraum mit durchlebt haben, vermögen dies gewis besser zu thun, als die ferner stehenden späteren. Bei gewissen besonderen Veranlassungen, z. B. Jubilaeen, geschieht dies wol in der Regel; aber musz man immer erst auf solche Gelegenheiten warten?

---

*) Musterhaft sind die Zusammenstellungen, welche die Zeitschrift für die österreichischen Gymnasien am Schlusse jedes Jahrgangs gibt; allein niemand meine, dasz solche den Besitz der Programme ersetzen können. Denn auch jene Uebersichten haben doch nur den Zweck, das Verhältnis zwischen ganzem und einzelnem herauszustellen, auf alles, was dem einzelnen wünschenswerth sein kann, einzugehen würden sie nicht vermögen.

**) Wenn wir aus leicht begreiflichen Gründen die namentliche Aufführung von Beispielen vermeiden, so versichern wir, dasz wir nichts zur allgemeinen Beachtung vorschlagen, was nicht schön in einzelnen Fällen bereits ausgeführt ist.

Zu den statistischen Mittheilungen müssen wir auch die Verzeichnisse der vollendeten Lehrpensa zählen, die regelmäszig in allen Programmen erscheinen. Nur hie und da hat man davon abgesehen unter Angabe des Grundes, dasz sich nichts wesentliches geändert habe. Wenn wir dies auch als in einzelnen Fällen gerechtfertigt ansehen, so müssen wir doch die Beibehaltung der Regel wünschen. Für diejenigen, welche Schüler der Anstalt anvertraut haben, ist es wünschenswerth — schon um die erhaltenen Censuren richtiger beurtheilen zu können — die Stufe des Unterrichts zu kennen, welche jene durchgemacht haben, und die Schule kann nur wünschen, dasz davon Kenntnis genommen werde. Abgesehen hiervon legt aber die Schule dadurch ein Zeugnis ab, wie sie auch im letztvergangenen Zeitabschnitt den ihr vorgezeichneten Lehrplan eingehalten habe, und bei aller Stätigkeit werden doch in jedem Jahre, selbst da, wo Jahrescurse bestehen, und wäre es zunächst in der Wahl der Schriftsteller Verschiedenheiten sich zeigen. Eben deshalb können wir denen nicht beistimmen, welche jene Angaben durch die der zu behandelnden Lehrgegenstände ersetzt wünschen. So nothwendig es ist, dasz von den künftig eintretenden Veränderungen Nachricht gegeben werde, so läszt sich doch in den meisten Fällen aus dem dagewesenen das kommende mit vollster Sicherheit schlieszen. Hier und da ausgesprochene Verdächtigungen der Glaubwürdigkeit müssen wir auf sich beruhen lassen, wol aber die Aufstellung beachten, dasz jene Verzeichnisse doch eigentlich von dem innern Leben der Anstalt, von der Art und Weise des Unterrichts und den Resultaten kein Zeugnis geben. Wir halten davon manches für unmöglich, anderes für nicht räthlich, glauben aber doch, dasz man auch diesen Theil der Schulnachrichten fruchtbarer machen könne, namentlich für die anderen Anstalten. Berichterstatter über die in einem Jahre in einem Landstrich erschienenen Programme haben sich zur Pflicht gemacht herauszustellen, wie weit und in welchen Punkten die Lectionspläne der einzelnen Schulen von dem allgemeinen Organisationsplane abweichen. Will man damit einen Tadel aussprechen, so hat man zu bedenken, dasz die mit Recht geforderte strenge Einhaltung der vorgesteckten Ziele gleichwol mit einer gewissen Freiheit in der Wahl und Anwendung der Mittel sich verträgt und dasz die Heilsamkeit einer allgemeinen Regelung sich in das Gegentheil verwandelt, wenn sie zur Schablone gemacht wird. Aber berechtigt ist die darin enthaltene Forderung, dasz die Schule bei solchen Abweichungen zu ihrer eigenen Rechtfertigung und zur Belehrung und Anregung für andere die Gründe angeben solle. Ist dies schon früher geschehen, so wird eine Zurückweisung darauf und eine Mittheilung darüber, welche Erfahrung man mit der Einrichtung gemacht habe, nichts schaden. Es ist ferner eine sehr dankenswerthe Sache, dasz man in Preuszen und Oesterreich die Mittheilung der Themen zu den freien Arbeiten zur Vorschrift gemacht hat, weil man in ihnen ein Bild aus dem innern Leben der Schule empfängt; es knüpft sich aber daran die Erwägung, ob man nicht noch weiter gehen, ob man nicht

die sämtlichen von einer Klasse geforderten Schularbeiten zusammenstellen und von den daran gemachten Wahrnehmungen Mittheilungen
machen sollte. Je wichtiger es ist, über die Frage, ob eine Ueberbürdung stattfinde, eine endgiltige, allseitig begründete Entscheidung
anzubahnen, um so mehr sollten alle Gymnasien die Verpflichtung anerkennen, das, was sie für sich selbst gefunden und gesehen, als Beitrag zur Lösung für andere hinzugeben. Gewis an jedem Gymnasium
wird von Zeit zu Zeit der Lehrplan einer allgemeinen Erörterung unterzogen, die Zielbestimmungen für die einzelnen Klassen geprüft,
über die zweckmäszigste Behandlung der einzelnen Gegenstände Berathung gepflogen. Die Resultate davon werden wol auch überall aufgezeichnet und es bedürfte nur noch die Hinzufügung der Gründe und
der in Erwägung gezogenen Punkte, um daraus Abhandlungen zu
machen. Solche Arbeiten des gesamten Collegiums hat man schon
hier und da veröffentlicht, man sollte es öfter und überall thun. Wie
reiche Belehrung kann daraus geschöpft werden und welch freudiges
Bewustsein gibt mindestens die Wahrnehmung der Uebereinstimmung
dessen, was man schon selbst geübt, mit dem, was andere als heilsam
oder zweckmäszig erkannt. Solche Arbeiten werden jedenfalls frucht-
bringender sein, als methodische und paedagogische Abhandlungen
einzelner Lehrer, aus denen nicht selten eine gewisse Disharmonie
mit dem ganzen der Schule, zuweilen auch eine gewisse Einseitigkeit
und Anmaszung heraustönt. Natürlich soll und darf dem einzelnen
sein Eigenthum nicht verkümmert werden, aber es ist doch etwas anderes, wenn die Veröffentlichung auf Wunsch oder doch in vollster
Uebereinstimmung mit den gesamten Collegen erfolgt. Wir haben
hier einiges angegeben, wodurch den Verzeichnissen der abgehandelten Lehrpensa (wir gebrauchen diesen Ausdruck nicht ohne ein
gewisses unbehagliches Gefühl) der Charakter trockener und todter
statistischer Notizen genommen werden könnte. Eine Art statistischer
Notizen wünschten wir nirgends in den Programmen zu finden — sie
sind zu unserer Freude auch selten —, die genaue Angabe, welche
Lehrer und aus welchen Gründen und für wie lange Zeit Urlaub genommen haben *). Will man damit dem Publicum zeigen, wie selten
die Fälle vorgekommen, oder wie liberal die Direction in Ertheilung
des Urlaubs gewesen, oder wol gar verhindern, dasz dergleichen
öfters gesucht werde? In allen Fällen können wir das Verfahren von
dem Vorwurfe einer gewissen Pedanterie nicht freisprechen. Nicht
allgemein ist die Beifügung vollständiger Schülerverzeichnisse. Wer
sich zurückruft, welche Freude es ihm machte sich an die Seite seiner
trauten Mitschüler zurückversetzen zu können, wer weisz wie die
bessere Jugend in sicherer Vorausahnung des zukünftigen Werthes
solche Verzeichnisse achtet, der wird darin ein Mittel erkennen, die
Programme den Schülern zu einem theuren Besitz zu machen und die

---

*) Selbstverständlich meinen wir nicht längere Abwesenheiten und
Krankheitsfälle.

hier und da sichtbare Misachtung derselben theilweise zu beseitigen.

Die Schulnachrichten geben auszer dem erwähnten noch eine
Chronik mit vollem Rechte. Es ist nicht zu verwundern, wenn diese
oft recht dürftig ausfällt. Je weniger der stäte und ruhige Gang der
Schule durch auszerordentliche Ereignisse gestört wird, von um so
gröszerem Glück hat sie zu rühmen. Allein man kann wol mit Recht
fragen: kommen nicht in jedem Gymnasium innerhalb eines Jahres
Erlebnisse und Erfahrungen vor, über die man Mittheilungen erwartet,
zumal wenn die Programme den Zweck haben, einsichtsvolle, thätige
Mitwirkung des Hauses und der Umgebung für die Zwecke der Schule
zu wecken? Wir meinen namentlich disciplinäre Erscheinungen und
Beobachtungen an der Jugend, widerfahrene Beurtheilungen und An-
fechtungen von auszen. In jedem Falle misbilligen wir, wenn über
den unter den Schülern herschenden Geist Lob und Freude ausgesprochen werden. Es liegt etwas ruhmrediges darin, und verräth eine
Sicherheit, welche oft nur zu hart gestraft wird. Dagegen sollte man
sich über die unangenehmen Erfahrungen offener aussprechen, sich
nicht mit der gewöhnlichen Angabe, dasz ein oder mehrere Schüler
haben entfernt werden müssen, begnügen. Wir verkennen keineswegs,
dasz eigentlich nur was das ganze angeht, in die Programme gehört, aber
von dem vereinzelten sprechen wir auch nicht. Wir wissen ebenfalls
recht gut, dasz den Jugendlichen Fehlern eine gewisse Schonung gebührt und eine Herausstellung an die Oeffentlichkeit oft selbst den
grösten sittlichen Nachtheil erzeugt, aber es läszt sich eine taktvolle
Art der Erwähnung denken, welche ohne Nennung des Namens doch
die Wirkung nicht verfehlt, zumal sie ja immer nur Bestätigung allgemeiner Erfahrung sein oder auf allgemein wahrgenommene Missstände
hinweisen soll. Wir haben endlich schon oben ausgesprochen, dasz
die weite Verbreitung der Programme gewisse Rücksichten auferlegt,
dasz was in der Nähe richtig verstanden wird, in der Ferne dem Misverständnisse und der Misdeutung ausgesetzt ist, allein auch hier findet sicherer Tact leicht den richtigen Weg und die Schwierigkeit
kann die Verpflichtung nicht aufheben. Wir haben hier besonders die
häusliche Erziehung im Auge, die mit der Schule in möglichsten Einklang zu bringen, eine stete Aufgabe der Lehrer sein musz. Man kann
behaupten, dasz viele die Krankheiten der Zeit recht wol kennen, aber
über den Zusammenhang dessen, was sie selbst thun, mit jenen gar
kein Bewustsein haben. Man klagt über die sich mehrende Genusz-
sucht und schilt über die, welche einen über ihre Verhältnisse gehenden Glanz entwickeln, aber was man den eignen Kindern gewährt, betrachtet man als ganz unschuldig und sieht nicht, dasz es zu jener
führen müsse; man spricht besorgt von dem körperlichen schwächer-
werden des Geschlechts, beschönigt aber die eigne Verweichlichung
der Kinder als gerechte Besorgnis für die Gesundheit; man äuszert
sich unwillig über den zunehmenden Mangel an Pietät und spricht
doch selbst ungescheut vor den Kindern alles aus, ja läszt diese dreist

mit jedem Urtheile hervortreten; doch wir begnügen uns mit diesen
wenigen Andeutungen, ausführlichere Erörterung würde uns zu weit
von unserm Gegenstande abführen. Wer kann hier besser aufklären
als der Lehrer, der ja Erscheinungen wahrzunehmen Gelegenheit hat,
die sich dem Auge des Vaters entziehen? Wer musz aber auch mehr
aufklären, als der Lehrer, welcher ja einen Theil seines wirkens verloren weisz, wenn nicht das Haus in gleichem Sinne wirkt? Wol
wird diese Sorge oft dem einzelnen zugewandt, oft von dem zunächst
betheiligten Lehrer geübt werden müssen, aber abgesehen von speciellen Fällen, hat die Schule oft als ganzes zum ganzen zu reden, schon
um deswillen weil sie nicht jeden einzelnen treffen, wol aber stets
etwas aussprechen kann, woraus jeder einzelne für sich etwas zu
schöpfen findet. Es gibt auszerdem in unseren Tagen sich dreist her-
vordrängende irrige Urtheile genug, deren Bekämpfung und Berichtigung wünschenswerth ist. Es wäre thöricht zu verkennen, dasz viele
derartige Aeuszerungen durch Verachtung am besten widerlegt werden, aber es gilt doch oft dem schwankenden eine Stütze und dem,
welcher für die Schule wirken will, die Mittel dazu zu bieten. Wir
bezeichnen daher auch nicht so paedagogische Erörterungen als wünschenswerth, wie Darlegung von Thatsachen unter Hinweisung darauf, was sie lehren. Ein Mittel zu einem gröszeren Hörerkreise zu
sprechen bieten die Schulfestlichkeiten. Wir sind der Ueberzeugung,
dasz die hierbei gehaltenen Reden meist den Zweck verfolgen, welchen wir aufgestellt haben. Da aber immer manche, von denen man
eine Beherzigung wünschen musz, nicht zugegen gewesen sein werden, andere aber eine Auffrischung im Gedächtnisse, wenn nicht wünschen, so doch brauchen, so wäre eine Mittheilung solcher Reden in
den Programmen wol häufiger zu wünschen als es geschieht. Den
Einwand, dasz die Selbstgefälligkeit der Redner hierdurch eine schädliche Nahrung erhalte, fürchten wir ebenso wenig, als den, dasz man
da oft nichts neues, sondern nur das alte und oft nicht in neuer Form
finden werde. Dasz auch für die übrigen Gymnasien die Mittheilungen
der Schulen, in der von uns angedeuteten Weise vervollständigt und
erweitert, gewinnreicher werden können, brauchen wir wol nicht auszuführen. Einem Theile der Chroniken schenken wir noch einige Aufmerksamkeit, den Lebensbeschreibungen der neu angestellten Lehrer.
Man hat dabei wol die Absicht, die Materialien zur künftigen Geschichte der Schule vollständig zu geben, und kann wol auch dafür
geltend machen, dasz eine gewisse persönliche Bekanntschaft mit dem
neuen Lehrer im Publicum vermittelt werde, die seine Stellung er-
leichtere und fördere, aber bergen können wir nicht, dasz wir oft
daran Anstoz genommen haben, dasz uns die Selbsterzählung der eignen Lebensumstände als etwas beengendes für den betroffenen und als
etwas zweckloses für die übrigen erschienen ist. Wünschenswerth
ist, dasz solche Biographieen nur in den Archiven niedergelegt und
aufbewahrt werden, dagegen sollte nie unterlassen werden für die
verstorbenen Lehrer, und wenn sie auch zuletzt schon der Anstalt

entrückt waren, Nachrufe unter Mittheilung der wichtigsten Lebensumstände in den Programmen mitzutheilen. Leicht kann es scheinen, als
ob wir eine Erweiterung der Schulnachrichten vorschlügen, die eine
Vermehrung der Kosten oder eine Beschränkung des andern Theils der
Programme zur Folge haben müste, allein wir werden im folgenden
finden, dasz eine Möglichkeit dazu unter Vermeidung jener zu befürch-
tenden Misstände gegeben sei.

Es erübrigt nemlich noch den zweiten Haupttheil der Programme,
die wissenschaftlichen Abhandlungen, zu besprechen. Dasz wir hier
eine längst bestehende Einrichtung vor uns haben, ist oben erwähnt;
die neuere Zeit hat nur zwei sehr wichtige Veränderungen hinzuge-
bracht: einmal ist allen Anstalten die Möglichkeit dazu verschafft
worden, sodann hat man die Verpflichtung, die sonst meist den Recto-
ren allein oblag, sämtlichen Lehrern in regelmäsziger Reihenfolge
auferlegt. Das letztere ist eine nothwendige Folge der veränderten
Organisation der Schulen. Sonst sah man die Lehrer als jeden in
seiner Klasse selbständig wirkend an, wie denn auch der gesamte Unterricht einer Klasse meist in éiner Hand lag; dem Rector, dem Lehrer
der obersten Klasse, fiel daher die Verpflichtung zu, die Einladung zu
den Acten, bei denen die Resultate der Schulbildung dargelegt werden sollten, zu erlassen, und er galt gewissermaszen als der höchste
und alleinige Vertreter des wissenschaftlichen Geistes der Anstalt.
Jetzt ist allgemein die Idee des Collegiums, der aus Gliedern gebildeten Einheit und der Beziehung jeden Gliedes zu dieser, durchgedrungen und man betrachtet deshalb mit Recht jeden einzelnen Lehrer als
einen Träger des Geistes, der die ganze Anstalt durchdringen soll,
demnach auch verpflichtet, davon öffentlich Zeugnis abzulegen, wie
er ein solcher sei. Wir können die Erfahrung nicht leugnen, dasz
man im allgemeinen auf die wissenschaftlichen Abhandlungen einen
gröszeren Werth legt, als auf die Schulnachrichten und finden dies
begreiflich, weil jene eine unmittelbare Förderung bieten, die Benützung dieser erst nach längerer Zeit oder doch erst durch mühsame
Vergleichungen zu Resultaten führt. Für die vorgesetzten Behörden,
die von dem, was die Schulnachrichten enthalten, auf anderem Wege
Kenntnis erhalten, sind sie ohne Zweifel das wichtigere, weil sie von
den wissenschaftlichen Bestrebungen der Lehrer Zeugnisse sind, ja
wir sind nicht ganz sicher, ob nicht der Wunsch, allen Lehrern eine
Nöthigung zum wissenschaftlichen fortstudieren zu geben, neben der
erkannten Nothwendigkeit, den vielfach mehr in Anspruch genommenen
Directoren eine Erleichterung zu schaffen, eine Hauptveranlassung gewesen ist die Verpflichtung auf die ganzen Collegien auszudehnen.

Welcher Nutzen der Schulanstalt bei ihrem nähern Publicum und
hinwiederum diesem in Bezug auf die Schule erwachse, brauchen wir
um so weniger ausführlich zu erörtern, da ja schon eine lange Vergangenheit das Urtheil darüber festgestellt hat. Man kann es nur im
vollsten Masze dankbar anerkennen, dasz an allen Gymnasien die Einrichtung zu einer regelmäszigen gemacht und die Mittel dazu gewährt

sind. Es ist allerdings wahr, dasz viele von denen, welche zur Schule
in einem näheren Verhältnisse stehen als Aeltern und Pfleger von
Schülern und an welche deshalb die Mittheilung der Schulnachrichten
erfolgen musz, für die wissenschaftliche Abhandlung nicht das geringste Verständnis besitzen, es ist auch zuzugeben, dasz wenn sie an
alle Schüler vertheilt wird, vielen dadurch etwas in die Hände gegeben wird, dessen Werth sie noch gar nicht zu schätzen wissen; mancher Verfasser hat gewis die Frucht seines Fleiszes in Löschblätter
zerstückt sehen müssen. Eine gewisse Verschwendung, durch die
Vertheilung an unberufene und unbefähigte geübt, ist deshalb gewis
ernst zu rügen. Während man indes auf der anderen Seite rathen
musz nicht zu karg zu sein — denn manchem wird doch Veranlassung
sich mit einem Gegenstande bekannt zu machen oder früher betriebe-
nes zurückzurufen — kann der Uebelstand, wissenschaftliche Abhandlungen wegen der mit ihnen verbundenen Schulnachrichten an
uninteressierte verabfolgen zu müssen, leicht durch die Beschaffung
einer doppelten Art von Exemplaren, mit und ohne wissenschaftliche
Abhandlung, beseitigt werden.

Wenden wir uns nun zu dem weiteren Kreise der Programme,
den gleichartigen Schulanstalten, so wollen wir von der Anregung und
Förderung, welche den Lehrern durch Anschauung fremder Leistungen
wird, nicht sprechen. Dasz den einzelnen Gymnasien durch den eingerichteten Tausch ein höchst schätzenswerthes litterarisches Material
zu Theil werde, wird gewis allgemein dankbar anerkannt. Hört man
hie und da Klagen über die Mühe, welche die Aufbewahrung und
Ordnung der Menge mache, so läszt sich einmal durch zweckmäszige
Einrichtungen Erleichterung schaffen*), sodann können sie nur dann

---

*) An der königlichen Landesschule zu Grimma ist folgende Ein-
richtung getroffen und hat sich bis jetzt als sehr zweckmäszig bewährt.
Für jedes Gymnasium ist ein besonderes Fach vorhanden und die Fächer sind nach alphabetischer Ordnung bezeichnet. Innerhalb jeden
Faches sind die Programme nach den Jahrgängen geordnet. Dazu
existiert ein dreifacher Katalog: 1. nach den Lehranstalten und der
Jahresfolge, 2. nach dem Namen der Verfasser, 3. nach den Wissenschaften und Gegenständen. Die Einordnung der neuen Programme
macht so keine bedeutende Mühe und die Benützung ist wesentlich erleichtert. Indes musz man hier auch an die Zukunft denken. Besteht
das Institut so fort, ja dehnt es sich weiter aus, so wird auch die
zweckmäszigste Einrichtung nicht mehr ausreichen. Es werden demnach Zeitabschnitte gemacht werden müssen und nach diesen die Einreihung
in die Bibliothek unter zusammenbinden der zusammengehörenden Abhandlungen am zweckmäszigsten sein. Auch in dieser Hinsicht empfiehlt sich die von uns oben vorgeschlagene Druckeinrichtung, welche
die Abtrennung der Schulnachrichten von den Abhandlungen ermöglicht. Eine grosze Schwierigkeit wird dann die Verschiedenheit der
Formate bereiten. In Baden herscht durchgängig das Octav und in
völliger Gleichmäszigkeit, in den andern Ländern ist das Quartformat,
aber freilich in allen Gröszenabstüfungen, vorherschend. Es verdient
deshalb ein Vorschlag, den Hr. Prof. Dr. Eyth in Schönthal uns mitzutheilen veranlaszt hat, gleiche Formate überall einzuführen, alle Be-

für gerechtfertigt gehalten werden, wenn die aufzuwendende Mühe in
keinem Verhältnisse zu dem Werthe stünde. Wer wollte aber dies
behaupten? Ein Blick in die Kataloge zeigt, dasz die Programme viel
sehr werthvolles gebracht haben, treffliche Leistungen zur Kritik und
Erklärung der alten Schriftsteller, fördernde zum Theil abschlieszende
Specialuntersuchungen über alle in das Bereich der Gymnasialbildung
fallende Wissenschaften, anregende und belehrende paedagogische
Abhandlungen, musterhafte Bearbeitungen und Darstellung von Lern-
stoffen für die Schüler. Nur Befangenheit könnte in den Programmen
lauter unmittelbar in der Schule zu verwendendes fordern, nur Verkennung des wahren Wesens der Wissenschaft vielen den Vorwurf
der Mikrologie und der zu groszen Specialität machen. Wir erachten
dies gerade für sehr dankenswerth, dasz viele specielle Untersuchungen (namentlich auch über Localgeschichte und Localbeschaffenheiten)
zur Veröffentlichung und Verbreitung gelangen, die sonst vielleicht
ungedruckt, oder doch nur wenigen zugänglich geblieben sein würden. Auf der anderen Seite jedoch wäre es Blindheit zu leugnen, dasz
manches in den Programmen erschienen ist, was auf wissenschaftlichen
oder praktischen Werth nicht den geringsten Anspruch hat und für
das die Aufwendung der Druckkosten sich nicht verlohnte. Man kann
es den vorgesetzten Behörden nicht verargen, wenn sie darauf ihr
Augenmerk richten. Die Wahl ungeeigneter Themata und unpassende
Aeuszerungen hat man wol durch Vorschriften zu beseitigen gewust,
aber unentsprechende Ausführung zu verhindern ist schwer. Es ist
nur erfreulich, dasz man eine Art Censur — Druckerlaubnis erst nach
gewonnener Einsicht in das Programm — nicht eingeführt hat, sie
wäre für den Lehrerstand eine entwürdigende Demüthigung. Man ist
wol auf den Gedanken gefallen statt der Programme eine Art periodische Zeitschrift, Jahrbücher der Gymnasien eines Landes oder einer
Provinz, einzuführen und somit die Sache unter eine Redaction zu
stellen: allein es gienge damit ein wesentlicher Vortheil der jetzigen
Einrichtung ganz verloren, die Abgabe eines Zeugnisses vom Geiste
und Leben der Anstalt vor dem näheren Lebenskreise. Auch würden
alle die Uebelstände, mit denen Privatzeitschriften zu kämpfen haben,
wegen des öffentlichen Charakters noch in erhöhtem Maszstabe hervortreten, und wir sind überzeugt, dasz viele durch das Bewustsein
der Abhängigkeit von fremdem Urtheile hier, wo das beiderseitige Interesse am Geschäfte nicht obwaltet, sich abgehalten sehen würden,

herzigung. Wir erkennen zwar die völlige Uebereinstimmung als etwas
unmögliches, schon wegen der Verschiedenheit in den Leistungsfähig-
keiten der Druckereien, aber annähernd läszt sich viel thun. Dürfen
wir von dem allgemeinen Büchermarkt einen Schlusz machen, so ist
jetzt entweder die Vorzüglichkeit oder doch die Vorliebe für das Grosz-
octav entschieden. Wählte man dies allgemein, so wird wenigstens
eine zu grosze und störende Verschiedenheit vermieden, und die Tabellen, um deren willen man wol dem Quartformate den Vorzug gegeben hat, lassen sich diesem Formate noch am leichtesten anpassen.

je eine Abhandlung zu liefern. Vielleicht läszt sich aber doch ein anderes Mittel finden, wenigstens theilweise dem erscheinen unwürdiger Programmabhandlungen vorzubeugen, wenn wir die Sache vom Standpunkte der verpflichteten Lehrer selbst betrachten.

Ob und in wie weit die auf sämtliche Lehrer ausgedehnte Verpflichtung des Programmenschreibens eine regere wissenschaftliche Strebsamkeit im Lehrerstande erzeugt habe, vermögen wir freilich nicht zu beurtheilen. Zwar sollte man meinen, die Liebe zum Berufe erzeuge von selbst das Streben nach eigener höherer Vervollkommnung, aber wir erkennen gern an, dasz die äuszere Nöthigung vielfach gefördert habe, namentlich durch die Veranlassung, dem gefundenen und erkannten Form zu geben, was oft gröszere Schärfe und Sicherheit erzeugt. Auf der anderen Seite haben gewis auch viele die ihnen gebotene Gelegenheit zur Veröffentlichung einer still und sinnig ausgeführten Untersuchung dankbar anzuerkennen gehabt, aber zu übersehen ist doch auch nicht, dasz es Geister gibt, die sich innig in die Objecte vertiefen und dieselben immer lebensvoller in sich zu gestalten ringen, ohne nur den Nebengedanken einer Veröffentlichung zu fassen, denen die Nöthigung dazu eine unwillkommene Störung, ein Eingriff in ihr Eigenthum scheint, denen denkendes lesen viel höher steht, als schreiben, das ihnen als eine Ueberwucherung gilt*). Vielleicht denkt nun mancher, dasz gerade solche Naturen gezwungen werden müssen aus sich herauszugeben. Aber wird dadurch nicht gerade die Vollendung eines in der Stille reifenden Meisterwerks verhindert? Und darf man dem Lehrer, dessen Thätigkeit sonst ganz auf Mittheilung gewiesen ist, die Stunden, in welchen er für sich, nur mit dem Gedanken an sich arbeiten kann, noch verkümmern? Solcher Charaktere gerade bedarf als eines Gegensatzes unsere Zeit, die es leider verlernt hat, sich zu vertiefen und mit dünkelvoller Anmaszung alles in die Welt hinaus gibt, was besser im stillen Kämmerlein erst vielfältig geprüft würde. Man kann wol sogar die Frage aufwerfen, ob man nicht, indem man einem ganzen Stande die Verpflichtung zum schreiben auferlegte, einer Zeitrichtung entweder gehuldigt oder ihr doch ohne es zu wollen, Vorschub geleistet habe. Und wenn nun ein Lehrer, der recht den Beruf und die Neigung zur litterarischen Thätigkeit in sich trägt, um sich seinen eigentlichen Pflichten ganz ungetheilt widmen zu können, darauf freiwillig verzichtet, soll man, darf man diesen aus seiner Bahn herausreiszen? Es kann aber auch jemand ein ganz trefflicher Lehrer sein, ohne deshalb den Beruf zu haben, an den Webstuhl der Wissenschaft selbst schaffend mit Hand anzulegen, ja man kann sich denken, dasz jemand recht tüchtig wissenschaftlich fortstudiert, ohne gerade zu eigenen der Veröffentlichung werthen Resultaten zu gelangen. Dazu kommen nun noch äuszere Verhältnisse. Viele Lehrer sind so durch ihr Amt beschäftigt, dasz ihnen kaum zum

---

*) Vgl. die Vorrede von Theodor Heyse zu seiner trefflichen Uebersetzung des Catullus.

eigenen lesen, geschweige denn zum·eigenen schreiben auszer den
Ferien Zeit bleibt, viele auch leider noch genöthigt durch Nebenver-
dienst das kärglich zugemessene Brod zu mehren. Wie schwierig
sind oft die zum schreiben erforderlichen Hülfsmittel zu beschaffen,
wie schwer fällt die Wahl eines Gegenstandes, der sich gerade in den
eng gemessenen Grenzen eines Programms behandeln läszt, und wie
oft treten unvorhergesehene Hindernisse — eine vollere Klasse, eine
gröszere Zahl schwächerer Schüler u. dgl. — der Ausführung in den
Weg! Und der Lehrer hat keine Entschädigung für die Mühe, ja sogar
Kosten bei der Ausarbeitung zu erwarten*), ja — wir wissen, wie weit
an manchen Orten die Engherzigkeit geht — zu befürchten, dasz, wenn
er die vorgeschriebene Seitenzahl überschreite, er aus eignen Mitteln
zubüszen müsse. Es ist das ein nicht unwichtiger Punkt, welcher
Nachtheil durch die engen Grenzen der Programmabhandlungen erzeugt wird. Da erscheinen Particulae, die auf die Fortsetzung vergeblich warten lassen, — natürlich; denn erst nach 10 Jahren erscheint
manchem die Gelegenheit dazu — da werden die interessantesten Gegenstände abgebrochen, da entsteht eine Zerstückelung in der Litteratur,
die wirklich das Leben recht sauer machen kann. Mancher ist freilich
da leicht mit dem vorwurfsvollen Einwande zur Hand: das liege an
der Wahl der Themata; aber möge man doch nur eine ausreichende
Menge solcher bezeichnen! Und welches Resultat gewinnen wir nun
daraus? Dasz nicht jedem Lehrer die Verpflichtung zum Programm-
schreiben auferlegt werden dürfe und dasz man die Möglichkeit
geben solle, umfänglichere Arbeiten unverkürzt und unzerstückelt zu
veröffentlichen. Wir verkennen nicht, welche Schwierigkeiten dies
hat. Hebt man die Verpflichtung auf, so steht zu fürchten, dasz viele
aus Indolenz sich ganz entziehen, viele im Kitzel des Dünkels sich
dazu drängen werden, und dasz am Ende die wissenschaftlichen Abhandlungen aus den Programmen wegbleiben. Wir sollten aber doch
meinen, dasz man zwar die Verpflichtung als Regel festhalten und
diese doch erleichtern könne. Denn erstlich wäre es denn unmöglich,
gewisse Lehrer, auszer wenn sie sich freiwillig erbieten, im voraus
als dispensiert anzunehmen? Wäre es wol unmöglich die Wahl dessen, der das Programm zu schreiben habe, den Lehrercollegien zu überlassen? Freilich vor allen Dingen wird eins nöthig sein, dasz man
nicht jedes Jahr eine wissenschaftliche Arbeit fordere. Dadurch liesze
sich zweierlei gewinnen, einmal die Möglichkeit, ein anderes Jahr
eine umfänglichere Abhandlung zu geben, sodann die Schulnachrichten durch Mittheilungen der Art, wie wir sie oben angedeutet haben,
fruchtbarer zu machen. Achtet man nur in solchen Fällen den zeit-
weiligen Ausfall der wissenschaftlichen Abhandlung für gerechtfertigt,
so bleibt dem Collegium, das ohnehin in der Rücksicht auf die öffent-

---

*) Wenige Gymnasien sind, wie Pforta, das Kloster in Magdeburg,
Neustrelitz, in der günstigen Lage, für die Programmabhandlungen
Honorare gewähren zu können.

liche Meinung einen Antrieb hat, eine gewisse Nöthigung. Wir setzen
allerdings ein vom Geiste der Liebe und Eintracht beseeltes Collegium
voraus, aber wo dies nicht ist, da ist ja alles gute unmöglich, und
schlieszlich bleibt doch in der Hand des Directors und der vorgesetzten Behörden viel liegen. Wir denken uns die Sache so: Am Anfange
jeden Jahres wird die Frage gestellt, wie das Programm am Schlusse
solle veröffentlicht werden. Der Director und die Collegen haben
dann schon im voraus unter sich geprüft, wer wol unter ihnen etwas
fertig hat oder fertig zu machen in Begriff ist. Ist der zunächst in
Frage kommende College ungeeignet, so ist er vorher schon zum zurücktreten durch freundliche Privatunterredung vermocht. Stellt sich
der Wunsch heraus eine längere Zeit und einen gröszeren Raum zu
erhalten, so wird die Verschiebung, aber auch die Möglichkeit der
Ersetzung in Berathung gezogen. Wir denken, einsichtsvolle Directoren werden dann immer Gegenstände bereit haben, mit denen sich
das ganze Lehrercollegium so beschäftigen kann, dasz daraus eine
gemeinsame Arbeit hervorgeht.

Fassen wir nun schlieszlich die Hauptpunkte noch einmal zusammen, so sind folgende die Resultate, welche sich uns herausgestellt
haben:

1) Das Institut ist in der bisherigen Weise der Hauptsache nach
beizubehalten, aber

2) die Schulnachrichten sind zu erweitern und für den näheren
und engeren Leserkreis fruchtbarer zu machen.

3) Man verlange nicht jedes Jahr von jedem Gymnasium die Veröffentlichung einer wissenschaftlichen Abhandlung, halte aber den
Ausfall nur durch Ersetzung im nächsten Jahre oder auf andere Weise
gerechtfertigt.

4) Man halte zwar alle Lehrer für berechtigt und im allgemeinen verpflichtet, die wissenschaftliche Abhandlung zu liefern, aber
man ertheile leichter Dispensation und stelle die Sache mehr den
Directoren und Collegien anheim.

5) Ist noch die Druckeinrichtung, dasz die wissenschaftlichen
Abhandlungen von den Schulnachrichten ohne Nachtheil getrennt werden könne, und die Annahme eines möglichst gleichmäszigen Formats
zu empfehlen.

Möge man in diesen Bemerkungen den guten Willen zur Erörterung einer wichtigen Frage anzuregen nicht ganz zu verkennen
Ursache finden.

R. Dietsch.

39.

Neues vom Turnen und von der Gesundheitspflege in den Schulen.

1. *Das Turnen als ein nothwendiger Theil der Jugendbildung. Jahresbericht der vereinigten höheren Bürger- und Provinzial-Gewerbeschule zu Trier, vom Oberlehrer C. Hartmann.* Trier, Linz. 4. 11 S.

2. *Die gymnastischen Freiübungen nach dem System P. H. Lings reglementarisch dargestellt von Hg. Rothstein. Zweite durch Text und Figuren vermehrte Auflage. Mit 71 Fig.* Berlin, Schröder 1855 (20 Ngr.) 8. 152 S.

3. *Die gymnastischen Rüstübungen nach P. H. Lings System dargestellt von Hg. Rothstein. Mit 91 Fig.* Berlin, Schröder 1855. (20 Ngr.) 8. 120 S.

4. *Handbuch der Diaetetik. Von Dr. C. W. Ideler, Geh. Medicinalrath und Professor zu Berlin.* Berlin, Trowitzsch 1855. 8. 251 S. (20 Ngr.)

5. *Neue Jahrbücher für die Turnkunst. Freie Hefte für Erziehung und Gesundheitspflege. In Gemeinschaft mit E. Friedrich, Dr. med. in Dresden, M. Schreber, Dr. med. in Leipzig, A. Spiess, Oberstudienassessor in Darmstadt, und C. Waszmannsdorff, Vorsteher der Turnanstalt in Heidelberg, herausgegeben von M. Kloss, Director der K. Turnlehrer-Bildungsanstalt zu Dresden.* Dresden, C. A. Werner 1855. 3 Hefte à 15 Ngr. [in 8. 6 Bg.].

6. *Athenaeum für rationelle Gymnastik. Herausgegeben von Hg. Rothstein, Unterrichtsdirigenten des königl. preusz. Centralinstituts für die Gymnastik, und Dr. A. C. Neumann, königl. preusz. Kreisphysikus. Zweiter Band, à 4 Hefte* (2 Thlr.) Berlin, Schröder 1854—55.

7. *Das Muskelleben des Menschen in Beziehung auf Heilgymnastik und Turnen. Von Dr. Neumann, k. Kreisphysikus, Dirigent des Instituts für Heilgymnastik zu Berlin.* Berlin, Schröder 1855. Gr. 8. 254 S. (1 Thlr. 10 Ngr.).

Indem wir auch für dieses Jahr in d. Bl. eine Uebersicht von denjenigen Schriften geben, welche sich auf die leibliche Ausbildung und Erziehung der Jugend, und in specie auch der studierenden Jugend beziehen, fügen wir unseren früheren Berichten über darauf bezügliche Schulprogramme noch nachträglich den über das obenangeführte der höheren Bürgerschule zu Trier hinzu. Der Vf. unternimmt darin eine kurze aber treffende Würdigung des Turnens nach seinem entschiedenen und bedeutungsvollen Verhältnis zur Paedagogik. Indem er sich von einer oft bemerkten Ueberschätzung des Turnens fern hält, berührt der Vf. zunächst den Gedanken, dasz die Leibesübungen als solche zwar immerhin einen wesentlichen Theil unserer Lebensthätigkeit ausmachen; 'indes, soweit die Seele über den Leib erhoben sei, so viel wichtiger bleibe die geistige Erziehung gegenüber der körperlichen'. Von diesem Standpunkte aus schätzt der Vf. zwar die Turnkunst als Mittel zur Erlangung der körperlichen Gewandtheit und Kraft, für gefälligen Anstand und gestählte Gesundheit, beschäftigt sich aber in seiner Abhandlung hauptsächlich mit dem Nachweise: wie die geistige und sittliche Bildung der Jugend durch Turnübungen gefördert werde. 'Es musz das Turnen vom sittlichen Geiste getragen und zur sittlichen Bildung benutzt werden' ist die Hauptforderung des Vf., worauf er näher darauf eingeht vom Turnen nachzuweisen, dasz es für Erreichung dieses Zwecks ein treffliches Mittel sei, indem es Festigkeit des Willens, Entschlossenheit und Geistesgegenwart, Mäszigung und Besonnenheit und Gehorsam 'jene Cardinaltugend, ohne welche überhaupt keine Erziehung gedacht werden kann' übe. Wenn diese Gedanken an sich nicht neu sind, so sind sie von Hrn. Hartmann doch besonders schlagend und eindringlich vorgeführt.

Die gymnastischen Freiübungen von Rothstein unter Nr. 2 sind von uns in erster Auflage bereits im Bd. LXVIII d. Jahrb. besprochen worden. Die neue Auflage ist durch eine Abhandlung: 'Bemerkungen über die Gymn. für das weibliche Geschlecht' vermehrt; auch zeigt sich eine Vermehrung und Verbesserung der Abbildungen. Vom königl. preusz. Unterrichtsministerium ist das vorstehende Werk für sämtliche Schulen empfohlen worden, woraus der baldige Vertrieb der 1. Auflage zu erklären ist.

Unser früheres Urtheil können wir auch nach Vorlage der 2. Auflage dahin wiederholen, dasz die hier gebotenen Freiübungen zu sehr den Charakter des unlebendigen und schwerfälligen an sich tragen, als dasz sie eine Bedeutung für eine frische erzieherische Behandlung des Turnunterrichtes haben könnten. Der hier gebotene Uebungsstoff ist recht verständig und sorgfältig zusammengestellt, allein dem ganzen fehlt das Leben, und die gegebenen Uebungen bilden eine spröde und starre Masse, die nur mühsam in Flusz gebracht und in Bewegung gesetzt werden kann. Den Spieszschen Freiübungen gegenüber sind die Rothsteinschen zu arm an Belebungs- und Bildungselementen, und weil sie nicht wie jene einer groszen Bildsamkeit fähig sind, sind sie auch nicht bildend. Statt des lebendigen Verkehrs, der beim Spieszschen Turnunterrichte zwischen Lehrer und Schüler durch eine wirklich charakteristische Methode hergestellt wird, tritt hier bei Rothstein die Manier der sogenannten Uebungszettel ein, womit den Schülern wie durch die heilgymnastischen Recepte in den Kursälen, der Uebungsstoff für eine Turnstunde reglementarisch vorgeschrieben wird. Hr. Rothstein gibt im Anhange des

Buches Beispiele solcher Uebungszettel, die von einer eigentlichen
unterrichtlichen Gestaltung gar wenig Spuren zeigen und dem lebendigen Unterrichte nur zum Hemnis dienen können. Dem Lehrer,
welcher kein Unterrichtsgeschick besitzt, wird es auf diese Weise
leicht gemacht; er braucht nur solche Uebungszettel in die Hand zu
nehmen. Allein wie langsam und langweilig musz es in einer solchen reglementarischen Turnstunde zugehen, und wie wenig ist diese
Weise geeignet, den Schülern eine allseitige und durchgreifende Leibesübung zu gewähren. Man hatte es lange Zeit beim Turnen der
Jugend übersehen, dasz jede übermäszige Muskelanstrengung verderb-
lich wirkt, indem man z. B. schon in den untern Gymnasialklassen
solche Uebungen an Geräthen treiben liesz, die erst dem reiferen Alter zuträglich sind. Hr. Rothstein hat das zu vermeiden gesucht und
ist nun mit seinen Uebungszetteln in den andern Fehler verfallen, indem die damit beabsichtigte Leibesbewegung nicht das volle Masz
erreichen kann, und eben deshalb auch ihren Zweck nicht erfüllt. Hr.
Rothstein nimmt Anstosz daran, dasz die Spieszschen Freiübungen
einer so manigfachen Veränderung fähig wären und ins unendliche
giengen. Es finden dieselben aber ganz natürlich ihre Schranken in
dem geistigen Fassungsvermögen und in dem Grade der leiblichen
Ausbildung der Schüler, so dasz man sie nicht, wie hier geschehen,
als etwas fertiges und künstlich beschränktes hinstellen kann. Darnach soll man die Rothsteinschen Freiübungen nehmen wie sie sind,
und weder etwas dazu thun noch davon nehmen. Dazu fehlt ihnen
aber die Classicität, wodurch sie dem Bedürfnisse der Schulen ent-
sprächen. Es scheint fast, als habe sich Hr. R. beim entwerfen seiner
Freiübungen Soldaten als seine Schüler gedacht, denen ein solch ab-
gemessenes Turnen vielleicht eher genügt, weil hier die Uebungen
nur auf den militärischen Zweck beschränkt werden, so dasz alles
wegfällt, was über oder unter dem engbegränzten Ziele liegt. Das
ist aber etwas anderes bei Knaben und Jünglingen, die eine harmo-
nische und allseitige Leibesbewegung brauchen, und bei denen eine
grosze Lust an höchst manigfachen Bewegungsformen bemerkbar ist,
welche sich als ein unverkennbares Naturbedürfnis kund gibt.

Die Armuth der Rothsteinschen Freiübungen stellt sich namentlich in den Abschnitten: 'Gang-, Lauf- und Springübungen' und
'takto- gymnastische Uebungen' heraus, namentlich wenn man die
unterrichtlichen und aesthetischen Zwecken ungleich mehr entsprechende Spieszsche Behandlung dieser Uebungsarten dagegen hält. Das
ungelenke der vorliegenden Freiübungen zeigt sich auch darin, dasz
bald nur 8—10 Schüler, bald 8 oder 12, bald nicht unter 7 und nicht
über 20—24 usw. daran Theil nehmen können. Man sieht daraus, dasz
ihr Vf. noch wenig mit vollen Schulklassen gearbeitet hat, sonst
würde er wie Spiesz seinem Unterrichtsmaterial eine bessere und
handlichere Form gegeben haben, mit welcher es sich leicht den
Schulabtheilungen anschlieszt, gleichviel ob dieselben 10, 20, 30 oder
mehr Schüler zählen.

Die Abschnitte 'Bewegungen mit Stützung' und 'Ringeübungen' (S. 97—102) mögen unter Umständen brauchbares für erwachsene Schüler bieten und sind hier als neu und eigenthümlich zu bezeichnen. Mit Ausnahme dieser beiden Abschnitte bieten aber die 'gymn. Freiübungen' durchaus nichts neues. Sie hätten vielleicht vor 10 Jahren als eine Verbesserung der sogenannten Gelenkübungen der alten Jahnschen Schule angesehen werden können, während sie den Spieszschen Freiübungen gegenüber gegenwärtig eine sehr untergeordnete Stellung einnehmen.

Auch die 'g y m n a s t i s c h e n R ü s t ü b u n g e n' (Nr. 3) oder das Turnen an Geräthen kann man nicht als eine Bereicherung der gymnastischen Litteratur ansehen.

Es war eine verkehrte Ansicht, dasz man lange Zeit die Turngeräthe als die Hauptsache beim Turnen ansah und alle Uebungen nach den Geräthen ordnete. Indem man so viel als möglich solcher Vorrichtungen und der an ihnen vorzunehmenden Uebungen zu entdecken suchte, sah man dieselben als Zweck und nicht als Mittel an. Doch ist man nicht erst seit gestern zu der Ueberzeugung gelangt, dasz nur der menschliche Organismus den Maszstab für die Auswahl des turnerischen Uebungsstoffes abgeben kann, und dasz von künstlichen Vorrichtungen nur so viel zu Hülfe zu nehmen ist, als es das naturgemäsze Bewegungsbedürfnis des einzelnen erheischt. Deshalb hat man auch schon längst die Nothwendigkeit einer Vereinfachung des Geräthturnens gefühlt.. Dr. H. Jäger namentlich hat in seiner 'Gymnastik der Hellenen' bereits den Gedanken ausgesprochen, dasz aus unsern vielen Turnarten eine Quintessenz gezogen werden müsse, um etwas ähnliches zu erhalten, wie es die Griechen in ihren Pentathlen besaszen. Ein solches bestreben ist auch in den Rothsteinschen Rüstübungen zu erkennen, indem die so weit verbreiteten 'Barren- und Reckübungen' gänzlich bei Seite gelassen werden und nur die Uebungen: am Balancierbaum — am Querbaum — an den Klimm- Kletter- und Steigegerüsten — an den Sprunggestellen und am Voltigierbock ihre Berücksichtigung finden. Hr. R. hält S. 3 die Ausschlieszung einer Menge von Uebungsgerüsten um so mehr motiviert, als die gymnastischen Freiübungen den eigentlichen Kern des Turnens ausmachen sollen. 'Es sei darauf hingewiesen, dasz die mit Recht so sehr gerühmte und so schöne und grosze Resultate erzielt habende g r i e c h i s c h e Gymnastik sich gar nicht mit Rüstübungen befaszte.' Das grosze Einfachheit verrathende griechische Vorbild ist allerdings sehr der Beachtung werth, kann aber nicht die Norm abgeben für die Gestaltung des Turnens in der Neuzeit. Wenn das statthaft wäre, nun so brauchte man ja nur das Pentathlon, das seinen 5 Uebungen nach hinreichend bekannt ist, wieder einzuführen. Man würde sich aber bald davon überzeugen, dasz das nur unter bedeutenden Abänderungen möglich wäre und unseren Turnern wenig Befriedigung gewähren würde. Bei den auf deutschen Turnplätzen gebräuchlichen Turngeräthen kommt ebenso wol die Zweckmäsizigkeit in Betracht, als auch das anziehende der daran vorzunehmenden Uebungen. Wo die Lust an den Uebungen fehlt, ist mit der Nützlichkeit allein wenig auszurichten.

Was nun die Rothsteinschen Rüstübungen anlangt, so sind dieselben jedenfalls sehr verständig und mit technischer Genauigkeit ausgewählt und behandelt; allein in dem ängstlichen Bestreben, beim Geräthturnen schädliche Misgriffe zu vermeiden, ist die zu grosze Vereinfachung und Vernüchterung desselben in einen steifen Pedantismus umgeschlagen, der hier kaum an seinen Platze sein dürfte. Es wird durch diese trockene und dürftige Auswahl von Rüstübungen dem lebendigen Bedürfnisse der Jugend nicht entsprochen und dem Turnen selbst durch das unnatürliche einschränken auf einige wenige Bewegungsformen der lebensfrische Reiz abgestreift, ohne den es nur kümmerlich gedeiht.

Es ist weder nothwendig noch möglich, das Turnen als eine streng logische Bewegungslehre zu halten. Der menschliche Organismus mit seinen Grundbestandtheilen und Grundbewegungen kann nur die allgemeine Basis, und die Rücksicht auf den praktischen Zweck nur die allgemeine Peripherie der Bewegungen abgeben. Jede Uebertreibung in der Folgerichtigkeit der Bewegung und jedes kurzsichtige haften an einzelnen praktischen Zwecken wird die Lust ebenso sehr tödten, wie den Erfolg lähmen. Das Turnen ist weder aus dem denken, noch blosz aus dem Bedürfnisse entstanden, sondern ebenso sehr aus einem natürlichen Drange nach freier Bewegung, welche in der Natur des Organismus und in den natürlichen Vorrichtungen zwar Masz und Richtung, aber keine absolute Schranke findet.

Jener wissenschaftliche Rigorismus, welcher nach Rothstein in einseitiger Weise die fröhliche 'Brauchkunst des Lebens' zu einer 'abstracten Muskellogik' erheben, und sie von allem entkleiden will, was nicht unmittelbar zur Muskelaction und zur Förderung des physiologischen Processes im Körper gehört, stellt die Gymnastik ziemlich tief und gibt ihr einen Charakter, der wenigstens ihrer paedagogischen Verwerthung nicht entspricht. Prof. Dr. Ideler hat an einer anderen Stelle *) 'die Bedeutsamkeit der Gymnastik in ihrer Anwendung anf Geisteskrankheiten' dargelegt und dabei auch nachgewiesen 'dasz alles, was unter dem Namen der schwedischen Gymnastik dargeboten wird, dazu völlig unbrauchbar ist, weil nur eine ganz active, den Körper nach allen Seiten hin in volle Selbstthätigkeit versetzende Muskelübung jene mächtigen Erfolge erzielen kann.' Aus demselben Grunde verliert die sogenannte schwedische Gymnastik ihre Bedeutung auch für die Erziehung. Jenes partielle reglementarische inbewegungsetzen einzelner Muskelgruppen liegt ebenso, wie das langweilige und geistlose sichturnenlassen mittels der sogenannten 'Specialbewegungen', denen Hr. R. hier S. 75—96 besondere Aufmerksamkeit widmet, weit ab von jenem ergreifen des ganzen

---

*) Neue Jahrbücher für die Turnkunst. Heft III S. 202.

Menschen, wie es sich die paedagogische Turnkunst zum Zwecke gemacht hat. Eine Gymnastik, welche den zu bildenden und gesund zu erhaltenden Organismus nicht in seiner Zusammenstimmung mit dem geistigen Leben und den geistigen Kräften des Menschen behandelt, hat für die Jugenderziehung keine Bedeutung. Die schwedische Gymnastik ist viel zu materialistisch, indem sie nur die Körperlichkeit ins Auge faszt und in ihrer Praktik z. B. die geistige, sittliche und gemütliche Seite des Zöglings so wenig berührt, als habe sie es nur mit einem Muskel- und Knochenapparat zu thun. Deshalb ist es nicht ohne Bedeutung, dasz in den Rothsteinschen Rüstübungen der gröste Theil der erläuternden Figuren als Scelete dargestellt ist, was für die Erklärung recht zweckmäszig sein mag, der Sache aber denn doch ein abschreckendes Aussehen gibt.

In den 'Specialbewegungen' oder sogenannten duplicierten Uebungen, welche darin bestehen, dasz zwei oder mehr Turner in Wechselwirkung zueinander treten und sich bei Ausführung einer Leibesübung nach angemessenem Verhältnisse hindern und so eine kräftigende Anstrengung veranlassen, findet die schwedische Gymnastik bekanntlich ihre Eigenthümlichkeit, da sie nur diese Uebungen als etwas wirklich neues geboten. Durch dieselben soll ein localisieren der Thätigkeit erfolgen und eine Einwirkung auf bestimmte Organe erreicht werden. Hr. Rothstein hat diese Uebungen besonders behandelt und selbst die passiven Uebungen zu den Rüstungen gezählt, wobei der eine Turner vom andern mit Hackungen, Klatschungen, Walkungen usw. traktiert wird. Wir sehen unter jener Rubrik einen Turner rittlings auf einer Bank sitzen, während der andere ihm den Oberkörper um seine Axe dreht und den dabei angewandten Widerstand überwindet; ein anderer liegt auf einem Divan und läszt sich unter seinem Widerstande durch einen zweiten den Fusz drehend, beugend oder kreiselnd bewegen usw. Wenn wir auch zugeben wollen, dasz diese Uebungen besondere physiologische Vorgänge im Organismus hervorrufen, die ihre diaetetische Bedeutung haben, so ist die Anwendung derselben doch für Schulanstalten unpraktisch und, wie Prof. Ideler andeutete, nicht ausreichend. Für gymnastische Cursäle, oder für das Einzelturnen mögen diese Specialbewegungen dann und wann am Platze sein, nicht aber für das Turnen gesunder oder gar der Schulen. Von den im Rothsteinschen Buche aufgeführten Uebungen dieser Art werden nur einige wenige zur Ausführung mit erwachsenen Gymnasialschülern geeignet sein. Wenn Hr. Rothstein S. 109 sagt: 'Für den diaetetischen Erfolg ist es vortheilhaft, den Beschlusz der Uebungen mit der Ausführung irgend einer der ausgleichenden Uebungen zu machen und auch wol, wenn die übenden in starke Transpiration geriethen, ihnen geeignete Passivbewegungen (Druckstreichungen, Reibungen, Klatschungen, Knetungen usw.) zu applicieren oder resp. sich gegenseitig applicieren zu lassen', so ist uns die Durchführung solcher Maszregeln, abgesehen davon, dasz sie an das absurde streifen, in praxi kaum denkbar und würde namentlich bei Schulturnanstalten zu einem completen Unfuge führen. Denn bei wie viel Schülern kann man einen solchen Ernst voraussetzen, wie ihn Hr. Rothstein selbst in die Sache legt? Ein ehrenwerthes ernstes streben musz Hrn. Rothstein zugestanden werden; das zeigt sich auch in der Behandlung vorstehender Rüstübungen. Aber es ist darin zu viel Ernst, zu viel strenge Berechnung und zu wenig 'Freude, die alles durchglühen soll', wie ja Ling selbst gesagt hat. Fassen wir nach den gemachten Anführungen unser Urtheil zusammen, so wird es dahin gehen müssen, dasz das neue in den Rothsteinschen Rüstübungen nicht brauchbar, und das brauchbare darin nicht neu ist. Ein gebildeter Turnlehrer an einem Gymnasium wird besser thun, wenn er die 'Gymnastik für die Jugend 1804' und das 'Turnbuch für Söhne des Vaterlandes 1817' von Guts-muths zur Hand nimmt, als die im J. 1855 erschienenen 'Rüstübungen nach Lings System'.

Nr. 4. Das Werk von Prof. Ideler ist seiner Bestimmung und seinem ganzen Zuschnitte nach besonders geeignet, in diesen Blättern genannt zu werden. Während die Diaetetiker sich fast durchweg nur mit der Erhaltung der Gesundheit beschäftigt haben, hält es Prof. I. für ein schädliches Vorurtheil, als sei die Gesundheit keiner eigentlichen Vervollkommnung fähig, weshalb sich die Sorge für sie darauf beschränken müsse, sie nur in demjenigen Zustande zu er-halten, welcher sich dem Gefühl als ein naturgemäszer ankündigt. Der Vf. faszt dagegen den Begriff so, dasz die Kräfte, aus deren harmonischem zusammenwirken die Gesundheit hervorgeht, durch angemessene Uebung zur höchsten Entwicklung gebracht werden müssen, wenn ihr gemeinsamer Bund jene gediegene Festigkeit erlangen soll, welche das Leben allein in einem geregelten Gange erhalten und den nachtheiligen Einflüssen eine hinreichende Schutzwehr entgegenstellen kann. Mit einer treffenden Schilderung und Kritik der gegenwärtigen Culturverhältnisse führt der Vf. zugleich den Nachweis davon, dasz bei der Mehrzahl der Menschen der gröste Theil der Kräfte ein todter, weil unbenutzter Schatz bleibt, und dasz eine unendlich gröszere Fülle des Lebens seiner Quelle entlockt werden könnte. Diese heutzutage allerdings häufige Verwahrlosung des heiligen Interesses der wahren Gesundheit beklagt Prof. Ideler um so mehr, als die Aufgaben der Völker in dem Masze, als sie groszartiger und verwickelter werden, auch einen bedeutend erhöhten Kraftaufwand erfordern, welcher in zunehmendem Masze die wirklich vorhandenen Kräfte erschöpfen musz, wenn nicht das schreiende Misverhältnis zwischen der Leistungsfähigkeit der einzelnen und ihren vermehrten Obliegenheiten eine gründliche Abhülfe findet. Der Vf. behauptet, dasz jenes Vorurtheil auch im Gebiete der Erziehung Platz gegriffen habe, indem gar viele Erzieher sich meist blosz auf ein abwehren schädlicher Einflüsse beschränkten und ein directes einschreiten zur körperlichen Kräftigung ihrer pflegebefohlenen versäumten. Deshalb hält es Prof. Ideler für eine der grösten paedagogischen Unterlassungssünden, wenn in gedachter Hinsicht bei der Jugend nicht ein fester Grundbau für die reiferen Jahre angelegt werde. Oft wären die Schuleinrichtungen der Art, dasz sie den gebieterischen Forderungen der Natur geradezu Hindernisse entgegenstellten und es verhinderten, dasz die menschliche Organisation zu jener Reife, Gediegenheit und Dauerhaftigkeit geführt werde, welche nur allein Gewähr leisten für eine reiche Ernte des Mannesalters.

Für diesen Zweck ist unserem Vf. die Gymnastik eines der wichtigsten Hülfsmittel. 'Jene laute Stimme der Natur', sagt er S. 14, 'kündigt sich in dem fast übermäszigen Bewegungstriebe an, welchen sie in alle Nerven und Muskeln des Knaben und Jünglings gelegt hat, und welchen man recht eigentlich als die ihnen aus innerer Nothwendigkeit angestammte Gymnastik ansehen musz. Denn letztere bietet das allein mögliche Mittel dar, jedes zum Leben nothwendige Organ in eine unerschöpfliche Quelle von Kraft zu verwandeln, und die Ströme derselben durch den Körper dergestalt im Gleichgewichte oder in harmonischer Ordnung zu erhalten, dasz sie sich bei ihrem Gebrauch von selbst regeln, und es nicht erst der manigfachsten Künsteleien bedarf, um hier ihrem Ueberflusz einen Damm entgegenzustellen, oder dort, wo ihre Quelle zu versiegen anfieng, ihren stärkeren Zuflusz hinzuleiten. In dem Masze, als alle Organe durch die Gymnastik lebendiger, kräftiger werden, erlangen sie auch eine gröszere Derbheit, Fülle und Widerstandsfähigkeit gegen manigfache Schädlichkeiten, und somit die natürliche Bedingung zu einer nachhaltigen Energie.'

Prof. Ideler berührt auch jenen Umstand, wonach die Erzieher nicht selten sich einer Sorglosigkeit überlassen und solche diaetetische Bildungsmittel gänzlich ignorieren, weil die meisten Knaben und Jünglinge bei der heutzutage gebräuchlichen, jene körperliche Ertüchtigung nicht berücksichtigenden Erziehungsweise, 'sich wolbefinden, sichtbar wachsen und gedeihen'. Es erklärt sich diese Erscheinung mit der überschwenglichen Fülle des jugendlichen Bildungstriebes, welcher wol ausreicht, um eine Reihe von Jahren hindurch den täglichen Verlust an Kraft und Regsamkeit dem Anscheine nach ohne alle Einbusze zu ertragen, und somit dem oberflächlichen Beobachter den im stillen vorbereiteten Ruin der kommenden Jahre ganz zu verdecken. Der Vf. geht auch näher darauf ein, wie die Anforderungen und Einrichtungen der Schule nur zu leicht eine Verkümmerung des Jugendlebens herbeiführen und dadurch den Grund zu mancherlei Schäden und Gebrechen legen, welche erst in späteren Jahren hervortreten.

Indem die Natur durch Gymnastik den ganzen jugendlichen Körper durcharbeiten, und somit auf unzerstörbarer Grundlage das reichste Kapital an Kräften anlegen wollte, flöszte sie dem jugendlichen Gemüte ein wahrhaft gebieterisches Bedürfnis nach freier Bewegung ein, und wehe dem Knaben und Jünglinge, bemerkt Prof. I., welcher dieses Bedürfnis nicht mehr empfindet, folglich auch nicht befriedigt,

da ihm ein gebrechliches Leben ebenso gewis bevorsteht, als auf an_
haltende Dürre Miswachs folgt.' Dabei hält sich der Vf. fern von
jener Ueberschätzung des körperlichen, indem er sich z. B. S. 17
über das Verhältnis leiblicher Erziehung zur wissenschaftlichen Bildung also äuszert: 'Ich glaube in meinen bisherigen Schriften hinreichend gezeigt zu haben, dasz ich die Wissenschaften als eine der
o b e r s t e n Nothwendigkeiten des Lebens anerkenne, weil in ihnen
die höchste Entwicklung des Geistes sich vollbringen soll, welche im
eudlosen Streite der praktischen Interesse niemals vollständig ge_
lingen kann. Deshalb fürchte ich auch nicht, in den Verdacht jener
Tendenzen zu gerathen, welche zu allen Zeiten die Wissenschaften
rückgängig machen, und die alte Barbarei zurückrufen wollten, welche nur durch die rastlosen Anstrengungen der Schulen besiegt werden konnte, an deren Grundlage zu rütteln ein Frevel an der Menschheit sein würde. Es konnte nur meine Absicht sein, die so oft von
den Aerzten ausgesprochene Rüge der f e h l e r h a f t e n S c h u l e i n -
r i c h t u n g, welche die naturgemäsze Entwicklung des jugendlichen
Körpers dem falsch verstandenen geistigen Interesse aufopfert, als
Beweis zu benutzen, dasz so lange jene Schuleinrichtung fortdauert,
auch eine vollkräftige Gesundheit nicht möglich ist, ja sogar ihr Begriff durchaus misverstanden, und mit jenem trügerischen wolbefinden
verwechselt wird, welches die Quelle unsäglicher Irthümer geworden
ist. Zu letzteren rechne ich namentlich die allgemein verbreitete Ansicht, dasz eine dauerhafte Gesundheit ohne fortwährende Uebung
der Muskelthätigkeit erhalten werden könne, weil eben unzählige
Menschen sich ohne eine solche bis in ein hohes Alter, wenn sie
sonst nur die bekannten Schädlichkeiten vermeiden, wolbefinden. In
dieser Ansicht liegt aber deshalb ein Trugschlusz, weil ihre praktische Anwendung mit allen Anstrengungen in Widerspruch steht,
welche eine in sitzender Lebensweise abgeschwächte Kraft den gröszten Gefahren aussetzen, indem sie die verzärtelten Organe dergestalt
erschüttern, dasz ihr loses Gewebe nur allzu leicht zerreiszt.'

Nachdem der Vf. diese seine Ansicht in der Einleitung entwi-
ckelt und näher begründet hat, behandelt er das gesamte Gebiet der
Diaetetik in 4 Abschnitten: Allgemeine Lebensbedingungen — die
Gymnastik — Diaetetik der Verdauung — Diaetetik der Haut.

Für die richtige Stellung und Behandlung der Gymnastik gibt der
Vf. durchgehends und namentlich im II. Abschnitte treffliche Winke,
die für Gymnasial-Turnlehrer besonders groszen Werth haben, weil
vielfach auf die Entwicklung und die eigenthümlichen Verhältnisse
der studierenden Jugend Bezug genommen wird. Indem so Prof. Ideler in dem Systeme des natur- und vernunftgemäszen menschlichen
handelns der rationellen Turnkunst ihre Stelle anweist, meint auch
er damit keineswegs die oben erwähnte schwedische Receptgymna-
stik, sondern ein organismusgemäszes Turnen mit seinem alle Muskeln, alle Sinne, alle edleren Gefühlsregungen ansprechenden Einflusse, mit all seiner Poësie, die es nach dem Muster des griechischen

Vorbildes zu einer 'Arbeit im Gewande jugendlicher Freude', zu edlem Wettkampfe gleichstrebender Genossenschaften, zu sittlicher Durchgeistigung des Leibes macht.

Wir müssen uns hier auf die gegebenen Auszüge beschränken und schlieszen das Referat über das treffliche Buch mit dem Wunsche, dasz Gymnasial-Turnlehrer, Gymnasiallehrer, Gymnasialdirectoren und Schulräthe sich Einsicht in dasselbe verschaffen möchten, damit jeder an seinem Theile den billigen Forderungen des gelehrten Mediciners immer und überall nachkomme und so sich der Interessen der Jugend annehme nach den Worten Luthers: 'Es ist eine ernste und grosze Sache, da Christo und aller Welt viel an liegt, dasz wir dem jungen Volk helfen und rathen; damit ist denn auch uns und allen gerathen und geholfen.'

Nr. 5: In Betreff der 'Neuen Jahrbücher für die Turnkunst' enthält sich Ref. natürlich der Kritik und beschränkt sich blosz auf eine Anzeige dieser in vierteljährlichen Heften erscheinenden Zeitschrift, welche es sich als Hauptaufgabe stellt, das Ziel des Turnens als öffentliche Erziehungsangelegenheit für die Jugend aller Schulen zu verfolgen. Es soll darin die eigentliche Turnpaedagogik vertreten sein und das Turnen als eine Kunst behandelt werden', deren Mittel nach den Grundsätzen der Zweckmäszigkeit und des Bedürfnisses mit Rücksicht auf die leibliche Gesundheit, des Anstandes und der naturgemäszen Kraftentwicklung und Gewandtheit zu ordnen und anzuwenden sind. Daher fallen vorzugsweise diejenigen Bestrebungen in das Bereich der Jahrb., welche eine wirkliche Lebendigmachung der Sache bei den Schulen bedingen helfen. Daran schlieszen sich andere Richtungen und Entwicklungen, die eigenen und verwandten Zielen gelten, so dasz: 1) das Turnen für die Schulen aller Gattungen: 2) die Gesundheitspflege im allgemeinen und insbesondere für Schule und Haus; 3) das Verhältnis der Turnkunst zur Heilkunde, zum Heerwesen und zu Anstalten aller Art (Irren-, Taubstummen- und Blindenanstalten, Kinderbewahranstalten usw.) als Gegenstände gelten, die von den Jahrbüchern in den Kreis ihrer Besprechungen gezogen werden. Zu diesem Zwecke werden auch in den Jahrbüchern Schulmänner, Aerzte und Turnlehrer Hand in Hand gehen, um ihren Gegenstand nach allen seinen Beziehungen zu fördern. Von Abhandlungen enthält das erste Heft: 'Ueber den Zweck der neuen Jahrbücher' von Klosz — 'Die Turnkunst und die Schule' von Spiesz — 'Kurzer Ueberblick über die Entwicklung des deutschen Schulturnens von Gutsmuths bis auf die neueste Zeit' von Waszmannsdorff — 'Ueber die Nothwendigkeit, bei allgemeinen, vorzüglich paedagogischen Turnübungen strenge Gleichseitigkeit zu beachten' von Dr. Schreber. — 'Der Turnunterricht bei den Gymnasien' von Klosz. Im zweiten Hefte folgt die Fortsetzung der Abhandlungen von Klosz und Waszmannsdorff und als neu treten hinzu: 'Entwicklung einer Reihe von Freiübungen' von Klosz — 'Der Turnunterricht in dem k. Seminar für Stadtschulen zu Berlin' von Kawerau — 'Ueber Heilgymnastik im allgemeinen? von Dr. Schreber. Auch im d r i t t e n Hefte werden die Abhandlungen über 'Turnen bei den Gymnasien' und 'Entwicklung des Schulturnens' fortgesetzt, woneben als neue folgen: 'Ueber die Heilgymnastik in ihrer Anwendung auf Geisteskrankheiten'. Von Prof. Dr. Ideler — 'Die Gangschaukel' von H. Kluge — 'Die Heilgymnastik in ihrem Verhältnis zur Wasser- und Seebadekur' von Dr. Friedrich. Unter der Rubrik: 'Bücheranzeigen' sind in allen 3 Heften eingehende Besprechungen über 14 turnerische und diaetetische Schriften von Rothstein, Neumann, Nitzsche, Böttcher, Friedrich, Schreber, Reichel, Bock, Ideler, Georgii, Berend usw. Die Abtheilung 'Nachrichten und vermischtes' ist in den 3 Heften ziemlich reich ausgestattet; auch haben neben den Herausgebern die Herren Dr. Berend, Dr. Breier, Hildebrand, Dr. Ideler, Kawerau, Kluge, v. Linsingen, Lau, Lauckhard, Dr. Richter, Scheibmaier, Dr. Timm u. a. Beiträge für die Jahrb. geliefert oder zugesagt, so dasz eine würdige Vertretung der hier einschlagenden Angelegenheiten in Aussicht gestellt werden kann.

Nr. 6. Ueber das 'Athenaeum für rationelle Gymnastik' haben wir schon bei seinem ersten erscheinen im B. LXX d. Bl. S. 328 berichtet und dort die Tendenz dieser Zeitschrift als Vertreterin der echten Lingschen Gymnastik genug bezeichnet. Auch in dem vor uns liegenden II. Bande ist ein reiches Material niedergelegt, welches zur Aufrechterhaltung des reinen Princips der schwedischen Gymnastik dienen soll, und vorzugsweise eine physiologische Analyse der für medicinische und paedagogische Zwecke dienenden Uebungen anstrebt. Unter den 16 Abhandlungen dieses Bandes sind nur: die Gymnastik für blinde, von Rothstein — das Turnen in Deutschland und die Gymnastik der Schweden, von Nitzsche — Anleitung zum Stabspringen, von Kluge — Reisebeobachtungen auf dem Gebiete des Turnwesens, von Ravenstein — allgemeinen und paedagogischen Inhalts. Der gröszte Theil der gelieferten Arbeiten bezieht sich auf therapeutische Verwendung der gymn. Uebungen, zu welchem Zwecke namentlich Dr. Neumann viele Beiträge lieferte. Besonders bemerkenswerth ist es, dasz von den schwedischen Gymnastikern auch die v. Reichenbachsche Odlehre in den Kreis ihrer Experimente gezogen wird, wie aus dem Artikel: 'Das Od und die Heilgymnastik? von Dr. Neumann zu ersehen ist. Zu den manigfachen Hypothesen der schwedischen Gymnastik, welche hinsichtlich der physiologischen Vorgänge im menschlichen Körper durch die so hochgestellten duplicierten Turnübungen von den Verfechtern dieser Lehrer aufgestellt worden sind, gesellt sich somit noch eine unfertige Lehre, der die wissenschaftliche Begründung zur Zeit noch vollständig abgeht. Dr. Neumann hält die Wirkungen und Gesetze der Odkraft für die Gymnastik von der höchsten Wichtigkeit und glaubt sogar, dasz sie selbst den praktischen Betrieb derselben umzuändern vermöchte. Durch dieses hineinziehen der mysteriösen Odlehre in das Gebiet der schwedischen

Gymnastik erhält diese selbst keineswegs eine tiefere Begründung, sondern wird nur noch complicierter und unpraktischer.

Die 'litterarischen Referate' des Athenaeums erstrecken sich über 14 Schriften, von denen nur 2 nichtmedicinischen Inhalts sind. Auch in den 'Nachrichten und Notizen vermischten Inhaltes' ist das medicinische Element vorherschend, so dasz Erzieher und Turnlehrer im Athenaeum wenig für ihre Zwecke finden. Die Einseitigkeit der im Ath. eingeschlagenen Richtung hat etwas abstoszendes und die angeblichen neuen Entdeckungen sind mit groszer Vorsicht aufzunehmen, so dasz wir auch nach Durchsicht dieses II. Bandes in der Ansicht über die schwedische Gymnastik bestärkt wurden, die Prof. Ideler mit den Worten ausdrückt: 'Um ganz unparteiisch zu sein, müssen wir es allerdings anerkennen, dasz der schwedische Gymnasiarch Ling zu einem deutlichen Bewustsein über die Nothwendigkeit einer wissenschaftlichen Begründung der Gymnastik gekommen ist, und dasz er es an rühmlichen Bestrebungen für diesen groszen Zweck nicht hat fehlen lassen. Indes die wissenschaftlichen Leistungen Lings und seiner Nachfolger gewähren, so weit sie öffentlich bekannt geworden sind, der strengeren Kritik sehr wenig Befriedigung und lassen noch die gröszten Mängel und Lücken erkennen, welche sie vergebens hinter Machtsprüchen verbergen, durch die eine ganz falsche Bahn für die anzustellenden Forschungen eröffnet worden ist.'

Nr. 7. In dem Werke des Dr. Neumann begegnen wir einer recht fleiszigen Arbeit, insofern sie das gesamte Gebiet der organischen Processe, die sich im Muskelleben des Menschen darstellen, vorzuführen und zu erklären versucht. Ganz besonders werden diejenigen Seiten des Muskellebens hervorgehoben, welche für das Turnen von specieller Wichtigkeit sind. Wir können uns in diesem Referate nicht auf die umfänglichen Untersuchungen einlassen, welche der Vf. über das äuszere und innere Muskelleben des Menschen anstellt, deren Resultate oft mehr als problematisch sind und durch die Verbindung mit der Odlehre keineswegs an Sicherheit gewinnen. Hier hat nur der III. Abschnitt des Werkes: 'Muskelbewegung als heilorganisches und turnerisches agens' für uns besondere Bedeutung, weil darin specifisch schwedische Uebungen geboten werden, welche Dr. Neumann zur Einführung in Turnhallen und besonders in Schulanstalten für geeignet hält. Dr. Neumann stellt an jeden Turnlehrer die Forderung, dasz er bei jeder Uebung, die er durch seine Schüler ausführen läszt, sich klar mache, welche Muskelgruppen dabei in Thätigkeit kommen, und welche physiologischen Effecte dadurch hervorgerufen werden. Deshalb stellt er auch die Forderung, dasz jede Turnübung nur langsam ausgeführt werden dürfe, 'weil sonst der Turnlehrer, der solche (nemlich schnelle) zuläszt, sich muthwillig die Controle der Muskelgruppen oder der Gliedermusculaturen entzieht, die geübt werden sollen, und es mehr den Turnern selbst überläszt, sehr verschiedene und während der Uebung wechselnde Muskelgruppen zu bilden.' Dieser Forderung gemäsz unternimmt nun Dr. N. eine Erklärung der physiologischen Vorgänge, welche durch die von Ling aufgestellten 3 Bewegungsarten: active, duplicierte und passive *), angeblich hervorgerufen werden, und beschreibt dann mit steter Hinweisung auf die dabei in Betracht kommenden Muskelgruppen eine lange Reihe duplicierter Turnübungen zur Anwendung in Schulturnanstalten.

Diese Muscular-Analyse kann unserer Meinung nach schwerlich so ins einzelne gehen, wie es Dr. Neumann für nöthig hält und für die einzelnen Turnübungen nachweisen will. Wir wollen den Werth derselben für Krankengymnastik nicht in Abrede stellen, halten aber ihre Bedeutung für paedagogische Gymnastik nur für sehr untergeordnet. Der berühmte Anatom und Physiolog Dr. Burdach bemerkt über die Muskelbewegung: 'Die 300 Muskeln, die uns zu Gebote stehen, geben nur die Primzahl der unzähligen Modificationen der Bewegung, welche durch die Verhältnisse der Faserbündel eines Muskels, durch die Art der Combination mehrerer Muskeln und durch den verschiedenen Grad ihrer Zusammenziehung hervorgebracht werden. Diese höchst zusammengesetzten und verwickelten Acte gehen aber meistens vor sich, ohne dasz sie unser Bewustsein berühren: wir wollen eine Reihe von Bewegungen und sogleich erfolgen sie. Der Anatom, der alle Muskeln und ihre Nerven kennt, wird sich bei seinen Bewegungen ebenso wenig als jeder andere ihrer Thätigkeit bewust, wie er denn auch vermöge dieser seiner Kenntnis nicht besser geht oder fester steht.' Für den Zweck der paedagogischen Turnkunst ist Bewegung überhaupt in Anschlag zu bringen, und wenn der Turnlehrer bei den verschiedenen Uebungen und Stellungen zunächst auch nur die freie Thätigkeit des Leibes nach der Seite ihrer äuszeren Erscheinung ins Auge faszt, so wird er doch den physiologischen Forderungen nachkommen, indem er eine richtige, alle Leibestheile ergreifende Zusammenstellung der Turnübungen anordnet. Beim paedagogischen Turnen ist es mit dem Muskelleben allein noch nicht gethan, und es darf nicht übersehen werden, dasz die Vermittlung der willkürlichen Bewegungen durch einen von einem bestimmten Theile des Rückenmarkes und Gehirns ausgehenden Impuls hergestellt wird. Diese geistige Seite der Bewegung ist für uns noch ein Geheimnis, obschon sie für leibliche Gesundheit von entschiedener Bedeutung sein musz, wenn wir an die Beispiele groszer Männer denken, die ihrem gebrechlichen Körper oft genug durch die Stärke ihres Geistes Halt und Stütze gegeben haben. Gerade in dem vollen dabeisein des ganzen Menschen bei Ausführung einer Turnübung liegt auch das nervenstärkende und allgemein wolthätige agens derselben. Wille und Muskelthätigkeit müssen beide gleichzeitig auf dasselbe Ziel gerichtet sein. Die Natur läszt sich nicht teuschen, und den heilsamen Erfolg tüchtiger und heiterer Bewegung wird man niemals erlangen, wenn man den Muskeln den vollen Betrag des natürlichen

---

*) S. diese Jahrb. B. LXVII S. 547.

Nerveneinflusses versagt. Das alles ist von den schwedischen Gymnastikern zu wenig oder gar nicht in Anschlag gebracht worden, wenn sie auf ein localisieren der Bewegung ausgehen und ein stückweises Turnen der Leibesglieder für zuträglich halten. In jenem basieren der Turnübungen auf das körperliche des Menschen liegt eben das materialistische der schwedischen Gymnastik, die damit zugleich einer ethischen Grundlage entbehrt. Wir wollen den Werth des schwedischen Systems für Krankengymnastik nicht in Abrede stellen, da mit seinen charakteristischen Uebungen allerdings auf bestimmte Muskelgruppen und Functionen des Leibes eingewirkt werden kann. Für paedagogische Gymnastik ist es aber gar nicht so wichtig, die Wirkungen der Turnübungen zu specialisieren, wie sie Dr. Neumann herauszuklügeln unternommen hat; hier kommt es im Gegentheil mehr auf ein verallgemeinern der Uebungswirkungen an. Dr. Neumann legt besonderen Werth darauf: ob durch diese oder jene Uebung auf den venösen oder arteriellen Blutumlauf eines Gliedes eingewirkt werde; allein es fehlt der Nachweis von der Richtigkeit dieser Behauptung. Darnach hat es auch keine Bedeutung, wenn Dr. Neumann den einzelnen Uebungen einen arteriellen oder venösen Charakter zuschreibt. Der Turnlehrer musz sich durch eigene Erfahrung Kenntnis von den Wirkungen der einzelnen Turnübungen verschafft haben; er musz wissen: wie er durch Gang-, Lauf-, Sprung-, Hangel-, Stütz- und Streckübungen seinen Schülern eine allseitige Körperübung gewährt. Wenn der Turnlehrer auch mit activen Uebungen ein specialisieren zu erreichen im Stande ist, so hat doch ein solches isolieren und localisieren der Bewegung, wie es Dr. N. verlangt, für ihn keine Bedeutung, weil er es mit dem ganzen Menschen zu thun hat und nicht mit einzelnen kranken Gliedern desselben.

Wenn Dr. Neumann vollends der Meinung ist, dasz er mit den hier gebotenen ' duplicierten Turnübungen' etwas brauchbares geliefert habe, so befindet er sich in einem starken Irthume. Es zeigt sich nemlich, dasz er gänzlich im unklaren über die praktische Durchführung jener Uebungen geblieben ist. Selbst wenn sie so zuträglich wären, wie er es behauptet, was wir aber in Abrede stellen müssen, so sind sie für den Schulgebrauch völlig ungereimt und unpraktisch. Nächst der entsetzlichen Langeweile, welche die Ausführung solcher Uebungen hervorrief, war vornemlich die Schwerfälligkeit der Ausführung ein Hemnis, indem sie durch eine Menge nicht so leicht zu beschaffender Apparate unterstützt werden müssen. Sessel und Bänke von verschiedener Grösze, Sprosenmasten, Klappgestelle, runde Polsterkissen u. dergl. musz der Turnlehrer stets zur Hand haben, was schon bei 3—4 Turnschülern ziemlich umständlich wird, geschweige denn bei einer ganzen Schulklasse. In dem vorliegenden Werke hat Dr. Neumann den activen Turnübungen ihre Rechte wenigstens einigermaszen wieder eingeräumt, nachdem ihm von Aerzten und Physiologen das absurde seiner Behauptung: ' active Bewegungen wirken nicht krankmachend, aber auch nicht heilend' nachgewiesen ist. Doch

ist seine Ueberschätzung der duplicierten Bewegungen immer noch
vorherschend, wenn er z. B. S. 207 sagt: 'Für die Bein-, Unter-
schenkel- und Fuszmuskeln habe ich bei weitem mehr duplicierte Bewegungen, als für die Armmuskeln gegeben, weil, wie schon oben
erwähnt, für Schüler, (die doch bis jetzt die gröszere Zahl der
Turnenden ausmachen) es als Gegengewicht gegen den das
Blut nach dem Kopfe ziehenden Schulunterricht, und
gegen die dasselbe bewirkenden (die Armmuskeln mehr in
Anspruch nehmenden) gewöhnlichen Turn-, Gerüst- und Freiübungen
besonders dienlich sein dürfte duplicierte Beinbewe-
gungen anzuwenden.' Wir können dem Herrn Dr. versichern,
dasz wir eine Menge von zweckmäszigen, angenehmen und schönen
activen Turnübungen besitzen, welche ganz denselben Zweck erfüllen,
den er mit den umständlichen und wirklich ungereimten duplicierten
Uebungen zu erreichen wähnt. Wir stimmen deshalb mit Prof. Rich-
ters Urtheil überein, welches also lautet: 'Wir unsererseits, wenn
uns die Wahl gestellt würde, auf unsere Turnplätze mit ihren
erfrischenden, frei und kraftvoll machenden Frei- und
Geräthübungen, ihren geistweckenden und aufheitern-
den Gemeinübungen zu verzichten und dafür schwedische Cursäle mit lediglich duplicierten und passiven
Uebungen einzutauschen: so würden wir im Interesse
der kranken Menschheit selbst den Tausch ablehnen und
es vorziehen auf dem bisherigen Wege nach und nach
das Turnen mittels ärztlichen Einflusses immer vollkommener auszubilden: sowol für seine allgemeiner volksthümlichen Zwecke, als für die Vorbauung und Heilung gewisser
Krankheiten, namentlich der in unserer Zeit das staatsärztliche Interesse in Anspruch nehmenden Endemien: der Muskelschwäche, Blut-
armuth, Tuberkelkrase, Verdauungsträgheiten.'
Dresden.　　　　　　　　　　　　　　　　　　　　*M. Klosz.*

40.

Entgegnung.

Hr. Dir. Dr. Piderit hat in diesen Jahrb. (Bd. LXXII S. 436 ff.)
mein 'Hülfsbuch für den evangelischen Religionsunterricht in Gymnasien' (Berlin, Wiegandt und Grieben 1854) anzuzeigen die Freund
lichkeit gehabt und damit an seinem Theile die Bitte erfüllt, welche
ich am Schlusse meines Vorworts an meine Collegen gerichtet hatte.
Mein Dank gebührt ihm von rechtswegen und ich spreche ihn um so
lieber aus, als der Hr. Rec. im groszen und ganzen mein Buch mit
Nachsicht und Wolwollen behandelt. In der Hoffnung, dasz sich manche von den Ausstellungen, welche Dir. P. an meinem Buche zu machen hat, beseitigen lassen werden, bemerke ich noch folgendes:

Die Zugabe von Kirchenliedern scheint mir auch dann noch erforderlich zu sein, wenn das (Eisenacher) deutsche evangelische Kirchengesangbuch in kirchlichen Gebrauch kommen sollte. Gerade darauf halten wir viel, dasz die Schüler das Material zusammenhaben. Dasselbe gilt von dem Katechismus. Es ist leicht von dem Primaner zu verlangen, 'dasz er seinen besonderen Katechismus als stetes Lernbüchlein habe', aber nicht so leicht scheint es mir, diesem Verlangen Folge zu geben.

Wenn Dir. P. es tadelt, dasz ich in den Andeutungen zur Glaubenslehre den Grundzügen Hülsmanns gefolgt bin, so setzt er mich damit in eine eigenthümliche Lage. Es ist nemlich fast zur guten Sitte geworden, diese Grundzüge 'subjectiv' und 'individuell' usw. zu nennen. Da ich sowol das in Rede stehende Buch als auch seinen Verfasser recht genau kenne, so hat jene Tradition der Kritik für mich keine Bedeutung. Hätte Hr. P. in diesem Punkte allein das eigene Urtheil befragt, so würde er in jenen 10 Ueberschriften doch vielleicht eine respectable Objectivität gefunden haben.

Wenn es auf S. 53 heiszt: 'Gott schuf die Welt durch sein Wort, d. h. durch seinen (liebevollen) Willen', vorher aber schon das Wort als schöpferisches stark betont ist, so kann ich in jener zweiten Anführung nur eine neue Beziehung in dem 'Worte' hervorzuheben beabsichtigen, diese Beziehung wird durch den Zusatz: 'durch seinen Willen', und noch näher durch die folgenden Worte: 'nicht als Ausflusz einer Fülle usw.' angedeutet. Das nähere steht in Hävernicks Vorlesungen über die bibl. Theologie des A. T. 1848 S. 66 f.

Der Rec. findet die Erklärung der iustitia originalis: 'sie war eine kindliche Hinneigung zu Gott und allem guten, welche wachsen, sich befestigen und durch die freie Selbstbestimmung des Menschen reifen sollte' schwach, er sagt nicht, worin diese Schwäche liege. Dasz die Sache selbst einige Schwierigkeit habe, gibt er indirect zu, indem er zu verstehen gibt, dasz viele andere an diesem Punkte gleichfalls gestrauchelt seien. Was er sodann berichtigend bemerkt, geht gar nicht auf jene Schwäche ein. Während bei mir nur von der sittlichen Ausrüstung die Rede ist, spricht er von der 'schöpferischen Erkenntnis und Geistestiefe' des ersten Menschen.

Mit Recht findet Hr. P. den Anhang von den Heiden etwas dürftig, eine 2e Aufl. wird diesem Fehler abhelfen. Indes werde ich doch den Charakter des Buches, das überall den ausführenden, veranschaulichenden Lehrer voraussetzt, auch hierin nicht verwischen. Hr. P. tadelt es, dasz ich in dem betreffenden Anhang und sonst öfters Hauptbibelstellen in genauer Uebersetzung mitgetheilt habe. Er meint, es sei dies zur 'Verdeutlichung' geschehen, aber nein, ich habe blosz Berichtigung im Auge gehabt. Vor einer solchen 'oft äuszerst ungeschickten Abweichung von dem kirchlichen Text' scheue ich mich nicht im mindesten, halte sie sogar in zahlreichen Fällen für pflichtmäszig. Wenn die richtige Uebersetzung Schwierigkeiten haben sollte, so ist der Lehrer dazu da, dieselben zu heben, er kann dann die Umschreibungen leicht geben, welche in das Hülfsbuch nicht gehören.

Der Tadel, welchen Hr. P. über die Behandlung der Bergpredigt
ausspricht, trifft zum groszen Theil auch meinen 'Gewährsmann'
Lange. Dasz die gegebene Eintheilung den Stoff 'bei weitem nicht
umfasse', hätte Hr. P. nachweisen müssen. In Betreff der Ausführlichkeit, mit der die Bergpredigt in meinem Buche behandelt ist, bin
ich guter Zuversicht.

Der Abschnitt von der Aneignung des Heils erscheint dem Hrn.
Rec. als der schwächste des Buches, ich halte ihn auch nicht für den
besten, aber aus andern Gründen als Hr. P. Was Hr. P. mir vor-
hält, erweist ziemlich deutlich, dasz ihm die dogmatische Litteratur nicht recht bekannt ist. Er würde sonst wissen, dasz meine
ganze Anordnung der Heilslehre dem 2n Bande der doch sehr bedeutenden Dogmatik Langes entnommen ist. Aus diesem Buche würde er
dann ersehen haben, warum die gewöhnliche Anordnung der Soterio-
logie nicht genüge. Lange weist nach, was auch schon andere ausgesprochen, dasz keine Stelle in der Dogmatik mehr in Verwirrung
liege, als die Lehre von der Heilsordnung, er thut aber mehr, er sucht
eine richtigere Folge der Heilsmomente aufzustellen und benutzt zu
dem Ende eine Bibelstelle, die ich in § 93 wegen ihrer durchgreifenden Wichtigkeit habe abdrucken lassen. Im übrigen musz ich Hrn.
P. auf die Ausführungen Langes verweisen, namentlich was das Recht
betrifft, erst von dem Heilswege und dann von der Kirche zu reden.

Hr. P. sagt: 'Wollte der Vf. den Weg der alten Kirchendogmatiker gehen, dann muste er auch die ganze volle, fest zusammenbängende Ordnung derselben befolgen' usw. Ich konnte das nicht
wollen, weil die 'alten' (lutherischen) Dogmatiker über diese Dinge
bekanntlich fast nichts sagen, und erst Quenstadt die Lehre von der
Aneignung des Heils einigermaszen ausgebildet hat. Was den abspre-
chenden Satz des Hrn. P. betrifft: 'Soll einmal systematisch geordnet
werden, dann musz es auch streng wissenschaftlich geschehen; subjectives doctrinäres belieben ist hier wie überall vom Uebel', so darf
ich ihn Hrn. P. gegenüber für erledigt halten. Dasz Hr. P. die christliche Religionslehre von Kurtz so warm empfiehlt, kann ich nur billigen, indes wunderte es mich, bei ihm, der den lutherischen Standpunkt so sehr betont, diese Empfehlung zu lesen; wenigstens hat die
Zeitschrift von Guericke und Rudelbach, die für lutherisches ein fei-
nes Sensorium hat, manches bedenkliche in jenem Buche gefunden.

Wenn ich schon in dem vorhergehenden einigemal in der Lage
war, den Ausstellungen des Hrn. P. Recht zu geben, so würde ich
noch weit öfter Veranlassung zu dieser Anerkennung haben, wenn ich
die noch übrigen, minder bedeutenden Bemerkungen des Hrn. Rec.
berücksichtigen wollte. Das Wolwollen, mit dem einige Gymnasial-
directionen und Behörden mein Hülfsbuch aufgenommen und eingeführt haben, stellt mir in Aussicht, bald in einer neuen Ausgabe die
nothwendigsten Verbesserungen anbringen zu können.

Berlin, im November 1855.   *Dr. Hollenberg.*

Register zu Band LXXII.

I. Inhaltsverzeichnis.

von Behörden. Frankf. a. M. 262.
Hamburg 475. Hannover 266. Nas-
sau 321. Oesterreich 203. 425.
Sachsen 271.

Vilmar: Reste der Allitteration im Nibelungenliede 558.

Volckmar: über die Stellung, welche
dem Unterrichte in den neueren Sprachen in den Gymnasien gebührt 468.

Wagner: Lehren der Weisheit u. Tugend 316.

Wedewer: klassisches Alterthum und

Christenthum mit besonderer Beziehung auf die Gelehrtenschulen 379.

Weishaupt: die englischen Praepositionen 24.

Werlhof, s. *Cavedoni.*

Wiegand: über die Naturwissenschaften 478.

Wiggert: vocabula latinae linguae
primitiva 80.

Wippermann: Grundrisz der Kirchengeschichte 445.

Zarncke: zur Nibelungenfrage 127.

II.   Verzeichnis der Mitarbeiter.

Ameis, Dr., Prof. in Mühlhausen.
Anz. v. Seyffert's Lesestücken 535.

Birkler, Prof. in Rottweil. Rec. vou
Seyffert's scholae latinae 329.

Breitenbach, Dr., Prof. in Wittenberg. Anz. v. Hausdörfer's Aphorismen 261.

Crecelius, Dr., in Dresden. Anz. v.
Vilmar: Reste der Allitteration im
Nibelungenliede 558.

Dietsch. Die Grundlagen d. Gymnasialbildung. 1. Rec. v. Grosz Schulatlas und Schiller's Europa u. die
Nebenländer 137. Das Programm-
meninstitut 586.

Fahle, Dr., Oberlehrer in Attendorn.
Anzeige von Pollacks Lehr- und
Uebungsbuch der Elementarmathe-
matik 375.

Flügel, Dr. *Fel.*, in Leipzig. Anz.
v. Baskerville's the poëtry of Germany 75.

Göbel, Dr., Oberlehrer in Düren. Anz.
von Pütz's Handbüchern der Weltgeschichte 240.

Gruber, Dr., *Joh. von*, Professor in
Stralsund. Anz. v. Schmidt's Elementarbuch der lat. Sprache 275.

Günther, Dr., *B.*, in Lissa. Anz. von
Michaelis: die Vereinfachungen der
deutschen Rechtschreibung 220.

Hense, Dr., *C. C.*, Oberlehrer in Hal-

berstadt. Rec. von Tennyson's Gedichten. Uebersetzt von Hertzberg
499.

Herrmann, Dr., Professor in Celle.
Anz. von Cavedoni's biblischer Numismatik, übers. v. *Werlhof* 553.

Högg, H., in Ellwangen. Wie eignet
sich der Schüler am besten den
nothwendigen Wortvorrath in der
lat. Sprache an? 249.

Hoffmann, Prof. in Ansbach. Anz. v.
Wagner's Lehren der Weisheit u.
Tugend 316.

Klosz, M., Director der K. Turnich-
rerbildungsanstalt in Dresden. Neues
vom Turnen 600.

Krause, Dr., Oberlehrer in Neustettin. Bemerkungen zu Siberti's u.
Meiring's lat. Schulgrammatik 458.

Lübker, Dr., *Frdr.*, Director in Parchim. Anz. von Roth: wie die Beschäftigung mit dem klassischen Alterthume der religiösen Jugendbildung förderlich sein könne 455.
Anz. von Schmidt's Essai und von
Lasaulx Untergang des Hellenismus
483.

Mommsen, Dr., *Tycho*, Prof. in Eisenach (jetzt in Marburg). Rec. von
Shakespeare's Hamlet, herausgeg.
u. erkl. von Delius 57. 108. 159.

Nauck, Dr., *C. W.*, Director zu Königsberg in der Neumark. Recens.
von lateinischen Vocabularien 80.

III. Namen der Personen, über welche Veränderungen oder Auszeichnungen berichtet worden sind.

Erlangen 103. Hoffmann in Danzig 59. — in Göttingen 527. Hoffmeister in Blankenburg 486. 581. Hohenwarter 380. Holmström † 534. Honegger † 481. Hooker 583. Hoppe 104. Houben † 534. Hribar 434. Huczynski 380. Hüppe 378. Hugi † 274. Hummel 327. Hundert 581. Hupfeld in Erlangen 426. — in Marburg 54. Huther 580.

Jacobi, von Königsberg nach Halle versetzt 208. — in Schulpforta † 482. von Jäger 52. Jäp 261. 268. Jahn, Otto, von Leipzig nach Bonn berufen 105. Jansen, von Meldorf nach Kiel versetzt 424. Janssen in Frankfurt a. M. 328. Jarisch 434. Jarz 208. Javurek 434. Jehlička † 434. Joachim 327. Jolly 152. Jungclaussen 424. Jungengel 468. Junckmann, von Braunsberg nach Breslau versetzt 479.

Kärcher 328. von Kaiser † 583. Kalkow 424. Kalmus 423. Kalssen 424. Kaltenbrunner † 56. Kamrad 582. Kapp in Soest 209. Katkic 208. Kehrein 208. Keil, Heinr., von Halle nach Berlin 434. Kelbe 582. Kemmer 582. Kern in Constanz 582. — in Stettin 208. Kernstok 208. Keszler 424. Kink 380. Kinzel 54. 428. Kirchhoff in Berlin 583. —, von Breslau nach Heidelberg berufen 153. Kirchner † 382. Kirschbaum 208. von Kittlitz 327. Kleinsorge 582. Klemensiewicz 54. Kloppe in Magdeburg 158. Klostermann 438. Klosz in Budissin 378. Knies 157. Köhler, Schulrath in Tirol 208. Kölle 380. Königsberger 105. Küpke 325. Köppen 327. Körner 105. Körnig 380. Köstlin 479. Koken 528. Kopp in Stargard 433. Koren 208. Kork 52. Kornacher 157. Kossak 582. Kotlinski 208. Kotrbelec 380. Kott 380. Koubek † 210. Kovacs 54. Kozacek 208. Kraffert 529. Krausz in Düsseldorf 577. — in Elberfeld 105. Krehl † 482. Kremp 46. 49. Křltz 380. Krug 368. Kübier 208. 480. Kühne in Gotha 158. Kühnemund 269. Kürschner 261. 424. Kuhn 46. 50. Kummer, von Breslau nach Berlin versetzt 479. Kurz in Salzburg 208.

Lacretelle † 274. de Lagarde (Böttcher) 258. 259. Lange, von Göttingen nach Prag berufen 274. — in Köln 582. von Langsdorff 47. Laroche in Dillingen 274, nach München versetzt 533. von Lassberg † 210. Latendorf 425. Lautkotsky 380. Lechner 150. Leidloff 528. Lejeune-Dirichlet 480. Leikert 533. Leiste † 423. Leitl 533. von Lengerke † 158. Lex 209. Lichtenauer 380. von Liebig 583. Liebner 479. Liesegang 52. Limpricht 55. Lindemann in Hannover 288. — in München † 158. Lindner 380. Linke 423. Linzbauer 208. Lobeck 480. Lobpreis 55. Löher 582. Löhnis † 434. Löwenthal 271. Lorenz, von Schleswig nach Soest berufen 380. Lowositz 52. Luber 532. Ludwig, von Zürich nach Wien berufen 380. Lücke † 158. 209. Lührs 269. Lüttgert 208. Luthardt 526. Lutz in Schweinfurt 157.

Macher 208. Macht 380. Märkel 479. Magendie † 583. Magnus 105. Mailáth, Graf † 105. Mainardi 55. Majocchi † 105. Mang † 530. Marimonti 208. Marmé 582. Marosch 208. Marten 208. Martin in Rennes 380. Martius 52. Marx 378. Matzke 157. Mayer in Freiburg im Breisgau † 534. — in Kempten 534. Mayring 468. Megnin 380. Meier in Halle 55. — in Helmstädt 423. Meiszner in Dresden 274. —, von Göttingen nach Basel berufen 582. — in Zerbst 273. Menin 55. Menzel in Breslau † 482. Menzl 105. Meschutar 380. Metzler 209. von Meyer in Petersburg † 328. — in Wolffenbüttel † 478. Mezger in Augsburg 576. Michaelis in Magdeburg 158. —, von Stralsund nach Salzwedel versetzt 324. Mikulas 208. Miller 533. Mischiato 208. Mischler 380. Mittermaier in Aschaffenburg 534. Močnik 208. Möhring 327. Möller in Gotha 423. — in Hermannstadt 105. Möricke 328. Mörtl 533.

---

*) So ist dort der Name zu berichtigen.

IV. Ortsregister.